国 家 出 版 基 金 资 助 项 目

②

# 秦岭昆虫志

## 半翅目　异翅亚目

总 主 编　杨星科
本卷主编　卜文俊　刘国卿
副 主 编　郑乐怡　任树芝

世界图书出版公司
西安 北京 上海 广州

**图书在版编目(CIP)数据**

秦岭昆虫志. 2, 半翅目. 异翅亚目 / 卜文俊, 刘国卿主编. —西安:世界图书出版西安有限公司, 2018.1
ISBN 978 - 7 - 5192 - 4037 - 0

Ⅰ. ①秦… Ⅱ. ①卜… ②刘… Ⅲ. ①秦岭—昆虫志 ②秦岭—异翅亚目—昆虫志 Ⅳ. ①Q968.224.1

中国版本图书馆 CIP 数据核字(2018)第 063177 号

| | |
|---|---|
| 书　　名 | 秦岭昆虫志·半翅目　异翅亚目 |
| 总 主 编 | 杨星科 |
| 本卷主编 | 卜文俊　刘国卿 |
| 副 主 编 | 郑乐怡　任树芝 |
| 策　　划 | 赵亚强 |
| 责任编辑 | 冀彩霞　孙　蓉 |
| 装帧设计 | 诗风文化 |
| 出版发行 | 世界图书出版西安有限公司 |
| 地　　址 | 西安市北大街 85 号 |
| 邮　　编 | 710003 |
| 电　　话 | 029 - 87214941　87233647(市场营销部)<br>029 - 87234767(总编室) |
| 网　　址 | http://www.wpcxa.com |
| 邮　　箱 | xast@wpcxa.com |
| 经　　销 | 新华书店 |
| 印　　刷 | 陕西博文印务有限责任公司 |
| 开　　本 | 787mm × 1092mm　1/16 |
| 印　　张 | 44.5 |
| 插　　页 | 5 |
| 字　　数 | 900 千字 |
| 版　　次 | 2018 年 1 月第 1 版　2018 年 1 月第 1 次印刷 |
| 国际书号 | ISBN 978 - 7 - 5192 - 4037 - 0 |
| 定　　价 | 420.00 元 |

# 内容简介

本志为《秦岭昆虫志》第二卷。异翅亚目昆虫已知有 42000 余种，在世界各大动物地理区均有分布。中国异翅亚目已知有 4000 余种，其中陕西秦岭地区已知 36 科 227 属 407 种。本志是对陕西秦岭地区半翅目异翅亚目昆虫区系的全面总结，是科学基础数据的总结和记载，将为这一区域生物多样性研究与保护、生态学研究，以及动物资源的保护、开发与合理利用提供科学依据。

## 《秦岭昆虫志》编委会

# 《秦岭昆虫志·半翅目　异翅亚目》编委会

# 序

秦岭是我国最古老的山脉之一，在我国生物地理上占据着重要地位。它是我国南北气候的分水岭，环境的复杂性成就了生物的多样性，因此受到了世界的高度关注。关于秦岭的生物资源、区系组成、分布格局等，植物和大型动物都有较为系统的研究和显著的成果，《秦岭植物志》《秦岭动物志》陆续问世，而无脊椎动物研究却一直属于空白。

杨星科研究员长期从事昆虫区系的研究，先后组织开展过多次大型科学考察，并且都有很好的成果以专著、考察报告等形式展现给大家，为我国的昆虫多样性研究做出了实质性的贡献。2013 年，他利用在中国科学院西安分院、陕西省科学院工作的机会，积极争取项目支持，团结全国同行，全面开展秦岭地区昆虫资源的考察。通过 3 年的野外工作，在大家的共同努力下，完成了《秦岭昆虫志》这部 12 卷册的巨著。《秦岭昆虫志》所包括的种类是原已知种类的 2 倍，编写完全按照志书的规则，不同阶元都有鉴别特征及检索表，属、种都有科学引证，在保证种类准确性的同时，为大家提供了更为广泛的信息，文后附有详细的参考文献，有力地保证了《秦岭昆虫志》的质量和水平，使这套志书具有很高的科学价值和应用价值，我相信这套志书的出版必定会对我国乃至世界昆虫多样性研究产生深远的影响。

生物多样性研究，直接关系到生物资源的合理开发与科学利用，关系到生态系统的平衡与可持续发展，关系到友好型生态环境的建设。我国地域广阔，地形复杂多样，生物多样性极为丰富。但是，我国昆虫资源家底远不清楚，昆虫多样性研究与国际相比相差甚远。如何改变这种现状，在需要国家政策支持的同时，更需要我们同行的共同努力。《秦岭昆虫志》的完成与问世，为我们大家起到了很好的示范与引领作用。

随着全球化的发展态势，世界各国、不同地域之间的各种交流、来往、贸易、物流等出现新的模式和高频次现象，这也给我们带来巨大的挑战。首先是生物安全问题，随着贸易往来、物流循环、人员交流的不断增长，外来入侵生物的入侵形势严峻，农林生产及生态环境的安全威胁加大；其次是生物产业作为未来战略新兴产业，对生物资源的挖掘与开发日趋强化，生物资源的研究与保护已不仅仅是一个科学问题。这些都关系到我们国家的经济与社会发展战略。昆虫是生物界最大的家族，蕴藏着巨大的资源，摸清昆虫资源家底，不但可以有效应对外来生物入侵，破解生物安全的威胁，同时也可以对我国生物资源的保护和利用做出实质性的贡献，这是我们科技工作者义不容辞的责任和义务。我衷心希望我国昆虫界的同仁们，在国家建设科技强国战略的指引下，大家齐心协力，共同努力，把我国昆虫多样性研究推向一个新的水平，真正服务于国家战略需求！

这或许是《秦岭昆虫志》带给我们的启迪吧！

是为序！

**中国科学院院士**

**中国科学院上海植物生理生态研究所研究员** 尹文英

**2016 年 11 月于上海**

# 出版前言

秦岭自西向东横贯我国中部，是长江、黄河两大水系的分水岭，西起甘肃临洮，东抵河南鲁山，东西长达500km，南北宽140～200km，地处北纬32°5′～34°45′，东经104°30′～115°52′。秦岭西部比较陡峭，海拔较高，一般在2000～3000m；东部比较舒缓，海拔较低，一般在2000m以下。它是古北区和东洋区的分界线，同时为亚热带、暖温带的分界线，亚热带常绿阔叶林的分布北线。该地区具有从一种自然地理条件向另一种自然过渡、从一种地质构造单元向另一种构造单元过渡的特性。同时，秦岭作为我国大陆青藏高原以东的最高山地，具有自己独特的垂直景观带谱。正因为秦岭山地地理位置的特殊性，使得其物种多样性非常丰富且具较强的区域特异性，一直是生物分类学和生物地理学研究的热点区域。然而，之前对该地区昆虫区系研究多较为零散，缺乏系统的专著。

1997年，中国科学院生命科学院生物技术局设立“关键地区生物资源综合考察及其评价”重大项目，并于1998～1999年由项目主持单位组织考察秦岭西段和甘肃南部地区。在此研究基础上，形成了2005年出版的《秦岭西段及甘南地区昆虫》这一专著。该书对于秦岭西部地区的昆虫类群的系统研究有着重要意义，推动了对该区生物多样性的研究，也让更多的人认识到了秦岭地区的重要性。然而，由于其工作多集中在秦岭西部地区，对秦岭中、东部地区的调查较少，未能反映整个秦岭地区昆虫的全貌。为了全面系统地评价和利用秦岭昆虫资源，我们在陕西省财政厅科技专项经费的支持下，在陕西省科学院的大力帮助下，从2012年开始，再次进行了为期3年的野外调查工作，在借鉴秦岭西段研究结果的基础上，重点加强了秦岭中、东部地区的调查工作。参加野外工作的包括陕西省动物研究所、西北农林科技大学、陕西师范大学、中国科学院动物研究所、南开大学、浙江大学、河北大学、中国农业大学、中南科技大学等十多家单位，计120多人次，共获得昆虫标本50余万号，进一步完善了秦岭地区昆虫多样性资料，为编写《秦岭昆虫志》奠定了良好基础。

《秦岭昆虫志》按照《中国动物志》的编写体例进行编写，顺序上参照六足动物的系统关系；各目按照系统发育关系，以科为单元进行编写，科下各属按照系统关系排序，属内各种以种名的首字母顺序编排，各阶元都有鉴别特征和检索表，属、种都有科学引证，文后附参考文献。为了准确体现各位专家的劳动，除了《秦岭昆虫志》编委会外，各卷都有本卷的编委会，各科作者署名紧跟其后。

《秦岭昆虫志》共分为十二卷：第一卷由廉振民教授主编，包括无翅昆虫、蜉蝣目、蜻蜓目、襀翅目、蜚蠊目、等翅目、螳螂目、革翅目、直翅目、竹节虫目；第二卷由卜文俊教授主编，包括半翅目异翅亚目；第三卷由张雅林教授主编，包括半翅目同翅亚目；第四卷由花保祯教授主编，包括蝎目、缨翅目、广翅目、蛇蛉目、脉翅目、毛翅目、长翅目；第五卷鞘翅目（一）由杨星科、葛斯琴研究员主编，包括步甲科、龙虱科、牙甲总科、隐翅虫总科、金龟总科、花甲总科、丸甲总科、长蠹总科、吉丁甲总科、叩甲总科、郭公甲总科、扁甲总科、拟步甲总科等；第六卷鞘翅目（二）由林美英博士主编，包括暗天牛科、瘦天牛科和天牛科；第七卷鞘翅目（三）由杨星科、张润志研究员主编，主要包括叶甲总科（除去天牛类）、象甲总科；第八卷鳞翅目由薛大勇研究员、韩红香和姜楠博士主编，包括大蛾类；第九卷鳞翅目（二）由房丽君研究员主编，包括蝶类；第十卷由杨定教授、王孟卿副研究员和董慧博士主编，包括双翅目；第十一卷由陈学新教授主编，包括膜翅目。十一卷共记述了秦岭地区六足类4纲27目334科3325属7496种，其中包括1个新属、27个新种、12个中国新纪录属、34个新纪录种、42个陕西新纪录属、260个陕西新纪录种。需要说明的是：鳞翅目小蛾类已由南开大学李后魂教授主编先期出版，我们这次没有组织重新编写；另有部分目、科因为国内没有专家研究，因此没有办法编写。为了弥补缺憾，系统总结陕西秦岭地区已知昆虫种类，同时也便于读者使用，由唐周怀研究员、杨美霞博士主编，完成了《陕西昆虫名录》，作为本志的第十二卷。

目前，《秦岭昆虫志》即将付梓。该项目成果的获得，是全国广大同行通力合作、共同努力的结果，凝聚了昆虫分类学者忠诚于神圣事业的集体智慧。项目主持单位、《秦岭昆虫志》编委会对各卷主编的辛勤劳动和各位专家的全力支持、无私奉献表示衷心的感谢！对大家的科学精神表示敬佩！

在项目立项初期，白明博士在项目建议书的起草、成稿等方面做了大量工作；张雅林、廉振民等多位教授提出了许多宝贵意见；陕西省财政厅教科文处在项目申请和审批方面给予了诸多指导和帮助。在项目执行过程中，陕西省动物研究所领导给予了全力的支持，唐周怀研究员对野外工作给予了多方面的协调和帮助。

在本志编写过程中，尹文英院士、印象初院士、康乐院士分别给予了不同程度的鼓励、支持、指导和帮助，特别是尹文英院士在大病初愈的情况下欣然为本志写序，让我们深受鼓舞和激励！

在本志的统稿过程中，杨美霞博士付出了巨大的劳动，崔俊芝女士和郭明霞同学在文字整理、格式修改、学名审核等方面做了大量的工作。本书的出版，得到了世界图书出版有限公司的鼎力支持，特别是薛春民先生的全力支持与帮助，责任编辑同志亦付出了的艰辛的努力和辛勤的劳动，终使本志得以顺利出版。

本志的出版得到陕西省科学院财政专项资金的部分资助。

我们谨借此对以上相关单位和个人，以及在项目执行和出版过程中提供帮助和做出贡献的同志表示衷心的感谢！

由于我们的水平所限，本志的错误和缺憾在所难免，诚望大家不吝赐教！

**《秦岭昆虫志》编委会**

**2017 年 10 月于古城西安**

# Preface

Through the middle China from the West to the East, the Qinling Mountains provide a natural boundary between the Yangtze River and the Yellow River, the two major river systems in China. Located around the latitude 32°5′ – 34°45′N and the longitude 104°30′ – 115°52′E, they stretch from Lintao, Gansu Province in the west to Lushan, Henan Province in the east, with the length of 500km from west to east and the breadth of 140 – 200km from north to south. The west part of the Qinling Mountains is considerably steep, with higher elevations of 2000 – 3000m, while the east part is comparatively gentle, with lower elevation generally below 2000m. The Qinling Mountains are generally accepted as the boundary between Palaearctic and Oriental Regions, subtropical and warm temperate zones, as well as the north line of distribution of subtropical evergreen broad-leaved forests. This region is characterized by transition from one natural geographical condition to another and one geological structure unit to another. Furthermore, the Qinling Mountains, as the highest mountain in the east of the Qinghai-Tibet Plateau, have their own unique vertical landscape spectrum. Because of the special geographical location of the Qinling Mountains Range, it is rich in species diversity and has strong regional endemism, which constantly makes it research hotspot both for taxonomy and biogeography. However, the study of insect fauna in this area is fragmented and still lacks systematic monographs.

In 1997, the Biotechnology Bureau of the Chinese Academy of Sciences established a major Project of "Comprehensive Survey and Evaluation of Biological Resources in Key Regions". In 1998 – 1999, the presider of this project investigated the western part of Qinling range and southern Gansu. On the basis of these expeditions, a monograph entitled *Insect Fauna of Mid-West Qinling Range and Southern Gansu* was published in 2005. This book is of great significance for the systematic study of insects in the western Qinling region. It has promoted the study of biodiversity in this region and made more people realize the importance of Qinling region. However, since its work is mainly concentrated on the west part of Qinling, there are little surveys in the mid-east part, which hardly reflects the true state of the insect fauna of the entire Qinling Mountains. In order to comprehensively and systematically evaluate and utilize the insect resources of the Qinling Mountains, funded by special expenses of Science and Technology Project from the Financial Department of Shaanxi Province, as well as the help from Shaanxi Academy of Sciences, we have carried out a three-year field survey since 2012. Based on the expedition results of the western region, we have paid more attention to the eastern part of the Qinling Mountains during the investigations. More than 120 researchers from over 10 institutions participated in the field work, including Shaanxi Institute of Zoology, Northwest A & F University, Shaanxi Normal University, Institute of Zoology, Chinese Academy of Sciences, Nankai University, Zhejiang University, Hebei University, China Agricultural University, Central South University of Forestry and Technology etc. Over half million insect specimens were collected, which would greatly improve the biodiversity data of insect fauna in the Qinling region and lay a good foundation for the compiling of the monograph *Insect Fauna of the Qinling Mountains*.

The compiling style of *Insect Fauna of the Qinling Mountains* is mainly in accordance with *Fauna Sinica*, and the sequence is based on the systematic relationship of the hexapod system. The compiling of each order is according to the phylogenetic relationship and one family is taken as a unit. Below the family, the sequence of each genus is also according to the phylogenetic relationship, while below the genus, the arrangement of species is in alphabetical order. Each species is sorted according to the first letter. Each category is accompanied by identification feature and identification key, and each genus, as well as each species has scientific citation. At the end, references are attached. In order to accurately reflect the work of every specialist, apart from the Editorial Board of *Insect Fauna of the Qinling Mountains*, the Editorial Board for each volume is also provided, and the authors for each family immediately follow the family name.

There are totally 12 volumes for *Insect Fauna of the Qinling Mountains*. Volume Ⅰ is edited by Professor Lian Zhenmin, and includes apterygot insects, Ephemeroptera, Odonata, Plecoptera, Blattodea, Isoptera, Mantodea, Dermaptera, Orthoptera and Phasmatodea. Volume Ⅱ is edited by Professor Bu Wenjun, and includes Hemiptera-Heteroptera. Volume Ⅲ is edited by Professor Zhang Yalin, and includes Hemiptera-Homoptera. Volume Ⅳ is edited by Professor Hua Baozhen, and includes Psocoptera, Thysanoptera, Megaloptera, Raphidioptera, Neuroptera, Trichoptera and Mecoptera. Volume Ⅴ (Coleoptera Ⅰ) is jointly edited by Professor Yang Xingke and Ge Siqin, and includes Carabidae, Dytiscidae, Hydrophiloidea, Staphylinoidea, Scarabaeoidea, Dascilloidea, Byrrhoidea, Dryopoidea, Buprestoidea, Elateroidea, Cleroidea, Cujoidea and Tenebrionoidea. Volume Ⅵ (ColeopteraⅡ) is edited by Dr. Lin Meiying, and includes

Vesperidae, Disteniidae and Cerambycidae. Volume Ⅶ (Coleoptera Ⅲ) is jointly edited by Professor Yang Xingke and Zhang Runzhi, and includes Chrysomeloidea (except Cerambycid-beetles) and Curculionoidea. Volume Ⅷ (Lepidoptera Ⅰ) is jointly edited by Professor Xue Dayong, Dr. Han Hongxiang and Jiang Nan, and includes large moths. Volume Ⅸ (Lepidoptera Ⅱ) is edited by Professor Fang Lijun, and includes exclusively butterflies. Volume Ⅹ is edited by Professor Yang Ding, Associate Prof. Wang Mengqing and Dr. Dong Hui, and includes Diptera. Volume Ⅺ is edited by Professor Chen Xuexin, and includes Hymenoptera. There are totally 4 classes, 27 orders, 334 families, 3325 genera and 7496 species of Hexapoda recorded in the 11 volumes of this series, including one new genus and 27 new species. For the new record, there are 12 genera and 34 species from China, as well as 42 genera and 260 species from Shaanxi Province. It should be noted that the contents of Microlepidoptera have been published previously by Professor Li Houhun, Nankai University, therefore, we haven't rewritten the same context. Besides, due to the unavailability of suitable specialists, some insect groups unavoidably are not covered in this series. In order to make up for this defect and systematically summarize the known species of insects, as well as make convenience for the readers, the book *Insect Fauna of Shaanxi Province*, was jointly compiled by Prof. Tang Zhouhuai and Dr. Yang Meixia, which will be the twelfth volume of this series.

Currently, 12 volumes have been completed and are ready for publication. The achievements should be addressed to the cooperation and collective intelligence of numerous entomologists throughout China. The project presiding institution and the editorial board are highly appreciated with all specialists' hard work, full support and unselfish dedication!

During the initial stage of the program, Dr. Bai Ming had contributed a lot to the drafting of the research proposal. Prof. Zhang Yalin and Prof. Lian Zhenmin had proposed many valuable comments. The Financial Department of Shaanxi Province had given a lot of guidance and helps during the application process and final approval of the program. During the conduction of the program, the authority of Shaanxi Institute of Zoology had given a full support to the research. Prof. Tang Zhouhuai had made a lot of coordination and assistances in the fieldwork.

In the preparation of this series of books, Academicians Yin Wenying, Yin Xiangchu and Kang Le had provided various degrees of encouragement, supports, guidance and help! In particular, Prof. Yin Wenying readily consented to write the preface even though she had just recovered from a severe illness, which really made us encouraged and inspired!

In the process of drafting preparation, Dr. Yang Meixia had paid a great labor. Mrs. Cui Junzhi and Miss Guo Mingxia had done a lot of work in word polishing, format adjustment, and terms checking. While, the publication of this series have obtained great support from World Publishing Corporation, especially Mr. Xue Chunmin. The executive editors have also made a lot of hard work.

The publication of this series of books is partly funded by the special finance of the Shaanxi Academy of Sciences.

We would like to express our heartfelt gratitude to the above-mentioned institutes and individuals, as well as those not mentioned above but provided various assistances in the implementation period of the program, drafting preparation and publication.

Due to the limitations of our expertise, there are inevitable mistakes and shortcomings in this series. We sincerely expect you to enlighten us with your instruction!

**Editorial Board of *Insect Fauna of the Qinling Mountains***

# 前　言

陕西省地势南北高，中间低，地貌类型多样，北部为黄土高原，南部为秦巴山地，中部是渭河平原。秦巴山地由秦岭和大巴山组成，中隔汉水谷地。秦岭海拔 2000 米以上，是长江流域和黄河流域的主要分水岭，也是暖温带和亚热带及地理上南方和北方的分界线。主峰太白山海拔 3767 米，是青藏高原以东著名的高峰，山间原有自然面貌保存很好，有典型的第四纪冰川地貌。由于地貌多样，该地区生物资源种类非常丰富，且生长量大。有森林面积 470.8 万公顷，林木蓄积量 2.95 亿立方米。仅秦巴山区就有经济价值较高的植物 2150 多种，还有许多栽培植物的原始类型和野生亲缘种，是我国最大的生物基因库之一。有兽类 140 多种，鸟类 360 多种，两栖爬行类 60 余种。如此丰富的动植物资源、复杂的地貌、多变的气温为昆虫的生存和栖息提供了赖以生存的场所。

异翅亚目 Heteroptera 隶属昆虫纲 Insecta 半翅目 Hemiptera，常被称为蝽类昆虫，其中有些是危害农作物、果树、林木等的昆虫，有些是非常重要的卫生昆虫或疾病媒介昆虫，常给人类的健康带来一定的危害。此类昆虫在该地区分布广泛，种类丰富。本志是在多年对陕西省境内秦岭地区蝽类昆虫研究成果的基础上进行编著的。师生多次在不同的时间和不同地区的考察，收集了大量的昆虫标本，对所收集的标本进行整理、研究，为本书能顺利与读者见面奠定了基础。本书中的分类单元是按英文字母次序排列，各单元尽可能引证原始文献，对所列出的种的形态特征、量度、采集记录、分布、生物学等给予了较全面的记述。

本志主要由两部分内容组成，即总论和各论。在总论中，简要介绍了该类群在国内外的研究简况、形态特征、生物学等内容。在各论中，主要记述了陕西省境内目前已知的半翅目异翅亚目昆虫 407 种，隶属 227 属 36 科，其中包括 3 个新种，5 个中国新纪录种。文中提供了分科、属、种检索表，并提供了虫体特征插图 157 幅，整体彩色图片 77 幅。为了读者查阅方便，本志还提供了中名索引和学名索引及主要参考文献。

在本志编写过程中，中国科学院西安分院、中国科学院动物研究所、上海昆虫博物馆、西北农林科技大学、陕西师范大学等单位及兄弟院校给予了大力支持，在此表示衷心感谢。亦衷心感谢中国科学院动物研究所杨星科研究员（中国科学院西安分院党组书记）在项目经费等多方面提供的各项帮助，感谢该地区各自然保护区在考察过程中所给予的方便。

由于编著者能力所限，标本收集不尽齐全，难免有所挂漏，敬请读者批评指正。

**卜文俊　刘国卿**

**南开大学昆虫学研究所**

2017. 6. 24 於南开园

# 目 录

## 总 论



## 各 论

# 总 论

刘国卿 卜文俊 郑乐怡
(南开大学昆虫研究所，天津 300071)

半翅目异翅亚目昆虫一般称为“蝽类”，在本书中作为“广义”半翅目 Hemiptera，sen. lat 中的一个亚目对待，但在以往的一些文献中被视为一个独立的目(半翅目)，与同翅目并立。如为后一种处理，可以称为“狭义”半翅目 Hemiptera，sen. Stric。

主要鉴别特征为：口器(喙)基部从头的前端发出，头的腹面有较明显的外咽片(gula)，触角一般为4节或5节，前翅在大部分类群中基半骨化成为半鞘翅，后翅脉强烈变形，具有臭腺。半鞘翅为异翅亚目的重要特征，但若干类群这一特征并不明显或不存在。异翅亚目昆虫世界范围已知42000余种(Henry，2009)，是昆虫纲中的大类之一。全世界各大动物地理区均有分布。中国异翅亚目已知4000余种。

## 一、研究简史

### 1. 世界研究简史概况

Hemiptera 这一名称最早由林奈(Linnaeus)于1735年建立，当时的含义混杂。至1758年，林奈在其《自然系统》(Systema Naturae)第10版中加以修订，在此名下包括广义的半翅类(即蝽类、蝉类、蚜虫和蚧虫)以及蓟马。当时已提出以翅和喙的特点作为此类的分类依据。

其后，Fabricius(1775)使用 Rhyngota(= Rhynchota)作为半翅类的名称，在该名下还包括了蚤类，后被降为 Hemiptera 的异名。

1810年，Latreille 首次将广义的半翅类分为 Homoptera(同翅类)和 Heteroptera(异翅类)两个大类，随后并依据触角的不同将 Heteroptera 分为陆栖组(Geocorisae)和水栖组(Hydrocorisae)两类。Dufour(1833)从陆栖组中将水面生活的类群分出，成立了另一与之平行的两栖组(Amphicorisae)。1861年，Fieber 提出显角类(Gymnocerata)和隐角类(Cryptocerata)两个名称，与 Latreille 的陆栖组以及水栖组完全相当。

异翅类主要科的建立与划分在19世纪上半叶已大体完成。早期的分类工作开始于欧洲区系的研究。Fieber(1861)的《欧洲半翅目》一书为该时期的代表作。其后，以瑞典人 C. Stål 和芬兰人 O. M. Reuter 为首的一批学者，将世界范围内的种类进行描述和记载，为整个异翅类的分类工作奠定了基础。在上述大类以下的早期分类系统中，由于认识不足，常依据表面的相似归类，故出现一些差异颇大的不同系统。因此分歧和争论颇多，没有定论。

自 20 世纪上半叶起，比较形态学研究逐渐出现，大量的研究成果为建立更合理的分类系统提供了有力的依据，并且影响巨大。例如：Tullgren(1918)根据腹部毛点毛的特征建立了毛点类(Trichophora)，可谓是现代分类系统中“蝽次目”的雏形；Singh-Pruthi(1925)关于雄虫外生殖器最早期的比较研究开始揭示在陆栖组中存在着不同类型，划分了相当于现在意义上的“蝽次目”的大体界限，等等。在总体认识加深的基础上，Leston，Pendergrast & Southwood(1956)首先提出将陆栖组正式划分为 Cimicomorpha 和 Pentatomomorpha 两类。1975 年 Štys & Kerzhner 总结了这一时期的研究结果，提出将异翅类分为 7 个次目：奇蝽次目(Enicocephalomorpha)、鞭蝽次目(Dipsocoromorpha)、黾蝽次目(Gerromorpha)、蝎蝽次目(Nepomorpha)、细蝽次目(Leptopodomorpha)、臭虫次目(Cimicomorpha)和蝽次目(Pentatomomorpha)，这一体系得到了后续研究者基于形态特征和分子数据所进行的系统发育研究的支持和普遍的认同。

关于异翅类的分科情况，Horvath (1911)分为 41 科，China & Miller(1959)的世界分科检索表包括 54 科，Štys & Kerzhner (1975)为 73 科，Schuh & Slater (1995)分为 75 科。近年的分类系统扩为 89 科(Henry，2009)，反映了不同时代在分科方面的主流意见和变化。科的数目增加主要在于，人们对某些类群的认识加深后，将其提升至科级水平。

**2. 中国研究简况**

关于中国的异翅亚目昆虫区系，早年只有外国学者的零星记载。1935 年胡经甫在《中国昆虫目录》中共记录 32 科 876 种。我国学者的工作起始于 20 世纪 30 年代杨惟义教授关于蝽总科的研究和 40 年代萧采瑜教授关于盲蝽科的研究。杨惟义先生于 1962 年编著了《中国经济昆虫志半翅目蝽科》。70 年代中后期，国内参与研究的人员逐年增加，研究的类群开始有所扩展。萧采瑜、郑乐怡、任树芝、刘胜利先生于 1977 年和 1981 年先后编著出版了《中国蝽类昆虫鉴定手册》1、2 卷，共记载 1710 种，其中包括 152 个科学上的新种，中国新纪录 233 种。任树芝先生于 1992 年编著出版了《中国半翅目昆虫卵图志》，书中描了 35 科 230 余种昆虫卵。章士美等人于 1985 年和 1995 年编著出版了《中国经济昆虫志：半翅目》1、2 册，描述了半翅目中一些重要经济种类形态和一些生物学的相关内容。1998 年出版了由能乃扎布主编的《内蒙古昆虫志半翅目异翅亚目》第 1 卷第 1 册，共记述 197 种。2009 年中国农业科学技术出版社出版了刘国卿、卜文俊主编的《河北动物志：半翅目：异翅亚目》一书，记述 375 种。此外还有更多的人员对该类群进行了分类研究工作，发表了专著，如：任树芝于 1998 年编著出版了《中国动物志昆虫纲 13 卷半翅目姬蝽科》，记述 76 种；卜文俊与郑乐怡于 2001 年编著出版了《中国动物志昆虫纲 24 卷半翅目毛唇花蝽科、细角花蝽科、花蝽科》，记述 93 种；2004 年郑乐怡教授等编著出版了《中国动物志昆虫纲 33 卷：半翅目盲蝽科盲蝽亚科》，记述 403 种；2014 年刘国卿教授等编著出版了《中国动物志半翅目盲蝽科合垫盲蝽亚科》，记载 122 种，此外还发表了大量期刊论文，在此不一一赘述。上述研究丰富了中国异翅亚目昆虫区系的研究内容。

# 二、形态结构特征

**1. 成虫**

(1) 头部

1) 一般构造

异翅亚目昆虫头壳构造的基本特点是：各部分较明显地愈合成为一体，其间的界限(或沟缝)消失；同时出现一些新的沟缝和骨片构造。这些都是适应刺吸式的取食方式和口器特化而形成的演变结果。头顶与额愈合(图 1：o，l)，成为额-头顶区(fronto-vertex)，几乎占据头部背面的全部。根据 Parsons (1962) 关于跳蝽 *Saldula pallipes* 的研究，5 龄若虫的头部可见倒“Y”形的蜕裂线，此线 2 条侧臂的分歧点位于单眼略前，由于幼期蜕裂线侧臂所包围的区域与成虫期的额区大致相同，故认为在一般情况下，单眼前方不远的水平位置为其头顶和额的分界处。成虫期只有极个别种类在额-头顶区域中具有中纵缝(头盖缝中臂)、“Y”形缝线(头盖缝)或其痕迹。此类昆虫的唇基相对发达(图 1：p)，但额与后唇基(postclypeus)区域之间亦无缝线分割，常合称为额唇基(fronto-clypeus)，只在少数种类中，后唇基区略为隆出，可以大致与额区别。前唇基(图 1：p)成为头部最前方的中央狭长骨片，两侧以缝线为界限，但其基部与后唇基之间一般也无界线划分。前唇基(anteclypeus)在分类文献中常称为“中叶”(或“唇基端”)(tylus)。前唇基的两侧，在头的前侧端可以区分出 2 对狭长的骨片状构造，靠近前唇基者称为“上颚片”(或“侧叶”“侧唇舌”)(mandibular plate，paraclypeus，jugum，“lorum”)(图 1：n)，上颚片外侧或腹侧的部位为下颚片(或“舌侧片”)(maxillary plate，“lorum”)(图 1：q)。两者的基端与邻近的头壳区域之间无界限划分，但上颚片与下颚片之间有缝线分隔。

头部的侧方为颊区(图 1：u) 所占据，颊与其背面的额-头顶、腹面的外咽片，以及前面的上、下颚片之间均无明确的界限划分，其后部亦不能分辨后颊、后头等区域的界限。头部的腹面中央、颊的腹方为外咽片，伸展于后头孔与头前端(头的口孔后缘)之间，将下唇或喙的着生处与后头孔(或颈膜)明显分开，这是异翅类与同翅类昆虫不同处之一。外咽片前部常下凹成沟状，喙的基段在静止时常置于此沟中，称“喙沟”(rostral groove)。下颚片的腹缘可向腹面延伸成 1 枚垂直的骨片，壁立于喙沟的两侧，称为“小颊”(或“颊叶”)(buccula，genal lobe，gular lobe)(图 1：r)。

多数类群具有 1 对单眼(图 1：v)，部分科中缺单眼。

幕骨系统极为退化，几乎不可见，为异翅类头部构造特点之一。前幕、后幕骨陷均不可辨。

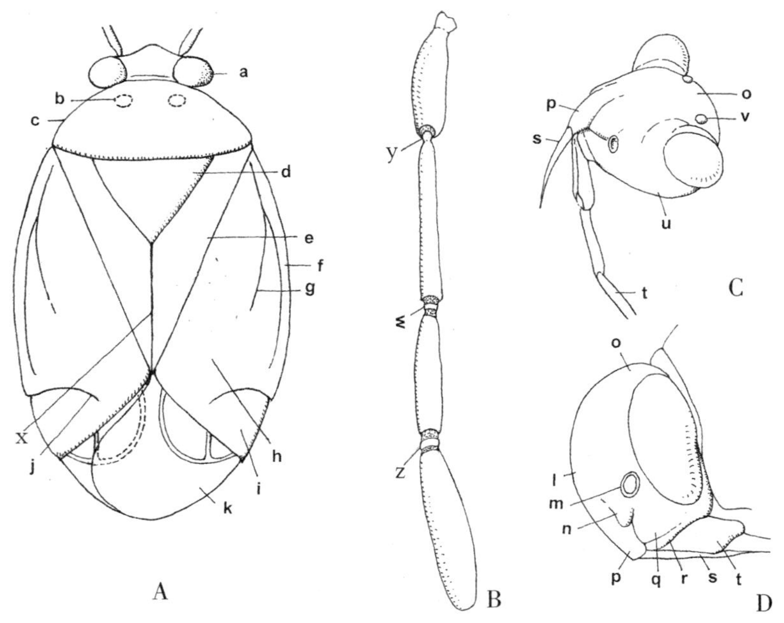


图 1 成虫及头部

A. 成虫背面观；B. 触角(长蝽科)；C. 头部背侧面观(长蝽科)；D. 头部侧面观(盲蝽科)

a. 复眼；b. 胝；c. 前胸背板；d. 中胸小盾片；e. 爪片；f. 缘片；g. 中裂；h. 革片；i. 楔片；j. 前缘裂( = 楔片缝)；k. 膜片；l. 额；m. 触角瘤；n. 上颚片；o. 头顶；p. 前唇基；q. 下颚片；r. 小颊；s. 上唇；t. 喙；u. 颊；v. 单眼；w. 鞭前节；x. 爪片接合线；y. 梗前节；z. 鞭内节

2) 口器

口器(rostrum)(图 1：t)由头的前端发出，尽管有时因为头部本身为垂直或向后倾斜的位置而造成口器着生处似乎与前胸前端相近，但实际上因在头部腹面有外咽片的存在，口器基部与头的后缘或后头孔总是不相接触的，因此这种接近只是表面的现象；亦即口器的发生处与前胸或前足基节并无直接的关联。

此类昆虫的口器为刺吸式口器。各成分全部变形为细长的构造。上唇(图 1：s)为简单的狭长三角形片，覆盖于喙基部的背面，上颚和下颚成极为细长的骨化口针，4 根口针嵌合组成一个口针束，成为取食时刺入食物的构造。一般情况下，左右 1 对下颚口针位于口针束的内方，彼此紧密嵌合，但可依长轴作短距离的相互滑动。各口针内侧背方与腹方各有 1 个半圆形的凹槽，左右两口针合拢时，这些凹槽组成背、腹 2 根细管，背面者为食物道(food canal)，所吸液体性食物经此管进入消化道，腹面的管道为唾液道(salivary canal)，由唾液腺分泌的唾液经此注入食物基质。而 1 对上颚口针则位于下颚口针的外侧，各侧的上、下颚口针之间亦可嵌合，并依长轴相互滑动。上颚口针的横切面呈新月形，常具很大的空腔，内侧凹面紧贴下颚口针外侧。在功能上，下颚口针为主要的刺入构造，上颚口针则起加固下颚口针的作用，并帮助将口针束固着在食物基质中，便于下颚口针进一步刺入或做横向运动。上、下颚口针的基部常有相当长的一段位于头壳的内部，其末端大体游离，依靠肌肉悬挂于头壳中。伸入头壳的部分长短不一，长者可达后头孔附近。一般向基端渐粗。2 对口针在头壳中的部分均有 1 个指向外侧的附器，上颚口针者称“上颚杆”(mandibulary lever)，杆状或三角形小片状，一般位于头壳的较前方，远端常以一关节与上颚片缝处的头壳内壁相连接；下颚口针的附器称“下颚杆”(maxillary lever)，常为 1 个细杆状构造，着生在下颚的偏基端处，远端与头壳内壁连接，或与位于头壳中央、食物泵下方的“V”形舌翼片(hypopharynx wing)相连接。Rieger (1976) 对异翅类口针基部构造及其肌肉配置和功能进行了系统的研究。近年来，扫描电镜的详细观察(Cobben，1978)揭示，下颚口针末端的细微结构在不同类群中常有很大的差异。在较低等的异翅类(捕食性)中，下颚口针末端在内侧表面常有极复杂的棘刺列、齿列和刚毛列等，纵向延续很长，有时左、右构造明显不对称。这些附器在左、右口针中的排列方向常相反，从而在口针合拢时形成极复杂的网络状结构，当口针在食物基质中抽动时，可起到撕碎、破坏食物组织、筛滤食物碎屑等作用。在植食性种类中，下颚口针末端常较光滑简单，无上述棘刺或刚毛列等构造。

在低等类群中，2 根下颚口针端部所形成的“口孔”(即食物的实际进入处)可以是一段较长的、结合较为松散的裂隙；这 1 个开口逐渐变小，最后限于末端处的小孔，两口针愈合的程度亦渐加大。在植食类群中，左右两口针愈合紧密，多直至末端，口孔亦小。两针的连锁构造亦精致发达。植食种类的上颚口针末端外侧常有倒刺或多列横脊，有助于固着于基质中。

下唇延长成 1 个细长的分节构造，向两侧上卷(此处的方向是按下唇向前直伸时的方位确定的)，并在中央相遇，内包 1 个空间，成 1 个在背方中央有 1 条纵缝的“假管”，将口针束包藏在内。下唇又称为喙管。在整个口器中一般外观可见的部分主要为下唇，纤细的口针包藏其中而不可见，或只见其末端露出于喙端之外。在大部分类群中，喙在不取食时，折转置于身体下方。下唇除划蝽科(Corixidae)为 1 节外，多数科为 4 节，少数为 3 节。

3) 触角

此类昆虫的触角(图 1：B)相对简单。其基型为 4 节构造(Leston，1956；Zrzavy，1990)。由柄节(scape)、梗节(pedicel)和两节的鞭节(flagellum)所组成。第 3、4 两节又分别称为“基鞭节”(basiflagellum)和“端鞭节”(distiflagellum)。大多数类群属于这种分节情况。

在上述基础上的主要变化有：

①第 3、4 节合并为 1 节。陆生类群中有澳蝽科(Phloeidae)、某些猎蝽科种类和少数蝽科种类；水生类群中有划蝽科的小划蝽亚科(Micornectinae)、仰蝽科的小仰蝽亚科(Anisopinae)。

②第1、2节合并为1节。见于澳蝽科和部分的蚤蝽科(Helotrephidae)。

③触角2节，第2~4节愈合为1节。见于蝎蝽科(Nepidae)部分种类，以及某些负子蝽科(Belostomatidae)成员。

④触角1节，4个触角节合并为1节。仅见于蚤蝽科中的某些亚科。

⑤触角5节，增加的1节是由于梗节一分为二所造成[即5节触角中的第2、3节，可称"亚梗节"(pedicellite)]，其节间常愈合紧密，缺关节，不能折弯。见于粗股蝽科(Pachynomidae)和蝽总科若干类群中的一些种类。

⑥触角5节，由基鞭节或端鞭节一分为二所造成，前者有猎蝽科的一些种类，后者则见于水蝽科、尺蝽科、膜蝽科和盲蝽科中的个别种类。

⑦触角多"节"，大量见于猎蝽科和盲蝽科中，是由于2个鞭节分为数目不等的环节所造成。蝽次目以外的各大类中均有一些种类具有此类触角。

水生类群的触角多数发生强烈的变形，并多隐藏于头部下方。陆生种类则多正常，并暴露在外。

4)眼

异翅亚目具两种类型眼：

①复眼，基本在各类中都有，形态各有变化，大小亦不同。

②单眼，结构相对简单，不是普遍在本类群中的每个个体，有些类群退化，如盲蝽科中的一些种类基本无单眼。

(2)胸部

1)胸节构造

异翅亚目昆虫的胸部具有"后动类昆虫"(飞翔的功能主要由后翅完成的类群，除半翅目外，尚有鞘翅目和直翅目)的一般特点，即前胸背板发达，在三个胸节中所占比例很大。

前胸背板(图1：c)常为四角形或六角形，前面的1对称为前角，后面的1对称为后角(在四角形背板中，有时此角称为侧角)；在六角形的前胸背板中，前、后角之间的1对角称为侧角，有时将后角称为后侧角。侧缘在六角形种类中，前角和侧角之间的部分称为前侧缘，侧角与后角之间的部分称为后侧缘。六角形种类中，侧角常突出，或伸长成棘刺状。前胸前缘区域可划分出一个狭环状的领部(collar)。在前胸背板的前部，常可分辨出1对略为隆起的区域，称为"胝"(callus)(图1：b)，胝区范围内的偏后方常有1对横列或斜列的狭长凹痕，有时弯曲或分叉，称为"印痕"或"眉印"(cicatrice)。前胸背板的后部常向后延伸并再向前折转成1个双层构造，向后覆盖在中胸背板上，此构造在形态学上称"前胸背板叶"(pronotal lobe)，因此真正的或形态学上的前胸背板后缘(亦即前、中胸背板间的节间膜着生之处)应在背板外观上的中部，隐于上层骨片的下方，外表不可见；但该处的位置在外观上常成1个横走凹痕，位于背板(外观上)胝后盘域的中部，将盘域分为前、后两叶，分类学文献称之为"前叶"(anterior lobe)和"后叶"(posterior lobe)。

前胸侧板的腹端有2个瓣片，覆盖在前足基节上方，前面的称"前侧片叶"(episternal lobe)(图 2：b)，后面的称“后侧片叶”(epimeral lobe)(图 2：c)，两叶之间有 1 条纵缝，称“基节臼裂”(coxal cleft)(图 2：g)，形成基节窝(acetabulum)的外盖。由基节臼裂的顶部上延，常可见纵走的前胸侧板缝(propleural suture)，此缝有时极短，且很不显著，因此常易将更为显著的基节臼裂误当作侧板缝；侧板缝前的区域为前侧片，缝后的区域为后侧片。上述的前、后侧片叶为前、后侧片下缘向下延伸形成的双层构造，由于这一变化，致使真正的侧板缝(尤其是下方的一段)常被隐藏于 2 个侧片叶下而从外观看不到。侧板与背板之间的界线常不清楚，只能以侧板缝顶端的水平位置作为界限的标准；异翅亚目中，这一位置常常并不在外观的前胸背板背面和侧面的交界处，而是更为偏下；因此，此类昆虫前胸背板的范围往往不止背面的部分，其侧方向下折转成为胸部侧面的一部分；在有些种类中，前胸背面和侧面之间成锐利的边缘或有 1 个隆脊，外观上似前胸背板的侧缘，在分类文献和实践中亦如此对待，但在形态学上这种构造则应是前胸背板范围内的结构。在多数种类中，由于身体相对较扁，前胸侧面常不呈侧位而多少呈腹位，与腹板几乎在同一平面上。

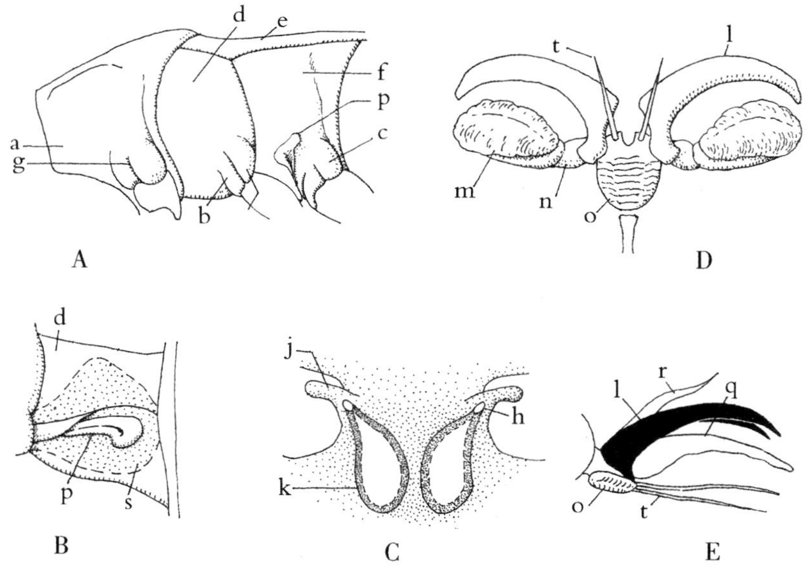


图 2 胸部构造

A. 胸部侧面观(长蝽科)；B. 臭腺沟缘及挥发域(土蝽科)；C. 侧式臭腺构造示意(仿 Carayon，1971)；D. 前跗节前面观；E. 膜蝽科前跗节示意(侧面观，仿 Cobben，1978 重绘)

a. 前胸侧板；b. 前侧片叶；c. 后侧片叶；d. 中胸侧片；e. 前翅；f. 后胸侧片；g. 基节臼裂；h. 臭腺开口；i. 基节窝；j. 腹板叉骨侧臂；k. 臭腺腺体；l. 爪；m. 端爪垫；n. 基爪垫；o. 掣爪片；p. 臭腺沟缘；q. 腹中垫；r. 背中垫；s. 挥发域；t. 副爪间突

前胸腹板位于前胸腹面的中央部分，面积常不大，后部位于前足基节之间，前部位于其两侧的前胸侧板之间，在外观上一般看不到与前胸侧板之间的界限。前胸腹板的后端有时成尖突状，在分类学文献中称为“剑突”(xyphus)。

中胸是3个胸节中最为发达的1节。在有翅种类中，由于前翅的遮盖，中胸背板骨化很弱，颜色亦淡。

中胸背板中，端背片(acrotergite)常极不发达，前背片(prescutum)中段常很狭窄或退化不见，两侧成狭条状。第1悬骨新月形，较小，中央有1条纵缝分割。主背片极为发达，成为中胸背板除小盾片以外的主要部分，但此部分在有翅种类中被后伸的前胸背板(前胸背板叶)所遮盖，外观不见，或只部分露出(如盲蝽科)。主背片侧缘近前端处有小突起状的前翅突(anterior wing process)，与前翅的第1关节片关联。主背片后为小盾片，一般比较发达，暴露在外，成三角形(图1：d)；后部向后延伸，然后向前折转成双层构造，与前胸背板叶类似，此延伸部分称“小盾叶”(scutellar lobe)；在蝽科等某些类群中显著发达，在盾蝽科(Scutelleridae)中可遮盖整个腹部；但在黾蝽次目(Gerromorpha)中则很小或完全退化。小盾片的侧缘有1个狭片，称“小盾侧片”(lateral scutellar sclerite)，其前端与前翅的后缘相关接；小盾侧片表面常下凹，前翅爪片内缘在翅静止时嵌合其中，在分类学文献中常将小盾侧片称为“frenum”。中胸后背片较小，隐于小盾片下，其后缘向下向前延伸成为发达的双层第2悬骨的前壁。

中胸侧板与腹板的构造与前胸相似。侧板常较发达，侧板缝以及前、后侧片的情况与前胸侧板相同。

后胸发达程度相对较差。后胸背板亦为前翅(与中胸小盾片)所遮盖，骨化较弱。整个背板成横列的带状，在中胸小盾片发达的种类中隐于小盾叶下。前背片常不能分辨，或成为前伸的第2悬骨后壁的一部分。主背片成简单的横带，其侧缘前端突出成后胸翅突(posterior notal wing process)，与后翅第1关节片关联；或中部成细带状，侧端区域成三角形的骨片，后者可多少游离。后胸小盾片成粗细不等的横带状，其侧端与后翅基部关联。后胸后背片外侧端与后胸后侧片相连。第3悬骨极为低小。

后胸侧板构造与中胸侧板相似。在多数的陆生类群中，后胸侧板前侧片叶的前腹方接近中胸侧板和后胸腹板之处有1个臭腺孔(scent gland orifice, scent gland ostium)(图2：h)，臭腺分泌物由此排出。由臭腺孔向背方常有1个沟痕，称臭腺沟，沟外常有丘状隆起或盖状构造，称“臭腺沟缘”(peritreme, ostiolar peritreme)(图2：p)。有时在臭腺孔或臭腺沟外有1个表面结构异常的区域，称“挥发域”(evaporative area)(图2：s)，可占据后胸侧板很大部分，有时可延至中胸侧板上。挥发域的表面具有各式褶皱、刻纹或蘑菇状的细微结构，使表面积增大，有利于流至此处的挥发性臭腺分泌物的迅速挥发。

2)翅

异翅亚目的前翅在静止时覆盖在身体背面，后翅藏于其下。前翅质地或多或少加厚，一般厚于后翅。在奇蝽次目鞭蝽次目、黾蝽次目和蝎蝽次目中，前翅质地常均匀一致，或者在端部附近逐渐变薄，故不成半鞘翅状。但在细蝽次目、臭虫次目、蝽次目和部分蝎蝽次目中，前翅则成典型的半鞘翅(hemelytra, hemielytra)(图1：A)：基部骨化加厚的部分称“革质部”，翅的前面边缘为Sc脉或C+Sc脉所在处，Sc脉前的区域或 C + Sc 区域常下折成狭片状，位于翅前缘的下方，称为“缘折”（hypocostal ridge，hypocostal lamina，hypocosta）。革质部靠近后部处有 1 条斜直的纵缝，称“爪片缝”（claval suture），缝后位于前翅基部最后方的狭长骨片称“爪片”（clavus）（图 1：e）。爪片缝与 Sc 之间的区域为“革片”（corium）（图 1：h）。由于革质化的结果，革质部的翅脉常常不易分辨，在低等的类群如奇蝽次目和鞭蝽次目中，主要的纵脉常均可看清，但在多数种类中，则在革片和爪片范围内往往只能分辨出 R + M，Pcu 和 A(1A)，前者在革片上，后两者在爪片上。有时在革片后方、爪片缝前可见 Cu 的痕迹。爪片上的 2 根脉在较低等类群中于中段以后愈合为一。在革片的 R + M 脉旁常有 1 条直缝，称为“中裂”（medial fracture）（图 1：g），中裂（或 R + M 脉）以前的区域称为“外革片”（exocorium）[在某些科中，又称为“缘片”（embolium）（图 1：f）]，其后的革片区域称“内革片”（endocorium）。革片（或缘片）前缘的端半在部分类群中有 1 条与边缘垂直的切痕，称“前缘裂”（costal fracture）（图 1：j），长短不一，长者向后延伸将革片端部划分成 1 个三角形骨片，称为“楔片”（cuneus）（图 1：i），此伸长的前缘裂又称为“楔片缝”（cuneal suture），翅面可于此缝处略向腹方折弯。爪片后缘基段与端段间成一角度折弯；翅静止时，基段与小盾片侧缘凹槽相嵌合，左右两翅的端段则相遇于体中线处，称“爪片结合线”（claval commissure）（图 1：x）。前翅位于革质部分端方的膜质区域称“膜片”（membrane）（图 1：k），构造简单，其翅脉应为革片脉的连续，但具体的连系处常因翅的变形而不易辨认。膜片翅脉在不同科中型成不同的排列（包括翅室），成为识别不同科的良好标志。

异翅亚目中，不少种类的翅有不同程度的退化，成短翅型，前翅革质部和膜片可按比例地缩短，直至膜片完全消失。一些种类前翅虽仍正常发达，但后翅可完全退化而不能飞翔。异翅类的前、后两翅在飞翔时均能扑动，参于飞行活动。一般认为半鞘翅的构造是保护和飞行这两种相互矛盾的功能折衷的结果。一些种类飞行时的高速摄影研究表明，前翅纵走的中裂和爪片缝使骨化的翅面可以在翅扑动时适当地改变轮廓，以适应飞行的要求。膜片在飞行时亦可沿革片端缘处略向下折弯，在着陆时起缓冲作用（Wootton & Betts，1986）。

3）足

基节大致可分为两种类型：圆球形，能按较多的方位转动，称“球基型”（trochalopodous）；或横列而只依 1 轴活动，称“合页型”（pagiopodous）。在早期分类体系中曾用作归群的依据，现多认为不适宜而很少使用。

转节多为 1 节。在盲蝽中常分为 2 节，节间的缝线成为肢体自断时的断裂处。

腿节相对较粗壮，胫节较细，它们在不同的类群中均有不同的变化，有助于识别种类。

跗节在成虫期为 1 ~ 3 节不等，但以 2 ~ 3 节者为多，只在适应于特殊功能因而变形的足中，跗节可退化为 1 节，或全无。若虫期跗节数减少，低等类群的 1 龄若虫可只有 1 节。

前跗节的构造较为复杂，在各类中亦有变化，各种构造如下：

①爪(图 2：l)：一般为 1 对。少数类群只有 1 枚爪。

②爪垫(pulvillus)：位于爪下方的 1 对垫状构造，爪垫与爪间常以膜质相间隔。分为两个部分，基部的骨化部分称"基爪垫"(basipulvillus)(图 2：n)[与其他类群中的"auxilia"相当]，端部为肉质或片状的构造，称"端爪垫"(distipulvillus)(图 2：m)。普遍见于蝽次目各类群以及盲蝽科和部分的花蝽科中，其他类群常缺。在较早期的文献中，此构造常称为"假爪垫"(pseudarolia)，实为不恰当的称谓。

③副爪间突(parempodium)(图 2：t)：为着生在爪间偏于腹面的挚爪片(unguitractor)(图 2：o)端部的附器。在异翅类中，多为 1 对，成刚毛状，长短不等，着生处多少呈凹窝状。在蝎蝽次目的一些种类中则有 3～4 根。在盲蝽科中，可为成对的条状或片状构造。

④伪爪垫(pseudopulvillus)：着生在挚爪片侧端，与爪的基部内面或多或少有联系的 1 对肉质构造，见于盲蝽科的部分亚群中，易与肉质的爪垫或肉质的副爪间突混淆，如另有刚毛状的副爪间突存在时，则易分辨。又伪爪垫的着生处常无凹窝，与副爪间突不同。此构造又称为"侧副爪间突"(accessory parempodium)。

⑤中垫(arolia)：位于爪间并着生于挚爪片背面的 2 枚狭片状构造。成背、腹方位配置，各 1 枚(图 2：q，r)，或只具其中之一。见于除臭虫次目和蝽次目以外的各大类成虫或若虫中。

(3)腹部

1)腹节构造

异翅亚目昆虫的腹部分为 12 节。雌虫第 1～7 节、雄虫第 1～8 节组成生殖前节(pregenital segments)，雌虫第 8～9 节和雄虫第 9 节为生殖节。第 10～11 腹节呈极小的环状，组成载肛突(proctiger)，成 1 个围绕于肛门周围的短管。第 1 腹节的腹面部分均完全消失，故腹部腹面可见的第 1 个腹节实为第 2 腹节。第 1 腹节的背面部分常多少保留，但有时与第 2 节背板愈合，其中央部分消失，只余两侧区域。

各腹节间常有不同程度的愈合(背面和腹面的情况常不相同)，致使腹部下弯的可能性减弱，但整体性和坚固性加强，成为整个亚目中的一种进化趋势。在雌虫产卵器变形为片状的类群中，腹节间的愈合尤甚。应当与产卵方式改变后，腹部强烈弯曲的需求下降有关。整个腹部的骨化程度和横切面的轮廓与半鞘翅的覆盖状况有关。在半鞘翅较为柔软的类群中，腹部多为圆桶形，背面骨化较弱，腹部膨胀和下弯的可能性较大；半鞘翅坚硬并平复背上的类群中，腹部背面平坦，愈合紧密，骨化强，下弯的可能性减小。

生殖前节中，各节背板分为位于中央的主要骨片(称主背片或中背片)(mediotergite)(图 3：a)和两侧较小的侧背片(laterotergite)(图 3：b，c)；腹板亦可分为主腹片(或称中腹片)(mediosternite)和侧腹片(laterosternite)，但常不显；多数类群的腹部气门开口于侧腹片上。一般认为，侧腹片应与啮虫目以及头喙类各腹节侧面位于背板与腹板之间、并有气门开口其上的 pleural sclerite 同源。上述各骨片之间有膜质间隔，但在具体类群中可愈合而膜质消失。主腹片与侧腹片间的膜质缝线消失尤为常见。由侧背片与侧腹片组成的腹部侧缘区域在分类文献中又称为“侧接缘”(connexivum)，其背面部分常暴露于前翅覆盖之外。在蝽次目中，上述基本模式发生下列变化：腹部背面主背片外侧出现2块骨片，其间均有膜质间隔，内侧者常称“内侧背片”(inner laterotergite)(图3：b)，外侧者称为“外侧背片”(outer laterotergite)(图3：c)，多数情况下，外侧背片较宽大，暴露于翅外成侧接缘；而内侧背片则狭细，隐于外侧背片内侧。蝽次目中不少类群的气门不再位于腹面，而是部分或全部位于背面的外侧背面或背侧接缘上。

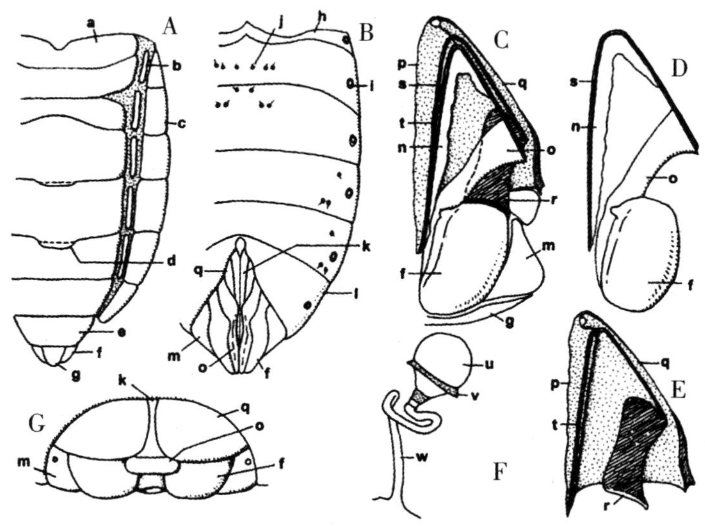


图3 腹部构造 structure of abdomen

A. 腹部背面；B. 腹部腹面；C. 产卵器构造[右侧，背面观(长蝽科)]；D. 同C，其中源于第9腹节的构造；E. 同C，其中源于第8腹节的构造；F. 受精囊；G. 片状产卵器腹面观(蝽科)

a. 第1腹节主背片；b. 内侧背片；c. 外侧背片；d. 若虫臭腺孔遗迹；e. 第8腹节主背片；f. 第9腹节侧背片；g. 第9腹节主背片；h. 第1腹节腹板；i. 腹部气门；j. 腹部毛点；k. 产卵瓣；l. 第7腹节腹板；m. 第8腹节侧背片；n. 第2产卵瓣；o. 第2载瓣片；p. 第1产卵瓣；q. 第1载瓣片；r. 瓣间片；s. 骨化杆Ⅱ；t. 骨化杆Ⅰ；u. 受精囊球部；v. 受精囊檐；w. 受精囊管

2)雄虫外生殖器

雄虫外生殖器由第9腹节组成。雄虫的第8腹节可成简单的狭环状，并正常暴露在外，或被后伸于其下的第7腹板所遮隐而外观不见。

在大多数类群中，第9腹节腹、侧面向后上方扩展，约成筒状或碗状的构造，称“生殖囊”(genital capsule)或“生殖节”(pygofer，pygophore)(图4：l)，其端方有1个开口，向内陷入成1个空腔，称“生殖腔”(genital chamber)(图4：m)，腔的底部开口为阳茎伸出之处。生殖腔开口在非交配的时期被位于开口边缘前方并向后延伸的载肛突(proctiger)(图4：u)所覆盖。

生殖腔开口的后缘两侧各着生1枚阳基侧突，一般为小片状构造，与生殖囊之间有关节可以活动，交配时用以抱持雌虫的产卵器或起支撑作用。阳基侧突一般为左右对称，但在一些科中则常左右完全不同；在花蝽科和臭虫科中，只有一侧存在，另一侧者完全消失。阳基侧突有时称为“抱器”(clasper)。生殖腔底部以隔膜与前方的体腔分隔。悬挂于生殖腔中的阳茎(phallus, phallic organ)基部与隔膜相连。阳茎(图4：A, C)大体为1个筒状或管状构造，由3个部分组成，由基部向端部依次为阳茎基、阳茎鞘和内阳茎。

阳茎基(phallobase, basal apparatus, articulatory apparatus)(图4：j)为阳茎最基部的骨化构造。根据Cobben (1978)的意见，异翅类中最原始的阳茎基为1个上方开口的简单槽状构造，其基端以及上方的开口均与体腔直接相通，后来上方的开口被隔膜所封闭，槽基端开口四周骨化成半环状杆，半环的2个末端由1个横梁联结，称为ponticulus basilaris，整个构造成马蹬状结构，常称为“蹬骨片”(stapes)。此构造包围隔膜上的开孔，称为“基孔”(basal foramen)。基孔亦渐被膜质遮蔽，只留下射精管和一些次生的与阳茎膨胀有关的构造的进口，体液不易直接流入。牵动阳茎使之伸出于生殖囊外或收回的伸肌和缩肌一端着生于生殖囊的内壁，伸肌的另一端着生在蹬骨片的两侧端，或由此伸出而末端膨大成圆片状的头状突(capitate process，或名菌状突 mushroom process)(图4：i)上，缩肌的另一端则多直接着生在蹬骨片上。

阳茎体(phallosoma)或阳茎鞘(phallotheca, theca)(图4：h)位于阳茎基的端方，为短筒状，可全部骨化，或只部分骨化，其余部分只为略加厚的膜质。有些类群中成不整齐的筒状或碗状构造等。阳茎鞘是阳茎在未交配时外观可见的主要部分。

内阳茎(endosoma)位于阳茎鞘端方，不用时缩入阳茎鞘中。可为一简单的膜质管；或分为膜质的系膜(conjunctivum)和其端方的阳茎端。系膜(图4：d, f)为柔软的膜质管，内阳茎缩入阳茎鞘时主要是由于系膜的折叠皱缩所造成，系膜构造简单，但壁上也可能有一些刺状或棘状附器着生。阳茎端(图4：c)则多少有些骨化，形状和构造多样，有时相当复杂，由各式膜质和骨化构造组成，但也可能十分简单，为1个小突起状的构造。内阳茎缩入阳茎鞘时，阳茎端常保持原有的完整性，不再翻转。

在其不同类群中，内阳茎的构造可有很大的差别，最简单者仅为1个简单的膜。在一些类群中，整个内阳茎很短，虽构造复杂，但没有基部的筒状系膜部分，在这种情况下，内阳茎与阳茎端同义(如盲蝽科)。1对由输精管合并而成的射精管(ejaculatory duct)(图4：t)穿过生殖腔隔膜进入阳茎基的基孔[此进口可谓假想的雄虫原生殖孔(primary gonopore)]后的部分称为“导精管”(seminal duct)(图4：g)，经整个阳茎，开口于阳茎端的端部，称“次生生殖孔”(secondary gonopore)(图4：b)，为精液实际排出之处。有时阳茎端端部在次生生殖孔端方仍继续延长，此部分称“生殖孔突”(gonopore process)(图4：a)。在有系膜的种类中，系膜中段的导精管外常发生种种折曲和加粗，并可伴有成对的骨化翼状(称翼骨片 wing)等，一般认为其可能有储存精液或推动精液的作用，称为“精泵”(ejaculatory reservoir, sperm reservoir)(图4：

e)。精泵基方的系膜称“基系膜”(basiconjunctivum)(图4：f)，端方者称“端系膜”(disticonjunctivum)(图4：d)。

雄虫外生殖器构造在分类工作中常被用作重要的特征，近年的研究日益说明阳茎细微构造，尤其是充分膨胀时形态常具有良好的区分种类的价值。

3)雌虫外生殖器

此类昆虫的产卵器在多数类群中为较典型的针状类型，亦有片状类型，主要由第8、9腹节生殖节或生殖附器性质的构造形成第1和第2载瓣片(gonocoxa，gonocoxopodite，gonocoxite)和产卵瓣(gonapophysis，valvula)组成。其基本构造如下：

第1载瓣片(图3：q)一般较大，位于产卵瓣两侧，外观成鞘状，前部或全部常被第7腹板遮盖，其后端与第8侧背片相连，第1载瓣片与第1产卵瓣相连(图3：p)，后者为1枚狭长骨片，向后渐尖，位于载瓣片内侧，第1产卵瓣内侧背缘有1个细长且具凹槽的骨化杆[骨化杆Ⅰ(ramus Ⅰ，ramus 又有称 fibula 者)](图3：t)，是维系载瓣片和产卵瓣的构造之一，此杆常向前延伸，与瓣间片的前端相接。沿第2产卵瓣的腹缘为具棱起的第2骨化杆(ramus Ⅱ)(图3：s)，与第1骨化杆嵌合。在第1载瓣片背方偏后处，有1枚多少呈长方形、三角形或狭带状的骨片，称“瓣间片”(gonangulum)(图3：r)，其前端与第2骨化杆相连，后端与第9侧背片(图3：f)前端相连，具有维系产卵器第8、9腹节两种成分在运动上取得一致的功能。

第2载瓣片常小于第1载瓣，位于第1载瓣片的后方和背侧，同时亦位于瓣间片的背后方。其前方为成锐角向后弯曲的狭片状第2产卵瓣(图3：n)，第2载瓣片与产卵瓣之间借第2骨化杆连系。沿载瓣片的前缘伸向产卵瓣，沿其边缘延伸直至末端。此骨化杆全长又与第1骨化杆相互嵌合成一体，一同伸向第1产卵瓣，并沿其内缘伸达后端，从而将第1和第2产卵瓣紧密联系在一起。第2产卵瓣叠附于第1产卵瓣内缘背侧，与之平行。第2载瓣片后端与第9侧背片的背缘相连。在许多类群中第1载瓣片与第8腹节侧背片完全愈合。在蝽亚目以外的大多数类群中，于第2载瓣片的端部常着生1个小片状构造，发达程度不一，称“第3产卵瓣”(gonoplac)；有些学者认为此构造可能与基肢片(coxopodite)的针突(stylus)同源，而称之为“伪针突”(styloid)。在蝎蝽次目和细蝽次目的许多科和猎蝽科中，此构造常发达成长鞘状，包围于产卵瓣外。在蝽次目中则此构造全缺。第8、9两节的侧背片可与其前方的生殖前节的腹板相似，结构正常，成大的三角形片，但在许多类群中，则有变形，呈位于产卵瓣后侧方的各式小片状，第8腹节侧背片(图3：m)上有气门，可以辨认。

两对产卵瓣的左、右部分可各自完全分开，或只左右第2产卵瓣全长在背面有膜质相连，或两对产卵瓣的左、右部分各自全长相连。第2产卵瓣或位于第1产卵瓣背方，或位于后者的内侧，可依联结第1、2产卵瓣的第2骨化杆上的凹槽和细棱嵌合装置前后滑动，切穿物体基质，以便产卵。因此愈合在一起的产卵瓣为1个背方封闭而腹方开口的构造，产卵时，卵在其包围的空间中通过。

在一些产卵于物体表面的类群中，如蝽总科、红蝽科、扁蝽科、臭虫科、尺蝽科、划蝽科、盖蝽科、膜蝽科等，上述的针状产卵器演变成片状类型(图3：G)，雌虫腹部末端在中线处看不到针状或锥状的产卵瓣。第1载瓣片和第8、9侧背片常发达外露，骨化根强，起到保护生殖孔的功用；但两对产卵瓣均高产退化，呈平置的片状，骨化很弱，甚至成膜质，2个第1产卵瓣可不在中线接触，第2产卵瓣常左右愈合为一，多完全隐于发达的载瓣片和侧背片之下；第2产卵瓣甚至可消失不见。第2载瓣片有时亦退化减弱。

雌虫生殖孔位于左右两个产卵瓣基部开始会合处的第8、9腹节节间膜上。生殖孔内为生殖管道中由外胚层组成的部分(gynatrial complex)，开始为1个短而宽的阴道(vagina)或前庭(vestibulum)，其后的部分可有以下不同情况：

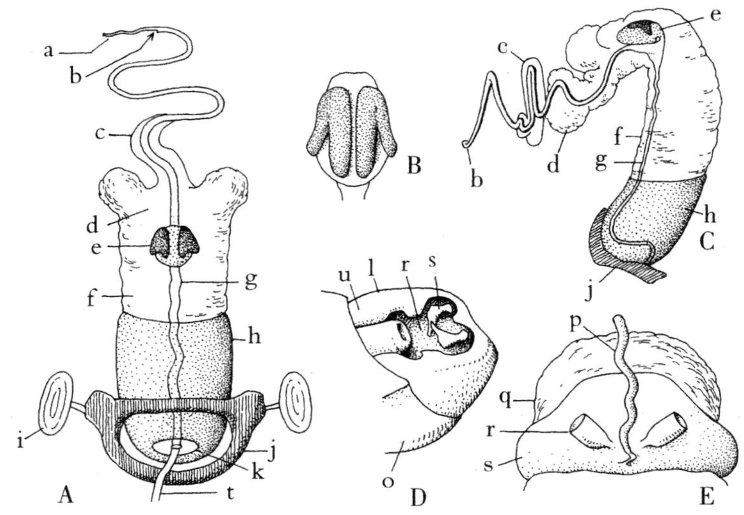


图4 生殖器构造

A. 阳茎构造模式；B. 精泵；C. 阳茎[侧面观，已展开(长蝽科)]；D. 雄虫腹部末端(背侧面观)；E. 雌虫生殖腔(背面观，盲蝽科)

a. 生殖孔突；b. 次生生殖孔；c. 阳茎端；d. 端系膜；e. 精泵；f. 基系膜；g. 导精管；h. 阳茎体(= 阳茎鞘)；i. 头状突；j. 阳茎基；k. 基孔；l. 生殖囊；m. 生殖腔；n. 阳基侧突；o. 第8腹节；p. 受精囊腺；q. 储精室；r. 输精管端部；s. 生殖腔；t. 射精管；u. 载肛突

①多数类群中，在阴道与中输卵管交界处的背方伸出1根盲管，为"受精囊"(spermatheca, seminal receptacle)(图3：F)，受精囊管(图3：w)的长短不一，端部常多少膨大，称"球部"(bulb)(图3：u)，并可能具1~2层伸出膨大部分周围的檐状构造(图3：v)，位于基部者称"基檐"(proximal flange)，位于端部者称"端檐"(distal flange)，供肌肉的附着，可能与驱出管中储存的精液有关。

②在臭虫次目等类群中，生殖孔向内有1个膨大的腔室，称"生殖腔"(genital chamber)或"交配囊"(bursa copulatrix)(图4：s)，输卵管(图4：r)由背面进入其中。生殖腔有时并向前扩伸称1个宽阔的盲囊，称"储精室"(seminal depository)或"受精囊"(pseudo)(图4：q)；其上常有1个或1对由骨化细环围绕的腺体细胞区域，称

“环腺”(ring gland)，周边的细环称“环骨片”。在此种类型中，上述第一种类型中的储精囊退化，常成1根细小的管状残留构造，称“受精囊腺”(l gland)或称“蚓状腺”(vermiform gland)(图4：p)。一般认为储精囊的储存精子的职能由交配囊或储精室所代替。

③在黾蝽次目和一些细蝽次目中，输卵管的端段为生殖腔，由此向背方伸出1个囊状构造，Andersen称之为“gynatrial sac”，其前方有1个环状骨片，细长的受精囊管(l tube)前端进入gynatrial sac，进口处的腹方又有1根盘曲的细管向前贴附于总输卵管的背面，前行不久后进入总输卵管，此构造称“授精小管”(fecundation canal)。储存于受精囊管中的精液能于卵排出时经授精小管排入总输卵管使之受精。类似的构造在某些蝽次目种类中亦有发现。

此类昆虫交尾时，雄虫的生殖囊常发生不同程度的转动，以便雌虫的产卵器顺利插入雄虫生殖腔的开口，阳茎顺着产卵瓣裂隙进入雌虫生殖孔，阳茎端的末端进入雌体生殖管道的深度随种类而异，深者可以进达受精囊的端部。阳茎各部分上的棘刺以及充分膨胀的膜囊常呈倒指的锚爪状，具有维持交尾状态的作用。除少数类群外，精液一般储存于受精囊中。异翅类交尾时是否产生精包的问题，明确的报道不多；Ambrose & Vennison (1990)则认为多数类群均产生精包。

**2. 若虫**

异翅亚目若虫期一般有5龄，但亦有少数3、4或6龄的记录(章士美等，1985)。其中翅极退化而营早期卵在体内发育的寄蝽科若虫产出后的龄期曾记录为3龄(Maa，1959)；又在黾蝽次目、蝎蝽次目和臭虫次目某些具有短翅或无翅类型的种类中，若虫龄期常减至4～5龄(Štys & Davidova-Vilimova，1989)。若虫的外形和构造大体与成虫期相似。体壁较弱，生殖器不发育。头、胸部具蜕裂线，头部者呈“Y”形(图5：a，b)。第1～2龄时全无翅的遗迹，一般由3龄起出现翅芽(图5：c，d)。成虫期具单眼的种类中，若虫期无单眼。跗节的节数比成虫期少1节，此特征是区别成虫和若虫期的最可靠的依据(包括无翅和无单眼种类)。成虫期触角4节的种类中若虫期触角节数相同；但在成虫期触角为5节的种类中，若虫期为4节。

此外，若虫期腹部具臭腺(图5：e)；第3、4节，4、5节，5、6节和6、7节之间在背中线处各可有1个或1对臭腺开口(图5：f)，视不同种类而异。臭腺开口的周围常成1个骨化片，与四周的体壁可有明显的区别。成虫期的胸部臭腺在若虫期不发育，开口于胸部的臭腺孔亦不存在。

该类群的若虫构造和特征的研究和了解尚不充分，因此已有的一些分科检索表常只在一定程度上合用。

**3. 卵**

卵的形状不等。产于物体表面或插入基质内部，散布或排列成行。暴露于物体表面的卵有时聚集成卵块。部分类群中卵块外包有由腺体分泌物形成的卵鞘(如异蝽科 Urostylidae)。卵壳于未产出前当卵黄已成熟时在卵巢小管中形成，外表往往有各式复杂的花纹和结构，这些花纹的样式常与滤胞的排列形式有关。卵壳内层常有疏松的海绵状结构，有利于胚胎的气体交换。近年 Southwood（1956）和 Cobben（1968）的大量工作将异翅类卵的基本知识推向全新阶段。任树芝（1993）研究了大量中国种类的卵细微结构。卵的前极（即胚胎成熟头部朝向的一端）有以下构造：

卵盖（operculum）（图 5：m）：卵盖为瓶盖状构造，有一定厚度，周边常有细密的纵直刻纹。若虫孵化时将卵盖完整地顶开。在臭虫次目中均具此种构造。

假卵盖（pseudoperculum）（图 5：g）：在蝽次目中不具上述的卵盖构造，但在卵前极常有 1 个小帽状或小盖状区域，但并不隆出，亦不具特殊的刻纹，故可与“卵盖”区别，称“假卵盖”。具有这种类型卵的若虫在孵化时，卵壳破裂所依的裂痕一般在假卵盖附近，但并不一定全与假卵盖的边缘相吻合。

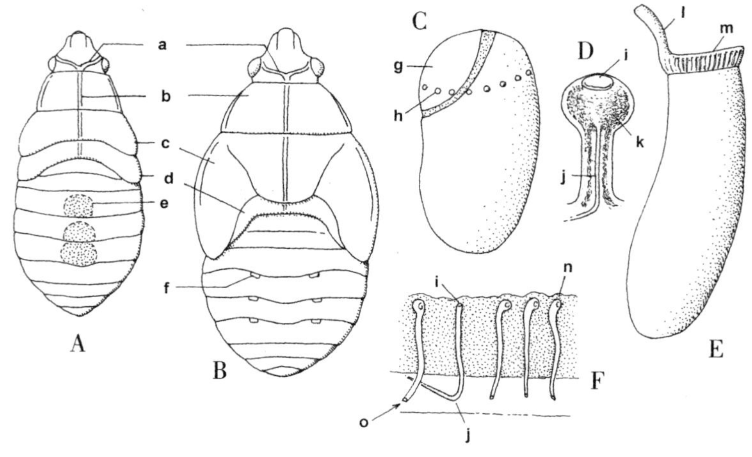


图 5 若虫与卵

A. 3 龄若虫（花蝽科）；B. 5 龄若虫（同 A）；C. 缘蝽科的卵；D. C 图中的呼吸-精孔突放大；E. 盲蝽科的卵；F. E 图中的领缘放大（C－F，仿 Cobben，1968 改绘）

a. 头部蜕裂线；b. 胸部蜕裂线；c. 前翅翅芽；d. 后翅翅芽；e. 臭腺；f. 臭腺开口；g. 假卵盖；h. 呼吸-精孔突；i. 精孔；j. 精孔小管；k. 通气组织；l. 呼吸角；m. 卵盖；n. 外呼吸孔；o. 内呼吸孔

与气体交换有关的构造：包括呼吸孔、裂隙和各式突起。在具卵盖的种类中，卵盖的下缘与卵交界区域常有若干小孔通入卵壳，与卵壳的海绵结构（图 5：k）相通，为“呼吸孔”（aeropyle）（图 5：n，o）。蝽次目等类群中，常具不同数目的头状小突起，突起的壁很厚并具海绵状结构，具有通气的作用。突起的顶端为精孔的开口，故称“呼吸-精孔突”（aero-micropylar process）（图 5：D，h）。在有些种类中呼吸-精孔突排成整齐的一圈，并有可能与假卵盖边缘一致。水生种类变常有细长的呼吸-精孔突，蝎蝽科中多达 20 余条，排列成花冠状。在埋藏于植物组织中的卵中（如盲蝽科等），卵盖的一侧常有细长的角状呼吸突伸出于外，称为“呼吸角”（respiratory horn）（图 5：l）。

精孔(micropyle)(图5：i)：为精子进入卵壳的小孔状开口。在具有卵盖的种类中，精孔位于卵盖下缘与卵交界之处，外观没有特殊的标志。在具有呼吸-精孔突的种类中，开口于此突起的顶端，已如前述；此种突起亦有称为“精孔突”(micropylar process)者。

精孔与呼吸孔外观均为简单的小孔，但精孔在进入卵壳外，可见其轨迹(图5：j)继续进入卵黄，而呼吸孔则没有。

# 三、生物学及经济意义

### 1. 栖居习性

异翅类在栖居习性的多样化方面在外生翅类(或不全变态类)昆虫中居于首位。除缺乏在植物内部钻蛀生活以及营体内寄生生活方式以外，几乎包括了昆虫纲中各种类型的栖居习性。如考虑到异翅类种数明显少于鳞翅等大目的事实，则此种在栖居习性方面的强烈分化现象则更显突出，说明异翅类已经经历了较长的演化历史(Schuh & Slater, 1995)。

(1)陆生生活

包括地表、地被物下和石块下栖息，土下生活(土蝽科、奇蝽科等)，植物表面生活，腐木的树皮下生活(扁蝽科)，形成虫瘿(某些网蝽科)，树洞或树皮缝隙中生活(猎蝽科、花蝽科)。鸟类和哺乳动物巢穴(包括人类的居室)中，吸食这些动物和人的血液。寄蝽科(Polyctenidae)栖于蝙蝠体上，吸食蝙蝠血液，营体外寄生生活。虫尉蝽科(Termitaphilidae)只知生活于白蚁巢中，显然与白蚁之间存在某种共栖关系。在蚁穴中曾发现过一些网蝽科的甲网蝽类(Vianaidinae)和奇蝽科，花蝽科和长蝽科等，可能营寄食(inquilinous)生活或共栖生活。目前已知至少有4个科的种类生活于蛛网或纺足目昆虫的网上，捕食被网罗织的昆虫或结网者本身，或多或少与结网者之间形成某种特殊联系。

(2)水面生活

黾蝽型全部种类均生活于水面，在水面之上爬行或划动而不下沉。是昆虫纲中征服这一生活环境的最大类群(此外尚有鞘翅目中的豉甲科 Gyrinidae)。部分种类生活于海洋表面，可达于远洋，是为数不多的海生昆虫中最为引人注目的类群。

(3)水生生活

蝎蝽次目各类在若虫和成虫期全部在水中生活。是昆虫纲中除鞘翅目以外在成虫期营水生生活的另一个大类群。在水中的呼吸方式有使用呼吸管直接呼吸水面上的空气(蝎蝽科、负蝽科)、体表毛层携入气泡(仰蝽科、划蝽科等)以及体具气盾(plastron)装置，可较长期在水下生活(盖蝽科及部分潜蝽科)。

(4)潮间带生活

细蝽次目中的滨蝽科(Aepophilidae)、涯蝽科(Omaniidae)和部分跳蝽科种类生活于海边潮间带的石缝中等地，常受到潮水的短期淹没，有些种类具有在水中呼吸的构造和适应能力。

2. **食性和取食机制**

异翅类的食性大体可分为捕食性(或取食动物性食料)和植食性两类。

(1)捕食性

在异翅类的7个次目中，奇蝽次目、鞭蝽次目、黾蝽次目、蝎蝽次目和细蝽次目五类均为捕食或取食小动物尸体，在其余的臭虫次目和蝽次目两个大类中，前者包括许多捕食的类群，后者则亦有少部分的捕食种类。从科的数目来看，捕食性科亦占多数，因此捕食食性在大类中有明显优势。

捕食种类具有若干适应性特征，如常有粗壮发达的喙，发达、变形、用以攫握和捕捉的前足，躲藏静伏、伺机捕捉猎物的习性等等。已知捕食种类的唾液中含有蛋白质水解酶以及具有麻痹作用的毒性物质，可使猎物迅速丧失活动能力；吸血种类的唾液中则常含抗凝血物质。

(2)植食性

植食食性一般只见于臭虫次目和蝽次目两个大类中，植食科的总数亦少于捕食性科，但在属、种的数量上占了优势。异翅类中多数的大科均基本上为植食性者(如盲蝽科、蝽科、网蝽科、缘蝽科、长蝽科等)。

植食性异翅类的取食范围包括真菌的菌丝(扁蝽科)、蕨类植物、裸子植物和被子植物。取食部位包括植物的营养器官、繁殖器官和种子。其中对于花、果和种子尤为嗜好，即使在许多主食营养器官液汁的种类中，有时亦可见取食花、果及其幼芽等，显然与利于获得较多的含氮物质有关。在取食机制方面，一类以食料植物的细胞内含物形成的悬浮液为食，包括盲蝽科和蝽次目中若干较低等的科；另一类则直接取食寄主植物输导组织中流动的液体，包括蝽科和网蝽科等。这些食性和取食机制的特点决定了异翅类昆虫造成危害的特点，即破坏花器和果实，造成落花、落果，造成作物组织破坏，形成脱绿、枯斑、腐烂和溃疡；以及大型种类(蝽总科、缘蝽科等)因迅速剥夺水分而造成的顶梢萎蔫等。

在许多植食种类中，均存在兼食动物性食物的现象，在盲蝽科中报道尤多。此外，在蝽科、长蝽科、盲蝽科等基本为植食性的大科中，均有以捕食为主的少数亚群存在，这些现象都反映出在异翅类中，植食与捕食两类食性之间在历史上的联系密切。

3. **发声**

异翅类昆虫中，已知不少种类能够出声，一些种类发出的声音可以为人耳所感知。发声的机制有摩擦发声和波动传递两种，简介如下：

(1)摩擦发声

类型比较复杂，主要有以下几类：

①发声机构的一方为后翅肘域或后肘域处某一条脉或脉状构造(如 Cu，Pcu，1A 等)的腹方有一些骨化突起排成锉状。另一方为腹节背板前方的椭圆骨片，称“lima”，其上有平行细密纹，两者摩擦发声。见于土蝽科、荔蝽科、皮蝽科中。

②后翅的同上构造与后胸背板(postnotum)侧缘在后翅翅基后方的脊状骨化部分相互摩擦。见于某些长蝽科种类中。

③前翅侧缘上有成行的细密音锉(stridulitrum)，与腿节或胫节上的一些突起或成行的脊等相摩擦。此种类型比较普遍。

④腹部侧方某些区域具小颗粒、细密刻纹、细脊等，与后足腿节或胫节上的小突起或脊相摩擦。见于盾蝽科、蝽科和长蝽科中。

⑤前胸侧面某些区域具脊、纹，与前足腿节的小颗粒区域摩擦。见于长蝽科中。

⑥雄虫生殖囊及其周围构造上的骨化区域与抱器或阳茎的某一区域上的骨化构造相摩擦。在盾蝽科和划蝽科的小划蝽亚科(Micronectinae)中有报道。

⑦前足腿节基部小突起区域与头部侧缘骨化脊相摩擦。只见于划蝽科的划蝽亚科(Corixinae)。

⑧猎蝽科前胸腹板中线处的凹沟，具密纹，与喙端摩擦，人耳多可闻其声。

(2)鼓膜振动发声

近年来逐渐发现在土蝽科、猎蝽科、网蝽科、长蝽科、缘蝽科和同蝽科中存在鼓膜振动发声的方式(Gogala，1985；Schuh & Slater，1995)。

鼓膜器(tymbal)由腹部最先两节背板组成，此两节的节间膜多少骨化，但有弹性可以活动，节内有强劲肌肉附着，使第 1～2 腹节背板相对运动，合并、张开，从而发出低频率振动。鼓膜器下方在腹部内常有 1 个空腔，用作共鸣室。在缺少腹部背板摩擦发声装置的蝽科与同蝽科种类中，此类鼓膜器的存在相当普遍。曾有报道网蝽科(*Corythuca* 属)使用一种由基质传递的“打击式信号”发声。

Gogala (1985)等认为此类由鼓膜产生的低频振动依靠基质传递，与由空气传递不同，在基质中滞留、衰减的时间较长，速度较慢。此类由基质传递声信息的性质和近年在头喙类(叶蝉，飞虱)中大量发现的同类现象相似。目前在蝽科、土蝽科、同蝽科和猎蝽科代表中已有报道，一些种类中在鼓膜附近尚有摩擦发声装置存在，鼓膜振动时可带动或影响摩擦发声，相互加强，亦可仅以一种振动发声。在水生类群中则未见鼓膜式发声的报告。

由于鼓膜发声在同翅类和异翅类中均有存在，因此有可能属于广义半翅类昆虫发声机制中较为原始的类型，而各式摩擦发声装置则为后生的、带有补充性质的构造。

声信号接收器只在蝎蝽次目中发现，位于该次目多数科的中、后胸侧板和第1、2腹节背板上，由单个或成串的具橛感器组成，末端附着于体壁上(Mahner，1993)。在划蝽科中胸侧面的后翅关节下方有1个听膜器，上有具橛感器通往，可能与接受同种的摩擦发声信号有关。

**4. 亚社会性**

异翅类昆虫不具真正的社会性行为，但在一些种类中具有亚社会性行为(subsociality)(Michener，1969)，这种行为是走向社会性的进化途径中的最初阶段。据Tachikawa (1991)统计，已有关于亚社会性行为报道的异翅类昆虫共有15科，分别是负蝽科、蛛蝽科、跳蝽科、猎蝽科、网蝽科、蝽科、红蝽科、缘蝽科、土蝽科、同蝽科、澳蝽科、盾蝽科、兜蝽科、荔蝽科、蝽科。其中以同蝽科、蝽科、土蝽科和负蝽科的研究较多。

主要有以下几种表现：

①护卵：将卵或卵块保护于体下，遇有敌害侵袭时，常以身护。表现为侧身、踢腿、举足、伸吻、振翅、排臭(在荔蝽科、蝽科、缘蝽科等大型种类中，臭腺分泌液排出可达10cm以外)，或起而进攻等。负子蝽科雄虫将卵负于背上，除防御敌害外，常升至水面以助为卵供氧，或用足搔踢，以助水的流动，促进卵的发育。

②保护若虫：或将若虫保护于体下，或成虫位于中央，若虫围在成虫周围，围成一圈。扁蝽科一些种类中将1龄或2龄若虫携带在两性成虫体上。

③移动卵块：如土蝽科中许多种类可用喙插入卵块的卵粒间，然后在体下携带搬运。

④帮助若虫获得食物：如土蝽科的 *Sehirus cinctus* 和 *Parastrachia japonensis* 用口吻刺入落地种子搬至卵室附近。据报道，土蝽 *Brachypelta aterrima* 雌虫和若虫共居至4龄，其间若虫取食母代直肠分泌物以获得共生细菌。

大量观察与试验结果说明，护卵及保护若虫对于防止捕食和寄生性天敌的侵害、提高后代存活率有极明显的作用。

关于异翅类昆虫亚社会性的发生和进化问题，有种种看法。一般认为暴露在外的产卵方式易受到天敌的侵害，这是护卵行为出现的前提（在盲蝽科及长蝽科等将卵产在基质内部的大科中，均未发现亚社会现象）。同时，具亚社会习性的种类，其产卵方式均以卵块出现，几乎无单产者；由此推论单产者由于空间和时间分散，容易躲开天敌侵害，故护卵习性的产生可能与成块产卵的特性有关。此外，亚社会性种类一般卵量生产偏少，应当与子代存活率提高有关。同时，由于在护卵期间常不能产卵，故亚社会性种类的产卵期往往间隔较长，在保护若虫的种类中更是如此。

# 各 论

异翅亚目 Heteroptera 隶属半翅目 Hemiptera，世界已知 42000 余种（Henry，2009），是昆虫纲中的大类之一，全世界各大动物地理区均有分布。本书记载陕西省秦岭地区异翅亚目昆虫 36 科 227 属 407 种。

## 分科检索表

［参考 Schuh & Slater（1995）、郑乐怡（1999）等编制，图引自郑乐怡（1999）］

1. 前翅缺爪片缝，不成典型的半鞘翅。前半虽有所加厚，但与端部的膜质部分界限不明显。体表部分或完全被成层的拒水毛，可在水面爬动或划行 ……………… 2（**黾蝽次目 Gerromorpha**）
   前翅具爪片缝，多成典型的半鞘翅。陆生或在水中生活。部分种类体被成层的拒水毛，但不能在水面生活和活动 …………………………………………………………………… 11
2. 翅发达（长翅型） ……………………………………………………………………… 3
   无翅或短翅型 ……………………………………………………………………………… 7
3. 小盾片明显外露 …………………………………………………………………………… 4
   小盾片被后伸的前胸背板叶遮盖，外表不可见……………………………………………… 5

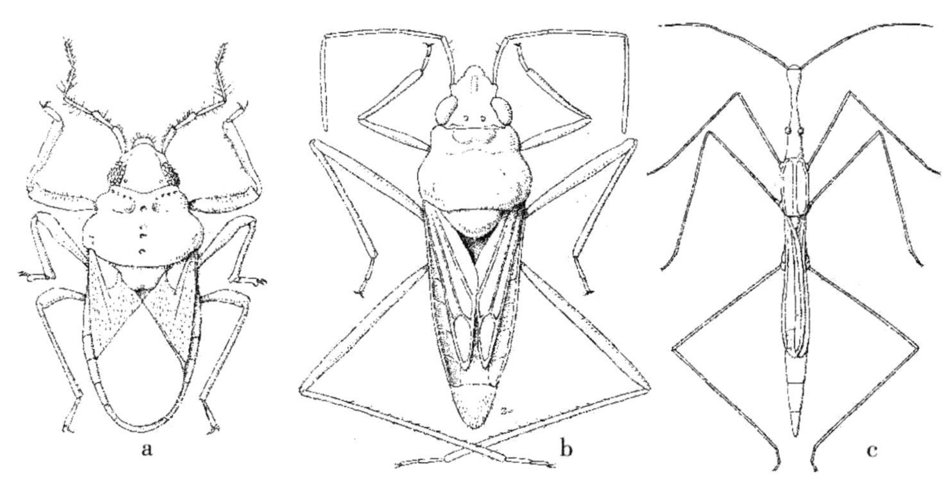

图 6 膜蝽科 Hebridae，水蝽科 Mesoveliidae，尺蝽科 Hydrometridae

a. 日本膜蝽 *Hebrus nipponicus* Horvath（膜蝽科）；b. 水蝽属一种 *Mesovelia* sp.（水蝽科）；c. 尺蝽属一种 *Hydrometra* sp.（尺蝽科）

4. 小颊发达，包围喙的基部。跗节 2 节，第 1 节极短(图 6：a) …………………………………………………………………………………… **膜蝽科( = 膜翅蝽科)(部分)Hebridae**
小颊较不发达，不包围喙的基部。跗节 3 节 ………………………… **水蝽科（部分）Mesoveliidae**
5. 爪着生于跗节末端上。头明显伸长，眼后部分长于眼的直径。前翅有 3 个封闭的室(图 6：b) ………………………………………………………………………………… **尺蝽科(部分)Hydrometridae**
爪着生于跗节端部不到最末端处 ………………………………………………………………… 6
6. 头部背面中央有 1 个明显的纵凹纹。后足腿节常粗于中足腿节。雄前足胫节常具由短刺组成的栉状构造 ……………………………………… **宽肩蝽科( = 宽肩黾科、宽蝽科)Veliidae**
头部背面无纵凹纹。后足腿节常细于中足腿节。雄虫前足胫节无上述栉状构造 ………………………………………………………………………………………………… **黾蝽科 Gerridae**
7. 腹部背面第 3、4 节背板之间无臭腺孔 ……………………………………………………… 8
腹部背面第 3、4 节背板之间具臭腺孔 ……………………………………………………… 9
8. 头很长，长为宽的 3 倍以上，眼远离头的后缘(图 6：c) ……… **尺蝽科(部分)Hydrometridae**
头长至多为宽的 3 倍，眼接近或接触头的后缘………………………………………………… 6

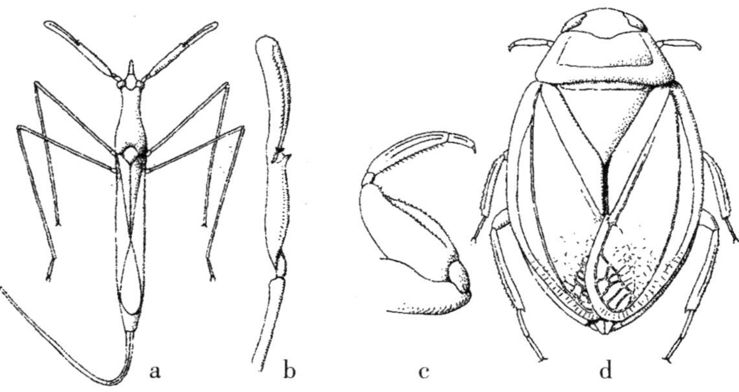


图 7 蝎蝽科 Nepidae，负蝽科 Belostomatidae

a. 一色螳蝎蝽 *Ranatra unicolor* Scott（蝎蝽科）；b. 同 a，前足；c. 锈色负子蝽 *Diplonychus rusticus* Scott（负子蝽科）；d. 同 c，前足

9. 前胸背板极短，中胸和后胸背面均外露。头长于宽，前伸。爪着生于跗节的末端 ……………………………………………………………………………………… **水蝽科(部分)Mesoveliidae**
前胸背板较长，至少遮盖中胸 ………………………………………………………………… 10
10. 跗节 2 节 ……………………………………………… **膜蝽科( = 膜翅蝽科)(部分)Hebridae**
跗节 3 节。头的眼后部分明显伸长 ……………………………… **尺蝽科(部分) Hydrometridae**
11. 触角短于头部，多少折叠隐于眼下；除蜍蝽科外，位于凹陷或凹沟中，一般由背面看不到或只能看到最末端。大部为水生，部分科生活于岸边上 ………… 12（**蝎蝽次目 Nepomorpha**）
触角一般长于头部，暴露于外，不隐于眼下的沟中。陆生 …………………………………… 21
12. 下唇宽三角形，短，不分节（呈只有 1 节）。前足跗节不分节（成 1 节状），有时与胫节愈合，匙状，具长缘毛。头部后缘遮盖前胸。前胸与翅明显地具黑色虎斑状横纹 …… **划蝽科 Corixidae**
下唇较狭长，分节。前足跗节 1 至数节，但无长缘毛。头部后缘不遮盖前胸 ……………… 13
13. 腹部末端具成对的呼吸突 ………………………………………………………………… 14

腹部末端无呼吸突 ………………………………………………………………………… 15

14. 呼吸突长短不一，常极长，呈细管状，但不能伸缩。跗节 1 节。后足胫节一般，不成游泳足。后足基节可自由活动(图 7：a，b) ……………………………………………… **蝎蝽科 Nepidae**

呼吸突短，可伸缩，常只末端外露。跗节 2 ~ 3 节，前足跗节有时 1 节。后足胫节扁，具游泳毛。后足基节与后胸侧板接合紧密，不能活动(图 7：c，d) ……………………………………………………………………………………… **负蝽科( = 负子蝽科) Belostomatidae**

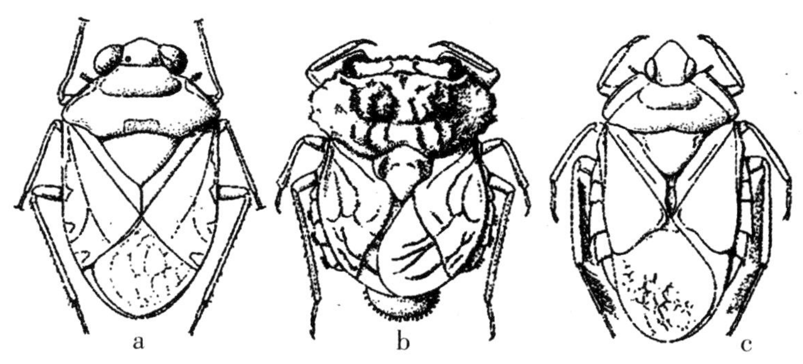

图 8 蜍蝽科 Ochteridae，蟾蝽科 Gelastocoridae，盖蝽科 Aphelocheiridae

a. 蜍蝽 *Ochterus marginatus* (Latreille) (蜍蝽科)；b. 印度蟾蝽 *Nerthra indica* (Atkinson) (蟾蝽科)；c. 斑盖蝽 *Aphelocheirus maculosus* Liu *et* Zheng (盖蝽科)

15. 有单眼 (如缺或不发达，则头横宽，复眼多少呈具柄状)。足为步行式。岸边生活 ……… 16

无单眼。复眼一般，不呈具柄状。中、后足扁，具游泳毛。水生 ……………………………… 17

16. 触角较长，丝状，背面观部分可见。眼不呈具柄状。足步行式。小盾片平(图 8：a)………… ……………………………………………………………………………………… **蜍蝽科 Ochteridae**

触角粗短，藏于眼及前胸下方。眼多少呈具柄状。前足腿节极为粗大(图 8：b) …………… ……………………………………………………………………………… **蟾蝽科 Gelastocoridae**

17. 身体背面平坦或略隆起。头与前胸不愈合。前足成明显的捕捉足 ………………………… 18

身体背面强烈隆起，成船形或屋顶状；如平坦，则头与前胸背板愈合，两者之间的缝线不完全。前足不成捕捉足 ………………………………………………………………………… 19

18. 触角长，伸出于头的侧缘之外。喙细长，伸达中胸腹板以远。头较狭长，远伸过眼的前缘。前足跗节 3 节。爪 2 枚，发达(图 8：c) ………………… **盖蝽科( = 锅盖蝽科) Aphelocheiridae**

触角短，不伸出于头的侧缘之外。喙粗短，不伸过前胸腹板。头常横列，头的末端略伸过眼前缘的水平位置。前足跗节 2 节或 1 节。爪 0 ~ 2 枚，小型(图 9：a) ……………………………… ……………………………………………………………………… **潜蝽科( = 潜水蝽科) Naucoridae**

19. 体较狭长，体长多在 4mm 以上。眼大，头顶窄。后足长大，明显长于中、后足，桨状；后足爪退化，不明显。头与前胸不愈合(图 9：b) ………………… **仰蝽科( = 仰泳蝽科) Notonectidae**

体较宽短，卵圆形，体长在 4mm 以下。眼小型或中型。头顶宽。后足不成桨状。常有 2 爪。头与前胸紧密愈合，相互不能活动……………………………………………………………… 20

20. 头与前胸背板之间的界线直或略成简单的弧形。触角 3 节(图 9：c) ………………………… ……………………………………………………………………… **固蝽科( = 固头蝽科) Pleidae**

头与前胸背板之间的界线多有 2 个明显的凹弯。触角 2 节或不分节(1 节) ……………… ……………………………………………………………………………… **蚤蝽科 Helotrephidae**

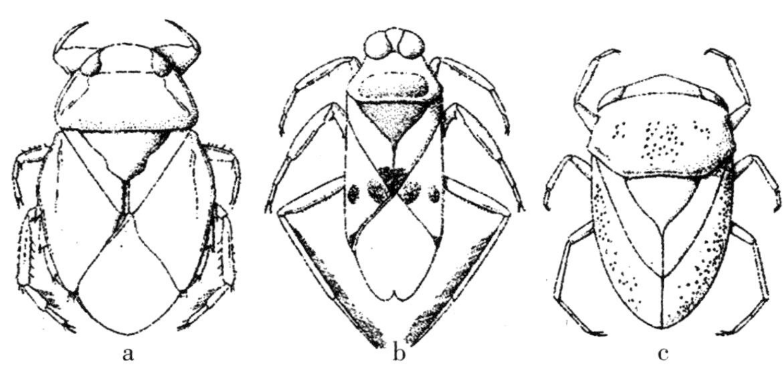


图 9 潜蝽科 Naucoridae，仰蝽科 Notonectidae，固蝽科 Pleidae

a. 潜蝽 *Ilyocoris cimicoides* (Linnaeus)（潜蝽科）；b. 中华大仰蝽 *Notonecta chinensis* Fallou（仰蝽科）；c. 邻固蝽属一种 *Paaplea* sp.（固蝽科）

21. 腹部第 3～7 节腹板每节各侧常具 2 或 3 个毛点(trichobothria)(包括其上的毛点毛)(图 10：a)。各爪下方有 1 个长形肉质的爪垫（pulvillus）着生于靠近爪的基部处（图 10：b）……………………………………………………… 42 [**蝽次目** Pentatomomorpha (**扁蝽总科** Aradoidea **除外**)]
腹节腹板具毛点，或仅在中线两侧有 1 根类似毛点毛的刚毛。爪下有爪垫或无……………… 22

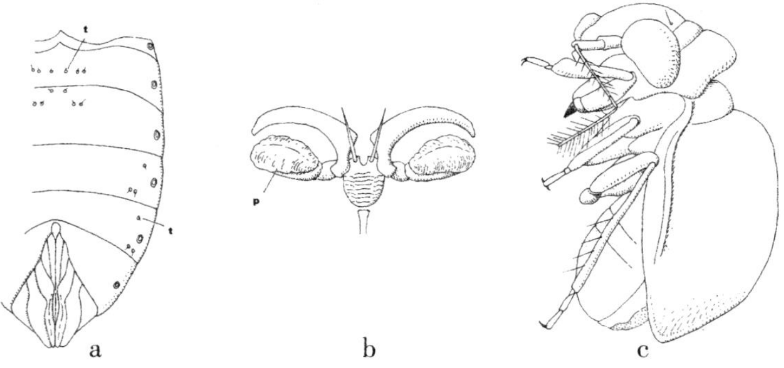


图 10 异翅亚目 Heteroptera

a. 腹部腹面；b. 端跗节；c. 光背奇蝽属一种 *Stenopirates* sp. 头及前胸（奇蝽科）；d. 棱鞘毛角蝽 *Hypselosoma matsumurai* Horvath（毛角蝽科）；（t. 毛点 trichobothria；p. 爪垫 pulvillus）

22. 触角第 1、2 两节短，长度近相等；第 3、4 两节极细长，被有直立长毛，毛的长度远大于该触角节的直径(图 10：c)。体小，体长多在 2.50mm 以下…… 23 (**鞭蝽次目 Dipsocoromorpha**)
触角不若上述；触角第 2 节常长于第 1 节，部分类群中第 1、2 两节短且长度近等(网蝽科中多见)，但第 3、4 节不具长过触角节直径很多的直立毛……………………………………… 26
23. 侧面观前胸前侧片窄，不特别发达，也不向前延伸。前胸后侧片大。基节臼裂（coxal cleft）极短，几乎不能辨。前翅具前缘裂(costal fracture)(短翅型除外) …………………………… 24
侧面观前侧片宽大发达，向前延伸达于复眼下方。基节臼裂长。前翅前缘裂有或无……… 25
24. 前翅前缘裂短，只切断前翅的前方边缘。后胸侧板无臭腺挥发域。雄虫腹部及外生殖器对称或不对称 ……………………………………………………………… **栉蝽科(部分) Ceratocombidae**
前翅前缘裂长，约达于翅宽的 1/2 处。后胸侧板有臭腺挥发域。雄虫腹部及外生殖器均不对

称 ………………………………………………………………………… **鞭蝽科 Dipsocoridae**

25. 前翅鞘质；外观似甲虫。头平伸。雄虫外生殖器对称。后足基节内侧下方无附着垫…………
………………………………………………………………… **栉蝽科(部分) Ceratocombidae**
前翅一般，部分种类为革质或鞘质。雄虫腹部及外生殖器均为两侧对称。后足基节内侧下方有附着垫。前翅一般无前缘裂，或只切断前翅的前方边缘……………………………………………
…………………………………………………………… **毛角蝽科(=裂蝽科) Schizopteridae**

26. 爪下有爪垫或无；如有爪垫，则爪垫的大部分附着于爪，只有端部游离。跗节多数为 3 节，少数 2 节。翅遮盖侧接缘(部分猎蝽科例外) ………………………………………………… 27
爪下有较长的爪垫，只基部附着于爪，大部分游离。跗节 2 节。侧接缘外露。身体极为扁平
……………………………………………………………………………… **扁蝽科 Aradidae**

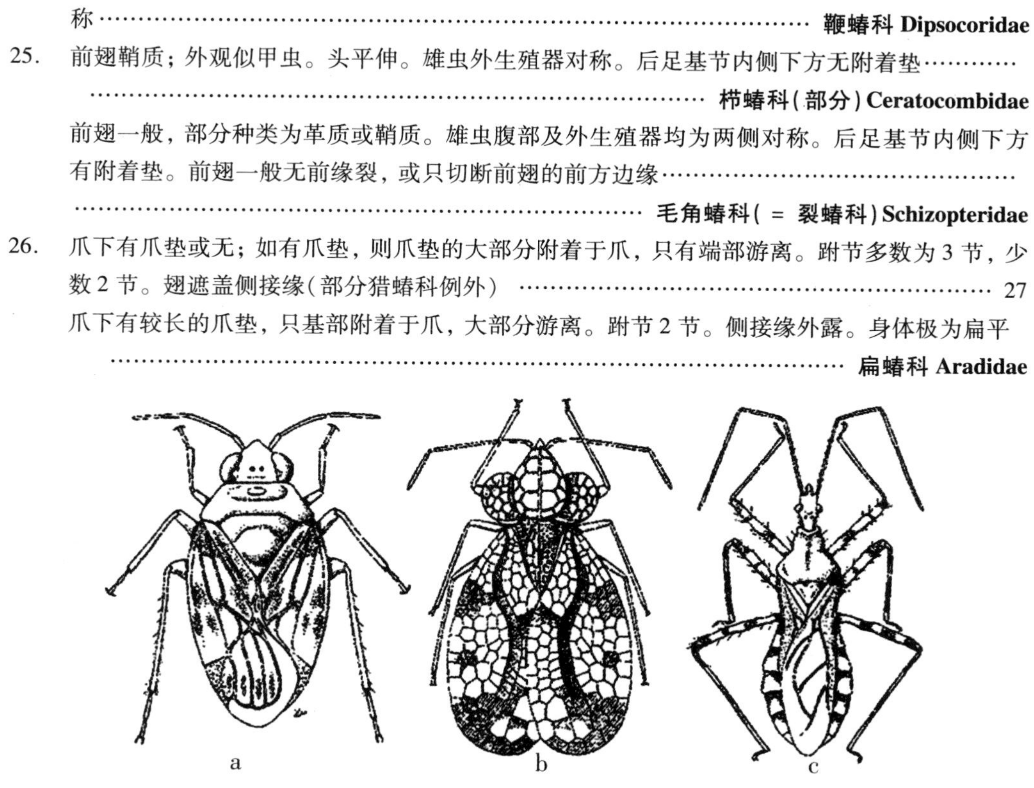

图 11 跳蝽科 Saldidae，网蝽科 Tingidae，猎蝽科 Reduviidae
a. 广跳蝽 *Saldula pallipes* (Fabricius)（跳蝽科）；b. 钩樟冠网蝽 *Stephanitis ambigua* Horvath（网蝽科）；c. 环斑猛猎蝽 *Sphedanolestes impressicollis* Stål（猎蝽科）

27. 前翅膜片有 3 ~ 5 个封闭的翅室，没有任何翅脉从这些翅室的后缘伸出 ……………………
……………………………………………………… 28（**细蝽次目 Leptopodomorpha**）
前翅膜片多数具 1 ~ 2 个翅室，如翅室多于 2 个，则可有翅脉由翅室后缘伸出 ……………
…………………………………………………………… 29（**臭虫次目 Cimicomorpha**）

28. 下唇长，逐渐尖细，伸达后足基节基部或超过之。复眼大，侧面观几乎占据整个头部。复眼向后达于前胸背板领的水平位置或略后。体长超过 2.20mm(图 11：a) ……… **跳蝽科 Saldidae**
下唇短，最多只伸达前足基节末端 ……………………… **细蝽科(=细足蝽科) Leptopodidae**

29. 下唇明显 4 节，第 1 节几乎伸达头后缘。足无海绵窝(fossula spongiosa) ……………… 30
下唇 3 节或 4 节，如为 4 节，则第 1 节不达头的后缘。1 对或数对足上具海绵窝 ……………
…………………………………………………………………… **猎蝽科(部分) Reduviidae**

30. 前胸背板及前翅表面全部密布小网格状脊纹。前翅质地均一，不具膜质部分。雄虫生殖节左右不对称，左右阳基侧突同形(图 11：b) ………………………………… **网蝽科 Tingidae**
前胸背板及前翅表面不若上述(有时因具深刻点而外观与脊纹类似，需注意分辨)。前翅分区“正常”。雄虫生殖节左右不对称，左右阳基侧突不同形 ……………………………………… 31

31. 前胸腹板具纵沟，沟表面常有密横棱(摩擦发音器)。喙多数短而粗壮，弯曲，有时可较细直。头基部常细缢成颈状，单眼前方常有 1 个横走凹痕。前翅膜片常有 2 个大室(图 11：c) ……

…………………………………………………………………… **猎蝽科（部分）Reduviidae**

前胸腹板无具密横棱的纵沟。头在复眼后方不呈颈状，单眼前方无横走凹痕。前翅膜片脉相多样 …………………………………………………………………… 32

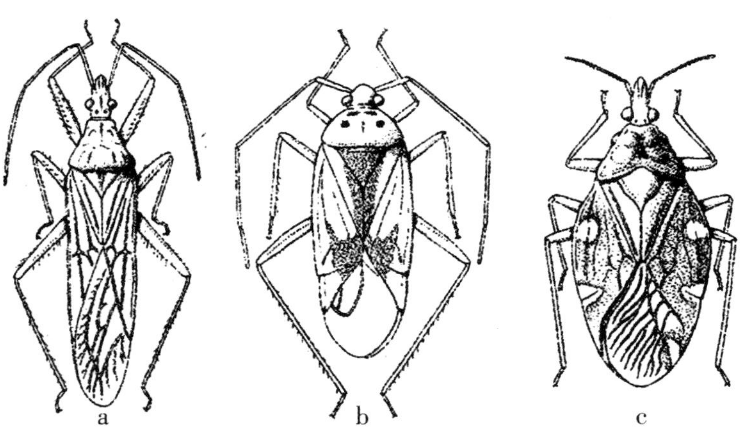


图 12 姬蝽科 Nabidae，盲蝽科 Miridae，捷蝽科 Velocipedidae

a. 暗色姬蝽 *Nabis stenoferus* Hsiao（姬蝽科）；b. 中黑苜蓿盲蝽 *Adelphocoris suturalis*（Jakovlev）（盲蝽科）；c. 捷蝽 *Scotomedes alienus*（Distant）（捷蝽科）

32. 触角视若 5 节。小盾片侧方有 1～7 对毛点。前翅膜片脉序中有 1 个“棒状短脉”（stub），在膜片腹面易于分辨 ………………………… **姬蝽科：花姬蝽亚科 Nabidae：Prostemmatinae**

触角 4 节 …………………………………………………………………… 33

33. 翅正常，短翅型个体中前翅或多或少仍可明显分辨。不吸食哺乳动物血液，亦不营体外寄生生活 …………………………………………………………………… 33

翅极退化，前翅全缺，或成小瓣状，几乎不能辨。吸食哺乳动物血液，或营其体外寄生生活 …………………………………………………………………… 41

34. 前翅具楔片 …………………………………………………………………… 35

前翅无楔片（图 12：a） ……………………………………………… **姬蝽科 Nabidae**

35. 有单眼 …………………………………………………………………… 36

无单眼，前翅膜片多具 2 个翅室（图 12：b），跗节 3 节，如为 2 节，则第 1 节甚长 ……………………………………………………………… **盲蝽科（部分）Miridae**

36. 膜片仅有 1 个翅室 …………………………………………………………………… 37

不如上述 …………………………………………………………………… 38

37. 额及唇基向前突出，端缘远超出复眼前缘。膜片有 1 个由粗脉组成的翅室，室后角有 1 个“棒状短脉” ………………………………………………… **驼蝽科 Microphysidae**

额风唇基不突出，明显前倾，与身体几乎垂直，复眼大膜片翅室后角无“棒状短脉” ……………………………………………… **盲蝽科：树盲蝽亚科 Miridae：Isometopinae**

38. 体长 10～15mm。前翅外革片宽阔，明显扩展（图 12：c）。前翅膜片翅室端部有一些短脉发出。喙最后第 2 节长于其他各节之和 ……………………………… **捷蝽科 Velocipedidae**

体长常在 4mm 以下。前翅外革片不异常扩展。前翅膜片翅室端部处无短脉发出。喙最后第 2 节一般不长于其他各节之和 …………………………………………………………………… 39

39. 臭腺沟缘向后弯曲或直接指向后方。不达于后胸侧板后缘，亦不延伸成脊。授精方式正常 ………………………………………………………………………………………… **毛唇花蝽科 Lasiochilidae**
臭腺沟缘向前弯或直或向后弯，然后向前延伸成一脊。授精方式为血腔授精……………… 40
40. 雄虫生殖节两侧各有 1 个阳基侧突。雌虫腹部第 7 腹板前缘中部有 1 个内突。臭腺沟缘向前呈折角状弯曲，延伸成一脊伸达后胸侧板前缘 ……………………… **细角花蝽科 Lyctocoridae**
雄虫生殖节仅左侧有 1 个阳基侧突。雌虫腹部第 7 腹板前缘中无内突。臭腺沟向前弯或直或向后弯，向前延伸成一脊 ………………………………………………………… **花蝽科 Anthocoridae**
41. 各足跗节均为 3 节。前翅成小瓣片状。有复眼(图 13：a) ………………… **臭虫科 Cimicidae**
中、后足跗节为 4 节。前翅完全消失。无复眼。寄生于蝙蝠体外 ……… **寄蝽科 Polyctenidae**

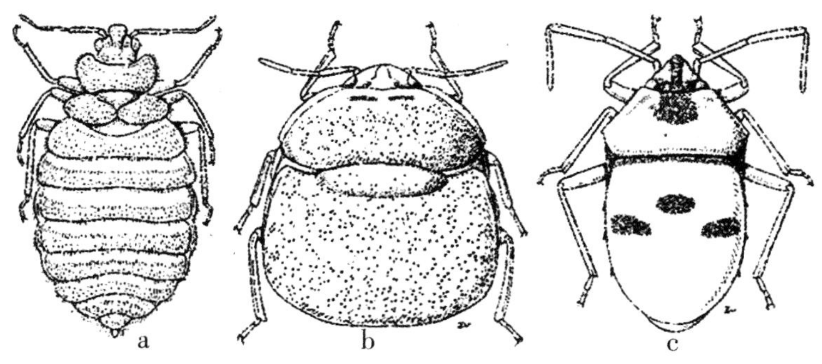


图 13 臭虫科 Cimicidae，龟蝽科 Plataspidae，盾蝽科 Scutelleridae
a. 温带臭虫 *Cimex lectularis* (Linnaeus)(臭虫科)；b. 筛豆龟蝽 *Megacopta cribraria* (Fabricius)(龟蝽科)；c. 丽盾蝽 *Chrysocoris grandis* (Thunberg)(盾蝽科)

42. 触角 5 节 ……………………………………………………………………………… 43
触角 4 节 ……………………………………………………………………………… 50
43. 跗节 3 节(个别土栖的土蝽科种类跗节强烈变形为 1 节) ………………………………… 44
跗节 2 节 ……………………………………………………………………………… 46
44. 前翅在革片与膜片交界处折弯，几乎完全隐于极发达的小盾片下。腹部各节腹板每侧有 1 个黑色横走凹痕(图 13：b) ……………………………… **龟蝽科(=平腹蝽科)Plataspidae**
前翅不折弯。腹部各节腹板侧方无黑色横走凹痕 ………………………………………… 45
45. 中胸腹板常具侧扁的显著中脊，多隆起很高，龙骨状。雄虫第 8 腹节大，外露 ……………… ……………………………………………………… **同蝽科(=腹刺蝽科)Acanthosomatidae**
中胸腹板无中脊。雄虫第 8 腹节较小，大部或全部不外露………… **蝽科(部分)Pentatomidae**
46. 胫节具粗棘刺形成的刺列 ……………………………………… **土蝽科(部分)Cydnidae**
胫节刺一般，不成粗棘状…………………………………………………………………… 47
47. 小盾片极宽大，长几乎达腹部末端(图 13：c) ………………………… **盾蝽科 Scutelleridae**
小盾片多为三角形，离腹部末端较远………………………………………………………… 48
48. 腹部第 2 节腹板(=第 1 个可见的腹节腹板)上的气门完全或部分暴露在外，未被后胸侧板所全部遮盖……………………………………………………… **荔蝽科(部分)Tessaratomidae**
腹部第 1 可见腹节腹板上的气门被后胸侧板完全遮盖 ……………………………………… 49
49. 单眼相互靠近，常相接触。触角着生于头的侧缘上。爪片向端渐细，成三角形，左右两爪片末端相遇处极短小，不成 1 条明显的爪片接合缝(图 14：a) ……………… **异蝽科 Urostylidae**

单眼相互远离。触角着生于头的腹方。爪片四边形。爪片接合缝明显(图 14: b) ……………………………………………………………………………… **蝽科(部分)Pentatomidae**

50. 唇基前缘具 4 ~5 根粗刺或棘，胫节具棘状粗刺列 …………………… **土蝽科(部分)Cydnidae**

唇基前缘不具粗刺列。胫节亦不具棘状粗刺列 ……………………………………………… 51

51. 跗节 2 节。前翅具深大刻点，致使近似网格状(图 14: c) … **皮蝽科( =拟网蝽科)Piesmidae**

跗节 3 节。前翅不若上述 ……………………………………………………………………… 52

52. 无单眼 ……………………………………………………………………………………… 53

有单眼 ……………………………………………………………………………………… 54

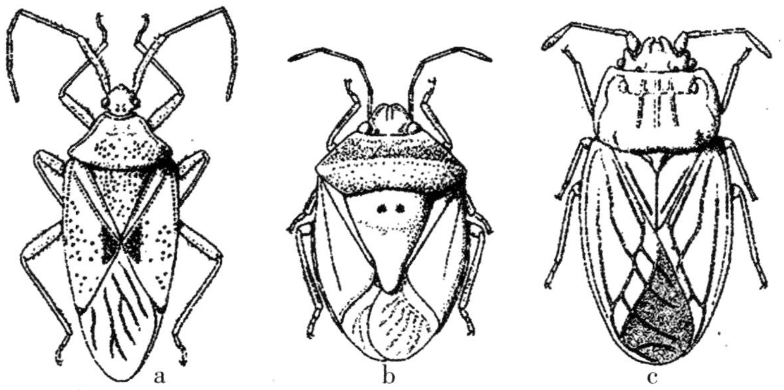

a b c

图 14 异蝽科 Urostylididae，蝽科(部分)Pentatomidae，皮蝽科 Piesmidae

a. 高山娇异蝽 *Urostylis montanus* Ren (异蝽科); b. 小卷蝽 *Paterculus parvus* Hsiao et Cheng (蝽科); c. 方背皮蝽 *Piesma quadrata* (Fieber) (皮蝽科)

53. 前胸背板侧缘薄边状，略向上反卷。雌虫第 7 腹板完整 …………… **红蝽科 Pyrrhocoridae**

前胸背板侧缘不向上反卷。雌虫第 7 腹板裂为左右两半 ………………… **大红蝽科 Largidae**

54. 前翅膜片具 6 条以上的纵脉，并可有一些分支 ……………………………………………… 55

前翅膜片最多具 4 ~5 条纵脉 ……………………………………………………………… 60

55. 后胸侧板臭脉沟缘强烈退化或全缺 ………………………………… **姬缘蝽科 Rhopalidae**

后胸侧板臭腺沟缘明显 ……………………………………………………………………… 56

56. 小颊短小，后端不伸过触角着生处。体狭长 ………………………………………………… 57

小颊较长，后端伸过触角着生处。体形各异，但狭长者较少 …………… **缘蝽科 Coreidae**

57. 体形一般较为宽短，椭圆形。第 3 ~7 腹节腹板在气门后有 2 个毛点 ………………… 58

体较狭长。第 3 ~7 腹节腹板在气门后有 3 个毛点 ………………………………………… 59

58. 前翅膜片脉序网状(图 15: a) ……………………………………… **兜蝽科 Dinidoridae**

前翅膜片脉序不成明显的网状……………………………… **荔蝽科(部分)Tessaratomidae**

59. 眼间距宽于小盾片前缘。雌虫产卵器片状(图 15: b) ………………… **蛛缘蝽科 Alydidae**

眼间距狭于小盾片前缘。雌虫产卵器锥状(图 15: c) ………………… **狭蝽科 Stenocephalidae**

60. 腹部第 5 ~7 节的侧接缘向两侧扩展成明显的叶状突起，其边缘具锯齿 ……………………………………………………………………………………………… **束长蝽科 Malcidae**

腹部第 5 ~7 节侧接缘正常，两侧不具明显的叶状突 ………………………………………… 61

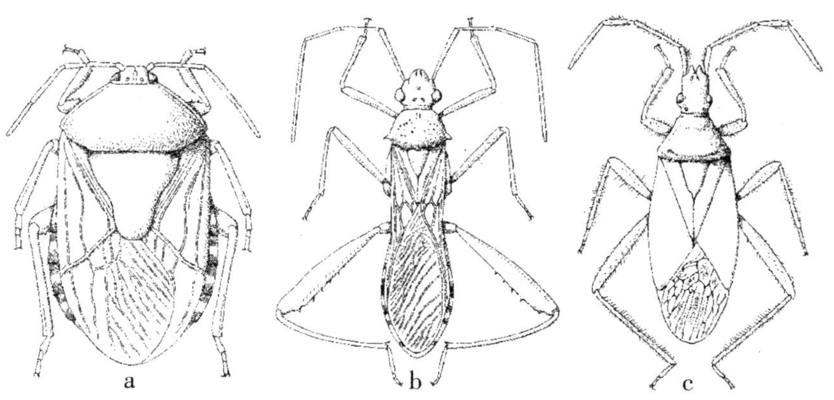


图 15 兜蝽科 Dinidoridae，蛛缘蝽科 Alydidae，狭蝽科 Stenocephalidae

a. 九香虫 *Aspongopus chinensis* Dallas（兜蝽科）；b. 点蜂缘蝽 *Riptortus pedestris*（Fabricius）（蛛缘蝽科）；c. 长毛狭蝽 *Dicranocephalus femoralis* Reuter（狭蝽科）

61. 雌虫产卵器片状，第 7 腹节腹板完整，不裂成左右两半。体狭长，束腰状。头横宽 ………………………………………………………………………………… **束蝽科 Colobathristidae**

雌虫产卵器锥状，第 7 腹板或多或少在中央分割 ……………………………………… 62

62. 足明显细长，股节末端明显加粗。触角膝状。后胸侧板上的臭腺沟缘明显伸长，并游离于侧板之外。体明显狭长(图 16：a) ……………………………… **跷蝽科( = 锤角蝽科) Berytidae**

股节末端不加粗。触角不成膝状。后胸侧板上的臭腺沟缘不特别伸长，亦不游离于侧板之外。体形多样 ……………………………………………………………………………… 63

63. 腹部腹面第 4、5 节间的节间缝在两侧向前弯曲，不呈 1 条直线，且一般不伸达侧缘；此二腹节多少愈合(图 16：b) ……………………………………………… **地长蝽科 Rhyparochromidae**

腹部腹面第 4、5 节间的节间缝直，完整，伸达侧缘；此二腹节不愈合，节间缝清楚(图 16：c) ………………………………………………………………………………… 64

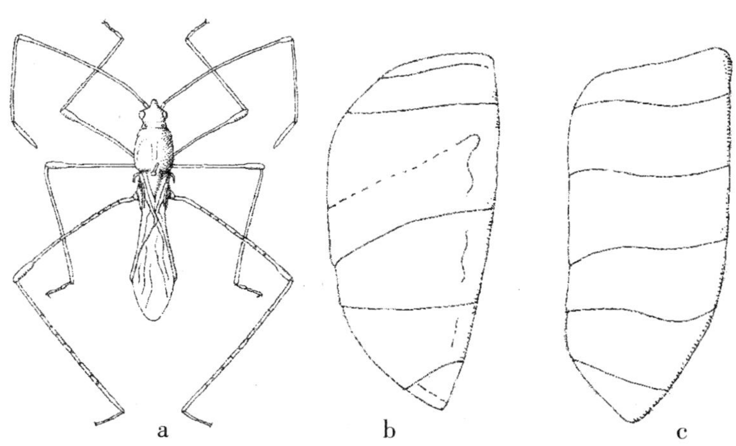


图 16 异翅亚目 Heteroptra

a. 娇驼跷蝽 *Gampsocoris pulchellus*（Dallas）（跷蝽科）；b－c. 腹部侧面观

64. 腹气门位于背面，前翅革片刻点稀少，后翅具钩脉 ………………………… **长蝽科 Lygaeidae**

不如上述 ……………………………………………………………………………………… 65

65. 除第 7 腹节气门位于腹面外，其余均位于背面 ………………………………………… 66

除第 7 腹节气门位于腹面外，尚有其他位于腹面者 …………………………………… 67

66. 前翅爪片与革片具明显的刻点，体不显著延长，束腰状。色淡或较淡，不成黑色 ……………

…………………………………………………………………………… **尼长蝽科 Ninidae**

前翅爪片与革片无刻点，或只有极少数很不明显的刻点。体黑色，狭长而两侧平行 …………

…………………………………………………………………………… **杆长蝽科 Blissidae**

67. 第 3～7 节气门位于腹面，眼不显著突出 ……………………………………………… 68

至少第 3～4 腹节气门位于背面，眼突出，肾形或具柄状 …………… **大眼长蝽科 Geocoridae**

68. 第 2 腹节气门位于背面，第 3～8 节气门位于腹面。小型，头部中叶端部较尖 ………………

…………………………………………………………………… **尖长蝽科 Oxycarenidae**

第 2～8 节气门全部位于腹面，头部中叶端部较钝 ……………………………………… 69

69. 前翅膜片脉间具横脉，在基部形成 1 个封闭的翅室 ……………… **室翅长蝽科 Heterogastridae**

前翅膜片脉间无横脉，基部不形成封闭的翅室 …………………… **梭长蝽科 Pachygronthidae**

# 黾蝽次目 Infraorder Gerromorpha

**鉴别特征：**包括全部半水生异翅类昆虫，均有在水面的表面张力膜上生活的习性；为昆虫纲乃至整个动物界中能够征服水表面这一生活环境的少数几个类群之一。

身体狭长至粗短不等，体壁常相对坚硬，颜色多灰暗，少数为红色。足有向体外平展的倾向，在水面划行的种类尤甚。体表常不同程度地被有由一层短密的微毛（microtrichia）组成的“拒水毛”，外观常成银白色绒毛状。大部分科内昆虫的身体表面具有许多筛孔状构造（peg-plate，sieve-pore）（使用 SEM 观察为圆形结构，具环形边，中有大量钉突状构造），以侧板和腹部腹面为最多，其功用不明。

头部多较狭长而平伸，眼前部分显著。但在宽蝽科（Veliidae）中头部则缩短。头部生有 3 对或 4 对显著的毛点毛，着生于深陷的凹坑中。复眼大，呈颗粒状，每一复眼上常有 2 根眼刚毛（ocular setae）。单眼有或无，短翅型个体常缺。前唇基与后唇基之间常有印痕分割，但上颚片在外表上常不能分辨。触角 4 节，喙 4 节，第 3 节在部分科中极长。头的腹面有时有纵走沟槽以容纳喙。上颚口针端部具若干倒刺，下颚口针端部内缘具复杂的刚毛列和刺列，左、右下颚口针的刚毛和刺列互不相同，两针末端亦不对齐。上颚口针刺入猎物不深，但下颚口针前伸较多。上颚杆为四角形，下颚杆缺。除水蝽科(Mesoveliidae)以外，前胸背板叶后部多向后延伸而将中胸小盾片遮盖或部分遮盖。跗节1～3节，前跗节具1对爪，爪间有1对副爪间突(parempodium)，可有1枚背中垫和1枚腹中垫。爪在宽蝽科和黾蝽科(Gerridae)中着生于跗节末端的裂隙间。前足在高级类群中特化为捕捉足。中、后足则会有与水面划动功能有关的种种变化。各龄若虫跗节均为1节，这在异翅类中为特殊的现象(多数异翅类若虫跗节为2节)。前翅不分成明确的革质部分和膜质部分，质地大体均一，略为加厚，但有向端方逐渐膜质化的趋向；多为暗色。臭腺属于"脐式"，以单个的臭腺孔开口于后胸腹板上。腹部第1腹节背板存在，但腹板消失。各节主背片与侧背片分离，侧背片形成明显的背侧接缘。第1腹节气门开口于背面，大而明显，其余各节气门开口于腹面；不像其他异翅类会趋于退化或消失。成虫和若虫腹部第3/4腹节背板之间或第4腹节背面常可见1枚单个的臭腺开口。成虫期具正常发育的腹部臭腺构造在异翅类中为少见的现象。

雄虫阳茎构造相对原始：阳茎基简单，成"U"形片状，成向上开口的水槽状；阳茎的膨胀直接依靠腹部肌肉收缩造成的体液压力，在阳茎基部缺乏与此机能有关的构造。阳基侧突与阳茎基直接接触，在许多科中均有退化的趋势。

雌虫产卵器在不同科中发达程度亦不同，产卵器形状亦有变化。

黾蝽次目种类具有在水表生活的特色。栖居场所包括潮湿而有水面的环境，如持续有水溅湿的石块、渗水崖壁、瀑布边的石上、潮间带环境、种种有植物覆盖的水边和水面，以及无覆盖的静水水体、溪流、山涧的水表，直至近海和远海的水表。其中海生种类(包括潮间带)计有4科80种(Andersen，1982)。在已知的海生昆虫中，黾蝽科的海黾属(*Halobates*)为唯一能在远洋海面生活的类群。

全部取食动物性食料。

**分类：**世界性分布。中国记录5科，陕西秦岭地区分布2科。

# 黾蝽总科 Gerroidea

叶瑱　卜文俊

(南开大学昆虫学研究所，天津 300071)

## 一、宽肩蝽科 Veliidae

**鉴别特征：**体小至大型，无翅或有翅，体形变化较大，多粗短紧凑，体色以灰暗居多，身体被有浓密的拒水毛层。头宽大于长，相对垂直，复眼内后侧具1个小陷窝，喙较短，不超过中胸腹板，足的基节臼左右距离较远，后胸腹板臭腺开口两侧具1对细长臭腺沟伸达后胸后侧片，端部呈1个具毛丛的隆起构造。前翅多为黑色，常有白斑，多数种类具4个大型翅室，基部与端部各2个。雄虫前足胫节端半沿后内缘可具粗短刺列组成的攫握栉，用于交配时抱握雌虫。跗节末端常深裂，前跗节着生其间，副爪间突左右不对称。中足的前跗节常出现各种程度的特化，爪扁平或加粗，或成叶状，或中垫成叶片状，或腹中垫压扁变形成排列成扇形的刚毛丛。雄虫生殖囊大，明显伸出腹部末端，内阳茎明显分为系膜和阳茎端两部分。雌虫产卵器片状，退化。

**分类：**中国记录15属50种，陕西秦岭地区分布1属1种。

## 1. 小宽肩蝽属 *Microvelia* Westwood, 1834

*Microvelia* Westwood, 1834: 6. **Type species:** *Microvelia pulchella* Westwood, 1834.

**属征：**体小型，无翅或有翅，体形状变化较大，常为长圆形或亚圆形。体黑色，褐色或黄色居多，宽大于长，复眼较大，半球形。触角长为体长的0.40~0.60倍，触角第4节长于第2节和第3节，喙相对细长，至中胸腹板中央。无翅型个体前胸背板前端常具横带状斑纹，后部具刻点；有翅型个体前胸背板呈五角状，中胸及后胸背板常覆盖于前胸背板下。前足短于中足，后足最长，前足胫节端部增厚，常具攫握栉，中足及后足细长，无明显特化结构。腹部相对较大，侧接缘平伸或抬起，雄虫生殖囊常突出于腹部末端，腹部第8节腹面常呈凹陷或具刺，阳基侧突对称或右阳基侧突发达，形状变化较大。

**分布：**世界各个动物区。世界已知14亚属200余种，中国记录7种，秦岭地区分布1种。

### (1) 网脉小宽肩蝽 *Microvelia reticulata* (Burmeister, 1835)

*Hydroessa reticulata* Burmeister, 1835: 213.

*Microvelia reticulata*: Burmeister. 1835: 213.

*Hydroessa schneideri* Scholtz, 1847: 109.

**鉴别特征：**体小型，有翅或无翅，体表被灰色或银白色斜直立短毛或紧贴软毛。体色灰色，头灰色，复眼红褐色，沿复眼内缘被稀疏银白色短毛，头腹面浅黄色，小颊浅黄色，前唇基及上唇黑色，触角第1节浅黄色，端部褐色，第2~4节褐色，喙黄色，端部黑色，前胸背板灰黑色，前缘中部具浅黄色窄带，后部具稀疏黑色刻点，前胸腹板黄褐色，中胸及后胸腹板灰黑色，基节窝浅黄色，足股节基半部浅黄色，端半部褐色，胫节及跗节褐色，腹部背板及侧接缘灰色，第7节背板中部黑色，腹部腹面浅灰色。头部相对垂直，宽大于长，复眼球形，较大，前唇基略膨大，上唇呈倒三角状，喙短粗，达于中胸腹板，触角相对短粗，被致密短刚毛，触角第 1 节略弯曲，其上具 1 ~2 根半直立长刚毛，第 2 节最短，第 4 节最长，端部尖细。前胸背板近梯形，宽大于长，前胸背板后缘平直并具稀疏粗刻点，前缘微凹，背面观可见中胸背板后缘圆弧形，有翅型个体前胸背板呈五角形，前翅灰色，翅上具明显斑块形白斑，翅末端具楔形白斑，前翅翅长达于腹部末端，后胸背板仅可见两侧小部分，足细长，胫节直，被斜直立短刚毛，前足及中足胫节无攫握栉。腹部中背片平坦，中背片第 1 ~6 节长度几乎相等，第 7 节甚长，侧接缘强烈抬起，腹部腹面平坦无特殊变化。腹部第 8 节小，浅黄色，筒状，长几乎等于宽，腹面中部褐色，背面后缘中部微凹，端半部黄褐色，被稀疏斜直立短刚毛，生殖囊小，椭圆状，载肛突端部圆钝，被直立短刚毛，阳基侧突退化。

**量度**(mm)：体长 1.28 ~1.81；头宽 0.39 ~0.47，长 0.26 ~0.31；触角 1 ~4 节的长度分别为 0.15 ~0.16、0.10 ~0.11、0.14 ~0.16、0.24 ~0.25；前胸背板宽 0.49 ~0.83，长 0.19 ~0.61；前足 1 ~3 节的长度分别为 0.35 ~0.37、0.24 ~0.26、0.18 ~0.20；中足 1 ~3 节的长度分别为 0.37 ~0.38、0.32 ~0.34、0.23 ~0.25；后足 1 ~3 节的长度分别为 0.40 ~0.42、0.44 ~0.45、0.23 ~0.25。

**采集记录**：4♂2♀，太白，1600 ~1800m，2011. Ⅷ. 11，党凯采。

**分布**：陕西(太白)、黑龙江、内蒙古、天津、贵州；俄罗斯，韩国，日本，哈萨克斯坦，欧洲。

# 二、黾蝽科 Geridae

**鉴别特征**：体小至大型，无翅或有翅，体形变异较大，多狭长，体色以灰暗居多，身体覆盖有由微刚毛组成的拒水毛层。头部具 4 对毛点毛，与次目其他科为 3 对的特征不同。喙较短。前胸背板无领和刻点。中胸背板和腹板相对延长。多数种类具后胸臭腺及其开口。前翅翅室 2 ~4 个。中足基节强烈后延，与后足基节贴近，基节窝开口朝向后方。前足粗短变形，具攫握作用，但无栉状结构。中足和后足极细长，向侧方伸开，股节约等长于胫节。各足跗节均为 2 节。背中垫刚毛状，较短，腹中垫发达，腹爪间突刚毛状。部分种类的腹部变短而缩入胸部后端。雄虫生殖囊多伸出，左右对称或不对称。雌虫产卵器多退化变形，第 2 载瓣片消失，第 1 产卵瓣多狭片状，分为 2 叶。

**分类**：中国记录 21 属 90 种，陕西秦岭地区分布 3 亚科 4 属 5 种。

### 分亚科检索表

1. 后胸腹板极度退化，呈短的亚三角形片状构造。后足前跗节爪多为“S”形 ………………………………………………………………………………… **海黾亚科 Halobatinae**

   后胸腹板正常，后足前跗节爪多为钩状 ……………………………………………… 2

2. 前足跗节长约为前足胫节长的1/2 ……………………………… 毛足黾蝽亚科 Ptilomerinae
前足跗节极短 ……………………………………………………… 黾蝽亚科 Gerrinae

## (一)海黾亚科 Halobatinae

**鉴别特征:** 体中型、小型，第1腹节腹板缺失或与后胸腹板愈合，头部腹面不向后突出。后胸腹板极度退化，通常只见1个三角形的小片，其上着生臭腺孔。后足的爪变异成直形或"S"形。雌虫产卵器短且不呈锯齿状。

**分类:** 世界已知10个属，中国分布3个属，陕西秦岭地区记述1属1种。

### 2. 涧黾属 *Metrocoris* Mayr, 1865

*Metrocoris* Mayr, 1865: 445. **Type species**: *Metrocoris brevis* Mayr, 1865.

**属征:** 体小至中型(体长3.30~7.60mm)，无翅或有翅，体形亚三角形，头部背面常具箭头状黑色斑纹，胸部背面具黄色至暗褐色复杂条纹图案，宽大于长，复眼较大，半球形，触角第1节最长，表面光滑无刺状毛，喙较细长，至中胸腹板中央，无翅型个体前胸前部略宽于头宽，有翅型个体前胸背板呈五角状，中胸及后胸背板常覆盖于前胸背板下，前胸背板略拱形，足强壮，雄虫前足股节加厚，股节腹面常具齿状排列的突起，中足和后足极度延长，无明显特化结构，股节长于胫节长，腹部侧接缘平伸或略抬起，雄虫生殖囊突出于腹部末端，阳基侧突对称，常呈镰刀状，阳基侧突为本属最为可靠的鉴定特征。

**分布:** 东洋区。中国记录21种，秦岭地区分布1种。

#### (2) 四川涧黾 *Metrocoris sichuanensis* Chen *et* Nieser, 1993

*Metrocoris sichuanensis* Chen *et* Nieser, 1993: 52.

**鉴别特征:** 体中型，有翅或无翅，体黄色，头部背面中央具箭头状黑色斑纹，复眼内缘具黑色窄条纹，触角第1节黄褐色，第2~4节褐色，喙黄色，端部黑色，胸部背面具黑褐色条纹，前胸背板具"T"形黑色条纹，前胸侧板具较宽暗纹，中胸背面中央具纵向细长黑色条纹，后胸背板前缘的横向条纹与侧板交汇，前足股节端部具环形褐色条纹，腹部背面黑褐色，腹部背板第2~7节后缘橙黄色，腹面黄色，腹板每节后缘具黄边或黄色三角斑纹，腹部第8节背面具黑色矩形斑，宽大于长，复眼球形，较大，触角第1节略弯曲，前胸背板近梯形，宽大于长，前胸背板前缘微凹，有翅型个体前胸背板呈五角形，前翅灰色具黄褐色条纹，前翅翅长长于腹末，雄虫前足股节粗大，其长与宽的比例约为4.40，内侧中部具微小齿状突，近端部处具1个明显的凹陷，其内着生1个微小黑褐色齿突，腹部第7腹节背板近方形，基部具黑褐色斑纹，腹部第8节矩形，长明显大于宽，后缘被直立短刚毛，载肛突侧缘具黑色斑块，阳基侧突发达，镰刀状，端部略钝圆。

**量度(mm)：**体长6.18～7.10；头宽1.65～1.83，长0.73～0.84；触角1～4节的长度分别为1.89～2.41、0.92～1.38、1.01～1.22、0.75～0.81；前胸背板宽1.58～1.93，长0.49～0.73；前足1～3节的长度分别为2.51～3.28、2.19～2.85、0.91～1.09；中足各节的长度分别为6.45～8.23、4.92～6.12、2.49～2.99；后足1～3节的长度分别为6.18～7.82、4.34～5.24、0.84～0.89。

**采集记录：**1♂1♀，佛坪岳坝乡麻家沟，1050m，2015.Ⅶ.28，刘华希采。

**分布：**陕西(佛坪)、湖北、四川。

## (二)毛足黾蝽亚科 Ptilomerinae

**鉴别特征：**体中至大型，第1腹节腹板缺失，前胸背板短，无前胸背板叶。前足跗节长至少为前足胫节长的1/2。中足股节细长，明显长于中足胫节。雄虫阳基侧突多为弯曲结构，雌虫产卵器短。

**分类：**中国分布有3个属，本地区记述1属1种。

### 3. 巨涧黾属 *Potamometra* Bianchi, 1896

*Potamometra* Bianchi, 1896: 71. **Type species**: *Potamometra berezowskii* Bianchi, 1896.

**属征：**体大型(体长10～14mm)，无翅或有翅，体型较宽，背部散布有短的、浅黄色软毛，从头部前缘至后胸背板基部，中线处有1个浅黄色或橙色条纹，胸侧板覆盖有银色绒毛，触角黑色，基节有浅黄色条纹；足浅黄色，有纵向条纹，中足和后足腿节端部浅黄色。触角较长，长度接近身体长度，第1节触角长度大于其余3节之和；复眼小，近球状，内缘凹陷。前足长度大于体长，胫节端部增厚。中足极长，约为体长4倍。后足略长于中足。跗节2节，跗爪1对，位于各足顶端。后胸背板无明显中缝结构，后胸背板的侧缘由1条纵缝与中胸侧板分开。雄虫腹部短小，雌虫腹部更短，缩进胸腔。

**分布：**中国。目前已知5种，秦岭地区分布1种。

#### (3) 布氏巨涧黾 *Potamometra berezowskii* Bianchi, 1896

*Potamometra berezowskii* Bianchi, 1896: 73.

**鉴别特征**：体大型，雄虫体型较大于雌虫。无翅或有翅，体型较宽，体表被黑色或浅黄色软毛，身体背侧黑色，前侧浅黄色，后胸背板中线处有 1 个浅黄色条纹，胸侧板覆盖有银色绒毛。触角黑色，基节有浅黄色条纹；足浅黄色，有纵向条纹，中足和后足腿节端部浅黄色。头部长大于宽，复眼较小，近球形，下唇接近前胸腹板，第 3 节长度大于第 4 节。触角细长，4 节，长度略大于身体长度，第 1 节触角长度大于其余 3 节之和；前胸背板较短，中间有黄色条纹，中胸背板较长，表面隆起，后胸背板长度接近前胸背板。前足长度大于体长，胫节端部增厚。中足极长，约为体长的 4 倍。后足略长于中足。跗节 2 节，后足跗节 2 节愈合。跗爪 1 对，位于各足端部。雄虫腹部短小，雌虫腹部较雄虫更短，缩进胸腔。阳基侧突较长，后延至第 9 腹节，生殖囊裂片状。

**量度**(mm)：体长 10.50 ~ 13.80；头宽 2.00 ~ 2.20，长 2.21 ~ 2.30；触角 1 ~ 4 节的长度分别为 4.37 ~ 4.39、1.14 ~ 1.15、1.74 ~ 1.76、1.23 ~ 1.24；前胸背板长 1.60 ~ 1.64，中胸背板长 3.80 ~ 3.85，后胸背板长 1.50 ~ 1.52；前足各节的长度分别为 7.06 ~ 7.08、6.10 ~ 6.11、4.82 ~ 4.83、1.46 ~ 1.48；中足各节的长度分别为 20.20 ~ 20.30、13.10 ~ 13.20；后足各节的长度分别为 23.20 ~ 23.30、17.80 ~ 17.90。

**采集记录**：3♂3♀，宁陕旬阳坝，1368m，2014. Ⅷ. 03，刘华希采。

**分布**：陕西(宁陕)、河北、山西、河南、湖北、四川。

## (三) 黾蝽亚科 Gerrinae

**鉴别特征**：体中至大型，本亚科昆虫的前胸背板在无翅型个体中不退化，若退化则前足跗节爪中垫缺失，中胸和后胸间的侧缝消失。

**分类**：中国分布 8 个属，秦岭地区记述 2 属 3 种。

### 分属检索表

体小型(5.30 ~ 15.00mm)，触角第 1 节短于第 2、3 节之和，腹部侧接缘后缘呈角状突出结构 ………………………………………………………………………………………… 黾蝽属 *Gerris*

体中型(8.30 ~ 26.50mm)，触角第 1 节明显长于第 2、3 节之和，腹部侧接缘后缘具长刺形突出结构 ………………………………………………………………………………… 大黾蝽属 *Aquarius*

### 4. 黾蝽属 *Gerris* Fabricius, 1794

*Gerris* Fabricius, 1794: 188. **Type species**: *Cimex lacustris* Linnaeus, 1758.

**属征**：体小至中型(体长 5.30 ~ 12.00mm)，无翅或有翅，前胸背板多暗黑色，前胸背板叶前缘具苍白色中央条纹。触角短于体长的 1/2，触角第 1 节无刺形毛，明显短于第2、3节之和。前足股节苍白色具纵向暗黑色条纹，后足股节长约等于或稍短于中足胫节长。翅多型性较为常见。腹部侧接缘后缘呈角状突出结构，但不向后延长为长刺形。若虫腹部背板节间排列具黑色斑点。

**分布**：古北区。中国记录15种，秦岭地区记述2种。

## 分种检索表

前胸背板叶后部黑色。雄虫腹部第7腹板后缘具角状或半圆形中央凹痕 ………………………………………………………………………………………… **扁腹黾蝽 *G. latiabdominis***

前胸背板叶后部红褐色。雄虫腹部第7腹板后缘无中央凹痕 ………… **细角黾蝽 *G. gracilicornis***

### （4）扁腹黾蝽 *Gerris latiabdominis* Miyamoto, 1958

*Gerris lacustris latiabdominis* Miyamoto, 1958: 123 (upgraded by Kanyukova, 1982: 86).

**鉴别特征**：体中型，多为有翅型。头黑色，复眼黑褐色，头腹面淡黄色，小颊淡黄色，宽比长略长；触角相对短粗，共4节，触角第1节黑色，略弯曲，略短于头宽，第2、3节褐色，第4节黑褐色；喙黑色，基部黄褐色，长至前足基节；前胸背板黑色，中纵线不明显，前半部整体微向上隆起，两侧略突起，呈白色，两侧各具1条银色短毛组成的纵条纹，此条纹常达肩角，前胸、中胸及后胸腹板黑色；前足基节窝淡黄色，腿节外侧具较粗黑色条带，胫节呈褐色，胫节端部和跗节呈黑褐色，中、后足长，中足第1跗节长为第2跗节的2.50倍；腹部背板黑色，翅亦呈黑色，腹部腹面通常呈黑色，中胸腹板后半部、后胸腹板以及腹部腹板中央隆起呈纵脊状，腹部侧缘褐色。雄虫第7腹节有角形或者半圆形中间凹形；雌成虫第8腹节后缘的凹陷浅而圆，侧接缘角较短且尖锐，向后平直伸出呈三角形，达第8腹节后缘。

**量度**(mm)：体长9.35~10.85；头宽1.40~1.65，长1.15~1.35；触角1~4节的长度分别为1.30~1.45、0.70~0.83、0.68~0.80、0.90~1.15；前胸背板宽1.65~1.85，长3.25~3.65；前足1~3节的长度分别为2.10~2.25、2.00~2.25、0.60~0.70；中足1~3节的长度分别为5.90~6.75、4.65~5.50、2.75~3.45；后足1~3节的长度分别为5.30~5.75、3.05~3.35、1.45~1.85。

**采集记录**：3♂1♀，佛坪翠竹园农家乐，836m，2013.Ⅶ.31，刘华希采。

**分布**：陕西(佛坪)、黑龙江、吉林、辽宁、河北、山东、浙江、湖北、江西、湖南、福建、重庆、四川、贵州、云南；俄罗斯(远东地区)，韩国，日本。

### （5）细角黾蝽 *Gerris gracilicornis* (Horváth, 1879)

*Limnotrechus gracilicornis* Horváth, 1879b: cix.

*Hydrometra jankowskii* Jakovlev, 1889a: 337.

*Gerris selma* Kirkaldy, 1903b: 181.

*Gerris lepcha* Distant, 1910: 140.

**鉴别特征:** 体中型，多为有翅型。头黑褐色，复眼棕褐色，头腹面淡黄色，小颊淡黄色，头长与宽略相等；触角相对细长，共4节，约为体长的1/2，触角第1节棕褐色，基部黑褐色，略弯曲，略长于头长，第2~4节褐色；喙黄褐色，端部黑色，长至前足基节；前胸背板红褐色，表面有较浅的横皱，中纵线明显，呈1条完整而连续的浅色条纹，前胸背板中纵线两侧各具1个较大黑色斑，中胸两侧被银白色直立的短毛，前胸、中胸及后胸腹板灰黑色；前足基节窝淡黄色，腿节基半部黄褐色，端半部棕褐色，胫节及跗节褐色，中后足长，中足第1跗节长为第2跗节的2.50倍；腹部背板红褐色，翅亦呈红褐色，腹部腹面黑色，隆起呈脊状，侧缘红褐色。雄虫第8节腹板有1对卵圆形的微凹，上面具银色短毛，后胸腹板上的臭腺孔呈瘤状。气囊腹侧1对骨片偏小或融合成"V"形或呈杆形。雌虫腹部侧接缘向后延伸成刺突呈钝三角形超过第7腹节末端，接近第8腹节末端，第7腹节遮盖住第8腹节的大部分。

**量度(mm):** 体长11.15~13.25；头宽1.55~1.75，长1.55~1.75；触角1~4节的长度分别为1.60~2.00、0.95~1.25、0.95~1.10、1.35~1.40；前胸背板宽1.80~2.65，长3.50~4.65；前足1~3节的长度分别为3.00~3.55、2.50~3.35、0.85~1.15；中足1~3节的长度分别为7.00~8.90、5.00~6.90、3.00~4.50；后足1~3节的长度分别为6.20~8.20、4.50~5.00、2.10~2.50。

**采集记录:** 4♂2♀，宁陕火地塘，1500m，2012.Ⅻ.12，刘阳采。

**分布:** 陕西(宁陕)、黑龙江、辽宁、内蒙古、河北、河南、山东、浙江、湖北、江西、湖南、福建、广东、广西、重庆、四川、贵州、云南；俄罗斯(远东地区)，朝鲜半岛，日本，印度(北部)。

## 5. 大黾蝽属 *Aquarius* Schellenberg, 1800

*Aquarius* Schellenberg, 1800: 25. **Type species**: *Cimex najas* de Geer, 1773.

**属征:** 体中至大型，无翅或有翅，前胸背板多暗黑色，前胸背板叶前缘具苍白色中央条纹。触角第1节长，约等于或稍长于第2、3节长度之和。前足股节暗黑色，后足胫节长明显短于中足胫节长，后足胫节长至少为后足跗节第1节长的4倍。翅多型性较为常见。腹部侧接缘后缘向后延长为长刺形。

**分布:** 全北区。中国记录3种，秦岭地区记述1种。

### (6) 圆臀大黾蝽 *Aquarius paludum paludum* (Fabricius, 1794)

*Cimex najas* var. *alatus* Retzius, 1783: 89.

*Gerris paludum* Fabricius, 1794: 188.

*Hydrometra japonica* Motschulsky, 1866: 188.

*Hygrotrechus remigator* Horváth, 1879b: cviii.

*Gerris fletcheri* Kirkaldy, 1901e: 51.

*Cylindrostethus bergrothi* Lindberg, 1922b: 16.

*Gerris* (*Hygrotrechus*) *paludum* f. *obscura* Puschnig, 1925: 90.

*Gerris* (*Hygrotrechus*) *paludum* ab. *demarginata* Puschnig, 1925: 90.

*Gerris uhleri* Drake *et* Hottes, 1925: 69.

*Gerris paludum palmonii* Wagner, 1954c: 205.

*Gerris paludum insularis* Miyamoto, 1958: 118 (nec Motschulsky, 1866).

*Aquarius paludum paludum* Fabricius, 1794: 188.

**鉴别特征:** 体中型，具长翅型或短翅型。黑色。身体覆盖着由银白色微毛组成的拒水毛。头黑色，头顶后缘处具1个黄褐色“V”形斑；触角褐色；喙基部浅黄色，端部黑色。前胸背板黑色，后叶有时呈红褐色，其两侧边缘黄色，后叶前、后缘黑色；前叶中纵线处呈1个黄色细纵条。前翅黑褐色或黑色。腿节基部浅黄色，端部黑色。腹部黑色，侧接缘黄褐色。头部宽大于长；复眼发达，肾形，无单眼。触角细长，4节，短于体长的1/2，第1节远长于第2、3节长度之和，第2、3节略短于末节，末节较粗大，色亦较深。喙4节，较短粗，伸达前足基节。前胸背板有变异，后叶前缘、后缘略弯曲，中纵线明显可见。短翅型个体翅端伸达第4或第5腹节背板。长翅型个体的前翅翅脉具有M+Cu脉的二次分支，明显与Sc+R脉分隔开。前足腿节较粗。中足基节强烈后延，与后足基节贴近，基节窝开口朝向后方。中后足极细长，向侧方伸开。中足最长，略长于身体，后足股节明显长于中足股节。腹面呈脊柱隆起，雄虫具有长而明显的侧接缘刺突，超过腹部末端。载肛突长椭圆形，端部圆形，阳茎端背鞘明显长于阳茎背片，背片基部的分叉宽大，侧骨片细长，腹面“V”形，还有1个“Y”形骨片和2个小型棒状附属腹片。雌虫侧接缘刺突亦超过腹部末端且常弯曲。

由于此种在全世界分布广泛，不同地区的种类在形态上稍有差异，因此曾有过若干亚种的划分。Andersen (1990) 在详细地比较了采自世界不同地区的标本之后，认为只有采自日本琉球群岛和奄美大岛的 *Aquarius paludum amamiensis* Miyamoto, 1958 可以被视为亚种。此种又称“大黑水黾”，依据其典型的分类形态特征，在1993年发表的“中国黾蝽科昆虫名录(半翅目)”一文，提出使用圆臀大黾蝽的名称，以便于属名统一。

**量度(mm):** 体长11.00~17.00；头宽1.75~1.90，长1.15~1.40；触角1~4节的长度分别为2.50~3.00、1.00~1.10、1.00~1.10、1.10~1.20；前胸背板宽1.60~1.95，长0.75~1.12；前足1~3节的长度分别为4.00~4.50、3.00~3.30、1.00~1.15；中足1~3节的长度分别为10.00~12.00、9.00~9.25、3.00~4.25；后足1~3节的长度分别为11.00~15.00、6.00~9.30、2.00~2.60。

**采集记录:** 5♂1♀，华县少华山森林公园，685m，2015.Ⅷ.15，叶瑱采。

**分布**：陕西(华县、安康)及全国各省均有分布；俄罗斯，朝鲜，日本，越南，泰国，缅甸，印度。

# 蝎蝽次目 Infraorder Nepomorpha

**鉴别特征**：体微小(1.50mm)至大型(110mm)，在异翅亚目中最大的个体亦为这一次目的成员。色泽灰暗。

头部常宽短，与前胸结合紧密，以适合流线型的身体轮廓。眼发达，无毛。除蟾蝽科(Gelastocoridae)和蜍蝽科(Ochteridae)等少数类群以外，均无单眼。头壳各部分之间的缝线或界限模糊，上颚片和下颚片常不易辨认，前、后唇基间只在化石种中可见横缝，常无明显的小颊状构造。喙基的头壳常成圆筒状。头部无毛点毛。喙多粗短，但在盖蝽科(Aphelocheridae)和蟾蝽科中细长；喙由 4 节组成，第 1 节常极短，外观常似若 3 节，故在文献中的说法不一；第 3、4 节间在背面常有 1 个“间骨片”(intercalary sclerite)。划蝽科(Corixidae)的喙愈合为 1 节。下颚口针端段可具刺列，左右口针嵌合较松散。上颚口针插入不深。喙(下唇)在取食时不能弯折。下颚杆简单或无。若干科在咽的内壁与内唇(epipharynx)交界处有骨化构造，形成粗糙面，以磨碎和过滤食物。触角短小，4 节，少数 3 节；着生在头下的陷窝中，多数种类由背面看不到触角，但也有少数例外；触角节多粗短，可有种种变形，在负蝽科(Belostomatidae)和蝎蝽科(Nepidae)中，各节可伸出长的叶片，略呈鳃叶状。

中胸小盾片发达，三角形，但在划蝽科中常被遮盖而不外露。足的基节在多数科中为“枢纽式(pagiopodous)”，横列，足只依一轴转动，利于划水；只在蝎蝽科中为“球窝式(trochalopodous)”，基节窝圆形，足可依多轴转动，利于在水中步行。前足常成捕捉式，中、后足与游泳有关，变化多样。跗节 1 ~ 3 节不等。爪一般成对，但可左右不同形而极长；前足可无爪。前跗节构造多样：副爪间突 1 ~ 4 枚，或无。爪间尚可有其他刚毛状或叶状构造。前翅在多数科中区分为界限明显的革质部分和膜片，革片和爪片的区分也很明显；蚤蝽科(Helotrephidae)、固蝽科(Pleidae)和划蝽科前翅全部或几乎全部为革质；膜片脉序情况多样。后翅脉相中纵脉保留较多：M 脉在中室中的区段常完整，中室以外的 R 域中具有若干分支的痕迹。后方 2 个翅域中均有 2 条纵脉。胸部臭腺为脐式。腹部主背片和侧背片分离，背面具明显的侧接缘。腹部第 2 ~ 8 节气门气门开口于腹面。

雄虫生殖囊两侧对称或不对称，因不同科而异。

大多数科除在水体间迁移时出水外，若虫和成虫均终生在水中生活，有种种适应水生生活的构造和生理机制。蟾蝽科和蜍蝽科生活于岸边湿地或石下。蝎蝽次目除划蝽科常主要以浮游为食外，其余均为捕食；除食虫外，可捕食蝌蚪和小鱼。成虫期寿命常较长。许多种类有较强的飞翔能力和向光性。摩擦发音的习性比较普遍。

**分类：**中国记录11科，陕西秦岭地区分布5科。

# 蝎蝽总科 Nepoidea

谢桐音[1]　刘国卿[2]

（1. 东北农业大学农学院，哈尔滨 150030；2. 南开大学昆虫研究所，天津 300071）

# 三、负蝽科 Belostomatidae

**鉴别特征：**体扁平，卵圆形；体黄褐色至棕褐色。

头部近三角形；复眼牛角状，大而突出，黄褐色至黑褐色；触角通常4节，第2、3节基部具突起，表面上密被刚毛；喙4节，粗短。

前胸背板较宽，中央微隆起，缢缩明显。中胸小盾片三角形，表面具光泽。成虫后胸臭腺发达，可分泌臭味，这在蝎蝽次目中非常少见。前翅翅脉革质部呈不规则网状纹状，膜质部脉序亦呈网状，个别种类膜片翅脉部分退化。前足为捕捉足，腿节明显膨大；中、后足较前足细长，表面具长的游泳毛，侧缘多具刺突，长短各异。跗式有1-3-3、2-3-3或3-3-3；跗节末端多具2爪，有的种类前足跗节末端的1爪枚发达、1枚爪退化。

腹部腹面中央纵向隆起，两侧缘有毛区。成虫第8腹节背板特化成为1对相互靠近的带状结构，称为“呼吸带”；其内侧具长的疏水毛，末端可略微伸出水面，空气可由疏水毛形成的通道进入翅下空间。呼吸带上疏水毛的分布情况常可作为分类依据之一。呼吸主要通过开口于腹部背面的第1对气孔，腹面的第2～7对气孔基本丧失呼吸功能，其周围有接受平衡信号的感受器。若虫的9对气门均具有呼吸功能。成虫后胸臭腺发达，可分泌臭味，若虫腹部背面无臭腺开口。生殖节、阳基侧突均左右对称。

**分类：**世界性分布。中国记录3属7种，陕西秦岭地区分布2属2种。

### 分属检索表

体长小于30mm；前足跗节具2枚长度几乎相等的爪 …………………………………… **拟负蝽属 *Appasus***

体长大于40mm；前足跗节具2枚爪，1枚发达，另1枚退化 ………………… **鳖负蝽属 *Lethocerus***

## 6. 拟负蝽属 *Appasus* Amyot *et* Serville, 1843

*Appasus* Amyot *et* Serville, 1843: 430. **Type species**: *Appasus natator* Amyot *et* Serville, 1843 (=

*Naucoris nepoides* Fabricius, 1803).

**属征：** 体大型，椭圆形，黄褐色到棕褐色；头部呈三角形，头前缘与复眼外缘近于直线，后缘中央向后凸出；触角 4 节，第 2、3 节具横向的指状突起。喙粗短。

前胸背板梯形，前缘中央略凹入，后缘近于平直；中胸小盾片发达，三角形；前翅伸达腹部末端，革片上翅脉明显；前足跗节 2 节，具 2 小爪；中、后足跗节均为 3 节，具 2 爪。

腹部腹面中央屋脊状隆起，光滑，具光泽，侧缘有绒毛带分布。雄生殖节末端较尖锐，雌下生殖板末端较钝。呼吸带较短，被很多长毛。

**分布：** 主要分布于古北区与东洋区，中国记录 3 种，秦岭地区记述 1 种。

### （7）日拟负蝽 *Appasus japonicus* Vuillefroy, 1864（图 17）

*Appasus japonicus* Vuillefroy, 1864: 141.
*Appasus lewisi* Scott, 1874: 450.
*Sphaerodema japonicum*: China, 1925: 470.
*Diplonychus japonicas*: Kiritschenko, 1930: 432.

**鉴别特征：** 体卵圆形，棕褐色，背腹扁平。

头部尖，头顶弧形；具 1 对大而突出的复眼，灰褐色到褐色。复眼颜色多变，基部多淡黄色，端部多褐色；触角 4 节，第 2、3 节具横向指状突起，具稀疏的刚毛；喙粗短。

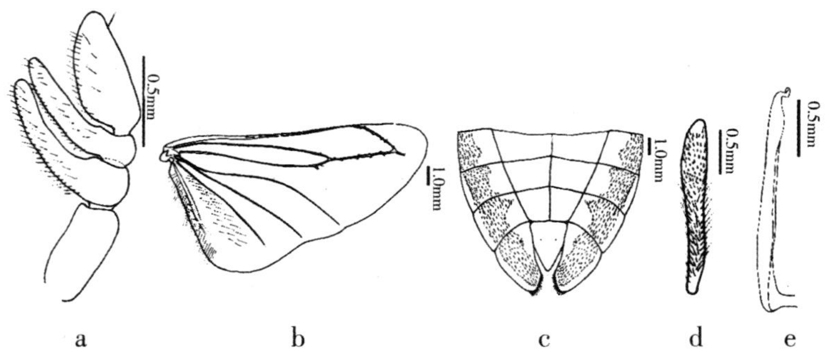


图 17 日拟负蝽 *Appasus japonicus* Vuillefroy
a. 触角；b. 翅脉；c. 雌虫腹节；d. 呼吸管；e. 阳基侧突

胸部前胸背板近梯形，前缘中央具凹入；两前侧角圆滑，表面颗粒状，具刻点；前叶中线左右两侧各有 1 个圆形的黑色斑点；其后缘具 1 条横沟；小盾片色暗，三角形，中部具 2 条褐色的纵纹，向上延伸到前胸背板前缘；前翅革片与爪片分界明显，革片与膜片表面具翅脉；膜片上翅脉尤其明显，基部多平行排列；革片上翅脉退化不明显。

前足腿节膨大，胫节短粗；跗节末端具 2 爪；中足和后足各节细长，具游泳毛，末端均具 2 爪。跗式 2-3-3 节。

腹部腹面中央脊状隆起，侧缘有绒毛带分布，气孔痕迹明显；腹部末端有 1 对呼吸带，呼吸时尾端向上渐起，呼吸带末端伸出水面。

生殖节：雄虫末端三角形，顶角尖，生殖囊腹面具长刚毛；阳基侧突基部棒状，末端渐细，弯曲呈"S"形。雌虫下生殖板末端较钝，呼吸带短，表面密被长毛。

**生物学**：该成虫和若虫都捕食蜗牛，其他水生昆虫如蚊子等的若虫，对抑制医学重要害虫有积极的作用（据 Shin-ya Ohba，2006）。该虫在河北（天津）及陕西（西安）地区，每年发生两代，以成虫越冬（据张英俊，1964）。第一代成虫出现于 6 月，第二代在 7 月。两代的生长速度由于气温的不同而有差别。据在室内观察，第一代平均室温为 25℃左右，由卵到成虫共需 43 ~ 55 天，其中卵期 15 天，1 ~ 5 龄若虫历期分别为 7.00、6.50、6.70、6.60、13.50 天。成虫寿命 45 天。第二代平均室温为 28℃左右，由卵到成虫需 29 ~ 35 天。在自然状况下，该虫发育较快。

任树芝（1992）报道，本种在天津地区以成虫在水下越冬，翌年 4 ~ 5 月为雌虫产卵期，5 月下旬卵开始孵化。雌虫将卵产在雄虫体背面，卵块将雄虫的前胸背板、前翅几乎完全遮盖。卵块 70 ~ 150 粒组成，排列整齐。

蒋学杰等（2003）记述本种生活史有明显的世代重叠现象。发生这种情况的原因是成虫寿命长，且能重复交配产卵。本种具有趋光性，野外灯诱时发现 20:00 ~ 21:30 上灯较多。本种的成虫、若虫能捕食蝌蚪、水蜘蛛、蚊类幼虫、划蝽、龙虱幼虫、蜻蜓稚虫、鱼苗、虾及虾苗等，同时可寄生于个体较大的鲫鱼和鲤鱼，还可取食死鱼。捕食时，鱼眼是其主要的攻击部位。

**采集记录**：3♂，西安，1959，周尧采。

**分布**：陕西（西安）、天津、河北、河南、江苏、湖北、江西、贵州、四川、云南；韩国，日本。

## 7. 鳖负蝽属 *Lethocerus* Mayr, 1853

*Lethocerus* Mayr, 1853: 17. **Type species**: *Lethocerus cordofanus* Mayr, 1853 ( = *Belostoma fakir* Gistel, 1848).

**属征**：该属种类体型巨大，体长超出 60mm，宽超出复眼间距的 2 倍；3 对足均呈明显的宽扁状，其中后足最为明显。

**分布**：世界性分布。中国记录 2 种，秦岭地区记述 1 种。

### （8）大鳖负蝽 *Lethocerus deyrolli* (Vuillefroy, 1864)

*Belostoma deyrolli* Vuillefroy, 1864: 141.

*Belostoma deyrollei* Mayr, 1871: 424. Unjustified emendation.

*Belostoma aberrans* Mayr, 1871: 424.

*Belostoma boutereli* Montandon, 1895: 471.

*Lethocerus deyrolli*: Liu & Ding, 2004: 59.

**鉴别特征：**体大型，深褐色。

头宽大于头长，约是长的 3 倍；头顶红褐色，略粗糙，中央部有 1 个微隆起的纵脊；复眼大，黑色；复眼宽是复眼长的 2 倍，复眼前间距是复眼后间距的 1/2。

胸部前胸背板表面粗糙，具光泽；中央线有 1 条纵向凹陷，较浅；侧缘薄片状，前侧角圆滑。中胸小盾片三角形，底边具毛丛，近平直；宽大于长，斜边突起。前翅革片发达，翅脉清晰可见，与爪片边界明显，膜片半透明，膜片与革片结合处波状弯曲。

前足转节有凹陷；腿节特别膨大，宽扁，宽是长的 1/3 倍，腹面中央两侧被有浓密的金黄色短刺毛；中、后足扁平，其上具褐色环状斑，腿节、胫节和跗节腹侧均具游泳毛，为游泳足；跗节 3-3-3，前足跗节末端具 1 个深褐色长爪，端部弯曲；另 1 个退化呈痕迹状；中足第 3 跗节最长，后足第 2 跗节最长；跗节末端各具爪 1 对，爪的末端颜色深。

腹部腹面中央具纵向脊状突起，腹侧缘具有浓密的长毛带，见第 1～5 腹节腹面。

雄虫生殖板舌状；阳基侧突亚端部膨大，顶端细而弯曲；雌虫下生殖板铲状，末端具小口。

**生物学：**Yoon *et al*. (2010) 描述了韩国的 Gyodong 岛上的大鳖负蝽 *Lethocerus deyrolli*，认为该种在东亚是濒危的湿地昆虫；2006 年，在韩国的 Gyodong 岛上利用人工灯光做的一项实验表明：灯诱对其有影响。实验观察开始于 6 月初，结束于 10 月下旬，灯诱数量出现的两个高峰值分别在 6 月和 9 月中旬。该种在日平均气温 15℃ 以上时出现飞行行为，但是最理想的飞行温度在 17℃ ～ 19℃ 之间，风速小于 1.80m/sec，相对湿度在 80% 左右。白昼长度对灯诱没有明显影响，灯诱到该种常出现的时段是 21:00～22:30。被灯诱出来的大鳖负蝽常被喜鹊和家鼠等消灭。常见的城市路灯和网球场的灯光都会对其产生影响，这可能是构成当地大鳖负蝽濒危的主要原因之一。

**采集记录：**1♂1♀，汉中龙岗寺，1975. Ⅴ. 14，采集人不详。

**分布：**陕西（汉中）、辽宁、北京、天津、河北、山西、山东、江苏、上海、安徽、浙江、湖北、湖南、台湾、广西、四川、贵州、云南；俄罗斯，韩国，日本。

**寄主：**Shin-ya Ohba (2006) 报道大鳖负蝽 *Lethocerus deyrolli* 捕食青蛙，主要的食物是蝌蚪。

# 四、蝎蝽科 Nepidae

**鉴别特征：**体呈污黑色或赭黄色，体长筒形或长椭圆形，较大。

头部较小，头顶光滑或具绒毛。复眼大而突出，呈球状。触角 3 节，第 2 节或第 2、3 节具指状突起。喙 4 节，粗短。

前胸背板宽大，亦可强烈延长，其前缘常凹陷包围少许头部，中部横向缢缩常把前胸背板分为前、后两叶。中胸小盾片发达。前翅膜片具大量翅室，不甚规则，革质部分较光滑或具绒毛。前足捕捉式，蝎蝽属的前足腿节粗大。螳蝎蝽属的前足腿节则细长，中段具 1 齿，前足基节亦强烈延长，使前足成为螳螂的前足状。中、后足细长，适于步行，表面亦被有一些长毛，各足跗节均为 1 节。成虫与若虫臭腺均缺失。

腹部较宽扁或狭长呈棍状，腹中线隆起呈船底状，向两侧渐低。若虫的腹侧背片被 1 条纵沟分为内、外两个部分覆盖腹板的侧方区域，边缘并具毛丛，形成 1 个储气空间，以利于呼吸。腹部第 4 ~ 6 腹节腹气门附近有很明显的圆片状平衡感受器。第 8 腹节背板变形成 1 对丝状构造，合并成 1 根长管，伸出腹后，形成呼吸管，管口接触水面，空气由此到达开口于背面的第 8 腹节气门。部分种类雌虫的第 7 腹节向后延伸，形成貌似产卵器的下生殖板。

**分类：**世界性分布。中国记录 5 属 20 种，陕西秦岭地区记述 1 亚科 1 属 1 种。

## （一）螳蝎蝽亚科 Ranatrinae

**鉴别特征：**该亚科种类体形呈狭长的杆状，体色多为赭黄色。前胸背板显著延长，其表面较光滑，前叶窄于头部。腹部侧腹片不可见。

**分类：**我国有 2 属，秦岭地区记述 1 属 1 种。

### 8. 螳蝎蝽属 *Ranatra* Fabricius, 1790

*Ranatra* Fabricius, 1790: 213. **Type species**: *Nepa linearis* Linnaeus, 1758.

**属征：**体呈狭长的棍状，体色为赭黄色。头顶较光滑，复眼大而突出，呈球状，灰褐色到黑色。触角 3 节。喙 4 节，较粗短。前胸背板显著延长，光滑。小盾片隆起，具光泽。前足捕捉式，基节、腿节均显著延长，腿节中段具刺状突起。中、后足细长，跗节 1 节，具 2 爪。雄虫抱器左右对称，雌虫下生殖板三角形，末端较尖锐。

**分布：**古北区，东洋区。世界已知 130 种，我国记录 6 种。秦岭地区仅记述 1 种。

### (9) 一色螳蝎蝽 *Ranatra unicolor* Scott, 1874 (图 18)

*Ranatra unicolor* Scott, 1874: 289.

*Ranatra brachyuran* Horváth, 1879: 141.

**鉴别特征:** 体中型，呈赭黄色。头小，头顶呈赭黄色。侧面观，头顶微隆起于复眼之上。复眼黑褐色，呈球状向两侧明显突出。唇基明显被有稀疏的长毛。头宽大于头长的 2 倍。触角 3 节。喙 4 节，粗短。

前胸背板前、后叶缢缩明显，前叶、后叶长度之比约为 3/2，后叶后缘向前强烈凹入。前胸腹面中央有 1 个纵向脊状隆起，隆起两侧为凹槽，从前足基节处延伸至中胸腹板。中胸小盾片明显，底部隆起，顶端具 2 个并排的尾向小窝，其长为宽的 2 倍。后胸腹部扁平，远端较宽，近端缢缩。前翅爪片与膜片均明显相互区别。前足捕捉式，基节明显延长。腿节亦较长略弯，在其中段约 1/2 处腹面有 2 枚明显的刺状突起，上面又被有许多黑色小刺。胫节略弯，跗节 1 节，无爪。中、后足细小狭长，胫节均被有许多长毛和短刺，其跗节亦被有许多短刺。中足基节间距宽于后足基节间距，跗节 1 节，末端均具 2 爪。

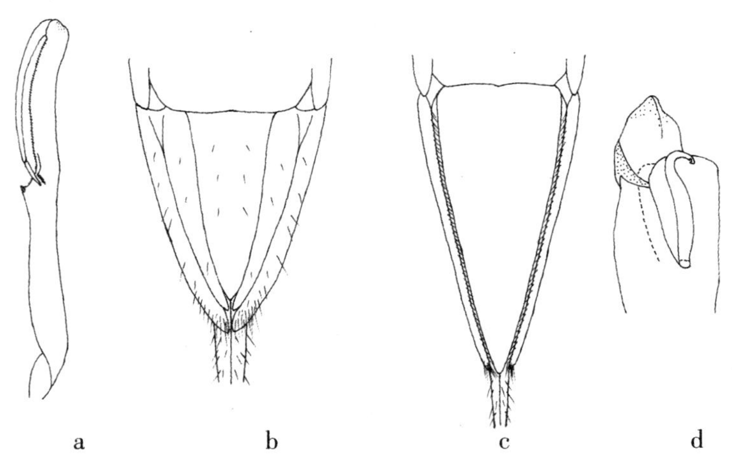


图 18　一色螳蝎蝽 *Ranatra unicolor* Scott

a. 前足; b. 雄虫生殖节; c. 雌虫下生殖板; d. 雄虫生殖囊

腹面中央呈纵向脊状隆起，末端具细长的呼吸管。雄虫生殖节末端较钝，其抱器较长，末端凹入，呈深钩状，钩状末端腹面有 1 个小内陷，雌虫下生殖板末端则较尖细。

**量度(mm):** 体长 24 ~32(♂)、27 ~32(♀); 体宽 2.60 ~2.90(♂)、2.80 ~3.20(♀); 呼吸管长 17 ~23(♂)、17 ~21(♀)。

**生物学:** 据杨明旭(1982)报道，江西南昌一年发生二代，以成虫在池塘、河流等的水底泥中和石缝等处越冬，翌年 3 月下旬开始活动，5 月下旬始卵，6 月上旬盛卵，6 月中旬终卵，8 月中、下旬死亡。第一代若虫于6 月上旬至7 月上旬孵出，7 月上旬至8月上旬羽化，10月至11月间死亡。第二代7月下旬始卵，8月上、中旬盛卵，中旬末终卵。8月上旬至下旬孵出，成虫最早的于9月上旬末，一般在10月上、中旬羽化，11月开始越冬。卵散生，不重叠，一般产在浸没在水中的水草的茎、叶组织中。成虫有时会迁飞他处。主要捕食库蚊、按蚊、伊蚊等的幼虫，其次为水生半翅目若虫、蜻蜓稚虫、豆娘稚虫、蜉蝣稚虫等。初龄若虫捕食水蚤及孑孓等。

**采集记录：**1♀，大荔，1981.Ⅶ.09，李永康采。

**分布：**陕西（大荔）、黑龙江、北京、天津、河北、宁夏、江苏、湖北、广东、四川、云南；俄罗斯，韩国，日本，阿塞拜疆，哈萨克斯坦，亚美尼亚，伊朗，伊拉克，沙特阿拉伯，塔吉克斯坦，乌兹别克斯坦。

# 划蝽总科 Corixoidea

谢桐音[1] 刘国卿[2]

（1. 东北农业大学农学院，哈尔滨 150030；2. 南开大学昆虫研究所，天津 300071）

# 五、划蝽科 Corixidae

**鉴别特征：**体小至中型，椭圆形或长椭圆形，体色浅，翅表面通常具典型的、不规则的横向黑色条带或褐色条带，具光泽；前胸背板夹杂有横向的黄色、棕色或黑色的条带；腹部腹面黑色、黄色或灰黄色。

头部呈三角形或新月状，雄虫头腹面中部凹陷或平坦，而雌虫较圆隆，复眼较大，红色至黑褐色；复眼多呈牛角状，多数种类无单眼；复眼下方侧缘具触角，触角4节，短小常隐于复眼下方的凹窝内；喙平而宽短，三角形，端部表面具横纹或无。前胸背板宽大，常盖过中胸小盾片，中胸小盾片背面观不可见；前足跗节特化，呈柱状或勺状，表面均具长毛，主要功能为收集食物；前足腿节基部内面具许多小突起，与喙表面摩擦发声。中足细长，跗节1节或2节，末端具2爪；后足长而扁平具长的游泳毛，适于游泳，跗节2节；半鞘翅发达，革质；腹部背面及腹部末端特征雌虫与雄虫明显不同，雄虫腹部不对称，雌虫对称；雄虫腹部第6背板多数种类具刮器，刮器通常位于腹部背面的右侧。

**分类：**中国记录8属54种，陕西秦岭地区记述3属6种。

## 分属检索表

1. 雄虫腹部背面第6腹节上具刮器 ………………………………………… 2
   雄虫腹部背面第6腹节无刮器 ……………………………… **副划蝽属** ***Paracorixa***
2. 前足跗节齿1列 ……………………………………………… **夕划蝽属** ***Hesperocorixa***
   前足跗节齿2列；前胸背板具7～8条横向条带；前足股节具发达的摩擦齿 … **烁划蝽属** ***Sigara***

## 9. 夕划蝽属 *Hesperocorixa* Kirkaldy, 1908

*Hesperocorixa* Kirkaldy, 1908b: 120 (as subgenus of *Callicorixa*; Upgrade by Blatchley, 1926: 1081). **Type species**: *Arctocorisa* (*Hesperocorixa*) *brimleyi* Kirkaldy, 1908.

**属征**：体长 6 ~ 10mm，中等大小，前胸背板具平行的横向条带；前翅表面纹水波状；雄虫前足跗节两侧缘近似平行，末端钝圆或平截，具齿 1 列；雄虫刮器大，位于腹部背面右侧。后翅三角形至不规则扇形。

**分布**：中国记录 8 种，秦岭地区分布 1 种。

### (10) 法华夕划蝽 *Hesperocorixa hokkensis* (Matsumura, 1905) 中国新纪录（图 19）

*Corixa hokkensis* Matsumura, 1905: 64.
*Corixa* (*Hesperocorixa*) *hokkensis* Jaczewski, 1960: 459.
*Hesperocorixa hokkensis*: Dunn, 1979: 168.

**鉴别特征**：体大型，头梭形，复眼黑色；翅面条带深褐色。

头部复眼大，牛角状；复眼之间的头部前缘略突出，复眼间距小于复眼长。

前胸背板具 7 ~ 10 条横向条带，前 2 条横向条带在中线处不连续；条带宽大于条带间距；爪片上横向条带宽大，颜色较暗，不连续；革片上具褐色网状纹，纹宽大连续；膜片上亦具网状纹，纹宽大不连续；前足跗节具齿 1 列，由 32 枚齿组成；后胸腹突长大于宽。

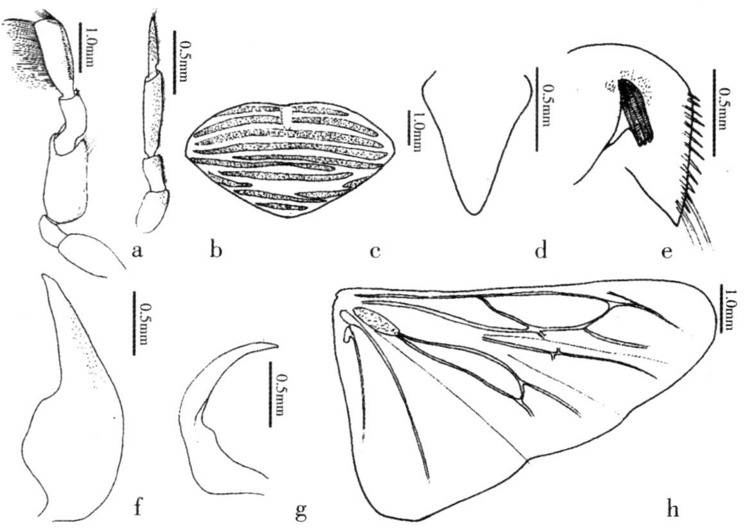


图 19　法华夕划蝽 *Hesperocorixa hokkensis* (Matsumura)

a. 前足；b. 触角；c. 前胸背板；d. 后胸腹突；e. 刮器；f. 左阳基侧突；g. 右阳基侧突；h. 后翅

后翅呈三角形。

腹第6腹节背面观右侧具刮器，呈长椭圆形，较大；由4列栉片组成。

雄虫右阳基侧突镰刀状，顶端细长弯曲，中部内缘具弧状内突；左阳基侧突基部明显宽大，中央向顶部渐窄，具数枚小刺突，顶端尖。雌虫生殖节左右对称。

**采集记录**：1♂1♀，汉中龙岗寺，1975. Ⅵ. 18，采集人不详，灯诱。

**分布**：陕西（汉中）、江苏、上海、湖北、云南；日本。

## 10. 副划蝽属 *Paracorixa* Poisson, 1957

*Paracorixa* Poisson, 1957: 73. **Type species**: *Corisa concinna* Fieber, 1848.

**属征**：前胸背板上横向条带明显，较直；条带宽小于条带间距；爪片基部纹细，横向平行，爪片端部和革片上的纹多不规则；革片和膜片分界明显；臭腺孔开口于中胸腹突和后胸腹突之间的1/2处；刮器无。

**分布**：中国记录6种，秦岭地区分布2种。

### 分种检索表

体长6～8mm；后足第1跗节端部和第2跗节基部有黑斑…… **阿副划蝽亚种 *P. concinna amurensis***

体长小于5mm；后足第2跗节褐色，有时不太明显 ………………………… **饰副划蝽 *P. armata***

### （11）饰副划蝽 *Paracorixa armata*（Lundblad, 1934）（图20）

*Callicorixa armata* Lundblad, 1934: 6.

*Paracorixa armata*: Jansson, 1995: 44.

**鉴别特征**：体色淡；前胸背板和革翅上的条纹褐色，多横向排列；缘片浅褐色。

头部复眼褐色至黑色，牛角状；复眼长近似等于复眼间距；复眼之间的头部空间宽阔，顶端钝略向前突出，向复眼后缘的方向逐渐变窄。

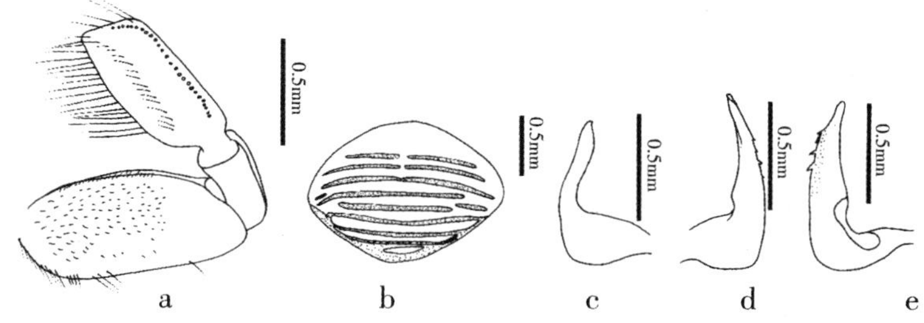


图20　饰副划蝽 *Paracorixa armata*（Lundblad）

a. 前足；b. 前胸背板；c. 右阳基侧突；d－e. 左阳基侧突

前胸背板具 9 条横向条带，条带宽小于条带间距，前缘 3 条在中线处断开；第 4 条在两端不连续。革翅上的条纹褐色，多横向排列，被纵向的由暗色条纹连接形成网状；革片和膜片分界明显，膜片后缘上的条纹分散排列。

前足跗节上具 1 列齿，靠近跗节基部齿的排列较直，向顶端延伸时弯曲，齿的数目大约是 26 枚，齿的大小比较一致，接近顶端时齿排列呈 1 条弧线。

腹部不对称，第 6 腹节背面无刮器。

雄虫右阳基侧突手柄状，顶端具尖状突起；左阳基侧突外缘具 4 枚长刺突和多枚短的小突起。雌虫生殖节左右对称。

**采集记录**：1♂，镇巴，1985. Ⅶ. 21，1200m，任树芝采。

**分布**：陕西（镇巴）、黑龙江、吉林、辽宁、内蒙古、河北、山西、河南、山东、宁夏、新疆；蒙古，俄罗斯，哈萨克斯坦。

### （12）阿副划蝽亚种 *Paracorixa concinna amurensis*（Jaczewski，1960）（图 21）

*Sigara concinna amurensis* Jaczewski，1960：285.

*Paracorixa concinna amurensis*：Jansson，1995：44.

**鉴别特征**：体色浅黄色，复眼黑色，复眼之间的头部淡黄色；前胸背板和鞘翅除横向条带黑褐色外，其余部分淡黄色。

头部复眼大，黑色，角状；复眼长约等于复眼间距；复眼之间的头部空间宽阔，略向前突出。

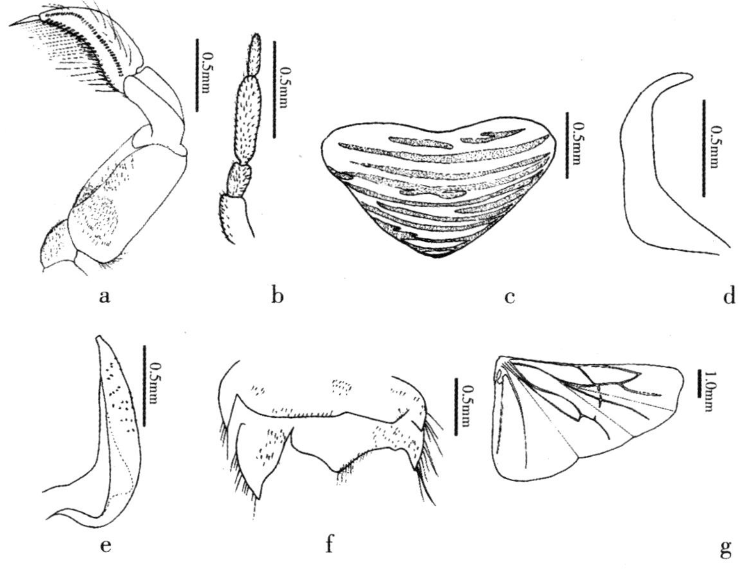


图 21　阿副划蝽亚种 *Paracorixa concinna amurensis*（Jaczewski）

a. 前足；b. 触角；c. 前胸背板；d. 右阳基侧突；e. 左阳基侧突；f. 第 6、7 腹节；g. 后翅前胸背板具连续和不连续横向深色条带，条带宽小于条带间距；爪片基部暗色条带多横向，相对端部的条带较直；其他条带不规则，多呈网状纹；革片与膜片分界明显；膜片上有分散的暗色条纹。

前足跗节齿沿中线排列，随着顶端的变细，齿排列弯曲，齿的数目大约是38枚，齿的大小比较一致。

腹部第6腹节背板中央处有1组脊状刺，无刮器；第7腹节背板结构特殊，左侧边缘弧形，内侧缘顶部较弯曲，顶端尖；左侧边缘尖锐，向内波状延伸，至中部时具1个明显的突起，突起上的毛束较短。

雄虫右阳基侧突结构简单，基部外缘弧形，顶端钝圆内弯；左阳基侧突片状，表面分散有刺突。雌虫生殖节左右对称。

**采集记录：** 5♂，礼泉，1959，采集人不详。

**分布：** 陕西（礼泉）、内蒙古、山西、宁夏；蒙古，俄罗斯。

## 11．烁划蝽属 *Sigara* Fabricius，1775

*Sigara* Fabricius，1775：691. **Type species**：*Notonecta striata* Linnaeus，1758.

**属征：** 中等大小；前胸背板具6～7条黄色横纹；雄虫前足跗节具齿列，前足股节具发达的摩擦齿，腹节不对称，刮器位于腹部背面右侧，椭圆形。

**分布：** 主要分布古北和东洋区。中国记录20种，秦岭地区发现3种。

### 分种检索表

1．胸虫第6腹节背面具刮器 …………………………………………………… 2
　胸虫第6腹节背面无刮器 ……………………………………… **钟烁划蝽 *S. bellula***
2．刮器由2～3列梳状齿组成 ………………………………… **纹迹烁划蝽 *S. lateralis***
　刮器由4列梳状齿组成 ……………………………… **曲纹烁划蝽 *S. septemlineata***

### （13）钟烁划蝽 *Sigara bellula*（Horváth，1879）（图22）

*Corisa bellula* Horváth，1879：151.
*Callicorixa bellula* Horváth，1933：261.
*Arctocorisa bellula*：Hoffmann，1933：257.
*Corisa ishidae* Matsumura，1915：113.
*Sigara bellula*：Jaczewski，1939：301.
*Corisa bellula*：Hungerford，1948：458.

**鉴别特征：** 头部背面观，头前缘两眼之间的区域向前突出，腹面平坦，中央部位略凹陷。

胸部前胸背板具8条规则的暗色条带，条带宽小于条带间距；前胸背板前缘中央

第1、2条带之间具龙骨状突起；背板侧角圆钝；鞘翅上具明显的窄的斑纹，革片基部纹较直，线状；胸侧板向端部渐狭。

前足跗节具28～29枚齿，位于前端的5枚齿较大且弯曲；前足股节上有许多整齐排列的小刺。

雄虫腹部左右不对称，第6腹节背板无刮器。

雄虫右阳基侧突宽，中央内侧具内凹，端部略加宽，呈钟罩状。雌虫生殖节左右对称。

**采集记录：**2♂，秦岭，1951. Ⅶ. 13，采集人不详。

**分布：**陕西(秦岭)、内蒙古、天津、山西、河南、宁夏、江苏、安徽、浙江、湖北、江西、湖南、台湾、广西、贵州；俄罗斯，韩国，日本。

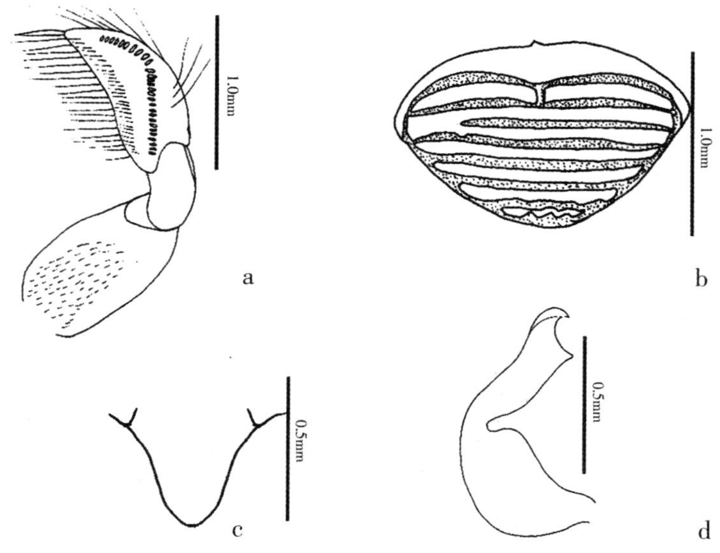


图22 钟烁划蝽 *Sigara bellula* (Horváth)

a. 前足；b. 前胸背板；c. 后胸腹突；d. 左阳基侧突

## (14) 纹迹烁划蝽 *Sigara* (*Vermicorixa*) *lateralis* (Leach, 1817) (图23)

*Corixa lateralis* Leach, 1817: 17.

*Corixa hieroglyphica* Dufour, 1833: 86.

*Corisa fieberi* Wallengren, 1855: 143.

*Corisa vaga* Wallengren, 1855: 143.

*Arctocorisa kilimandjaronis* Kirkaldy, 1908b: 23.

*Arctocorisa hieroglyphica*: Hoffmann, 1933: 258.

*Sigara lateralis nakurui* Lindberg, 1959: 130.

*Sigara lateralis*: Jansson, 1986: 84.

**鉴别特征：**体淡黄色；复眼之间头部苍白色。

头部复眼黑褐色，复眼之间头部超出复眼的部分呈弓形，苍白色；复眼长度略大于复眼间距；头腹面平坦，喙端部具稀疏毛。

前胸背板具 7 ~9 条黑色横向条纹，条纹规整。前胸背板的皱纹较爪片的明显，革片及膜片光滑。爪片具有多且较短的不规则的黑色线状横斑，基部苍白色；革片具刻点，有 3 ~4 列短而不连续的黑色横向斑纹标记。

后足第 1 跗节的端部及第 2 跗节黑褐色；后胸腹突呈长三角形；前足跗节具齿 1 列，由 27 ~31 枚齿组成，其端部的 6 ~7 枚细长；前翅上的革片和膜片分界明显。

雄虫腹部背面右侧刮器小，由 2 ~3 栉片组成；第 7 腹板亚中突呈短舌状，端缘具长毛。

雄虫右阳基侧突弯曲，前端具齿状突起；左阳基侧突顶端尖，亚顶端至中部表面具小刺突。雌虫生殖节左右对称。

**生物学：**卵乳黄色或黄色，呈桃形，卵前极向上渐缩，假卵盖向上圆鼓，侧面观呈圆锥状；后极阔圆，卵柄极短卵壳表面六边形脊状网纹不甚明显。卵长 0.80mm，卵宽 0.60mm。雌虫将卵产于水生植物的生长在水下的茎叶等处，初产的卵为乳白色，后渐变为黄色，但前极突出的假卵盖部分为白色。卵孵化时，卵壳前缘出现不规则的裂口，若虫出壳后，假卵盖的一部分仍与卵壳相连，呈悬浮状(任树芝，1992)。

**采集记录：**2♂，武功，1973. Ⅶ. 08，采集人不详。

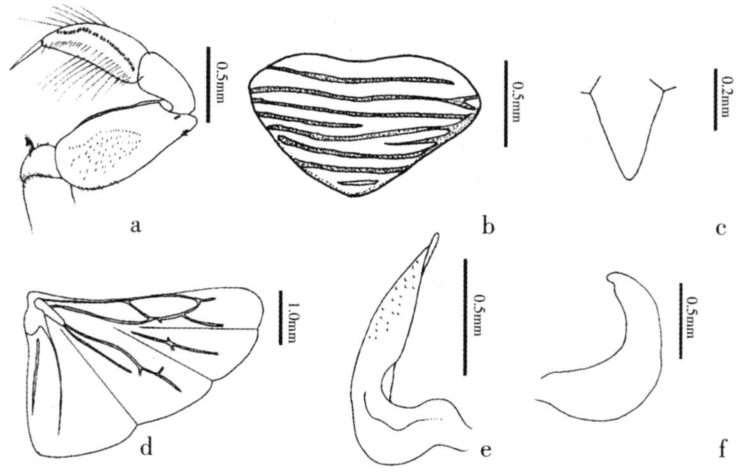


图 23 纹迹烁划蝽 *Sigara* (*Vermicorixa*) *lateralis* (Leach)

a. 前足；b. 前胸背板；c. 后胸腹突；d. 后翅；e. 左阳基侧突；f. 右阳基侧突

**分布：**陕西(武功)、黑龙江、吉林、辽宁、内蒙古、北京、天津、山西、山东、河南、宁夏、新疆、湖北、四川、贵州、云南；蒙古，俄罗斯，印度，亚洲，非洲，欧洲。

### (15) 曲纹烁划蝽 *Sigara septemlineata* (Paiva, 1918) (图 24)

*Corixa septemlineata* Paiva, 1918: 30.

*Sigara esakii* Lundblad, 1929: 305.

*Sigara septemlineata*: Jansson, 1995: 49.

**鉴别特征：**体黄褐色，革翅表面具黑色斑状纹；缘片淡黄色。

头部复眼大而突出，复眼长大于复眼间距；复眼前方头部略突出。

前胸背板后侧角退化近圆形，表面具7条规则的横向条带，前端2条横向条带在中央处断开，不连续；爪片基部的暗色条纹明显较直，多横向，端部多交叉呈不连续的网状；革片上的条纹也多交叉呈不连续的网状；革片与膜片分界明显；膜片上的纹多不交叉；前足跗节具1列齿；后胸腹突长大于宽。

腹部右侧不对称，刮器具4列梳状齿。

雄虫右阳基侧突基部膨大，外缘弧形；亚顶端向内弯曲；顶端细长，末端弧形略尖；左阳基侧突基部膨大，外缘弧形，顶端略钝。雌虫生殖节左右对称。

**采集记录：**4♂3♀，凤县大散关，1999. Ⅸ. 03，1200m，李传仁采。

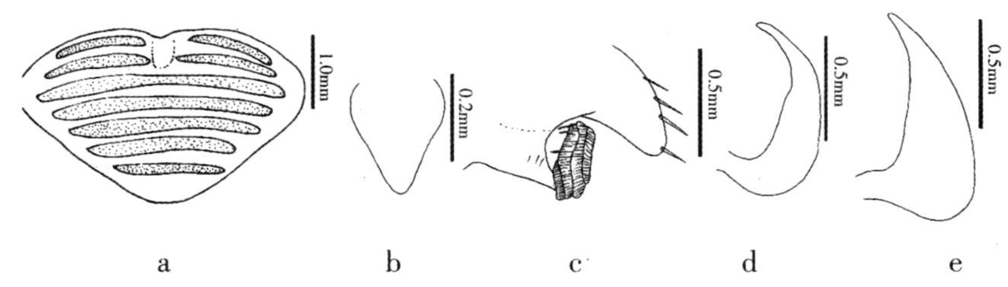


图24　曲纹烁划蝽 *Sigara septemlineata*（Paiva）

a. 前胸背板；b. 后胸腹突；c. 刮器；d. 右阳基侧突；e. 左阳基侧突

**分布：**陕西（凤县）、黑龙江、内蒙古、山西、山东、湖北、江西、福建、台湾、香港、广西、四川、贵州、云南；俄罗斯，韩国，日本，缅甸，印度。

# 六、小划蝽科 Micronectidae

**鉴别特征：**体长小于4mm，亚洲的分布的种类中，只有3种的实际长度超过3mm。喙具横沟，无单眼，触角3节，第3节宽叶状，位于复眼之下，不可见。小盾片可见；前翅缘片沟短且窄；雌虫前足跗节与胫节愈合成胫跗节，后足第2跗节端有爪。雄虫腹部右侧不对称，刮器由1～2列梳状齿组成。

**分类：**世界性分布，中国记录1属，陕西秦岭地区发现1属1种。

## 12. 小划蝽属 *Micronecta* Kirkaldy, 1897

*Micronecta* Kirkaldy, 1897a: 260. **Type species**: *Notonecta minutissima* Linnaeus, 1758.

**属征：**个体较小的种类，体长小于4mm。

**分布：**本属古北区广布，中国记录27种，秦岭地区发现1种。

### （16）萨棘小划蝽 *Micronecta sahlbergii*（Jakovlev，1881）（图 25）

*Sigara sahlbergii* Jakovlev，1881：213.
*Micronecta formosana* Matsumura，1915：114.
*Micronecta sahlbergii*：Wróblewski，1963：476.

**鉴别特征**：体褐色。前翅具 4 条暗褐色纵纹，隐约可见。前胸背板褐色，头顶淡褐色。

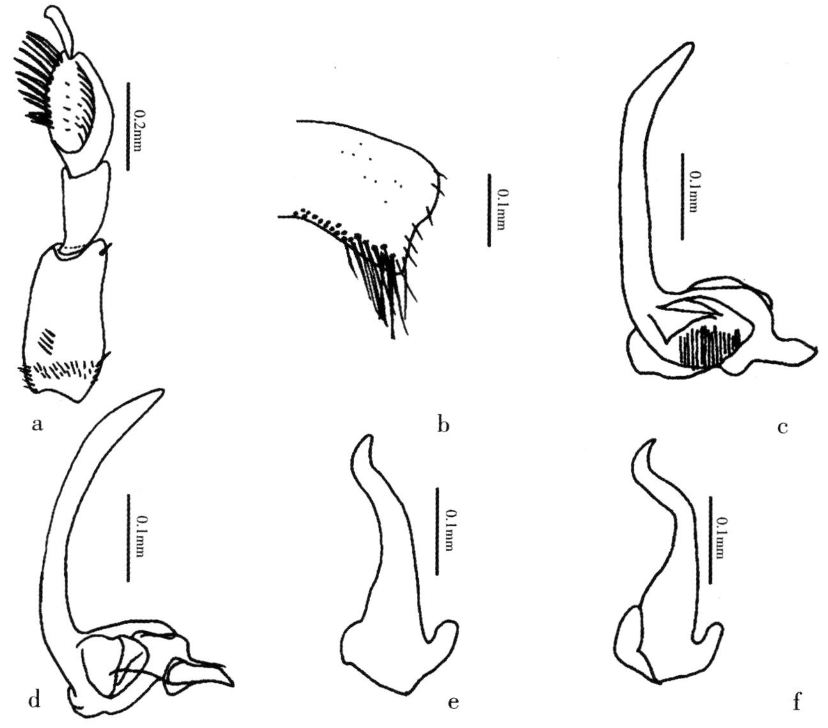


图 25　萨棘小划蝽 *Micronecta sahlbergii*（Jakovlev）
a. 前足；b. 第 8 背板自由叶；c－d. 右阳基侧突；e－f. 左阳基侧突

头新月状，顶部淡褐色；复眼大，黑褐色，呈牛角状。

前胸背板深褐色，前缘中央向前弧状突出，两侧顶端圆滑；后缘呈大弧形。小盾片褐色，三角形，顶角尖；前翅具 4 条暗褐色纵纹，隐约可见，常间断分布。爪片和革片分界线明显，较直，分界线两侧颜色稍深；膜片有些种类不明显，边缘形状略有变化。自膜片和革片交接缝处开始沿革片内缘至膜片处有 1 个透明的棒状区。

腹部整体苍白色，两节相连处色暗；第 8 背板自由叶片状，末端尖，表面具长毛。

雄虫生殖节左右不对称；右阳基侧突细长，顶端尖，柄基部膨大，与柄端部成“U”形弯曲；左阳基侧突较右阳基侧突短，末端弯钩状，柄端膨大，茎部粗糙，中上部有 1 个明显螺旋弯曲。雌虫生殖节左右对称。

**采集记录**：3♂2♀，西安灞桥湿地生态公园，2014. Ⅸ. 04，刘华希采。

**分布**：陕西(西安)、黑龙江、内蒙古、天津、河北、山西、河南、山东、江苏、安徽、浙江、湖北、江西、湖南、台湾、广东、海南、四川、贵州、云南；俄罗斯，韩国，日本，伊朗。

# 仰蝽总科 Notonectoidea

谢桐音[1] 刘国卿[2]
(1. 东北农业大学农学院，哈尔滨 150030；2. 南开大学昆虫研究所，天津 300071)

# 七、仰蝽科 Notonectidae

**鉴别特征**：体小至中型，体长 3.80～18.00mm，身体流线型。体色多变白色、乳白色或具蓝色斑。身体延长，船形；以腹面向上的姿势游泳。触角 2～4 节，多隐藏在复眼下方，有的部分露出体外；复眼极大，肾形，几乎占据整个头部，可提供 360°的视角；无单眼；喙 4 节，较短；前足不特化；跗式 2-2-2，有时前足跗节 1 节。爪 1 对，发达。后足扁平，具长游泳毛；大多数个体为长翅型，半鞘翅膜片不具翅脉，顶端可折叠重合在一起，似船状；腹部背面凸起，腹面凹陷，中央具龙骨状突起附有长毛，可形成储气结构；具气孔 1～4 对。雌雄个体的腹部末端对称，除个别属外，生殖囊也对称。

**分类**：世界性分布。中国记录 4 属 32 种，陕西秦岭地区记述 1 属 1 种。

### 13. 小仰蝽属 *Anisops* Spinola, 1837

*Anisops* Spinola, 1837: 58. **Type species**: *Anisops niveus* (Fabricius, 1775) sensu Spinola, 1837 ( = *Anisops sardeus* Herrich-Schäffer, 1849).

**属征**：本属昆虫身体细长，体小型，最大体长为 12mm。复眼大，中央不相接(*A. breddeni* Kirkaldy 和 *A. kempi* Brooks, 1951 除外)；复眼中间的位置具有纵向凹陷；前翅革质部分不明显；爪片接合缝靠近盾片末端具感觉窝；腹部腹中脊延伸到最后 1 节腹板，两侧具长细毛；近腹部侧接缘各具 1 个纵向凹陷；侧接缘内侧具长毛；雄虫前足跗节 1 节，雌虫前足跗节 2 节；中足和后足跗节 2 节；雄虫具发音构造，由前足胫节基部内侧发音梳和头部第 3 喙节上的喙突构成。雄虫阳基侧突左右不对称，右阳基侧突宽；左阳基侧突后缘具凹陷，顶端钩状。

**分布**：世界性分布，中国记录 12 种，秦岭地区发现 1 种。

### （17）普小仰蝽 *Anisops ogasawarensis* **Matsumura，1915**（图 26）

*Anisops niveus* auct.，non Fabricius，1775：690.

*Anisops scutellaris* var. *ogasawarensis* Matsumura，1915：109（upgraded by Esaki，1930a：214）.

*Anisops genji* Hutchinson，1927：377.

*Anisops scutellaris* Matsumura，1931：226（nec Herrich-Schäffer，1849）.

*Anisops ogasawarensis*：Polhemus，1995：66.

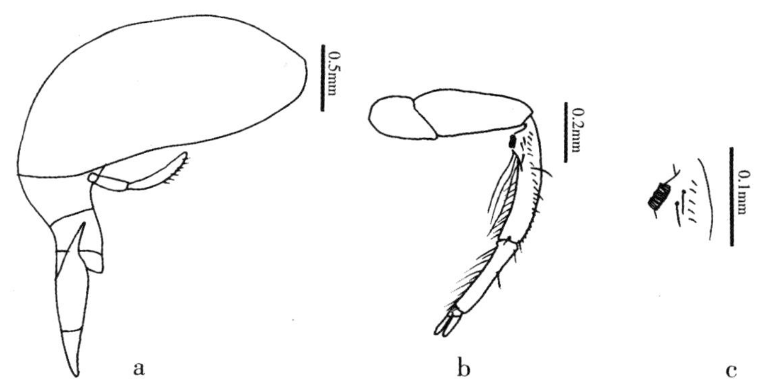


图 26　普小仰蝽 *Anisops ogasawarensis* Matsumura

a. 头部侧面观；b. 前足；c. 刮器

**鉴别特征**：体梭形，最大宽度是体长的 1/2。体珠白色，复眼褐色；头顶和前胸背板前缘呈褐黄色。足淡黄色。腹部腹面暗褐色。腹中脊及侧接缘淡黄色或褐色。

头部中央前缘呈弧形，稍突出，略超出复眼前缘。头宽是前胸背板宽的 9/10，复眼前间距的 4 ~ 5 倍，复眼后间距是复眼前间距的 1/3。头长略大于前胸背板长的1/2。腹面观，头顶三角形凹入，每一侧缘具 2 个隆脊，外侧 1 对隆脊向上愈合，在其顶端形成 1 个突起，稍尖，内侧 1 对隆脊近平行。上唇宽短，基部宽是上唇长的 1.90 倍，顶端稍尖；基角各具 1 束长毛，这些毛沿着额外侧隆脊向前弯曲。喙突较第 3 喙节短，顶端稍尖。

前胸背板宽是长的 2 倍；后缘中央凹入。发音梳 14 齿，长度近似相等。前足胫节在发音梳上侧具小刺和大刺各 1 列；近基部 1/2 处具刺长，端部具 2 枚长齿；前足跗节基部和中部各具 1 根长刺，腹面具有许多小刺，在端部具密集的细毛。后足腿节背面观具 12 ~ 15 根刺，腹面观具 44 ~ 51 根刺。

**生物学**：本种群聚现象明显，多分布于平地至低海拔山区的池塘，成虫具透明的翅，前胸背板及小盾片淡黄色；有迁飞现象。

**采集记录**：4♂1♀，武功，1987. Ⅷ，采集人不详；1♂，武功，1965. Ⅸ. 06，采集人不详。

**分布**：陕西（武功）、天津、上海、浙江、湖北、江西、湖南、福建、台湾、广东、海南、广西、四川、贵州、云南；日本。

# 细蝽次目 Infraorder Leptopodomorpha

**鉴别特征：**头部在部分类群的单眼前侧方可见斜行沟缝，与若虫期的蜕裂线侧臂相当(蜕裂线在一般异翅类成虫期中不存在)。额区与后唇基之间可有1个横走凹陷，很可能代表“口上沟(epistomal sulcus)”的痕迹。在相当于后唇基的区域内常有1个横沟或凹陷，其性质说法不一。具3对以上的毛点毛，其着生处的凹陷较黾蝽类的毛点凹陷更浅。眼上常具若干小毛，有单眼。上颚片明显，小颊有时发达。触角4节，简单，第1节较短。喙常较细长，4节，第1节短小，在取食时各节之间常不能折弯。下颚口针端段具相当复杂的棘刺列。

前胸背板具胝，有时二胝合为一体。后足基节常大，横列，相互靠近。后胸臭腺为脐式，开口单个或成对。臭腺孔两侧发出的臭腺沟与后胸侧板前、后侧片间的沟缝相连，臭腺分泌物可沿此沟缝流达前翅前缘折脊沟中。前翅分为界限明显的革质部和膜片，具异翅类前翅的典型构造。在跳蝽科中具前缘裂。前翅前缘下方有发达的前缘折(hypocosta)。膜片有3~5个排列整齐的平行大型翅室。后翅中室内的M脉区段保存完整，纵脉状。足变形甚少。前、中足胫节末端具栉列。各足跗节在多数类群中均为3节，若虫期2节。前跗节可有1~2对刚毛状副爪间突，并可有不发达的中垫状构造，若虫期常较明显。有时在掣爪片两侧尚有1对小型刚毛状的伪爪垫(pseudopulvillum，accessory parempodium)。

腹部主背片与侧背片分离，侧背片又可被膜质分为内侧背片和外侧背片。第1腹节背板存在，腹板消失。生殖前节各节腹板则完整简单。第7腹板在雌虫中向后扩展遮盖产卵器基部，成下生殖板。雄虫第8腹节为完整的环状，暴露在外，背、腹面均明显可见。左右阳基侧突对称，着生处不与阳茎基直接接触。阳茎构造在一些类群中比较复杂。产卵器发达程度不同，第2产卵瓣着生很发达的片状，第3产卵瓣(gonoplac)上常有毛，位于第1、2两对产卵瓣两侧，成为产卵器在外观上实际见到的构造。雌虫生殖腔囊状，腔壁有1个周缘具骨化环的环腺；受精囊基部为细长的管，端部膨大成1个扁圆形囊状构造。

此类昆虫主要栖息于水边湿地、海边潮间带和各种潮湿环境。少数种类则生活于石下或比较干燥的地表。一般行动活跃，善跳或作跳跃式的短距离飞翔。翅的多型现象常见。全为捕食性。跳蝽科捕食时多采取探索式觅食的方式，食物包括湿地生活的昆虫、小型节肢动物和环节动物，可取食埋藏在地表以下或其他基质下面的各种猎物，亦可取食小型动物的尸体。

**分类：**中国记录2科，陕西秦岭地区分布1科。

# 跳蝽总科 Saldoidea

叶瑱 刘国卿
（南开大学昆虫研究所，天津 300071）

# 八、跳蝽科 Saldidae

**鉴别特征：** 体长 2.30～7.40mm。体呈卵圆形，较扁平，体色呈灰色、灰褐色至黑色，常具一些淡色或深色碎斑。

复眼大而突出，后缘多与前胸背板相接触，内缘常凹入呈肾形，具单眼 2 枚；头部具 3 对毛点毛（trichobothria）；触角 4 节，第 2 节明显长于其他各节；喙长，伸达后足基节之间。前翅分为长翅型和短翅型，具前缘裂，常紧靠革片前缘并与之平行，延伸向内，中裂发达，可与前缘裂相遇，具浅色斑纹，膜片具 4～5 个纵向平行排列的翅室；足细长，跗节 3 节；雌虫下生殖板（第 7 腹节）宽大，雄虫生殖囊后缘具 1 个叉状突起，称"生殖节突起"（parandrium），交尾时雌虫产卵瓣卡入其缺口中，其两侧为抱器的位置。

本科昆虫性喜寒，生活于潮湿环境中，捕食性。在自然界相当常见，生活在河流、湖泊的沼泽地岸和潮间地带，活动于地表或作低飞，行动灵敏，有很好的保护色，不易被发现。也有些种类生活在干燥的环境中，还有些种类有较强的耐寒能力。

**分类：** 世界性分布。但大多分布于古北区，中国记录 8 属 39 种，陕西秦岭地区记述 1 属 4 种。

### 14. 跳蝽属 *Saldula* Van Duzee, 1914

*Saldula* Van Duzee, 1914: 32. **Type species**: *Cimex saltatoria* Linnaeus, 1776.

**属征：** 前胸背板侧缘和后叶常具浅色斑纹，部分种类成虫体背具直立长刚毛，前翅膜片具 4 个翅室。前胸背板和侧缘常具有浅色斑纹，第 3、4 节触角总具有半长的刚毛，股节腹面常有 1 片直立或弯曲的细毛做成的毛刷。

**分布：** 世界分布。中国记录 15 种，秦岭地区记述 4 种。

## 分种检索表

1. 前翅斑纹不明显，体背面具黑色的直立长毛，体较大，短翅型或半长翅 … **暗纹跳蝽 *S. nobilis***
   前翅斑纹明显，半长翅或长翅型……………………………………………………………… 2
2. 体背面，尤其是额区，前胸背板和前翅基部具直立的长毛……… **毛顶跳蝽 *S. pilosella pilosella***
   仅头部具对直立长刚毛，其他地方无直立长毛…………………………………………………… 3
3. 阳基侧突感觉叶上的毛短 ……………………………………………………… **泽跳蝽 *S. palustris***
   阳基侧突感觉叶上的毛极长 …………………………………………………… **广跳蝽 *S. pallipes***

### (18) 暗纹跳蝽 *Saldula nobilis* (Horváth, 1884)

*Salda nobilis* Horváth, 1884: 317.

*Saldula nobilis*: Lindskog, 1995: 130.

**鉴别特征：**体型较大，呈卵形，被黑色长刚毛。

头部黑色，头顶及额区具有较长的平伏白毛和数根直立的黑色长刚毛，排列不规则；触角密被半倒伏长毛，第1节短粗，黄色，常背面基具黑色，第2节细长，褐色，侧面具数根直立的长刚毛，3、4节黑色。复眼大，直径远大于两复眼间最短距离；单眼红褐色，单眼间距小于单眼直径。唇基各骨片黑色，仅前唇基端部黄褐色；小颊黑色；喙红褐色，末端伸达后足基节。

前胸背板黑色，具光泽，侧缘直或波浪形，后缘向前凹入。胝强烈隆起。小盾片三角形，具光泽，基半部隆起。前翅黑色，具黄色斑，前缘呈弧形弯曲；爪片仅在端部具短黄色条纹；半长翅型和短翅型，翅上斑纹颜色鲜亮；膜片烟色，亦具黄斑。足黄色，前足基节臼具黄褐色边，基节黄褐色，腿节端半有时亦常呈黄褐色。

雌虫下生殖板端半部黄白色，与基半部成鲜明对比；雄虫生殖节突出端部左右相互靠近。

**量度(mm)：**♀(半长翅型)：长5.70，宽2.70。♀(短翅型)：长5，宽2.50。♂，长4.50，宽2.00～2.20。

**分布：**陕西(秦岭)、黑龙江、吉林、辽宁、内蒙古、河北、四川、西藏。

### (19) 广跳蝽 *Saldula pallipes* (Fabricius, 1794)

*Acanthia pallipes* Fabricius, 1794: 71.

*Saldula pallipes*: Lindskog, 1995: 131.

**鉴别特征：**体长椭圆形，黑褐色。

头黑褐色，额区明显可见2根较长的毛点毛，触角1节短粗，黄褐色，第2节细长，褐色，端部黄褐色，长度远短于3、4节长度之和，3、4节黑褐色；单眼亮红色，单眼间距与其直径相当；复眼较大，褐色；小颊黑色，上唇端边缘褐色，其余黄褐色；喙红褐色，末端伸达后足基节。

前胸背板梯形，密被金黄色柔软平伏毛。侧缘略直，后缘向前深凹。前角及侧角圆钝。小盾片三角形，具有较强光泽，顶角锐。前翅基部呈黑色，爪片丝绒质，呈黑褐色，仅端部有 1 个明显黄斑。前翅斑纹有变异特征。足呈黄白色，基节除端部外呈黑色，前足基节臼边缘浅色，前足胫节背面具连续的褐色条纹。

雌虫下生殖板端半部浅色。雄虫生殖节突起内缘略平行，阳基侧突感觉叶上具明显的长毛。

**量度**(mm)：♀：长 4.20～4.50，宽 2.00～2.10。♂：长 3.80～4.30，宽 1.70～2.00。

**分布**：陕西(秦岭)、黑龙江、辽宁、内蒙古、北京、天津、河北、山东、宁夏、青海、新疆、四川、云南、西藏。

### (20) 泽跳蝽 *Saldula palustris* (Douglas, 1874)

*Saldula palustris* Douglas, 1874: 10.

*Saldula palustris*: Lindskog, 1995: 131.

**鉴别特征**：体长椭圆形，黑褐色，背面被有银白色平伏柔毛。

头部黑色，触角第 1 节黄褐色，第 2 节褐色，仅端部呈黄褐色；复眼褐色，单眼亮红色，两单眼间距约等于其直径；唇基骨片黄褐色，小颊端部一部分黄褐色，其余大部黑色；喙基部黄色，其余各节红褐色，末端伸至后足基节。

前胸背板梯形，侧缘略直，较宽平，后缘向前凹入；侧角及前角圆钝；小盾片三角形，黑褐色，顶角较锐。前翅基部呈黑色，爪片呈黑褐色，光泽暗淡，端部有 1 个倒三角形黄斑；前翅革片斑纹变异较大，膜片淡色。足呈黄白色，基节基半部黑色，前足基节臼具浅色宽边，前胫节背面具连续的褐色条纹。

雌虫下生殖板端半部浅色，雄虫生殖节突起内缘近于平行，阳基侧突感觉叶上毛短。

**量度**(mm)：♀：长 3.30～4.50，宽 1.60～2.30。♂：长 2.90～4.00，宽 1.30～2.00。

**分布**：陕西(秦岭)、黑龙江、内蒙古、天津、河北、河南、宁夏、甘肃、青海、新疆、四川、云南、西藏。

### (21) 毛顶跳蝽 *Saldula pilosella pilosella* (Thomson, 1871)

*Salda pilosella* Thomson, 1871: 407.

*Salda pilosella pilosella*: Lindskog, 1995: 132.

**鉴别特征：**体长卵圆形，黑褐色，背面具直立长毛。

头部黑色，额区具直立长毛，唇基到单眼的距离相当于额宽；触角被半倒伏毛，第1节短粗，黄褐色，具黑斑，第2节近基部3/4呈黑色，仅端部及基部为黄色，3、4节黑色；复眼较大，后缘不靠近前胸背板前缘，单眼红褐色，两眼间距与其直径相当；唇基各骨片黄白色，小颊黑色；喙第1节基部黄色，其余黑褐色，末端伸达中足基节。

前胸背板梯形，黑色，除密被金黄色短毛外，还密布黑色直立长毛，前缘腹侧缘宽平，后缘中部凹入。前角和侧角钝圆。小盾片三角形，黑色，顶角尖锐。前翅爪片端部黄色，其余部分黑色，长翅型中革片斑纹变异较大。足黄褐色，仅基节呈黑色；前足基节臼边缘呈浅色边，前胫节背面具连续的褐色条纹。

雌虫下生殖板端半部浅色，雄虫外生殖突起两端距离小于基部间距。

**量度(mm)：**♀：长3.80~4.00，宽1.90。♂：长3.70~3.80，宽1.70~1.80。

**分布：**陕西(秦岭)、黑龙江、吉林、辽宁、内蒙古、天津、河北、山西、河南、山东、江苏、四川、云南、西藏。

# 臭蝽次目 Infraorder Cimicomorpha

**鉴别特征：**头常平伸。触角4节。头部毛点毛有或无。下颚口针端段棘刺量减少，或全无棘刺。上颚口针与下颚口针在取食时逐渐共同刺入食物，两者到达的深度相近，4根口针嵌合紧密。前翅为典型的半鞘翅，常具前缘裂和中裂；膜片可有1~3个翅室，或无。后翅R+M的端段成单一的脉，不再分支。跗节多为3节，少数为2节。前跗节无中垫，爪下可具爪垫、副爪突等构造。胸部臭腺为侧式(diastomian type)，臭腺挥发域具大量蘑菇状的细微结构。气门位于腹面。除少数类群外，腹部腹面无毛点毛。雄虫阳基侧突与阳茎基不直接接触；内阳茎的导精管简单，无泵式结构。雌虫中与受精囊同源的构造退化成1根极细小的盲管，开口于生殖腔背面，常称“蚓状腺(vermiform gland)”。生殖腔前方常出现成对或单一的囊状构造，用以储存精液。

全部为陆生，为陆生异翅类中最大的次目之一。生活环境多样，总体已渐脱离潮湿环境，向开阔干燥的生境和在植物上的生活发展。多数科为捕食性，或捕食和植食兼有，部分科、属则成为专门的植食性类群。

支持臭虫次目作为一个单系群的共有特征是受精囊强烈退化和卵的特点等。因共同具有侧式胸部臭腺等特征而与蝽次目(Pentatomomorpha)成为姐妹群，两者均为异翅类中最进化的支系。

**分类：**中国记录12科，陕西秦岭地区分布6科。

# 猎蝽总科 Reduvioidea

任树芝
（南开大学昆虫研究所，天津 300071）

## 九、猎蝽科 Reduviidae

**鉴别特征：**体呈黑色、棕色、红色、黄色等，并具有不同色斑；体表光亮或污暗，体表有毛。黑色的种类较多，常具白色、黄色、红色斑；棕色及褐色种类，色斑色泽通常不显著，呈黑色、白色或暗色晕斑。体表均有毛，毛的长短、稀疏、毛形、毛色以及分布等情况多样。若干种类具银色亮毛，常形成花纹、点斑、条纹；少数种类腹部腹面具梭形银色平伏毛，但这种毛易损坏或脱落；有的种类头部背面具有浓密长毛，形成冠毛；绒猎蝽亚科 Trilocephalinae 昆虫的头、胸部及翅革片具密集软毛；毛猎蝽亚科 Holoptilinae 昆虫的触角、足具浓密长刚毛，形似羽毛。猎蝽科昆虫头部的形状各异，有柱状、梭形、三角形、锤状、锥状等形状；向前伸，或略向下倾斜，还有少数种类头的眼前部分显著向下倾斜，呈垂直状态，常见于猎蝽亚科 Reduviinae 中。

该科种类栖息于多种生境中，生活习性各不相同。前、中足用于捕捉猎物，后足适于行走，因而前足变化很大，形成多种特征的捕捉足。

**分类：**中国记录 118 属 400 余种，陕西秦岭地区分布 6 亚科 24 属 33 种。

### 分亚科检索表

1. 前足胫节特化为钳形或刀状，触角第 4 节纺锤形 …………………… **瘤猎蝽亚科 Phymatinae**
   前足胫节特征不同上述 ………………………………………………… 2
2. 小盾片不成三角形，顶端平截，或具二、三叉 ………………… **光猎蝽亚科 Ectrichodinae**
   小盾片三角形，端部常具直立、半直立的长刺或平伸剑形突 ……………… 3
3. 前翅肘脉简单，端部不分支，形成翅室，肘脉有时消失 ……………… 4
   前翅肘脉端部分叉，在革片与膜片之间形成 1 个四角形或六角形的翅室 ……… 5
4. 前胸背板横沟位于背板中央后方；前足基节大，有时外侧扁平；前足股节通常粗大 ………… ………………………… **盗猎蝽亚科 Peiratinae**
   前胸背板横缢位于背板中央或中央前方；前足基节不特别粗大，外侧不扁平；前足股节不显著加粗 ………………………… **猎蝽亚科 Reduviinae**
5. 肘脉翅室通常为六角形，触角第 1 节粗，向前伸出；爪简单 …… **细足猎蝽亚科 Stenopodinae**
   肘脉翅室通常为四角形，有时甚小；触角第 1 节通常较细；爪具齿或其他附属物 …………… ………………………… **真猎蝽亚科 Harpactorinae**

# (一)光猎蝽亚科 Ectrichodinae

**鉴别特征：** 本亚科包括小型至中型猎蝽；一般身体光亮，平滑或具显著的刻纹，为鲜艳的红色或黑色。头及前胸背板无刺；小盾片端部宽阔，顶端两侧具有1个较长的端突。触角4~8节，喙通常弯曲，前翅完全，但常有短翅或无翅型。雄虫阳基侧突通常前半部弯或扭曲，多数种类阳茎的内阳茎端部为棕色似半环形骨化域，少数种具发达的强烈骨化构造；阳茎的外形及内阳茎的骨化，在属间、种间构造明显各异。

**分类：** 广泛分布于各热带及亚热带地区，仅有极少数种类分布于古北区。我国记录14属，陕西秦岭地区记述4属4种。

### 分属检索表

1. 在头的两侧，眼与喙的基部之间，有1个叶状突起，伸出于触角基的前下方 ······················ 2
   头两侧、触角基的前下方无叶状突起；前胸背板前叶中央纵沟与后叶纵沟相连接，前叶的两半光滑 ······························· **赤猎蝽属** ***Haematoloecha***
2. 触角4节 喙第2节中部较粗，稍短于第1节；小盾片两侧近基部各具1个宽阔的突起(图27：a)；各足股节腹面具成列的刺或突起，触角6节 ······························· **健猎蝽属** ***Neozirta***
   触角6、7或8节 ······························· 3
3. 触角7节，小盾片的2个端突之间平直，无中央小突起(图27：b)前足股节腹面近顶端处有1个显著的突起，头的腹面后端无小突起 ······························· **钳猎蝽属** ***Labidocoris***
   触角8节，小盾片的2个端突中间有1个中央小突起(图27：c) ········· **光猎蝽属** ***Ectrychotes***

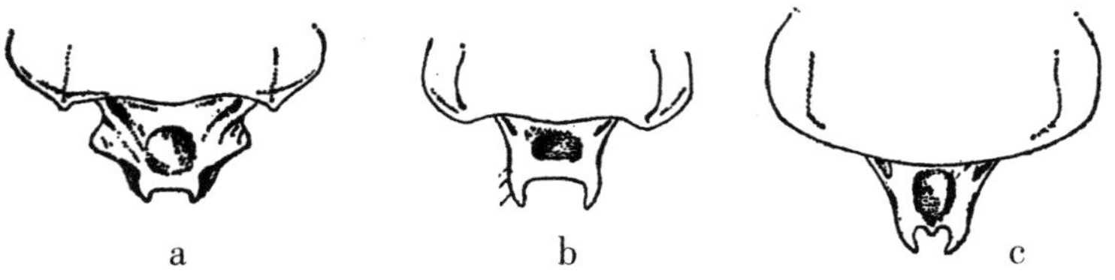


图27 前胸背板及小盾片背面观

a. 环足健猎蝽 *Neozirta eidmanni* (Taeuber); b. 亮钳猎蝽 *labidocoris pectoralis* (Stål); c. 黑光猎蝽 *Ectrychotes andreae* (Thunberg)

## 15. 健猎蝽属 *Neozirta* Distant, 1919

*Neozirta* Distant, 1919: 147. **Type species**: *Neozirta orientralis* Distant, 1919.

**属征**：触角 4 节，头几乎与触角第 1 节等长，眼后狭缩，眼前部两侧及头中叶呈纵脊状；领窄；喙第 1 节稍长于第 2 节，第 2 节中部较粗；前胸背板长与基部宽等长，前叶明显狭于后叶，中央深纵沟由后叶向前延伸至前叶，后叶侧域各具 1 个纵沟；小盾片宽阔，两侧近基部无爪状突起。本属很接近于新热带的 *Zirta* Stål，但前胸背板前叶狭短，长与基部宽几乎相等。

**分布**：中国记录 1 种，秦岭地区记载 1 种。

### （22）环足健猎蝽 *Neozirta eidmanni*（Taeuber，1930）（图 28；图版 1：1）

*Physorhynchus eidmanni* Taeuber, 1930: 325.

*Neozirta annulipes* China, 1940: 231.

*Neozirta eidmanni*: Hsiao *et al.*, 1981: 420.

**鉴别特征**：体长 23 ~ 30mm，黑褐色。头、前胸背板、小盾片基部及中胸腹板暗黑色。前足股节胫节中部的宽带环、中足与后足股节近中部、胫节亚基部的宽环及腹部侧接缘背、腹面的浅斑、腹部腹面两侧各节的大侧斑、雄虫第 6 腹节腹面的长形斑均为黄色。头较平伸，不强烈向下弯，头中叶呈脊状，眼大。雄虫头长 3.70mm，显著长于触角第 1 节（2.50mm），触角 1 ~ 4 节长度分别为 2.50mm、4.50mm、3.20mm、2.40mm。喙粗壮，1 ~ 3 节长度分别为 1.50mm、1.30mm、0.75mm。两单眼之间的距离稍小于单眼的直径。前胸背板前叶（1.20mm）显著短于后叶（3mm），前角间宽（1.50mm）甚狭于侧角间宽（6mm），前叶后部宽纵沟伸延伸至后叶后部但不伸至后缘，后角突出；小盾片宽阔，末端平截，各侧基半部具 1 个钝突，末端两端突短。翅几乎达腹部末端。腹部侧接缘强烈向上翘折。雌虫为短翅型，前胸背板长4.70mm，前叶宽阔而鼓，前叶（2.20mm）稍短于后叶（2.50mm）。腹部侧接缘向上翘折，并显著向两侧扩展。

雄虫体长 22.70mm，宽 8.10mm（侧接缘向上翘折）。头长 3mm，头宽2.80mm，头顶宽 1.20mm。喙 1 ~ 3 节长度分别 1.50mm、1.40mm、0.80mm。触角1 ~ 5节长度分别为 2.60mm、4.50mm、3.20mm、2.20mm、（缺）mm。前胸背板长4.60mm，侧角间宽 6.40mm。前翅长 16.50mm，前翅几乎达腹部末端。

触角为黑褐色。腹部侧接缘（背面和腹面观）两侧各具 3 个浅黄色斑，各腹节背板黑色，具密横皱纹。小盾片中域甚凹陷。各足胫节及股节近中部各具 1 个浅黄色环斑。雄虫生殖节端缘中突，两侧平行，端部明显向背前方折弯，由侧面观呈弯钩状；阳基侧突中部弯，端部内侧呈齿突。阳茎鞘背板端缘近平截，内阳茎具 11 对骨化构造，其中近基部的明显小于前部的骨化构造。

雌虫体长（小翅型）27.20mm，宽 10.20mm（腹部侧接缘向上翘折）。头长4mm，头宽 3.20mm，头顶宽 1.40mm，触角 4 节，1 ~ 4 节长度分别为 3.10mm、5.00mm、3.30mm、2.50mm。喙 1 ~ 3 节长度分别为 1.90mm、1.70mm、1.00mm。前胸背板前

叶圆隆，后缘中央及后角突出；前胸背板长 4.60mm，前部宽 2.30mm，后部宽 5.50mm，前叶宽 4.30mm，前叶长 2.10mm，后叶长 2.50mm。小盾片长1.40mm，基部宽 2.50mm，端部宽 1.50mm。前翅长 3.10mm，刚达腹背板的基部前缘域，膜片退化。另有 1 只雌虫体长 24mm，无翅，黑色，光亮。

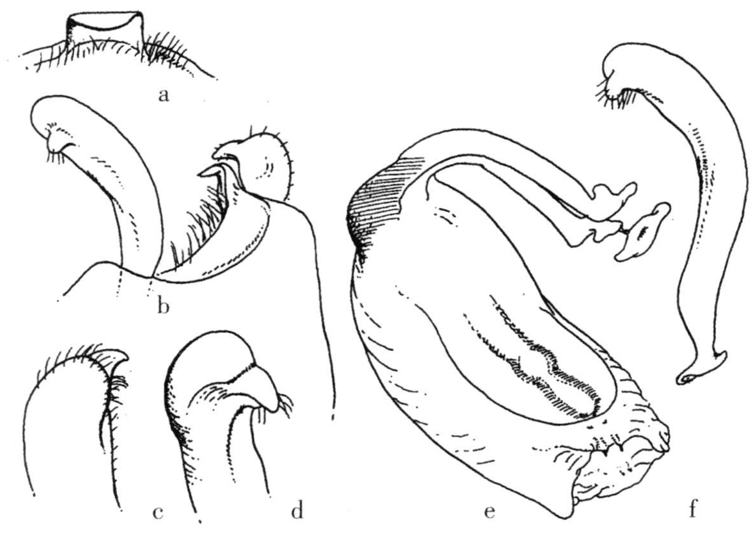


图 28 环足健猎蝽 *Neozirta eidmanni*（Taeuber）

a. 雄虫生殖节中突（背面观）；b. 雄虫生殖节端部（左侧面观）；c－d. 阳基侧突端部（不同面观）；e. 阳茎（背侧面观）；f. 阳基侧突（侧面观）

**采集记录：**秦岭。

**分布：**陕西（秦岭）、北京、浙江、湖北。

## 16. 钳猎蝽属 *Labidocoris* Mayr, 1865

*Labidocoris* Mayr, 1865: 440. **Type species**: *Labidocoris elegans* Mayr, 1865.

**属征：**头短宽，中叶呈隆脊状。触角 7 节，第 1 节稍长于头；喙第 1、2 两节约等长；前胸背板前叶中央纵沟几乎达后叶后缘，中部横缢在中央中断，有的种类前叶具 2 个小瘤突。小盾片后部狭窄，2 个端突远离。前股节腹面亚顶端具 1 根强刺；前胫节顶端海绵窝很小。腹部各节间具强烈的纵脊列。

**分布：**中国记录 2 种，秦岭地区记载 1 种。

### （23）亮钳猎蝽 *Labidocoris pectoralis*（Stål, 1863）

*Mendis pectoralis* Stål, 1863: 46.

*Mendis japonensis* Scott, 1874: 445.
*Labidocoris splendens* Distant, 1883: 442.
*Labidocoris pectoralis*: Hsiao *et al.*, 1981: 421.

**鉴别特征**: 体红色，被绒毛。触角、头的腹面、前翅(除基部、前缘域、革片翅脉及膜片基部翅脉红色外)、腹部第2腹板及各节两侧的大斑(有时第7、8两节黑斑消失)均为黑褐色或黑色。头长2mm，头宽1.40mm，头顶宽0.90mm；触角第1节稍短于头长，第1~4节密生长硬毛，触角1~7节长度分别为1.90mm、2.30mm、1.20mm、0.62mm、0.67mm、0.50mm、0.77mm。前胸背板长3.10mm，前叶(1mm)显著短于后叶(2.10mm)，前叶宽2.30mm，后叶宽3.90mm，前叶中央纵沟延伸达后叶中部。小盾片基部宽，两端突较长。前翅长9.80mm，达腹部末端。

雄虫体长15.40mm，宽4.50mm。雌虫体长16.30mm，宽5.10mm。

**采集记录**: 西安，1982. Ⅶ。

**分布**: 陕西(西安)、内蒙古、北京、天津、山东、甘肃、上海、江苏、浙江、江西；日本。

## 17. 光猎蝽属 *Ectrychotes* Burmeister, 1835

*Ectrychotes* Burmeister, 1835: 222, 237. **Type species**: *Reduvius pilicornis* Fabricius, 1787.

**属征**: 头背面圆鼓，触角8节，前胸背板中央纵沟由前叶伸达后叶中部，小盾片两端突中间具1个中央小突起。

**分布**: 东洋区。我国记录8种，秦岭地区记述1种。

### (24) 黑光猎蝽 *Ectrychotes andreae* (Thunberg, 1784) (图29)

*Cimex andreae* Thunberg, 1784: 56.
*Loricerus axillaris* Costa, 1864: 79.
*Ectrychotes tsushimae* Miller, 1955: 6.
*Ectrychotes andreae*: Hsiao *et al.*, 1981: 424.

**鉴别特征**: 体长14.50~15.50mm，黑色，具蓝色光泽。前翅基部、前足股节内侧端半部纵条、胫节内、外两侧纵纹、腹部侧接缘、气门周缘均为黄色；各足转节、前、中足股节基部、后足股节基半部、腹部腹面(除黑色斑带外)均为红色；腹部各节之间、雄虫第6节亚侧域、第7腹节及生殖节均为黑色，第5~7节侧接缘末端具黑斑。雌虫色斑稍有不同，侧接缘第2节端部具小黑斑，第4~7节端半部、腹部腹面亚侧域及第7节均为黑色。黄斑纹稍有变异，有的个体前足胫节内、外两侧或中足胫节外侧中部均具黄色纵带纹，同时腹部腹面黑色斑块亦略有变异。头向下倾斜，触角具直立长毛，末端4节长毛稀疏。

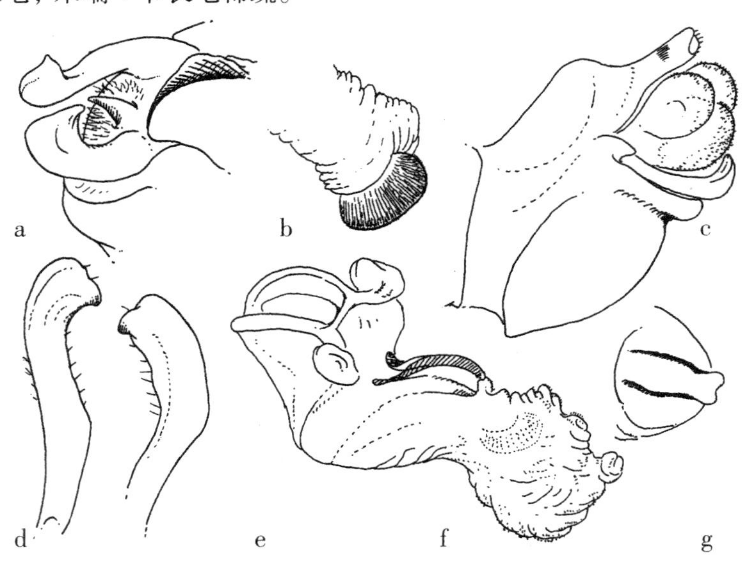


图29 黑光猎蝽 *Ectrychotes andreae* (Thunberg)

a. 雄虫生殖节端部(斜背面观)；b. 内阳茎端部的骨化构造(背面观)；c. 雄虫腹部末端(示阳茎开始膨胀状态，侧面观)；d－e. 阳基侧突(不同面观)；f. 阳茎(膨胀状态，侧面观)；g. 阳茎鞘背板端部(背面观)

雄虫体长14.20mm，宽5mm。头长2mm，头宽1.70mm，头顶宽0.87mm，两单眼间的距离稍大于单眼的直径。触角第1节稍短于头长，显著长于前胸背板前叶，1～8节的长度分别为1.70mm、2.70mm、1.30mm、0.97mm、0.70mm、0.47mm、0.42mm、0.42mm，各节均具直立黑色毛。喙第1节达眼的后缘，1～3节的长度分别为1.00mm、0.90mm、0.45mm。前胸背板圆鼓，前半部具横缢，其横缢中间中断，前叶后部及后叶前半部中央具纵沟，后缘弧形；前胸背板长3.50mm，前叶(1.20mm)显著短于后叶(2.30mm)，前叶(2.80mm)显著狭于后叶(4.10mm)；小盾片2个端突较直，中间的突起小；前翅稍超过腹部末端，腹部长9.50mm，宽5mm。雄虫生殖节亚端缘中突呈锥状，阳基侧突端部弯；阳茎鞘背板端缘中央凹入，内阳茎表面有稀疏小微刺突，内阳茎系膜的端部为半圆形片状骨化构造，光亮，呈浅棕黄色。

雌虫较大，头长2.10mm，触角第1节(1.50mm)显著短于头(2.10mm)，与前胸背板前叶等长，1～8节的长度分别为1.50mm、2.10mm、1.20mm、0.90mm、0.60mm、0.47mm、0.37mm、0.45mm。喙1～3节的长度分别为1.10mm、0.97mm、0.43mm。前胸背板前叶较雄虫圆鼓，长3.80mm，前叶(1.50mm)显著短于后叶(2.30mm)，前叶(3.30mm)狭于后叶(4.40mm)。前翅不达腹部末端，腹部长10.30mm，宽5.30mm。

**采集记录：**渭南，1981.Ⅶ.23；安康，1980.Ⅴ；柞水，1981.Ⅳ.27。

**分布：**陕西(渭南、安康、柞水)、辽宁、北京、河北、甘肃、上海、江苏、浙江、湖北、湖南、福建、广东、海南、广西、四川、贵州、云南。

## 18. 赤猎蝽属 *Haematoloecha* Stål, 1874

*Haematoloecha* Stål, 1874: 54. **Type species**: *Haematoloecha nigrorufa* Stål, 1866.

**属征**: 头与触角第 1 节约等长，第 1、2 触角节几乎等长。单眼靠近连接两眼后缘间的直线；喙第 1 节长，长于 2、3 两节之和。前胸背板前叶中央深沟由前缘伸达后叶中部，前叶两半较圆鼓，其侧缘显著。小盾片端部渐狭，两端突相距较近。前足股节加粗，无刺，胫节海绵窝约为胫节长的 1/4。

**分布**: 我国已记载 7 种，秦岭地区发现 1 种。

### (25) 异赤猎蝽 *Haematoloecha limbata* Miller, 1954（图 30）

*Haematoloecha limbata* Miller, 1954: 30.

*Haematoloecha aberrens* Hsiao, 1973: 61.

**鉴别特征**: 棕黑色，光亮。前胸背板、前翅前缘域及腹部侧接缘红色；头的腹面两侧、单眼附近及中叶、喙第 2、3 节及小盾片顶端略带红色；前胸背板横沟及后叶的中央纵沟略带黑色。

图 30 异赤猎蝽 *Haematoloecha limbata* Miller

a－b. 雄虫生殖节中突（不同面观）；c. 阳茎（背面观）；d. 阳茎（侧面观）；e. 内阳茎端部（腹面观，示骨化域）；f. 阳基侧突端部；g－i. 阳基侧突（不同面观）

雄虫头长 1.50mm，头宽 1.55mm，头顶宽 0.70mm，具微细皱纹；由侧面观察眼前部与眼及眼后部之和约等长。触角被直立长毛，1～8 节的长度分别为 1.40mm、1.90mm、0.70mm、0.65mm、0.40mm、0.30mm、0.30mm、0.70mm。喙 1～3 节的长度分别为 1.10mm、0.70mm、0.40mm。前胸背板光滑，或后叶稍具纵纹，长2.40mm，宽 3.50mm；前叶长 1.05mm，宽 2.30mm，纵沟后端为横脊所阻，不与后叶纵沟相连接；后叶长 1.35mm。小盾片端部较窄，2 个端突的顶端稍向内曲，其间的距离稍小于端突的长度。前翅长 7.80mm，几乎达于腹部末端。前足股节长 2.70mm，宽 0.70mm，胫节长2.70mm，海绵窝长0.70mm；中足各节与前足约等长，股节稍窄；后足股节长 3.70mm，胫节长 4.20mm，跗节第 1 节极短，由背面观察几乎不可见，第 2 节长 0.40mm，第 3 节长 0.60mm，腹部腹节间横纹微细。雄虫生殖节中突小弯齿状，阳基侧突近中域内侧突出，前半部弯，端部尖削，顶端钝。阳茎（侧面观）呈长椭圆形，阳茎鞘背板端缘无明显凹入，内阳茎基部两侧呈囊突，无显著骨化构造，仅端部为半圆环形轻度骨化域，呈黄棕色、光亮，端缘中央凹入。

雌虫稍大，前翅短，不达于第 6 节背板的后缘。

雄虫体长 11.10mm，宽 4.40mm。雌虫体长 11.60mm，宽 5mm。

本种前胸背板前、后叶的纵沟不互相连接，与斯猎蝽属 *Scadra* Stål 近似，但就其单眼的位置与前胸背板前叶的构造无疑应属赤猎蝽属 *Haematoloecha* Stål。它和二色赤猎蝽 *Haematoloecha nigrorufa* Stål 接近，但身体较小，头较大，喙第 1 节较短，前翅及腹部的颜色和雄虫阳基侧突的构造均与该种不同。

**采集记录：**安康，1981. Ⅳ. 22。

**分布：**陕西（安康）、北京、河南、山东、上海、江苏、浙江、广西、四川。

## （二）盗猎蝽亚科 Peiratinae

**鉴别特征：**本亚科种类多为黑色，有时具红色或黄色斑纹。头长，前端稍向下倾斜，前胸背板长，横沟位于背板中央后方，后叶短于前叶。前足及中足的胫节海绵窝长，有些几乎与胫节等长。前足基节一般较长，长度大于宽度，外侧扁平。雄虫生殖节中突在种间及属间形态各异，左、右阳基侧突不对称；阳茎体长形，阳茎鞘侧边骨化较强，通常呈棕褐色，两侧的特征不对称，阳茎鞘右侧骨化部分显著，呈片状；内阳茎端部为 2 个或 3 个膜质长囊，或者内阳茎全为膜质，属间区别明显。多数种类昼伏夜出，有趋光性。

卵产于土表下，卵前极露于土表上面，卵体埋在土中，卵盖附属物明显露出。

**分类：**广泛分布于世界各地区，我国记录 6 属，陕西秦岭地区记述 4 属 8 种。

## 分属检索表

1. 头不长于前胸背板的前叶，眼前部向下弯曲，其长度不及眼后部的 3 倍；触角着生处靠近眼的前缘，第 1 节超过头的前端…………………………………………………………………………… 2
   头长于前胸背板的前叶；头长，长锥状，眼前部向前平伸，其长度约为眼后部分的 4 倍；触角着生于眼前部的中央，第 1 节不超过头的前端 ………………………………… **黄足猎蝽属 *Sirthenea***
2. 前足胫节海绵窝甚长，几乎达于胫节的基部(图 31：a) ………………… **哎猎蝽属 *Ectomocoris***
   前足胫节海绵窝较短，不超过胫节的中央……………………………………………………………… 3
3. 前足及中足股节腹面具小刺，前足胫节海绵窝不超过胫节的 1/3，胫节端部膨大(图 31：b) ……
   ……………………………………………………………………………………… **隶猎蝽属 *Lestomerus***
   前足及中足股节腹面无小刺，前足胫节海绵窝达于胫节的中央(图 31：c) … **盗猎蝽属 *Peirates***

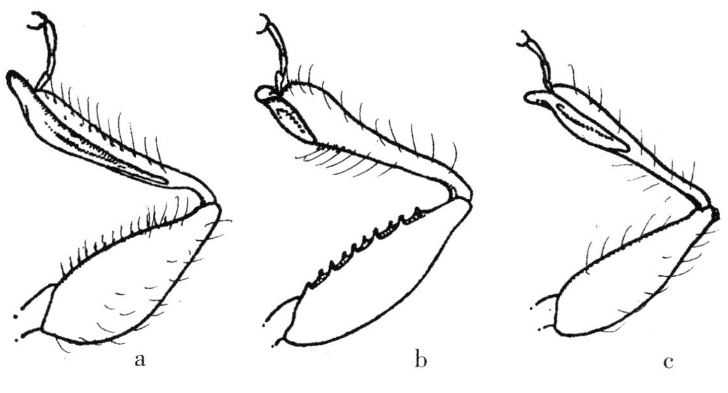


图 31　前足

a. 黑哎猎蝽 *Ectomocoris atrox* (Stål)；b. 红股隶猎蝽 *Lestomerus femoralis* Walker；c. 细盗猎蝽 *Peirates* (*Cleptocoris*) *lepturoides* (Wolff)

## 19. 哎猎蝽属 *Ectomocoris* Mayr, 1865

*Ectomocoris* Mayr, 1865: 438. **Type species**: *Ectomocoris coloratus* Mayr, 1865.

**属征**：体中等大小，长 13 ~ 20mm，黑色、黑褐色及棕褐色，常具淡黄或深黄色色斑，各种体形较相似。头中等大小，眼前部显著长于眼后部。喙粗壮，较短，第 2 节最长。触角第 1 节稍粗，较短于头长。前胸背板长，横缢约在后部 1/3 处，前叶侧缘呈圆弧状或接近平行。前足股节粗壮，胫节与股节约等长；前足胫节海绵窝甚长，显著超过胫节长的 1/2，几乎达基部。雄虫生殖节端缘中突呈长锥状，直或略弯，外侧中央圆滑或具中央纵沟纵，亚基部常具 1 个或 2 个向下的突起。阳基侧突端部宽，近三角状，左右阳基侧突形状各异。阳茎(or phallus)背面及左侧面的骨化板或称“支撑板”(sclerotized plate or struk plate)，在种间有区别。

**分布**：主要分布在东洋区。我国已记录 13 种，秦岭地区记述 1 种。

### （26）黑哎猎蝽 *Ectomocoris atrox*（Stål，1855）（图 32）

*Peirates atrox* Stål，1855：187.

*Peirates fuscicornis* Dohrn，1860：408.

*Ectomocoris atrox*：Hsiao & Ren，1981：440.

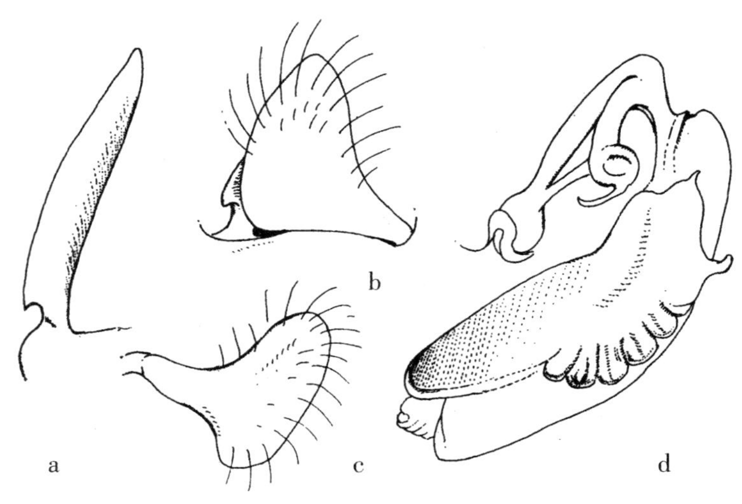


图 32 黑哎猎蝽 *Ectomocoris atrox*（Stål）

a. 雄虫生殖节中突（右侧面观）；b. 雄虫生殖节端部（右侧面观）；c. 左阳基侧突；d. 阳茎（背侧面观，示右侧骨化域）

**鉴别特征**：体黑色。触角褐色，前翅膜片内室中部呈黄色大斑，斑的基部及外室均为深黑绒色；中、后足股节基半部、胫节基部、各足跗节及腹部侧接缘各节的端半部均为浅褐色。触角第 1 节稍短于头的眼前部，1～4 节的长度分别为 1.30mm、2.70mm、2.40mm、2.60mm；喙直，基部两节粗壮，第 3 节细而尖，1～3 节的长度分别为 0.65mm、1.40mm、0.90mm。前足股节基半部膨大，顶端细缩；胫节海绵窝甚长，几乎达基部。雄虫前翅超过腹部末端，雌虫前翅较短，不达腹部末端，而短翅型个体的前翅狭小，仅达腹部第 3 背板的后缘。雄虫腹部末端中央延伸成长刺状，阳基侧突宽三角状，端缘圆形；中突长刀状，基部有倒刺突；阳茎当膨胀时，可见内阳茎的膜质长角状囊突及骨化域。

体长 15～20mm。

**采集记录**：2♀1♂，南郑，1985.Ⅶ.22，任树芝采。

**分布**：陕西（南郑）、江苏、台湾、广东、海南、四川、云南；缅甸，印度，斯里兰卡，菲律宾，马来西亚，印度尼西亚。

## 20. 隶猎蝽属 *Lestomerus* Amyot *et* Serville, 1843

*Lestomerus* Amyot *et* Serville, 1843: 322. **Type species**: *Peirates spinipes* Serville, 1831.

**属征**：体深黑色。前胸背板、小盾片具橄榄绿光泽；触角具稀毛；足股节完全黑色，或股节红色，仅其端部黑色。

**分布**：中国记录 2 种，秦岭地区记述 1 种。

### (27) 红股隶猎蝽 *Lestomerus femoralis* Walker, 1873

*Lestomerus femoralis* Walker, 1873: 92; Hsiao *et al*., 1981: 441.

*Peirates bicoloripes* Breddin, 1901: 101.

**鉴别特征**：体深黑色。前胸背板，小盾片均具橄榄绿色光泽；转节及股节(除端部外)均为赭色；触角具毛，第 2 节与前胸背板前叶约等长(雌虫)，触角 1～4 节的长度分别为 1.75mm、3.50mm、3.30mm、3.55mm。雌虫前胸背板前叶显著比雄虫圆鼓，前胸背板前叶前部两侧各具 1 个深凹窝，其前叶具暗斜纹，后叶皱纹显著，向后缘渐消失。前足股节粗，腹面具 2 列短刺，端部细缩，胫节海绵窝小，约占胫节长的 1/3。

雄虫体长 19～25mm。

**采集记录**：南郑，1981. Ⅴ。

**分布**：陕西(南郑)、上海、江苏、安徽、浙江、湖北、江西、福建、台湾、广东、广西、四川、贵州；缅甸，印度，印度尼西亚。

## 21. 盗猎蝽属 *Peirates* Serville, 1831

*Peirates* Serville, 1831: 215. **Type species**: *Cimex stridulus* Fabricius, 1787.

**属征**：本属外形很接近哎猎蝽属 *Ectomocoris* Mayr，但前足胫节海绵窝短，不超过胫节长的 1/2。

**分布**：中国已发现 6 种，秦岭地区记述 5 种。

### 分种检索表

1. 前翅膜片浅黑色，具灰白色斑纹；前胸背板、小盾片及前翅基部多为橙黄色；如前胸背板前叶黑色，则前翅膜片具白色斑纹；小盾片顶端向上翘折 …………………… **日月盗猎蝽 *P. arcuatus***

　前翅膜片浅黑色，常具深色斑纹；前胸背板(至少前叶)、小盾片及前翅基部多为黑色；小盾片

顶端向后平伸 ………………………………………………………………………………………… 2

2. 前翅革片灰黄色，膜片无显著的深黑色斑纹，侧接缘除狭窄的边缘外为污黄色 ………………
…………………………………………………………………… **细盗猎蝽 *P.*（*Cleptocoris*）*lepturoides***

前翅膜片具显著的黑色斑点，侧接缘黑色………………………………………………………… 3

3. 前翅膜片有2个黑色斑点，1个较小，位于内室的基部，1个较大，几乎占外室的全部，革片具黄色纵走带纹。体长12.50～13.50mm …………………… **黄纹盗猎蝽 *P.*（*C.*）*atromaculatus***

前翅膜片只有1个大型黑色斑点 ……………………………………………………………… 4

4. 前翅革片大部黑色。体长13～15mm ……………………………… **污黑盗猎蝽 *P.*（*C.*）*turpis***

前翅革片大部浅褐色。体长14.30～16.30mm …………… **茶褐盗猎蝽 *P.*（*C.*）*fulvescens***

## （28）日月盗猎蝽 *Peirates arcuatus*（Stål，1871）

*Spilodermus arcuatus* Stål，1871：692.

*Peirates mutilloides* Walker，1873：120.

*Peirates arcuatus*：Hsiao *et al.*，1981：442.

**鉴别特征：** 体黑色，具灰白色丝状及绒状毛。前胸背板、小盾片、爪片及革片基半部深黄褐色；前翅膜片基部具1个弯曲的横带纹及亚端部的圆形斑，腹部侧接缘各节的端半部、各足基节（除基部外）、转节大部分、中足、后足股节基部均为淡黄白色。头前端向下倾斜，头长1.80mm，宽1.55mm；由侧面观察，头长2mm，眼前部长0.96mm，眼长0.60mm，眼后部长0.44mm。喙第1节粗短，第2节长达眼的后缘，第3节细尖，1～3节的长度分别为0.50mm、0.95mm、0.65mm。触角具稀疏短毛，第1节短，不达头的前端，1～4节的长度分别为0.70mm、1.85mm、1.90mm、2.00mm。前胸背板长2.80mm，前角间宽1mm，侧角间宽2.90mm，前叶长1.70mm，具纵斜浅凹纹，后叶长1mm，无皱纹。小盾片长1mm，端部细缩，顶端向上翘。雌虫前翅不达腹部末端，雄虫前翅稍超过腹部末端。

体长10～11mm，宽3.10～3.30mm。

**生物学：** 本种常活动于稻田、花生、大豆等大田作物间，喜在作物基部及表土附近觅食。

**采集记录：** 安康，1980.Ⅵ；安康香溪洞，1981.Ⅶ.23，陈德祥采。

**分布：** 陕西（安康）、江苏、安徽、浙江、湖北、江西、福建、台湾、广东、香港、四川、云南、西藏；日本，缅甸，印度，斯里兰卡，菲律宾，印度尼西亚。

## （29）黄纹盗猎蝽 *Peirates*（*Cleptocoris*）*atromaculatus*（Stål，1871）（图33）

*Cleptocoris atromaculatus* Stål，1871：692.

*Peirates sinensis* Walker，1873b：114.

*Peirates*（*Cleptocoris*）*atromaculatus*：Hsiao *et al.*，1981：443.

**鉴别特征：** 体黑色。前翅革片中部具纵走的黄色带纹，膜片内室内部具 1 个小斑，外室具 1 个大斑，均为深黑色。头前部渐缩，向下倾斜，头长 1.80mm，头宽 1.50mm，头顶宽 0.58mm；由侧面观察，眼前部长 0.80mm，眼长 0.80mm，眼后部长 0.50mm。触角第 1 节稍超过头的前端，第 2 节与前胸背板前叶约等长，1 ~4 节的长度分别为 0.90mm、1.85mm、1.70mm、1.95mm。喙第 1 节短粗，第 2 节长，略超过眼的后缘，端节尖削，1 ~3 节的长度分别为 0.60mm、1.10mm、0.70mm。前胸背板长 3mm，前角间宽 1.10mm，侧角间宽 3.20mm，前叶长 1.80mm，具纵、斜印纹，后叶长 1.20mm。雄虫前翅长 8.70mm，超过腹部末端 0.80mm，雌虫前翅短，不超过腹部末端。

图 33　黄纹盗猎蝽 *Peirates*（*Cleptocoris*）*atromaculatus*（Stål）

a. 雄虫生殖节中突（后面观）；b. 雄虫生殖节中突（左侧面观）；c. 腹部第 8 腹板中突（后面观）；d. 左阳基侧突；e. 右阳基侧突；f. 阳茎膨胀状态（右侧面观）

本种雄虫生殖节末端构造与 *Peirates*（*C.*）*turpis* Walker 种极相似。阳基侧突阔三角状。

体长 12.50 ~13.50mm，宽 3.40 ~3.60mm。

**采集记录：** 大荔，1981. Ⅶ.05，李永康采。

**分布：** 陕西（大荔）、内蒙古、北京、河北、山东、江苏、浙江、湖北、江西、湖南、福建、海南、广西、四川、贵州、云南；越南，缅甸，印度，斯里兰卡，菲律宾，印度尼西亚，也门。

### (30) 茶褐盗猎蝽 *Peirates* (*Cleptocoris*) *fulvescens* Lindberg, 1939

*Peirates fulvescens* Lindberg, 1939: 123.

*Peirates* (*Cleptocoris*) *fulvescens*: Hsiao *et al.*, 1981: 443.

**鉴别特征:** 体黑色,具光亮的白色及黄色短细毛。喙第 1 节端半部、前翅革片(除基部及端角外)黄褐色,膜片内室端基部及外室(除基部外)深黑色。雄虫头长 2.40mm,头宽 1.76mm,头顶宽 0.70mm;由侧面观察头长 2.70mm,眼前部长 1.10mm,眼长 0.85mm,眼后部长 0.72mm。触角第 1 节稍超过头的前端,1~4 节的长度分别为 1.30mm、2.50mm、2.30mm、2.30mm。喙基部两节粗,端部尖细,1~3 节的长度分别为 0.90mm、1.40mm、0.90mm,第 2 节略超过眼的后缘。前胸背板长 3.50mm,前叶长 2.25mm,后叶长 1.25mm,前角间宽 1.50mm,侧角间宽 3.80mm,前叶中央具 1 条纵细浅凹纹,两侧具斜印纹。雄虫前翅长 9.80mm,略微超过腹部末端。雌虫一般翅短于雄虫,长 6.80~7.40mm,达第 6 腹板的中部或后缘。雄虫阳基侧突较大,长三角状。

本种色泽有变异,在天津地区采的标本中,有的个体前翅几乎完全为黑色,仅在革片与膜片相交处,略保留少许深黄褐色。

体长 14.30~16.30mm,宽 3.50~4.00mm。

**采集记录:** 渭南,1981. Ⅸ. 13。

**分布:** 陕西(渭南)、北京、天津、河北、山西、山东、四川。

### (31) 细盗猎蝽 *Peirates* (*Cleptocoris*) *lepturoides* (Wolff, 1804) (图 34)

*Reduvius lepturoides* Wolff, 1804: 165.

*Peirates* (*Cleptocoris*) *lepturoides*: Hsiao & Ren, 1981: 442.

**鉴别特征:** 体深黑色。触角、前翅革片暗棕色,膜片内室及外室具深色斑;侧接缘背腹面具暗赭色斑。触角具毛,第 2 节与前胸背板前叶约等长,1~4 节的长度分别为 0.95mm、1.85mm、1.75mm、2.00mm。喙端节最短,1~3 节的长度分别为 0.60mm、1.00mm、0.55mm。前胸背板前叶中央具细纵构。小盾片顶角成锥状,向后平伸。前足胫节海绵窝较长,稍长于胫节的 1/2,中足海绵窝小,约占胫节长的 1/3。

体长 12.00~12.60mm,体宽 3.10~3.30mm。

**采集记录:** 汉中,1981. Ⅵ。

**分布:** 陕西(汉中)、河北、湖北、江西、福建、广西、四川、云南;缅甸,印度尼西亚,斯里兰卡。

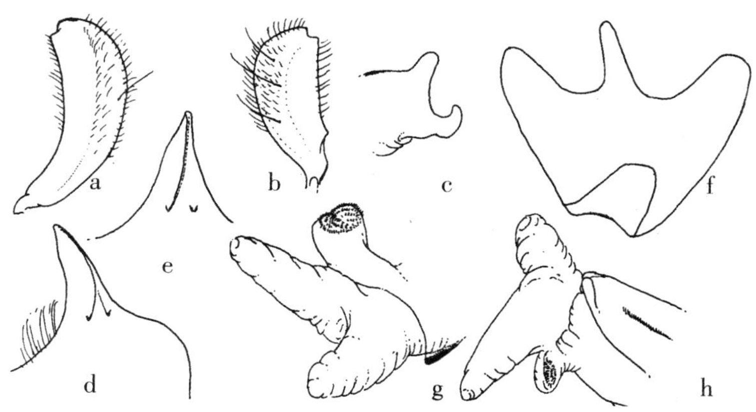


图 34　细盗猎蝽 *Peirates* (*Cleptocoris*) *lepturoides* (Wolff)

a. 左阳基侧；b. 右阳基侧突；c. 阳茎鞘背板右侧端部(右侧面观)；d. 雄虫生殖节中突(侧面观)；e. 雄虫生殖节中突(后面观)；f. 腹部第 8 腹节(后面观,示腹板中突)；g. 阳茎前部膨胀状态(左侧面观)；h. 阳茎前部膨胀状态(右侧面观)

## (32) 污黑盗猎蝽 *Peirates* (*Cleptocoris*) *turpis* Walker, 1873 (图 35)

*Peirates turpis* Walker, 1873: 120.

*Peirates* (*Cleptocoris*) *brachypterus* Horváth, 1879: 148.

*Peirates concolor* Jakovlev, 1881: 213.

*Peirates* (*Cleptocoris*) *turpis*: Hsiao *et al.*, 1981: 443.

**鉴别特征：**体黑色，具光泽及稀疏细毛。前翅暗黑褐色，爪片中部、革片内域及膜片端部色浅，内、外翅室深黑色。触角第 1 节稍超过头的前端，1～4 节的长度分别为 1.20mm、2.20mm、2.10mm、2.30mm。喙第 1 节短，第 2 节稍超过眼的后缘，1～3 节的长度分别为 0.70mm、1.25mm、0.75mm。前胸背板长 3mm，前叶(2mm)长于后叶(1mm)，前叶具纵斜暗条纹，后叶无皱纹。雄虫前翅长 9.70mm，比腹部末端长 1mm。雌虫前翅长 8.10mm，达第 6 腹板端部，有的个体翅短，仅达第 6 腹板的中部。雄虫阳基侧突呈叶状。

本种接近于黄纹盗猎蝽 *Peirates* (*C.*) *atromaculatus* (Stål)，但前翅色斑不同。

体长 13～15mm，宽 3.50～4.00mm。

**生物学：**卵：卵长椭圆形，卵体壳半透明，暗白色或淡乳黄色，卵前极的卵壳领缘、卵盖及卵盖突均为乳白色。卵长 1.50mm，卵粗 0.78mm。卵壳领缘构造复杂，由亚基部向上呈腕状突起，端部分成二叉，顶端钝圆，这些长腕状突起为卵壳领缘的气孔外突，当放大到 1000～4000 倍时，清楚地呈现出复杂的多孔体构造，属于气盾组织。卵盖中央的卵盖突似泡状为白色，其表面散布若干顶端膨大的突起。卵前极具 14～15 个精孔，有 42～45 个气孔；卵壳领缘气孔外突细长，围绕在卵盖周缘的姿态有变化，受精卵与未受精卵有明显区别；受精卵的气孔外突，则向外上方伸延，卵盖突的基部周围有不规则的裂孔，因而卵的前极形似一朵盛开的菊花，而未受精的卵，卵壳领缘上的气孔外突均向卵盖中央的卵盖突弯曲，卵盖突基部周缘未见到网孔构造，形似含苞未放的花朵。卵体壳表面构造简单，具有稀疏的壳小球构成隐约的网纹花饰。

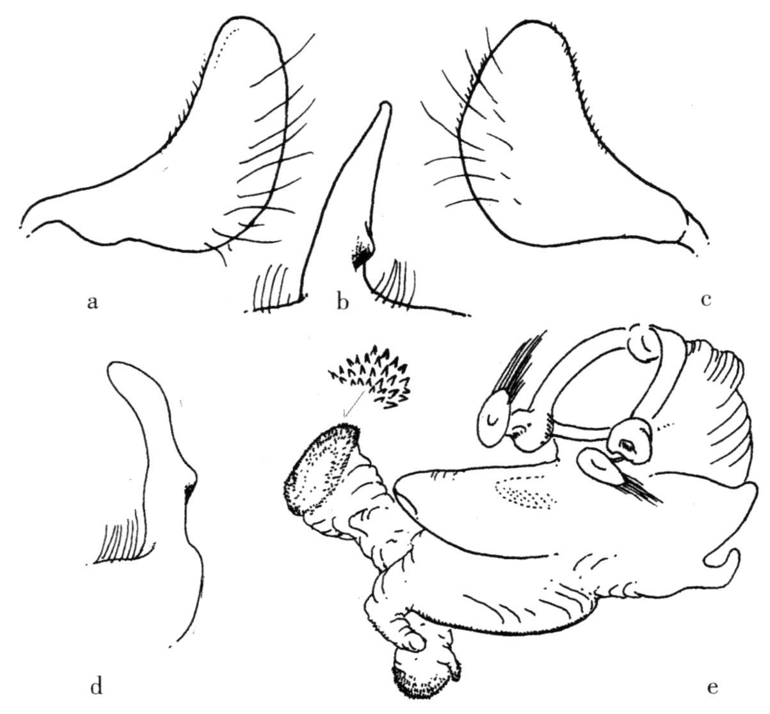


图 35 污黑盗猎蝽 *Peirates* (*Cleptocoris*) *turpis* Walker

a. 左阳基侧突；b. 雄虫生殖节中突（后面观）；c. 右阳基侧突；d. 雄虫生殖节中突（左侧面观）；e. 阳茎膨胀状态（右侧面观）

本种在华北地区以成虫或 5 龄若虫在石块下、土缝或植物根际处越冬。雌虫产卵于土表层中，卵体插入土中，卵前极露在土表层上面。卵排列零乱，有时若干粒卵排列密集。当卵孵化时，卵盖启开，若虫爬出，通常卵盖留在空卵壳的前方。

**采集记录：**大荔，1980. Ⅷ. 02，王以亮采；汉中龙岗寺，1975. Ⅴ. 11，灯诱；安康，1981；旬阳，1981. Ⅴ. 17-21。

**分布：**陕西（大荔、汉中、安康、旬阳）、内蒙古、北京、河北、河南、山东、甘肃、江苏、浙江、湖北、江西、香港、广西、四川、贵州、云南；日本，越南。

## 22. 黄足猎蝽属 *Sirthenea* Spinola, 1837

*Sirthenea* Spinola, 1837: 325. **Type species:** *Reduvius carinata* Fabricius, 1798.

**属征：**头长，向前平伸，眼前部显著长于眼及眼后部。触角远离与眼；喙3节，第1节最短，第2节最长；前胸背板前缘凹入，前角不呈瘤突状，中胸腹板中央成脊状；前足胫节海绵窝较小，中足胫节无海绵窝。

**分布：**中国记录2种，秦岭地区记述1种。

### （33）黄足猎蝽 *Sirthenea flavipes*（Stål，1855）

*Rasahus flavipes* Stål, 1855: 187.

*Rasahus cumingi* Dohrn, 1860: 407.

*Peirates strigifer* Walker, 1873: 116.

*Sirthenea flavipes*: Hsiao *et al*., 1981: 444.

**鉴别特征：**体黑褐色。头、前胸背板前叶及腹部背腹面浅栗色；触角第1~2节基部、喙、革片基部、爪片两端、膜片端部、足、腹部侧接缘斑点、腹部基部两侧及末端色斑均为土黄色。

雌虫体长20mm，宽3.70mm。头长4mm，头宽2.30mm，头顶宽1.10mm，颈长0.35mm；触角第1节短，不达头的前端，1~4节的长度分别为1.00mm、2.10mm、2.20mm、2.00mm。喙第1节短，第2节最长，略微超过眼的后缘，1~3节的长度分别为0.90mm、2.90mm、1.40mm。前胸背板长4.50mm，前叶长2.80mm，后叶长1.70mm，前角间宽2mm，侧角间宽4.40mm，前叶光亮，具浅凹纹，后部中央具1个浅凹陷，后叶亚侧域具纵凹陷，侧角较鼓起。前翅较短于雄虫，长13.50mm，不达腹部末端。

雄虫体长18.70~19.80mm。雌虫体长20.00~21.10mm。

**生物学：**本种个体大、数量较多，常在我国南方多种作物间活动，如水稻、小麦田中经常发现此虫捕食各种鳞翅目幼虫，同时趋光性强。

**采集记录：**8♂7♀，汉中龙岗寺，1975.Ⅵ.12-16，灯诱；1♂，南郑，1974.Ⅷ.23；1♂，南郑，1981.Ⅵ.01；1♀，镇巴，1981.Ⅵ.01。

**分布：**陕西（汉中、南郑、镇巴）、江苏、浙江、湖北、江西、福建、台湾、广东、海南、广西、四川、贵州、云南、西藏；日本，越南，印度，斯里兰卡，菲律宾，印度尼西亚。

**寄主：**蚜虫、红铃虫、棉铃虫等害虫的卵及幼虫。

## （三）猎蝽亚科 Reduviinae

**鉴别特征：**体中至大型，体长均在6mm以上。宽长形，有些种类身体扁平。一般为暗黑色，多具红黄色花纹。头长，前端向下倾斜或弯曲，具横缢。前胸背板横缢，约位于背板中央。前翅无中室，小盾片端部具刺或瘤状突起，有时侧缘基部具刺。各足跗节均为 3 节。

**分类：**我国已知 16 属，秦岭地区记述 2 属 2 种。

## 分属检索表

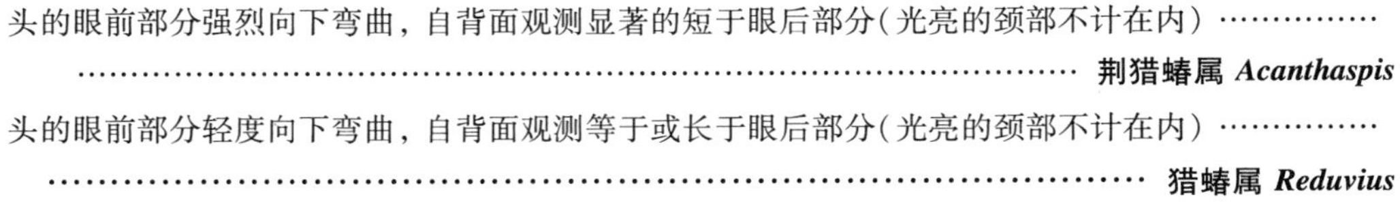

头的眼前部分强烈向下弯曲，自背面观测显著的短于眼后部分（光亮的颈部不计在内）……………………………… **荆猎蝽属 *Acanthaspis***

头的眼前部分轻度向下弯曲，自背面观测等于或长于眼后部分（光亮的颈部不计在内）……………………………… **猎蝽属 *Reduvius***

## 23. 荆猎蝽属 *Acanthaspis* Amyot *et* Serville, 1843

*Acanthaspis* Amyot *et* Serville, 1843: 336. **Type species**: *Acanthaspis flavovaria* Hahn, 1834.

**属征：**体椭圆形。头的眼前部分与眼后部分约等长。喙第 1、2 两节一般约等长。前胸背板横缢位于中部之前，前叶具凹纹，无刺突，后叶常具刺突，侧角呈刺状或瘤突状。小盾片顶端呈刺状。前足股节腹面无刺突，前、中足胫节海绵窝大。

**分布：**中国记录 10 种，秦岭地区记载 1 种。

### (34) 淡带荆猎蝽 *Acanthaspis cincticrus* Stål, 1859（图 36）

*Acanthaspis cincticrus* Stål, 1859: 188.

**鉴别特征：**黑色，具淡黄色花斑，被黑色稀疏长毛。前胸背板侧角及中部 2 个横长斑、前翅革片中央长形纵带、各节胫节 2 个宽环、股节端部斑点、每节侧接缘的基部均为淡黄褐色；革片长形淡黄褐色带斑端部内缘及膜片翅脉均为黑褐色。

雌虫体长 16.20mm。头长 2.20mm，头宽 1.72mm，头顶宽 0.74mm。触角 1 ~ 4 节的长度分别为 1.60mm、3.00mm、4.30mm、2.30mm。喙 1 ~ 3 节的长度分别为 1.20mm、1.00mm、0.47mm。前胸背板长 3.10mm，前角间宽 1.55mm，侧角间宽（包括侧角刺突）4.60mm，前叶鼓起具瘤突，后缘中部近平直，侧角短刺状伸向侧后方。小盾片刺粗，几乎垂直。前翅短，仅超过腹部第 6 节背板。前足胫节稍短于股节，长为 3.70mm，海绵窝长为 1.70mm。

雄虫生殖节后缘中央成长刺状伸向背前方，各侧与阳基侧突端部相靠，阳基侧突基部细缩，端部膨大呈三角状；阳茎鞘背板端缘圆，内阳茎无骨化构造，仅布有细小的刺。

雄虫体长 15.50mm，宽 4.80mm。头长 2.20mm，宽 1.70mm。触角 1 ~4 节的长

度分别为1.60mm、3.20mm、4.50mm、2.50mm。喙粗，第1节达眼的中部，1～3节的长度分别为1.10mm、1.00mm、0.50mm。前胸背板长3.30mm，前角间宽1.70mm，侧角间宽4.80mm，前叶长1.30mm，后叶长2mm。腹部侧接缘各节后端淡黄色。前翅长9.50mm，达腹部最后1节的中部。

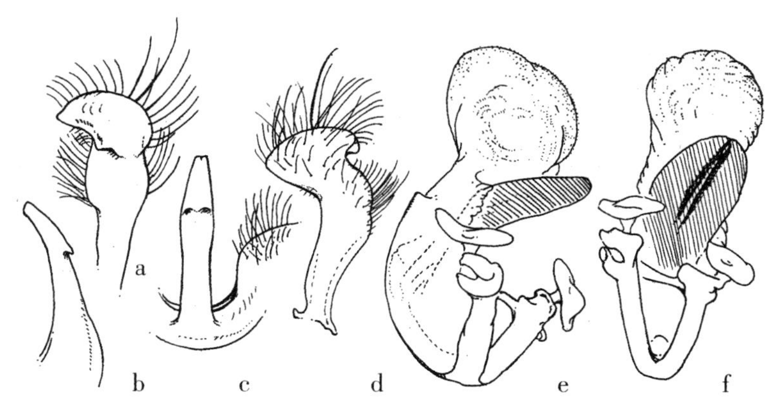


图36 淡带荆猎蝽 *Acanthaspis cincticrus* Stål

a. 阳基侧突(内侧面观)；b. 雄虫生殖节中突(侧面观)；c. 雄虫生殖节中突(背面观)；d. 阳基侧突(外侧面观)；e. 阳茎(背侧面观，示内阳茎外翻)；f. 阳茎(背面观，示内阳茎外翻)

若虫体表面及足表面粘有土、细沙粒，体的背面由沙土块、碎屑，一般还有蚂蚁的残体，混粘在一起，背在体背面，通常在灌木上部或土表上捕食，行动较缓慢。在河北蓟县地区7月底在树基部石块下(若虫栖息处有蚂蚁及其他甲虫的死体)及地表上有4～5龄的若虫，体背面除碎硝、沙粒外，通常均有完整的蚂蚁死体及蚂蚁的残体。

**采集记录**：大荔，1980.Ⅷ.02，王以亮采；澄城，1981.Ⅵ.20，张忠彦采。

**分布**：陕西(大荔、澄城)、北京、河北、山西、河南、山东；日本，印度。

## 24. 猎蝽属 *Reduvius* Fabricius, 1775

*Reduvius* Fabricius, 1775: 729. **Type species**: *Cimex personatus* Linnaeus, 1758.

**属征**：体中等长。头椭圆形，眼前部长于眼后部；眼大，向两侧突出；喙第2节长于第1节；前胸背板中部之前具横缢，前叶中央具纵沟或凹缝，后叶扩展，前叶短于后叶，后缘较鼓。小盾片顶端成刺状或尖锐。前胫节具海绵窝。

**分布**：中国记录9种，秦岭地区记载1种。

### (35) 黑腹猎蝽 *Reduvius fasciatus* Reuter, 1887 (图 37; 图版 1: 2)

*Reduvius fasciatus* Reuter, 1887: 159.

*Reduvius fasciatus* var. *limbatus* Lindberg, 1939: 121.

*Reduvius fasciatus*: Hsiao *et al.*, 1981: 462.

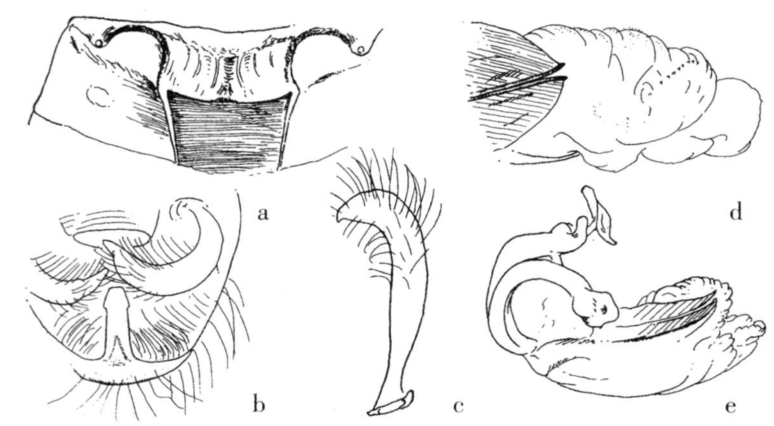


图 37 黑腹猎蝽 *Reduvius fasciatus* Reuter

a. 腹部第 2 节背板(背面观); b. 雄虫生殖节(后面观, 示中突、阳基侧突); c. 阳基侧突(侧面观); d. 阳茎端半部(背面观, 膨胀状态); e. 阳茎(侧面观)

**鉴别特征:** 体长形, 黑色。前胸背板后叶及前翅革片侧缘、膜片外室顶端、内室中部为橘黄色。腹部第 2 节背板中部 2 条纵脊纹不弯曲。

雄虫体长 15.50 ~ 17.00mm, 宽 3.80 ~ 4.40mm。头长 2.60mm, 头宽 1.45mm, 头顶宽 0.70mm。眼前部长 1.10mm, 眼后部长 0.97mm, 头的前端向下倾斜。触角第 1 节显著的超过头的前端, 1 ~ 4 节的长度分别为 2.00mm、3.50mm、2.70mm、2.00mm。喙 1 ~ 3 节的长度分别为 1.00mm、1.15mm、0.60mm。前胸背板长3mm, 前叶隆起, 中央纵沟几乎达前叶后缘, 前叶(1.20mm)稍短于后叶(1.80mm), 侧角钝圆, 后缘在小盾片前方接近平直。小盾片端刺短, 向后上方翘起。前足胫节长4mm, 稍长于股节,海绵窝长为 1.65mm,长于中足胫节海绵窝。前翅长 10mm, 超过腹部末端 1.50mm。雄虫生殖节中突柱状, 端缘平截; 阳基侧突端部 1/4 处弯曲; 阳茎鞘背板端缘中央开列, 内阳茎无骨化突。

雌虫喙第 1 节短, 长为 1mm, 不达眼的前缘, 1 ~ 3 节的长度分别为 1.00mm、1.30mm、0.50mm。前足胫节海绵窝长为 1.50mm, 前足胫节长 3.70mm; 约占胫节前端处的 1/3(大于 1/3), 中足胫节海绵窝小于前足胫节海绵窝, 长为 1.20mm, 中足胫节长 4mm, 后足胫节端部无海绵窝构造, 前足爪细长, 基部无齿突。雌虫前翅短, 不达腹部末端。

**生物学:** 经解剖, 即将产卵的雌虫(采于北京八达岭, 1982. Ⅵ. 01)腹内有成熟卵

48粒，卵呈椭圆形，浅棕色，光亮，卵壳领缘窄，卵体形状及基本构造与橘红背猎蝽 *Reduvius tenebrosus* Stål 卵相似（卵盖及卵壳的表面网纹构造为同一类型）。卵体长1.10mm，卵体中部粗0.90mm，卵壳盖直径0.40mm。通过饲养观察，雌虫将卵产于土表层下，但卵盖常露在土表面上，卵盖及领缘白色，卵壳棕色。

**采集记录：**陇县，1981.Ⅶ.04；太白，1981.Ⅵ.19；华县金堆，1980.Ⅷ.15；华县柳枝白岩岭，1980.Ⅷ.22；旬阳，1981.Ⅵ.08。

**分布：**陕西（陇县、太白、华县、旬阳）、北京、天津、河北、河南、山东、甘肃、四川。

## （四）细足猎蝽亚科 Stenopodainae

**鉴别特征：**体中至大型。身体一般狭长，颜色暗淡。头圆柱形，向前平伸，中央横缢清楚，中叶前端常呈刺状，颈显著；触角细长。前翅常具大型的中室。前足胫节通常无海绵窝，爪简单。

**分类：**我国记录12属，陕西秦岭地区分布2属3种。

### 分属检索表

前足股节腹面具1列刺，如具2列小刺，则与胫节约等长 …………………… **普猎蝽属 *Oncocephalus***

前足股节腹面具2列刺，显著的长于胫节 ……………………………… **刺胸猎蝽属 *Pygolampis***

### 25. 普猎蝽属 *Oncocephalus* Klug, 1830

*Oncocephalus* Klug, 183: pl. 19. **Type species**: *Oncocephalus notatus* Klug, 1830.

**属征：**体长形或长椭圆形。体色暗淡，土黄，常具淡黄色及褐色斑，或深色点状晕斑。被很短平伏毛或短毛，有的种类胫节及触角具稀疏长柔毛。头圆柱状，稍短于前胸背板，在触角之间具小刺，横缢明显，眼后部短，两侧常有具短毛的小瘤突；触角位于头的前端，而与眼远离；触角4节，第1触角节稍短于头，第2节显著长于第1节。前胸背板前角显著；前后叶之间横缢明显或隐约。头的颊形成2个显著的刺或齿。雄虫眼大或甚大，通常大于雌虫的眼，并突出，在头的下面，两眼非常靠近，或者几乎相接。雄虫第2触角节一般具稀疏长毛和短毛。雌虫第1触角节通常毛少。喙第1节不长于端部两节之和，亦不超过眼的后缘。前胸背板前角显著，后叶侧角钝圆或尖削，后缘宽阔，中部平截。小盾片亚基部两侧各具1个不明显的突起，端角成刺状。前胸腹板前端成刺状突出。前足股节粗，前足股节加粗，腹面具1列或

2 列明显的小刺，前胫节均与股节约等长。一般前翅将腹部全部覆盖，偶见短翅型个体，有的翅较短，很短或膜片消失。

本属种类，一般以 3、4、5 龄若虫在土下、石块下或植物根际处越冬，体表面常被有细土颗粒，所以与土的色泽基本一致。在北京、天津地区次年 3 月底 4 月中旬开始出来活动，5 月上旬、中旬变为成虫。雌虫将卵散产在植物根际处疏松的表土中或土粒间。卵的前极一般外露于土表面上。卵椭圆形，污暗，卵的前极近平截，卵壳表面呈不规则的小突起。成虫向光性强。

**分布**：中国记录 10 种，秦岭地区记述 2 种。

## 分种检索表

第 1 触角节与头几乎等长；前胸背板侧角圆，前足股节腹面具 11～12 小刺 ……………………………………………………………………………………… **环足普猎蝽 *O. annulipes***

第 1 触角节明显短于头 ……………………………………………………… **短斑普猎蝽 *O. simillimus***

### (36) 环足普猎蝽 *Oncocephalus annulipes* Stål, 1855（图 38）

*Oncocephalus annulipes* Stål, 1855b: 44; Hsiao *et al*., 1981: 467.

*Oncocephalus cingalensis* Kirby, 1891: 117 (nec Walker, 1873).

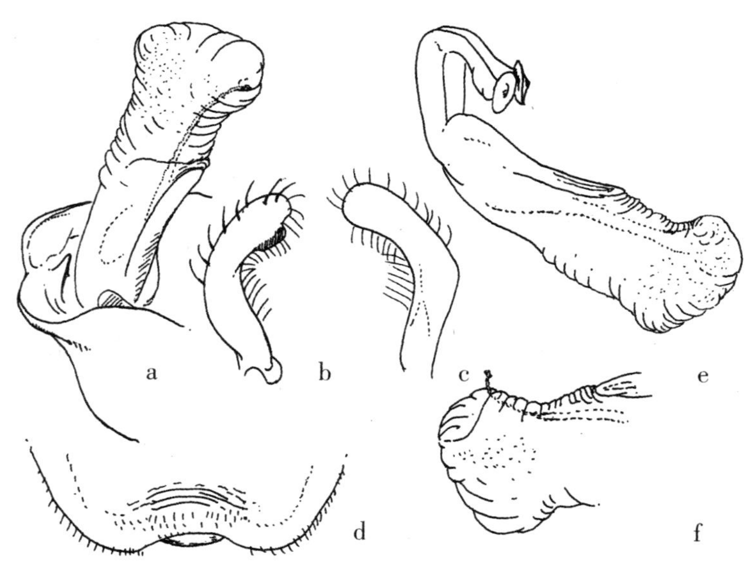


图 38 环足普猎蝽 *Oncocephalus annulipes* Stål

a. 雄虫生殖器（侧背面观）；b－c. 雄虫右阳基侧突（不同侧面观）；d. 腹部末端（背面观）；e. 阳茎（侧面观）；f. 阳茎端部（侧面观）

**鉴别特征**：体长 15～20mm。淡棕褐色。眼黑色，头的眼前部分、单眼后方、触角第 2 节的 2 个环纹、前胸背板前叶明显的纵带、小盾片两侧、前翅革片中部、革片及膜片的色斑、前足胫节 3 个环纹、中足基部及亚中部环纹、侧接缘斑均为褐色。前翅膜片外室基半部淡灰白色。

雄虫头长 2.50mm，头宽 1.80mm，头顶宽 0.80mm，由侧面观察眼前部长 1.10mm，眼长 0.80mm，眼后部长 0.50mm；触角第 1 节短，为 1.70mm，第 2 节长为 3.70mm。喙第 1 节达于眼的前缘，1～3 节的长度分别为 1.10mm、1.10mm、0.66mm。前胸背板长 3mm，前角间宽 1.40mm，后角间宽 3.30mm；侧缘中部小突起不明显，前翅长 10.50mm，不达于腹部末端。腹部腹面中央纵脊由基部达第 6 腹节后缘，第 7 节腹背板后缘向内弯曲，阳基侧突端部外露。生殖节端部中突成三角状；阳基侧突近中部弯曲，亚端部内侧突出；阳茎膨胀时，内阳茎呈长囊状透明膜囊，无骨化构造。雌虫体较大(体长 20mm)，生殖节末端背板具 3 条褐色纵带，中央纵带显著。

雄虫体长 16mm，宽 3.70mm。雌虫体长 19～20mm，宽 4.00～4.20mm。

**采集记录**：富平，1981.Ⅵ.01。

**分布**：陕西(富平)、河北、山西、上海、福建；印度，斯里兰卡，印度尼西亚，非洲。

### (37) 短斑普猎蝽 *Oncocephalus simillimus* Reuter, 1888 (图 39)

*Oncocephalus simillimus* Reuter, 1888: 201.

*Oncocephalus confusus* Hsiao, 1977: 76.

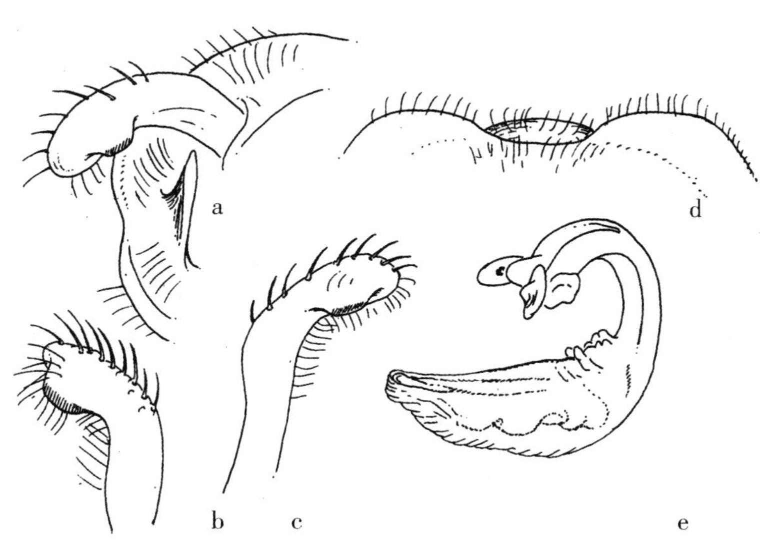


图 39　短斑普猎蝽 *Oncocephalus simillimus* Reuter

a. 雄虫生殖节端部(斜背面观)；b－c. 阳基侧突(不同侧面观)；d. 雄虫腹部末端(背面观,示中突)；e. 阳茎(侧面观)

**鉴别特征**：本种的颜色、花纹及构造极似盾普猎蝽 *Oncocephalus scutellaris* Reuter，但前胸背板后叶中央较鼓，头较长，眼较小，触角第 1 节较长，膜片上的黑斑较短。褐黄色，具褐色斑纹，腹面被白色卷毛。头顶后方 1 个斑点、头两侧眼的后方、小盾片、前翅中室内的斑点、膜片外室内的斑点均为显著的褐色。头两侧眼的后方、前胸背板的纵走条纹、胸侧板及腹板、腹部侧接缘各节端部均带褐色。触角第 1 节端部、喙第 2 节及第 1 节、股节的条纹、胫节基部 2 个环纹及顶端均为浅褐色。

雄虫头长 2.75mm，头宽 1.95mm，头顶宽 0.95mm；由侧面观察眼前部长 1.35mm，眼长 0.60mm，眼后部长 0.70mm；眼大，外咽片与喙第 2 节中部约等宽；触角第 1 节背面无毛，1～4 节的长度分别为 2.00mm、4.30mm、0.95mm、0.95mm。喙 1～3 节的长度分别为 1.30mm、1.25mm、0.70mm。前胸背板长 3.25mm，前角间宽 1.65mm，侧角间宽 3.75mm，前叶（1.65mm）、后叶（1.60mm）约等长，前角成短刺状向外突出，前叶侧缘具 1 列顶端具毛的颗粒，侧突极显著，稍短于前角，侧角尖锐，超过前翅前缘。小盾片向上鼓起，端刺粗钝，向上弯曲。前翅不达于腹部末端，膜片外室内黑斑短，约占翅室中部的 1/3。前足股节长 4.75mm，宽 0.95mm，腹面具 12 个小刺，胫节与股节等长；中足股节与胫节等长（5.10mm）；后足股节长 8.50mm，胫节长 10.20mm，跗节 1～3 节的长度分别为 0.30mm、0.50mm、0.65mm。腹部腹面纵脊达于第 6 腹板后缘，生殖节端缘显著的向内弯曲，中突三角状、前端锐，阳基侧突部分露出；阳基侧突粗壮，中部弯曲，亚端部内侧突出。阳茎的内阳茎无骨化构造。

雄虫体长 17.60mm，宽 4.40mm。雌虫体长 18.50mm，宽 5.10mm。

**采集记录**：武功，1951. Ⅹ.14，周尧采；富平，1981. Ⅵ.23。

**分布**：陕西（武功、富平）、黑龙江、北京、河北、山西、山东、上海、江苏、浙江、贵州；朝鲜半岛。

## 26. 刺胸猎蝽属 *Pygolampis* Germar, 1817

*Pygolampis* Germar, 1817: 286. **Type species**: *Cimex bidentatus* Goeze, 1778.

**属征**：体色色泽污暗，体形较一致。长形，头与前胸背板约等长，头两侧接近平行，中叶显著，眼后方具侧刺；喙第 1 节稍长于 2、3 两节之和，触角第 1 节大于等于头长；前胸背板长形，前端狭窄，侧缘直，后缘稍波曲；前足两基节彼此紧靠，中足基节明显地分离，后足基节远离。前胸腹板前角突出成刺状。

**分布**：中国记录 6 种，秦岭地区记载 1 种。

### （38）双刺胸猎蝽 *Pygolampis bidentata*（Goeze, 1778）

*Cimex bidentaus* Goeze, 1778: 242.

*Pygolampis denticulata* Germar, 1817: 286.
*Ochetopus spinicollis* Hahn, 1833: 177.
*Lygaeus spinulatus* Contarini, 1847: 190.
*Pygolampis bidentata* var. *obscuripes* Rey, 1888: 194.
*Pygolampis bidentate*: Hsiao *et al*., 1981: 474.

**鉴别特征**: 体棕褐色，密被短浅色扁毛，形成一定的花纹。雄虫头长2mm，头宽1.10mm，头顶宽0.56mm，横缢前部(1.10mm)长于横缢后部(0.90mm)；具"V"形光滑条纹，前端成二叉状向前突出；后部具中央纵沟，后缘两侧具1列刺状突起；眼前部下方密生顶端具毛的小突起，眼后部具分支的棘，棘的顶端具毛；头的腹面凹陷，浅色。眼圆形，稍向两侧突；单眼突出，位于横缢后部的前缘，两单眼间的距离(0.31mm)大于各单眼与其相邻复眼之间的距离(0.10mm)。触角具毛，第1节(2mm)粗，稍短于第2节(2.50mm)。前胸背板长2.60mm，前角间宽0.80mm，侧角间宽2.10mm，前叶长于后叶，后叶中央凹陷，两侧具光滑短纹，后叶后方稍向上翘，侧角成圆形向上突起。前翅长8.80mm，达第7腹节亚后缘，膜片具不规则的浅色斑点；中翅室长1.30mm，宽0.60mm。前、中足胫节亚中部及两端具褐色环纹。腹部侧接缘各节基端及顶端均具褐色斑，第7背板两侧向后突出。

雌虫头长2.10mm，头宽1.20mm，头顶宽0.62mm；触角第1节(1.80mm)短于第2节(2.60mm)。喙第1节超过眼的后缘，1～3节的长度分别为1.40mm、0.44mm、0.42mm。前胸背板长2.40mm，侧角间宽2.13mm。前翅长9mm，达第7腹背板前部。

雄虫体长13mm，宽2.70mm。雌虫体长15.10～16.00mm，宽3.00～3.10mm。

**生物学**: 本种趋光性强，活动于稻田等作物田间，捕食小虫。

**采集记录**: 武功，1965.Ⅸ.25；1981.Ⅴ.06。

**分布**: 陕西(武功)、黑龙江、北京、天津、河北、山西、河南、山东、甘肃；广泛分布于欧洲。

## (五)真猎蝽亚科 Harpactorinae

**鉴别特征**: 本亚科包括小型至大型的种类。体形及颜色变异很大，足常具刺或瘤状突起，喙粗短，弯曲，单眼小，通常突出，前翅革片顶端内侧有1个四边形小翅室，爪的基部具齿。

**生物学**: 栖息于植物丛中，捕食各种昆虫。如褐菱猎蝽 *Isyndus obscurus* (Dallas)在松林中捕食松毛虫幼虫；暴猎蝽 *Agriosphodrus dohrni* Signorent 在四川平武县发现捕食核桃扁金花虫，成为抑制某些害虫发生的一个重要因素。

**分类**: 广泛分布于世界各地。为猎蝽科(Reduviidae)中最大的一个亚科，全世界已知千余种，我国的种类很多，现已知131种，隶属于41属，陕西秦岭地区发现11

属 14 种。

## 分属检索表

1. 各足股节至少前足股节具成列的刺 …………………………………………………………………… 2
   各足股节均不具刺 ……………………………………………………………………………………… 3
2. 头的前端向前成刺状伸出，触角第 1 节短于头的长度（狄猎蝽族 Dicrotelini） ………………………
   …………………………………………………………………………………… **塔猎蝽属 *Tapirocoris***
   头的前端不成刺状延伸，触角第 1 节长于头的长度（刺猎蝽族 Polididini） … **刺猎蝽属 *Sclomina***
3. 前足胫节短于股节，或与股节等长，触角后方如具长刺，则刺细而直，不粗壮弯曲 ………… 4
   前足胫节长于股节，触角基后方刺粗壮，向后弯曲 ……………………… **红猎蝽属 *Cydnocoris***
4. 前胸背板前叶侧缘后部有 1 个显著的突起 ………………………………… **菱猎蝽属 *Isyndus***
   前胸背板前叶侧缘无 ……………………………………………………………………………………… 5
5. 前胸背板中部具显著的刺或突起 …………………………………………… **素猎蝽属 *Epidaus***
   前胸背板中部无刺或突起 ………………………………………………………………………………… 6
6. 前胸背板侧角刺由侧角伸出，侧角后方具齿状突起；背板后缘向内凹陷，后角呈圆形突出；小盾片通常两侧平直，端角尖削 …………………………………………… **嗯猎蝽属 *Endochus***
   前胸背板侧角刺突由侧角上方伸出，侧角后方无小齿；背板后缘平直，后角不突出 ………… 7
7. 触角短，第 1 节不长于头；小盾片具中央纵脊，有时向后延伸成刺状；中胸侧板前缘有 1 个显著的突起 ……………………………………………………………………… **土猎蝽属 *Coranus***
   触角长，第 1 节显著的长于头部；小盾片具刺或无刺，但不具中央纵脊；中胸侧板前缘无突起 … 8
8. 头长显著地长于前胸背板 ……………………………………………… **暴猎蝽属 *Agriosphodrus***
   头较短，不长于前胸背板 …………………………………………………………………………………… 9
9. 腹部两侧后部（第 4、5 节）扩展，侧接缘各节显著的凸起或凹陷各节间具显著的缺刻，各足股节端部呈结节状 ……………………………………………………………… **脂猎蝽属 *Velinus***
   腹部两侧不扩展，如扩展则侧接缘各节不呈显著的凸起或凹陷 ………………………………… 10
10. 前胸背板前叶中央纵沟短，前端不及于领，后端不与横沟相通；背板后叶前部中央不圆隆，中央纵沟不显著，无中央突起，后缘在小盾片前方部分平直，后角显著……… **瑞猎蝽属 *Rhynocoris***
    前胸背板前叶中央纵沟前端及于领，后端常与横沟相通；背板后缘通常平直或向内成弧形弯曲 …………………………………………………………………… **猛猎蝽属 *Sphedanolestes***

## 27. 塔猎蝽属 *Tapirocoris* Miller, 1954

*Tapirocoris* Miller, 1954: 474. **Type species**: *Tapirocoris limbatus* Miller, 1954.

**属征：** 体小型，体长 10 ~ 14mm。体具瘤突。触角第 1 节稍长于眼前部分，眼后部分较圆鼓，基部缢缩。头稍短于前胸背板，头顶前端向前突出，单眼小，互相远离。喙第 1 节短，为第 2 节的 1/2，不超过眼的后缘，第 2、3 节直。前胸背板宽稍大于长，中部具横缢，前叶具瘤突，后叶光滑，其后缘呈波曲状。前跗节爪内侧具齿突。腹部侧接缘第 5、6 节后角不突出。

**分布：**中国记录 4 种，秦岭地区记述 1 种。

### （39）齿塔猎蝽 *Tapirocoris densa* Hsiao *et* Ren, 1981（图版 1：3）

*Tapirocoris densa* Hsiao *et* Ren, 1981b: 488.

**鉴别特征：**体浅黄褐色，被浓密白色软毛及刚毛。头、前胸背板及足的毛较显著；头背面纵走条纹、喙顶端、前胸背板侧缘及前叶的格形斑、小盾片"Y"形脊的中央凹入部分及脊的基部两侧、前足刺顶端、各足基节基部、胸侧板色斑、腹部腹面点斑均为黑色；触角第 1 节、前足跗节、前翅膜质部、侧接缘各节端半部棕褐色。

雌虫体长 13.30mm，前胸背板宽 3.15mm，腹部宽 5.50mm。头长 2.30mm，头宽 1.15mm，头顶宽 0.70mm，前叶长 1.20mm；触角 1～4 节的长度分别为 1.50mm、1.65mm、1.90mm、1.10mm；喙直，第 1 节达眼的前缘，1～3 节的长度分别为 0.55mm、1.35mm、0.45mm。前胸背板长 2.20mm，前角间宽 1.10mm，侧角间宽 3.50mm；后缘中央微凹入，后角不显著，侧角呈齿状突。小盾片三角形，中央具"Y"形脊。前足股节腹面具 2 列刺，内侧 5 个，外侧 6 个；胫节腹面内外两侧各具 4 个刺。前翅超过腹部末端。侧接缘第 4～6 节后角稍突出。

本种体色与边塔猎蝽 *Tapirocoris limbatus* Miller 相似，但身体较大，前胸背板侧角呈齿状向侧方突出，后缘微成波形，中央向前稍凹入。

**采集记录：**留坝红崖沟，1500～1650m，1998. Ⅶ. 22，陈军采。

**分布：**陕西（留坝）、四川、贵州。

## 28. 刺猎蝽属 *Sclomina* Stål, 1861

*Sclomina* Stål, 1861: 137. **Type species**: *Sclomina erinacea* Stål, 1861.

**属征：**体长椭圆形。头触角后方每侧具 3 个长刺，前端中央具 2 个短刺；喙第 2 节长于第 1 节的 1/3；触角第 1 节的长度约等于头与前胸背板长度之和。前胸背板前叶具许多刺，后叶具 4 个坚刺。中胸侧板具瘤突。腹部两侧呈叶状刺。一般各足股节具刺，前足股节稍粗，前足胫节短于股节。

雄虫生殖节端缘中部突出，中央凹入，阳基侧突棒状，略弯曲，一般前端具 3 根长刚毛。阳茎体长椭圆形，背面宽阔的鞘背板骨化强，呈棕褐色，阳茎除系膜表面散布的小微刺外，一般左、右两侧具 4～7 个骨化刺，前端 1 个，其后部 3～5 个排成横列，内阳茎系膜骨化刺的数目、大小、形状、排列方式在种间不同，但同种个体间亦有变化。

卵：该类群在我国广西地区，5 月中旬、下旬为越冬代交尾及产卵期。卵一般产在植物叶的表面上(1984 年 5 月份，作者在广西宁明陇瑞自然保护区采集时观察)，卵块卵粒数目不一致。卵壳棕色或浅棕色，光亮，卵壳表面花饰隐约；壳领缘及卵盖呈白色；卵长 2.20mm(含卵盖高度 0.25～0.30mm)；卵体略弯，长 1.80～1.90mm，中部粗 0.90mm，卵壳领缘直径 0.40mm。本种卵的前极与彩纹猎蝽 *Euagoras plagiatus* Burmeiter 卵的前极相似，卵盖的中部向上突出。

**分布**：中国记录 1 种，秦岭地区记述 1 种。

### (40) 齿缘刺猎蝽 *Sclomina erinacea* Stål, 1861 (图 40)

*Sclomina erinacea* Stål, 1861: 13.

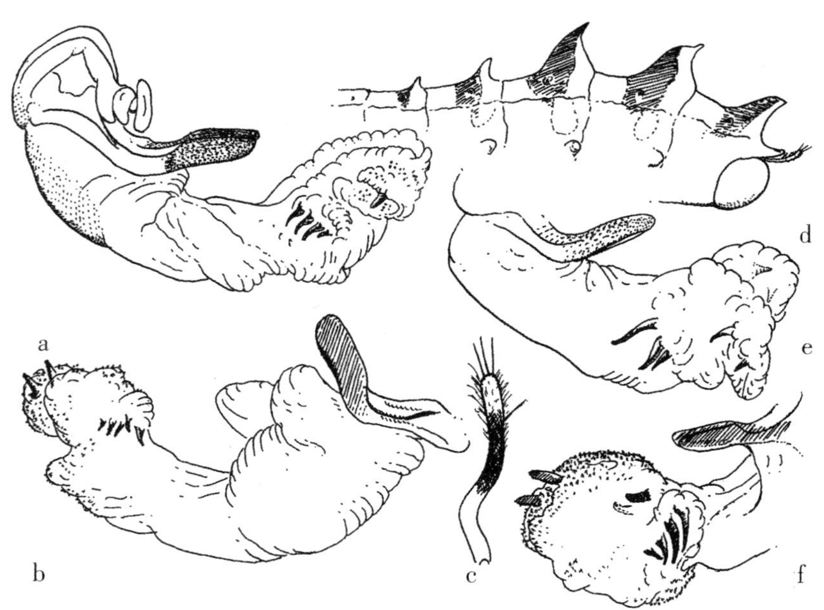


图 40　齿缘刺猎蝽 *Sclomina erinacea* Stål

a. 阳茎膨胀状态(左侧面观)；b. 阳茎膨胀状态(右侧面观)；c. 阳基侧突；d. 雄虫腹部(侧腹面观)；e. 阳茎膨胀状态(阳茎关节附器略)(左侧面观)；f. 内阳茎(侧面观)

**鉴别特征**：体长 14.00～15.50mm，黄褐色，具许多刺；头两侧眼的前方和后方两侧窄斜带、小盾片中部、前缘脉前中部、革片大部分及胸侧板色斑均为黑褐色，革片基部及革片翅脉暗黄色，膜片淡褐色透明，中室脉及内、外室的基部均为暗黄色。头背面前端中央具 2 个短刺，触角的后方每边具 3 个长刺，中间的刺最长。前胸背板前叶具 10 个刺(2、4、4)，中部中央的 2 个刺较长，中央具纵走凹沟；后叶具 4 个显著的长刺。第 3 节端角成刺状，其他各节略呈叶刺状；腹部中央黄色，光亮，两侧具不规则的黑褐色斑，第 4～6 节后缘具黄色光亮突起。雄虫阳基侧突细长，生殖节后缘中央成宽铲状突出，其前缘向后凹入。

卵：卵壳表面光亮，浅棕色，卵长 2.20mm（含卵盖高度），卵体长 1.90mm，中部宽 0.90mm（雌虫体内成熟卵）。

**采集记录**：佛坪龙草坪，1985. Ⅶ.16，任树芝采。

**分布**：陕西（佛坪）、安徽、浙江、湖北、江西、湖南、福建、台湾、广东、广西、贵州、云南。

## 29. 菱猎蝽属 *Isyndus* Stål, 1858

*Isyndus* Stål, 1858: 445. **Type species**: *Isyndus heros* sensu Stål, 1858 ( = *Isyndus reticulatus* Stål, 1868).

**属征**：头显著短于前胸背板，眼前部分与眼后部分约等长，触角第 1 节与前足股节等长，触角基后方具瘤突或短刺；喙第 1 节稍长于第 2 节；前胸背板前叶两侧各具 1 个刺突，后叶侧角成刺状或角突指向两侧。前足胫节长于前足股节及转节之和。阳茎鞘背板宽阔，内阳茎背面近基部有 1 对长鞭形的骨化构造，其两侧各有 1 个轻度骨化的锥状突，近端部两侧为刺域，端部具密刺或浓密毛。阳茎的特征在种间其形状及构造等虽有不同，但区别不显著（除簇毛菱猎蝽 *Isyndus lativentris* Distant 外）。

**分布**：中国记录 7 种，秦岭地区记述 1 种。

### (41) 淡色菱猎蝽 *Isyndus planicollis* Lindberg, 1934（图 41）

*Isyndus planicollis* Lindberg, 1934: 30.

**鉴别特征**：体棕褐色。被浅色毛。触角第 1 节黑褐色，第 2 节基部 2/3、第 1 节基部 1/5 及第 4 节端半部均为棕色（除黑褐色外）。前胸背板前叶黑色，具黄色平伏毛组成的花纹，后叶具横皱纹，侧角域略向上翘。

雄虫体长 18.62mm，腹部宽 5.10mm。头长 3.30mm，头宽 1.72mm，头顶宽 1.15mm。触角 1～4 节的长度分别为 5.60mm、2.40mm、4.30mm、2.21mm。前胸背板长 4.10mm，前角间宽 1.70mm，侧角间宽 5.90mm，前叶（1.30mm）显著短于后叶（3.70mm）。前翅长 12.20mm，超过腹部末端 0.62mm。生殖节中突短小，顶缘两端角呈小倒刺，由背面观端缘直，两端角呈钝角状；由后腹面观，则端缘圆阔，两端角圆。阳基侧突端部 2/3 处近直，基部 1/3 处弯曲；阳茎鞘背板宽阔，端缘中央凹入，当膨胀时，内阳茎翻出，前端为膜质囊（其表面布满微小刺，而两侧中部具棕色显著的密集短刺域）；内阳茎亚端部两侧各具 1 个轻度骨化的的锥形叶突，淡黄色；背面近基部有 2 根棕褐色细长骨化刺，似细丝。

本种体小于褐菱猎蝽 *Isyndus obscurus*（Dallas），色浅，雄虫腹部第 7 腹板节的基缘中央无突起。

**采集记录：**周至，1981.Ⅴ.18；凤县秦岭车站，1400m，1994.Ⅶ.30，吕楠采；华县，921m，1981.Ⅳ.24；留坝，1981.Ⅵ；佛坪龙草坪，1980.Ⅵ.07；佛坪龙草坪，1981.Ⅷ.28，曹建明采；佛坪，1980.Ⅷ.28，曹建明采；宁陕旬阳坝，1981.Ⅳ.23；南郑，1981.Ⅴ。

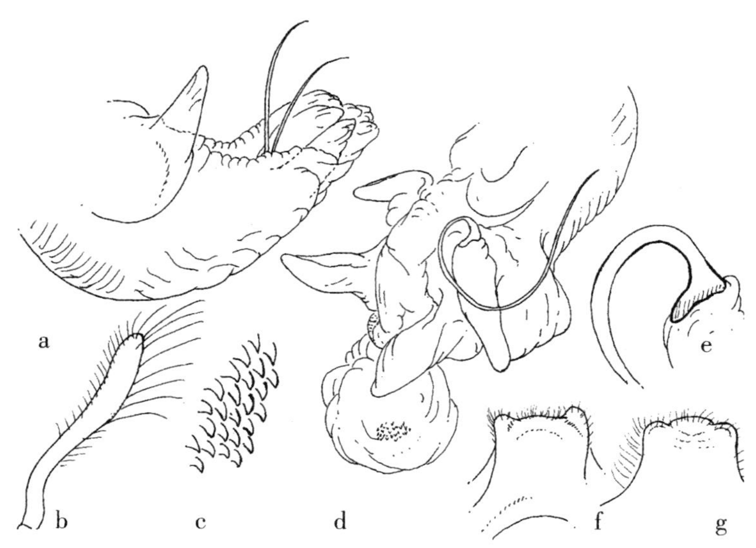


图 41　淡色菱猎蝽 *Isyndus planicollis*（Lindberg）

a. 阳茎前部（侧面观）；b. 阳基侧突；c. 内阳茎齿域；d. 阳茎前部（背侧面观，示内阳茎、细长骨化刺）；e. 内阳茎细长骨化刺基部；f. 雄虫生殖节中突（背面观）；g. 雄虫生殖节中突（后面观）

**分布：**陕西（周至、凤县、华县、留坝、佛坪、宁陕、南郑）、辽宁、河北、河南、甘肃、湖北、四川、云南。

## 30. 素猎蝽属 *Epidaus* Stål, 1859

*Epidaus* Stål, 1859: 193. **Type species**: *Epidaus transversus* Burmeister, 1834.

**属征：**头圆柱形，稍短于前胸背板。触角基后方具刺突，头横缢后部为横缢前部长的 2 倍，触角细长，第 1 节几乎与前足股节等长，喙第 1 节稍短于其余两节之和。前胸背板后叶中部具 2 个刺或锥突，侧角呈刺状。小盾片顶端钝圆。

本属与嗯猎蝽属 *Endochus* Stål 接近，但前胸背板后部中央有 2 个显著的刺或突起。

**分布：**中国记录 4 种，秦岭地区记述 1 种。

### (42) 暗素猎蝽 *Epidaus nebulo* (Stål, 1863) (图 42)

*Endochus nebulo* Stål, 1863: 27.

*Epidaus nebulo*: Hsiao & Ren, 1981: 499.

**鉴别特征:** 体浅棕褐色,或暗黄褐色,复眼暗红色,头横缢前部、触角、革片顶角带淡红色。前胸背板侧角突及中域后部的 2 个突起黑色。各足、腹部腹面淡褐色,前胸背板前叶暗黄色,后叶棕褐色,侧角呈短刺状,此刺及背板后叶中部的 2 个小突起均为黑色。头横缢后部呈黑褐色。腹部腹面两侧常具褐色带斑。通常各足股节端部及胫节基部为红棕色。喙淡黄色,第 3 节褐色。触角第 1 节浅红色,第 2 节基部浅红色,端半部淡黄色,第 3、4 节浅褐色。腹部第 5、6 节的前半部腹部侧缘为红色(腹部侧缘为淡黄色);第 2、5、7 侧缘的基部有浅褐色斑。前翅基片端角着红色,基部亦为浅红色。胸部腹面的色泽较深于腹部腹面的色泽,为褐色。腹部背面黑褐色(除浅黄色侧接缘外),前足股节前半部 4/5 为浅红色,胫节基部为浅红色,其余为浅黄色。

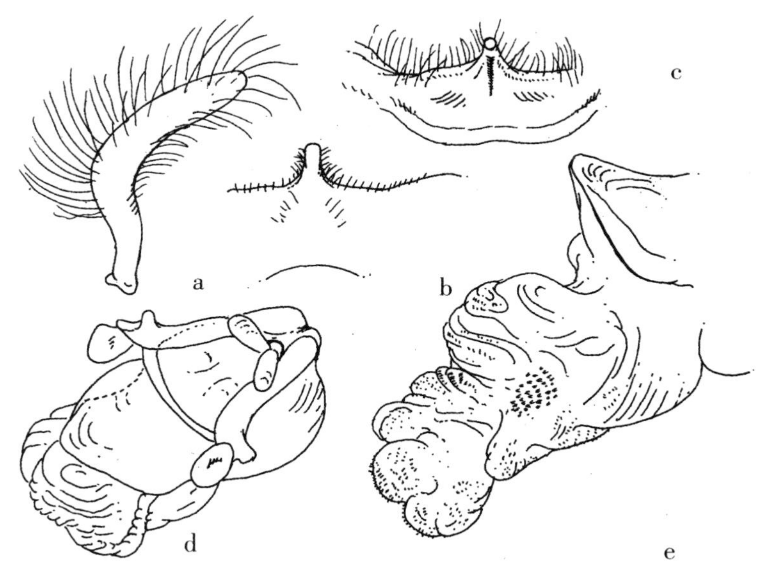


图 42 暗素猎蝽 *Epidaus nebulo* (Stål)

a. 阳基侧突; b. 雄虫生殖节端缘(背面观); c. 雄虫生殖节端缘(腹后面观); d. 阳茎(斜背面观); e. 内阳茎(背侧面观)

雌虫体长 23mm,腹部宽 7.50mm。头长 4mm,头宽 1.90mm,头顶宽 0.90mm,横缢前部与后部等长(2mm),单眼间距 0.64mm,单眼与复眼间距 0.20mm,触角第 1 节基部后方具 1 个短刺;触角第 1 节最长,稍粗,1 ~ 4 节的长度分别为 7.80mm、3.50mm、4.40mm、2.70mm;喙第 1 节长超过眼的后缘,1 ~ 3 节的长度分别为

2.20mm、1.45mm、0.55mm。前胸背板长4.70mm，前角间宽1.50mm，侧角间宽5.80mm；前叶(1.70mm)短于后叶(3mm)，前角呈短锥向前侧方突出，后部中央具短凹沟，两侧稍鼓起，后叶中域前部具2条短纵脊，后叶中域鼓起具2个短锥状突起，侧角齿状，后缘微向前凹，后角稍向后突。小盾片三角形，具"V"形脊，顶角钝圆。前翅稍超过腹部末端，前缘直，膜片大，内室基部(2.60mm)显著宽于外室基部(1mm)。前足股节较粗，长8.30mm，粗1.10mm，胫节长7.80mm。腹部两侧稍成菱形扩展。

雄虫体长20mm，腹部宽4.50mm。阳基侧突细长，除基部外具长细毛，基部1/3处明显弯曲；生殖节端缘中突向后下方展延，内缘中央成角状。阳茎鞘背板厚，端缘中部呈钝角状，内阳茎系膜具明显小刺突。

**生物学：**卵长2.00~2.10mm(不包括卵壳盖中突的长度)，卵粗0.90~0.94mm。卵壳深栗色，卵前极的卵壳盖及领缘乳白色，卵壳盖(包括卵壳盖中突光亮，表面无网纹构造)。卵块的卵排列紧密，由雌虫分泌的物质将卵彼此粘在一起，卵块卵数目不一，雌虫经饲养产的卵块有32粒、61粒等，卵块卵的数目不同。本种在河南伏牛山区，7月份为成虫交尾、产卵期，在这期间采到的多为雌虫个体。曾观察到泡桐树上有若干暗素猎蝽的成虫(该树上也有鞘翅目成虫和幼虫及半翅目昆虫等)，多数为雌虫个体。

**采集记录：**陇县，1980.Ⅸ.15；太白山，1981.Ⅵ.18，刘孝续采；留坝庙台子，1300m，1994.Ⅷ.02，吕楠采；铜川，1980.Ⅶ.16，姜云周采。

**分布：**陕西(陇县、太白、留坝、铜川)、黑龙江、河南、浙江、湖北、江西、湖南、福建、广西、四川、贵州、云南。

## 31. 嗯猎蝽属 *Endochus* Stål, 1859

*Endochus* Stål, 1859: 194. **Type species**: *Endochus nigricornis* Stål, 1859.

**属征：**体长形，头圆柱状，与前胸背板约等长，触角基后方具刺，眼后部分显著长于眼前部分；触角第1节细长与腹部或前股节约等长；喙第1节长于第2节。前胸背板侧角尖锐，伸向两侧。

**分布：**中国记录5种，秦岭地区记载1种。

### (43) 黑角嗯猎蝽 *Endochus nigrocornis* Stål, 1859 (图43；图版1：4)

*Endochus nigricornis* Stål, 1859: 194.

**鉴别特征：**体细长，呈黄棕色或淡黄色或暗橘红色。触角褐色，具棕色环斑；头后叶背面有2条黑纹(中部断开)；前胸背板前叶中域具黑色斑，后叶中部大斑及侧角刺黑色，小盾片、前翅（除革片基部、爪片基部、革片侧缘及翅脉暗黄色外）黑色，前翅膜片青铜褐色，末端透明；腹部腹面深色斑及各足的纹斑亦为黑色，各足股节近端部为黑色环斑（后股节的黑色环明显），其前部呈橘黄色。雄虫生殖节两侧黑褐色，中央域纵纹黄棕色。

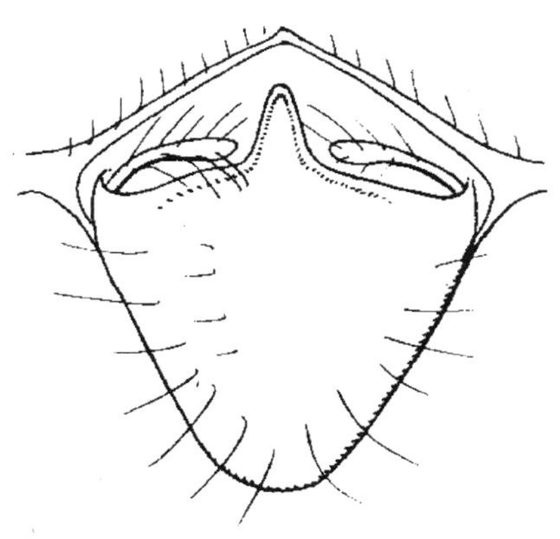

图 43　黑角嗯猎蝽 *Endochus nigrocornis* Stål 雄虫生殖节（后面观）

头长与前胸背板长度约等长；触角第 1 节最长，其长度约等于头、前胸背板及小盾片长度之和。前胸背板前叶基部中央凹陷，后叶的侧角刺突向两侧伸，并略向上翘。雄虫前翅膜片明显超过腹部末端，生殖节中突长角状，阳基侧突端部略膨大，具稀疏刚毛。

雄虫体长 17.80 ~21.70mm，腹部宽 3.40mm。雌虫体长 22.20 ~24.00mm，腹部宽 4.80mm。

**采集记录：**洋县，1981.Ⅵ。

**分布：**陕西（洋县）、湖北、湖南、福建、海南、广西、贵州、云南；日本，缅甸，印度，马来西亚，印度尼西亚。

## 32. 红猎蝽属 *Cydnocoris* Stål, 1866

*Cydnocoris* Stål, 1866: 274. **Type species**: *Cydnocoris gilvus* (Burmeister, 1838).

**属征：**头宽短，卵圆形，短于前胸背板；眼大，圆形，向两侧突出；触角后刺粗壮，向前弯曲；喙短粗壮，第 1 节略长于第 2 节；前胸背板侧角显著；前足胫节与股节几乎等长。

**分布：**我国记载 8 种，秦岭地区记述 1 种。

### (44) 艳红猎蝽 *Cydnocoris russatus* Stål, 1867（图 44）

*Cydnocoris russatus* Stål, 1867a: 274.

*Procerates rubida* Uhler, 1896: 270.

**鉴别特征:** 体深红色。触角、眼、喙第1节、足、各足转节的色斑、膜片均为黑褐色;前、中、后腹板及侧板块斑、腹部腹板横带均为黑色。

雌虫体长18.50mm。头长2.90mm,头宽1.95mm,头顶宽1.10mm。触角第1节与第4节约等长,1~4节的长度分别为4.60mm、2.40mm、1.40mm、4.70mm。喙第1节最长,1~3节的长度分别为1.80mm、1.12mm、0.39mm。前胸背板长3.81mm,前角间宽2.20mm,侧角间宽4.80mm。腹部宽6.40mm。前翅长11.70mm,膜片端部1/3超过腹部末端。腹部腹板2~6节前半部具黑色横带斑(有时第2腹板横带斑由两侧断开分成3段,其余各节仅中央断开分成两段,有的个体第7腹板两侧亦具短横深色斑)。

雄虫体长18.50mm,生殖节端缘中央突出,前端具2个向后向下弯曲的并列扁齿突。

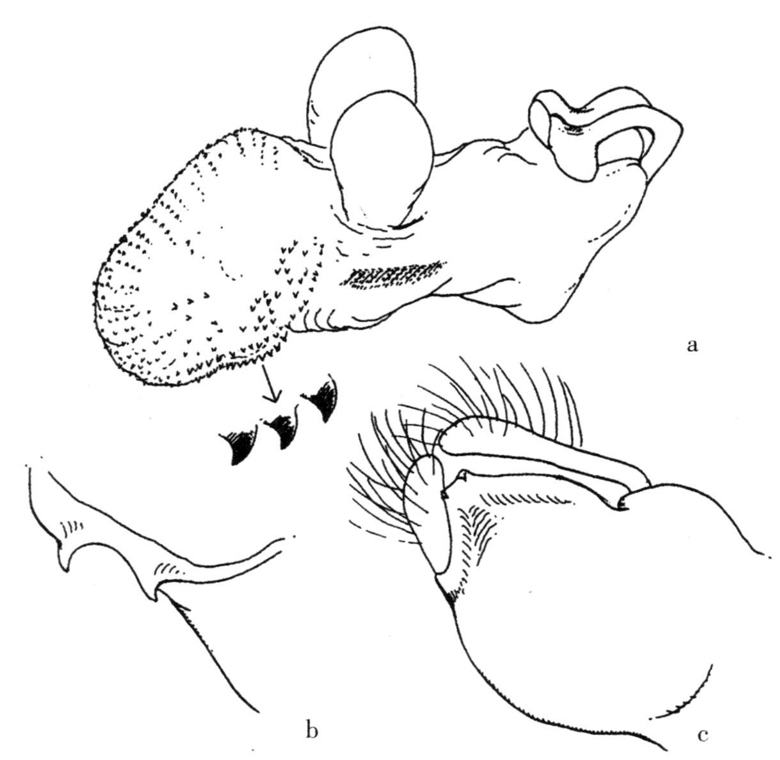


图44 艳红猎蝽 *Cydnocoris russatus* Stål

a. 阳茎(膨胀状态,侧面观);b. 雄虫生殖节端缘中部(背面观);c. 雄虫生殖节(侧腹面观)

**生物学:** 卵长2.10mm(包括卵壳领缘高0.50mm),卵前极(近领处)直径0.40mm,卵的前极明显细于卵的中部。卵壳领部白色,卵壳光亮,呈浅黄棕色,具隐约网纹。该虫采于河南宝天曼自然保护区的杨树上,经饲养观测,虫卵的后极粘着在叶表面，卵块有4~9粒卵，即卵块卵的数目不定。卵孵化需经6~8天，当第4~5天观察卵，即看到卵前部两侧各出现一红色眼点。本种在河南宝天曼地区7月份为成虫交尾、产卵期。这种猎蝽主要采于被一种红色叶甲虫（杨叶甲 *Chrysomela populi* 2♀、幼虫及卵块，成虫及幼虫危害杨树的嫩枝叶。

**采集记录：**2♀，宝鸡温水沟，1951. Ⅵ. 22，周尧采。

**分布：**陕西（宝鸡）、河南、江苏、安徽、浙江、湖北、江西、湖南、福建、广东、海南、广西、四川、云南；日本，越南。

## 33. 土猎蝽属 *Coranus* Curtis, 1833

*Coranus* Curtis, 1833: pl. 453. **Type species**: *Reduvius pedestris* Wolff, 1811（= *Cimex subapterus* de Geer, 1773）.

**属征：**体色污暗，褐色至黑色，常具淡色环斑，被有浅色光亮且蓬松的长毛及淡色平伏的密短毛，体中等大小（体长8~18mm），头的眼前部分与眼后部分等长；触角5节，喙3节，粗壮。前胸背板前叶具刻纹，后叶具粗刻点。小盾片中部向上呈脊状。前胸腹板中央具横纹的摩擦沟，后胸侧板前缘有1个小瘤突。

我国已记载的土猎蝽种类，其外形、色泽、花纹等彼此很相似，为猎蝽亚科中最难分类的一属，在鉴定时往往造成种间混淆。

此类群猎蝽常活动于林区、稻田、草原，猎食鳞翅目幼虫、鞘翅目及同翅目等昆虫。种的分布有一定局限性，如黄缘土猎蝽 *Coranus emodicus* Kiritshenko 已有记录均分布于喜马拉雅山中部一带，为中印亚区的特有种，而显脉土猎蝽 *Coranus hammarstroemi* Reuter 及中黑土猎蝽 *Coranus lativentris* Jakovlev 均分布于长江以北；其余几种分布于长江以南。从垂直分布来分析，斑缘土猎蝽 *Coranus fuscipennis* Reuter 及四川土猎蝽 *Coranus sichuensis* Hsiao *et* Ren 已有记录均分布于海拔2000m以下，斑缘土猎蝽25枚标本中翅型正常，无短翅型个体；四川土猎蝽在23枚标本中仅有1枚雄虫为短翅型。分布于西藏地区的黄缘土猎蝽 *Coranus emodicus* Kiritshenko，7枚标本中仅在海拔2000m处有1头雌虫为长翅型，翅几乎达腹部末端，其余短翅型个体分布于海拔2500~2800m之间，同时色泽显著深于海拔2000m左右的个体，一般浅斑变深或消失。西藏土猎蝽 *Coranus tibetensis* China 分布高达4000m，在此高度采到的个体均为短翅型。土猎蝽属的种类主要分布于高寒地区。

**分布：**我国记录10种，秦岭地区记述2种。

### 分种检索表

触角第2节约等于或长于第3节；前胸背板后缘向内呈宽阔形，弯曲 …… **中黑土猎蝽 *C. lativentris***

触角第2节显著的短于第3节 ………………………………………… **大土猎蝽 *C. dilatatus***

### （45）大土猎蝽 *Coranus dilatatus*（Matsumura，1913）（图 45）

*Velinoides dilatatus* Matsumura，1913：161，162.

*Coranus magnus* Hsiao *et* Ren，1981：514.

*Coranus dilatatus*：Ren，1984：281.

**鉴别特征：**体黑色，被灰黄色直立的长毛和短毛。触角、前胸背板后叶、前翅、小盾片两侧棕红色。腹部腹面黑色，第 4～7 腹板两侧前缘中央各具 1 个浅色小横斑，其向外侧的中部各有 1 个光秃暗淡的斑点，侧接缘各端部 1/4～1/3 浅黄色。

雄虫体长 16.80mm（至腹部末端）、18mm（至前翅末端），腹部宽 4.80mm。头长 3.20mm，头宽 2.20mm，头顶宽 1.10mm，由侧面观眼前部分、眼及眼后部分各长 1mm。触角第 1 节基部小斑黑色，第 1 节具浓密的短细毛，呈红黄色，1～4 节的长度分别为 0.40mm、3.40mm、1.70mm、2.10mm（其余各节缺）。喙 1～3 节的长度分别为 1.60mm、1.70mm、0.60mm。前胸背板长 4mm，前角间宽 2mm，侧角间宽 4.50mm；前叶长 1.50mm，两侧圆鼓，具云形刻纹，中央具宽深纵沟；后叶较长，具粗糙刻点及皱纹，侧角宽圆形，稍成瘤状上鼓，后缘成弧形向内弯曲，附近带黑色。小盾片中央纵脊黑色，后端宽阔，呈钝圆形向上翘起。前翅具粗糙皱纹，翅脉黑色。足黑色，爪棕色，前、中足股节略呈瘤状，后足股节顶端细缩，胫节腹面及端部毛浓密，呈红黄色。多为无翅型个体，其前胸背板后叶与前叶的长宽约相同；有翅型个体，前胸背板后叶显著大于前叶，前翅几乎达或超过腹部末端。腹部宽 5.50mm。雄虫生殖节后缘中央突显著向上延长，顶端中部稍凹入，阳基侧突长 1.20mm，端部宽 0.35mm，坚硬，端半部加厚，顶端平截，色泽深褐色，具粗密刚毛；阳茎长 1.10mm，长形，两侧着棕色。雌虫一般为无翅型个体，腹部侧接缘向上翘。

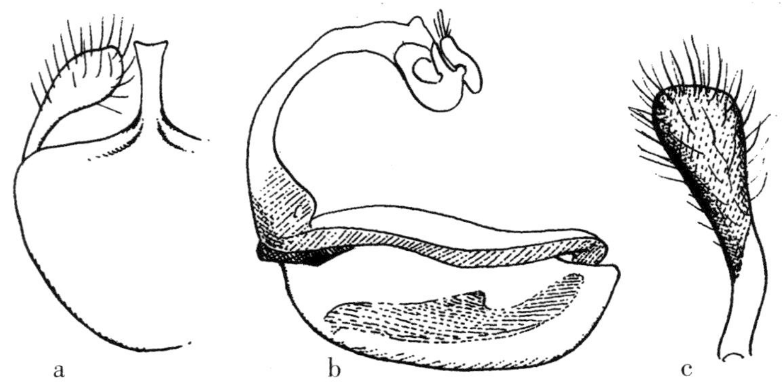


图 45　大土猎蝽 *Coranus dilatatus* Matsumura

a. 雄虫生殖节（后面观）；b. 阳茎（侧面）；c. 雄虫阳基侧突

笔者 1981 年在内蒙古齐奇岭林区中，从堆集的干枝下曾采到成虫；本种在内蒙古、东北地区 8～9 月为产卵期。

**采集记录：**户县涝峪，1951. Ⅶ. 07，周尧采；古林，1980. Ⅷ，黄龙山采。

**分布：**陕西（户县、古林）、黑龙江、内蒙古、河北、河南、湖南。

### （46）中黑土猎蝽 *Coranus lativentris* Jakovlev，1890（图 46）

*Coranus lativentris* Jakovlev，1890：559.

**鉴别特征：**体暗棕褐色，被灰白色平伏短毛及棕色长毛。腹部腹面中央具黑色纵走带纹，侧接缘端部 3/5 浅色。

雌虫头长 2.50mm，头宽 1.70mm，头顶宽 1mm。触角第 1 节短，1～5 节的长度分别为 0.40mm、2.00mm、1.05mm、0.75mm、1.60mm。喙粗壮，第 1 节达眼的中部，1～3 节的长度分别为 1.40mm、1.10mm、0.45mm。前胸背板长 2.50mm，前叶与后叶几乎等长，前角间宽 1.50mm，后角间宽 2.80mm，侧角圆，后角显著，后缘中部向前凹。小盾片中央脊状，向上翘起。短翅型，翅无膜质部，翅长 1.30mm，仅达第 2 腹背板后缘。腹部宽 4.50mm，侧接缘向上翘折。多为短翅型个体，前翅的膜质部几乎消失。

雄虫生殖节后缘中央突呈叉状，前端尖削；阳基侧突长 1mm，前半部膨大，端部宽 0.20mm。阳茎长 1.42mm，较窄长。

体长 10.50～12.50mm，腹部宽 4.30～4.60mm。

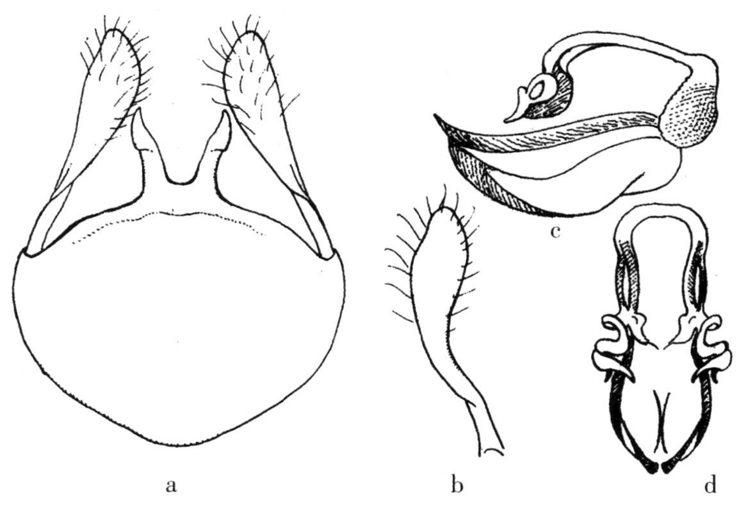


图 46　中黑土猎蝽 *Coranus lativentris* Jakovlev

a. 雄虫生殖节（后面观）；b. 雄虫阳基侧突；c. 阳茎（侧面观）；d. 阳茎（背面观）

**生物学：**本种在我国主要分布于内蒙古、河北、陕西、山西等地的平原及山区，一般在低矮的植物上（如麦田）或草丛间活动，猎食多种小虫。以成虫或若虫在向阳坡处杂草、落叶、石块下越冬，在天津地区 4～5 龄若虫或成虫于 11 月中旬开始越冬，来年 4 月初出来活动，常在早春植物如酸摩、夏至草、独行草、艾等杂草间猎食蚜虫等小虫，4 月下旬开始产卵。1 头雌虫可产 100 多粒卵(在室温 18℃ ~24℃下饲养)，卵期 5 ~8 天，刚孵出的若虫全身粉红色，两小时后变成暗红色，其后渐变为褐色，腹部背面 2 个臭腺域显著突起，若虫行动敏捷，幼龄若虫常猎食蚜虫、小型长蝽、盲蝽等小虫，而老龄若虫或成虫主要猎食鳞翅目幼虫、同翅目、甲虫等小虫，如 4 龄若虫猎吸 1 头长 12mm 的夜蛾幼虫，此幼虫很快被吸瘪。成虫常在黄昏时开始交尾，约 10 小时之久，交尾后 2 ~3 天即开始产卵，雌虫将卵单产或成堆产在植物茎、叶表面或其他杂屑上，通常卵壳的背面黏附于物体表面上。

卵黄棕色，卵体两侧具浅黄棕色晕斑，光亮，卵前极的卵盖及卵壳领状缘为暗白色或白色。卵长 1.50 ~1.60mm，粗 0.60mm，卵壳表面具微小的粒突，构成隐约的颗粒状网纹构造，卵壳领状缘具稀疏色短脊纹，开裂线明显。卵盖壳表面隐约呈现六边形网纹，中部向上圆鼓，中央凹陷；卵盖突的周围凹陷，卵盖外周缘有不明显的突起。本种卵的外形、色泽与显脉土猎蝽 *Coranus hammarstroemi* Reuter 很相似，但卵色浅，卵前极卵盖中域有圆鼓的卵盖突。

**采集记录：**武功。

**分布：**陕西(武功)、内蒙古、北京、天津、河北、山西、河南、山东；朝鲜半岛。

## 34. 暴猎蝽属 *Agriosphodrus* Stål, 1867

*Agriosphodrus* Stål, 1867: 279. **Type species**: *Eulyes dohrni* Signoret, 1862.

**属征：**头长，稍长于前胸背板，眼后部分与眼前部分约等长。喙第 1 节约为第 2 节长的 1/2，或稍长于眼前部分，触角第 1 节与头等长。前胸背板中部之前部具横缢，无刺。小盾片顶端钝圆。前翅超过腹部末端，腹部两侧强烈呈波状缘扩展。各足股节端半部呈轻微结节状。

**分布：**中国记录 1 种，秦岭地区发现 1 种。

### (47) 暴猎蝽 *Agriosphodrus dohrni* (Signoret, 1862)

*Eulyes dohrni* Signoret, 1862: 126.

*Agriosphodrus dohrni*: Hsiao & Ren, 1981: 523.

**鉴别特征：**体长 23.00 ~25.50mm。大型，黑色，具较密的黑褐色刚毛。喙第 2、3 节黑褐色至黑色，各足基节具黄色、红色、黑色刚毛，雄虫生殖节红色至黑色，腹部侧接缘各节基半部淡土黄色或暗白色。前胸背板前叶圆隆，中央具深凹窝，前叶约为后叶长的 1/2，后叶后缘近平直。腹部腹面两侧各节中部具 1 个白霜点。腹部向两侧扩展，侧缘呈波状。

雌虫体长 25.10mm；头长 4.50mm，头宽 1.90mm，头顶宽 0.90mm，横缢前部(2.70mm)长于横缢后部(1.90mm)；触角 1 ~4 节的长度分别为 5.00mm、2.10mm、1.50mm、4.90mm；喙第 1 节几乎达眼的前缘，1 ~ 3 节的长度分别为 2.00mm、3.20mm、0.70mm；前胸背板长为 4mm，前角间宽 1.20mm，侧角间宽 5.50mm，前叶圆鼓，中央后部具深凹窝，前叶(1.30mm)显著短于后叶(2.70mm)；后缘接近直。前足股节长 5.90mm，胫节长 6.20mm；后足股节长 7.20mm，胫节长 9.50mm；跗节 3 节，第 1 节极短，第 3 节最长。前翅超过腹部末端 1.50mm。腹部腹面两侧各节中部具 1 个白霜点，两侧扩展，侧缘呈波状。

雄虫生殖节后缘中部呈宽角状向上突出，其顶端的两侧各有 1 个向下的小倒齿；阳基侧突向端半部渐加粗，具黑色刚毛。

**生物学：**捕食叶甲幼虫，如核桃扁叶甲(*Gastrolina depressa* Baly)，及鳞翅目幼虫，如斑蛾科幼虫。

卵块内的卵粒紧密排列在一起，周围由雌虫分泌物(透明)覆盖。卵长形，浅黄棕色，卵长 2.20mm(详见《中国半翅目昆虫卵图志》，1992：80；图版 4-E)。卵前极狭于后极，卵近卵壳领缘处粗为 0.55mm，卵后极粗 0.80mm。卵的卵壳领缘高为 0.30mm。卵体壳薄，卵壳表面构造简单，仅有隐约的六边形网纹。卵壳领缘外表呈六边形网纹花饰，这很薄的上表网纹组织常易破碎并脱落，因而露出清晰的六边形网纹构造。

本种雌虫常将卵产在树皮缝或凹洼处，卵块外面由半透明似泡沫状物质所覆盖，不易被发现。

第 1 龄若虫体长 1.37 ~1.43mm，体宽 0.29 ~0.34mm。初孵若虫橘黄色，渐变为棕色。头为纺锤形。触角第 1、2、3 节和第 4 节基部为黑色，第 4 节基前部为棕色，1 ~4 节的长度分别为 0.49mm、0.21mm、0.11mm、0.61mm。喙棕色，1 ~3 节的长度分别为 0.20mm、0.38mm、0.10mm，宽 0.02mm。复眼黑色。前、中、后足基节黄色，胫节中部具 2 个黄色环。前胸背板浅黑色，腹背具 3 对浅黑色臭孔。腹部腹面浅黄色。

第 2 龄若虫体长 3.85 ~4.03mm，宽 1.07 ~1.17mm。刚蜕皮为棕色，渐变为黑色。触角第 4 节基前部为黄色，1 ~4 节的长度分别为 1.10mm、0.20mm、0.10mm、1.75mm。喙褐色，第 1 节具无色透明刚毛，1 ~3 节的长度分别为 0.25mm、0.60mm、1.50mm，宽 0.09mm。前、中、后足基节黄色，胫节中部除 2 个褐色环外均为黑色。前胸背板黑色，腹背具 3 对黑色臭腺。臭腺孔缘周围褐色，后方具黑色刚毛。

第 3 龄若虫体长 6.13 ~6.31mm，宽 1.69 ~1.78mm。触角 1 ~4 节的长度分别为 1.80mm、0.80mm、0.38mm、2.40mm。喙 1 ~3 节的长度分别为 0.52mm、1.30mm、0.31mm，宽 0.21mm。前胸背板黑色，具黑色刚毛。腹背 3 对臭腺开口两侧各具 1 根刚毛，第 3 对臭腺后部具 1 对圆形黄色斑。腹部腹面黄色。

第4龄若虫体长8.23~8.41mm，宽2.01~2.13mm。触角黑色，1~4节的长度分别为2.80mm、1.00mm、0.40mm、2.80mm。喙第1、2节黑色，第1节褐色，1~3节的长度分别为0.72mm、1.80mm、0.54mm，宽0.22mm。腹部各节腹面两侧各具1个白色霜点，并向侧缘扩展，侧缘黑色和白色霜点相间。中、后胸背部各具1对翅芽。

第5龄若虫体长13.60~14.40mm，宽4.60~5.20mm。触角1~4节的长度分别为4.50mm、1.30mm、0.70mm、4.60mm。喙1~3节的长度分别为0.90mm、2.30mm、0.81mm。各足基节橘红色，胫节中部具1个褐色环。腹部各节腹面各具1个白色霜点，侧缘黑、白色霜点相间更为明显。

暴猎蝽在四川省为一年发生一代，以第5龄若虫在树皮裂缝或枯枝落叶层内越冬，翌年4月上旬越冬若虫开始活动。据在四川、北京室内观察，5月中旬开始产卵，产卵期约为25~31天，6月中旬结束。孵化期5~15天，平均5.50~13.50天。6月中旬越冬若虫开始活动，一直到翌年5月上旬仍可见到。若虫5龄，成虫于4月中旬开始出现，交尾后5月中旬开始产卵。

初孵若虫群集于卵块附近，停留1~2小时后，逐渐扩散。在野外烈日时常隐蔽于大的树皮裂缝中或树叶背面，雨天不活动。若虫孵化后3~6小时开始捕食，第1龄若虫可捕食蚜虫和杨扇舟蛾、黄刺蛾的1龄幼虫。必须经过取食害虫才能完成龄期。第2龄后可捕食较大的幼虫。4龄前常有几头捕食1头害虫的现象。捕食较大龄期的害虫时需经历搏斗。若虫可全天捕食，但以下午为多。经饲养观察，若虫除1龄外均有自相残杀的习性，龄期越高，越严重。

5月上旬至中旬为成虫交尾期。雌虫交尾后，经过18~19天开始产卵，产卵一般在白天，以13:00~16:00为多。1头雌虫产卵量平均48~97粒。一般可产2~3块卵，每块卵含卵28~58粒。不经交尾的雌虫也产卵，但卵不能孵化。

据室内外观察，该虫可捕食多种林木害虫如：舞毒蛾 *Lymantria dispar*（Linnaeus）、杨扇舟蛾 *Clostera anachoreta*（Fabricius）、春尺蠖 *Apocheima cinerarius* Erschoff、北京杨锉叶蜂 *Pristiphora beijingensis*、柳毒蛾 *Stilpnotia salicis*（Linnaeus）、刺槐蚜 *Aphisrobiniae* Macchiati。在四川省大邑、都江堰林区，此种猎蝽为优势种天敌（1993年姚德富先生调查）。

**采集记录：**华县，1962. Ⅴ.02，捕食斑蛾科幼虫；汉中龙岗寺，1975. Ⅴ.07-10，路进生采于枯柏树杆；汉中龙岗寺，1975. Ⅴ.29，灯诱；石拱，1975. Ⅴ.8-21，采于汉江岸边柳树树干；石拱，1975. Ⅴ.10，采于墙壁上；柞水，1981. Ⅳ.26；洛南古城，1981. Ⅳ.23. 薛志华采。

**分布：**陕西（华县、汉中、柞水、洛南）、甘肃、江苏、浙江、湖北、江西、福建、广东、广西、四川、贵州、云南；日本，越南，印度。

## 35. 脂猎蝽属 *Velinus* Stål, 1866

*Velinus* Stål, 1866: 52. **Type species**: *Velinus lobatus* Stål, 1863.

**属征**：体较扩展，腹部第 5～6 节向两侧呈弧形扩展。足细长，股节顶端呈结节状。头与前胸背板约等长或稍短之，眼后域很长于眼前域；触角第 1 节长于前股节；前胫节与前股节和转节之和等长；小盾片亚三角形，顶端不成舌状扩展。

**分布**：主要分布在我国的南方。目前已知 6 种，秦岭地区记载 1 种。

### (48) 黑脂猎蝽 *Velinus nodipes* (Uhler, 1860)

*Harpactor nodipes* Uhler, 1860: 230.

*Reduvius subscriptus* Stål, 1861: 146.

*Velinus nodipes*: Hsiao & Ren, 1981: 525.

**鉴别特征**：体黑色。触角第 1 节中部 2 个斑环、头后叶中央前部菱形小斑、各足股节 2 个环及胫节亚端部、腹部侧缘 2～4 节斑、腹部腹面小斑均为浅黄色，小盾片顶端乳白色，革片内域、膜片淡黄褐色，透明，腹部腹板第 5 节以后浅褐色。

雌虫体长 14.50mm。头长 2.40mm，横缢前部(1.40)稍长于横缢后部(1mm)，头宽 1.35mm，头顶宽 0.75mm。触角第 1 节长，1～4 节的长度分别为 3.70mm、1.20mm、1.05mm、2.40mm；前胸背板前角成短锥状指向前侧方；前角间宽 1.20mm，侧角间宽 3.70mm，前胸背板长 3mm，前叶(0.90mm)短于后叶(2.10mm)，前叶中央具深沟，后部两侧呈丘状凸起。小盾片亚顶端细缩，顶端成泡状稍向下弯。腹部侧缘扩展，并向上翘折。前翅稍超过腹部末端。

雄虫体长 13.20mm。腹部末端后缘中部宽阔突出，前缘加厚。

**采集记录**：柞水万青，1981. Ⅸ. 10，正在扑食柳毒蛾幼虫，何勇采。

**分布**：陕西(柞水)、河南、江苏、浙江、湖北、福建、广东、广西、四川、贵州、云南；朝鲜半岛，日本。

## 36. 瑞猎蝽属 *Rhynocoris* Hahn, 1833

*Rhynocoris* Hahn, 1833: 20. **Type species**: *Reduvius cruentus* Fabricius, 1787 (= *Cimex iracundus* Poda, 1761).

**属征**：前胸背板前叶较大，长于后叶长度的 1/2，前叶中央沟短，向前端几乎达领，后端不与横沟相通；背板后叶前部中央不鼓起，中央纵沟不显著，后缘在小盾片前方部分近平直，后角甚显著。

**分布：** 中国记录13种，秦岭地区记述2种。

## 分种检索表

前胸背板前叶具云形刻纹，雌虫，体长16.50mm，腹部宽7.20mm ……… **云斑瑞猎蝽 *R. incertus***
前胸背板前叶不具刻纹；若有刻纹，则不明显 ………………… **独环瑞猎蝽 *R. leucospilus altaicus***

### （49）独环瑞猎蝽 *Rhynocoris leucospilus altaicus* Kiritschenko, 1926

*Rhynocoris leucospilus altaicus* Kiritschenko, 1926: 218.
*Rhynocoris altaicus*: Hsiao & Ren, 1981: 531.

**鉴别特征：** 体黑色，被浅色短毛。两单眼之间，单眼与眼之间暗黄色；头腹面、前胸背板侧缘及后缘、前足及中足基节臼周缘、股节基部、侧接缘背腹横斑均为红色。

雌虫体长14.40mm。头长2.80mm，头宽1.55mm，头顶宽0.80mm。触角第1节稍长于前胸背板，1～4节的长度分别为3.70mm、2.10mm、1.30mm、2.70mm。喙第1节达眼的前缘，1～3节的长度分别为1.25mm、1.80mm、0.40mm。前胸背板长3mm，前角间宽1.30mm，侧角间宽4.80mm，前叶中央具纵沟，后叶中部纵凹沟浅。翅褐色，膜片微微超过腹部末端。

雄虫体长13.70mm，腹部宽4mm。前翅膜片显著超过腹部末端。

**采集记录：** 金堆，922m，1980.Ⅶ.18；华山，1963.Ⅵ.16，周尧采；留坝闸口石，1800～1900m，1998.Ⅶ.20，袁德成采。

**分布：** 陕西（华阴、留坝）、内蒙古、北京、河北、河南；蒙古。

### （50）云斑瑞猎蝽 *Rhynocoris incertis* (Distant, 1903)（图47；图版1：5）

*Sphedanolestes incertis* Distant, 1903: 209.
*Rhynocoris incertis*: Hsiao & Ren, 1981: 530.

**鉴别特征：** 体黑色，具红色斑，被淡色稀疏短毛。头侧缘、两眼间、触角基、前胸背板前叶、后叶侧缘及后缘、革片狭窄侧缘及基缘、侧接缘背腹面斑、头的腹面、基节及转节均为红色。前胸背板前叶具明显云形刻纹，后叶较光。

雌虫头长3.20mm，头宽1.85mm，头顶宽0.95mm。触角第1节显著长于前胸背板，1～4节的长度分别为4.30mm、2.10mm、1.40mm、3.50mm。喙第1节超过眼的前缘，1～3节的长度分别为1.60mm、2.00mm、0.42mm。前胸背板稍长于头，后叶中央具浅凹沟，但有的个体其凹陷不明显。膜片不达腹部末端。

雄虫前翅膜片稍超过腹部末端，生殖节后缘中部突起向外翻折，阳基侧突细长，基部稍弯。

雄虫体长 16mm，腹部宽 5.50mm。雌虫体长 16.50mm，腹部宽 7.20mm。

本种红斑变异较大，常红斑消失。

本种色泽有变异，有的个体除单眼与眼之间的条斑及侧接缘基角暗红色外均为黑色；有的个体头的横缢前部、头的腹面、各足基节和基节臼、转节、前胸背板前叶和后叶侧缘和后缘、前翅革片及侧接缘全为红色。在这两类变化之间有过度类型。尤其是前胸背板、前翅及侧接缘的色斑与红缘瑞猎蝽 *Rhynocoris rubromarginatus* Jakovlev 很相似。

**生物学**：卵柱状，卵体呈棕色或棕褐色，卵前极白灰色或暗淡黄色，卵领缘乳白色，卵壳浅棕色，具隐约网纹。卵长 2.20 ~ 2.30mm（包括卵壳领缘高 0.40mm），卵粗 0.70 ~ 0.74mm。卵盖中域的卵盖突略高出于卵盖领缘的前缘。卵壳表面构造简单，仅呈现隐约六边形网纹。在扫描电镜下观察：卵壳领缘外侧表面及卵盖突表面均为六边形网纹构造。将卵壳领缘外表面网络组织去掉，呈明显色六边形网孔花饰，在卵壳与卵壳领缘交接处则露出精孔及气孔的构造。

采于河南宝天曼（1998. Ⅶ. 14）。在该地区 6 月下旬至 7 月中旬份为成虫交尾、产卵期。经饲养其中 1 只雌虫产 3 个卵块，卵块卵 10、18、43 粒不等。卵与卵彼此靠拢（由雌虫分泌的透明物质将卵粘在一起），卵的基部（卵的后极）固着在植物叶表面上。

卵经 7 ~ 8 天后孵化，初孵化出的第 1 龄若虫集聚于卵块上或卵块附近，第 2 龄若虫开始离开空卵壳，各自进行捕食。

**采集记录**：西安涝峪，1951. Ⅶ. 13，周尧采；华县，1980. Ⅶ. 9-19；安康，1980. Ⅶ；旬阳，1981. Ⅵ. 03。

**分布**：陕西（西安、华县、安康、旬阳）、河南、江苏、安徽、浙江、湖北、江西、湖南、福建、四川、贵州、云南；日本。

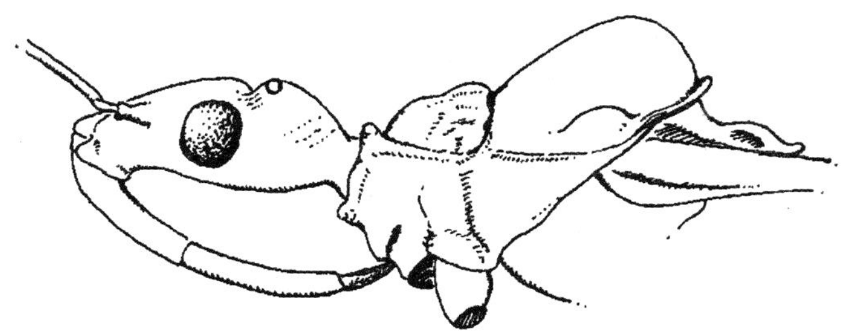

图 47　云斑瑞猎蝽 *Rhynocoris incertis*（Distant）头、胸（侧面观）

## 37. 猛猎蝽属 *Sphedanolestes* Stål, 1867

*Sphedanolestes* Stål, 1867: 284, 288. **Type species**: *Reduvius impressicollis* Stål, 1861.

**属征**: 体长椭圆形，头等于或稍长于前胸背板，眼前部分与眼后部分约等长，或眼后部分较长；喙第 1 节长于头的眼前部分，触角第 1 节等于或长于头；前胸背板纵沟由前叶到后叶，后叶为前叶长的 2 倍；前翅显著超过腹部末端；有的种类股节呈结节状。

**分布**: 中国记录 11 种，秦岭地区记载 2 种。

### 分种检索表

各足具显著的黄色斑点或黑色环纹 …………………………………………… **环斑猛猎蝽 *S. impressicollis***
各足完全褐色或黑色，不具完整的黄色环纹 ……………………………… **斑缘猛猎蝽 *S. subtilis***

### (51) 环斑猛猎蝽 *Sphedanolestes impressicollis* (Stål, 1861)（图 48，49）

*Reduvius impressicollis* Stål, 1861: 147.
*Harpactor bituberculatus* Jakovlev, 1893: 319.
*Sphedanolestes impressicollis*: Hsiao & Ren, 1981: 533.

**鉴别特征**: 体黑色，被短毛，光亮。触角第 1 节具 2 个浅色环纹，膜片褐色透明；股节具 2 或 3 个浅色环，胫节具 1 个浅色环，腹部腹面中部及侧接缘每节的端半部均为黄色或浅黄褐色。

雌虫体长 17. 50mm，腹部宽 5. 40mm。头长 3. 10mm，头宽 1. 70mm，头顶宽 0. 85mm，横缢前部长 1. 70mm，横缢后部长 1. 40mm，触角第 1 节最长，1 ~ 4 节的长度分别为 5. 10mm、2. 10mm、2. 40mm、3. 50mm。喙第 1 节达眼的中部，1 ~ 3 节的长度分别为 1. 45mm、1. 85mm、0. 40mm。前胸背板长 3. 20mm，前角间宽 1. 50mm，侧角间宽 4mm，胸部腹面密被白色短毛。超过翅前缘。前翅稍超过腹部末端。

雄虫体长 16. 50mm，腹部宽 4. 30mm。前翅显著超过腹部末端，腹部末端后缘中央突出，其顶端具 2 个小钩，阳基侧突成弯曲棒状；阳茎短宽，内阳茎系膜具小刺及强骨化的小齿构造。

本种个体色泽深浅有变异，福建地区标本色泽深，而云南、四川、广东、浙江的个体较浅，前胸背板后叶为褐色或浅黄褐色。

**生物学**: 卵棕色或赭色，卵体后半部色浅，为淡黄棕色。卵盖及卵壳领缘为白灰色或乳白色。卵呈长椭圆形，卵长 1. 65mm，卵中部粗 0. 78mm，近卵壳领缘处粗

0.43mm，卵壳领缘高 0.14mm。卵壳领缘的端缘具网孔构造。卵盖中央的卵盖突稍高于卵壳领缘的前缘，卵盖突到卵盖外周缘之间有网纹构造。卵壳厚为 19～23μm。卵壳表面呈浓密的小泡状突起，这些小泡状突起构成壳表面的泡状花饰，小泡状突起的顶端中央常有小凹孔，即气孔。

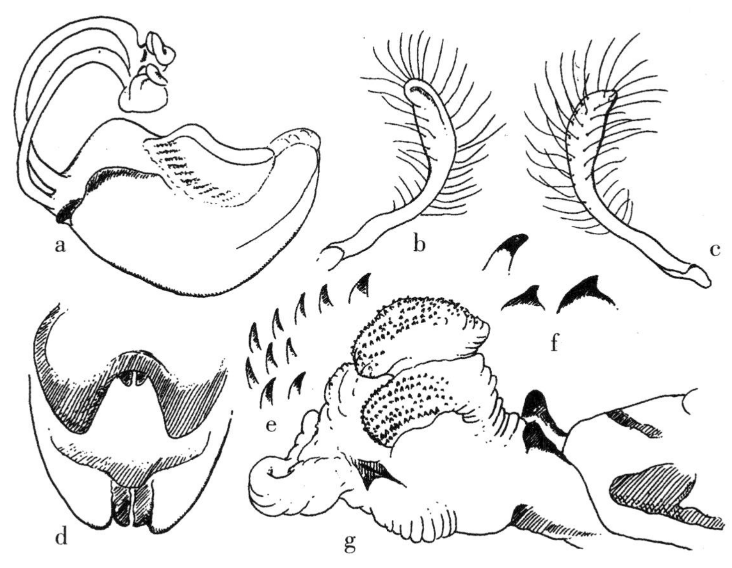


图 48　环斑猛猎蝽 *Sphedanolestes impressicollis* (Stål)

a. 阳茎(侧面观)；b－c. 阳基侧突(不同面观)；d. 阳茎端部(背面观)；e. 内阳茎的骨化刺；f. 内阳茎的骨化齿；g. 阳茎前部(膨胀状态，侧面观，示内阳茎)

本种卵的外形、卵盖表面的网纹与红缘猛猎蝽 *Sphedanolestes gularis* Hsiao 相似，但卵较大，卵壳表面花饰不同。

第 1 龄若虫体长 2.80～3.10mm，宽 0.80～1.10mm。初孵若虫橘黄色，渐变为棕褐色。头为纺锤形。触角第 1 节基部黑色，端大半部、第 4 节基半部及第 2、3 节褐色，第 4 节端部为橘黄色，1～4 节的长度分别为 1.20mm、0.40mm、0.32mm、1.10mm。喙为橘黄色。复眼棕红色。前胸背板棕褐色。前、中、后足股节端部和胫节基部为黑色，股节具红褐色及黄色环纹，胫节基前大半部为橘黄色，股节、胫节、跗节具无色透明刺毛。腹背棕褐色具 3 对臭腺，臭腺开口周围褐色。腹部具黑色和无色透明短毛。腹部腹面白色。

第 2 龄若虫体长 3.30～4.10mm，宽 1.00～1.30mm。触角第 1 节基部黑色，端大半部、第 4 节基部及第 2、3 节褐色，第 1 节中前部、第 4 节端部为橘黄色，1～4 节的长度分别为 1.60mm、0.60mm、0.52mm、1.50mm。

第 3 龄若虫体长 5.70～6.10mm，宽 1.60～2.10mm。触角第 1 节基部、第 2 节、第 3 节及第 4 节基部为黑色，第 1 节基前大半部、第 4 节端部为棕色，1～3 节的长度分别为 2.00mm、0.70mm、0.65mm、1.70mm。头部、前胸背板黑色。出现棕褐色翅芽。

第4龄若虫体长6.50～7.40mm，宽2.40～2.80mm。触角第1节基部黑色，端大半部和第2、3、4节具棕褐色及黄色环纹，触角1～4节的长度分别为2.60mm、1.10mm、0.85mm、1.95mm。前、中、后足的基节、转节、股节、胫节、跗节均具黑色及橘黄色环纹。翅芽黑色。

第5龄若虫体长13.60～14.00mm，宽3.90～4.10mm。触角1～4节的长度分别为2.90mm、1.30mm、1.05mm、2.15mm。体色同4龄若虫。

我国辽宁(海城地区)一年发生一代，以4龄若虫在枯枝落叶层和石缝内潜伏越冬，翌年3月下旬越冬若虫陆续开始活动。据室内观察，6月下旬开始产卵，产卵期约为21～29天，7月下旬结束，卵期8～11天。7月上旬开始出现若虫，一直到翌年5月下旬仍可见到。第1龄若虫不但捕食刺槐蚜，还可捕食比自己龄期大的害虫幼虫。随若虫龄期增加，捕食量增加。由于若虫历期长，因此在捕食各种害虫过程中起主要作用。

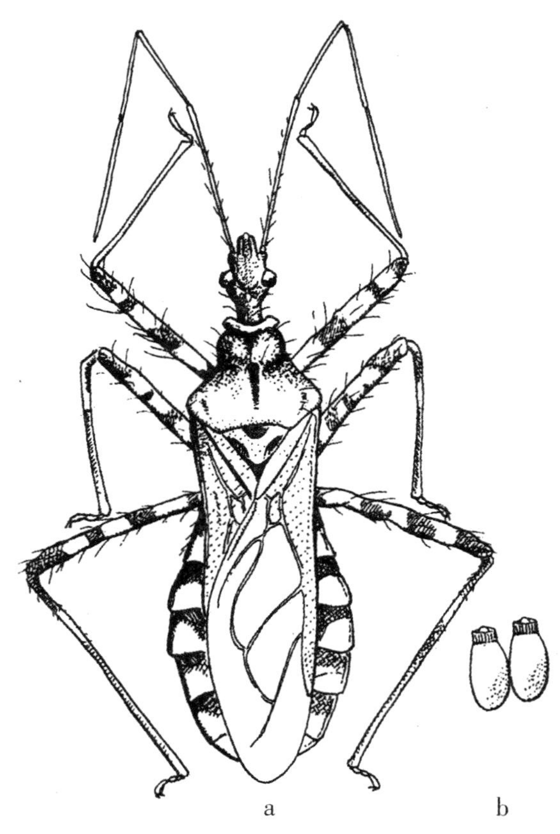


图49 环斑猛猎蝽 *Sphedanolestes impressicollis* (Stål)
a. 体背面观；b. 卵

初孵若虫群集于卵块附近1～2小时后逐渐扩散。3～7小时开始捕食，1龄若虫可捕食蚜虫和杨扇舟蛾、黄刺蛾、杨叶蜂、舞毒蛾等的1龄幼虫。经观察2龄后可捕食较大的幼虫。若虫可全天捕食，但以下午为多。成虫全天可蜕皮，白天较多。6 月下旬至 7 月上旬为成虫交尾期。交尾后的雌虫经历 1 ~ 2 天开始产卵，多在白天，随产卵随分泌紫红色胶状物，将卵粒黏在植物叶背、小枝，排列成整齐块状，每产 1 粒卵历时 6 ~ 8s。每头雌虫可产 8 ~ 12 块卵，每卵块含卵 12 ~ 22 粒左右，平均产卵量 215 粒。从 6 月末到 7 月下旬为产卵期。

笔者（1982 夏）在福建武夷山地区采集时，观察到环斑猛猎蝽成虫正在刺吸 1 头环胫黑缘蝽 *Hygia touchei* Distant 成虫，并带着此掠物迅速爬行。

据观察发现该虫可捕食多种林木害虫如杨扇舟蛾 *Clostera anachoreta*（Fabricius）、黄刺蛾 *Cnidocampa flavescens*（Walker）、杨叶蜂 *Pristiphora* sp.、舞毒蛾 *Lymantria dispar*（L.）、油松毛虫 *Dendrolimus tabulaeformis* Tsai *et* Liu、黄褐天幕毛虫 *Malacosoma meu-striatestacea* Motschulsky、刺槐蚜 *Aphis robiniae* Macchiati 等。

**采集记录：**西安涝峪，1951. Ⅶ. 07，周尧采；陇县，1981. Ⅶ. 09；宝鸡，1981. Ⅵ. 06；佛坪窑沟，870 ~ 1000m，1998. Ⅶ. 25，陈军采；南郑石拱公社，1974. Ⅹ. 06，在柳树上扑食鳞翅目幼虫，路进生采；商南，1981. Ⅴ. 28-29；黄陵，1985. Ⅶ. 12，任树芝采。

**分布：**陕西（西安、陇县、宝鸡、太白、武功、佛坪、南郑、商南、黄陵）、天津、河南、山东、甘肃、江苏、浙江、湖北、江西、湖南、福建、广东、广西、四川、贵州、云南；朝鲜半岛，日本，印度。

### （52）斑缘猛猎蝽 *Sphedanolestes subtilis*（Jakovlev, 1893）（图版 1：6）

*Harpactor subtilis* Jakovlev, 1893: 321.

*Sphedanolestes subtilis*: Hsiao & Ren, 1981: 534.

**鉴别特征：**体黑色，具平伏白灰色短毛，体狭长，喙、触角褐色；头、前胸背板、小盾片、腹部背面及腹面的横带均为黑色；腹面淡黄色（除横带斑外），侧接缘各节前部淡黄色、后部黑色。生殖节黑色。前翅长，显著超过腹部末端，革片褐色，膜片浅褐色、半透明。

雌虫体长 12.20mm，腹部宽 3.40mm。头长 1.20mm，宽 1.20mm。头横缢前部长 1.20mm，头横缢后部长 0.90mm。触角第 1 节最长，第 3、4 节等长，1 ~ 4 节的长度分别为 3.10mm、1.40mm、1.50mm、1.50mm。喙第 1 节达眼的中部，1 ~ 3 节的长度分别为 0.90mm、1.30mm、0.40mm。前胸背板长 2.10mm，前叶（0.70mm）短于后叶（1.40mm），后叶侧角间宽 2.70mm。前翅长 98.50mm，超过腹部末端 1.04mm。雌虫体长 12.70 ~ 13.20mm，腹部宽 2.60 ~ 2.70mm。雄虫体较小，腹部末端后缘中部突出，阳基侧突粗壮。雄虫体长 11.80 ~ 12.00mm，腹部宽 2.20 ~ 2.40mm。

在河南宝天曼地区 7 月中旬为成虫交尾产卵期，通常栖息于灌木丛或菜地附近捕食小虫。

**采集记录：**留坝韦驮沟，1600m，1998. Ⅶ. 21，张学忠采；留坝庙台子，1350m，

1998. Ⅶ. 21，姚建采；留坝红崖沟，1500～1650m，1998. Ⅶ. 22，袁德成采；1♂，镇巴，1985. Ⅶ. 19，任树芝灯诱。

**分布：**陕西（留坝、镇巴）、河南、甘肃、浙江、湖北、福建、广西、四川、贵州、云南。

## （六）瘤猎蝽亚科 Phymatinae

**鉴别特征：**瘤猎蝽是一类形体奇异的类群，为猎蝽科的1个亚科，体中等大小，骨化较强。单眼显著，触角第4节明显膨大；前胸背板发达，尤其前足高度特化：或似螳螂的捕捉式足，或如螃蟹的螯肢，极易辨认。常具保护色，飞翔能力不强，捕食性。多产于亚洲及美洲的热带地区，全北区种类较少。

**分类：**中国记录9属，秦岭地区分布1属2种。

### 38. 螳瘤猎蝽属 *Cnizocoris* Handlirsch, 1897

*Cnizocoris* Handlirsch, 1897: 213. **Type species**: *Cnizocoris davidi* Handlirsch, 1897.

**属征：**小盾片较短，几乎不伸达腹部的1/3。雄虫腹部中央不强烈膨胀，侧缘长弧形，长约2倍于宽，雌虫腹部卵形。

**分布：**东洋区，古北区东部。中国记录12种，秦岭地区分布2种。

#### 分种检索表

头腹面及前、中胸侧板下缘黑色；腹部腹面亚侧缘有1条红色宽带；触角第4节明显长于第1～3节长度之和 …………………… **宝兴螳瘤猎蝽 *C. potanini***

头、胸及腹部腹面无上述颜色；触角第4节较短，等于或稍长于第1～3节之和 …………………… **中国螳瘤猎蝽 *C. sinensis***

#### （53）宝兴螳瘤猎蝽 *Cnizocoris potanini* (Bianchi, 1899)（图50）

*Leptothyreus potanini* Bianchi, 1899: 230.

*Cnizocoris potanini*: Hsiao & Liu, 1981: 379.

**鉴别特征：**头背面、前胸背板前叶前半部中域黑色，后叶中域2条纵脊纹黑色，后叶色暗，侧角褐色。小盾片基部中域黑色。腹部侧接缘淡黄色，但各节端半部黑色，第4腹节侧接缘全黑色。腹部最后3节的端半部为棕褐色。触角第4节明显深于基部的3节，呈赭褐色。体腹面、各足均为淡黄色。腹端节中域无凹，近平截。

雄虫体长8.50mm，腹部宽3mm。头长1.60mm，宽0.85mm。头的眼前部分明显短于眼后部分，眼前叶长0.34mm，眼后叶长0.60mm。触角1～4节的长度分别为0.54mm、0.30mm、0.30mm、1.90mm。喙1～3节的长度分别为0.80mm、0.60mm、0.40mm。前胸背板长1.90mm，前胸背板侧角的两侧几乎平伸，前角间宽0.90，侧角间宽2.40mm。小盾片长1.20mm，基部宽1mm。前翅长5.60mm，刚达腹部末端。雄虫生殖节端缘中部近平截，阳基侧突中部显著宽，亚前端扭曲，前缘钝；阳茎鞘背板端缘阔圆，内阳茎系膜具3对显著骨化构造，其末端尖锐。

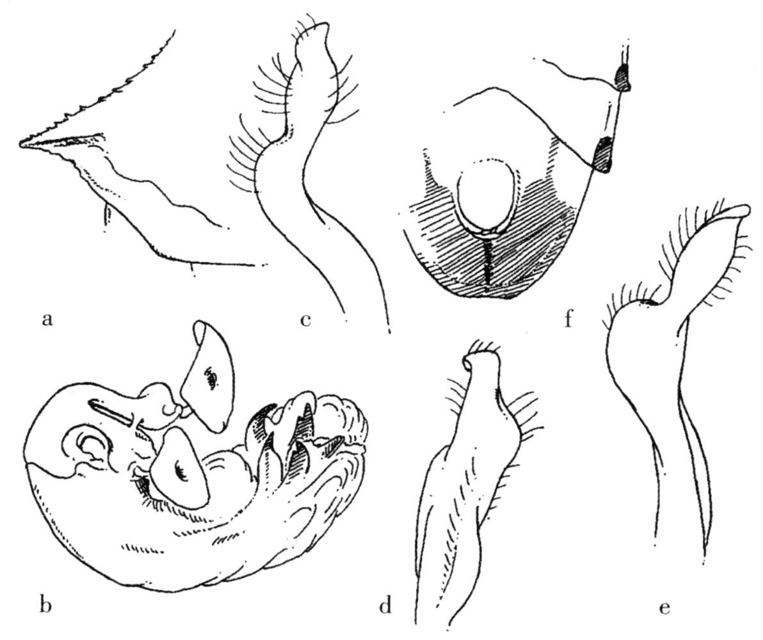


图50　宝兴螳瘤猎蝽 *Cnizocoris potanini*（Bianchi）

a. 前胸背板侧角（背面观）；b. 阳茎（背侧面观）；c－e. 阳基侧突（不同面观）；f. 雄虫腹部端部（腹面观）

体较窄长，色彩较相似于天目螳瘤猎蝽 *Cnizocoris dimorphus* Maa *et* Lin，但触角第4节色较暗；侧接缘各节后角及第4节棕黑色；触角、眼及腹部腹面亚侧缘宽带红色。

体呈窄卵形，形态和色彩均相似于天目螳瘤猎蝽 *Cnizocoris dimorphus* Maa *et* Lin，但个体较窄小，头较窄长，长2倍于宽。触角、眼、革片顶缘及腹部腹面亚侧缘宽带红色；腹部末端背面红褐色；单眼外侧常具暗棕色斑纹。

雌虫体长9.08mm，腹部宽3.92mm。头长1.60mm，宽0.80mm。眼前叶长0.36mm，眼后叶长0.62mm。触角1～4节的长度分别为0.56mm、0.32mm、0.28mm、1.12mm。前胸背板长1.72mm，背板侧角间宽2.44mm。

**生物学：**卵浅棕色或灰草绿色，卵壳领缘浅黄色。长椭圆形，卵的背、腹面略平，卵壳盖呈椭圆形，其中部稍向上圆鼓。卵高1.50mm，卵中部粗0.65mm，卵壳盖直径 0.47mm；卵壳领缘低(高为 25μm)。卵壳表面呈小刻点状泡囊小窝，明显小于中国螳瘤猎蝽 *Cnizocoris sinensis* Kormilev 的泡囊小窝构造，卵壳盖周缘 3 行六边形的网孔纹构造不同于卵壳盖中部及卵体壳表的小刻点状泡囊小窝。从卵壳的横切面观察，卵壳外层的泡囊小窝，基部达卵壳中层，卵壳外层与中层质地具孔腔；卵壳内层质地紧密。卵壳领缘外侧排列均匀的短纵脊约有 84 个，每个短纵脊中间有 1 条纵裂缝，可以启闭，此构造为“气孔”。卵壳内层起伏质地紧密，中层的垂直柱粗，明显宽于六角形系统腔，卵壳外层薄为外层网络层。卵壳厚 27.40μm。

本种常在灌木、花丛或草丛中捕食。笔者在陕西省进行林虫考察时，途经南郑县(1985. Ⅶ. 27)，在一种豆科植物花序上采到若干头成虫，经饲养产卵，卵散产在植物上，卵的基半部背侧黏附在植物枝或叶表面上。初产的卵浅灰黄色或灰草绿色，近孵化时呈浅褐色或棕色。

**采集记录：**5♂8♀，南郑，1985. Ⅶ. 27-28，任树芝采。

**分布：**陕西(南郑)、湖北、四川。

### (54) 中国螳瘤猎蝽 *Cnizocoris sinensis* Kormilev, 1957 (图 51；图版 1：7，8)

*Cnizocoris sinensis* Kormilev, 1957: 67.

**鉴别特征：**雄虫体长形，棕褐色，具黑色斑及淡红色泽；眼及单眼红色；头背面及前胸背板前叶前部、背板中域脊纹、后叶侧角端部黑色；触角第 1 节背面、革片顶角、前翅膜片翅脉及侧接缘外侧通常暗棕色；革片外缘淡黄色，膜片褐色；小盾片基部中域黑褐色，周缘淡黄色；腹部腹面两侧通常具淡红色纵带斑；侧接缘各节后角、第 4 节全部及腹部末端黑色(有的个体腹部末端背面及腹面红棕色)，腹部末端中央稍凹入。雌虫体长椭圆形，色浅于雄虫，头部背面两侧黑褐色，前翅革片红棕色(除外缘淡黄色外)，膜片褐色；前胸背板中域纵脊纹与底色同，浅褐色；中足及后足胫节后半部浅棕红色。

雄虫体长 9.40mm，腹部宽 3.50mm。头长 1.72mm，宽 0.94mm。眼前叶长 0.48mm，眼后叶长 0.71mm。触角 1～4 节的长度分别为 0.66mm、0.40mm、0.50mm、1.70mm。喙第 1 节略超过眼的后缘，1～3 节的长度分别为 0.81mm、0.70mm、0.41mm。前胸背板长 2mm，前角间宽 1mm，后叶侧角间宽 3.20mm。小盾片长 1.51mm，基部宽 1.20mm。前翅长 5.90mm，几乎达腹部末端。腹部端缘中央略凹，阳基侧突后部粗于前部 1/3 处，前端锐；阳茎基部附器骨化强，阳茎体具长形骨化构造、前端锐。

雌虫体长 11.90mm，腹部宽 5.30mm。头长 2mm，宽 1mm。眼前叶长0.50mm，眼后叶长 0.80mm。前胸背板长 2.40mm，前角间宽 1.10mm，后叶侧角间宽 3.20mm；小盾片长 1.70mm，基部宽 1.40mm。触角 1～4 节的长度分别为0.64mm、0.31mm、0.40mm、1.30mm。喙第 1 节略超过眼的后缘，1～3 节的长度分别为0.90mm、

0.80mm、0.33mm。小盾片长 1.70mm，基部宽 1.40mm。前翅长7.20mm，达腹部末端，腹部端缘中央略凹。

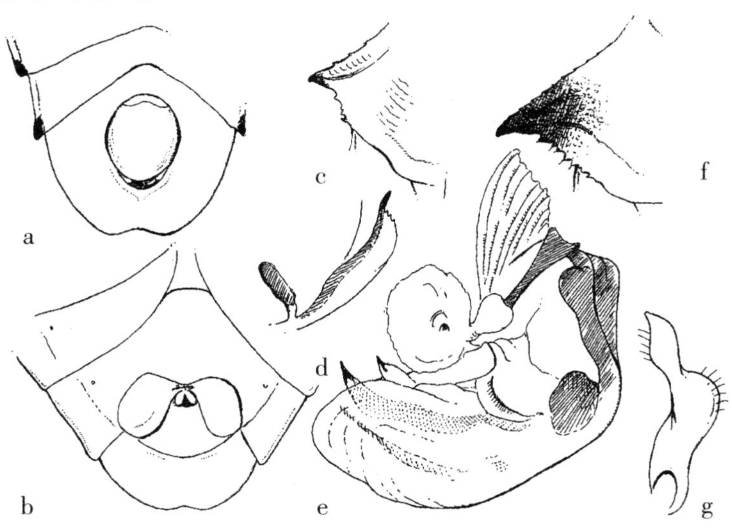


图 51 中国螳瘤猎蝽 *Cnizocoris sinensis* Kormilev

a. 雄虫腹部后部(腹面观)；b. 雌虫腹部后部(腹面观)；c. 雌虫前胸背板侧角(背面观)；d. 内阳茎骨化构造；e. 阳茎(侧面观)；f. 前胸背板侧角(♂)(背面观)；g. 阳基侧突

**生物学：** 卵深赭色或深栗色，卵壳领缘色淡为灰白色。椭圆形，卵长 1.60 ~ 1.70mm，卵粗 1.00 ~ 1.10mm，卵壳盖直径 0.58 ~ 0.60mm。卵后极背后侧黏附在植物组织表面上。卵壳表面密布泡囊小窝，卵壳盖与卵体壳表面花饰构造一致。呈六边或五边形蜂窝状，卵壳厚为 37μm。中层具大孔腔。内层薄质地坚密；卵前极卵壳领缘外侧由短纵脊纹构成格状，每个短纵脊中央有 1 个纵裂，即是气孔的向外开孔，这特征基本上与宝兴螳瘤猎蝽 *Cnizocoris potanini* (Bianchi)，相似，但卵壳领缘纵脊纹中央开裂缝明显。卵壳领缘高 13μm。

本种成虫常在林木上捕食鳞翅目幼虫，卵采于陕西陇县八渡，油松针叶上（1987. Ⅴ.03，金步先采），卵纵向附着在针叶中部。

**采集记录：** 3♂，凤县秦岭车站，1965. Ⅷ. 18，路进生采；2♂4♀，凤县秦岭车站，1400m，1994. Ⅶ. 27-30，卜文俊、吕楠、董建臻采；2♂3♀，留坝庙台子，1400m，1994. Ⅷ. 2-4，卜文俊、吕楠采；2♂3♀，宁陕旬阳坝，1700m，1994. Ⅶ. 17，吕楠采；1♂2♀，宁陕火地塘，1640m，1994. Ⅷ. 12，卜文俊采。

**分布：** 陕西(陇县、凤县、留坝、宁陕)、内蒙古、北京、天津、河北、山西、甘肃、宁夏、浙江、广泛分布于华北地区。

# 盲蝽总科 Miroidea

# 十、盲蝽科 Miridae

**鉴别特征：**体小至中型，体形多样。身体相对柔弱。足常易断落。

头部常或多或少下倾或垂直。无单眼。喙4节。前胸背板可具领。前翅具中裂，前缘裂发达，有楔片，前翅翅面常依前缘裂（ = 楔片缝）下折。膜片基部有1～2个封闭的翅室，室外端角常具伸出的桩状短脉。后翅无钩脉。各足跗节3节。中、后足腿节侧面与腹面具若干毛点毛。转节2节。前跗节情况多样：有1对副爪间突，刚毛状或片状；在爪的内面或下面可具爪垫；在掣爪片和爪的基部交界处或在掣爪片的侧方可生有成对的肉质伪爪垫（pseudopulvillum），此类构造在跳蝽科中亦有存在。臭腺沟缘常为耳壳状。雄虫生殖囊左右略不对称，左右阳基侧突明显不同形，阳茎鞘多骨化，内阳茎构造多样，可成极简单的膜质囊，或成具骨化附器的复杂囊状构造（阳茎端 vesica），或者阳茎端成坚硬的带状骨化构造。产卵器发达，但第1载瓣片与第8腹节侧背片相连，瓣间片（gonangulum）消失。亦无第3产卵瓣（gonoplac）。雌虫生殖腔前方伸出成单个的大型袋状储精构造，称“seminal depository”。

若虫臭腺1对，开口于第3、4腹节背板交界处。

**生物学：**多生活于植物上，行动活泼，善飞翔，喜吸食植物的繁殖器官，包括各种花器，尤其是子房和幼果。亦可在枝、叶上吸食，可对作物造成危害。部分类群（如齿爪盲蝽亚科 Deraeocorinae）为捕食性，捕食蚜虫、螨类等小型动物及虫卵等。许多种类已知可兼食植物与动物性食物，繁殖阶段尤需动物性食料。

**分类：**中国记录8亚科209属948种，陕西秦岭地区发现6亚科57属128种。

### 分亚科检索表

1. 有单眼 …………………………………………………… **树盲蝽亚科 Isometopinae**
   无单眼 …………………………………………………… 2
2. 副爪间突通常肉质，扁平 …………………………………… 3
   副爪间突通常刚毛状 ……………………………………… 7
3. 副爪间突端部不靠拢 ……………………………… **盲蝽亚科 Mirinae**
   副爪间突端部靠拢 ………………………………………… 4
4. 跗节末端膨大 ……………………… **单室盲蝽亚科（部分）Bryocorinae（part）**
   跗节线形，末梢不膨大 ……………………………………… 5
5. 半鞘翅被倒伏的银色鳞状毛，通常成簇或者横向带状排列；阳茎端呈坚硬骨化的管状；左阳基侧突舟形 ……………………… **叶盲蝽亚科（部分）Phylinae（part）**

体无银色鳞状毛，刚毛不排列成簇或带状；阳茎端不呈坚硬的管状；左阳基侧突形状多变 ……… 6

6. 爪垫可见；阳茎端骨化强烈；左阳基侧突舟形；前胸背板无领 …………………………………………………………………………………… **叶盲蝽亚科(部分) Phylinae (part)**

爪垫不可见；阳茎端骨化弱；左阳基侧突不成舟形；前胸背板具明显的领 ……………………………………………………………………………… **合垫盲蝽亚科 Orthotylinae**

7. 膜片具2个翅室，小室明显 …………………………………………………………………… 8

膜片具1翅室，或具2个翅室时小室极小 ………… **单室盲蝽亚科(部分) Bryocorinae (part)**

8. 具爪垫 …………………………………………………………… **叶盲蝽亚科(部分) Phylinae (part)**

无爪垫 ………………………………………………………………………………… **齿爪盲蝽亚科**

# (一) 单室盲蝽亚科 Bryocorinae

穆怡然 刘国卿

(南开大学昆虫研究所，天津 300071)

**鉴别特征：** 体形多变，膜片翅室多为1个，若具2个翅室，则跗节第3节较膨大，跗节端部具长毛。蕨盲蝽族和烟盲蝽族(除 *Campyloneura* Fieber 属)具伪爪垫，宽垫盲蝽族爪内缘普遍具大而宽扁的爪垫(除帕劳盲蝽亚族 Palaucorina)，和梳状齿(除 *Bunsua* Carvalho 属和帕劳盲蝽亚族)，副爪间突刚毛状或狭片状。

**分类：** 中国记录26属91种，陕西秦岭地区发现3族6属8种。

### 分族检索表

1. 前胸背板不划分成领、前叶及后叶三部分 ……………………………………………………… 2

前胸背板明显分为领、前叶和后叶三部分 ……………………………… **烟盲蝽族 Dicyphini**

2. 半鞘翅外缘略外拱；爪内面着生大而宽扁的爪垫，爪腹面常有梳状长刺列；副爪间突刚毛状 ……………………………………………………………………………… **宽垫盲蝽族 Eccritotarsini**

半鞘翅外缘略平行或中部微内凹，端半略外拱；爪下与爪内面无爪垫，具伪爪垫；副爪间突狭片状，常成“八”字形伸开 ……………………………………………… **蕨盲蝽族 Bryocorini**

## Ⅰ. 蕨盲蝽族 Bryocorini Carvalho, 1957

**鉴别特征：** 体长椭圆或宽椭圆形，短翅型个体翅后部较宽，腹部末端外露。头斜下倾，宽略大于长，头顶具后缘脊，眼着生于头两侧，较圆，略离开前胸背板前缘。触角细长，第1节常较粗，基部细，有时基部较细部分约占第1节长的1/2～2/5。前胸背板具领，被刻点和半直立毛，明显隆起，胝较小，侧方常伸达前胸背板侧缘，微隆。小盾片较平坦，中胸盾片不外露，或狭窄外露。半鞘翅两侧略平行或中部微凹、端半外拱。膜片具1个翅室，端角圆钝，约成圆弧形。短翅型个体爪与革片的界限模糊，前翅无膜片。足跗节具狭长的伪爪垫，副爪间突狭片状。

**分类：**中国记录3属，秦岭地区发现2属2种。

## 分属检索表

体较宽短；楔片外缘基部略外拱；膜片明显下倾 …………………………… **微盲蝽属 *Monalocoris***
体较狭长；楔片外缘较直；膜片下倾不如上述 ……………………………… **蕨盲蝽属 *Bryocoris***

## 39. 蕨盲蝽属 *Bryocoris* Fallén, 1829

*Bryocoris* Fallén, 1829: 151. **Type species**: *Bryocoris montanus* Fallén, 1807.

**属征：**体长椭圆形，具光泽，被淡色半直立毛。头圆或横宽，背面观头顶前端略前凸，具头顶后缘脊，眼着生于头两侧中部，有时后缘与头顶后缘脊平齐。喙细长，末端超过前足基节或伸达中足基节。触角细长，被淡色半直立毛，第1节略粗于其他节，基部略细，长度约等于头宽，明显长于头顶宽。前胸背板领明显，胝较小，光滑，微隆，侧面多伸达前胸背板侧缘，前胸背板强烈隆起，具刻点，侧缘较直，后缘平直或圆隆，小盾片平坦，基部被前胸背板部分遮盖。半鞘翅外缘端半略外拱，楔片外缘较直。膜片2个翅室，端角多圆钝，不超过楔片端部。足细长，被淡色半直立毛。雄虫左阳基侧突基半不同程度膨大，部分种类被长毛，右阳基侧突短小，狭窄，部分种类与左阳基侧突几乎等长。

该属存在性二型和多型现象，有长翅型和短翅型，如 *B. montanus* 雄虫具长、短两种翅型，雌虫短翅型，*B. pteridis* 雌虫具长、短两种翅型，雄虫短翅型。

该属与微盲蝽属 *Monalocoris* Dahlbom 相似，但本属体较狭长，半鞘翅端半略外拱，楔片平坦，半鞘翅沿楔片缝仅微下倾，或不下倾。

**分布：**中国记录18种，秦岭地区发现1种。

### (55) 萧氏蕨盲蝽 *Bryocoris* (*Cobalorrhynchus*) *hsiaoi* Zheng *et* Liu, 1992 (图52; 图版1: 9)

*Bryocoris hsiaoi* Zheng *et* Liu, 1992: 290.

*Bryocoris* (*Cobalorrhynchus*) *hsiaoi*: Hu & Zheng, 2000: 258.

**鉴别特征：**雄虫体长椭圆形，密被半直立闪光短毛。

头背面观椭圆形，横宽，垂直，被淡褐色半直立毛，褐色至黑色，眼后部具2个斜向内指的淡褐色纵带，有时较模糊，头侧面观均匀的微隆。头顶在眼内角后方光滑无刻点，具光泽，后缘区域无光泽，头顶宽约为眼宽3.27倍，中纵沟不明显，后缘横脊明显，颈暗褐色，光亮。额光亮，黑褐色至黑色，侧面观圆隆，略超过唇基前部，被稀疏长毛。唇基黑褐色，光亮，侧面观圆隆，垂直。上颚片宽三角形，无光泽，褐色，被稀疏半直立淡色毛。下颚片小三角形，微隆，略具光泽，褐色。小颊较宽阔，黑褐色。喙短粗，黄色，略伸达中足基节中部，第4节端部2/3褐色。复眼椭圆形，黑褐色，略被毛，不外伸。触角细长，褐色至黑褐色，密被半直立长毛。第1节褐色，基部淡黄褐色，长约为头顶宽的1.19倍，近基部1/3处较明显加粗；第2～4节黑褐色，毛较粗密，长约等于该节中部直径，第2节基部明显细于第1节端部，近端部略微加粗；第3、4节粗细较均一，均略细于第2节基部直径，第3节明显长于第4节。

前胸背板梯形，饱满，前半明显下倾，黑色，后侧角淡黄褐色或黄白色，有时后叶中线两侧各有1个黄褐色或褐色斑，有时可占前胸背板长的1/2。具光泽，具较明显的粗大刻点，两侧渐深，被半平伏淡色短毛。前胸背板侧缘几乎直，后缘中部内凹，后侧角略下沉，内侧具1个微弱的浅凹痕，后侧角端部略尖。领黄色至黄褐色，无光泽，较宽，被短毛，后部被细密刻点，略粗糙，光泽弱。胝平坦，侧方伸达前胸背板侧缘，两胝不相连，二胝间不下凹，无刻点。胸部侧板暗褐色，光亮，密被半直立短毛，前胸侧板两裂，前叶小，后叶后侧角淡色。中胸盾片不外露。小盾片淡黄色至黄褐色，中部具1个深色纵向斑，向端部渐细，侧面观圆隆，基部中部略内凹，略具横皱，基角略隆起，端角尖锐，密被长毛。

半鞘翅革片端部1/4处最宽，淡黄褐色，半透明，具暗色斑，被细密淡色短半直立毛。爪片淡黄褐色或黄白色，基部1/4～1/3及端角黑褐色。革片及楔片黄白色或淡黄褐色，楔片缝前有1条黑褐色宽横带，由外缘伸达中裂，向内渐宽，沿中裂约成直角前折，形成主要位于中裂内侧的细纵带，伸达革片中部，中裂褐色。缘片外缘狭窄的黑褐色。楔片缝明显，翅面沿楔片缝略下折，楔片端部黑褐色，向外渐粗，外缘具极狭细的黑褐色。膜片烟色，基外角具1个白色大斑，其后区域色较深，为纵向的深色宽带状，脉褐色，翅室端角略大于直角。

足黄白色，被淡色半直立长毛，腿节近端部色多少加深，后足腿节端部1/3有时黑褐色，后足胫节灰褐色至淡黑褐色，基半常加深，跗节第1、2节黄色，第3节端部褐色，略膨大，爪细长、弯曲，浅褐色。

腹部黑褐色，基部数节侧缘淡黄褐色。臭腺沟缘黄白色。

雄虫生殖囊黑褐色，腹面色略淡，长度约为整个腹长的1/4，开口左侧角具1个圆锥形突起。左阳基侧突暴露部分较大，中部突然弯曲呈“U”形，基部肿胀，密被长毛，端部宽矛尖形，向端部渐细。右阳基侧突小，基部细长，中部急剧弯曲，之后膨大，顶端渐细，呈指状。

雌虫体型和体色与雄虫相似。但体较宽大，腹部腹面淡黄褐色，中部不收缩。

**量度(mm)**：体长3.42～3.52(♂)、3.60～3.71(♀)，宽1.25～1.34(♂)、1.40～1.45(♀)；头长0.21～0.25(♂)、0.22～0.29(♀)，宽0.55～0.56(♂)、

0.57～0.60(♀)；眼间距0.35～0.40(♂)、0.35～0.39(♀)；眼宽0.10～0.13(♂)、0.11～0.13(♀)；♂触角1～4节的长度分别为0.42～0.49、1.35～1.39、0.57～0.60、0.42～0.46，♀触角1～4节的长度分别为0.37～0.43、0.98～1.08、0.45～0.53、0.36～0.42；前胸背板长0.60～0.69(♂)、0.66～0.71(♀)，后缘宽1.05～1.09(♂)、1.12～1.17(♀)；小盾片长0.32～0.35(♂)、0.33～0.34(♀)，基宽0.37～0.43(♂)、0.45～0.54(♀)；缘片长1.31～1.39(♂)、1.21～1.26(♀)；楔片长0.65～0.72(♂)、0.66～0.73(♀)，基宽0.42～0.46(♂)、0.52～0.58(♀)。

**采集记录**：4♂13♀，宁陕火地塘，1994.Ⅷ.12-14，吕楠采。

**分布**：陕西(宁陕)、湖南、四川、西藏；日本。

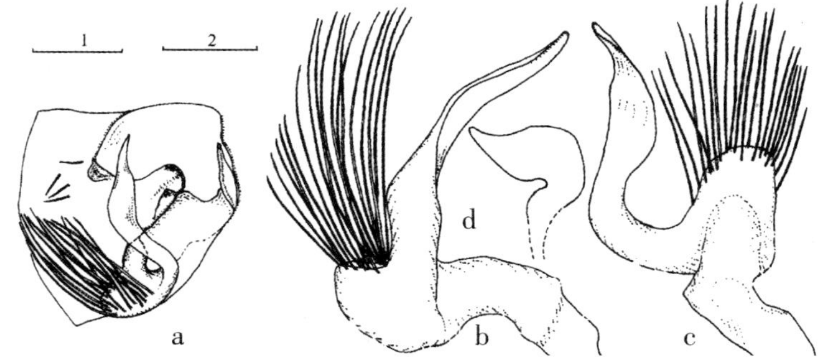


图52 萧氏蕨盲蝽 *Bryocoris* (*Cobalorrhynchus*) *hsiaoi* Zheng *et* Liu(仿 Hu & Zheng，2000)
a.生殖囊；b-c.左阳基侧突；d.右阳基侧突。比例尺：1=0.20mm(a)；2=0.1mm(b-d)

## 40. 微盲蝽属 *Monalocoris* Dahlbom，1851

*Monalocoris* Dahlbom，1851：209. **Type species**：*Cimex filicis* Linnaeus，1758.

**属征**：体小型，较紧凑，宽卵圆形，体圆隆，具光泽，密被淡色半直立毛。头宽大于长，额较圆隆，头顶后缘脊明显，眼后缘接近前胸背板前缘。喙伸达前足基节端部，有时伸达中足基节。触角细长，被淡色半直立毛，第1节短于头顶宽，略粗于其他节，基部较细。前胸背板刻点均匀，侧缘圆隆，向头部渐窄，中部略高隆，后侧角略钝圆，后缘直，有时略呈宽阔的弧形后凸。领明显。胝光亮，微隆，其边缘不形成明显凹陷。小盾片小，较平坦。半鞘翅楔片缝处两侧明显圆隆，革片及缘片端部略窄缩，缘片较宽，略外展，约为触角第2节中部直径的2倍，楔片缝深，楔片及膜片常向体腹方弯折，楔片长约等于基部宽，膜片短，外缘基部略弯曲呈弧形，中央区域略凹，翅室端角圆，不超过膜片末端。足短，被淡色半直立毛。雄虫左阳基侧突有两种类型，一类二叉状，长形略弯，部分种类顶部具许多小齿状突起。另一类狭长、弯曲，不分叉；右阳基侧突狭小。阳茎端膜质。

**分布**：中国记录5种，秦岭地区发现1种。

### (56) 蕨微盲蝽 *Monalocoris filicis* (Linnaeus, 1758)

*Cimex filicis* Linnaeus, 1758: 443.
*Monalocoris filicis atlanticus*: Lindberg, 1941: 15.
*Monalocoris filicis filicis*: Ehanno, 1960: 321.
*Monalocoris filicis atlantica*: Ehanno, 1960: 321.
*Monalocoris japonensis*: Linnavuori, 1961: 164.
*Monalocoris americanus*: Kelton, 1980: 380.

**鉴别特征：**雄虫体较小，宽短，黑色，有时暗褐色，卵圆形，背面光亮，密被半直立丝状毛。头横宽，垂直，黄褐色，光亮，无刻点，被稀疏淡色半平伏短毛。头顶微隆，头顶宽是眼宽的2.55倍，后缘具横脊，脊褐色。额圆隆，毛较稀疏。唇基隆起，暗褐色，有时端半黑褐色，光亮。头侧面黄褐色。喙淡黄褐色，端部深色，伸达中足基节。复眼背面观半圆形，黑褐色。触角细长，被淡褐色半直立长毛，第1节浅黄褐色，圆柱状，基部1/3较细，毛被较稀疏，短于该节中部直径；第2节淡黄褐色，端部1/4暗褐色，细长，向端部渐粗，略细于第1节，长约为该节中部直径的1.50倍；第3、4节细长，略细于第2节，褐色，毛被同第2节。

前胸背板梯形，侧缘较直，后侧角略圆，后缘微凸，侧面观圆隆，前胸背板光亮，暗褐色，后侧角淡黄褐色，具均匀的刻点及淡色半直立毛，刻点达胝间区域，毛略长于触角第2节中部直径。领宽，黄褐色，有时淡黄褐色，略粗于触角第1节。胝光亮，长椭圆形，微隆，侧方不伸达前胸背板侧缘。领略淡。胸部侧板淡黄褐色，光亮，被淡色半直立短毛，前胸侧板二裂。中胸盾片不外露。小盾片黑褐色，有时暗褐色或褐色，三角形，端角尖，具浅横皱，平坦，密被淡色半直立毛，毛长为触角第2节中部直径的2倍。

半鞘翅黄褐色，密被淡色半直立毛，爪片较宽，黑褐色，有时暗褐色或褐色，有时深黄褐色，内缘色略淡，较小盾片毛短；革片黑色，有时褐色至深褐色或深黄褐色；缘片淡黄褐色，有时深黄褐色；翅面沿楔片缝略下折，楔片淡黄褐色，半透明，基内角黑褐色，有时该黑褐色区域扩展，约占楔片内半的1/2，黑褐色区域的周缘具淡褐色至褐黄色晕，毛略短于革片上的毛；膜片淡灰黄褐色，半透明，有时淡黑黄褐色，基半褐色略带黄褐色具1个翅室，脉褐色。

足浅黄褐色，被淡褐色半直立短毛，腿节细长，后足腿节亚端部具1条褐色环带，有时黑褐色，有时后足腿节外侧亚端部至端部区域具黄褐色斑，毛较稀疏，长度明显短于腿节中部直径；胫节毛较腿节密，毛长略长于该节中部直径；跗节3节，第3节膨大；爪褐色。

腹部光亮，黄褐色，第2、3节侧缘区域色略淡，有时各节深黄褐色，后缘区域黑褐色，密被半直立淡色短毛。臭腺沟缘浅黄褐色，中部具1个黄褐色隆起。

雄虫生殖囊黄褐色至淡黄褐色，有时深黄褐色至暗黄褐色，被淡褐色半直立短毛，长度约为整个腹长的1/5。阳茎端简单。左阳基侧突二叉状，基部叉狭长，略弯，端部膨大，具齿，端部叉弯曲，略膨大，顶端渐细；右阳基侧突狭小，细长，端部圆。

雌虫体型体色与雄虫相似，但体略大，体色较淡。

**量度(mm)：**体长 2.04 ~ 2.81(♂)、2.52 ~ 3.05(♀)，宽 1.28 ~ 1.34(♂)、1.30 ~ 1.39(♀)；头长 0.13 ~ 0.18(♂)、0.13 ~ 0.16(♀)，宽 0.49 ~ 0.50(♂)、0.49 ~ 0.53(♀)；眼间距 0.28 ~ 0.32(♂)、0.29 ~ 0.32(♀)；眼宽 0.10 ~ 0.11(♂)、0.10 ~ 0.11(♀)；♂触角 1 ~ 4 节的长度分别为 0.30 ~ 0.32、0.78 ~ 0.83、0.39 ~ 0.40、0.28 ~ 0.31，♀触角 1 ~ 4 节的长度分别为 0.29 ~ 0.32、0.76 ~ 0.84、0.38 ~ 0.40、0.25 ~ 0.30；前胸背板长 0.69 ~ 0.74(♂)、0.70 ~ 0.75(♀)，后缘宽 1.05 ~ 1.12(♂)、1.06 ~ 1.14(♀)；小盾片长 0.27 ~ 0.33(♂)、0.28 ~ 0.34(♀)，基宽 0.43 ~ 0.48(♂)、0.44 ~ 0.50(♀)；缘片长 0.96 ~ 1.03(♂)、1.00 ~ 1.19(♀)；楔片长 0.39 ~ 0.41(♂)、0.38 ~ 0.46(♀)，基宽 0.37 ~ 0.43(♂)、0.38 ~ 0.41(♀)。

**采集记录：**4♂，周至板房子，1994. Ⅷ. 08，卜文俊采；24♂40♀，凤县秦岭车站，1994. Ⅷ. 27，同前；1♂1♀，1994. Ⅶ. 28，同前；1♂，凤县秦岭车站，1400m，1994. Ⅶ. 30，吕楠采；5♂5♀，留坝庙台子，1994. Ⅷ. 01，吕楠采。

**分布：**陕西(周至、凤县、留坝)、黑龙江、天津、河北、甘肃、安徽、浙江、湖北、江西、湖南、福建、台湾、广东、广西、四川、重庆、贵州、云南；俄罗斯，朝鲜，日本，欧洲，古巴。

## Ⅱ. 烟盲蝽族 Dicyphini Carvalho，1958

**鉴别特征：**体狭长或长椭圆形。头部略成圆形，或横宽，或长大于宽，头在眼后方略窄缩成颈，有的种类几乎不窄缩。眼着生于头部两侧，部分种类眼略外伸。触角细长或粗壮，细长型触角第 1 节等于或超过头顶宽，粗壮型则多约为头顶宽的1/2，且长与宽约相等，粗壮型的触角第 1、4 节常几乎等长，短棒形或纺锤形。前胸背板光亮，或具刻点及瘤突，具领，部分种类前胸背板被凹陷而被划分为领、前叶和后叶三部分，小盾片多较平坦，部分种类隆起呈囊泡状或龟背状，有时具角状或较大瘤状突起。中胸盾片有时外露。半鞘翅较狭长，部分类群半透明或透明，膜片 1 或 2 个翅室。足均较细长，腿节有时具刺，爪具伪爪垫及毛状副爪间突。

**分类：**中国记录 16 属，秦岭地区分布 2 亚族 3 属 5 种。

### 分亚族检索表

头部在眼后方区域缢缩成颈 ………………………………………… **摩盲蝽亚族 Monaloniina**

头部在眼后方区域不缢缩 ………………………………………… **烟盲蝽亚族 Dicyphina**

## 烟盲蝽亚族 Dicyphina Reuter, 1883

**鉴别特征**：体长椭圆形，具光泽，前翅革质部外缘基半略平行，近端部区域略微外拱。头部背面观较圆，部分种类眼后方部分较长，眼后缘或多或少远离领前缘，头顶后方无脊，触角细长。前胸背板无刻点，领明显，胝略隆起。中胸盾片明显外露，小盾片较平坦。前翅革质部不透明或半透明，膜片具2个翅室。足较细长，腿节及胫节常具刺，爪具伪爪垫和毛状副爪间突。

**分类**：中国记录6属，秦岭地区分布1属1种。

**讨论**：在 Carvalho(1952, 1957)分类系统中，本族位于叶盲蝽亚科中，在 Schuh(1976, 1995, 2012)的体系中置于单室盲蝽亚科内，本文采用 Schuh(1976, 1995, 2012)的系统。

### 41. 烟盲蝽属 *Nesidiocoris* Kirkaldy, 1902

*Nesidiocoris* Kirkaldy, 1902b: 247. **Type species**: *Nesidiocoris volucer* Kirkaldy, 1902.

**属征**：长翅型，体狭长，黄色、砖红色或褐色，常具褐色斑，被半直立不规则淡色至深色毛。头垂直，头顶窄，中部圆隆，头顶后缘脊微弱。眼大，在头基部和触角窝中间。触角短粗，第1节略短于头长，第2节略超过第1节的2倍，第3节约等于第2节；喙略伸过中足基节端部，第1节伸过头基部。前胸背板前部窄，具明显的领，侧缘凹弯，后侧角突出，后缘中部微凹，宽为头宽的2倍，具明显的中纵沟。中胸背板暴露，小盾片近三角形，微隆。半鞘翅侧缘直，楔片长明显大于宽；膜片显著超过腹部端部，翅室端部锐。足细长，后足腿节伸过腹部端部，但是不超过半鞘翅。腹部基部缢缩。后胸侧板臭腺中度发达，臭腺沟缘卵圆形，蒸发域不延伸至中胸侧板气孔，覆盖该节的1/3～1/2。雄虫生殖囊深裂，左阳基侧突大。阳茎端具相连的骨化附器。

**生物学**：该属寄主和生物学信息已知较少，已知该属寄主为茄属(*solanaceous*)植物，它可能与 *Engytatus* Reuter 属相似，是寡食性的。Odhiambo (1961a)记载 *N. volucer*、*N. persimilis* 和 *N. callani* 取食烟草负泥虫 *Lema bilineata* (Germar)的卵。

**分布**：中国记录3种，秦岭地区发现1种。

#### (57) 烟盲蝽 *Nesidiocoris tenuis* (Reuter, 1895)（图53；图版1：10）

*Dicyphus tamaricis* Puton, 1886: 19 (suppressed by the ICZN, 1974: 958).

*Cyrtopeltis tenuis* Reuter, 1895c: 139.

*Gallobelicus crassicornis* Distant, 1904c: 478 .

*Cyrtopeltis javanus* Poppius, 1914g: 163.

*Dicyphus nocivus* Fulmek, 1925: 4.

*Cyrtopeltis* (*Nesidiocoris*) *tenuis*: Hoberlandt, 1956: 61.

*Engytatus tenuis*: Miyamoto, 1957: 77.

*Nesidiocoris tenuis*: Lindberg, 1958: 100.

*Cyrtopeltis* (*Nesidiocoris*) *ebaeus* Odhiambo, 1961a: 12.

**鉴别特征：**雄虫体小型，狭长，黄绿色，被淡色半平伏短毛。

头淡黄色，头顶色略深，较平坦，眼后缘与领前缘间距离等同于触角第 1 节中部直径，头部在领前缘区域略窄，该区域的背、侧方褐色，有时黄褐色略淡，被淡色长毛，指向前部。唇基黑褐色，有时深黄褐色，基半色略淡，额基方中部褐色或黄褐色。喙淡黄色，端部 1/4 ~ 1/5 色略深，伸达中胸腹板后缘。

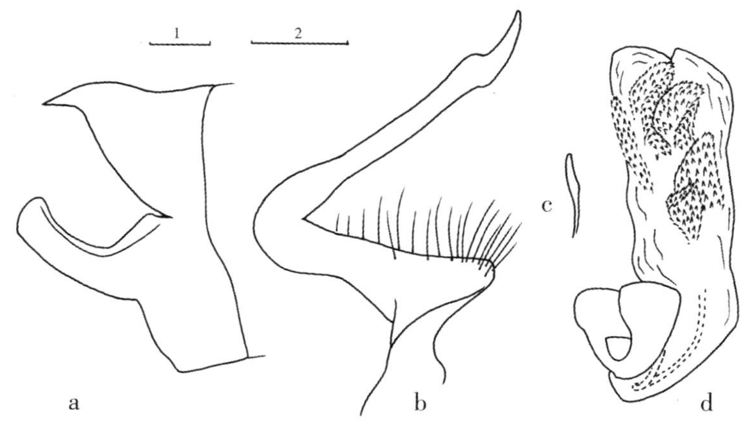


图 53 烟盲蝽 *Nesidiocoris tenuis* (Reuter)

a. 生殖囊侧面观；b. 左阳基侧突；c. 右阳基侧突；d. 阳茎。比例尺：1, 2 = 0.1mm (1 for a; 2 for b – d)

触角第 1 节褐色，有时黑褐色，基部及端部区域淡黄色，毛被略稀，长度均一，短于该节中部直径；第 2 节淡黄褐色，基部 1/3 褐色，有时黑褐色，毛被长度均一，略短于该节中部直径；第 3 节褐色，有时黄褐色略淡，毛较密，长度约等同于该节中部直径；第 4 节颜色同第 3 节，被毛较密，略短于该节中部直径。

前胸背板淡黄色，有时淡黄褐色，侧缘几乎直，后侧角微翘，后缘中部内凹，侧面观前倾，较平坦。领宽，略窄于触角第 1 节中部直径，淡黄绿色。胝区略高隆，有时褐色，两胝间略具 1 条纵向细沟，有时胝区中部具纵向褐色短带，毛被较疏短，长度约等于触角第 2 节中部直径的 1/2。胸部侧板淡黄色。中胸盾片外露部分带橙红色，毛被淡色半直立，较稀疏，长度略超过触角第 2 节中部直径。小盾片淡黄褐色，有时色略深，端部略带黑褐色，侧面观微隆。

半鞘翅淡黄色略带淡灰绿色，有时淡黄褐色，两侧近平行，后缘略宽，爪片内缘及结合缝处呈黑褐色，有时褐色，爪片端半有时深黄褐色，被淡色半直立毛，略稀疏，长度略同小盾片毛；革片内缘褐色，有时黄褐色，端缘近外侧区域具1条褐色短纹，由革片端部斜指向革片内侧，短纹的前端达革片端部1/7处，该短纹的内侧呈淡褐色；缘片外缘具极狭窄的褐黄色；楔片缝明显，倾斜，楔片长三角形，端部褐色。膜片淡褐色，有时近端部色略深，脉黄褐色或褐色，纵脉基部色略淡，翅室端角外缘较尖锐。

足淡黄色，有时淡黄褐色，腿节毛短于该节中部直径的1/2，胫节基部褐色，有时前、中足胫节基部色不加深，毛被均一，毛长略短于各胫节中部直径，胫节刺褐色或深黄褐色。

腹部淡黄色略带淡绿色，有时淡黄褐色。臭腺蒸发域淡黄白色。

雄虫生殖囊黄色，密被淡色半平伏毛，长度约为整个腹长的1/4，生殖囊开口背腹面各具1个突起，背面突起尖锐，腹面突起偏右侧，端部较宽阔，平截。左阳基侧突细长，弯曲呈小于90°折角，钩状突细长，平直，近端部弯曲，端部略尖，感觉叶较小，微隆起，背面较平，被稀疏毛。右阳基侧突小，叶状。阳茎端具5个表面具细刺的骨化结构，其中1个细长，其余4个短粗。

雌虫体型、体色与雄虫一致，体色较深。

**量度(mm)：** 体长2.85～3.42(♂)、3.01～3.59(♀)，宽0.80～0.94(♂)、0.75～1.05(♀)；头长0.29～0.32(♂)、0.28～0.30(♀)，宽0.50～0.51(♂)、0.49～0.52(♀)；眼间距0.18～0.20(♂)、0.18～0.19(♀)；眼宽0.16～0.18(♂)、0.17～0.20(♀)；♂触角1～4节的长度分别为0.30～0.31、0.72～0.80、0.74～0.79、0.36～0.38，♀触角1～4节的长度分别为0.27～0.33、0.64～0.69、0.70～0.73、0.27～0.33；前胸背板长0.47～0.52(♂)、0.50～0.53(♀)，后缘宽0.84～0.89(♂)、0.82～0.87(♀)；小盾片长0.27～0.33(♂)、0.28～0.36(♀)，基宽0.41～0.48(♂)、0.40～0.44(♀)；缘片长1.54～1.73(♂)、1.38～1.39(♀)；楔片长0.58～0.63(♂)、0.60～0.62(♀)，基宽0.18～0.21(♂)、0.20～0.23(♀)。

**采集记录：** 1♂2♀，宁陕火地塘，1994.Ⅳ.15，吕楠采；13♀，西乡，1963.Ⅶ.16。

**分布：** 陕西(宁陕、西乡)、内蒙古、北京、天津、河北、山西、河南、山东、江苏、浙江、湖北、江西、湖南、福建、台湾、广东、海南、广西、四川、贵州、云南、西藏；朝鲜，缅甸，印度，尼泊尔，斯里兰卡，印度尼西亚，中亚地区，澳洲，非洲，北美洲，南美洲。

**寄主：** 白花菜科(Capparidaceae)的针尾醉蝶花 *Cleome aculeata* 和白花菜属某种 *Gynandropsis* sp.，大戟科(Euphorbiaceae)的棉叶膏桐 *Jatropha gossypifolia*，茄科(Solanaceae)的番茄 *Lycopersicon esculentum*、番茄属某种 *Lycopersicon* sp. 和烟草 *Nicotiana* sp.，菊科(Asteraceae)的阿拉伯蚤草 *Pulicaria arabica*，胡麻科(Pedeliaceae)的芝麻 *Sesamum indicum*。

本种在我国分布广泛，本文增加了其在台湾、西藏和贵州的分布记录。

## 摩盲蝽亚族 Monaloniina Reuter, 1892

**鉴别特征：** 体长椭圆形，具明显光泽。头及前胸背板光亮无毛或具稀疏毛被，部分种类毛较长。头圆形或横宽，部分种类额及头顶具毛瘤。头在眼后方窄缩成明显的颈部。眼着生于头部前方两侧，略圆，较小，眼后缘远离前胸背板前缘，头部后方无隆脊。喙末端伸过前足基节。触角细长，部分种类第 1 节较粗，柱状，基部较细，端部区域有时加粗，具结节状突起，第 2 节细长。前胸背板由 2 个深凹缢分成领、前叶及后叶三部分。前叶较后叶明显窄缩，后叶多呈梯形。小盾片平坦，中胸背板不外露，或略微隆起，部分种类具 1 个细长角状突起。前翅革质部常半透明或透明，不少类群前翅中部内凹略呈束腰状，部分种类爪片明显分成内外两半，形成结构不同的区域。膜片具单一翅室，部分种类还隐约具 1 个较小的翅室。爪具略窄长的伪爪垫及副爪间突。

**分类：** 中国记录 6 属，秦岭地区分布 2 属 4 种。

### 分属检索表

腹部侧缘背面观不外露 ………………………………………………………… **狄盲蝽属** ***Dimia***
腹部侧缘在前翅外缘近中部区域外露 ……………………………………… **曼盲蝽属** ***Mansoniella***

## 42. 狄盲蝽属 *Dimia* Kerzhner, 1988

*Dimia* Kerzhner, 1988b: 779. **Type species**: *Dimia inexspectata* Kerzhner, 1988.

**属征：** 体狭长，被半直立和直立的长毛及短毛。头横宽，眼较大，向两侧突出。颈部明显。前胸背板明显分为前后两叶，具领，侧缘被显著长毛。半鞘翅两侧较直，缘片基部和后部几乎等宽；爪片、革片毛被较短而浓密，并具稀疏长毛；膜片翅室较大，端角尖锐后指；阳茎端具众多小骨针。

**分布：** 中国记录 2 种，秦岭地区发现 1 种。

### (58) 狄盲蝽 *Dimia inexspectata* Kerzhner, 1988（图版 1：11）

*Dimia inexspectata* Kerzhner, 1988b: 792.

**鉴别特征：** 雄虫体黄褐色，具淡色斑。

头横宽，颈明显，前端圆隆，光亮，被淡色长直立毛。头顶平坦，光亮，浅褐色，眼内侧各具 1 个淡黄色斑，斑前部染红色，头顶宽是眼宽的 1.45 倍，无中纵沟，颈背面淡褐色，中央具 1 个三角形黄色斑，斑边缘红色，颈侧面及腹面淡黄褐色，眼下部具 1 条褐色纵带，带上部边缘染红色；额圆隆，中部凹陷，黑褐色，光亮，被毛较短而稀疏；唇基垂直，隆起，淡黄褐色，中部略染红色被直立长毛，略短于头顶毛；小颊、上颚片和下颚片侧面观端部约等高，光亮，淡黄褐色，小颊色较淡。喙略伸过中足基节端部，基部淡黄褐色，向端部渐成红褐色。复眼向两侧伸出，侧面观椭圆形，背面观近圆形，深红褐色，被直立短毛。触角细长，深红褐色，密被半平伏淡色短毛和直立淡褐色长毛，第 1 节短粗，略短于头长，向端部渐细，红褐色，基部淡黄褐色，直立长毛的长略小于该节中部直径；第 2 节细长，微弯，端部略膨大，端部 1/3 背面具 1 个小突起，直立长毛长于该节直径；第 3 节长纺锤形，中部直径宽于第 2 节中部直径，背面具 3 个小突起，直立长毛较第 1、2 节稀疏，且短于该节中部直径；第 4 节纺锤形，短于第 3 节长度的 1/2，略细于第 3 节，毛被同第 3 节。

前胸背板黑褐色，具淡黄褐色区域，密被直立淡色长毛，前部 2/5 具深缢缩，明显分为前后两叶，领宽，圆隆，黑褐色，后半色较浅，胝显著、圆隆、宽阔，两胝不相连，中部淡色，两侧黑褐色；后叶具浅刻点，两侧微隆，向后显著加加宽，后侧角圆，后缘均匀凸出，侧面观微下倾，黑褐色，中部后缘具 1 个三角形淡黄褐色斑。前胸侧板黑褐色，上缘具 1 条淡黄色窄带，下缘色较淡，二裂；中、后胸侧板黑褐色，下部 1/3淡黄色，具光泽，被稀疏短毛。中胸盾片外露部分黄褐色，中部具 2 个黑褐色模糊斑。小盾片微隆，中部内凹，黑褐色，中部凹陷部分具 1 条淡黄褐色纵带，向端部渐细。

半鞘翅侧缘直，向后渐宽，基部 1/3 略内凹，褐色，密被不规则淡色圆斑，革片中部的部分斑相连成片，被褐色平伏短毛和淡色直立长毛。革片脉红色，缘片粗细均匀，外缘褐色；楔片外缘圆隆，黄褐色，内半除基部外红色；膜片烟褐色，被淡色圆斑，脉红色，具 1 个大翅室，端角尖锐，伸过楔片端部。

足黄褐色，细长，密被淡色直立长毛，腿节密被不规则红色斑，近端部具 1 个粗褐色环；胫节细长，被红色斑，基部红褐色，近基部具 1 个红褐色环，端部膨大，红褐色，端部背面具梳状齿，被 4 列细密褐色小刺；跗节 3 节，各节几乎等长，鲜红色，端部膨大；爪红褐色。

腹部淡黄色，侧缘深褐色，密被半直立淡色短毛。臭腺沟缘狭长，淡褐色。

雄虫生殖囊褐色，被半直立淡色毛，长度约为整个腹长的 1/3。阳茎端具众多小骨针。左阳基侧突狭长，弯曲，基半略膨大，端半狭长，向端部渐细；右阳基侧突小而细长。

雌虫体型、体色与雄虫一致，但体较宽大，体色略淡。

**量度(mm)**：体长 7.89 ~ 8.30(♂)、9.50 ~ 9.53(♀)，宽 2.85 ~ 2.93(♂)、3.28 ~ 3.32(♀)；头长 0.72 ~ 0.78(♂)、0.74 ~ 0.82(♀)，宽 1.45 ~ 1.48(♂)、1.49 ~ 1.49(♀)；眼间距 0.55 ~ 0.57(♂)、0.65 ~ 0.72(♀)；眼宽 0.38 ~ 0.41(♂)、0.35 ~ 0.40(♀)；♂触角 1 ~ 4 节的长度分别为 0.72 ~ 0.74、3.58 ~ 3.59、1.58 ~ 1.60、缺，♀触角1 ~ 4 节的长度分别为 0.89 ~ 0.93、3.63 ~ 3.68、1.59 ~ 1.63、

0.79～0.85；前胸背板长 1.15～1.17(♂)、1.39～1.42(♀)，后缘宽 2.13～2.15(♂)、2.69～2.72(♀)；小盾片长 0.85～0.88(♂)、0.80～0.83(♀)，基宽 1.02～1.05(♂)、1.04～1.06(♀)；缘片长 3.50～3.57(♂)、4.43～4.49(♀)；楔片长 1.32～1.33(♂)、1.49～1.52(♀)，基宽 0.68～0.69(♂)、0.99～1.01(♀)。

**采集记录：**1♀，宁陕火地塘，1600m，1994.Ⅷ.12，吕楠灯诱。

**分布：**陕西(宁陕)、浙江、湖北；俄罗斯(远东地区)。

## 43. 曼盲蝽属 *Mansoniella* Poppius, 1915

*Mansoniella* Poppius, 1915c: 77. **Type species**: *Mansoniella ninuta* Poppius, 1915.

**属征：**体狭长，具明显光泽，半鞘翅密被淡色半直立短毛。雄虫体型较小，体色较深，有时体色二型。头部宽略大于长，具明显的颈部，额圆，头顶光滑，后缘无脊。额略前凸。触角第 1 节明显长于头顶宽，端部 1/3～2/5 膨大，毛半直立，极疏短，第 2～4 节细长，圆柱形，第 4 节长约等于第 1 节。喙短，伸达前足基节端部。前胸背板在胝的前、后方各具 1 个缢缩，将其划分为领、前叶和后叶三部分。小盾片较平坦，被半直立毛，中胸盾片狭窄外露。半鞘翅两侧中部略内凹，端部稍外拱，楔片长略大于基部宽，膜片翅室端角约呈直角或略尖锐。足细长，胫节被长直立毛。雄虫左阳基侧突较宽，基半较膨大，顶端扁薄或呈指状。右阳基侧突短小，狭长。

该属与颈盲蝽属 *Pachypeltis* Signoret 相似，但本属体毛较短，额略前凸，触角第 1 节较细长，明显长于头顶宽，膜片翅室端角约呈直角，可与之相区分。

**分布：**中国记录 16 种，秦岭地区发现 3 种。

### 分种检索表

1. 半鞘翅端部的色斑非环状 ………………………………………… **黄翅曼盲蝽 *M. flava***
   半鞘前翅端部的色斑环状 ………………………………………………………… 2
2. 侧面观领后半至前胸背板前叶后缘间具 1 条黑褐色纵带 ……………… **环曼盲蝽 *M. annulata***
   侧面观领至前胸背板前叶后缘间具 1 条红色纵带 ……………………… **赤环曼盲蝽 *M. rubida***

### (59) 环曼盲蝽 *Mansoniella annulata* Hu *et* Zheng, 1999 (图版 1: 12)

*Mansoniella annulata* Hu *et* Zheng, 1999: 159.

**鉴别特征：**本种仅已知雌虫体狭长，光亮，密被淡色半直立毛。

头横宽，椭圆形，平伸，黄褐色，光亮，几乎无毛。头顶后半具 1 个珊瑚红色区域，有时形成横向斑，光滑，头顶宽约为眼宽的 2.17 倍。颈背面珊瑚红色，侧面具黑褐色或褐色纵带，带下方浅黄褐色。额微隆，侧面具 1 个珊瑚红色斑，延伸至唇基基部。唇基浅黄褐色，前部染红色，垂直，隆起，侧面观不超过额前端，端部被稀疏淡色半直立长毛。头侧面一色淡黄褐色，毛较稀疏，上颚片宽三角形，微隆，略具光泽，下颚片小，隆起，向眼部渐窄，具光泽，小颊宽阔，具光泽，被稀疏淡色毛。喙粗壮，端部黑褐色，略伸达前足基节端部，被稀疏淡色半直立毛。复眼黑色，略向两侧伸出。触角狭长，底色黄色，大面积染珊瑚红色，被淡色半直立毛，第 1 节长约为头顶宽的 2.25 倍，基部黄色面积较大，近端部 2/5 膨大，被稀疏短毛；第 2 节毛长约为第 2 节中部直径的 1.50 倍，第 2 节狭长，粗细较均匀，端部略膨大，端部色较深；第 3、4 节色较淡，略细于第 2 节，第 3 节毛被同第 2 节，第 4 节端部渐细，短于第 1 节，被短毛和一些长毛，长毛约为该节中部直径的 2 倍。

前胸背板淡黄褐色，带红色和黑褐色带状纹，表面光滑，无刻点，具极稀疏短毛。领前缘略前凸，后部缢缩，前部 2/5 黄白色，侧面观具 1 个黑褐色纵带沿领后半贯穿至前叶，纵带边缘染珊瑚红色。前叶圆隆，黄褐色，胝平，不显著。后叶隆起，侧面具 1 条珊瑚红色宽纵带，有时色较淡，侧缘圆隆，中部略内凹，后缘中部宽阔内凹，后侧角圆顿。前胸侧板前叶二裂，裂缝处略外翘，背面观可见，中、后胸侧板黄褐色。中胸盾片外露部分狭窄，褐色。小盾片微隆，淡黄色，被淡色半直立短毛，长度约等于触角第 2 节直径，有时具 1 条微弱的灰色纵带，伸达小盾片端部，基部较宽，向端部渐细。

半鞘翅淡黄褐色，具珊瑚红色斑，光泽弱，两侧中部略内凹，密被淡色半直立毛。爪片珊瑚红色，内侧和爪片结合缝浅黄褐色，毛直立或微弯，长约等于小盾片毛长，外侧具 1 列粗大刻点。革片浅黄色，半透明，端部 1/4 具红色环斑，外缘伸达革片端部边缘，外半占据革片外部 2/5，后缘接近爪片结合缝，内缘伸达革片内角，革片外缘具 1 列粗大刻点。缘片浅黄色，端部 1/5 珊瑚红色。翅面沿楔片缝略下折，楔片狭长，外缘直，浅黄色，半透明，长约等于宽的 1.70 倍，端部染珊瑚红色。膜片半透明，浅黄褐色，内缘基角和近顶端红色，翅脉红色，端角较尖锐，呈直角。

足黄色，被淡色半直立长毛，腿节背面毛短，腹面毛较长，前足腿节端部 2/3、中足腿节端部 1/2 和后足腿节端部 1/3 浅黄褐色，有时全部浅黄褐色。跗节第 3 节端部淡红褐色，略膨大，爪褐色。

腹部腹面黄色，有时浅黄褐色，被淡色长直立毛。臭腺沟缘狭窄，淡黄色。

**量度(mm)**：♀，体长 7.83 ~ 7.92，宽 2.41 ~ 2.45；头长 0.63 ~ 0.70，宽 0.99 ~ 1.01；眼间距 0.50 ~ 0.52；眼宽 0.23 ~ 0.24；触角 1 ~ 4 节的长度分别为 1.16 ~ 1.19、2.74 ~ 2.80、2.30 ~ 2.35、0.79 ~ 0.80；前胸背板长 1.32 ~ 1.36，后缘宽 1.94 ~ 1.99；小盾片长 0.80 ~ 0.85，基宽 0.85 ~ 0.90；缘片长 3.36 ~ 3.43；楔片长 1.12 ~ 1.20，基宽 0.67 ~ 0.74。

**采集记录**：1♀(正模)，凤县秦岭火车站，1400m，1994. Ⅶ. 27，吕楠采；1♀，凤县秦岭火车站，1400m，1994. Ⅶ. 29，吕楠采；1♀，南郑，1600m，1985. Ⅶ. 27，任树芝采。

**分布：**陕西（凤县、南郑）、湖北、四川、贵州、云南。

### (60) 黄翅曼盲蝽 *Mansoniella flava* Hu *et* Zheng, 1999（图版 1：13）

*Mansoniella flava* Hu *et* Zheng, 1999：164.

**鉴别特征：**本种仅知雄虫体狭长，密被淡色半直立毛，光亮。

头横宽，椭圆形，平伸，黄色，有时黄褐色，光亮，几乎无毛。头顶后半珊瑚红色，眼边缘淡色，光滑，头顶宽约为眼宽的 2.23 倍。颈背面珊瑚红色，有时黄褐色，略染珊瑚红色，侧面具 1 个黑褐色宽纵带，颈侧面其余部分和腹面黄色，有时黄褐色。额微隆，1 个珊瑚红色大斑伸达唇基基部前缘，斑后端接近头顶珊瑚红色斑，或与之相接触。唇基基半有时略带珊瑚红色，垂直，微隆，侧面观不超过额前端，端部被稀疏淡色半直立长毛。头侧面一色淡黄褐色，毛较稀疏，上颚片宽三角形，微隆，略具光泽，下颚片小，隆起，向眼部渐窄，具光泽，小颊宽阔，具光泽，被稀疏淡色毛。喙粗壮，黄色，端部褐色，伸达前足基节端部，被稀疏淡色半直立毛。复眼黑色，略向两侧伸出。触角狭长，珊瑚红色，被淡色半直立毛。第 1 节长约为头顶宽的 2.04 倍，端部 2/5 膨大，基部色略淡，被毛短而稀疏；第 2 节毛略长于该节中部直径，狭长，粗细较均匀，端部略膨大，端部色较深；第 3、4 节略细于第 2 节，第 3 节毛被同第 2 节，第 4 节色较深，端部渐细，短于第 1 节，被短毛和一些长毛，长毛约为该节中部直径的 2 倍。

前胸背板表面光滑，无刻点，毛被稀疏。领前缘略前凸，中部略内凹，后部缢缩，浅黄褐色，背面具 1 个不规则珊瑚红色斑，有时带珊瑚红色，侧面具 1 个黑色宽纵带，从领延伸到前叶后缘，斑背面边缘略带红色。前叶圆隆，浅黄褐色，胝平，不显著。后叶隆起，暗黄褐色，向两侧渐加深成黑褐色，有时全部黑褐色，侧缘圆隆，中部明显内凹，后缘宽阔浅凹陷，后侧角圆顿。前胸侧板前叶二裂，裂缝处略外翘，背面观可见，中后胸侧板黄褐色，有时具不规则黑褐色细小斑点。胸部腹板黄色，有时中胸腹板略带浅黄褐色，有时胸部腹板浅黄褐色。中胸盾片外露部分狭窄，红褐色。小盾片微隆，黄色，有时具 1 条模糊灰色纵带，基部宽阔，向端部渐窄，有时黄褐色，有时被淡色直立毛，长约等于触角第 2 节直径。

半鞘翅淡黄褐色，具红褐色斑，光泽弱，两侧中部略内凹，密被淡色半直立毛。爪片黑褐色，外部 1/3 渐变为红褐色，毛浓密，略短于小盾片毛，外侧具 1 列粗大刻点。革片黄色，半透明，外缘具 1 列浅刻点，基部有时略染珊瑚红色，端部 1/3 具 1 个红褐色横向斑，有时黑褐色，边缘染红色，斑内缘较外缘高，内缘由革片内角延伸至爪片外缘端部。缘片黄色，基部 1/5 有时略染珊瑚红色，端部 1/5 珊瑚红色。翅面沿楔片缝略下折，楔片狭长，外缘微外拱，黄色，半透明，长等于或略短于宽的 2 倍，端部略染珊瑚红色。膜片半透明，灰黄褐色，翅室后半、端角后部和膜片中部褐色，脉珊瑚红色，翅室端部横脉微凹，端角尖锐，约呈直角。

足黄色，被淡色半直立长毛，腿节背面毛短，腹面毛较长，腿节端部 1/3 ~ 2/3 浅黄褐色，有时略染珊瑚红色，被淡色直立毛，多短于该节直径，胫节浅黄褐色，有时基部色略深，端部略带浅红褐色，后部 2/3 具若干黑色小刚毛，排列成不甚整齐的数列。跗节第 3 节端部淡红褐色，略膨大，爪褐色。

腹部黄色或浅黄褐色，被淡色长直立毛。臭腺沟缘狭窄，淡黄色。

雄虫生殖囊淡黄褐色，背面暗红褐色，侧面略染珊瑚红色，被淡色长直立毛，长度约为整个腹长的1/3。左阳基侧突外露部分狭长，中部宽，向端部渐细，顶端倾斜平齐。右阳基侧突狭小，短粗。

**量度(mm)：**体长 6.73 ~ 6.89，宽 1.92 ~ 1.94；头长 0.55 ~ 0.58，宽 0.90 ~ 0.96；眼间距 0.48 ~ 0.50；眼宽 0.21 ~ 0.22；触角 1 ~ 4 节的长度分别为 1.00 ~ 1.03、2.76 ~ 2.81、2.18 ~ 2.23、0.80 ~ 0.85；前胸背板长 1.20 ~ 1.25，后缘宽 1.70 ~ 1.73；小盾片长 0.60 ~ 0.65，基宽 0.77 ~ 0.81；缘片长 2.87 ~ 2.93；楔片长 0.95 ~ 0.99，基宽 0.56 ~ 0.57。

**采集记录：**1♂（正模），凤县秦岭火车站，1994. Ⅶ. 27，吕楠采；1♂，镇巴，1985. Ⅶ. 20，任树芝采。

**分布：**陕西(凤县、镇巴)、湖北、广西、云南。

## (61) 赤环曼盲蝽 *Mansoniella rubida* Hu et Zheng, 1999

*Mansoniella rubida* Hu *et* Zheng, 1999: 167.

**鉴别特征：**本种仅已知雌虫体狭长，光亮，密被淡色半直立毛。

头横宽，宽椭圆形，平伸，浅黄褐色，光亮，几乎无毛。头顶光滑，无毛，后半中部珊瑚红色，头顶宽约为眼宽的 2.70 倍。颈背面珊瑚红色，后缘区域有时具 1 个三角形淡黄褐色小斑，侧面和腹面浅黄褐色，侧面中部有时具 1 个褐色小斑。额微隆，中部具珊瑚红色不规则斑，伸达唇基基部，后部与头顶珊瑚红色区域前部相连。唇基浅黄色，前部略带红色，垂直，隆起，侧面观约与额前端平齐，端部被稀疏淡色半直立长毛。头侧面一色黄色，毛较稀疏，上颚片宽三角形，微隆，略具光泽，下颚片小，隆起，向眼部渐窄，具光泽，小颊宽阔，具光泽，被稀疏淡色毛。喙粗壮，端部褐色，伸达前足基节端部，被稀疏淡色半直立毛。复眼黑色，略向两侧伸出。触角狭长，第 1 节珊瑚红色，长约等于头顶宽的 2.10 倍，端部 2/5 膨大，被淡色半直立短柔毛，第 2 节浅黄褐色，端部珊瑚红色，狭长，粗细较均匀，端部略膨大，被淡色半直立毛，长于该节中部直径；第 3 节浅黄褐色，略细于第 2 节；第 4 节红褐色，端部渐细，短于第 1 节，密被短毛和若干长毛，后者长于该节中部直径。

前胸背板浅黄褐色，表面光滑，无毛。领前缘略前凸，中部微内凹，后部缢缩，前半黄白色，具1条红色纵带，从领贯穿至前叶和后叶，领和前叶间缢缩处侧面具1个小黑色斑，前、后叶之间缢缩处侧面具1个浅黄褐色小斑，有时前叶前后2个斑相连成1条灰色窄纵带，有时后部无斑。前叶圆隆，黄褐色，胝平，不显著。后叶隆起，侧面具1条珊瑚红色宽纵带，有时色较淡，侧缘凹，后缘宽阔的凹陷，后侧角圆顿。胸部侧板和腹板黄色，前胸侧板前叶二裂，裂缝处略外翘，背面观可见。中胸盾片外露部分狭窄，黄褐色。小盾片浅黄褐色，微隆，具1个模糊的灰色纵带，基部宽，向端部渐细，被淡色直立毛，略长于触角第4节直径。

半鞘翅淡黄褐色，具淡红色斑，光泽弱，两侧中部略内凹，缘片后缘外拱，密被淡色半直立毛。爪片浅黄褐色，侧缘具1条红色窄纵带，毛较直或微弯，外侧刻点列较浅。革片黄色，半透明，基部略带珊瑚红色，端部1/3～2/5具1个淡红色大环状斑，边缘较窄，外缘伸达革片外缘，外半占据革片外部1/3，后缘接近楔片缝，内缘伸达革片内角，外缘刻点列不明显。缘片黄色，基部和端部1/4带珊瑚红色。翅面沿楔片缝略下折，楔片狭长，外缘直，黄色，内侧基角、内缘和端部红色，半透明，长约为宽的2.17倍。膜片半透明，浅灰褐色，近翅室顶端外侧浅黄褐色，脉红色，翅室端部微凹，端角尖，略小于直角。

足黄色，被淡色半直立长毛，腿节端部1/3珊瑚红色，腿节背面毛短，腹面毛较长，胫节基部和端部背面略带珊瑚红色，后部2/3具若干黑色小刚毛，排列成不甚整齐的数列。跗节黄褐色，第3节端部红褐色，略膨大，爪褐色，基半具宽齿。

腹部腹面黄色，被淡色长直立毛。臭腺沟缘狭窄，淡黄色。

**量度**(mm)：♀，体长9.27～9.32，宽2.87～2.93；头长0.72～0.73，宽1.06～1.08；眼间距0.62～0.63；眼宽0.23～0.24；触角1～4节的长度分别为1.21～1.23、3.20～3.24、2.57～2.61、0.71～0.73；前胸背板长1.33～1.36，后缘宽2.18～2.21；小盾片长0.77～0.83，基宽0.97～0.98；缘片长4.08～4.13；楔片长1.55～1.57，基宽0.71～0.73。

**采集记录**：1♀(正模)，凤县秦岭火车站，1400m，1994.Ⅶ.27，吕楠采；1♀，凤县秦岭火车站，1400m，1994.Ⅶ.28，吕楠采。

**分布**：陕西(凤县)、贵州。

## Ⅲ. 宽垫盲蝽族 Eccritotarsini Berg, 1883

**鉴别特征**：体多椭圆形，头在眼后方窄缩成颈，或全部被前胸背板领遮盖。部分种类眼略向背侧突出，略具短柄。触角细长，第1节短粗，第3节棒状，第4节纺锤形。前胸背板一般具明显的领，强烈隆起或微隆。膜片大多具1个翅室，部分具2个翅室，小翅室较小。足细长，跗节爪内面附着大而宽扁的爪垫，爪腹面常具梳状长刺。

**分类**：中国记录 7 属，秦岭地区分布 1 属 1 种。

## 44. 息盲蝽属 *Sinevia* Kerzhner, 1988

*Sinevia* Kerzhner, 1988b: 780, 791. **Type species**: *Sinevia tricolor* Kerzhner, 1988.

**属征**：体小型，卵圆形。头横宽，触角第 1 节短，略短于头长，第 2 节约与第 1 节等宽，前胸背板后叶中部内凹，半鞘翅两侧圆隆。阳茎端具披针状膜叶。左阳基侧突基半宽阔，端半细长；右阳基侧突短小，基半膨大。

该属与榕盲蝽属 *Dioclerus* Distant 相似，但触角第 1 节较短，不长于头长，另外，该属雄虫生殖器结构亦可相互区分。

**分布**：中国记录 1 种，秦岭地区发现 1 种。

### (62) 淡足息奈盲蝽 *Sinevia pallidipes* (Zheng *et* Liu, 1992)

*Bryocoris pallidipes* Zheng *et* Liu, 1992: 291, 301.

*Sinevia pallidipes*: Hu & Zheng, 2000: 265.

**鉴别特征**：雄虫体小型，椭圆形。

头背面观横宽，三角形，侧面观垂直，黑褐色，被毛稀疏。头顶光亮，头顶宽是眼宽的 2.21 倍，中纵沟极浅而不显著，后缘脊明显，中部内凹，颈背面淡黄褐色；额均匀隆凸；唇基隆起，垂直，背面向端部色渐淡，两侧黄褐色；上、下颚片和小颊淡黄褐色。喙黄色，第 4 节端部深褐色，短粗，伸达中足基节基部。复眼向两侧伸出，背面观后缘内凹，后外侧略向后倾，侧面观肾形，深红褐色。触角细长，被淡色半直立长毛，第 1 节细长，圆柱状，微弯，基半内侧微隆，黄色；第 2 节略细于第 1 节，向端部渐粗，毛长于该节直径，深褐色，向端部渐深，最基部黄色；第 3、4 节线状，略呈念珠状，弯曲，细长，褐色。

前胸背板梯形，侧面观圆隆，被细密刻点和淡色半直立长毛，侧缘微隆，后侧角圆，后缘圆隆，中部内凹，遮盖中胸盾片、小盾片基部和半鞘翅基角。领粗，背面黄色，侧面深褐色，前缘略内凹。胝光亮，褐色，微隆。后叶中部具 1 个大型黄色狭长三角形斑，后侧角端部黄色。胸部侧板黑褐色，光亮，前胸侧板下缘微翘，背面观可见，二裂，刻点深刻，中胸侧板刻点较稀疏，后胸侧板无刻点。小盾片三角形，圆隆，端角下沉，露出部分黄褐色，基部外侧具 2 个黑褐色圆斑，被细密刻点及半直立毛。

半鞘翅外侧中部圆隆，被粗糙刻点及半直立淡色短毛。爪片宽大，黑褐色，中部及基半外侧黄色；革片黄色，半透明，内缘及端部沿楔片缝具黑褐色“L”形斑，伸至缘片外缘；缘片狭窄；楔片缝明显，翅面沿楔片缝略下折，楔片宽三角形，黄色，半透明，外缘淡褐色；膜片浅褐色，中部烟褐色，翅室较小，纵脉及端角褐色，横脉外侧色较淡，翅室端角圆，略大于直角。

足狭长，黄色，被淡色半直立长毛，腿节端部略膨大，胫节毛略长于该节直径，具细小褐色刺列，跗节3节，端部膨大，爪褐色。

腹部黄褐色，腹面色较淡，被半平伏淡色短毛。臭腺沟缘淡黄白色。

雄虫生殖囊黑褐色，被半平伏淡色长毛，长度约为整个腹长的1/2。阳茎端膜质，具1个大型披针状膜叶。左阳基侧突较大，基半膨大，近梯形，端半弯曲，狭长，顶端较尖；右阳基侧突短小，较粗，顶端指状，较细。

雌虫体型和体色与雄虫相似。

**量度(mm)：**体长4.20~4.34(♂)、4.30~4.35(♀)，宽1.60~1.64(♂)、2.05~2.12(♀)；头长0.23~0.25(♂)、0.28~0.29(♀)，宽0.83~0.84(♂)、0.94~0.96(♀)；眼间距0.44~0.45(♂)、0.48~0.49(♀)；眼宽0.19~0.20(♂)、0.22~0.23(♀)；♂触角1~4节的长度分别为0.37~0.39、1.31~1.37、0.62~0.70、0.88~0.90，♀触角1~4节的长度分别为0.51~0.53、1.73~1.78、0.71~0.73、1.01~1.03；前胸背板长0.80~0.87(♂)、1.01~1.02(♀)，后缘宽1.30~1.33(♂)、1.63~1.67(♀)；小盾片长0.32~0.35(♂)、0.40~0.44(♀)，基宽0.50~0.53(♂)、0.60~0.94(♀)；缘片长1.75~1.77(♂)、1.87~1.89(♀)；楔片长0.64~0.66(♂)、0.67~0.68(♀)，基宽0.55~0.56(♂)、0.67~0.68(♀)。

**采集记录：**4♂7♀，长安(Weiziping)，1920.Ⅷ.16(天津自然博物馆)。

**分布：**陕西(长安)、山西、湖北、湖南、广西、四川、贵州、云南。

## (二)齿爪盲蝽亚科 Deraeocorinae

许静杨[1] 刘国卿[2]

(1.天津市农业科学研究院植物保护所，天津 300112；2.南开大学昆虫研究所，天津 300071)

**鉴别特征：**齿爪盲蝽亚科昆虫体型通常为椭圆形，大型种类体长15mm左右，小型种类体长仅3mm左右。外形上与盲蝽亚科较为相像，两者间的显著差别表现在：齿爪盲蝽亚科昆虫前胸背板具有清晰的刻点；爪基部具齿；爪垫缺失；副爪间突刚毛状。有些种的体色变异较大，如斑楔齿爪盲蝽 *Deraeocoris* (*Deraeocoris*) *ater*，不同个体呈现完全黑色至大部分橙红色不一而，有些种类则体色在种群中差异很小。

**分类：**中国记录13属，陕西秦岭地区发现2族4属17种。

### 分族检索表

头平伸 …………………………………………………… **毛眼齿爪盲蝽族 Termatophylini**

头下倾 …………………………………………………… **齿爪盲蝽族 Deraeocorini**

## Ⅰ. 齿爪盲蝽族 Deraeocorini Douglas *et* Scott, 1865

**鉴别特征**: 体小至大型, 体色多变, 浅色至黑色, 光滑无毛或被毛; 头多为三角形, 复眼大; 前胸背板平伸或隆起, 多具刻点, 刻点粗糙程度不同; 小盾片三角形, 光滑或具刻点; 半鞘翅通常具刻点, 楔片稍下倾, 膜片无被毛。

**分类**: 中国记录 8 属, 秦岭地区发现 3 属 16 种。

### 分属检索表

1. 跗节第 1 节长明显短于第 2、3 节之和 ………………………………………………… 2
   跗节第 1 节等于或长于第 2、3 节之和 ……………………………… **点盾盲蝽属 *Alloeotomus***
2. 爪腹面具桨状毛 ……………………………………………………… **环盲蝽属 *Cimicicapsus***
   爪腹面无桨状毛 ……………………………………………………… **齿爪盲蝽属 *Deraeocoris***

### 45. 点盾盲蝽属 *Alloeotomus* Fieber, 1858

*Alloeotomus* Fieber, 1858: 303. **Type species**: *Lygaeus gothicus* Fallén, 1807.

**属征**: 体长椭圆形, 相对扁平; 黄褐色, 带有黑色或红色色泽; 头平伸, 稍下倾; 头顶光滑; 触角 4 节, 被浅色半直立短毛, 后 2 节稍细于前 2 节; 喙伸达中足基节前缘至后缘间; 前胸背板较扁平, 具清晰的黑色刻点; 领窄而晦暗, 密被粉状绒毛; 胝光滑, 稍突出; 小盾片较平, 具清晰的黑色刻点; 半鞘翅具清晰黑色刻点; 后足第 1 跗节短于第 2、3 节之和; 爪基部成小尖突状, 不成明显的齿状。

雄虫左阳基侧突发达, 感觉叶钝圆而突出, 其上被有较长的细毛, 钩状突足状或平截; 附器半膜质或成骨片状, 最长; 左附器附着于膜囊上的狭骨片; 右附器细杆状, 骨化强, 末端常分成小叉状。

**分布**: 中国记录 5 种, 秦岭地区分布 3 种。

### 分种检索表

1. 前胸背板前侧角有 1 个前伸的小突起 …………………………… **突肩点盾盲蝽 *A. humeralis***
   前胸背板前侧角不成前伸的小突起 ……………………………………………………… 2
2. 缘片与革片具相同黑色刻点 ……………………………………… **克氏点盾盲蝽 *A. kerzhneri***

缘片几乎无刻点 ………………………………………………………… **东亚点盾盲蝽 *A. simplus***

## (63) 突肩点盾盲蝽 *Alloeotomus humeralis* Zheng *et* Ma, 2004 (图 54; 图版 1: 14)

*Alloeotomus humeralis* Zheng *et* Ma, 2004: 479.

**鉴别特征:** 体长椭圆形, 浅黄褐色, 被浅色直立短毛。

头浅黄褐色, 平伸, 稍下倾, 光滑。头顶浅黄褐色, 具浅褐色斑纹, 宽是复眼宽的 1.30 ~ 1.40 倍; 后缘脊褐色。复眼红褐色。唇基黄褐色, 背面观两侧有褐色纵纹, 中间有 1 个褐色小斑; 末端黑褐色; 侧面观由亚基部显著隆起, 唇基与额间凹纹明显。触角红褐色, 被浅色半直立毛, 第 1 节偶有黄褐色, 圆筒状, 长是头顶宽的 1.40 ~ 1.60 倍; 第 2 节线状, 端部稍加粗, 长是头宽的 1.50 ~ 2.00 倍; 第 3、4 节较细。喙浅黄褐色, 端半部红褐色, 伸达中足基节。

前胸背板浅黄褐色, 具黑褐色清晰刻点, 前侧缘前端成小尖突状; 领窄, 黄褐色, 晦暗, 密被粉状绒毛; 胝黄褐色, 前缘及内侧缘黑色, 稍相连, 略突出。小盾片浅黄褐色, 具黑色清晰刻点, 中纵线黄白色。

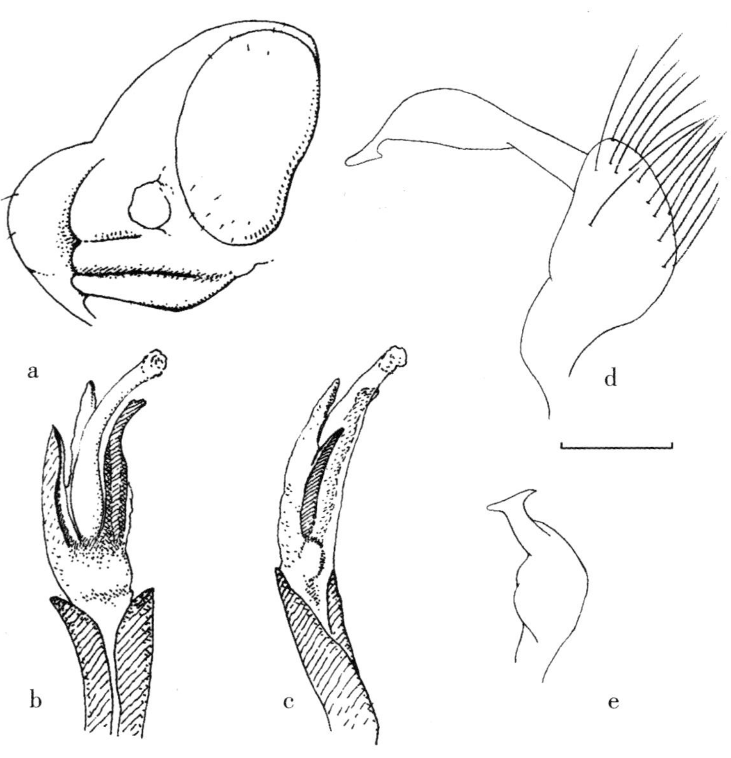


图 54 突肩点盾盲蝽 *Alloeotomus humeralis* Zheng *et* Ma

a. 头部侧面观; b－c. 阳茎端不同方位; d. 左阳基侧突; e. 右阳基侧突。比例尺: 0.1mm(d, e)

半鞘翅浅黄褐色，具均一的清晰黑色刻点；楔片端部微染红色。膜片烟褐色，翅脉黄白色。

足黄褐色，微染红色；腿节具零星的红褐色碎斑；胫节基部背缘有2条红褐色纵纹；跗节端部黑褐色。

腹部腹面浅黄褐色，微染红色，被浅色毛。臭腺沟缘黄白色。

雄虫左阳基侧突感觉叶钝圆，其上被浅色长毛，钩状突短，末端足状；右阳基侧突小，感觉叶不明显，钩状突短，端部足状；阳茎端具膜叶及3枚骨化附器：左侧附器杆状，末端二分叉；中间附器骨化弱，长颈瓶状；右侧附器相对较细，短于左侧附器。

**量度(mm)**：体长5.30，宽1.85～2.12；头宽0.84～1.00，头顶宽0.38～0.44；触角1～4节的长度分别为0.56～0.60、1.48～1.77、0.70～0.78、0.54～0.62；前胸背板长0.92～1.06，后缘宽1.62～1.80；楔片长0.78～0.84；爪片接合缝长0.88～0.96。

**采集记录**：1♂，周至板房子，1994.Ⅷ.09，卜文俊采；2♀，凤县秦岭车站，1400m，1994.Ⅶ.29，卜文俊采；1♂，留坝庙台子，1400m，1994.Ⅷ.02，吕楠采；1♂1♀，留坝庙台子，1400m，1994.Ⅷ.03，吕楠采；5♂11♀，留坝庙台子，1400m，1994.Ⅷ.03，卜文俊采；1♂，宁陕火地塘，1640m，1994.Ⅷ.14，卜文俊采；1♀，宁陕火地塘，1640m，1994.Ⅷ.14，卜文俊灯诱。

**分布**：陕西(周至、凤县、留坝、宁陕)、河南、甘肃、湖北、贵州。

### (64) 克氏点盾盲蝽 *Alloeotomus kerzhneri* Qi *et* Nonnaizab, 1994

*Alloeotomus kerzhneri* Qi *et* Nonnaizab, 1994a: 458.

*Alloeotomus montanus* Qi *et* Nonnaizab, 1995: 15.

**鉴别特征**：体长椭圆形，锈褐色，被浅色直立短毛。

头锈褐色，平伸。头顶锈褐色，具细碎黑褐色斑点，宽是复眼宽的1.40～1.50倍；后缘脊黄褐色，较宽。复眼红褐色。唇基黄褐色，两侧有黑褐色短纹。触角红褐色被浅色半直立毛，第1节色稍浅，圆筒状，长是头顶宽的1.00～1.40倍；第2节线状，端部稍加粗，长是头宽的1.50倍；第3、4节较细。喙浅锈褐色，端部色深，伸达中足基节。

前胸背板锈褐色，后缘色浅，具黑褐色清晰刻点，后缘黄白色；领窄，灰褐色，晦暗，密被粉状绒毛；胝黑褐色，稍相连，稍突出。小盾片黑褐色，具黑褐色清晰刻点，顶角黄褐色，有时稍向基部纵向延伸。

半鞘翅黄褐色，具均一的清晰黑色刻点；楔片端部稍染红褐色。膜片黄褐色，近楔片缘有1个模糊的浅色斑，翅脉浅褐色。足锈褐色，腿节具细碎红褐色斑；胫节背缘具2条黑褐色纵纹。

腹部腹面红褐色，被浅色毛。臭腺沟缘黄白色。

雄虫左阳基侧突感觉叶钝圆，较宽，其上被浅色长毛，钩状突宽短，末端足状；

右阳基侧突小，感觉叶不明显，钩状突端部平截；阳茎端具膜叶及 3 枚骨化附器：左侧附器杆状，末端二分叉；中间附器略成瓶状；右侧附器短，宽刃状，端尖锐，明显短于左侧附器。

**量度**(mm)：体长 4.70，宽 1.95 ~ 2.38；头宽 0.94 ~ 1.00；头顶宽 0.38 ~ 0.43；触角 1 ~ 4 节的长度分别为 0.43 ~ 0.53、1.40 ~ 1.58、0.65 ~ 0.78、0.55 ~ 0.60；前胸背板长 0.85 ~ 1.00，后缘宽 1.68 ~ 1.75；楔片长 0.68 ~ 0.80；爪片接合缝长 0.86 ~ 1.04。

**采集记录**：9♂9♀，凤县秦岭车站，1400m，1994. Ⅶ. 29，吕楠采。

**分布**：陕西(凤县)、吉林、内蒙古、北京、天津、河北、山西、山东、湖北。

## (65) 东亚点盾盲蝽 *Alloeotomus simplus* (Uhler, 1896)

*Lygus simplus* Uhler, 1897: 266.

*Alloeotomus linnavuorii* Josifov *et* Kerzhner, 1972: 153.

*Alloeotomus simplus*: Kerzhner, 1978: 37.

**鉴别特征**：体长椭圆形，黄褐色，被浅色直立短毛。

头黄褐色，平伸。头顶黄褐色，宽是复眼宽的 1.20 ~ 1.40 倍；后缘脊黄褐色，较宽。复眼红褐色。唇基黄褐色，末端黑褐色。触角红褐色被浅色半直立毛，第 1 节色稍浅，圆筒状，长是头顶宽的 1.40 ~ 1.60 倍；第 2 节线状，端部稍加粗，长是头宽的 1.60 ~ 1.70 倍；第 3、4 节较细。喙黄褐色，端半部红褐色，伸达中足基节。

前胸背板黄褐色，微染红色，具黑褐色清晰刻点，后缘黄白色；领窄，黄褐色，晦暗，密被粉状绒毛；胝褐色，内侧缘黑色，稍相连，稍突出。小盾片红褐色，具黑褐色清晰刻点，顶角黄褐色，有时稍向基部纵向延伸；侧缘有时成完整的黄白色窄边。

半鞘翅黄褐色，具均一的清晰黑色刻点；革片端半部及楔片端部稍染红褐色；缘片光滑，几乎无刻点；楔片刻点稍细小。膜片黄褐色，翅脉同色。足黄褐色，微染红色；胫节基部背缘有 1 个黑褐色小纵斑；跗节端部黑褐色。

腹部腹面黄褐色，略呈红色，被浅色毛。臭腺沟缘黄白色。

雄虫左阳基侧突感觉叶钝圆，宽大，其上被浅色长毛，钩状突短，末端细足状；右阳基侧突小，感觉叶不明显，钩状突足状；阳茎端具膜叶及 3 枚骨化附器：左侧附器较宽，末端成小弯钩状；中间附器较大，弯刀状；右侧附器相对较粗，端半细尖而拉长。

**量度**(mm)：体长 5.75 ~ 6.25，宽 2.25 ~ 2.50；头宽 1.00 ~ 1.05；头顶宽 0.38 ~ 0.44；触角 1 ~ 4 节的长度分别为 0.54 ~ 0.60、1.58 ~ 1.70、0.58 ~ 0.72、0.63 ~ 0.68；前胸背板长 1.00 ~ 1.08，后缘宽 1.80 ~ 1.90；楔片长 0.95 ~ 1.00；爪片接合缝长 0.936 ~ 1.118。

**采集记录**：1♀，周至板房子，1991. Ⅷ. 09，吕楠灯诱。

**分布**：陕西(周至)、黑龙江、天津、河北；俄罗斯(远东地区)，朝鲜半岛，日本。

**讨论**：本种与中国点盾盲蝽 *A. chinensis* Reuter 较为相似，但本种体毛短，前胸背板侧缘具不连续的黄白色胝状边，缘片刻点稀疏。

## 46．环盲蝽属 *Cimicicapsus* Poppius，1915

*Cimicicapsus* Poppius，1915b：83．**Type species**：*Cimicicapsus parviceps* Poppius，1915．

**属征：**体中等大小，椭圆形，光亮，被浓密直立毛。

头部背面观宽大于长，前额稍弓起，后缘无明显横脊；复眼被刚毛；唇基强烈下倾；触角第2节细，远长于第1节；第3、4节长之和短于第2节长。前胸背板盘域稍隆起；胝光滑，稍相连、隆起；胝近前侧缘部分有1个明显粗大凹痕。前胸背板及半鞘翅革质部具刻点。足密布软毛；第1跗节长于第2节，第3跗节端部腹面有桨状刚毛。

雄虫左阳基侧突半圆形；感觉叶有1个伸长的瘤状突起；钩状突平，端部有稀疏小刚毛。阳茎端通常有4～5枚骨化附器；背膜叶有一簇小骨刺；阳茎端基部左侧高度骨化。阳基鞘不对称，顶端有1个三角形大骨板，右侧端部有窗形结构。

**分布：**中国记录9种，秦岭地区分布2种。

### 分种检索表

体长不小于6.50mm；足基节红褐色……………………………………………… **红环盲蝽 *C. rubidus***

体长小于6.50mm；足基节黄褐色　……………………………………… **朝鲜环盲蝽 *C. koreanus***

### (66) 朝鲜环盲蝽 *Cimicicapsus koreanus* (Linnavuori，1963)（图版1：15）

*Deraeocoris koreanus* Linnavuori，1963：73．

*Cimicicapsus koreanus*：Nakatani，2001：255．

**鉴别特征：**体中等大小，椭圆形，浅红褐色，密布刻点，被浅色半直立短毛。

头黄褐色，光亮，前额有时有暗褐色倒三角形斑，头顶有时具暗褐色斑，宽是眼宽的1.90～2.00倍，唇基黑褐色。复眼红褐色。触角被长短不一的浅色半直立短毛，第1节黑褐色，圆筒形，基部稍细，长是头顶宽的1.40～1.60倍；第2节红褐色，端部黑色，线状，长是头宽的1.90倍；第3节黄褐色，端部色稍深；第4节黑褐色，基部色稍浅。喙黄褐色至红褐色，端部黑色，伸达中足基节前缘。

前胸背板黄褐色至红褐色，其后缘色稍浅。领黄褐色至红褐色，光亮，后缘色深。胝和前胸背板同色，光亮无毛，左右相连，稍突出，近前侧缘部分有1个明显的粗大凹痕。小盾片黄褐色至红褐色，无刻点，两侧缘各有1个浅色窄斑，密被浅色半直立短毛。

半鞘翅革质部红褐色，局部色浅。膜片灰黑色，翅脉红褐色至黄褐色。足被浅色短毛，腿节黄褐色，端部具2个黑褐色环；胫节黄褐色至红褐色；跗节红褐色至黑褐色；爪红褐色。

腹面红褐色，密被浅色半直立绒毛。臭腺沟缘黄白色。

雄虫左阳基侧突感觉叶突起明显伸长，其上具稀疏毛，中部稍细，端部具小齿，钩状突细长，一侧稍呈片状，其上缘具稀疏短刚毛，端部平；右阳基侧突较小，感觉叶三角状突起，钩状突伸长，端部鸟嘴状。阳茎端具界限不清的膜囊及4枚骨化附器：小针突扭曲，端部稍宽扁成片状，顶端尖锐；端骨针粗大，牛角状。次生生殖孔被多个不同形状的骨板包围。

**量度**(mm)：体长5.70～6.10，宽2.50～2.60；头宽1.00～1.04；头顶宽0.50；触角1～4节的长度分别为0.71～0.79、1.86～2.00、0.86、0.64～0.71；前胸背板长1.30～1.40，后缘宽2.00～2.20；楔片长0.98～1.17；爪片接合缝长1.10～1.40。

**采集记录**：1♂1♀，杨凌，1994.Ⅶ.25，吕楠采。

**分布**：陕西(杨凌)、黑龙江、辽宁、河北、山东、甘肃、安徽、湖北；朝鲜，日本。

### (67) 红环盲蝽 *Cimicicapsus rubidus* Xü *et* Liu, 2009 (图55)

*Cimicicapsus rubidus* Xü *et* Liu, 2009: 27.

**鉴别特征**：体中等大小，椭圆形，红褐色，被浓密浅色半直立短毛，具清晰刻点。

头浅红褐色，光亮，头顶宽是复眼宽的2.10～2.20倍，唇基红褐色，端部黑褐色，复眼红褐色。触角被长短不一的半直立毛，第1节红褐色，圆筒形，基部稍细，长是头顶宽的1.40～1.70倍；第2节红褐色，端部1/5黑褐色，线状，长为头宽的2倍；第3节细，基半部黄褐色，端半部黑褐色；第4节细，黑褐色，基部约1/4黄褐色。喙红褐色，端部黑色，伸达中足基节前缘。

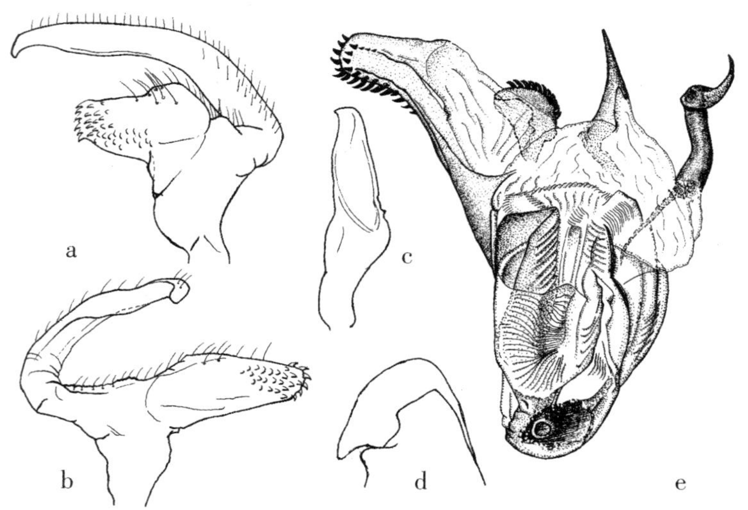


图55　红环盲蝽 *Cimicicapsus rubidus* Xu *et* Liu

a-b. 左阳基侧突；c. 右阳基侧突；d. 阳茎基鞘；e. 阳茎端

前胸背板黄褐色至红褐色，密布黑褐色刻点，被较密浅色半直立毛。领黄褐色至红褐色，光亮。胝与前胸背板同色，其上有黑色斑纹，光亮，左右相连，近前侧缘部分有 1 个明显粗大凹痕。小盾片红褐色，无刻点，被半直立毛。

半鞘翅红褐色，密布黑色刻点。膜片浅褐色，翅脉红褐色。足浅红褐色，被长短不一的直立毛；基节红褐色；腿节近端部有 2 个红褐色环，胫节红褐色，端部色深；跗节黑褐色。

腹面红褐色，被浅色斑及直立绒毛。臭腺沟缘黄白色。

雄虫左阳基侧突感觉叶突起明显伸长，其上具稀疏毛，端部上缘具多个小齿，钩状突细长，其上具稀疏毛，端部弯曲；右阳基侧突较小，钩状突较短，端部钝。阳茎端具界限不清的膜囊及 4 枚骨化附器：小针突基部较直，端部稍宽扁成片状，扭曲，顶端尖锐；端骨针粗大，梳状板密布小齿；侧叶侧缘及端部具小齿。次生生殖孔被多个不同形状的骨板包围。

**量度**(mm)：体长 6.50 ~ 8.00，宽 2.90 ~ 3.40；头宽 1.14 ~ 1.22，头顶宽 0.60 ~ 0.62；触角 1 ~ 4 节的长度分别为 0.81 ~ 0.86、2.26 ~ 2.50、0.88 ~ 1.04、0.78；前胸背板长 1.40，后缘宽 2.40 ~ 2.70；楔片长 1.06 ~ 1.22；爪片接合缝长 1.40 ~ 1.60。

**采集记录**：1♂（正模），宁陕火地塘，1580m，1998. Ⅷ. 20，袁德成灯诱；1♂2♀（副模），同前，1998. Ⅷ. 15，袁德成灯诱。

**分布**：陕西（宁陕）。

## 47. 齿爪盲蝽属 *Deraeocoris* Kirschbaum, 1856

*Deraeocoris* Kirschbaum, 1856a: 208 (as subgenus of *Capsus*; upgraded by Dohrn, 1859: 38). **Type species**: *Capsus medius* Kirschbaum, 1856 ( = *Cimex olivaceus* Fabricius, 1777).

**属征**：体椭圆形至长椭圆形，小至大型；头三角形，头顶及额光滑；触角第 2 节非棒状；触角第 3、4 节细，直径小于第 2 节；领不突出；前胸背板及半鞘翅革质部上具显著刻点；跗节第 1 节明显短于第 2、3 节之和。雄虫外生殖器左右阳基侧突差异显著，阳茎端具膜囊及骨化附器，次生生殖孔不明显。

**分布**：中国记录 56 种，秦岭地区分布 3 亚属 11 种。

### 分亚属检索表

1. 触角第 1 节长大于复眼宽的 1.50 倍 ………… **齿爪盲蝽亚属 *Deraeocoris***
   触角第 1 节长约等于复眼宽，至少不足复眼的 1.50 倍 ………… 2
2. 小盾片具刻点 ………… **刻盾盲蝽亚属 *Camptobrochis***
   小盾片无刻点 ………… **丛盲蝽亚属 *Plexaris***

## 47-1. 刻盾盲蝽亚属 *Camptobrochis* Fieber, 1858

### 分种检索表

1. 头顶具纵走的黑褐色斑 …… 2
   头顶无深色斑 …… 4
2. 前胸背板及半鞘翅革质部无黑褐色斑 …… **斑腿齿爪盲蝽 *D.*（*C.*）*annulifemoralis***
   前胸背板及半鞘翅革质部具大黑斑 …… 3
3. 头顶黑斑不伸达头顶后缘横脊 …… **黑食蚜齿爪盲蝽 *D.*（*C.*）*punctulatus***
   头顶黑褐色斑扩展至头顶后缘横脊 …… **东方齿爪盲蝽 *D.*（*C.*）*pulchellus***
4. 头顶具2列红褐色小斑组成的纵带 …… **环足齿爪盲蝽 *D.*（*C.*）*aphidicidus***
   头顶单色或具暗色斑 …… **秦岭齿爪盲蝽 *D.*（*C.*）*qinglingensis***

### (68) 斑腿齿爪盲蝽 *Deraeocoris*（*Camptobrochis*）*annulifemoralis* Ma *et* Liu, 2002（图版1：16）

*Deraeocoris annulifemoralis* Ma *et* Liu, 2002: 510.

**鉴别特征：**体椭圆形，黄褐色，光亮，无被毛，具黑色刻点。

头黄褐色，平伸，稍下倾，光滑，复眼内侧及唇基处被有稀疏浅色短毛；头顶黄褐色，具黑色纵走斑，延伸至后缘，头顶宽是眼宽的1.19～1.42倍，后缘具黑褐色横脊。复眼红褐色。触角被浅色半直立短毛，褐色，第1节圆柱状，长是头顶宽的0.76～0.82倍，雌虫该节向端部稍加粗，中部色稍浅；第2节线状，长是头宽的0.92～1.13倍；第3、4节细。唇基黄褐色，中线及两侧有黑色斑纹；喙红褐色，伸达中足基节前缘。

前胸背板黄褐色，具黑色粗大刻点，盘域无色斑，侧缘较直，后缘弓形。领窄，黄色，被有粉状绒毛。胝黑色，光亮，左右相连，稍隆起，两胝相连处后方有2个粗大刻点。小盾片黄色，中央有1个锈红色大斑，光亮，具黑色粗大刻点。

半鞘翅革质部黄褐色，无暗色斑，具黑色刻点，楔片刻点稍细小；爪片接合缝、缘片外缘、楔片外侧缘有褐色边，革片端部及楔片染红色。膜片灰褐色，近楔片端角处有1个浅色斑；翅脉褐色。

足黄褐色，腿节腹侧缘具连续成线状的黑褐色斑点，端部具2个黑褐色环；胫节基部、中部、端部各有1个黑褐色环；跗节端部及爪黑褐色。

腹部腹面红褐色，密被浅色半直立绒毛。臭腺沟缘黄白色。

雄虫左阳基侧突感觉叶近圆形突出，其上密被浅色毛，钩状突向一侧稍弯曲，末端足状；右阳基侧突宽短，感觉叶稍突出，钩状突宽，短，末端平截；阳茎端具膜囊及4枚骨化附器：1个火炬形中部骨化板，中部膜叶顶端有1个骨化角状突起，另有2个膜叶顶端具骨化小尖突。

**量度**(mm)：体长4.21～5.35，宽2.14～2.52；头宽1.07～1.16；头顶宽0.43～0.48；触角1～4节的长度分别为0.35～0.36、1.07～1.27、0.43～0.54、0.49～0.50；前胸背板长1.07～1.21，后缘宽1.86～2.13；楔片长0.64～0.79；爪片接合缝长0.86～1.07。

**采集记录**：1♂1♀，凤县天台山，1650～1800m，1999.Ⅸ.3，郑乐怡采；1♀，同上，1800～2200m，李传仁采；1♀，凤县秦岭车站，1400m，1994.Ⅶ.29，卜文俊采；1♂1♀，凤县东峪，1994.Ⅶ.30，董建臻采。

**分布**：陕西(凤县)、甘肃、四川。

### (69) 环足齿爪盲蝽 *Deraeocoris* (*Camptobrochis*) *aphidicidus* Ballard, 1927

*Deraeocoris aphidicidus* Ballard, 1927: 62.

**鉴别特征**：体长椭圆形，黄褐色至红褐色，具褐色小刻点。

头黄褐色，平伸，稍下倾。头顶黄色，宽是眼宽的0.97～1.10倍，具2列浅红褐色横斑，后缘具红褐色宽横脊。复眼褐色。触角被浅色半直立短毛，第1节黄褐色，圆筒状，长是头顶宽的1.00～1.10倍，基部和端部各具1个红褐色环；第2节红褐色，线状，雌虫中部黄褐色，端部稍加粗，长是头宽的0.92～1.28倍；第3、4节约等长，红褐色，具浅色斑直立短毛。唇基红褐色，喙黄褐色，端部色深，伸达中足基部中部。

前胸背板红褐色，密布褐色细小刻点，侧缘和后缘具黄色窄边。领窄，黄褐色，光亮；胝红褐色，光亮，左右相连，稍突出。小盾片红褐色，具褐色刻点，侧缘及顶角黄色，顶角黄色偶延伸成1条纵线。

半鞘翅革质部黄褐色至浅红褐色，具褐色稀疏刻点；爪片、革片、缘片的基部和端部红褐色；楔片红褐色，中部色浅。膜片灰黄色，翅脉红褐色。

足黄褐色，腿节端部具2个红褐色环；胫节基部、亚中部、端部具红褐色环；跗节黄褐色，端部红褐色，爪红褐色。

腹部腹面红褐色，密被浅色半直立短毛。臭腺沟缘黄色。

雄虫左阳基侧突感觉叶上侧缘具近圆形突起，具较短毛，钩状突向一侧弯曲，末端足状；右阳基侧突短小，感觉叶突起不明显，钩状突短，端部略尖。阳茎端在半膨胀状态下具2个膜叶和1枚骨化附器：骨化附器位于2个膜囊中间，短剑状，中部骨化。次生生殖孔开口不明显。

**量度**(mm)：体长4.00～4.50，宽1.77～1.93；头宽0.88～0.89；头顶宽0.27～0.32；触角1～4节的长度分别为0.29～0.32、0.82～1.20、0.36～0.43、0.42～0.43；前胸背板长0.93～1.04，后缘宽1.50～1.79；楔片长0.43～0.50；爪片接合缝长0.57～0.79。

**采集记录**：1♂2♀，周至板房子，1200m，1994.Ⅷ.07，吕楠灯诱。

**分布**：陕西(周至)、浙江、湖北、湖南、福建、广东、广西、四川、贵州、云南；印度。

## (70) 东方齿爪盲蝽 *Deraeocoris* (*Camptobrochis*) *pulchellus* (Reuter, 1906)

*Camptobrochis punctulatus* var. *pulchella* Reuter, 1906: 56.

*Camptobrochis punctulatus* var. *poppiusi* Reuter, 1906: 57.

*Deraeocoris* (*Camptobrochis*) *onphoriensis* Josifov, 1992: 105.

*Deraeocoris onphoriensis*: Schuh, 1995: 615.

**鉴别特征**：体椭圆形，褐色至黑褐色，光亮，无被毛，具同色刻点。

头稍下倾，光亮，黑褐色，中纵线有黄色纵斑，头顶黑褐色，中央具 1 个黄色斑点，宽是眼宽的 1.17 ~ 1.70 倍，后缘具横脊。复眼黑褐色。触角被浅色半直立短毛，第 1 节圆柱状，黑褐色，长是头顶宽的 0.77 ~ 0.91 倍；第 2 节线状，黑褐色，长是头宽的 1.12 ~ 1.34 倍；第 3、4 节细，线状，黑褐色。唇基黑褐色，中纵线黄色；喙黑褐色，伸达中足基节前缘。

前胸背板黑褐色，后缘、两胝间及前侧角有黄色不规则斑；密被同色刻点，光亮，前部稍下倾，侧缘直，后缘弓形。领窄，黄色，密被粉状绒毛。胝光滑，黑褐色，左右相连，稍突出。小盾片黑褐色，侧缘及顶角黄色，顶角的黄色斑有时沿中纵线延伸，具褐色粗大刻点。

半鞘翅黑褐色，光亮，密布同色刻点，革片近基部有浅色透明斑点；缘片及楔片几乎无刻点；楔片黑褐色，基部外侧角及内侧缘中部各有 1 个黄白色斑点。膜片浅褐色，在翅室后方有不规则浅色带，翅脉褐色。

腿节黑褐色，近端部及末端各有 1 个黄褐色环；胫节黄褐色，基部、亚基部、近中部、端部各有 1 个褐色环；跗节浅褐色，端部色深；爪红褐色。

腹部腹面黑褐色，密被浅色半直立绒毛。臭腺沟缘黄白色。

雄虫左阳基侧突感觉叶近圆形突出，其上密被浅色毛，钩状突向一侧弯曲，末端足状；右阳基侧突短小，感觉叶稍突出，钩状突末端平截；阳茎端具膜囊及 3 枚骨化附器：一中度骨化的骨板，扭曲，端部旗状；两膜叶端部具骨化角。

**量度**(mm)：体长 4.10 ~ 4.70，宽 2.00 ~ 2.25；头宽 0.95 ~ 1.04；头顶宽 0.35 ~ 0.43；触角 1 ~ 4 节的长度分别为 0.31 ~ 0.39、1.07 ~ 1.27、0.42 ~ 0.50、0.43 ~ 0.46；前胸背板长 1.00 ~ 1.14，后缘宽 1.73 ~ 1.93；楔片长 0.57 ~ 0.64；爪片接合缝长 0.68 ~ 0.73。

**分布**：陕西(秦岭)、黑龙江、吉林、河北、甘肃、新疆、四川、贵州；朝鲜，日本。

## (71) 黑食蚜齿爪盲蝽 *Deraeocoris* (*Camptobrochis*) *punctulatus* (Fallén, 1807)

*Lygaeus punctulatus* Fallén, 1807: 87.

*Phytocoris fallenii* Hahn, 1834: 89.

*Camptobrochis punctulatus poppiusi* Reuter, 1906: 57.

*Camptobrochis punctulatus pulchella* Reuter, 1906: 56.

*Deraeocoris pallidulus* Poppius, 1915b: 76.

*Camptobrochis punctulatus pallidula*: Stichel, 1930: 194.

*Deraeocoris* (*Camptobrochis*) *punctulatus*: Wagner & Weber, 1964: 52.

*Deraeocoris punctulatus*: Hsiao, 1942: 252.

*Camptobrochis punctulatus*: Kulik, 1965: 50.

**鉴别特征：**体椭圆形，光亮，黄褐色，具黑色斑及黑色刻点。

头黄褐色，光亮，具黑色斑，由额向后延伸，不伸达头顶后缘，中纵线黄褐色；头顶宽是眼宽的1.61～1.90倍，后缘具横脊。触角红褐色被浅色半直立短毛，第1节圆柱状，长是头顶宽的0.63～0.76倍；第2节线状，雌虫该节向端部稍加粗，长是头宽的1.10～1.14倍；第3、4节细。唇基黑色，中纵线黄色；喙红褐色，伸达中胸腹板中部。

前胸背板黄褐色，两胝后各具1个黑斑，密布黑色刻点，盘域稍隆起，侧缘直，后缘弓形。领窄，黄色，密被粉状绒毛。胝黑褐色，光亮，左右相连，稍突出。小盾片黄褐色，光亮，具黑色刻点，中纵线两侧各有1个黑褐色大斑。

半鞘翅革质部黄褐色，密被黑色刻点，革片的基部、中部、端部，爪片端部及楔片端部具黑褐色斑，缘片外缘有褐色窄边。膜片浅灰褐色，翅脉褐色。

足黄褐色，腿节具不规则黑褐色斑；胫节基部、近中部、端部各有1个黑褐色环；跗节端部及爪黑褐色。

腹部腹面红褐色，密被浅色半直立绒毛。臭腺沟缘黄白色。

雄虫左阳基侧突感觉叶稍突出，其上被浅色毛，钩状突向一侧弯曲，末端足状；右阳基侧突宽短，感觉叶不明显，钩状突近末端稍细，末端平截；阳茎端具膜囊及2枚骨化附器，膜叶端部具骨化小尖突。

**量度(mm)：**体长3.82～4.75，宽1.71～2.19；头宽0.89～1.01；头顶宽0.39～0.49；触角1～4节的长度分别为0.31～0.39、1.00～1.12、0.39～0.49、0.36～0.42；前胸背板长0.86，宽1.69～1.87；楔片长0.57；爪片接合缝长0.68～0.78。

**分布：**陕西(秦岭)、黑龙江、内蒙古、北京、天津、河北、山西、河南、山东、甘肃、宁夏、新疆、浙江、四川；俄罗斯(西伯利亚)，日本，伊朗，土耳其，瑞典，德国，捷克，法国，意大利。

### (72) 秦岭齿爪盲蝽 *Deraeocoris* (*Camptobrochis*) *qinlingensis* Qi, 2006

*Deraeocoris qinlingensis* Qi, 2006a: 351.

**鉴别特征：**体椭圆形，偶有加宽，褐色或黑色，光亮，具小的浅刻点，被半平伏毛。

头部背面观三角形，下倾约45°，褐色，光亮，头顶大部分偶为黑色，具褐色半直立短毛，唇基黑色。复眼暗褐色，蝶形。触角第1节浅褐色，具浅褐色半直立毛；第2节基部1/2浅褐色，端部1/2黑色；第3节浅褐色；第4节黑色；或者触角单一黑色，具褐色半直立短毛。喙浅褐色，端部色深，伸达后足基节之间。雌虫触角黑色，仅第2节最基部浅色。

前胸背板刻点清晰，黑色，胝光亮，盘域稍隆起，褐色。领、前胸背板前半部、胝周围褐色，且向后部延伸，但不达前胸背板侧角。小盾片黑色，刻点清晰。

爪片、革片和楔片黑色，光亮，具细小浅刻点及褐色平伏短毛；或爪片及革片褐色，革片顶端内侧有1个暗色斑。膜片烟褐色，近楔片内角有2个浅色区域。

腹面褐色，中胸腹板中部黑色，后缘黄白色。臭腺沟缘黄白色。

足褐色，胫节浅褐色，具同色短毛和黑色刺，基部无黑色斑点。前足胫节和跗节端部色深，胫节背面有时暗色。中足和后足腿节褐色，基部1/4黑色，近端部1/4具1个明显的暗褐色环；或基部1/2黑色，或完全黑色。

雄虫左阳基侧突短，感觉叶圆钝突起，具小齿和长毛，钩状实较粗，弯曲，端部呈鸟头状；右阳基侧突小，钩状实端部略尖；阳茎端有1枚弯曲的骨针和3个膜叶，其中2个膜叶端部具骨化小齿。

**量度**(mm)：体长4.05～4.88，宽2.18～2.63；头宽1.05～1.13；头顶宽0.45～0.48；触角1～4节的长度分别为0.53～0.56、1.43～1.58、0.75、0.83～0.90；前胸背板后缘宽1.73～2.10。

**分布**：陕西(秦岭)。

## 47-2. 齿爪盲蝽亚属 *Deraeocoris* Kirschbaum, 1856

### 分种检索表

1. 小盾片具刻点 …… 2
   小盾片无刻点 …… 3
2. 体大型，体长大于10mm …… **大齿爪盲蝽 *D.* (*D.*) *olivaceus***
   体中型，体长小于10mm …… **斑楔齿爪盲蝽 *D.* (*D.*) *ater***
3. 触角第1节长大于复眼宽的2倍 …… 4
   触角第1节长小于复眼宽的2倍 …… **黑胸齿爪盲蝽 *D.* (*D.*) *nigropectus***
4. 体长小于6mm，宽约2.50mm …… **安永齿爪盲蝽 *D.* (*D.*) *yasunagai***
   体长大于6mm，宽约3mm …… **柳齿爪盲蝽 *D.* (*D.*) *salicis***

### (73) 斑楔齿爪盲蝽 *Deraeocoris* (*Deraeocoris*) *ater* (Jakovlev, 1889)

*Capsus ater* Jakovlev, 1889: 344.

*Deraeocoris ater limbicollis* Reuter, 1901: 167.

*Deraeocoris ater amplus* Horváth, 1905: 420.

*Deraeocoris sibiricus* Kiritshenko, 1914: 483.

**鉴别特征:** 体椭圆形，体色多变，橙黄色至黑褐色，光亮，无毛，具褐色深刻点。

头平伸，稍下倾，光亮，黑褐色，后缘前方有2个橙色斑，有时该斑扩散至头顶大部；头顶宽是眼宽的1.43~1.79倍，后缘具横脊。触角浅色半直立短毛，第1节圆柱状，黑褐色，长是头顶宽的1.48~2.11倍；第2节线状，黑褐色，长是头宽的2.00~2.29倍；第3节线状，细，褐色，最基部有1个黄褐色窄环；第4节线状，细，单一褐色。唇基黑褐色；喙黑褐色，伸达后足基节前缘。

前胸背板稍前倾，黑褐色，有时具橙色斑，密被褐色深刻点，光亮，被稀疏浅色短毛，侧缘直，被稀疏浅色短毛。领黑褐色，光亮。胝褐色，光亮，左右相连，稍突出。小盾片光亮，橙黄色至黑褐色，稍隆起，具同色稀疏刻点。

半鞘翅黑褐色至橙黄色，具褐色深刻点；缘片及楔片几乎无刻点；楔片基部黄白色至橙红色，端部通常为褐色。膜片褐色，在翅室后部沿楔片缘有1个浅色斑；翅脉褐色。

腿节红褐色；胫节红褐色，亚基部有1个黄褐色窄环，端部1/2黄褐色，末端红褐色；跗节及爪红褐色。

腹部腹面黑褐色，密被浅色半直立绒毛。臭腺沟缘黄白色。

雄虫左阳基侧突感觉叶椎状突出，其上被浅色毛；钩状突稍弯曲，末端蘑菇状；右阳基侧突感觉叶宽圆，钩状突粗壮，末端平截；阳茎端具膜囊及3枚骨化附器：由基部伸出1个骨化板，向端部渐细，且弯曲；其侧面有1枚稍短的骨针；在膜叶端部有1个骨化角状突起。

**量度(mm):** 体长7.60~9.60，宽3.50~4.30；头宽1.38~1.40；头顶宽0.57~0.65；触角1~4节的长度分别为0.96~1.20、2.65~3.20、1.30~1.40、0.78~0.90；前胸背板长1.90，宽2.80~2.90；楔片长1.20；爪片接合缝长1.50~1.75。

**分布:** 陕西(秦岭)、黑龙江、内蒙古、北京、山西、甘肃、宁夏、青海、江苏、湖北；俄罗斯(远东地区)，日本。

### (74) 黑胸齿爪盲蝽 *Deraeocoris* (*Deraeocoris*) *nigropectus* Hsiao, 1941

*Deraeocoris nigropectus* Hsiao, 1941: 242.

**鉴别特征:** 体椭圆形，黄褐色，具褐色斑和褐色刻点，光滑，无毛。

头黄褐色，稍下倾；头顶宽是眼宽的0.91~1.18倍，后缘具橙色横脊。复眼红褐色。触角红褐色，被浅色半直立短毛，第1节圆柱状，长是头顶宽的1.10~1.18倍；第2节线状，长是头宽的1.22~1.33倍；第3、4节细，线状。唇基黄褐色，端部褐色，喙黄褐色，端部色深，伸达中足基节后缘。

前胸背板黄褐色，具褐色刻点，盘域具2个褐色纵走大斑，稍隆起，侧缘直，后缘弓形稍突出。领窄，黄褐色，光亮。胝黄褐色，后部染褐色，左右相连，稍突出。小盾片光滑无刻点，黄褐色，中央具1个三角形褐色斑，由基部延伸至顶角。

半鞘翅革质部黄褐色，爪片端部、革片端部及楔片端部有褐色斑。膜片灰褐色，翅脉褐色。

足黄褐色，腿节端部具2个红褐色环；胫节基部、近中部、端部具红褐色环；跗节端部及爪红褐色。

腹部腹面红褐色，密被浅色半直立绒毛。臭腺沟缘黄白色。

雄虫左阳基侧突感觉叶近圆形，突出，其上被浅色长毛，钩状突向一侧稍弯曲，末端足状；右阳基侧突感觉叶不明显，钩状突近末端稍细，末端平截；阳茎端具膜囊，其中1个膜叶顶端具1列骨化小齿。

**量度**(mm)：体长4.16~4.40，宽2.04~2.21；头宽0.87~0.95；头顶宽0.34~0.39；触角1~4节的长度分别为0.40~0.43、1.06~1.26、0.52、0.52；前胸背板长0.93~1.07，宽1.61~1.70；楔片长0.50~0.57；爪片接合缝长0.83。

**采集记录**：1♂，周至板房子，1994.Ⅷ.07，吕楠灯诱；1♂1♀，岳坝保护站，1100m，2006.Ⅶ.20，丁丹灯诱；1♀，宁陕火地塘，1640m，1994.Ⅷ.14，卜文俊采；1♀，同上，李晓明采；1♀，同上，2006.Ⅶ.19；1♀，镇巴，1200m，1985.Ⅶ.21，任树芝采；1♂，同上，1994.Ⅷ.08，吕楠采；1♀，同上，灯诱；2♂2♀，同上，卜文俊采。

**分布**：陕西(周至、佛坪、宁陕、镇巴)、甘肃、浙江、湖北、江西、湖南、福建、广东、广西、贵州、云南。

### (75) 大齿爪盲蝽 *Deraeocoris* (*Deraeocoris*) *olivaceus* (Fabricius, 1777)(图版2：1)

*Cimex olivaceus* Fabricius, 1777: 300.

*Deraeocoris brachialis* Stål, 1858: 185.

*Deraeocoris olivaceus*: Carvalho, 1957: 61.

*Deraeocoris* (*Deraeocoris*) *olivaceus*: Wagner, 1961: 24.

**鉴别特征**：体黄褐色，前胸背板侧缘被浅色半直立短毛，密布黑色刻点。

头橙色，由触角窝发出的黑色斑纹沿复眼内侧缘伸达头顶，光滑，平伸；头顶橙色，复眼内侧有大的黄褐色斑，不相连，头顶宽是眼宽的1.25~1.32倍，后缘具横脊。复眼褐色。触角红褐色，被浅色半直立短毛，第1节圆柱状，长是头顶宽的1.60~1.61倍；第2节褐色，端部色深，长是头宽的2.01~2.06倍；第3、4节细。唇基橙色，具褐色不规则碎斑，喙红褐色，喙伸达后足基节前缘。

前胸背板黄褐色，密布黑色刻点，侧缘较直，被浅色半直立短毛，后缘较直。领黄色，较晦暗，后缘黑色。胝橙色，光滑，左右相连，稍突出。小盾片黄褐色，光亮，具黑色刻点，稍隆起，中纵线黑褐色。

半鞘翅革质部黄褐色，密布黑色刻点，缘片略带红褐色，无刻点；楔片几乎无刻点，基半部红色，端半部褐色。膜片灰褐色，翅脉褐色。

足红褐色，腿节近端部有1个黄褐色环；胫节亚基部、亚端部各有1个黄褐色环；跗节及爪红褐色。

腹部腹面红褐色，密被浅色半直立绒毛。臭腺沟缘红褐色。

雄虫左阳基侧突感觉叶长椭圆形，明显上指，其上具稀疏短毛，钩状突宽短，向一侧弯曲，末端足状；右阳基侧突感觉叶球状突出，钩状突短，末端足状；阳茎端具膜囊及4枚骨化附器：近次生生殖孔膜囊侧缘为中度骨化齿带；由基部伸出1枚长骨针，稍弯曲；骨针一侧的膜囊端部为角状骨化附器；阳茎端膜叶中部有1个中度骨化的骨板，一侧缘具小齿；阳茎端基部伸出1个宽短的中度骨化骨板；腹面膜囊内侧具梯状骨化带。

**量度(mm)：**体长11.63~13.58，宽4.45~5.90；头宽1.69~1.78；头顶宽0.65~0.71；触角1~4节的长度分别为1.04~1.14、3.35~3.57、1.29~1.38、0.78~0.79；前胸背板长2.00~2.14，宽3.90~4.29；楔片长2.36~2.57；爪片接合缝长1.90~2.50。

**采集记录：**1♂，宁陕火地塘，1640m，1994.Ⅷ.14，卜文俊灯诱。

**分布：**陕西(宁陕)、黑龙江、吉林、内蒙古、天津、甘肃、宁夏、安徽；俄罗斯(远东地区)，日本。

### (76) 柳齿爪盲蝽 *Deraeocoris* (*Deraeocoris*) *salicis* Josifov, 1983

*Deraeocoris salicis* Josifov, 1983: 81.

**鉴别特征：**体椭圆形，黄褐色，光亮，无被毛，具同色粗大刻点。

头黄褐色，光滑无毛；头顶宽是眼宽的1.77~2.03倍，后缘嵴同色，不明显。复眼红褐色。触角被浅色半直立短毛，第1节红褐色，圆柱形，基部稍细，有黑褐色窄环，长是头顶宽的1.47~1.81倍；第2节线状，红褐色，长是头宽的1.91~1.92倍；第3、4节细，黄褐色，端部褐色。唇基黄褐色，侧缘红色；喙黄褐色，顶端褐色，伸达中足基节前缘。

前胸背板黄褐色，具粗大刻点，盘域稍隆起，侧缘直，后缘弧形稍突出。领窄，黄色，光亮。胝黄褐色，光滑，稍突出，左右相连，其后有2个明显粗大的红褐色刻点。小盾片黄褐色，中纵线褐色，有时扩展到基部，光滑无刻点，稍隆起。

半鞘翅革质部黄褐色，具粗大刻点，向端部刻点较模糊；爪片端部、革片端部浅红褐色；楔片黄褐色，无刻点。膜片灰褐色，翅脉色深。

足黄褐色，后足腿节端部具2个红褐色环；胫节基部外侧具红褐色斑点，端部色深；跗节端部红褐色；爪红褐色。

腹部腹面黄褐色，密被浅色半直立绒毛。臭腺沟缘黄白色。

雄虫左阳基侧突感觉叶三角形突起，被浅色短毛，且感觉叶顶端有1个小突起，钩状突弯曲，上举，末端薄，钩状；右阳基侧突感觉叶不明显，钩状突弯曲，末端鸟头状；阳茎端具膜囊及5枚骨化附器，其中端骨针三角形，末端尖锐；小针突稍短而细，末端尖锐。

**量度(mm)：**体长6.00～6.79，宽2.80～3.00；头宽1.00～1.09；头顶宽0.47～0.55；触角1～4节的长度分别为0.73～0.81、1.92～2.08、0.65～0.70、0.60～0.65；前胸背板长1.36，宽2.10～2.36；楔片长1.07；爪片接合缝长1.05～1.21。

**采集记录：**3♂1♀，杨凌，1994.Ⅶ.25，吕楠采。

**分布：**陕西(杨凌)、内蒙古、天津、河北、宁夏、湖北；俄罗斯(远东地区)，朝鲜半岛，日本。

## (77) 安永齿爪盲蝽 *Deraeocoris* (*Deraeocoris*) *yasunagai* Nakatani, 1995

*Deraeocoris yasunagai* Nakatani, 1995: 401.

*Deraeocoris* (*Deraeocoris*) *yasunagai*: Liu *et al*., 2011: 7.

**鉴别特征：**体浅黄色，光亮，无被毛，具浅褐色刻点。

头黄褐色，光亮，平伸；头顶宽是眼宽的1.50～1.89倍，后缘具横脊。复眼红褐色。触角被浅色半直立短毛，第1节圆柱状，黄褐色，微染红褐色，最基部稍细，具1个红褐色环，长是头顶宽的1.43～1.67倍；第2节线状，黄褐色，端部色深，长是头宽的1.75～1.83倍；第3、4节细，浅褐色，仅第3节基部黄褐色。唇基黄褐色，末端染红色，喙黄褐色，端部色深，伸达中足基节后缘。

前胸背板黄褐色，密被浅褐色粗大刻点，光亮，无被毛，盘域稍隆起，侧缘直，后缘弧形稍突出。领黄褐色，光亮。胝黄褐色，光滑，左右相连，稍突出。小盾片黄褐色，光滑无刻点，侧缘色稍浅。

半鞘翅革质部黄褐色，均具1个浅褐色刻点，爪片最端部染褐色，楔片端部内侧缘染红色；缘片端部及楔片几乎无刻点。膜片黄褐色，中部纵向色深；翅脉红褐色。

足黄褐色，腿节端部有2个红褐色环；胫节最基部外缘有1个红褐色斑，延伸到胫节中部，腹侧缘近中部具3枚褐色小刺；跗节端部及爪红褐色。

腹部腹面红褐色，密被浅色半直立绒毛。臭腺沟缘黄白色。

雄虫左阳基侧突感觉叶三角形突起，钩状突向外侧扭曲，末端平截；右阳基侧突"S"形扭曲，钩状突末端鸟头状；阳茎端具膜囊及5枚骨化附器。

**量度(mm)：**体长5.50～6.15，宽2.55～2.60；头宽0.91～0.94；头顶宽0.39～0.46。触角1～4节的长度分别为0.52～0.65、1.59～1.72、0.61～0.65、0.52～0.62；前胸背板长1.25，宽2.11；楔片长0.75；爪片接合缝长1.01～1.04。

**采集记录：**2♂，宁陕火地塘，1580m，1998.Ⅶ.17，袁德成灯诱；1♂1♀，宁陕火地塘，1580m，1998.Ⅶ.20，袁德成灯诱；1♀，宁陕旬阳坝，1350m，1998.Ⅶ.27，姚建采。

**分布：**陕西(宁陕)；日本。

### 47-3. 丛盲蝽亚属 *Plexaris* Kirkaldy, 1902

#### (78) 毛尾齿爪盲蝽 *Deraeocoris* (*Plexaris*) *claspericapilatus* Kulik, 1965

*Deraeocoris claspericapilatus* Kulik, 1965: 50.

*Deraeocoris* (*Phaeocapsus*) *claspericapilatus*: Kulik, 1965: 148, fig. 1.

*Deraeocoris* (*Plexaris*) *claspericapilatus*: Kerzhner & Josifov, 1999: 48.

**鉴别特征:** 体椭圆形，光亮，黄褐色，具黑色刻点。

头部浅褐色至黑色，中纵线浅色。触角黑色，第 1 ~ 3 节基部浅色，雌虫触角第 2 节中部常有 1 条浅色带。触角各节长度比为 8:22:10:8(♂)、8:20:9:7(♀)；触角第 1 节与头顶宽之比为 8:6，与眼宽之比为 8.00:5.50。前胸背板黑褐色，侧缘色浅，通常中纵线浅色。小盾片具细小刻点或无，光滑，黑色，侧缘浅色。

半鞘翅革质部黄褐色至黑褐色；楔片色浅，端部黑色。膜片黑色，翅脉褐色或黑色。

足红褐色，腿节端部具 2 个黑色环，胫节具 3 个黑色环。

腹面黑色。臭腺沟缘浅色。

雄虫左阳基侧突感觉叶球状，大而突出，密被长毛；钩状突端部加宽，弯曲。右阳基侧突小，钩状突顶端略平。

**量度(mm):** 体长 4.40 ~ 4.80，宽 2.00 ~ 2.20。

**分布:** 陕西(秦岭)；俄罗斯(远东地区)，朝鲜半岛。

**寄主:** 柳属植物。

## Ⅱ. 毛眼齿爪盲蝽族 Termatophylini Carvalho, 1952

**鉴别特征:** 体小。头明显前伸，稍短于前胸背板长；复眼大而具毛；触角较短：唇基侧面观终止于触角突；喙第 1 节短，通常不超过小颊后缘。前胸背板具刻点组成的横贯线；前侧缘伸出的刚毛，位于胝区的前角。臭腺沟缘退化。

**分类:** 中国记录 1 属，秦岭地区分布 1 属 1 种。

### 48. 毛眼盲蝽属 *Termatophylum* Reuter, 1884

*Terrmatophylum* Reuter, 1884: 218. **Type species**: *Termatophylum insigne* Reuter, 1884.

**属征:** 体小，卵圆形至长卵圆形，背面较平，稍具光泽，被有半直立或平伏浅色毛。

头部近三角形，头顶稍隆起，有纵向的刻痕，头部后缘一般隆起。复眼大而具刚毛，占据头部侧面的大部分，靠近前胸背板前缘。触角短而粗，被半直立毛，触角第1节超过唇基端前端。小颊侧缘近平行，喙伸达前足基节或中胸腹板端部。

前胸背板近梯形，较平，侧缘有1根长刚毛；两胝之间有刻点构成的纵线，但并不伸达领缘。半鞘翅革片中裂有刻点。臭腺沟缘三角形。

雄虫生殖囊不对称。左阳基侧突刀片状；感觉叶基部具刚毛。右阳基侧突明显退化。阳茎端膜质。

**分布：**中国记录4种，秦岭地区分布1种。

### （79）云南毛眼盲蝽 *Termatophylum yunnanum* Ren，1983

*Termatophylum yunnanum* Ren, 1983: 288.

**鉴别特征：**体长椭圆形，黄褐色，被半直立光亮浅色毛。

头黄褐色，头顶具浅的纵向刻痕；头顶宽是眼宽的0.76～1.00倍；复眼红褐色。触角被浅色半直立短毛，第1节圆筒形，黄褐色，长是头顶宽的1.23～1.36倍；第2节线状，黄褐色，端部色深，长是头宽的1.10～1.20倍；第3节细，线状，浅黄褐色，端部色深；第4节浅黑褐色。唇基平伸。喙黄褐色，顶端色深，伸达中足基节前缘。

前胸背板黄褐色，晦暗，无刻点，被毛。领黄褐色，后缘为刻点组成的线。胝与前胸背板同色，被毛，不突出，两胝间稍有凹痕，该凹痕不伸达领后缘。前胸背板由一行刻点分为前叶和后叶两部分。前叶稍狭缩，后叶平且宽。前胸背板后缘色浅。小盾片黄褐色，被毛，无刻点。

半鞘翅暗黄褐色，爪片及楔片褐色。爪片内有1条与爪片缝近平行的刻点组成的线，将爪片分为内外两部分，内部靠近小盾片，宽，稍隆起；外部靠近爪片缝，稍窄，较平，色深。膜片浅红褐色，翅脉暗褐色。

足黄褐色，仅后足腿节端半部红褐色。

腹面黑褐色，腹部腹面被浅色半直立短毛。臭腺沟缘红褐色。

雄虫左阳基侧突细；感觉叶发达，被长感觉刚毛；端突端部3/4处向顶端渐尖削，但中部弯曲；右阳基侧突很小。阳茎端膜质。

**量度**（mm）**：**体长2.90～3.60，宽0.95～1.27；头宽0.51～0.56；头顶宽0.14～0.18；触角1～4节的长度分别为0.19～0.23、0.52～0.62、0.24～0.30、0.22～0.24；前胸背板长0.65～0.74，宽0.87～1.00；楔片长0.39～0.46；爪片接合缝长0.39～0.51。

**分布：**陕西（秦岭）、湖北、云南。

# （三）树盲蝽亚科 Isometopinae

刘国卿 任树芝
（南开大学昆虫研究所，天津 300071）

**鉴别特征**：本亚科是一个较小的亚科，广泛分布于世界各地区。多为小型种类，体长约 2～4mm，捕食性，常栖息于树皮缝中，捕食小型昆虫，如蚜虫、粉蚧、介壳虫、叶螨等。后足腿节粗壮，善于跳跃，行动迅速，不易采集。该亚科昆虫头中部扁平，具单眼。半鞘翅膜片具 1 个翅室。跗节 2 节，爪近顶缘处具齿或不具齿。

**分类**：中国记录 8 属 33 种，陕西秦岭地区发现 2 属 2 种。

**讨论**：本亚科曾因具单眼而被视为 1 科，因此未包含在 Carvalho 的盲蝽科名录中。Carayon（1958）根据该类群的翅及外生殖器的结构特征建议将其归于盲蝽科（Miridae）中。作者同意 Carayon 的观点，将其放入盲蝽科。

### 分属检索表

胝不明显或不具胝 …………………………………………………………… **树盲蝽属 *Isometopus***
胝明显 ……………………………………………………………………… **俫树盲蝽属 *Myiomma***

## 49. 树盲蝽属 *Isometopus* Fieber, 1860

*Isometopus* Fieber, 1860: 259. **Type species**: *Isometopus intrusus* Herrich-Schäffer, 1835.

**属征**：体卵圆形至长卵圆形，长翅（雄虫）或短翅（雌虫）；体色多变，浅红棕色至黄棕色，有些种类具深红棕色、黑色或奶白色斑点。

头垂直，与复眼紧贴；背面观，头短，前缘钝圆，后缘宽，但窄于前胸背板前缘，且头后缘或多或少遮盖住前胸背板前缘；头顶平坦；额常肿凸，额下缘多向上翘折或与唇基基部、头侧叶相接；两单眼彼此分离且靠近复眼；触角多被毛，且第 3、4 节比 1、2 节细。

前胸背板平坦，横宽，两侧缘直或外凸；雄虫前胸背板前缘常微凹，前角不明显前伸，雌虫与雄虫类似，或前缘明显内凹，且前角明显前伸至头部；中胸盾片暴露，后缘中部强烈内凹，与前胸背板后缘接触或几乎接触；小盾片长多大于宽，末端明显变尖细；半鞘翅常外扩；楔片长大于宽。

**分布**：中国记录 15 种，秦岭地区分布 1 种。

**（80）陕西柚树盲蝽 *Isometopus citri* Ren，1987**（图 56；图版 2：2）

*Isometopus citri* Ren，1987：398.

**鉴别特征：**雌虫体黑褐色，阔卵圆形，背面圆鼓，具细密刻点，被浅色短亮毛。

头平伸，宽是头长的3.30～3.60倍，具细密刻点，被浅色光亮短毛，具褐色小斑点。头顶黄棕色，头顶宽是复眼宽的2.00～2.10倍，后缘无横脊；单眼红褐色，两复眼彼此远离，紧靠复眼的后内缘；复眼棕褐色，正面观肾形，侧面观几乎占整个头侧面；额宽阔、平坦，棕褐色，具2个横列的光滑斑，下部具向上翘折的边缘，下缘亮黑褐色；唇基小，背面观不可见，隐藏在头腹面，红褐色，有光泽；触角着生于唇基两侧，背面观，触角窝不可见，第1节黑褐色，粗短，光滑无毛，第2节最长，约为第3、4节长度之和，柱形，黄褐色，具浅色稀疏短毛，第3节黑褐色，柱形，毛被同第2节，第4节黑褐色，纺锤形，毛被同第2、3节；喙长，超过后足基节，覆稀疏浅色短毛，第2节及第3、4节基部黄褐色，其余棕褐色。

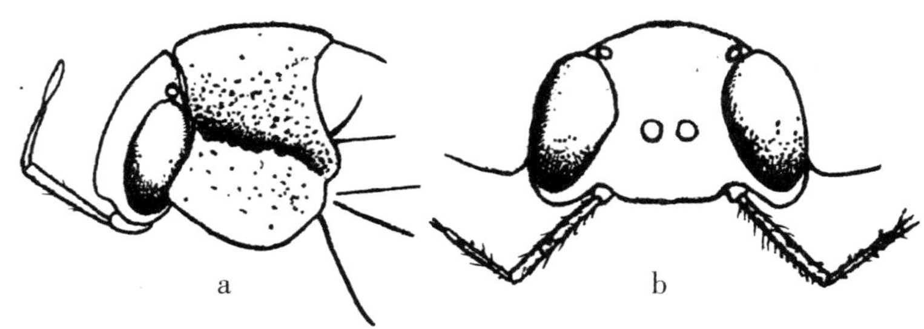


图 56　陕西柚树盲蝽 *Isometopus citri* Ren

a. 头胸部侧面观；b. 头部前面观

前胸背板横宽，前缘宽为长的2.50～2.60倍，黑褐色，两侧域色浅、黄褐色，微下倾，中部微隆，具细密刻点，被浅色稀疏短毛。前胸背板侧缘圆扩，侧角呈钝角，前缘直，前侧角明显，钝圆，伸达复眼中部，后缘弯曲且中部向前内凹，后缘宽是前缘宽的1.10～1.20倍；领狭窄，与前胸背板中部同色，黑褐色，不明显，具细小刻点；胝不明显；前胸背板侧域具半透明、向上翘折的边缘。前胸侧板黄棕色，具深色细小刻点，无毛；中胸侧板和后胸侧板黑褐色，具细小刻点。中胸盾片黑褐色，后缘中部明显内凹，与前胸背板后缘相接触，具细密刻点，被浅色短毛；小盾片黑褐色，具细密刻点，被浅色半倒短毛，侧面观隆起，基部宽约与长相等。

半鞘翅黑褐色，具细小刻点，被浅色半倒短毛。爪片黑褐色，与小盾片同色，向末端渐细，且未超过小盾片顶端；革片前缘向外扩展，革片中裂明显，中裂前域明显下倾；缘片前缘明显圆扩，基部与前胸背板后侧角形成明显缺刻；楔片黄棕色，强烈下倾，具深色稀疏细小刻点，被浅色稀疏短毛，楔片末端略超过腹部末端；膜片小，透明，黄棕色，具皱纹，有光泽，基部具1个翅室。

足腿节棕褐色，端部黄棕色，被浅色稀疏短毛，后足腿节明显粗于前、中足腿节，且后足腿节末端略带红色；胫节黄棕色，被密集浅色半倒短毛；跗节黄棕色，端部色较深，毛被同胫节；爪略带红棕色。

腹部黑褐色，覆浅色密集半倒毛，侧接缘黄棕色。臭腺沟缘棕褐色。

雄虫未知。

**量度(mm)：**体长 1.93～1.95，宽 1.94～1.97；头长 0.11～0.16，宽 0.61～0.65；头顶宽 0.33～0.36；触角 1～4 节的长度分别为 0.08～0.11、0.32～0.35、0.19～0.24、0.13～0.16；前胸背板长 0.39～0.41，宽 1.23～1.26；小盾片长0.84～0.88，基宽 0.77～0.79；前翅长 1.23～1.27；楔片长 0.40～0.46。

**采集记录：**1♀(正模)，西乡，1985. Ⅶ. 21，任树芝采；1♀(副模)，同上，1985. Ⅶ. 25，任树芝采。

**分布：**陕西(西乡)、福建、云南。

## 50. 侎树盲蝽属 *Myiomma* Puton, 1872

*Myiomma* Puton, 1872: 177. **Type species**: *Myiomma fieberi* Puton, 1872.

**属征：**体长椭圆形或椭圆形，一般为长翅型。头垂直或微后倾，单眼着生处微隆。复眼大，几乎占整个头部，两复眼内缘相互接近，甚至相接触。触角第 1 节最短，常为第 3 节或第 4 节长度的 1/2，第 2 节圆柱形或棒状，一般较粗，被半倒伏或直立刚毛，第 3 节与第 4 节约等长，且长度小于第 2 节的 1/3。前胸背板近钟形或梯形；胝常不明显；侧域有时具翘折的窄边缘。小盾片长与基部宽相等，或基宽大于长。爪近顶缘具齿。

**分布：**中国记录 5 种，秦岭地区分布 1 种。

### (81) 秦岭侎树盲蝽 *Myiomma qinlingensis* Qi, 2005

*Myiomma qinlingensis* Qi, 2005: 513.

作者未见到本种标本，现根据 Qi(2005)的原始描述整理如下：

**鉴别特征：**雌虫体椭圆形，背部平坦，深棕色，被棕色平伏光亮软毛。

复眼棕红色，在中部相连接；复眼后缘及复眼间额区奶黄色；单眼棕红色；额深棕色；触角深棕色，触角第 2 节加粗，具黑色半直立短毛。喙棕红色，第 3 节基部深棕色，伸达至第 1 腹节后缘。

前胸背板梯形，深棕色，刻点均一，前域及侧域棕红色，头后缘遮盖住前胸背板前缘，后缘中部略内凹。中胸盾片前域棕红色。小盾片深棕色，刻点均一，基部中央微凹，具横皱。

半鞘翅深棕色，具细小浅刻点。足深棕色，跗节基半部棕色。腹面深棕色。

雄虫未见。

**量度(mm)：**体长 2.12，宽 1.20。

本种与 *Myiomma ussuriensis* Ostapenko 相似，但后者前胸背板具刻点，楔片基部无白色斑点。本种亦与 *M. minutum* Miyamoto 相似，但后者体淡棕色，后足腿节端部黄色，楔片基部近无色、透明。本种与 *M. altica* Ren，1987 近似，但该种复眼在中部相连接，且触角第 2 节一色。

**分布：**陕西(秦岭)。

# (四) 盲蝽亚科 Mirinae

郑乐怡　刘国卿

(南开大学昆虫研究所，天津 300071)

### 分族检索表

跗节第 1 跗分节长，长于或等于第 2、3 跗分节之和 ………………………… **狭盲蝽族 Stenodemini**

跗节第 1 跗分节远短于第 2、3 跗分节之和 ……………………………………………… **盲蝽族 Mirini**

## Ⅰ. 盲蝽族 Mirini Hahn, 1833

**鉴别特征：**体中小型至中大型，个别属种微小。长椭圆形至宽椭圆形，部分属种身体两侧近平行。触角很少长于身体，第 1 节短于头长与前胸背板长之和。前胸背板具界限分明的领，即领后缘与前胸背板盘域之间的沟缝明显。后足跗节第 1 跗分节短于第 2、3 两节之和。为盲蝽亚科中包含属、种最多的族。世界性分布。

**分类：**中国记录 80 属 403 种，秦岭地区分布 26 属 62 种。

### 分属检索表

1. 前胸背板有明确或较明确的刻点 ……………………………………………………………… 2
   前胸背板无明确的刻点，可有横皱 ……………………………………………………………… 17
2. 前胸背板、小盾片与外革片具稠密的刺状直立长毛。半鞘翅斑驳状 …… **猬盲蝽属 *Tinginotum***
   前胸背板及小盾片无稠密刺状直立长毛 ……………………………………………………… 3
3. 体背、腹两面被有略宽扁的闪光鳞状毛 ………………………………………………………… 4
   体腹面无闪光鳞状毛 ……………………………………………………………………………… 5
4. 前胸背板领约与触角第 2 节等粗。跗节第 1 跗分节短于第 2 节。体背面刻较点浅 ……………
   ……………………………………………………………………………… **异盲蝽属 *Polymerus***

前胸背板领粗约为触角第 2 节直径的 2 倍。跗节第 1 节约与第 2 节等长。体背面刻点深 …………………………………………………………………………………… **纹唇盲蝽属 *Charagochilus***

5. 触角第 2 节短于或等于头的宽度 ………………………………………… **短角盲蝽属 *Agnocoris***

触角第 2 节长于头的宽度 …………………………………………………………………………… 6

6. 额区各侧具 4 ~ 5 条较显著的横棱，中央常有 1 个略下凹的纵走浅凹痕 ……………………………………………………………………………………………… **异草盲蝽属 *Heterolygus***

额区无显著的横棱，或只具甚低浅的横棱，或可见若干成对的深色横纹，或全无；额区纵走浅凹痕全无 …………………………………………………………………………………… 7

7. 体小而厚实，体长多在 5.50mm 以下 ………………………………………… **光盲蝽属 *Chilocrates***

体形相对较大；不呈厚实紧凑状…………………………………………………………………… 8

8. 触角第 2 节短于前胸背板后缘宽 ………………………………………………………………… 9

触角第 2 节长于前胸背板后缘宽 ………………………………………………………………… 14

9. 小盾片上的毛直立，或略向后倾 ……………………………………………… **奥盲蝽属 *Orthops***

小盾片上的毛平伏或半直立 ……………………………………………………………………… 10

10. 左阳基侧突感觉叶表面具若干短棘刺。前胸背板刻点粗大。后足膝常有 1 个深色斑 …… 11

左阳基侧突感觉叶表面无短棘刺。前胸背板刻点大小中等 ………………………………… 12

11. 胫节刺黑色。前胸背板较平，前倾程度较弱。小盾片较平 ………………… **草盲蝽属 *Lygus***

胫节刺黄褐色。前胸背板饱满拱隆，前倾明显。小盾片隆起。半鞘翅具平伏丝光毛丛 …… ……………………………………………………………………………… **拟草盲蝽属 *Cyphodemidea***

12. 喙仅伸达中胸腹板中央………………………………………………… **拟壮盲蝽属 *Paracyphodema***

喙至少伸达中足基节 ……………………………………………………………………………… 13

13. 额区常具暗色横纹。前胸背板较平置。左阳基侧突感觉叶发达，强烈加宽成三角形。阳茎端鞘具片状突 ……………………………………………………………… **树丽盲蝽属(部分) *Arbolygus***

额区通常一色无斑。前胸背板均匀拱隆。左阳基侧突感觉叶均匀适度加宽，不成宽大的三角形。阳茎端鞘无片状突 ……………………………………………………… **后丽盲蝽属 *Apolygus***

14. 体黑褐色，较长大，光泽强。头顶后缘无脊或只两端具脊。前胸背板后缘狭细，黄白色，刻点深浅不一且不规则 ……………………………………………… **树丽盲蝽属(部分) *Arbolygus***

体色较淡，黄褐色，绿色，或褐色 ……………………………………………………………… 15

15. 胫节刺基部具深色小点斑。左右阳基侧突感觉叶均具瘤状或指状突起。阳茎端端具“锉叶”及“箍骨片” ……………………………………………………………………… **新丽盲蝽属 *Neolygus***

胫节刺基部无深色小点斑。左右阳基侧突感觉叶无瘤状或指状突起。阳茎端无“锉叶”及“箍骨片” ………………………………………………………………………………………………… 16

16. 头顶后缘全长具脊或至少两端具脊。体较狭长，两侧常近平行。小盾片不隆起或隆起不明显 …………………………………………………………………………………… **丽盲蝽属 *Lygocoris***

头顶后缘完全无脊。体较宽，长椭圆形。小盾片明显隆起。阳茎端无针突…………………… ………………………………………………………………………………… **拟丽盲蝽属 *Lygocorides***

17. 体毛二型：具黑色刚毛状毛及金黄、黄褐色或淡色略宽扁的鳞状毛 ………………………… 18

体毛一型 ……………………………………………………………………………………………… 23

18. 领粗，直径约等于胝长。体厚实。触角第 1、2 节常粗大或成扁叶状 ……………………… 19

领细，直径远小于胝长 ……………………………………………………………………………… 20

19. 触角第 1 节扁叶状。触角与复眼之间有 1 个漆黑的丝绒状斑 ……………… **厚盲蝽属 *Eurystylus***

触角第 1 节圆柱形，不成扁叶状。触角与复眼之间不具漆黑的丝绒状斑……………………………………………………………………………………………… **拟厚盲蝽属 *Eurystylopsis***

20. 后足股节长，常略扁，伸过腹部末端 ……………………………… **植盲蝽属 *Phytocoris***

后足股节不伸过腹部末端 ……………………………………………………… 21

21. 前胸背板侧缘具棱边。额向前伸出 ………………………… **乌毛盲蝽属 *Cheilocapsus***

前胸背板侧缘一般，不具棱边 ……………………………… **苜蓿盲蝽属 *Adelphocoris***

22. 体具黑色毛 ……………………………………………………………………… 23

体毛淡色，无黑毛……………………………………………………………………… 25

23. 前胸背板侧缘棱边状 ………………………………………………………………… 24

前胸背板侧缘不具棱边。体黄绿色，有明显黑纹 ……………… **纹翅盲蝽属 *Mermitelocerus***

24. 体绿色，一色或几乎为一色。领远细于胝 …………………… **肩盲蝽属 *Allorhinocoris***

体红、黑两色。毛直立。领粗，直径约同胝长…………………… **粗领盲蝽属 *Capsodes***

25. 第 1 跗分节长为第 2 节的 1.50～2.00 倍 ……………………… **纤盲蝽属 *Stenotus***

第 1 跗分节不长于第 2 节 ……………………………………………………… 27

26. 胫节刺黑色 ……………………………………………………… **东盲蝽属 *Orientomiris***

胫节刺褐色或淡色 ……………………………………………… **淡盲蝽属 *Creontiades***

## 51. 苜蓿盲蝽属 *Adelphocoris* Reuter, 1896

*Adelphocoris* Reuter, 1896a: 168. **Type species**: *Cimex seticornis* Fabricius, 1775.

**属征**：中大型，较狭长，两侧较平行或成长椭圆形。

头多斜下倾，额-头顶区均匀饱满，头顶中纵沟甚浅，少数种类略深，前、后端有时可见向两侧分歧；后缘无隆脊，多具数对较大型的长刚毛状毛，有时直立。额区两侧成对平行斜纹不明显，或成褐色斑状；头部背面毛全部刚毛状，或另具闪光丝状毛。额与唇基间具宽浅横凹槽；上颚片三角形，基部区域具若干直立长毛，其中部分常成黑色粗刚毛状；下颚片长于上颚片。眼背面观多呈横列状，后方常不接触前胸背板。前面观头的眼前部分长约为其余部分的 1/2，触角窝位于眼内缘的下半，下端不达眼的下端。侧面观眼下端远离头的下缘。触角细长，各节为粗线形；第 1 节毛平伏，黑色，较短密，内侧亚端段及中段常各有 1～3 根较粗大而斜伸的黑色刚毛状毛，其余各节毛细小而密。

前胸背板前倾，拱隆程度较弱（*A. albonotatus* 除外）；领明显，具若干较强韧的直立毛以及弯曲或半平伏的淡色闪光丝状毛。胝较平或微隆起，具毛或光滑，无刻点，前半相连，外侧伸达背板侧缘；前胸背板毛二型，刚毛状毛遍布，闪光丝状平伏毛限于前半，在许多种类中极不显著；胝前区具数对直立长毛，刚毛状，前侧角处的 1 根斜外伸，明显；侧缘圆钝，直；后缘较直；盘域刻点浅，较稀，并可呈粗横皱状。小盾片较平，具浅横皱，毛被多同半鞘翅。半鞘翅毛二型，包括淡色闪光丝状平伏毛与较直的刚毛状毛。

足股节相对较细，具多数深色小斑排成数纵行，被较密的深色平伏小毛及较少数的黑色强韧的刚毛状毛，毛基常具小黑斑。胫节刺黑色，强劲而显著。后足跗节第1节最短，第3节最长。

腹下亚侧区各节具1个下凹的小斑，其表面光滑，常色较深。

雄虫载肛突左侧抬升，成压扁的锥状，色深而骨化强。两侧阳基侧突着生处的前方不远各有1个垂直的小尖突，左侧者较细长显著，右侧者短小。阳基侧突一般细长，基部略粗，左侧者常弯曲，杆的端部略似鹅头状；右侧者端部有1个弯曲的钩状或叉状突起。阳茎鞘为狭长的帽状，未膨胀时包裹于整个阳茎端的端方大部分，其端部裂成两片，包于梳状骨板之外。阳茎总体较为狭长，导精管两侧骨化强，腹面似骨化弱，其端方具可以膨胀的膜囊；次生生殖孔开口骨化较弱，以致不甚显著，孔的背方右侧连接1个较大的梳状骨板(comb-shaped spiculum)，板的一侧端方具2排大齿，基方具1排齿；次生生殖孔的左侧背方着生1个较小的细长弯钩状的针突状骨化附器，其基部外侧有1个明显但不甚大的膜囊相连。

**分布：**世界广布。中国记录28种，秦岭地区记述10种。

## 分种检索表

1. 体黑色，革片有白色横带或斜纹 ……………………………… **白纹苜蓿盲蝽 *A. albonotatus***
   身体色斑不若上述 ……………………………………………………………………………… 2
2. 小盾片中线两侧各有1条深色纵带。体黄褐色，前胸背板盘域有1对黑色圆斑 ………………
   …………………………………………………………………………… **苜蓿盲蝽 *A. lineolatus***
   小盾片不若不述 ………………………………………………………………………………… 3
3. 前胸背板盘域前及盘域全黑色，或盘域具黄褐色中纵带，或只盘域前半具淡色中纵带，或前、后缘或只后缘狭窄，淡色 ……………………………………………… **横断苜蓿盲蝽 *A. funestus***
   前胸背板盘域前非全部黑色，或只胝区黑色；或盘域前部淡色；或整个前胸背板淡色或色较淡 …… 4
4. 前胸背板后半具黑色横带(完整或断续)或2~4个黑色斑 ……………………………………… 7
   前胸背板一色淡色，或只二胝与胝间相连部分黑色 ……………………………………………… 5
5. 前胸背板一色淡色，无黑斑 ……………………………………………………………………… 6
   前胸背板底色淡，二胝与胝间相连部分黑 ………………………… **中黑苜蓿盲蝽 *A. suturalis***
6. 唇基端部色常加深成深褐色或黑褐色。胝及盘域前部无或几乎无闪光丝状平伏毛 ……………
   ……………………………………………………………………… **黑唇苜蓿盲蝽 *A. nigritylus***
   唇基一色，端部不加深。前胸背板前半闪光丝状平伏毛分布包括胝及盘域前部 ………………
   ………………………………………………………………………………… **污苜蓿盲蝽 *A. luridus***
7. 小盾片淡黄白色或黄褐色，基角深色 ……………………………… **三点苜蓿盲蝽 *A. fasciaticollis***
   小盾片不若上述，色更深，一色，或具淡色中纵带或淡色端角 ………………………………… 8
8. 爪片与革片刚毛状毛淡色。胝及前胸背板盘域无或几乎无闪光丝状平伏毛。体色较淡，革片后半常有边缘模糊的三角形深色大斑 ………………………… **带纹苜蓿盲蝽 *A. taeniophorus***
   爪片与革片刚毛状毛深色(褐色至黑色)或部分深色 …………………………………………… 9
9. 体灰绿色、淡黄褐色、淡橙褐色或污褐色，无明显红色成分 …………………………………
   ……………………………………………………………… **四点苜蓿盲蝽 *A. quadripunctatus***
   体红褐色或锈褐色，或具较明显的红色成分 ……………………… **棕苜蓿盲蝽 *A. rufescens***

### (82) 白纹苜蓿盲蝽 *Adelphocoris albonotatus* (Jakovlev, 1881)

*Calocoris albonotatus* Jakovlev, 1881: 194.
*Fulgentius mandarinus* Distant, 1904a: 103.
*Trichophoroncus albonotatus*: Carvalho, 1959: 269.
*Adelphocoris albonotatus*: Zheng *et al.*, 2004: 75.

**鉴别特征**：体狭长，微呈束腰状。黑色具白斑。

头一色黑。头顶宽2mm，眼宽1.65mm，额相对较宽。额毛细小，较稀，向端微加粗而端钝，褐色。触角第1节淡锈褐色，毛淡色，平伏，细短较密；第2~4节污紫褐色，第3节基部2/5及第4节最基部淡黄白色。喙伸达中足基节端部。

前胸背板黑色，光泽弱，较前倾，整体明显地饱满拱隆，与多数此属种类有一定差异。胝几乎不可辨。胝前区及胝区无闪光丝状毛。胝前区大型刚毛黑色。盘域刻点极稀浅，几乎不可辨，后部具很浅的稀横皱，毛刚毛状，稀小，平伏，黑褐色。侧缘侧面观明显钝圆。领黄色，毛全部黑色，直立，强韧。

小盾片一色黑，具横皱。爪片一色黑，革片及缘片黑色，基半在爪片中段水平处有1条黄白色宽斜带，向内后方斜伸，向外伸达缘片外缘，带的前缘较平，内后端距爪片后端尚较远；缘片外缘狭窄，黑色。半鞘翅在此斜带处略凹弯成束腰状，最宽处在楔片缝前的区域。爪片与革片毛被二型，平伏，毛色全同底色，白斑上的两种毛全为白色，黑色背景上的两种毛全为黑色，闪光丝状毛与刚毛状毛颇难区分。楔片较宽短，基部约1/2成黄白色宽斜带状。膜片黑褐色。

体下及足一色黑。

阳茎端端梳状板背面稍内弯，基部齿密，长约0.40~0.41mm，梳柄连于基部，短排齿几乎达中部。针突细长，弯曲，长约0.25~0.27mm。

**量度**(mm)：体长6.50~7.90，宽2.20~2.90；头长0.65~0.75，宽1.17~1.25；头顶宽0.42~0.45(♂)、0.50~0.52(♀)；触角1~4节长度分别为1.10~1.15、2.85~3.00、2.30~2.50、1.40~1.50；前胸背板长1.18，后缘宽1.90~2.25；革片长3.40~3.60，楔片长1。

**采集记录**：1♂，佛坪，950m，1998.Ⅶ.23，姚建采。

**分布**：陕西(佛坪)、黑龙江、吉林、河北、甘肃、江苏、安徽、江西、四川；俄罗斯，朝鲜，日本，印度，伊朗，小亚细亚。

### (83) 三点苜蓿盲蝽 *Adelphocoris fasciaticollis* Reuter, 1903

*Adelphocoris fasciaticollis* Reuter, 1903: 8.

**鉴别特征**：此种中名曾用“三点盲蝽”。

长椭圆形，底色淡黄褐色至黄褐色。

头有光泽，淡褐色，额部成对平行斜纹与头顶“八”字形纹带共同组成较隐约而色较略深的“X”形暗斑状，或因上述斑纹界限模糊而头背面呈斑驳状。头背面毛刚毛状，黄褐色，较长，半平伏或半直立；上唇片基部直立大毛淡色及黄褐色。触角第1节淡污黄褐色至淡锈褐色，毛黑色；第2节基半色同第1节，然后渐加深成淡紫褐色，端部1/3深紫褐色至紫黑色；第3、4节紫褐色，最基部淡黄白色。喙伸达后足基节末端前不远。

前胸背板光泽强，胝区黑色，成横列大黑斑状；盘域后半具宽黑横带，有时断续成2条横带，或2条横带与两侧端的2个黑斑；胝前及胝间区闪光丝状平伏极少，不显著或无。前胸背板前半刚毛状毛淡色或色较深，淡褐色至淡黑褐色，毛基常成暗色小点状，向后渐淡；黑斑带上的毛同底色；胝毛同盘域，但甚稀疏。盘域刻点细浅较稀。领色同前胸背板底色，直立刚毛状毛同色，几乎无深黑褐色者；弯曲淡色毛较短且少，较不显著。

小盾片淡黄色至黄褐色，侧角区域黑褐色；具浅横皱。爪片一色黑褐色或外半黄褐色。革片及缘片同底色，后部2/3中央的纵走三角形大斑黑褐色，斑的深浅较一致；缘片外缘狭窄，黑褐色。爪片与革片毛二型，长密，银色闪光丝装毛侧面观狭鳞状；刚毛状毛色同底色，深色部分毛色亦加深，毛多明显长于触角第2节基段直径。楔片黄白色，基缘不加深，端角区黑色。膜片淡烟黑褐色，脉几乎同色。

足淡污褐色，股节深色点斑较细碎。体下几乎一色。腹下亚侧缘区有1条断续深色纵带纹。

阳茎端梳状板基部凸出，略呈三角形，长0.29~0.39mm。针突较细。左阳基侧突前方的小突起短宽。

**量度**(mm)：体长6.30~8.50，宽2.30~3.00；头长0.60~0.65，宽1.20~1.25；头顶宽0.40~0.45(♂)、0.45~0.50(♀)；触角1~4节的长度分别为0.95~1.05、2.45~2.80、1.95~2.20、1.10~1.20；前胸背板长1.00~1.15，后缘宽2.05~2.40；革片长2.90~3.70，楔片长1.04~1.08。

**生物学**：一年发生一至三代，以卵在杨、榆、槐等树皮内越冬，翌年春幼虫孵出后侵入棉田危害。在黄河流域棉区危害棉花(萧、孟，1963)。

**采集记录**：1♀，关中棉区，1953；1♂2♀，武功；2♂1♀，泾阳。

**分布**：陕西(武功、泾阳)、黑龙江、辽宁、内蒙古、河北、山西、河南、山东、江苏、安徽、湖北、江西、海南、四川。

**寄主**：棉，马铃薯，大豆，大麻，小麦，蓖麻，蒿类，葎草，地肤，甜菜，苜蓿等。

### (84) 横断苜蓿盲蝽 *Adelphocoris funestus* Reuter, 1903

*Adelphocoris funestus* Reuter, 1903: 7.

**鉴别特征**：体狭椭圆形，两侧平行。黑色。

头一色；毛褐色，细，较蓬松。头顶宽2mm，眼宽2.30mm。触角第1、2节全黑色，第3、4节黑色，最基部淡黄白色。喙黑色，伸达中足基节端部。

前胸背板具光泽，黑色，后缘狭窄，淡黄白色；略前倾，略为饱满拱隆。领黑色，领毛全黑色。胝、胝前区及胝间有一些闪光丝状平伏毛；盘域刚毛状毛褐色至黑褐色，细，较长，半平伏，略蓬松；刻点细疏，后部成刻皱状。

小盾片一色黑，具浅横皱。爪片及革片一色黑；毛二型：闪光线状毛平伏而密，多较短，革片中部者长约为刚毛状的1/2~2/3；刚毛状毛长，半平伏或近平伏，黑褐色。楔片淡黄白色，端部1/3以及基部约1/3黑褐色。膜片黑褐色。

体下黑色，臭腺沟缘全部黄白色。股节黑色，胫节淡污黑褐色，基部1/3色较深。

阳茎端梳状板较长，为0.36~0.43mm，齿小，背面近直，梳柄连于亚基部。针突短粗，近片状。左阳基侧突前方突起大。右阳基侧突前方突起齿状。

**量度**(mm)：体长7.00~8.50，宽2.60~3.00；头长0.70~0.80，宽1.20~1.30；头顶宽0.37~0.40(♂)、0.50~0.53(♀)；触角1~4节的长度分别为1.00~1.10、2.70~3.20、2.25~2.35、1.25~1.30；前胸背板长1.20，后缘宽1.95~2.40；革片长3.50~4.00，楔片长1.18。

**采集记录**：2♂，宁陕旬阳坝，1350m，1998.Ⅶ.29，姚建采；12♂，宁陕火地塘，1580m，1998.Ⅷ.15，袁德成灯诱；1♂，同前，1998.Ⅶ.26，姚建采；1♂，宁陕十八丈，1150m,1998.Ⅷ.17，袁德成采；1♂，镇巴，1985.Ⅶ.20，任树芝采。

**分布**：陕西(宁陕、镇巴)、甘肃、湖北、四川、贵州。

### (85) 苜蓿盲蝽 *Adelphocoris lineolatus* (Goeze, 1778)

*Cimex lineolatus* Goeze, 1778: 267.

*Calocoris chenopodii* Fieber, 1861: 255.

*Adelphocoris lineolatus*: Zheng *et al.*, 2004: 88.

**鉴别特征**：体较狭长，两侧较平行；生活时底色绿，干标本淡污黄褐色。

头一色，或头顶中纵沟两侧各具1个黑褐色小斑；毛同底色，或为淡黑褐色，短而较平伏。触角第1节同体色，第2节略带紫褐色或锈褐色，第3、4节淡污黑褐色或污紫褐色，有时最基部黄白色；触角毛第1节黑色，其余各节淡色。喙伸达中足基节末端。

前胸背板胝色淡(同底色)或黑色，盘域偏后侧方各具1个黑色圆斑，如胝为黑色时，黑斑多大于黑色的胝；盘域毛细短，刚毛状，淡色，几乎平伏；胝前区具短小的闪光丝状平伏毛，该区的直立大刚毛状毛淡色；刻点粗浅，密度中等，不甚规则。领色同盘域，直立大刚毛状毛中的部分黑色。

小盾片中线两侧多具1对黑褐色纵带，具浅横皱，毛同前胸背板。爪片内半常色加深成淡黑褐色，其中爪片脉处常成黑褐色宽纵带状，内缘全长黑褐色。革片中裂与R+M脉之间色深，常成三角形黑褐色斑，斑色均一或两侧加深。爪片与革片毛二型，均较密而相对较短：银色闪光丝状平伏毛显著；刚毛状毛细，淡黄褐色，与底色反差小而不显著。缘片及楔片外缘黑褐色，楔片末端黑褐色。膜片烟黑褐色。

梳状板背面略内凹，齿面凸，长约0.30mm，梳柄连于基部。针突中部粗，两端细。

**量度(mm)：**体长6.70~9.40，宽2.50~3.40；头长0.60~0.90，宽1.05~1.35；头顶宽0.38~0.50(♂)、0.55~0.63(♀)；触角1~4节的长度分别为1.00~1.15、2.70~3.30、2.50~2.60、1.10~1.30；前胸背板长1.30~1.34，后缘宽2.10~2.70；革片长3.50~4.20，楔片长1.35~1.38。

**采集记录：**2♂，周至厚畛子，1350m，1999.Ⅵ.22，章有为采；2♂，眉县，1963；1♂，武功，1973.Ⅶ.08；2♂2♀，留坝庙台子，1350m，1998.Ⅶ.21，姚建采；1♀，留坝韦驮沟，1600m，1998.Ⅶ.21，陈军采。

**分布：**陕西(周至、眉县、武功、留坝、定西)、黑龙江、吉林、辽宁、内蒙古、北京、天津、河北、山西、河南、山东、甘肃、青海、宁夏、新疆、浙江、湖北、江西、广西、四川、云南、西藏；古北区。

### (86) 污苜蓿盲蝽 *Adelphocoris luridus* Reuter, 1906

*Adelphocoris luridus* Reuter, 1906a: 9, 14.

*Adelphocoris yunnanensis* Zheng *et* Li, 1990: 98.

**鉴别特征：**长椭圆形，体形相对较小，体色为淡棕红色至污锈褐色。

头红褐色至棕褐色，额区有时可见红色成对平行斜纹，唇基一色，端部不加深。头部背面毛淡色，多为细刚毛状毛，半平伏；部分毛为银色闪光丝状毛，指向与刚毛状毛相似，两侧区域较多。触角第1节锈褐色或橙褐色，第2节基半淡黄褐色，杂有淡红色斑，后半红褐色，第3、4节红褐色或锈褐色。喙伸达中足基节后端。

前胸背板一色；领同色，其上的直立大刚毛状毛淡色，黄褐色；闪光丝状毛半平伏或近平伏，较凌乱，短于直立毛。胝前、胝、胝间、盘域前部1/4~1/5以及亚侧缘区具较明显的银色闪光丝状平伏毛；整个前胸背板的刚毛状毛淡色，几乎同底色，细，平伏；刻点较密而规则，较显著。

小盾片平，相对较宽，一色，或具色略淡的隐约中纵带；具浅横皱。爪片一色，接合缝狭细，橙褐色。革片一色，或内革片色较深，外革片与缘片淡黄褐色；毛二型，刚毛状毛黄褐色，同底色，平伏或近平伏。楔片淡黄褐色，基角三角形大斑与端角黑褐色。膜片黑褐色，脉带有锈褐色或红褐色色泽。

股节黄褐色，具密集红色细碎小点斑；后足股节多为红褐色或锈褐色而具细碎小红斑。胫节污黄褐色。雌虫体下淡黄白色，产卵器常为淡红褐色；雄虫体下紫褐色斑驳。臭腺沟缘全部黄白色。

阳茎端梳状板长约 0.41mm，梳柄连于基部，基部齿较长。针突粗，在亚端部弯曲。

**量度(mm)：**体长 6.80～8.40，宽 2.25～3.40；头长 0.55～0.65，宽 1.05～1.25；头顶宽 0.40～0.45(♂)、0.45～0.52(♀)；触角 1～4 节的长度分别为 0.85～0.90、2.30～2.70、2.00～2.10、1.15～1.20；前胸背板长 0.98～1.00，后缘宽 1.90～2.30；革片长 2.80～3.50，楔片长 1.00～1.25。

**采集记录：**1♂，留坝县城，1020m，1998.Ⅶ.18，姚建采。

**分布：**陕西(留坝)、甘肃、四川、云南。

### (87) 黑唇苜蓿盲蝽 *Adelphocoris nigritylus* Hsiao, 1962（图 57）

*Adelphocoris nigritylus* Hsiao, 1962: 85, 89.

**鉴别特征：**体长椭圆形。淡褐色。常微带锈褐色色泽。

头部多为锈褐色，唇基及下颚片加深成深褐色至黑色；毛淡色，细，相对略密而较蓬松；上颚片基部长毛淡色。触角第 1 节污黄褐色或同体色，最基部常色深，具较短密的深色平伏毛；第 2 节基部及端部 1/3～2/5 黑色，其余淡色，毛同底色，短小而密；第 3、4 节污黑褐色或锈褐色，基段淡色。喙伸达后足基节端部。

前胸背板一色。领毛淡色，长而直立。胝前及胝间区具闪光丝状毛，密而方向杂乱；盘域毛刚毛状，细，淡色，平伏，前侧角胝外侧区域具闪光丝状毛；刻点浅，较均匀，密度中等，横皱不显。

小盾片黑褐色，中纵纹淡色，向端加粗，具浅横皱，毛同半鞘翅。爪片及革片一色，或爪片以及革片后半隐约的三角形区域略加深，刻点甚细浅而密，毛甚密，二型：刚毛状毛黄褐色，半平伏，细；银色闪光丝状平伏毛明显，略粗；两种毛混合排列，长度相近。缘片外缘背面观色不加深，侧面观极狭细，黑褐色。楔片淡黄白色，端部黑褐色，有红色晕，黑色，具稀疏黑色刚毛状毛。膜片烟黑褐色。

股节常具红褐色色泽，细密的毛淡色，

阳茎端梳状板长约 0.40～0.47mm，端部短排齿数较少，3～5 枚，梳柄连于亚基部；针突较粗，与膜叶联结处的囊壁骨化弱。左阳基侧突细长，端部尖，其前方的小突起长约 0.14～0.16mm。右阳基侧突粗壮。

**量度(mm)：**体长 7.00～8.20，宽 2.10～3.20；头长 0.60～0.85，宽 1.05～1.30；头顶宽 0.40～0.50(♂)、0.45～0.55(♀)；触角 1～4 节的长度分别为 1.00～1.30、2.50～3.10、2.00～2.40、1.10～1.25；前胸背板长 1.15～1.33，后缘宽 2.05～2.50；革片长 3.30～3.80，楔片长 1.43。

**采集记录：**2♂，周至厚畛子，1350m，1999.Ⅵ.21，章有为采。

**分布：**陕西(周至)、黑龙江、吉林、辽宁、北京、天津、河北、山西、河南、山东、甘肃、宁夏、江苏、安徽、浙江、湖北、江西、海南、四川、贵州。

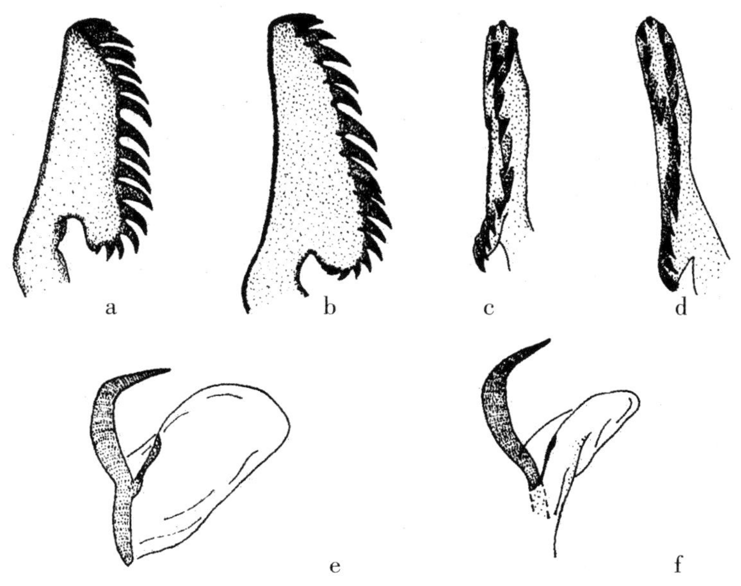


图 57　黑唇苜蓿盲蝽 *Adelphocoris nigritylus* Hsiao
a - d. 梳状板；e - f. 针突及其相邻的膜叶

## (88) 四点苜蓿盲蝽 *Adelphocoris quadripunctatus* (Fabricius, 1794)

*Lygaeus quadripunctatus* Fabricius, 1794: 172.
*Capsus annulicornis* Sahlberg, 1848: 100 (nec Herrich-Schäffer, 1835).
*Calocoris karafutonis* Matsumura, 1911: 38.
*Adelphocoris quadripunctatus*: Carvalho, 1959: 17.
*Adelphocoris annulicornis*: Zheng & Li, 1989: 80.

**鉴别特征：**雄虫狭椭圆形，雌虫较短宽。干标本淡灰绿色或榄灰色。

头淡色；上颚片基部毛丛状毛粗黑，明显；头顶中纵沟后端两侧有 1 对相向斜指的半直立黑色小刚毛；头部其余部分色淡而细小。触角第 2 节向端渐深，末端黑褐色，基部色不加深；第 3、4 节污紫褐色，基部 1/6 左右黄白色；第 1 节及第 2 节基部大部毛黑色，较密而近平伏；第 2 节端段毛淡色细小。喙伸达中足基节末端。

领毛黑色，粗直，排成不甚整齐的 1 ~ 3 行。盘域具 1 ~ 2 对黑斑，或完全无斑。盘域具浅而不甚规则的刻点或刻点与较稀浅的粗横皱，毛为较粗的短刚毛状，淡色至黑色，较强韧，平伏；整个前胸背板无闪光丝状平伏毛。

小盾片一色淡色。半鞘翅几乎一色。革片后半中央有时略加深成黄褐色。缘片外缘及楔片外缘狭窄，黑色，楔片最末端黑褐色。半鞘翅毛被二型：银白色闪光丝状毛密，刚毛状毛黑色，平伏，较直而强韧，略稀；两种毛均易脱落；刻点浅细均匀，较密。膜片烟黑褐色。

足及体下淡色。

阳茎端梳状板小，齿小而密，长0.20～0.34mm，梳柄连于基部。针突细小。左阳基侧突前方突起细长，右阳基侧突前的突起仅有痕迹。

**量度(mm)：**体长7～9，宽2.70～3.30；头长0.60～0.80，宽1.10～1.35；头顶宽0.36～0.48(♂)、0.45～0.50(♀)；触角1～4节的长度分别为1.00～1.50、2.90～3.80、2.30～3.20、1.40～1.60；前胸背板长1.28～1.30，后缘宽2.20～2.50；革片长3.50～4.00，楔片长1.35～1.43。

**采集记录：**1♂，留坝，1800～1900m，1998.Ⅶ.20，袁德成采；1♂，留坝庙台子，1350m，1998.Ⅶ.21，姚建采；1♀，秦岭山梁及北坡，1050m，1998.Ⅶ.30，袁德成采。

**分布：**陕西(留坝)、黑龙江、辽宁、内蒙古、天津、河北、山西、甘肃、宁夏、新疆、安徽、四川；蒙古，俄罗斯(西伯利亚)，欧洲，埃及。

**寄主：**荨麻。

### (89) 棕苜蓿盲蝽 *Adelphocoris rufescens* Hsiao, 1962

*Adelphocoris rufescens* Hsiao, 1962: 82, 88.

**鉴别特征：**体狭椭圆形，两侧平行，全体红褐色、锈褐色至棕褐色，或以此种色泽占优势。

头褐色，额部两侧区常深色。头部毛淡色，刚毛状，向端渐尖细，相对略长而蓬松，长约等于触角第2节基部直径；后缘长大刚毛状毛同底色或黑褐色。触角淡锈黄色、淡锈褐色、淡棕红色或棕褐色；第2节一色，基部不加深，或端半向端渐深，端部黑褐色，毛淡黑褐色或近底色；第3、4节最基部淡色。喙伸达中足基节中部至后足基节端部。

前胸背板领上的直立刚毛状毛色同底色或成黑褐色，大致排成1行。盘域后半在后缘前方为1条粗黑横带，或断成4个断续的黑色斑带状，或成4个分离的黑色大斑；胝前区、胝及盘域均具淡色至淡黑褐色的半平伏刚毛状毛，胝及胝前区的这类毛有时几乎成半直立；胝前及胝间区具闪光丝状平伏毛；盘域刻点浅细，密度中等。

小盾片一色黄褐色、锈褐色至棕褐色，或中央有1条浅色纵带，端部渐宽。爪片与革片近一色，各脉及其周围区域常更成红色；毛被二型，长而较平伏，刚毛状毛色较深，褐色或淡黑褐色；刻点浅小而密。缘片(有时包括革片外侧部分)淡灰黄，外缘很狭窄，黑色。楔片淡黄褐色，基内角大面积红色至黑褐色，端角红色至红褐色斜纹状，或成三角形小黑斑状，具红色晕；当基内角及端角为红黄色而较淡时，整个楔片大体与革片同色，且全无黑斑；毛被约同革片，成为后者的向后延续；楔片外缘较直。膜片烟黑褐色。

足棕褐色或锈褐色，股节具密集红斑点，褐色斑有时不甚明确。

雄虫生殖囊黑色。阳茎端梳状板窄长，背面内凹，梳柄细，连于基部，长约0.42mm。针突长，中部弯曲。

**量度(mm)：**体长5.50～8.60，宽2.10～3.00；头长0.55～0.65，宽1.15～1.25；头顶宽0.35～0.40(♂)、0.50～0.53(♀)；触角1～4节的长度分别为0.90～1.00、2.40～3.00、2.00～2.50、1.20～1.40；前胸背板长1.20，后缘宽1.70～2.45；革片长2.70～3.30，楔片长1.30。

**采集记录：**1♂，宁陕旬阳坝，1350m，1998. Ⅶ. 29，姚建采。

**分布：**陕西(宁陕)、黑龙江、内蒙古、河北、山西、山东、浙江、湖北、江西、福建、贵州。

### (90) 中黑苜蓿盲蝽 *Adelphocoris suturalis* (Jakovlev, 1882)

*Calocoris suturalis* Jakovlev, 1882a: 169.

*Adelphocoris suturalis*: Carvalho, 1959: 21.

**鉴别特征：**体在属内相对较小，狭椭圆形，污黄褐色至淡锈褐色。

头锈褐色，额区可具色略深的若干成对的平行横纹带；头部毛淡色，细，较稀；唇基或整个头的前半黑色。触角黄褐色，第2节略带红褐色，第3、4节污红褐色，一色。触角毛淡色(第1节斜伸直立黑色大刚毛除外)。喙伸达后足基节。

领上的直立大刚毛状毛长，长达领粗的2～3倍。盘域两侧在胝后不远处各有1个黑色较大的圆斑；胝前区及胝区具很稀的刚毛状毛，无闪光丝状平伏毛；盘域毛一型，无闪光丝状毛。盘域具细浅而不规则的刻点或刻皱，毛细淡，几乎平伏。

小盾片一色黑褐色，具横皱，毛约同半鞘翅。爪片内半沿接合缘为两侧平行的黑褐色宽带，与黑色的小盾片一起致使体中线成宽黑带状，故名。革片内角与R+M脉后部1/3之间为1个黑褐色斑，斑的前缘部分渐淡，革片内缘狭窄，淡色；爪片与革片毛二型，均为淡色，相对不甚平伏而略显蓬松状；闪光丝状毛细，易与刚毛状毛混同。楔片最末端黑褐色。膜片黑褐色。刻点甚细密而浅。

后足股节具黑褐色及一些红褐色点斑，成行排列。体下方在胸部侧板、腹板各足基节及腹部腹面可有黑斑，变异较大。

阳茎端梳状板长0.30～0.38mm。针突细长。

**量度(mm)：**体长5.50～7.00，宽2.10～2.60；头长0.62～0.65，宽1.05～1.20；头顶宽0.38～0.42(♂)、0.50～0.55(♀)；触角1～4节的长度分别为0.80～0.85、2.00～2.55、1.80～2.10、1.05～1.30；前胸背板长1.04～1.18，后缘宽1.80～2.00；革片长2.70～3.50，楔片长1.03～1.23。

**采集记录：**1♂，周至厚畛子，1350m，1999. Ⅵ. 22，章有为采；1♀，留坝韦驮沟，1600m，1998. Ⅶ. 21，陈军采；1♀，留坝庙台子，1350m，1998. Ⅶ. 21，姚建采；1♂2♀，佛坪，950m，1998. Ⅶ. 23，姚建采；1♂，佛坪窑沟，870～1000m，1998.

Ⅶ.23，陈军采。

**分布**：陕西(周至、留坝、佛坪)、黑龙江、吉林、辽宁、天津、河北、河南、山东、甘肃、上海、江苏、安徽、浙江、湖北、江西、广西、四川、贵州；俄罗斯，朝鲜，日本。

### (91) 带纹苜蓿盲蝽 *Adelphocoris taeniophorus* Reuter, 1906

*Adelphocoris taeniophorus* Reuter, 1906a: 10, 18.

**鉴别特征**：体较狭长，两侧较平行。污黄褐色，具深色斑。

头淡褐色；毛淡色刚毛状，较短；无明显的狭鳞状闪光丝状毛。雄虫头顶宽与眼宽之比为 2.00∶2.75。触角第1、2节污黄褐色；第2节基半毛短小，黑密，半平伏；第3、4节一色，污红褐色。喙达中足基节末端。

前胸背板相对略平，淡黄褐色，有光泽，亚后缘区有1条宽黑横带，有时中央间断，胝有时色略深；呈深褐色。刻点细浅，密度中等，较均匀。胝前及胝间区具闪光丝状平伏毛，直立大型刚毛状毛黑色，胝毛同盘域；盘域毛多为淡黑褐色，半平伏，无闪光丝状平伏毛。

小盾片一色污黑褐色，具浅横皱，毛同半鞘翅，爪片淡污黑褐色，革片后半中部色渐加深，大致成边缘模糊的三角形，色同爪片；缘片外缘黑褐色。半鞘翅毛二型，稠密而长：银色丝状平伏毛侧面观狭鳞状，闪光明显；刚毛状毛黄褐色，直，平伏，两种毛长度相近，混合排列；革片刻点细密均匀，爪片刻点更为深大。缘片外缘狭细，黑色。楔片淡黄色，外缘成弧度不大的均匀弧形，狭细，黑色，端部黑色，范围较小，刚毛状毛常淡褐色至黑色。膜片烟黑褐色。

股节淡褐色或褐色，深色小斑常不明显。

阳茎端梳状板长约 0.30～0.33mm，齿面向外呈弧形凸出，梳柄连于亚基部。针突细小。左阳基侧突抱器前方的突起小。右阳基侧突抱器细。

**量度**(mm)：体长 7.10～8.60，宽 2.60～3.00；头长 0.65～0.70，宽 1.20～1.40；头顶宽 0.37～0.40(♂)、0.40～0.50(♀)；触角1～4节的长度分别为 1.00～1.10、2.80～3.10、2.40～2.60、1.20～1.30；前胸背板长 1.13～1.20，后缘宽 2.20～2.40；革片长 3.30～3.80，楔片长 1.20～1.25。

**分布**：陕西(秦岭)、甘肃、四川。

## 52. 短角盲蝽属 *Agnocoris* Reuter, 1875

*Agnocoris* Reuter, 1875a: 82. **Type species**: *Lygaeus rubicundus* Fallén, 1807.

**属征**：体较小，宽椭圆形，较厚实，触角第2节极短。

头垂直，宽短，额-头顶区均匀饱满，无刻点，中纵线浅，几乎不可辨，后缘锐，具细脊，完整，缘前两侧近眼处略下凹。前面观头的眼前部分短小，长为其余部分的1/3；触角窝位置低，窝的上端在眼内缘长的2/3处，下端几乎达眼内缘的下端；唇基向端微加粗，上颚片伸达唇基长度1/2处。触角第1节较短；第2节向端部渐加粗，长度短于头宽。

前胸背板中度前倾，背面较平，侧缘直，侧面观钝圆，后缘中段微前凹；领无光泽，较粗，与触角第2节中段约等粗，被多数丝状小毛；盘域均匀遍布深密刻点，胝卵圆形，略隆出，倒"八"字形斜置，界限清楚，具毛，二胝分离，胝间区低平，与盘域相连，刻点较细浅，前伸不达领后缘。小盾片总体微升起，表面较平，具密横皱。半鞘翅外缘弧弯，革片和爪片均匀密布较细而较深的刻点。后足胫节相对略粗短，胫节刺淡褐色而短，刺基无小黑点斑。

**分布：**中国记录1种，秦岭地区分布1种。

## (92) 红短角盲蝽 *Agnocoris rubicundus* (Fallén, 1807)

*Lygaeus rubicundus* Fallén, 1807: 84.

*Agnocoris rubicundus*: Qi, 1994: 60.

**鉴别特征：**体宽椭圆形，较厚实；淡锈褐色，几乎一色，具弱毛泽。

头一色，同体色；雌虫头顶约为复眼宽的1.70倍。触角第1、2节黄褐色，第1节末端有1个浅褐色环，较短，几乎伸达唇基末端，第2节两端狭窄，淡黑褐色，毛同色，较密，半平伏，长约为直径1/2；第3、4节淡黑褐色，线形，细，约为触角第1节直径1/2，毛被似第2节。喙伸达中足基节端部。

前胸背板一色，刻点遍布，胝间区刻点较盘域为细疏，胝近边缘处具少数细浅刻点。盘域毛短密，半平伏，色几乎同底色。小盾片色略深，微呈淡黑褐色，具隐约的淡色中纵带，其后端成淡黄褐色端角；具密横皱，向后渐深，并杂有一些刻点，呈不规则状；毛被同半鞘翅。中胸盾片外露甚少。半鞘翅一色；爪片与革片刻点深密，毛密，较短，色同底色，平伏；楔片刻点较革片细浅，毛被则相似。膜片烟褐色，斑驳；脉略带红色。

体下及足黄褐色；中、后足股节端部具2个黑褐色狭环；后足胫节略弯。

左阳基侧突感觉叶基部膨大，具密毛，端突短，微弯。右阳基侧突直，端突极短小。阳茎端针突直。

**量度(mm)：**体长4.75，宽1.13；头长0.30，宽1.10，头顶宽0.43；触角1~4节的长度分别为0.34、0.95、0.50、0.45；前胸背板长1.03，后缘宽1.85；革片长2.15，楔片长0.88。

**采集记录：**1♀，甘泉清泉镇，1972.Ⅳ.19，杨集昆采(CAU)。

**分布：**陕西(秦岭、甘泉)、内蒙古；蒙古，俄罗斯，欧洲，美国，非洲(北部)。

## 53. 肩盲蝽属 *Allorhinocoris* Reuter, 1876

*Allorhinocoris* Reuter, 1876b: 33. **Type species**: *Conometopus prasinus* Reuter, 1876.

**属征**: 体中大型, 狭长, 两侧平行。几乎无光泽。毛一型, 黑色刚毛状, 粗短, 略呈刺状, 较易脱落。

头侧面观较长而平伸, 几乎斜平伸, 背面观三角形, 眼前部分长近头长的1/2。额-头顶区相对低平或略饱满; 额端圆钝, 侧面观位置高于唇基基部, 但不成屋檐状伸出遮盖于唇基基部之上; 唇基基半膝状缓弯, 然后成垂直位; 侧面观眼高与眼下高之比约为2:1。额两侧的平行横纹隐约可辨; 头顶中纵沟明显, 沟两侧前、后各具微刻区, 前方者三角形, 后方者宽"L"形; 头顶后缘无脊; 头顶略宽于眼。眼接触前胸背板。触角窝背面观可见, 开口大而朝向侧前方, 窝缘略高。触角细长; 第2节略细于前胸背板的领。

前胸背板中度下倾, 背面较平; 前缘宽弧形略后凹, 前角常不同程度地突出, 可前伸包围于领侧端之外, 向前伸达领的前缘; 侧缘直或内凹, 侧缘区扁薄, 略成叶状; 后缘中段微前凹, 侧角较钝, 几乎不上翘。领粗, 毛同盘域。胝表面平, 略下陷, 具不规则稀疏低棱, 棱间区域具极细密的微刻点, 点中似具有闪光的微毛; 胝界限清楚而下陷; 胝外伸达背板扁薄的侧缘; 二胝分离。盘域黑毛较密而均匀遍布, 无刻点, 常具横皱或不规则皱刻。

小盾片较平, 具横皱。中胸盾片外露甚多。

半鞘翅长, 表面因毛基下陷成细点状, 呈鲨鱼皮状。楔片狭长, 内缘直。膜片下折不强。膜片室端达楔片末端或略过之。

足细长。股节明显细长, 粗细均一, 背面被黑毛; 胫节细长, 毛被短小, 后足胫节刺淡色或黑色, 此外尚有许多微小而更为平伏的黑色短刺, 较密地散布于后足胫节上。跗节第1节甚短, 侧面观长约为第2节的1/2; 第2、3节几乎等长。

**分布**: 中国记录4种, 秦岭地区记述1种。

### (93) 中国肩盲蝽 *Allorhinocoris chinensis* Lu, 1994 (图58)

*Allorhinocoris chinensis* Lu, *in* Lu *et* Zhang, 1994: 205.

**鉴别特征**: 长椭圆形, 绿色, 常略带灰绿色色泽, 干标本黄绿色, 几乎无光泽。毛被见属征。

头绿或淡棕褐色; 额-头顶区相对较低, 较饱满; 头顶中纵沟长, 后端伸达头后缘, 沟前半两侧的微刻区倒三角形, 沟后半两侧的微刻区宽"L"形, 微刻密小网格状。触角窝后端与眼接触。触角第1节绿色, 细长, 长度接近前胸背板的长, 略粗于领，被黑色或淡黑色刚毛状毛，较短，半平伏，较密，长约为该节的1/3；第2节线形，长，略细于领，端部4/5渐加深成灰褐色，密被整齐短小黑色或几乎为淡色的刚毛状毛，长约为该节直径的1/2；第3、4节相对长，略细于第2节，第3节明显长于第1节。喙伸达后足基节。

前胸背板前角突出，伸达领的前缘水平，末端圆，侧缘直；盘域具极浅的横皱，后部较显；后侧角较宽圆，不伸出于前翅基部之外。半鞘翅外缘略向外拱弯；膜片淡烟色，脉绿色。足绿色或黄褐色；胫节褐色，基部常绿；后足胫节刺淡褐色或黄褐色，略短于后胫直径。

体下淡黄色，毛淡色。

雄虫外生殖器如图58。

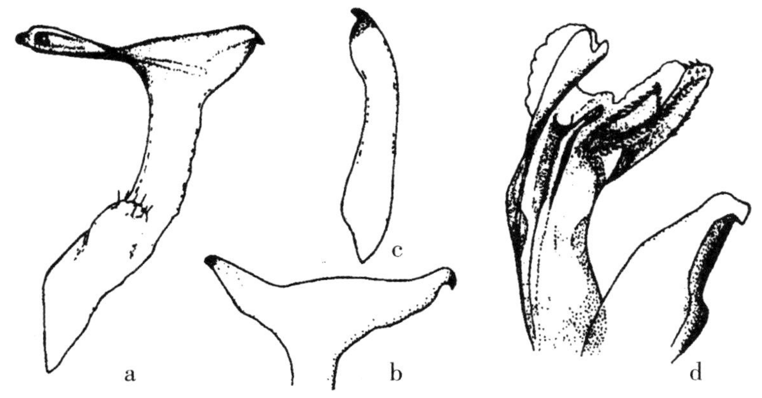


图58　中国肩盲蝽 *Allorhinocoris chinensis* Lu

a－b. 左阳基侧突；c. 右阳基侧突；d. 阳茎端

**量度(mm)：**体长9.50～9.70，宽3.20；头长0.75，宽2.20；头顶宽0.50；触角1～4节的长度分别为1.40、3.50、2.60、2.00；前胸背板长1.30，后缘宽2.30；革片长4.90，楔片长1.70。

**采集记录：**1♂，宁陕火地塘，1580～1650m，1999. Ⅵ.26，袁德成采。

**分布：**陕西(宁陕)、河北、山西、甘肃。

## 54. 后丽盲蝽属 *Apolygus* China，1941

*Apolygus* China，1941：60（as subgenus of *Lygus* Hahn，upgraded by Miyamoto，1987：582）. **Type species**：*Phytocoris limbatus* Fallén，1829.

**属征：**体椭圆形，通常较厚实；体长3.50～6.50mm；体背面颜色多样，多为绿色或褐色，常具深色斑纹，具光泽，密被金黄色半直立毛。头垂直，眼小，头顶相对宽，后缘明显具脊。触角相对较短，第2节短于前胸背板后缘宽。喙伸达后足基节。前胸背板具光泽，刻点细密。半鞘翅具光泽，楔片宽短，长通常约为其基部宽的 1.50 倍；膜片常强烈向后倾斜。胫节刺多为黑色，刺基深色斑有或无。

雄虫左阳基侧突呈半圆形弯曲，感觉叶发达；端突较宽，近端部常膨大，末端扁平。右阳基侧突体直，感觉叶发达，有时近端部膨大；端突小，通常为钩状。阳茎端由 4 个膜叶和若干骨化附器组成组成。针突通常 1 枚，极细，有时缺失。骨化附器包括[骨化附器的名称采用 Yasunaga (1991d) 的命名系统]：右侧有 1 枚狭三角形的骨片，称为"翼状骨片"(wing-shaped sclerite)，一侧多具齿；翼状骨片基部与 1 枚狭长且通常末端尖细的骨片相接，此骨片称为"腹骨片"(ventral sclerite)；另 1 枚骨片细长，常与次生生殖孔边缘上生出的膜叶愈合，称为"侧骨片"(lateral sclerite)；侧骨片基部常有 1 枚具齿的骨片，称之为"亚侧片"(sublateral sclerite)；此外尚有 1 枚狭长骨片与膜叶表面愈合，称为"中骨片"(median sclerite)，中骨片通常骨化较弱或消失。

**分布：**中国记录 28 种，秦岭地区记述 6 种。

## 分种检索表

1. 喙较长，至少伸达后足基节中央 ······ 2
   喙较短，仅伸达或略伸过中足基节 ······ 5
2. 体绿色、淡绿色或黄绿色，前胸背板、爪片及小盾片均无深色斑纹 ······ 3
   体不为绿色或黄绿色，否则前胸背板、爪片或小盾片具深色斑纹 ······ 7
3. 楔片末端黑色 ······ **斯氏后丽盲蝽 *A. spinolae***
   楔片末端同体色，不成黑色 ······ **绿后丽盲蝽 *A. lucorum***
4. 小盾片单一黑色，或有褐色至黑色斑纹 ······ **斑盾后丽盲蝽 *A. nigrocinctus***
   小盾片单一淡色，无深色斑纹 ······ **美丽后丽盲蝽 *A. pulchellus***
5. 头前半或唇基黑色 ······ **黑唇后丽盲蝽 *A. nigronasutus***
   头一色淡色，前部无深色部分 ······ **丝棉木后丽盲蝽 *A. evonymi***

### (94) 丝棉木后丽盲蝽 *Apolygus evonymi* (Zheng *et* Wang, 1983)

*Lygus* (*Apolygus*) *evonymi* Zheng *et* Wang, 1983b: 428, 432.

*Lygocoris* (*Apolygus*) *evonymi*: Zheng, 1995: 463.

*Apolygus evonymi*: Kerzhner & Josifov, 1999: 63.

**鉴别特征：**体黄绿色或橙黄色。

头黄褐色。头顶与复眼的宽比为 1.50∶1.00。触角黄褐色，第 2 节端半部和第 3 节基部橙红色，第 2 节末端和第 3、4 节黑褐色。喙短，仅伸达或略伸过中足基节末端。

前胸背板黄色，后缘中间略凹。中胸盾片中央褐色。小盾片褐黄色，基部有 1 个小褐色斑。革片端缘中央有 1 个三角形大黑褐色斑。沿爪片内缘的 2 条狭长黑褐色带在爪片接合缝基部会合成“V”纹。缘片外缘黑色。楔片内角和末端黑褐色。膜片色略暗，基内角和内缘黑色，两翅室末端有褐色斑。腹下黄色。中、后足股节端部各有 2 个褐色环。胫节刺深褐色，基部无黑色小点斑；第 3 跗分节黑褐色。

雄虫左阳基侧突体部宽厚；右阳基侧突端部细，角形弯曲，侧面观长而直，末端尖锐。阳茎端翼骨片较小，针突细长，约为翼骨片长度的 3.30 倍，其基部的加粗部分卵圆形；膜叶骨化附器细。

雌虫交配囊后壁支间叶很小，侧叶端部相接处有 1 个球形突，中突圆形，背结构大，半圆形。

**量度(mm)：**体长 4.00～5.20，宽 2.00～2.30；头长 0.35～0.40，宽 0.95～1.05；头顶宽 0.40～0.45(♂)、0.50(♀)；触角 1～4 节的长度分别为 0.45～0.50、1.00～1.25、0.60～0.70、0.55～0.60；前胸背板长 0.83，后缘宽 1.60～1.88；革片长 2.00～2.20，楔片长 0.98。

**采集记录：**1♂(正模)，武功，1957.Ⅵ.06；1♀(配模)，同前；6♂(副模)，武功西农苗圃，1957.Ⅵ.07。

**分布：**陕西(武功)、辽宁。

**寄主：**丝棉木。

### (95) 绿后丽盲蝽 *Apolygus lucorum* (Meyer-Dür, 1843)(图 59)

*Capsus lucorum* Meyer-Dür, 1843: 46.

*Lygus lucorum*: Hsiao, 1942: 265.

*Lygocoris* (*Apolygus*) *lucorum*: Carvalho, 1959: 138.

*Lygocoris lucorum*: Schuh, 1995: 799.

*Apolygus lucorum*: Kerzhner & Josifov, 1999: 65.

**鉴别特征：**体椭圆形。单一绿色。

唇基末端黑色，头顶与复眼的宽度之比为 1.10∶1.00。触角同体色，第 2 节端部 1/10～1/8 和第 3、4 节均为黑褐色，革片内角与楔片内角有时为黑褐色。膜片烟色，内缘处色常深。腹面、足和喙同体色。后足股节端部有 2 个褐色环，胫节刺黑色，基部无深色小点斑，跗节第 3 节端部黑褐色。喙伸达后足基节末端。

雄虫阳茎端和阳基侧突极似 *spinolae* Meyer-Dür，但阳茎端翼骨片和左阳基侧突端突的形状略有不同。

雌虫交配囊后壁与 *spinolae* 相似，但支间叶端部略膨大，中突圆形；环骨片的形状亦各异。

本种外形和外生殖器都与 *spinolae* 非常相似，几乎不可辨。但后者楔片最末端黑色，交配囊后壁中突梨形，支间叶端部不膨大，且两者的阳茎端翼骨片和环骨片之形状也不尽相同，此外，本种革片及楔片内角常色深，膜片色斑亦较深；而 *spinolae* 的革片和楔片内角一色草绿。据此可以区别。

**量度(mm)：**体长4.40～5.40，宽2.10～2.50；头长0.30～0.40，宽1.03～1.10；头顶宽0.40～0.42(♂)、0.45～0.50(♀)；触角1～4节的长度分别为0.50～0.60、1.60～1.85、0.90～1.10、0.60～0.70；前胸背板长0.90，后缘宽1.70～2.00；革片长2.10～2.50，楔片长1.05。

**采集记录：**1♀，周至厚畛子，1350m，1999. Ⅵ.24，姚建灯诱；1♂1♀，留坝庙台子，1470m，1999. Ⅶ.1，刘缠民采；1♂，佛坪，900m，1999. Ⅶ.27，姚建采；宁陕火地塘，1580m，1998. Ⅶ.14，袁德成采。

**分布：**陕西(周至、留坝、佛坪、宁陕)、黑龙江、吉林、河北、山西、河南、甘肃、宁夏、湖北、江西、湖南、福建、云南；俄罗斯，日本，埃及，阿尔及利亚，欧洲，北美洲。

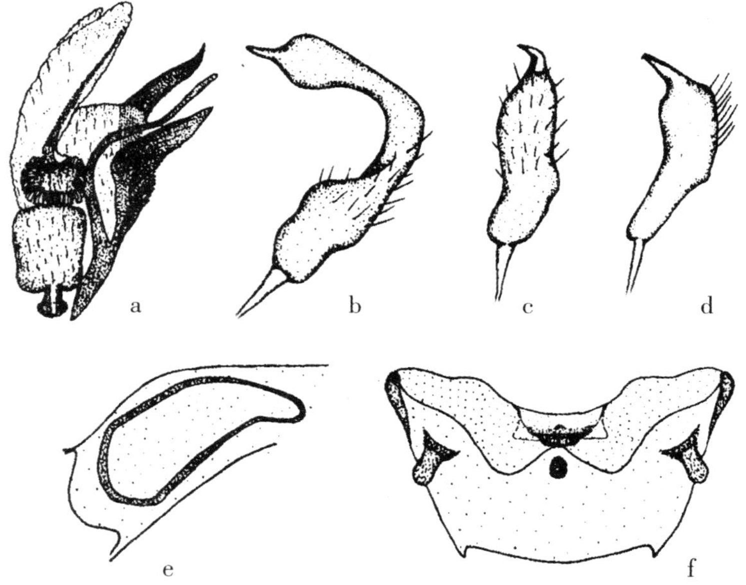


图59 绿后丽盲蝽 *Apolygus lucorum* (Meyer-Dür)

a. 阳茎端；b. 左阳基侧突；c－d. 右阳基侧突；e. 环骨片；f. 交配囊后壁

## (96) 斑盾后丽盲蝽 *Apolygus nigrocinctus* (Reuter, 1906)

*Lygus pulchellus* var. *nigrocincta* Reuter, 1906a: 34.

*Lygocoris* (*Apolygus*) *pulchellus* var. *nigrocincta*: Carvalho, 1959: 136.

*Lygocoris* (*Apolygus*) *nigrocinctus*: Kerzhner, 1972: 287.

*Lygocoris* (*Apolygus*) *pulchellus*: Zheng, 1995: 463 (misidentification).

*Lygocoris nigrocinctus*: Schuh, 1995: 800.

*Apolygus nigrocinctus*: Kerzhner *et* Josifov, 1999: 66.

**鉴别特征：**体椭圆形，黄褐色。

唇基黑色，额部常具多条红色横纹。头顶与复眼的宽度之比为1.20∶1.00。触角同体色，第1节末端、第2节基部1/5和端部3/5以及第3、4节均为黑褐色，第2、3节基部各有1个黄褐色狭环，喙伸达后足基节末端。

前胸背板基部有1条伸至侧缘的黑褐色宽横带，后缘色浅，胝上有2个倾斜的黑斑。小盾片基部伸出1个约成等边三角形的大黑斑，其末端常超过小盾片长的1/2，斑的两侧缘红色，为本种的显著特征。爪片黑色，沿革片端缘的1条黑褐色宽横带伸达缘片外缘，缘片外缘和革片基部黑色。楔片橙黄，基部、内角和末端红褐色至黑褐色。膜片浅褐色，基内角暗褐色。

中胸侧板红褐色，腹部两侧具黑纵带。股节端部有3个红色或红褐色环，近端部的2个环较窄，近中央的环较宽，有时不显。胫节基部和末端红褐色，胫节刺黑色，刺基有小黑点斑，第3跗分节黑色。

雄虫左阳基侧突感觉叶发达，强烈突起。右阳基侧突端突极长，接近阳基侧突体的长度。阳茎端具细长而直的针突。翼骨片三角形，较大，长度约与针突相等。

雌虫交配囊后壁的中突稍倾斜；背结构宽大，左、右上侧角与侧叶的外缘分离。

**量度(mm)：**体长4.40～5.40，宽2.10～2.30；头长0.40～0.45，宽1.05～1.13；头顶宽0.35～0.38(♂)、0.38～0.45(♀)；触角1～4节的长度分别为0.60～0.65、1.70～1.80、0.90～1.10、0.63～0.70；前胸背板长0.85，后缘宽1.75～1.90；革片长1.90～2.25，楔片长0.80。

**采集记录：**1♀，宁陕火地塘，1600～1700m，1998.Ⅶ.28，陈军采。

**分布：**陕西(宁陕)、甘肃、四川；日本。

## (97) 黑唇后丽盲蝽 *Apolygus nigronasutus* (Stål, 1858)

*Deraeocoris nigronasutus* Stål, 1858: 184.

*Lygus nigronasutus*: Hsiao, 1942: 265.

*Lygocoris* (*Apolygus*) *nigronasutus*: Carvalho, 1959: 139.

*Lygocoris nigronasutus*: Schuh, 1995: 800.

*Apolygus nigronasutus*: Kerzhner, 1998b: 23.

**鉴别特征：**椭圆形，黄绿色或黄褐色，生活时应为鲜绿色；具光泽。

头垂直，唇基大部或全部黑色，其余同体色。额区光滑，无成对的横棱；头顶后缘脊完整，细而较锐；颈部色同头部。触角第1节淡色，一色无黑斑，明显伸过头端，毛黄褐色；第2节相对细长，向端微微渐加粗，由1/3处开始渐成黑褐色；第3、4两节细线形，明显细于第2节，黑褐色。喙伸达或略伸过中足基节。

前胸背板领较细，低于盘域前部，盘域中度拱隆饱满，一色，毛黄褐色。小盾片一色淡色，无黑斑，具横皱，毛同革片；中胸盾片中央常有1个暗色不大的斑，侧角几乎不加深。缘片外缘全长狭细，黑色，由背面可见。革片端缘处有2个不大的黑斑，其间为淡色的脉所分隔，黑斑向内几乎伸达革片内缘，外端多止于端缘中央；爪片接合缘极狭细，深色；革片及爪片的毛黄褐色，较密，半平伏，前毛伸过后毛的基部。楔片末端具黑斑，不大，但明显。膜片基角及内缘基半黑褐色，小室端半、大室后部1/3及沿内缘宽阔，烟黑褐色，室外的多为烟黑褐色，距离室后颇远的外缘处有1个较大的淡斑。

足同体色；后足股节端段有2个黑环，端半腹方有少数稀疏小黑点斑；胫节刺黑色，明显，刺基或多或少具小黑点斑。第3跗分节黑色。

**量度(mm)：**体长5.20~6.60，宽2.25~2.60；头长0.33，宽1.17；头顶宽0.43；触角1~4节的长度分别为0.70、2.20、0.94、0.40；前胸背板长1.08，后缘宽2；革片长2.50，楔片长1。

**采集记录：**1♂，周至厚畛子，1350m，1999.Ⅵ.22，章有为采；14♂3♀，秦岭山梁及北坡，2350m，1998.Ⅶ.30，姚建采。

**分布：**陕西(周至)、甘肃、四川；蒙古，俄罗斯(西伯利亚)。

### (98) 美丽后丽盲蝽 *Apolygus pulchellus* (Reuter, 1906)

*Lygus pulchellus* Reuter, 1906a: 33.

*Lygus adustus* var. *pulchellus*: Hsiao, 1942: 264.

*Lygocoris* (*Apolygus*) *adustus* var. *pulchellus*: Carvalho, 1959: 136.

*Lygus* (*Apolygus*) *fujianensis* Wang *et* Zheng, 1982: 119, 122.

*Lygocoris* (*Apolygus*) *pulchellus*: Yasunaga, 1992b: 291.

*Lygocoris pulchellus*: Schuh, 1995: 797.

*Lygocoris* (*Apolygus*) *fujianensis*: Zheng, 1995: 453.

*Apolygus fujianensis*: Kerzhner & Josifov, 1999: 63.

*Apolygus pulchellus*: Zheng *et al.*, 2004: 168.

**鉴别特征：**体椭圆形。背面黄褐色。

唇基、颊与上唇黑色。头顶与复眼的宽度比为1.10∶1.00。触角黄褐色，第2节端部1/6黑色，第3、4节褐色，第3节基部淡黄色，触角第2节长度1mm，前胸背板基部的宽度1.20mm。喙伸达后足基节或后足基节末端。

前胸背板黄褐色，盘域后半部常为浅褐色，近后缘中部有时加深成黑褐色短横带状。小盾片淡色，一色。爪片色加深，常成不同深度的褐色，深色个体可为黑褐色。革片端部和基部、缘片外缘以及楔片基部及末端全为黑色。膜片烟色，具隐约的浅色斑。

胸下橙黄色。腹下红色。足黄褐色，基节橙黄色，后足股节端末部橙红色。中足股节端部有2个血红色环；后足股节端末部有3个血红色环，以近中央的一环较宽，雄虫股节中部的宽红环有时不明显。胫节基部黑褐色，刺黑色，基部有较大的黑色点斑。第3跗分节黑褐色。

雄虫左阳基侧突杆的端部膨大，感觉叶凸起平缓。右阳基侧突杆部与端突连续，基部较宽，端半部呈镰刀形。阳茎端翼骨片三角形，其锯齿缘中间略凹；针突短，长度小于阳茎端翼骨片，基部的加粗部分卵圆形；腹骨片粗长，在近中央处折弯。

雌虫环骨片大，环的内缘中央强烈内凹。交配囊后壁背结构上侧角与侧叶外缘分离；中突梨形，支间叶端部明显变细。

**量度(mm)：**体长3.80～4.40，宽1.80～2.20；头长0.35～0.40，宽0.98～1.07；头顶宽0.35～0.38(♂)、0.38～0.40(♀)；触角1～4节的长度分别为0.50～0.55、1.35～1.50、0.80～0.90、0.60～0.65；前胸背板长0.95，后缘宽1.50～1.85；革片长1.80～2.00，楔片长0.88。

**采集记录：**1♀，宁陕火地塘，1580m，1998.Ⅶ.27，陈军采；1♂，宁陕旬阳坝，1350m，1998.Ⅶ.29，姚建采。

**分布：**陕西(宁陕)、甘肃、浙江、福建、四川、贵州；朝鲜半岛，日本。

**寄主：**龙眼。

### (99) 斯氏后丽盲蝽 *Apolygus spinolae* (Meyer-Dür, 1841)

*Capsus spinolae* Meyer-Dür, 1841: 86.
*Lygus spinolae*: Hsiao, 1942: 265.
*Lygocoris* (*Apolygus*) *spinolae*: Carvalho, 1959: 139.
*Lygocoris spinolae*: Schuh, 1995: 804.
*Apolygus spinolae*: Kerzhner & Josifov, 1999: 67.

**鉴别特征：**体椭圆形，单一绿色。

唇基端部黑色。少数个体头顶中央有1个小凹区，额部有1条黄褐色纵中线，两侧各有7～8条对称的黄褐色横纹。头顶与复眼的宽度之比为1.10∶1.00。触角黄绿色，第2节端部和第3、4节黑褐色，第3节基部1个窄环黄绿色，端部黑褐色；第2节的长度1mm，前胸背板基部的宽度之比为1.00∶1.10。喙伸达后足基节末端。

前胸背板、小盾片及前翅绿色(干标本黄绿色或淡黄褐色)，仅楔片最末端黑色，为本种的特征之一。膜片透明、色浅，散布少量淡褐色斑，基内角暗褐色。体下黄绿色或黄色。足黄绿色，后足股节端部有2个褐色环；胫节刺黑色，刺基部无深色小点斑。

雄虫左阳基侧突感觉叶较发达，约成三角形。右阳基侧突端部弯曲。阳茎端的针突缺；翼骨片宽大，三角形；腹骨片细而中段大弯状，与*A. lucorum*极似，但腹骨片端段更长。

雌虫交配囊后壁支间叶细而直；背结构较小，半圆形；中突梨形。

**量度(mm)：**体长4.20～6.00，宽2.05～2.90；头长0.38～0.45，宽1.05～1.20；头顶宽0.38～0.40(♂)、0.40～0.47(♀)；触角1～4节的长度分别为0.50～0.62、1.50～1.85、1.00～1.25、0.60～0.80；前胸背板长0.98，后缘宽1.65～2.20；革片长1.75～2.50，楔片长1.05。

**采集记录**：1♀，宁陕火地塘，1580m，1998. Ⅷ. 18，袁德成采；1♀，秦岭山梁及北坡，2050m，1998. Ⅶ. 30，姚建采。

**分布**：陕西（宁陕）、黑龙江、北京、天津、河南、甘肃、浙江、广东、四川、云南；俄罗斯，朝鲜，日本，埃及，阿尔及利亚，欧洲。

## 55. 树丽盲蝽属 *Arbolygus* Kerzhner, 1979

*Arbolygus*（as subgeus of *Lygocoris* Reuter）Kerzhner, 1979：24. **Type species**：*Calocoris rubripes* Jakovlev, 1876.

**属征**：体中等偏大，长椭圆形或近两侧平行，多为褐色至黑色，个别为黄褐色。

头相对较小，具光泽，毛稀。头顶后缘脊不发达，全无，或极低而成痕迹状，或中段消失仅两端可见痕迹状；中纵沟直，向后伸达头顶后缘，后端不向两侧分歧成“八”字形。额区两侧常各有 4 ~ 6 条相互平行的深色短横纹。触角短，第 2 节通常短于前胸背板宽。

前胸背板领多少具光泽，多略细于触角第 1 节基部，色同体色或略淡，但多不呈黄白色；领毛短小或无，不具淡色细长直立毛。盘域具光泽，刻点多较稀而不规则，深浅不一；毛稀短；最后缘狭窄，黄白色；胝饱满光滑，二胝相连；侧缘圆钝或略锐。

小盾片通常饱满，具细横皱，深色，通常端角色浅，有时两基角亦色浅。前翅革片及爪片通常具细密刻点及密毛，个别种几乎光滑无毛，一些种具许多点状斑；膜片烟褐色。腹面颜色基本同背面，但多斑驳。足单色，端部加深，或具明显的深色环。胫节刺常略长于胫节直径，深色或浅色。

雄虫左阳基侧突变异较大，通常为镰刀状；感觉叶小，仅基部略膨大，有时则发达，甚至强烈伸出，与阳基侧突体部之间形成二叉状（*A. kerzhneri*）；端突前部常向前或向下弯曲成小钩状。右阳基侧突体部通常直，端突变异较大。阳茎端鞘上的片状突 1 ~ 4 枚，其特征在种内稳定，种间则差异较显著，是较好的分类特征。阳茎端复杂，针突通常骨化强，针状，有时缺失；此外还有 0 ~ 4 个骨化附器，形状及骨化程度各异；膜叶 2 ~ 4 个，大小不同，通常表面（至少端部表面）密布骨化或未骨化的微刺。导精管通常为长短不一的筒形，次生生殖孔宽阔。

**分布**：中国记录 14 种，秦岭地区记述 2 种。

### 分种检索表

头顶基脊完整 ………………………………………………………… **环胫树丽盲蝽 *A. tibialis***

头顶基脊至少中央消失 ……………………………………………… **斑胸树丽盲蝽 *A. pronotalis***

### (100) 斑胸树丽盲蝽 *Arbolygus pronotalis* (Zheng *et* Liu, 1992)

*Lygocoris* (*Arbolygus*) *pronotalis* Zheng *et* Liu, 1992: 294, 304.

*Arbolygus pronotalis*: Lu & Zheng, 1998c: 80.

*Lygocoris pronotalis*: Schuh, 1999: 803.

**鉴别特征**：体长椭圆形；背面褐色；被银白色毛，略具光泽。

头垂直，黄褐色，略带红色，具稀疏毛；雄虫头顶宽为头宽的0.31倍，雌虫的为0.38倍；唇基黄褐色，略带红褐色；头顶中纵沟明显，后缘脊不明显；额中央两侧各有5~6条深褐色相互平行的短横纹。触角第1节黄褐色，内侧深褐色，第2节基部1/3和端部1/2黑褐色，其余黄褐色，第3、4节黑褐色，各自的基部黄褐色。喙伸达后足基节。

雄虫前胸背板黄褐色，胝、胝前及其后直到前胸背板后缘形成的方形斑黑褐色，侧缘及亚后缘等处加深为深褐色，后缘极窄地黄白色；雌虫整个前胸背板黑褐色，仅近后缘处色略淡；盘域刻点小且不规则，毛半直立，稀短。领黄褐色。小盾片黑褐色，基角和端角黄褐色；具横皱。前翅革片和爪片深褐色，散布不规则的黄褐色小斑；楔片均一深褐色，长约为基部宽的1.50倍；膜片烟褐色。

体下黄褐色，有1条深褐色纵带贯于全长；此外，腹下中央散布深褐色斑点。足黄褐色，股节及胫节具4个褐色环，分别位于两端及中部；胫节刺黄褐色。

雄虫左阳基侧突甚狭长，感觉叶小，端突短钝，反卷成小钩状。右阳基侧突狭长。阳茎鞘端部具2个片状突，舌状，两者之间由1个极窄骨化片相连。阳茎端针突粗大，从中部起向一侧弯曲；共具4个膜叶，右侧膜叶有1个大型长勺形骨化附器，腹面中央有1个两侧卷起、端尖的长形片状骨化附器，骨化较弱。近中央有1枚较细而弯的刺状附器，骨化强。导精管短，近筒形，次生生殖孔宽阔。

雌虫环骨片长，肾形，两端略尖；交配囊后壁的侧叶宽三角形；无内支叶；背结构着生于上侧叶之上，向两侧伸展，呈鸟翼状；中突长形，端部膨大为圆形。

**量度**(mm)：体长7.22~7.89，宽2.85~3.14；头长0.41~0.44，宽1.09~1.12；头顶宽0.34~0.35(♂)、0.42~0.43(♀)；触角1~4节的长度分别为0.88~0.95、2.21~2.45、1.09~1.16、0.68~0.71；前胸背板长1.33~1.43，后缘宽2.31~2.52；革片长3.40~3.96；楔片长1.26~1.53。

**采集记录**：1♀，留坝大洪渠，2500m，1998.Ⅶ.20，陈军采；1♂1♀，留坝大洪渠，2500m，1998.Ⅶ.20，陈军采；6♂21♀，宁陕火地塘，1580m，1998.Ⅷ.14，袁德成灯诱；3♂5♀，同前，1998.Ⅶ.15；3♂1♀，同前，1998.Ⅷ.17；4♂1♀，同前，1580~2000m，1998.Ⅷ.18；6♂3♀，同前，1580m，1998.Ⅷ.20，灯诱。

**分布**：陕西(留坝、宁陕)、甘肃、湖南、福建、台湾、广西、四川。

### (101) 环胫树丽盲蝽 *Arbolygus tibialis* Lu *et* Zheng, 1998

*Arbolygus tibialis* Lu *et* Zheng, 1998c: 92.

**鉴别特征:** 体长椭圆形; 背面褐色, 略具光泽。

头垂直, 褐色, 略带黑褐色, 具稀疏毛; 雄虫头顶宽为头宽的0.31倍, 雌虫的为0.38倍; 唇基黄褐色, 略带红褐色; 头顶中纵沟明显, 前伸至复眼前缘, 后缘脊消失, 仅留痕迹; 额区各有5~6条深褐色相互平行的短横纹。触角黑褐色至黑色, 仅第3、4节的基部分别为黄白色。喙伸达中足基节。

前胸背板黑褐色, 前缘具不规则的浅色斑, 后缘极窄地黄白色; 或大部至整个前胸背板深褐色, 仅胝区黑色; 胝区光滑, 具强光泽; 盘域刻点小而不规则, 毛短于革片毛。领褐色。小盾片黑褐色至黑色, 基角黄褐色, 端角黄白色; 具横皱。前翅黑褐色; 楔片长约为基部宽的1.50倍, 最基部至基部1/3黄白色; 膜片烟褐色。

体下浅褐色至深褐色, 散布黑褐色斑点。足黄褐色, 股节及胫节各具4个褐色环, 位于两端及中部, 胫节刺浅褐色。

雄虫左阳基侧突镰状, 体部狭长, 端突后弯成小钩状。右阳基侧突狭长, 端部与阳基侧突体部垂直。阳茎鞘仅在端部有1个极小的半圆形片状突。阳茎端针突长, 基部弯曲, 然后直, 末端尖细, 骨化强。共具4个膜叶, 3大1小, 表面均具微刺。左侧骨化附器直, 中部宽, 两端尖细; 中央有1枚两侧内卷的长形片状骨化附器。导精管短筒形, 次生生殖孔宽阔。

**量度(mm):** 体长7.22~7.89, 宽2.85~3.14; 头长0.45~0.48, 宽1.36~1.40; 头顶宽0.41~0.42(♂)、0.52~0.60(♀); 触角1~4节的长度分别为0.95~1.05、2.45~2.70、1.36~1.48、0.60~0.68; 前胸背板长1.43~1.52, 后缘宽2.62~2.84; 革片长3.70~3.96, 楔片长1.36~1.45。

**采集记录:** 1♀, 凤县秦岭车站, 1965.Ⅷ.18, 路进生采(NWAU); 1♂, 宁陕火地塘, 1640m, 1994.Ⅷ.14, 卜文俊采。

**分布:** 陕西(凤县、宁陕)、甘肃、宁夏、湖北。

## 56. 粗领盲蝽属 *Capsodes* Dahlbom, 1851

*Capsodes* Dahlbom, 1851: 214. **Type species**: *Cimex gothicus* Linnaeus, 1758.

**属征:** 体中型。体长椭圆形, 光泽弱或几乎无光泽。

头垂直; 额-头顶区微饱满, 较平, 眼略向两侧伸出, 但不具柄, 眼后缘远离前胸; 头侧面观眼高明显小于眼下高, 眼的前、背缘可伸出于额-头顶边缘之外; 唇基与额间有1个横缢, 唇基基部略前隆; 头部毛长, 直立。触角细长, 第1节相对较细, 微向内拱弯, 基部1/4最粗, 其后略细; 第2节向端略渐粗, 亚棒状; 第3、4两节细线形；第1、2节基半除黑褐色的短毛外，尚具少数同色直立长毛，蓬松状。

前胸背板几乎平置，几乎不或轻微下倾，盘域微饱满；侧缘钝棱边状，侧角宽圆；后缘较平；领很粗，高度与其后的前胸背板平齐，明显粗于触角第1节，具长而直立的黑毛。胝界限明显，较隆出，二胝在前半相连愈合，前伸达领后缘，两侧伸达略薄的侧缘内边处，胝区具毛同盘域，无刻点；盘域具浅刻点或刻皱，刚毛状毛明显长而直立。

小盾片整体略抬升，侧缘下降。中胸盾片露出甚多。半鞘翅几乎无刻点，具直立毛，毛基微隆起，致使表面粗糙状。膜片较平伸，下折不显。

股节向端渐细；股节及胫节毛蓬松。第1、2跗分节短，长度近等，第3跗分节最长。雄虫生殖囊开口两侧各有1个明显的突起。

**分布：**中国记录1种，秦岭地区分布1种。

## (102) 粗领盲蝽 *Capsodes gothicus* (Linnaeus, 1758)

*Cimex gothicus* Linnaeus, 1758: 447.

*Cimex superciliosus* Linnaeus, 1767: 728.

*Cimex sanguineoguttatus* Goeze, 1778: 275.

*Lygaeus albomarginatus* Fabricius, 1794: 180.

*Cimex lychnitidis* Schrank, 1801: 94.

*Lopus affinis* jakovlev, 1876: 115.

*Capsodes gothicus*: Carvalho, 1959: 7.

**鉴别特征：**雄虫两侧较平行，前翅相对较长，伸过腹端较多；雌虫两侧较圆拱，前翅较短，只伸达腹端。色斑有一定的变异。

头黑色，光泽弱；头顶两侧眼内方有1个黄白色斑斜伸向内后方，毛稀，直立，黑色。触角全黑色，第1节长度的1/4左右伸过头端。

前胸背板淡黑褐色至黑褐色，胝色常较深，部分个体有1条黄褐色中纵带；侧缘前端钝边状，与胝间有1个下凹界限，黄白色，其后加宽，成1个黄白色宽侧缘；胝无刻点；盘缘具稀刻点或粗糙不规则浅皱刻。

小盾片黄白色、橙黄色或锈黄色，侧缘基半及中胸盾片黑褐色；毛淡色至黑色，直立，短于前胸背板的毛。半鞘翅黑褐色，侧区较宽阔，黄白色，后端伸达缘片末端区；半鞘翅毛被淡色或黑色，半直立或直立；膜片黑褐色。

体下黑色，只前胸“侧板”及前足基节大部黄白色，腹下侧区有1条隐约的黄色纵带。足及喙黑色。

新疆个体眼内侧黄斑长；前胸背板侧缘黄白部分只限前端狭细；小盾片黑色，仅后半中线纵斑为黄褐色；半鞘翅仅缘片为黄褐色。

**量度(mm)：**体长5.75～7.77，宽2.60～2.70；头长0.40，宽1.44；头顶宽0.73；触角1～4节的长度分别为0.95、2.25、1.00、1.10；前胸背板长1，后缘宽

1.85；革片长3.50，楔片长1.20。

**采集记录：** 2♂，华山，1957. Ⅶ.16；1♀，太白山，1979. Ⅶ.04。

**分布：** 陕西(太白、华阴)、黑龙江、吉林、内蒙古、河北、新疆；俄罗斯(远东地区)，哈萨克斯坦，欧洲。

## 57. 纹唇盲蝽属 *Charagochilus* Fieber, 1858

*Charagochilus* Fieber, 1858: 309. **Type species**: *Lygaeus gyllenhali* Fallén, 1807.

**属征：** 体小，厚实而短。前胸背板强烈前倾，致使侧面观前胸背板表面与体长轴成60°~90°角，头部位置因此较低。

头垂直，几乎无刻点，背面圆拱，被颇密的半直立蓬松细毛以及略粗的丝光平伏毛。头顶后缘有很明显的粗脊，脊前具若干丝状毛。眼接触前胸背板，具短毛。触角细，较长，第1节相对细，各节毛被一般。

前胸背板领粗，无光泽，密布方向杂乱的两类毛：一类毛白色刚毛状，细长，直立或半直立；另一类为平伏丝状毛。前胸背板除领以外具光泽。胝前及领无刻点，胝后具明显较大的密刻点，约成皱刻状，亦具两类毛，同领：直立毛着生于刻点间，较稀，指向后方，刻点内无毛；丝光毛密，方向不整齐，拥挤，着生于刻点之间。

中胸盾片外露不少。小盾片饱满，具刻点及横皱，向前渐消失，毛同前胸背板。爪片、革片两侧区域刻点深密，均匀，毛被同前胸背板；中段则刻点浅，几乎无，丝状毛似少。革片内缘略拱弯，楔片缝长，约达爪片端角至楔片缝外端之间距离的1/2。前缘裂外端的缺口很大。

体下密布容易脱落的平伏丝状毛，胸部无半直立的刚毛状长毛。跗节第2节长于第1节。

**分布：** 中国记录7种，秦岭地区记述1种。

### (103) 狭领纹唇盲蝽 *Charagochilus angusticollis* Linnavuori, 1961 (图60)

*Charagochilus angusticollis* Linnavuori, 1961: 162; Zheng *et al.*, 2004: 226.

**鉴别特征：** 体色较深，深色部分几乎全为黑色。

头顶在眼的内侧有1对小黄褐色斑。触角第1节黄色，第2节黄褐色，淡色个体只最端部黑色，深色个体两端黑色，各占全长的1/5左右，向端略微渐粗，第3、4节黑色，第3节最基部黄色。

前胸背板、小盾片及前翅似 *longicornis*。前胸背板光泽较强，丝状毛形成小毛斑；领有粉被。翅暗。革片中部区域褐色，无光泽亦无刻点，直毛长，较密，不紧贴于翅表，约成密厚的毛层状，毛黑褐色；银白色的丝状卷曲毛组成的小毛斑紧贴翅表，位于直毛层之下，外观此区域略呈绒状；小毛斑整齐，数量，较多。足股节基部黑色，亚基部有 1 个白环，端半似 *longicornis*，后足胫节基部 3/4 黑色，端部 1/4 黄白色。

阳茎端骨化附器 3 枚，腹方骨化附器尖，刺状，弯曲；中央附器杯状；背方骨化附器二叉状，长支粗壮，短支细。

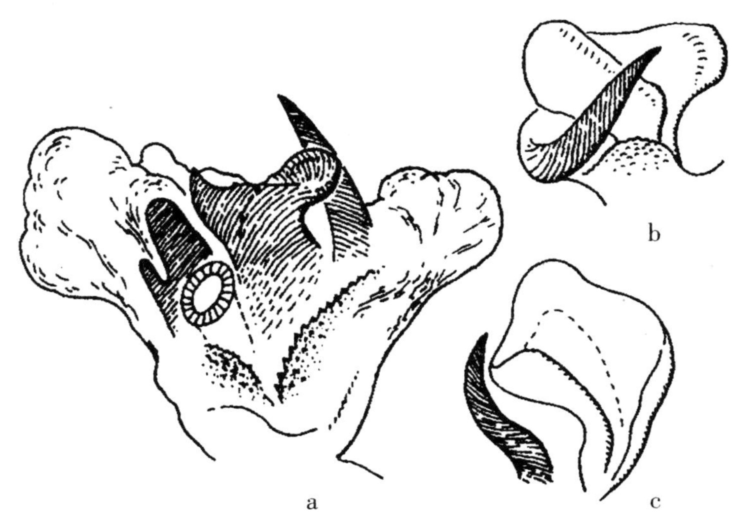


图 60 狭领纹唇盲蝽 *Charagochilus angusticollis* Linnavuori

a. 阳茎端；b－c. 阳茎端腹面骨化附器及中央骨化附器

**量度**(mm)：体长 2.80～4.00，宽 1.50～2.15；头长 0.30～0.37，宽 0.80～0.90；头顶宽 0.35～0.40(♂)、0.40～0.43(♀)；触角 1～4 节的长度分别为 0.30～0.35、0.95～1.05、0.60～0.65、0.60～0.70；前胸背板长 0.90，后缘宽 1.25～1.80；革片长 1.45～2.00。

**采集记录**：1♀，长安魏子坪，1922.Ⅷ.06；1♀，周至厚畛子，1350m，1999.Ⅵ.21，章有为灯诱；1♀，宁陕火地塘，1580m，1998.Ⅶ.27，姚建采。

**分布**：陕西(长安、周至、宁陕)、北京、河北、河南、甘肃、浙江、安徽、湖北、福建、台湾、广东、广西、四川、贵州、云南；俄罗斯(远东地区)，朝鲜半岛，日本。

## 58. 乌毛盲蝽属 *Cheilocapsus* Kirkaldy, 1902

*Cheilocapsus* Kirkaldy, 1902b: 259. **Type species**: *Cheilocapsus flavomarginatus* Kirkaldy, 1902.

**属征**：体长椭圆形，较大，两侧近平行，几乎无光泽。体具黑褐色较粗短的刚毛状毛以及银白色丝状平伏毛。

头垂直，背面观后平伸，额-头顶区均匀饱满，唇基垂直，基部向下弧弯，稍侧扁，位置低于额-头顶，额与唇基间有1个明显凹痕，头顶中纵沟明显，头顶后缘光滑无脊。头背面观可见触角窝，侧面观触角窝直径约为眼宽的1/2。触角长，稍粗，第1节粗长，向端部不加粗，直径约与眼宽相等，伸过头端的部分在2/3以上，具甚密的深色刚毛状毛；第2节亚香肠形，端区几乎与第1节等粗；第3、4两节粗约为第2节的1/2。小颊后端约伸达眼前端；外咽片(gula)明显，长。喙伸达中足基节前端或中部。

前胸背板中度前倾，背面较平；侧缘亚棱边状，但最侧缘不锐，侧缘黑纹状或具黑斑；后缘中段平；后侧角亚尖角状，不伸出，不上翘；盘域遍布深密横皱，侧方伸达侧缘；领粗，位置不下沉，粗约为触角第1节直径的1/2，无光泽，与盘域同色，具两种毛，数较多，直立毛不排成行；二胝不相连，界限清楚，胝前及胝间区连成一片，似胝状，与胝等高，伸达领后缘，胝及胝前区具毛，同盘域，但光滑无横皱。小盾片整体略抬升，表面较平，略饱满，具密横皱，毛被同前胸背板。半鞘翅毛基成很细浅的刻点状，致使表面呈鲨鱼皮状，刚毛状毛密，平伏，银白色丝状平伏毛长于前胸背板的丝状毛；缘片黑色刚毛状毛遍布。

后足胫刺棕褐色。

雄虫阳茎端具多个膜叶、1枚针突及数枚其他的骨化附器。

**分布：**亚洲东部。中国记录5种，秦岭地区记述2种。

## 分种检索表

触角第3节基部2/3～3/4与第4节基部1/5淡色。楔片1/3以上色深…… **暗乌毛盲蝽 *Ch. nigrescens***

触角第3节基部1/3～1/2淡色，第4节常全部淡色，或最基部狭窄，淡色。楔片端部1/7～1/5色深 …………………………………………………………… **台湾乌毛盲蝽 *Ch. taiwanicus***

### (104) 暗乌毛盲蝽 *Cheilocapsus nigrescens* Liu *et* Wang, 2001

*Cheilocapsus nigrescens* Liu *et* Wang, 2001: 63.

**鉴别特征：**体相对较大而色深，长椭圆形，两侧平行。

头背面观锈褐色，侧面观唇基端半和上颚片下半以下均为淡黄或淡黄绿色。触角第1、2节均为深褐色至紫黑褐色，一色或几乎一色，毛相对粗密；第1节长为头宽的1.67倍，第2节细，长为第1节的2.20倍；第3节基部3/4黄白色或淡黄绿色，端部1/4黑色；第4节基部1/5黄色，其余黑色。喙伸达中足基节。

前胸背板黄褐色，略前倾；侧缘黑色，与眼后以及领侧方的黑带相连续；胝间有1个中央黑斑；后缘宽为背板长的1.80倍；领粗，与触角第2节等粗，表面略具浅横皱，领和其后的胝间区中纵线为连续的红褐色或黑褐色细纹；侧角黑；中胸侧板有1个小黑斑。小盾片污褐色至污黑褐色，末端淡黄色。半鞘翅具横皱；爪片与革片均一的深褐色至黑色，革片银白色丝状毛呈毛斑状；缘片黄色；楔片黄色，端角与基内侧色加深。膜片烟色，脉黑褐色。足长，股节橙红色，具小黑斑点；胫节淡黄褐色或淡灰绿色，后足胫节基部1/3～2/5黑褐色。腹下淡黄色。

雄虫生殖囊常为红色；左阳基侧突大，中部近直角弯曲，基半相对粗；左阳基侧突相对长，端突端部尖；阳茎端次生生殖孔右侧前方骨化附器直而渐尖，较简单，左侧前方骨化附器较粗短，亦较简单；后方右侧骨化附器（=针突 spicule）基部甚宽，近圆形，然后一侧前伸成细长的针状；后方左侧骨化附器为简单片状，端尖。

**量度（mm）：**体长12.50～13.00，宽3.50～4.00；头长1.20，宽1.50；头顶宽0.63；触角1～4节的长度分别为2.50、5.50、2.20、1.00；前胸背板长1.80～1.90，后缘长3.30～3.50；革片长5.80～6.00，楔片长2。

**采集记录：**1♂（正模），宁陕火地塘，1580m，1998.Ⅷ.20，袁德成采；31♂11♀（副模），同前，1998.Ⅶ.26-Ⅷ.09。

**分布：**陕西（宁陕）、河南。

## （105）台湾乌毛盲蝽 *Cheilocapsus taiwanicus*（Yasunaga，1994）

*Parapantilius taiwanicus* Yasunaga，1994b：688.

*Cheilocapsus taiwanicus*：Yasunaga & Kerzhner，1998：88.

**鉴别特征：**头污锈褐色，额-头顶区似略平。触角第1节伸过头端6/7以上，内背侧红锈褐色，其余黑褐色，毛同 *thibetanus*；第2节红褐色，端部2/5黑褐色，第3节淡黄褐色，只末端1/6黑色；第4节基部约1/3淡黄褐色，然后渐加深成黑褐色。

前胸背板黑毛明显，作者所见标本中，领的黑色中纵纹极淡，胝间中纵纹亦同；眼后、领侧面及前胸背板侧缘黑带连续，侧角黑色。作者所观察的标本中，小盾片白色端角前无黑斑。半鞘翅缘片淡黄褐色，爪片与革片全部深黑褐色，表面为不规则的密而浅的粗皱状或鲨鱼皮状；爪片脉棱出；毛被似 *thibetanus*，平伏，银白色丝状毛似短于后者，与前胸背板丝状毛几乎相同。楔片淡黄色，具黑毛，端角约1/4黑褐色；狭长，外缘长与基缘宽之比为8.80∶3.20。膜片烟黑褐色，脉色深。

足污灰黄色，毛基无明显小黑点斑；前足股节毛较细，部分黑色，其他则为白色较细的毛。体下污黄褐色。

雄虫阳茎端次生生殖孔右侧针突粗大，较长，端半骨化，末端较粗钝；孔左侧前方无骨化附器；后方左右两枚大型骨化附器紧靠，似愈合，右侧者粗大，长方片状，右侧者为宽短而端部急尖（Yasunaga，1994）。

**量度（mm）：**体长9.70，宽3.08；头长0.75，宽1.40；头顶宽0.63；触角1～4节的长度分别为2.00、4.50、1.50、缺；前胸背板长1.78，后缘宽2.75；革片长5.07，楔片长1.75。

**采集记录：**1♂，秦岭，2050m，1998.Ⅶ.30，张学忠采。

**分布：**陕西（秦岭）、台湾。

## 59. 光盲蝽属 *Chilocrates* Horváth, 1889

*Chilocrates* Horváth, 1889: 39. **Type species**: *Chilocrates lenzii* Horváth, 1889.

**属征:** 体中小型，较厚实宽圆，黄褐色、红褐色或黑褐色，有强光泽。

头垂直，毛短或几乎无毛，无刻点；眼前区较发达，与基部区等长或更长，额-头顶饱满，中纵沟极浅，几乎不可辨，头顶甚宽，后缘具完整的脊或完全无脊。眼常斜置。触角第2节向端部明显加粗，略短于前胸背板后缘宽。

前胸背板拱隆，较前倾；光泽强，几乎无毛或毛很短小；领明显；胝略隆出，常成横列的椭圆形，界限清楚，光滑，二胝不相连，胝间区常略凹或几乎不下凹，光滑无刻点；盘域刻点明显或较明显，较均匀或不甚均匀；后缘在小盾片前的部分较平直。小盾片略隆出，可具稀横皱，刻点几乎无或极稀浅；中胸盾片不外露。半鞘翅具黄褐色刚毛状毛，较短而半平伏；前缘较明显拱弯，刻点明显密于前胸背板。前缘裂缺口深且大。后足胫节常较粗短，胫刺黑色，刺基多有1个小黑点斑。

左阳基侧突杆部以直角弯曲，感觉叶发达突出，杆的亚端部略膨大，端突钩状。右阳基侧突长度中等，感觉叶发达，端突较细长，略弯，向端渐细。阳茎端有针突1枚，膜叶分为2叶，膜叶表面有具细齿的骨化区，次生生殖孔小，孔缘向端方延伸出1条短骨化带。

**分布:** 中国记录3种，秦岭地区记述1种。

### (106) 多变光盲蝽 *Chilocrates patulus* Walker, 1873

*Chilocrates patulus* Walker, 1873: 120; Zheng *et al.*, 2004: 244.
*Chilocrates lenzii* Horvath, 1889: 39.
*Shana ravana* Kirkaldy, 1902c: 316.
*Liocoridea mutabilis* Reuter, 1903: 14.
*Gismunda modesta* Distant, 1909b: 518.
*Lygus szechuanensis* Hsiao, 1941: 246.

**鉴别特征:** 体全部黑色、黄褐色、红褐色或锈褐色；或体黑色而头部红褐色；或前胸背板全部、前半或后缘以外区域黄褐色或红褐色。

头部淡色的个体中，唇基常为黑褐色。头顶宽与头宽之比为1.00:2.50(雄虫)或1.00:2.20(雌虫)，触角全黑；或第1节常为黄褐色，第2节黑色，基半或多或少黄褐色，第3节基半亦常为淡色。喙伸达后足基节末端。

前胸背板胝及胝前区明显光滑，盘域刻点多数明显而较为稀疏，排列不甚均匀，四川峨眉山部分个体刻点则很稀且浅。小盾片具光泽，可具少数横皱，刻点极细浅或几乎无。革片大部刻点较细密，外革片尤其如此，向内缘渐深且大，爪片刻点粗糙深且大，不甚规则。

足黄褐色或黑褐色；中足及后足股有时可见 2 个褐色环，胫节多淡色，基半或基环色深；后足胫节基部 1/2 的胫刺基部可见在 1 个小黑点斑，但端半则不明显。体下全部黄褐色或黑色，或胸下黄褐色。臭腺沟区域均为黄白色。

其余特征见属征描述。

**量度(mm)：**体长 4.75 ~ 5.00，宽 2.13 ~ 2.43；头长 0.33 ~ 0.35，宽 1.05 ~ 1.08；头顶宽 0.43(♂)、0.50(♀)；触角 1 ~ 4 节的长度分别为 0.55、1.50、0.75、0.50；前胸背板长 0.88，前缘宽 0.80，后缘宽 1.83；革片长 2，楔片长 0.75。

**分布：**陕西(留坝、佛坪、宁陕)、河南、甘肃、湖北、广西、四川、贵州、云南、西藏；缅甸，印度，尼泊尔，不丹。

## 60. 淡盲蝽属 *Creontiades* Distant, 1883

*Creontiades* Distant, 1883: 237. **Type species**: *Megacoelum rubrinerve* Stål, 1862.

**属征：**体淡色，淡黄褐色或污黄褐色，长椭圆形，两侧较平行。无光泽或光泽较弱。毛多略弯曲，近平伏而常有闪光。

头几乎平伸或较前倾，背面观眼前部分较宽钝，侧面观唇基前缘圆缓地略下倾，额-头顶区均匀饱满，额常具若干平行横凹纹，头顶中纵沟细深，头顶后缘光滑无脊。触角长，相对较粗，但各节为线形或亚线形，似 *Megacoelum* 属，第 1 节最粗，除亚端部内侧的数根深色粗刚毛外，全长常被稀疏直立毛；第 2 ~ 4 节毛短小，密而半平伏，有闪光。

前胸背板较平置，相对较短；领明显，位置似较 *Megacoelum*-*Orientomiris* 为高，似相对更粗，无光泽，具两种毛，一为较平伏的闪光丝状毛，数较多，另一种为排成 1 列的稀疏深色直立长毛；胝及胝间区均略隆出，略高于周围的盘域表面，光滑或具毛；盘域平，后缘平直，表面多不甚平整光滑，后半常多少具疏浅刻点。小盾片常具横皱。半鞘翅无刻点，具较平伏而常有闪光的毛。部分的体毛基部成小黑点斑状。足细长，似 *Megacoelum*-*Orientomiris* 类。

**分布：**中国记录 3 种，秦岭地区记述 1 种。

### (107) 花肢淡盲蝽 *Creontiades coloripes* Hsiao, 1963

*Creontiades coloripes* Hsiao, *in* Hsiao *et* Meng, 1963: 442, 448.

**鉴别特征：**体黄褐色至污黄褐色。

头几乎平伸，几乎无光泽；一色黄褐色，或唇基端半、上颚片、额区的平行横纹、头顶沿眼内侧及中纵沟常染有红色色泽，“颈”部亦染红色。触角淡黄色，第1节较长，明显长于头宽，常略深或染有红色，散布红色小点斑，直立毛淡色，稀，略短于该节直径；第2节端部1/4渐染红色；第3节基部2/3淡灰褐色，端部1/3灰黄色，第3节长，微短于第2节。喙略伸过后基节末端。

前胸背板几乎平置；亚后缘区较狭窄地黑褐色，最后缘狭窄，淡色，盘域后半部分毛基成小黑点斑状；领的直立毛基部有小黑点斑；胝无光泽，表面为极细的鲨鱼皮状，具毛，胝间区毛密；盘域具光泽，表面不甚平整，微具稀刻点（毛基部微下陷所致），呈不明显的浅刻皱状；毛半平伏至半直立，较长而稀，淡色。

小盾片平，具横皱；深褐色或黑褐色，中央基半具1对黑纵带，向后渐狭，止于长度的1/2，两带间的中纵纹淡黄色，向后渐成红褐色，渐深，至小盾片后端成黑斑状；中纵纹后半两侧淡色，散布一些小黑点斑；毛长，半直立或直立，小盾片基部中央的毛平伏而密。半鞘翅淡黄褐色或污黄褐色，有时略呈半透明状；爪片内缘与接合缘、革片在爪片端以后的内缘直至楔片内角狭窄，红色，或楔片内角成红褐色斑状，缘片端角处亦同；爪片内侧的红色区域内常散布小黑点斑。膜片淡烟色，脉红。

足同体色，后足股节端半红褐色，具红褐色小碎斑；胫节刺淡色。

**量度**（mm）：体长6.75～7.05，宽2.25；头长0.58，宽1.15；头顶宽0.35；触角1～4节的长度分别为1.25、2.90、2.60、1.28；前胸背板长1，后缘宽1.88；革片长3.63，楔片长0.90。

**采集记录**：1♂，佛坪，950m，1998.Ⅶ.23，姚建采；1♂，汉中，1963。

**分布**：陕西（佛坪、汉中）、河南、山东、湖北、江西、台湾、四川、贵州、云南；朝鲜半岛，日本。

## 61. 拟草盲蝽属 *Cyphodemidea* Reuter, 1903

*Cyphodemidea* Reuter, 1903: 17. **Type species**: *Cyphodemidea variegata* Reuter, 1903 ( = *Lygus saundersi* Reuter, 1896).

**属征**：体椭圆形。与*Lygus*属相近，体形亦与之类似，相对较狭。

头垂直。额有光泽，无成对的横棱。后顶后缘脊不完整，中部平坦。触角第2节长于头宽，深色。喙伸达或略伸过后足基节末端。

前胸背板饱满，有光泽，后缘中部不向前凹弯，前侧角圆，盘域具浅稀刻点，胝具毛。小盾片饱满，较隆起，具黑斑。半鞘翅两侧近平行，革片后半具浅而密度中等的刻点，刻点间距离与刻点直径约等；毛二型：刚毛状毛长密，前、后毛叠复；近爪片缝处具密集的白色丝状毛。膜片被微毛。后足胫节具黄褐色胫节刺，刺基小黑点斑有或无。

雄虫外生殖器与*Lygus*属类似。左阳基侧突感觉叶表面具微齿，端突末端平截，具两尖。右阳基侧突端部显著狭小。阳茎鞘具1枚较为狭尖的片状突。阳茎端结构

似 *Lygus* 属，具 1 枚较粗的针突，大膜叶似 *Lygus* 属，小膜叶甚为退化，次生生殖孔下方有一小丛微刺。

雌虫交配囊后壁与 *Lygus* 属基本相似，支间骨片短宽，腹缘弧形；支间叶宽短，向中渐狭尖，达于中突；侧叶成狭带状，位于支间叶前，较为骨化；背结构似 *Lygus* 属，成横列的菱形，向两侧渐狭尖；中突短柱形。

**分布：**中国记录 1 种，秦岭地区分布 1 种。

### （108）萨氏拟草盲蝽 *Cyphodemidea saundersi*（Reuter，1896）

*Lygus saundersi* Reuter，1896b：97.

*Cyphodemidea variegata* Reuter，1903：19.

*Cyphodemidea saundersi*：Schwartz & Foottit，1998：356.

**鉴别特征：**体长椭圆形，黄褐色，棕绿色，棕褐色或黑褐色，带有较多的黑斑。

头底色黄褐色，额-头顶区中线、两侧与后缘区域常有黑带，唇基、上颚片及头的侧下方亦常黑色。触角黄色，第 1 节腹面常色较深；第 2 节粗线形，相对较短，污橙褐色或污红褐色，两端常为黑褐色；第 3、4 节黑色，相对较长。

前胸背板前叶与后侧角区域黑色，领全部或部分黄白色，胝前与盘域后半黄褐色，后侧角最端部有 1 个小白斑。前胸侧板黑色。小盾片淡黄，具“W”形黑斑，末端黄白色。爪片与革片黑色，有光泽，革片毛的情况见属征，毛长 60 ~ 70μm；楔片淡色，基部与端角黑色，最外缘淡色，两端黑色。膜片烟色，具 3 个淡色晕斑。后足胫节淡黄褐色，两端黑褐色。体下黑色，具斑驳的淡色斑。

雄虫阳茎端针突粗大，较粗，呈波浪状，小膜叶为 1 个小的无齿骨化片；大膜叶三角形。其余见属征。

**量度(mm)：**体长 4.50 ~ 5.30，宽 2.00 ~ 2.20；头长 0.40 ~ 0.50，宽 0.90 ~ 1.05；头顶宽 0.40 ~ 0.45(♂)、0.45 ~ 0.55(♀)；触角 1 ~ 4 节的长度分别为 0.45 ~ 0.50、1.10 ~ 1.20、0.70 ~ 0.75、0.60 ~ 0.65；前胸背板长 1.06，后缘宽 1.70 ~ 1.85；革片长 2.00 ~ 2.20，楔片长 0.85。

**采集记录：**1♀，凤县秦岭车站，1400m，1994. Ⅶ. 27，卜文俊采；1♀，凤县秦岭车站，1400m，1994. Ⅶ. 29，董建臻采；3♂，留坝韦驮沟，1600m，1998. Ⅶ. 21，陈军采；1♂，佛坪凉风垭，1900 ~ 2100m，1998. Ⅶ. 24，姚建采；1♂，同前，陈军采；1♂，宁陕火地塘，1640m，1994. Ⅷ. 22，卜文俊采；1♂，宁陕火地塘，1640m，1994. Ⅷ. 24，卜文俊采。

**分布：**陕西（凤县、留坝、佛坪、宁陕）、黑龙江、吉林、甘肃、宁夏、湖北、四川；俄罗斯（远东地区），朝鲜，日本。

## 62. 拟厚盲蝽属 *Eurystylopsis* Poppius, 1911

*Eurystylopsis* Poppius, 1911c: 18. **Type species**: *Eurystylopsis longipennis* Poppius, 1911.

**属征**：与 *Eurystylus* Stål 属相近，身体厚实，被有鳞状平伏毛，头部垂直。

触角第2节强烈向端部加粗成明显棒状、前胸背板及半鞘翅无刻点、小盾片整体抬升、前翅后部明显下折的类型；但与 *Eurystylus* 属有以下区别：

体较狭长，厚度在多数种类中较弱；部分种类呈现一定的雌雄异型现象，在体型、大小与色斑上有所不同，雄虫体常较狭小而色深；身体色斑型常为：前胸背板在淡色的底色上有1～3条深色纵带，可减弱成1条深色的中央细纵纹及两侧隐约的晕状纵带，抑或因侧缘成黑色而加深成5条宽纵带；革片中段外侧有1个暗色斑，端部有2块纵列的斑，深色个体中这些暗斑扩大，致使革片几乎全呈黑褐色，仅于基部及中段外侧的1个斜斑为淡色。触角窝与眼之间无丝绒壮大黑斑。触角第1节不压扁，其上只具刚毛状毛，不具淡色丝状平伏毛。雄虫阳茎端不具明显的刺状或片状骨化附器。

**分布**：中国记录4种，秦岭地区记述1种。

### (109) 棒角拟厚盲蝽 *Eurystylopsis clavicornis* (Jakovlev, 1890)

*Calocoris clavicornis* Jakovlev, 1890: 558.
*Eurystylus clavicornis*: Carvalho, 1959: 92.
*Eurystylopsis clavicornis*: Zheng & Chen, 1991: 201.

**鉴别特征**：长椭圆形，两侧近平行，色斑变异较大。雌虫体较宽而色常较浅，雄虫则狭而色深，前翅楔片缝后的部分相对较长。

头半垂直。头顶后半锈褐色，其余部分渐成深褐色至黑褐色，有时有1条淡色宽纵带，眼后区黄白色；淡色个体头部几乎全部为污淡黄褐色；唇基黑色，淡色个体亦同；下颚片背方或背、腹方淡黄褐色。唇基侧面观膝状下折，与额间有1个明显的浅痕相隔，以致侧面观头的背缘不成连续的圆滑状态。头部淡褐色刚毛状毛近平伏至近直立，密度中等，银白色平伏丝状毛密，组成小毛斑状，向前斜指向中线，额毛的排列隐约呈若干平行斜横纹状。头顶中纵沟不显，成复有丝状毛的细纵带状，沟与眼间的肾形区域表面具明显而均匀的小网格状浅微刻；头顶后缘似略微圆隆，具三小丛银白丝状毛。触角第1节粗，直径与眼宽之比为1.00∶1.50，微弯，长度的1/2伸过唇基末端，锈褐色至黑褐色，密被黑色粗刚毛状毛，半平伏，长近该节直径的1/2；第2节明显呈棒状，向端加粗，后半尤显，端部最粗处约为第1节的2倍，被细而极密的短毛，半平伏，雌虫基部2/5～1/2锈褐色，其余黑色，雄虫几乎全部为锈褐色，向端渐成黑色；第3、4节线形，黑褐色或黑色，各节基部1/5~1/4黄白色。喙伸达中足基节末端。

前胸背板领粗，表面与其后的盘域平齐，黑褐色，前缘较淡，具直立刚毛状毛及多数银白色丝状毛。盘域底色黄褐色至锈褐色，具3条宽黑纵带由领向后伸达背板后缘，后缘处可连成深色横带状；深色个体中，盘域可全为黑色；淡色个体中，黑纵带甚细而淡，两侧带尤其淡，中带成断续的长黑斑状，领的后缘两侧黑斑状。胝平坦或微隆，黑色，在最淡色的个体中为污淡黄褐色，后缘下凹的界限隐约可见。盘域刚毛状毛淡褐色，细短，较密而近平伏，银白色丝状平伏毛组成毛斑状。小盾片整体抬升，背面观表面较平，侧面观表面向后微升高或较平，在近末端处下降，污灰褐色呈黑褐色，端角黄白色；表面具浅横皱，毛同半鞘翅。

半鞘翅污黑褐色，斑驳，淡色个体底色污黄褐色，革片基半中裂以外的三角形斑及中段1个黑褐色斑，端缘区断续地黑褐色；或革片基部延至内缘淡色，中段以后外侧及端角处斑驳地淡色，爪片外缘区域端半淡色；淡色个体全黑。半鞘翅刚毛状毛黑色，粗短，几乎平伏或半平伏，银白色或褐色丝状平伏毛密，常略弯曲，成方向不同的毛斑状。

前胸侧板及体下方黑褐色，腹侧面中央有1个宽纵带黄白色；淡色个体全部淡黄褐色，腹侧面各节前半有1个褐色斑。各足股节黑色，中、后足胫节基部2/5及端部黑色，其余黄白色；雌虫后足胫节基半或2/5黑色，末端黑色，其余黄白色。淡色个体中雌虫足淡黄褐色，股节有1个至数纵列黑褐色斑，后足胫节色斑同深色个体。雄虫后足股节基段黑色范围大，可占全长的4/5，并渐为污灰褐色。

**量度(mm)：**体长4.50~5.00，宽1.92(♂)、2.23(♀)；头长0.35~0.38，宽0.95~1.00；头顶宽0.40(♂)、0.45(♀)；♂触角1~4节的长度分别为0.75、2.13、0.76、0.55，♀触角1~4节的长度分别为0.75、2.13、0.98、0.70；前胸背板长0.80~1.00，后缘宽1.53(♂)、1.83(♀)；革片长2.48~2.75，楔片长0.98~0.10。

**采集记录：**1♀，宁陕火地塘，1580m，1998.Ⅶ.26，姚建采；1♂，宁陕旬阳坝，1350m，1998.Ⅶ.29，袁德成采。

**分布：**陕西(宁陕)、甘肃、浙江、福建、广东、广西、四川、贵州、云南。

## 63. 厚盲蝽属 *Eurystylus* Stål, 1871

*Eurystylus* Stål, 1871: 671. **Type species**: *Eurystylus costalis* Stål, 1871.

**属征：**体短厚，多无明显光泽，背面密被深色刚毛状毛及淡色丝光平伏毛，后者常组成岛状小毛斑，极易脱落。头部下倾，具两种毛，蓬松，额及头顶无刻点，均匀微隆，头顶无显著中纵沟，后缘不隆起成脊。唇基左右压扁，微突出，中纵线处锐薄，成脊状。眼靠近前胸，内侧有1个亚三角形区域，深黑色，天鹅绒状。触角第1节极粗大，多少压扁，上具两种毛被；第2节长大，明显成棒状，端半强烈加粗，毛被短小，长度均一；第 3、4 节短小，基部淡色。喙多伸达中足基节。

前胸背板均匀微隆，无刻点，毛刚毛状，基部略下凹，表面有时可有浅皱；领粗，盘域可有 1 对块状或眼状斑。小盾片微隆，向后向四周渐低，表面可有横皱。半鞘翅无刻点；楔片及膜片强烈下折，翅长远过腹部。膜片具深色斑，大室末端宽圆。后足胫节较粗短，微弯。腹下亦被易脱落的丝状毛。

左阳基侧突弯曲，末端膨大，约成鹅头状。阳茎端膜叶体积很大，膜叶复杂，其中有些膜叶末端具各种强烈骨化的附器。

**分布**：中国记录 5 种，秦岭地区记述 2 种。

## 分种检索表

前胸背板大体一色，盘域无成对的明显深色斑 ………………………………… **淡缘厚盲蝽 *E. costalis***
前胸背板盘域具 1 对明显的深色斑 …………………………………… **眼斑厚盲蝽 *E. coelestialium***

### (110) 眼斑厚盲蝽 *Eurystylus coelestialium* (Kirkaldy, 1902) (图 61)

*Olympiocapsus coelestialium* Kirkaldy, 1902b: 255.
*Eurystylus coelestialium*: Carvalho, 1959: 92.
*Eurycyrtus bioculatus* Reuter, 1908a: 495.

**鉴别特征**：体厚实。头黑褐色，眼内侧有 1 个较大的白斑；或斑驳的黑褐色，额区具一系列黄色与褐色相间的成对平行斜纹，眼内侧淡色区域很大，头后缘亦为淡色；或头部底色黄褐色，后缘前方有 1 个黑色横纹。眼内侧、触角基后有 1 个深黑色丝绒状斑，明显。唇基多少呈黑色。下颚片黄褐色，中有 1 个明显的黑纹。触角黑褐色，第 1 节多少压扁，但不显著，内侧色常较淡，密布黑色短刚毛状毛，并散布易脱落的银白色平伏丝状毛组成的岛状小毛斑。第 2 节由基部开始，向端均匀加粗，端部最粗处多明显细于第 1 节，基部黄白色。第 3 节基半和第 4 节最基部均为黄白色。喙达中足基节后端。

前胸背板紫褐色至黑褐色，表面圆隆，强烈倾斜，表面有不规则的浅横皱，微具光泽。密被短小的黑色刚毛状半平伏毛以及成撮分布、颇为密集的银白色或金黄色丝状平伏毛；两种毛均易脱落，后者更甚。胝后有 1 横列短黑斑，黑丝绒状，表面下凹，盘域各侧有 1 个黑色圆斑，围以黄褐色狭圈，中纵线有时成黄褐色颇宽的纵带，或不完整，或此淡色纵带中的中纵线为 1 条黑褐色细线；背板后缘有时狭窄，淡色。领粗与触角第 1 节直径约等。

小盾片表面有明显的不规则浅横皱，锈褐色至黑褐色，两侧角及端部黄白色或宽阔，黄白色，最末端黑褐色。中胸盾片黑褐色。革片及爪片锈褐色至黑褐色，爪片末端锈色，外缘大部较狭窄，淡黄褐色，此部分末端范围扩大，向内加宽成半圆形黄斑；革片及爪片密布黑色刚毛状毛与淡色丝状平伏毛，后者组成毛斑状。楔片两端黑褐色，中段渐成红色或红褐色，其外方渐淡成黄色大斑。膜片透明，脉黑褐色，大室端部宽圆，膜片端缘宽阔，黑褐色，大室端角后方有1条黑色纵纹，楔片端角后方有1条黑色短横纹。

体下方黄色与紫黑色相间，组成斑驳的色斑，深浅不一。鲜黄或黄褐色区域多在沿下颚片下缘延至头后缘、前胸侧板周缘、前胸腹板、中胸侧板及后胸侧板周缘、腹侧的纵带等。深色部分除中胸腹板及中胸侧板缝上的1个大斑为漆黑外，其余多为紫褐色至黑褐色，其中散布雪花状淡色小斑，并生有淡色丝状毛撮，外观斑驳。

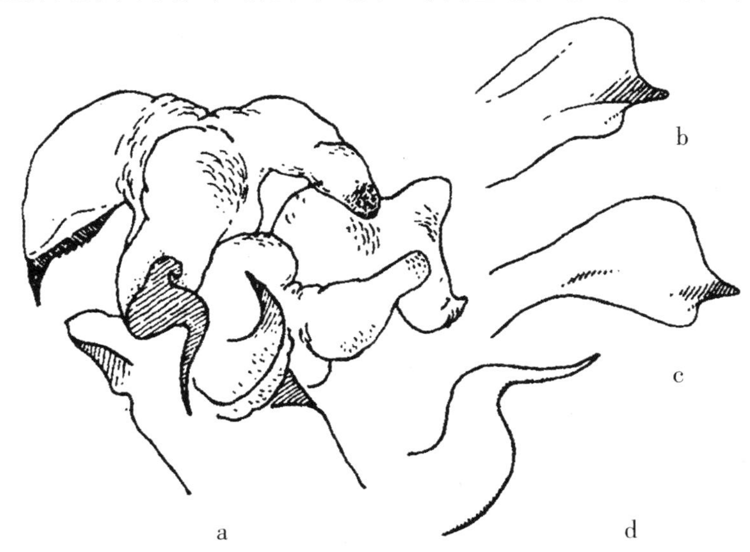


图61　眼斑厚盲蝽 *Eurystylus coelestialium*（Kirkaldy）
a. 阳茎端；b－c. 左阳基侧突；d. 阳茎端骨化附器

足基节黑褐色，外侧黄白色，前足尤甚。股节基半至2/3黄褐色，其余部分锈褐色至黑褐色，毛色同底色，股节散布丝状平伏毛撮。胫节黑褐色，前、中足中央具黄环，前足者窄小，常不完整，中足者较宽；后足胫节微弯，基方2/5及端部1/6黑褐色，其余部分黄色。

阳茎端的主膜叶极大，顶部分为3个大型支叶，后方支叶末端下方骨化成端尖的骨片状，骨化很强，末端尖锐成鹰嘴状，下缘成清晰的密锯齿状。左侧支叶末端为镰状大型扁薄骨化片，端部渐细削，末端渐微上翘。右支叶较小，末端表面略为骨化，钝，上有若干小刺状粗糙构造。次生生殖孔两侧各有1个膜叶，左膜叶左侧有1个骨化较弱的片状构造，弯曲，端尖；右膜叶有数个粗短支叶，膨胀后分叶不甚清楚，无骨化构造。

**量度**（mm）：体长6～8，宽2.50～3.50；头长0.90～1.00，宽1.07～1.20；头顶宽0.50～0.55（♂）、0.55～0.68（♀）；触角1～4节的长度分别为1.00～1.40、2.00～2.70、0.95～1.10、0.55～0.75；前胸背板长1.43，后缘宽2.45～2.70；革片长2.60～3.40，楔片长1.50。

**采集记录：**1♀，宁陕火地塘，1580m，1998.Ⅶ.27，张学忠采。

**分布：**陕西（宁陕）、黑龙江、北京、天津、河北、河南、山东、江苏、安徽、浙江、江西、湖南、福建、广东、广西、四川、贵州；俄罗斯（远东地区），朝鲜，日本。

### （111）淡缘厚盲蝽 *Eurystylus costalis* Stål, 1871

*Eurystylus costalis* Stål, 1871: 671.

**鉴别特征：**此种中名曾用"枣厚盲蝽、枣花厚盲蝽"。

体厚实，较 *coelestialium* 狭细。头黑褐色，唇基一带为污黄褐色，或全部紫黑褐色而前部略杂有黄褐色成对隐约的斜横纹；眼内侧有1个黄褐色大斑，其前方触角基后有1个深黑色斑，因位于深色背景中而不显。唇基中脊黑色。头侧面黄色，下颚片中线黑色；或头侧面黑色，下颚片黄色，中线黑色。触角第1节强烈侧扁，宽，黑褐色、紫褐色或红褐色，可具黄褐色晕斑，密被黑色平伏的刚毛状毛以及银白色平伏丝状毛，聚成岛状毛斑，毛斑密集；第2～4节黑褐色或紫褐色，各节基部白色，第2节逐渐强烈加粗，被细小短密的毛，较大的刚毛状毛甚少，不显著。

前胸背板一色紫黑褐色或褐色；强烈下倾，背面圆隆，后缘在小盾片侧角前成一角度前折，中部微前凹，成浅波曲状，明显狭于 *coelestialium*。盘域中央渐成褐色，表面密被很浅的不规则横皱，明显浅于 *coelestialium*；领有时为黄褐色，后缘有时狭窄，黄褐色。小盾片黑褐色，或污黄褐色，中线处有时加深成一深色纹，或在两侧处向外色加深，末端有1个黄白色或青白色大斑。爪片及革片紫褐色至紫黑褐色，革片侧缘及此区域的后端距楔片缝不远处的大斑污黄白色，革片基部亦常为淡色。

足黑褐色或紫黑褐色，基节前外侧黄，中段背方常有1个黄斑，半环状。各足胫节中段背侧有1个黄色半环，后足胫节内侧的黄斑较发达。后足股节基部色略淡而成界限不明的晕斑，但不成明显的白宽环。股节密被银白色丝状毛毛斑，胫节此类毛斑较少。后足胫节略弯，略侧扁，密被黑色较平伏的细小刚毛状毛。

阳茎端主膜叶较复杂，分为数枚颇为长大的支叶，其中左侧支叶基部有1枚长形骨片，端钝，形状不甚规则，其余无骨化部分。次生生殖孔左侧膜叶简单，粗短。右侧膜叶较小，多短粗的支叶。

**量度（mm）：**体长5～7，宽2.20～2.70；头长0.50～0.75，宽1.08～1.25；头顶宽0.42～0.48（♂）、0.45～0.52（♀）；触角1～4节的长度分别为1.10～1.40、1.95～2.45、0.60～0.75、0.50～0.55；前胸背板长1.43，后缘宽1.90～2.50；革片长2.40～3.10，楔片长1.06。

**采集记录：**1♂，宁陕火地塘，1580m，1998.Ⅶ.27，张学忠采。

**分布：**陕西（宁陕）、北京、天津、河北、河南、山东、甘肃、江苏、浙江、安徽；菲律宾，印度尼西亚，太平洋岛屿。

## 64. 异草盲蝽属 *Heterolygus* Zheng *et* Yu, 1990

*Heterolygus* Zheng *et* Yu, 1990: 159. **Type species**: *Lygus trivittulatus* Reuter, 1906.

**属征**：椭圆形，中等大小。体褐色、红褐色、黑褐色、棕褐色或黄褐色，有光泽。头背面观前下倾，侧面观垂直。额区具数条黑色的平行横纹，略微棱起；头顶复眼内侧具横向黑色沟纹；头顶中纵沟不甚明确或浅，沟两侧成“x”的草体形浅凹痕，伸达眼；头顶后缘具完整的宽钝横脊。头多宽于复眼。头背面毛丝状，银色有闪光，额区毛平伏，由两侧向中指向。触角第 2 节向端渐加粗；触角第 3、4 节细线形。喙多伸达中足中部或后缘。

前胸背板领有光泽，具弯曲俯伏丝状毛，盘域刻点深大而密，毛被平伏或俯伏，多为银色丝状，有闪光，前侧方常渐加长；胝光滑，略隆起，全部或部分黑色，无刻点或略具刻点；二胝前半相连，相连部分常无刻点，其后的胝间区具刻点同盘域；胝前与领之间的区域无刻点或具浅皱刻；侧缘侧面观圆钝；后缘中央常略前凹。前胸背板前角处有 1 根大型的刚毛状毛。

小盾片较平，具黑色斑纹，分为 3 种类型：具 3 条黑色纵带，侧带近小盾片侧缘；或具 1 条黑色中纵带，多不伸达端角；或具较大型的三角形黑斑；小盾片表面具横皱及一些刻点。半鞘翅多为一色；毛被排列方向不一，因折光不同而形成外观略带闪光的若干小毛斑；刻点较深密而较小，整齐。膜片烟色，多数种类楔片端部后方有 2 个前后排列的长形透明斑。中胸腹板中部多为黑色。

**分布**：中国记录 10 种，秦岭地区记述 2 种。

### 分种检索表

胝全黑色，胝前方及胝间亦常为黑色。股节底色深，几乎为一色，黑斑不显。触角第 2 节多明显加粗
………………………………………………………………………………… **棒角异草盲蝽 *H. clavicornis***
胝部分或全部黑色或黑褐色，但胝间常同体色。股节底色淡，具由黑斑点纵向排列组成的条斑 …
………………………………………………………………………… **邻异草盲蝽 *H. duplicatus***

### (112) 棒角异草盲蝽 *Heterolygus clavicornis* (Reuter, 1906)

*Lygus clavicornis* Reuter, 1906a: 41.
*Heterolygus clavicornis*: Zheng & Yu, 1990: 163.

**鉴别特征**：椭圆形，红褐色或黑褐色，有光泽；雄虫体略狭长，部分个体色较深。雌虫头部棕褐色，头顶后缘脊黑色；雄虫头部黑色，头顶两侧各有 1 个褐色斑。

雌虫触角褐色或锈褐色；第2节基半淡黄褐色，端部渐成黑色，在1/3处开始较明显地加粗，最粗处略细于第1节；第3节黄褐色，端部黑色：第4节黑褐色。雄触角黑褐色，第2节基部1/4黄褐色，最基部以及端部3/4褐黑色至黑色，由基部开始向端渐加粗。喙伸达中足基节中部，长2.50～2.66mm。

前胸背板后缘极狭窄，黄白色，后缘中央微前凹；胝多全黑色，胝前区及胝间区有时亦为黑色；雄虫黑色范围常较大，包括胝与领间的区域与胝间区全部，整体成完整的宽横带状，外侧几乎伸达前胸背板前侧角；雌则胝间区后半多为褐色。前胸背板毛银色，丝状平伏。中胸盾片外露部分黑色。小盾片具三角形大黑斑，占据小盾片大部分面积；或只在基部中央有1条短黑中纵带。半鞘翅一色。膜片烟褐色。

足同体色，股节有隐约的褐色斑与淡斑，后足股节端半黄褐色，具2个褐色环。胫节除端段外黄褐色。

雄虫阳茎端构造属于模式2。与*fusconiger*较为接近。但本种阳茎端长囊仍为膜质，其左侧的月牙形骨化叶左侧大部分密布小齿，针突端部直，右阳基侧突（正面观）体部基半部平缓向外隆起。可明显区别于*fusconiger*。

雌虫属于模式2。与*validicornis*较为接近，但其背结构下缘为波浪状，中突为近“8”字形，可据此鉴别之。

**量度**（mm）：体长5.80～7.50，宽2.70～3.10；头长0.60～0.70，宽1.07～1.15；头顶宽0.38～0.42（♂）、0.45～0.50（♀）；触角1～4节的长度分别为0.65～0.70、1.75～2.10、0.75～1.00、0.70～0.90；前胸背板长1.08～1.20，后缘宽2.10～2.30；革片长2.55～3.00，楔片长1.35～1.63。

**采集记录**：1♂2♀，秦岭，1916.Ⅷ.22；1♀，秦岭山梁及北坡，2050m，1998.Ⅶ.30，张学忠采。

**分布**：陕西（秦岭）、四川。

### （113）邻异草盲蝽 *Heterolygus duplicatus*（Reuter，1903）

*Charagochilus duplicatus* Reuter, 1903: 16.

*Heterolygus duplicatus*: Zheng & Yu, 1990: 161.

**鉴别特征**：宽椭圆形。污褐色、红褐色、暗栗褐色或黑褐色，有光泽。

头均匀饱满，略拱隆，相对较短，头顶明显宽于眼。额区及头顶的典型黑斑纹完整明显，或断裂成碎斑点状；头顶后缘脊色同头部底色。触角色同体色；第2节两端黑褐色或黑色，两性均较细，均匀向端渐粗，最粗处与领等粗或略细；第3、4节黑褐色。喙伸达后足基节末端，长1.96～2.10mm。

前胸背板同体色；盘域一色；胝、胝前区、胝间区前半色同盘域；胝斑驳地黑褐色，或只胝内缘区域黑色；盘域毛平伏，相对较短。中胸盾片外露部分黑色。小盾片具3条黑纵带，端角黄褐色。爪片、革片与缘片一色，楔片色同革片，或大部淡色半透明，基内角与端角色深。膜片烟黑褐色，外缘基部区域具 2 个淡白色斑。

足及体下方淡褐色，股节具数列黑褐色点斑；后足股节端段具2 个黑褐色环。胫节刺粗大，黑色，刺基部有黑色大型点状斑。

雄虫阳茎端属于模式 1，骨化带端部弯钩下方狭窄区域的长度占全长的 1/3，针突长而粗壮，仅端部略尖且向前强烈弯曲。左阳基侧突感觉叶凸出部分的基缘平，端突形状特异。

雌虫骨化环较大；交配囊后壁背结构两侧不被侧叶覆盖，下缘中央不内凹，中突烧瓶状，明显区别于属内其他种。

**量度(mm)：**体长 5.30 ~ 6.00，宽 2.70 ~ 3.30；头长 0.65 ~ 0.70，宽 1.10 ~ 1.23；头顶宽 0.55 ~ 0.60(♂)、0.55 ~ 0.60(♀)；触角 1 ~ 4 节的长度分别为 0.50 ~ 0.55、1.40 ~ 1.50、0.85 ~ 0.90、1.00 ~ 1.05；前胸背板长 1.00 ~ 1.08，后缘宽 2.10 ~ 2.50；革片长 2.30 ~ 2.70，楔片长 0.98 ~ 1.00。

**采集记录：**1♀，佛坪凉风垭，1800 ~ 2100m，1999. Ⅵ. 28，刘缠民采。

**分布：**陕西(佛坪)、北京、甘肃、湖北、四川、云南。

## 65. 拟丽盲蝽属 *Lygocorides* Yasunaga, 1991

*Lygocoris* (*Lygocorides*) Yasunaga, 1991d: 446 (upgraded by Yasunaga, 1996a: 267). **Type species**: *Lygus rubronasutus* Linnavuori, 1961.

**属征：**体椭圆形，略延长；多为褐色或红褐色，具光泽，背面毛较长。

头垂直或略前倾，无斑，毛稀短，宽长于触角第 1 节的长度；头顶后缘无脊，亦无中纵沟。触角第 1 节长于第 4 节，第 2 节长于前胸背板宽，向端部加粗，端部粗约为基部的 2 倍。喙伸达后足基节。前胸背板刻点细小，毛半直立；领较长，约与第 2 节触角基部直径相等。小盾片较平，具浅皱。半鞘翅刻点浅细，不规则，毛密；前翅在前缘裂后向下明显折弯。胫节刺浅褐色。

雄虫指名亚属左阳基侧突体部强烈加宽，与杆部在同一轴上延伸，成大三角形，杆部短，感觉叶片状伸出；*Ryukyulygus* 亚属的左阳基侧突则形状一般。指名亚属右阳基侧突粗壮，端突极小；*Ryukyulygus* 亚属的右阳基侧突则端突很大，成锥形。指名亚属阳茎鞘无片状突。阳茎端针突(spicule)缺失，具 2 枚膜叶骨化附器(lobal sclerites)，刺状。次生生殖孔上方有较大的骨化区域；*Ryukyulygus* 亚属阳茎端除刺状膜叶骨化附器外，尚有 1 枚长大的针突。

**分布：**中国记录 2 种，秦岭地区记述 1 种。

### (114) 邻红唇拟丽盲蝽 *Lygocorides* (*Lgocorides*) *affinis* (Lu *et* Zheng, 1997)

*Lygocoris* (*Lygocorides*) *affinis* Lu *et* Zheng, 1997b: 17; Zheng *et al.*, 2004: 307.

*Lygocorides affinis*: Kerzhner & Josifov, 1999: 110.

**鉴别特征**: 体长椭圆形; 背面密布淡褐色毛。

头垂直, 浅红褐色, 具强光泽; 毛极稀短; 雄头顶宽为头宽的0.37倍; 头顶无后缘脊, 亦无中纵沟; 唇基端部黑褐色; 上唇深褐色。触角第1节黄褐色; 第2节除基部褐色, 端半部黑色外,均为浅黄褐色; 第3、4节除各节基部浅黄褐色外, 均为深褐色。喙伸达后足基节。

领及前胸背板浅红褐色; 较平置; 具强光泽; 刻点密, 小且浅。小盾片微隆起, 浅红褐色, 具极细的横皱。前翅爪片与革片黄褐色; 楔片端部1/2深褐色, 长约为基部宽的1.60倍; 膜片烟褐色, 翅脉褐色。体下黄褐色, 略带橙红色。足黄褐色; 股节亚端部有2个浅红色至红褐色环, 后足股节中央尚有1个宽红色环; 胫节刺褐色。

雄虫左阳基侧突体部强烈扩大成三角形, 端突末端具弯钩; 右阳基侧突粗壮, 向端渐尖, 端突极短小。阳茎鞘无片状突; 阳茎端无针突; 具4个膜叶, 其中一侧骨化为针状, 另一膜叶端部有1针状骨化附器; 导精管细长, 次生生殖孔边缘宽厚。

**量度(mm)**: 体长5.95, 宽1.89; 头长0.33; 宽1.18, 头顶宽0.44; 触角1~4节的长度分别为1.09、2.79、1.46、0.88; 前胸背板长1.13, 宽2.12; 革片长3.06; 楔片长0.99。

**采集记录**: 1♂(正模), 留坝庙台子, 1400m, 1994.Ⅷ.02, 吕楠灯诱。

**分布**: 陕西(留坝)。

## 66. 丽盲蝽属 *Lygocoris* Reuter, 1875

*Lygocoris* Reuter, 1875a: 61 (as subgenus of *Lygus*; upgraded by Leston, 1957: 129). **Type species**: *Cimex pabulinus* Linnaeus, 1761.

**属征**: 体长形, 中等大小, 3.30~9.60mm, 两侧多平行, 体背面通常为均一绿色(亦有深色者), 但亦有黄褐色或褐色种类, 除少数种类外无深色斑, 被有淡色或深色毛。头顶后缘脊明显, 有时中段消失; 中纵沟两侧常具微刻区, 雄虫明显; 唇基略前突, 触角相对细长。前胸背板中度倾斜, 领粗细适中, 刻点相对较密, 有一定深度, 分布均匀, 常略呈皱刻状; 胝略隆出, 界限较明显, 胝间区域无刻点, 有时略下凹; 领相对宽。半鞘翅各部分刻点深浅疏密常不甚均匀; 楔片狭长。足细长, 后足股节常伸过腹部末端; 胫节无深色斑, 胫节刺多为浅色, 刺基无深色小点斑。体腹面颜色多同背面。

**分布**: 中国记录19种, 秦岭地区记述3种。

### 分种检索表

1. 革片盘域有1个灰黑色或淡褐色晕斑 ······································ **纹角丽盲蝽 *L. striicornis***

革片一色，无深色斑…………………………………………………………………………………… 2

2. 头顶后缘脊不完整，中部低平消失 ……………………………………… **原丽盲蝽 *L. pabulinus***

头顶后缘脊完整 …………………………………………………… **皱胸丽盲蝽 *L. rugosicollis***

### (115) 原丽盲蝽 *Lygocoris pabulinus* (Linneaus, 1761) (图 62)

*Cimex pabulinus* Linnaeus, 1761: 253.

*Lygus pabulinus*: Reuter, 1896b: 114.

*Lygocoris pabulinus*: Carvalho, 1959: 134.

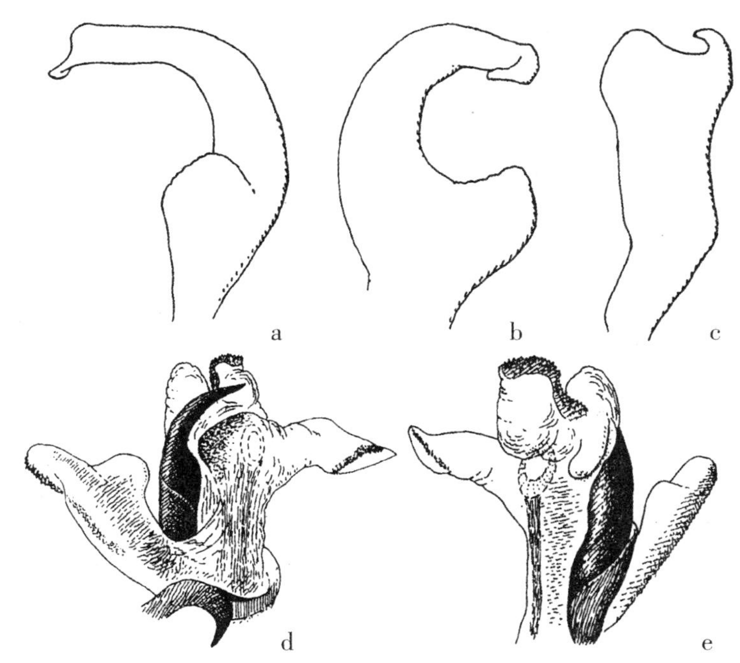


图 62　原丽盲蝽 *Lygocoris pabulinus* (Linneanus)

a－b. 左阳基侧突；c. 右阳基侧突；d－e. 阳茎端

**鉴别特征：**体长形；背面浅绿色，无深色斑；具黄褐色毛。

头略带黄色；雄虫头顶宽为头宽的 0.34 ~0.37 倍，雌虫为 0.40 ~0.44 倍；头顶后缘脊中段消失，两侧亦不甚明显；唇基多少前突。触角第 1、2 节黄褐色，第 2 节端部 1/3 ~2/3 深褐色；第 3、4 节深褐色；有时第 1 节略带绿色。

前胸背板浅绿色，胝前有时带黄色；刻点细密，具黄褐色毛。小盾片具横皱。半鞘翅刻点细密且浅，楔片长约为基部宽的 2 倍；膜片灰褐色，翅脉浅绿色。足黄褐色,无斑；胫节刺浅黄褐色。跗节几乎全为深色。体下黄褐色。

雄虫左阳基侧突发达扩展，端突回扭。右阳基侧突感觉叶极发达，向端部膨大，强烈突出；端突短，爪状，弯曲。阳茎鞘具钩状片状突。阳茎端针突基部粗且扭曲，端部 1/3 较突然变细，渐尖，缓弯。

**量度(mm)：** 体长 5.25 ~ 7.41，宽 1.90 ~ 2.58；头长 0.27 ~ 0.37，宽 0.96 ~ 1.06；头顶宽 0.36（♂）、0.43(♀)；触角 1 ~ 4 节的长度分别为 0.54 ~ 0.68、1.50 ~ 1.95、1.02 ~ 1.44、0.72 ~ 0.98；前胸背板长 0.85 ~ 1.20，后缘宽 1.65 ~ 2.20；革片长 2.84 ~ 3.50，楔片长 0.91 ~ 1.19。

**采集记录：** 2♂4♀，宁陕火地塘，1649m，1994. Ⅷ. 12，吕楠采。

**分布：** 陕西(宁陕)、黑龙江、内蒙古、河北、甘肃、湖北、福建、台湾、四川、云南、西藏；俄罗斯，朝鲜，日本，欧洲，北美洲。

### (116) 皱胸丽盲蝽 *Lygocoris rugosicollis* (Reuter, 1906)

*Lygus rugosicollis* Reuter, 1906a: 28.

*Lygocoris rugosicollis*: Schuh, 1995: 804.

*Lygocoris* (*Lygocoris*) *rugosicollis*: Kerzhner, 1972: 285.

*Adelphocoris glaucus* Hsiao, 1941: 248.

*Lygocoris* (*Lygocoris*) *glaucus*: Schwartz & Kerzhner, 1997: 252.

**鉴别特征：** 体较狭长，两侧近平行；背面绿色至黄褐色，无深色斑。

头略前伸，黄褐色，略具光泽；雄虫头顶宽为头宽的 0.39 倍，雌虫的为 0.44 倍；头顶后缘脊完整，中纵沟较窄且深；唇基前突，与头一色。触角第 1、2 节黄褐色，第 2 节端部 1/4 黑色；第 3、4 节深褐色。喙伸达中足基节末端至后足基节中部。

前胸背板绿至黄褐色，胝及胝前区多为黄色；刻点细密；毛黄褐色至黑褐色，较短；具横皱。领浅黄褐色。小盾片黄褐色，微隆起，具横皱。半鞘翅黄褐色，略带绿色，刻点细密且浅；毛为黄褐色至黑褐色；楔片长约为基部宽的 2.30 倍。膜片烟褐色，大室端部外侧有 1 个黑色的长形斑，翅脉暗红色，有时为黄褐色，略带红色；翅室端部外侧的膜片上具 1 个深褐色的环状斑，斑中央色淡。

体腹面黄白色至黄褐色。足绿至黄褐色，无斑；胫节刺浅黄褐色；跗节浅褐色，第 3 跗分节深褐色。

雄虫左阳基侧突感觉叶发达扩展。右阳基侧突狭长，感觉叶不膨大，端突狭长，末端呈钩状弯曲。阳茎端针突长，较缓和地向端渐细，并弯曲。

**量度(mm)：** 体长 7.32 ~ 9.60，宽 2.47 ~ 3.18；头长 0.51 ~ 0.75，宽 1.05 ~ 1.22；头顶宽 0.33(♂)、0.48(♀)；触角 1 ~ 4 节的长度分别为 0.81 ~ 1.08、2.48 ~ 3.15、1.31 ~ 1.85、1.18 ~ 1.67；前胸背板长 1.06 ~ 1.31，后缘宽 1.94 ~ 2.57；革片长 3.46 ~ 4.66，楔片长 1.22 ~ 1.58。

**采集记录：** 1♀，秦岭山梁及北坡，2050m，1998. Ⅶ. 30，姚建采。

**分布：** 陕西(秦岭)、甘肃、宁夏、湖北、四川。

### (117) 纹角丽盲蝽 *Lygocoris striicornis* (**Reuter, 1906**)

*Lygus striicornis* Reuter, 1906a: 31.
*Lygocoris striicornis*: Schuh, 1995: 805.
*Lygocoris* (*Lygocoris*) *striicornis*: Kerzhner, 1972: 285.

**鉴别特征**：体长椭圆形；黄褐色，具黄褐色毛，略具光泽；个体大小及体表色斑变异较大。

头垂直，唇基略前伸；黄褐色，额两侧各有 5 ~ 6 条平行红色短纹，其他部分也有许多红色碎斑；雄虫头顶宽为头宽的 0.36 倍，雌虫的为 0.44 倍；头顶后缘脊完整，但中段较弱；中纵沟浅；唇基多少前突，端半部黑色。触角第 1 节黄褐色，腹面常为深褐色，呈深色纵带状；第 2 节黄褐色，基部及端部 1/6 黑褐色；第 3、4 节深褐色。喙伸达中足基节基部。

前胸背板黄褐色，有时前缘带红色，有时盘域后缘中央有 1 片褐色区域；刻点细密，具黄褐色毛。领黄褐色。小盾片黄褐色，有时两侧或中央有褐色斑，具横皱。半鞘翅刻点细密且浅，黄褐色；革片从端部内角向基部伸出 1 个浅褐色至深褐色的斑，与爪片前缘平行，止于革片长的 1/2 处；爪片黄褐色，色斑变异大，有时内缘内侧黑褐色，有时中段褐色；楔片浅黄褐色，长约为基部宽的 1.80 倍。膜片烟褐色，大室内端部 1/3 色略深。足黄褐色，无斑；胫节刺黄褐色；跗节仅第 3 跗分节端部 1/3 ~ 1/2 为黑褐色至黑色。体下黄褐色，臭腺沟缘及蒸发域黄白色，有时腹部腹板侧缘略带红色。

雄虫左阳基侧突感觉叶发达，扩展，内端缘直。右阳基侧突感觉叶发达，圆钝地扩展；端突爪状，向内弯曲。阳茎鞘具钩状片状突。阳茎端针突于中部扭曲并微弯，端半多少呈刀片状。

雌虫骨化环近肾脏形，前后两内角略尖，前侧角向侧缘伸出 1 条骨化带。交配囊后壁侧叶横宽，基部于中央相连；支间叶发达；背结构圆形，部分为侧叶所遮盖；中突球棒状。

**量度**(mm)：体长 5.06 ~ 6.94，宽 1.94 ~ 2.70；头长 0.24 ~ 0.37，宽 0.96 ~ 1.13；头顶宽 0.40(♂)、0.45(♀)；触角 1 ~ 4 节的长度分别为 0.52 ~ 0.69、1.62 ~ 2.04、0.99 ~ 1.18、0.69 ~ 0.83；前胸背板 0.81 ~ 1.22，后缘宽 1.68 ~ 2.25；革片长 2.57 ~ 3.11，楔片长 0.90 ~ 1.10。

**采集记录**：1♀，佛坪凉风垭，1900 ~ 2100m，1998. Ⅶ. 24，陈军采；7♂5♀，宁陕旬阳坝，1600m，1994. Ⅷ. 16-17，吕楠采。

**分布**：陕西（佛坪、宁陕）、甘肃、湖北、四川、云南。

## 67. 草盲蝽属 *Lygus* Hahn, 1833

*Lygus* Hahn, 1833: 147. **Type species**: *Cimex pratensis* Linnaeus, 1758.

**属征**：体椭圆形，体型及大小适中。体黄绿色、黄色、褐色或红褐色，带有黑色斑纹；有光泽。

头垂直；部分种类额区具成对平行横棱，多数种类则额区光滑，表面无横棱，但常可见与之相应的深色横纹。头顶多无中纵沟，后缘具脊，多完整，部分种类只两侧部分完整。头的眼前部分长多伸过其后部分长的1/2。触角第2节线形、粗线形或向端略微渐粗，不成明显的棒状，短于前胸背板基缘宽度。

前胸背板中度前倾，较平或中度饱满拱隆。领有光泽，具淡色俯伏毛，或半直立而后悬伏，多数较短。胝外侧多不伸达背板前侧角，二胝不相连，胝及多光滑无刻点，或具很少的刻点。盘域刻点明显，均匀，多为中等密度，具较短疏的平伏毛；色斑多样，在胝后常有1~2个深色斑或纵带。小盾片较平，具1对中纵带或1对中纵带和1对侧纵带，或各侧的中带与侧带在端部相遇成1个“W”形斑或1对“V”形斑；表面具横皱及刻点。爪片与革片毛平伏，刚毛状，细，或较宽扁而有闪光。膜片大翅室顶端外侧具1个长形污斑。股端常具2或3个深色斑，胫节两端亦有深色斑，胫节刺黑色，刺基无小黑点斑。

**分布**：中国记录16种，秦岭地区记述4种。

## 分种检索表

1. 额区具若干成对的平行横棱 …………………………………………… **棱额草盲蝽 *L. discrepans***
   额区表面光滑，不具若干成对的平行横棱，但可见若干成对的平行深色横纹 ………………… 2
2. 半鞘翅主要为略微宽扁的闪光丝状毛 ……………………………… **邻棱额草盲蝽 *L. paradiscrepans***
   半鞘翅无具闪光的丝状光 ……………………………………………………………………………… 3
3. 革片中部刻点不密于前胸背板刻点；后部可有1个刻点显然稀疏的区域 ……………………
   ………………………………………………………………………………… **西伯利亚草盲蝽 *L. sibiricus***
   革片中部刻点分布均匀，较密于前胸背板刻点；后部无刻点显然稀疏的区域 ………………
   ……………………………………………………………………………………… **牧草盲蝽 *L. pratensis***

## (118) 棱额草盲蝽 *Lygus discrepans* Reuter, 1906

*Lygus pratensis* var. *discrepans* Reuter, 1906a: 39 (upgraded by Reuter, 1912: 37).

*Lygus discrepans*: Wagner, 1955: 152.

**鉴别特征**：体椭圆形，淡污黄褐色、黄绿色或砖红色，具黑色斑纹。几乎无光泽或光泽弱。

头多为一色，有时唇基末端黑色；头部毛短；额区具若干平行横棱；头顶宽于眼。触角第1节背面污黄褐色，基部及腹面黑；第2节锈褐色或污红褐色，两端段黑褐色；第3、4节黑色。喙略伸过后足基节末端。

前胸背板领毛长密，悬伏，略蓬松。胝后各有1个黑斑；后侧角有1个黑斑；后缘区有 1 对宽黑横带。盘域刻点深密，色略深于底色；毛淡黑褐色，半平伏（俯伏或悬伏）。前胸侧板可有黑斑。小盾片黑斑“W”形，范围可较大。爪片布满黑色碎斑，成斑驳状；革片基部大半散布黑色碎斑，后部则散布较大的形状不规则的黑斑；革片大部（包括后部）的刻点密，左右刻点相连，前后刻点间距约等于直径；毛显然长密，长 60 ~ 70μm，前、后毛叠复 1/3 ~ 1/2，多数淡色略宽扁，黑背景上的毛大部为黑色有闪光，少数为黑色细刚毛状，无闪光。缘片外缘黑色。楔片基部黑色范围大，端角黑斑较大，内缘常红色，最外缘基部 2/5 ~ 1/2 黑色。

股节黑斑可连成纵带，端段具 2 ~ 3 条褐色环。胫节基部具 2 个黑褐色斑。雌虫腹下全部淡色；雄虫腹下中央区域黑色。

雄虫阳茎端针突大，基部粗大，端部细尖，据此可区别于属内其他种。此外，明显不同于 *paradiscrepans* 的特征还有：小膜叶的骨化区域端部为指状突起，大膜叶的骨化区域内缘中下方区域不强烈骨化。

**量度（mm）**：体长 5.70 ~ 6.50，宽 2.60 ~ 2.90；头长 0.50 ~ 0.60，宽 1.10 ~ 1.20；头顶宽 0.45 ~ 0.48（♂）、0.45 ~ 0.50（♀）；触角 1 ~ 4 节的长度分别为 0.45 ~ 0.50、1.40 ~ 1.50、0.85 ~ 0.95、0.65 ~ 0.70；前胸背板长 1.10，后缘宽 2.20 ~ 2.60；革片长 2.50 ~ 2.70，楔片长 1。

**采集记录**：1♂1♀，留坝庙台子，1470m，1999.Ⅶ.01，刘缠民采；1♀，留坝红崖沟，1500 ~ 1650m，1998.Ⅶ.22，张学忠采；1♀，同前，陈军采；1♀，留坝韦驮沟，1600m，1998.Ⅶ.21，陈军采；1♂，同前，刘缠民采；1♂，佛坪凉风垭，1800 ~ 2100m，1999.Ⅵ.28，刘缠民采；2♀，宁陕火地塘鸦雀沟，1600 ~ 1700m，1998.Ⅶ.28，陈军采；1♀，宁陕火地塘，1580m，1998.Ⅶ.27，张学忠采。

**分布**：陕西（留坝、佛坪、宁陕）、河北、甘肃、宁夏、四川、云南。

### （119）邻棱额草盲蝽 *Lygus paradiscrepans* Zheng *et* Yu，1992

*Lygus paradiscrepans* Zheng *et* Yu，1992：355，358.

**鉴别特征**：体椭圆形或长椭圆形，底色黄、淡黄褐色或黄绿色，具黑色斑纹。有光泽。

额光滑无成对平行横棱，多数个体中央具 1 条纵向黑条纹（雄虫）或多数不具黑条纹（雌虫）。头顶宽于眼。触角第 1 节背面黄或黄绿色，腹面黑色；第 2 节全黑（雄虫）或两端黑色，中央黄色（雌虫）；第 3、4 节黑色。喙伸达后足基节。

前胸背板前倾，饱满拱隆；胝后有 2 ~ 4 枚黑斑或短纵带，最长时可伸达后缘黑带，但后半渐淡；后侧角具黑斑；后缘中部有 1 条黑横带，或有 1 对黑色横带，可与后侧角黑斑相连，或后缘区成很宽的完整黑带，宽可达盘域的 1/3。盘域具大而浅的刻点，密度中等。

小盾片具 4 条黑纵带，中央 1 对短；或具 1 个明显的“W”形图案。爪片内半侧全黑；革片基半散布若的小黑斑，端部偏内方有 1 个大黑斑，端外角及缘片端角黑色；楔片基部和端部黑色。革片具细而密的刻点，较前胸背板刻点略浅小，刻点间无光滑平坦的间隙，且小于前胸背板的刻点；革片毛似 *discrepans*，多数淡色，略宽扁而有闪光，黑背景中的毛黑褐色，部分略宽扁且有闪光，部分则为细刚毛状且无闪光；毛长 50 ~ 55μm，前、后毛绝大多数有叠复达 1/3 ~ 1/2。膜片烟色，脉同体色，两性体腹面黄色，只少数个体中胸腹板中央具 1 个小黑斑。足黄色，股节端段具 2 个黑色环，胫节基部具 2 个黑色环，胫节刺黑色，刺基无小黑点斑。

雄虫阳茎端针突甚为短小或消失，如存在，则形状多样，或直或弯，一般基部较粗，端部细尖。这种情况在本属中较为特殊。

**量度**(mm)：体长 5.50 ~ 6.30，宽 2.40 ~ 2.70；头长 0.50 ~ 0.55，宽 1.05 ~ 1.15；头顶宽 0.40 ~ 0.43(♂)、0.48 ~ 0.50(♀)；触角 1 ~ 4 节的长度分别为 0.45 ~ 0.50、1.15 ~ 1.35、0.60 ~ 0.80、0.60 ~ 0.65；前胸背板长 1.10，后缘宽 2.00 ~ 2.45；革片长 2.30 ~ 2.50，楔片长 1.08。

**采集记录**：1♂，宁陕旬阳坝，1350m，1998. Ⅶ. 29，袁德成采；1♀，宁陕火地塘，1580m，1998. Ⅷ. 17，袁德成灯诱；1♀，秦岭山梁及北坡，2050m，1998. Ⅶ. 30，姚建采。

**分布**：陕西(宁陕)、甘肃、四川、云南、西藏。

## (120) 牧草盲蝽 *Lygus pratensis* (Linnaeus, 1758)

*Cimex pratensis* Linnaeus, 1758: 448.

*Lygus pratensis*: Carvalho, 1959: 152.

**鉴别特征**：椭圆形，相对略狭长；底色黄，污黄褐色或略带红色色泽；有光泽。

头部黄色；额无成对平行横棱；唇基常有深色中纵带纹，端部有时黑褐色；上颚片与下颚片的交界处常深色；颊有时深色。两性额略宽于眼。触角黄，第 1 节腹面具黑色纵纹；第 2 节基部与端段黑褐色；第 3、4 节黑色。喙伸达后足基节。

前胸背板胝淡色、橙黄色或更深而成 1 对深色大斑块状；背板前侧角可有 1 个小黑斑；后侧角有时具黑斑；胝内缘或内、外缘可各成黑斑状；胝后各有 1 ~ 2 个黑色斑或短纵带，中央 1 对较长，伸达盘域中部，或达后部而与后缘黑横带相连；侧缘可有黑斑带，后缘区亦同。前胸侧板可有小黑斑，有时伸达背面。盘域刻点浅或较深，密度中等。前胸侧板有小黑斑。

中胸盾片黑。小盾片只在基部中央具 1 ~ 2 条黑色纵走斑带：或为 1 对相互靠近的三角形小斑，末端向后，成二叉状；或伸长而成一端部二叉的黑色中央宽带；或二带完全愈合成完整而末端平截的宽带，基部较宽，向端渐狭，长短不一；或在基部中央有 1 个宽且短的三角形小黑斑。

半鞘翅弧弯程度较弱；淡黄褐色、黄绿色或淡红褐色，革片端部常色加深成界限模糊的红褐色或锈褐色斑，脉有时红色；爪片端角以及革片外端角一般无黑斑；革片后部刻点较深而密，刻点间距离约与刻点直径相等或更短；毛长4.50~50.00μm，密度中等，均匀分布，毛的末端伸达后一毛的基部，不叠复。缘片最外缘黑色。楔片末端黑；最外缘淡色，部分个体基部黑色。足同体色，后足股节端段具2个褐色环。

雄虫阳茎端针突长，中段弯曲，端段渐加粗，末端圆钝，端部具若干微刺，基部约与端段等粗。

**分布：**陕西(秦岭)、河北、山西、河南、甘肃、新疆、四川、西藏；古北区。

### (121) 西伯利亚草盲蝽 *Lygus sibiricus* Aglyamzyanov, 1990

*Lygus sibiricus* Aglyamzyanov, 1990: 30.

**鉴别特征：**体椭圆形，相对较宽。污绿色或污黄色，有时具褐色或锈褐色色泽。

头无成对平行横棱，但可见隐约的深色横纹；只少数个体全无黑斑；一般额-头顶区具1对侧黑纵带纹，或同时尚有1条中纵黑带纹，长短不一；唇基可有1条中纵黑带纹；上颚片常具1个黑色中纵带，伸达触角窝。头顶宽于眼。触角第1节腹面有1个黑纵带纹，第2节基部及端段黑色，第3、4节黑色。喙长，伸达后足基节末端或略伸过。

前胸背板底色由淡至较深不等，最淡色的个体仅在胝的内缘处具1个黑斑；胝尚可在外缘处具1个黑斑，或胝的边缘黑色；胝后有1~2对黑色点状斑，或伸长成条状黑带，最长可伸达盘域中部，其后并可延长成较淡的暗带伸达后缘；侧缘前端、中部可有黑斑，或连成黑带，并延至后侧角，与该处黑斑相连；后缘区在淡色个体中可淡色而全无黑斑，或可全长色暗，中部具1对黑横带，或两带相连，并可与后侧角黑斑相连。盘域刻点深而稀疏；毛短小；领毛亦短。前胸侧板有黑斑。

小盾片具3~4条黑纵带：中央1对短而靠近，各条成小三角形，后端尖，可与基部相遇而成二叉形，也可完全愈合为1条完整而末端平整的宽中纵带，或略伸过小盾片长的1/2；侧方1对常较长，粗细不一，少数个体为红色。爪片脉两侧区常色深，中段尤甚，或仅脉的内侧散布深色小斑。革片后部具形状不规则的黑斑，其中R+M脉后端区域及外端角黑斑明显；革片外侧多少具褐色点斑；革片中部刻点较爪片及革片其他区域刻点稀浅，与前胸背板刻点密度相近，刻点间距等于或大于直径；革片后部刻点则较密而均匀，间距小于刻点直径；毛长约60μm。缘片最外缘黑色。楔片具浅刻点及淡色密短毛，基外角及端角黑色，最外缘基部1/3~1/2黑色。膜片烟色，沿翅室后缘为1个深色带，在大室后端后延达于膜片末端，然后向两侧伸展，成沿后缘的深色带纹。

后足股节端段具2个深色环，后足胫节具膝黑斑及膝下黑斑。腹下中央有黑斑。

雄虫阳茎端针突较长，向端渐细，中段微弯，末端细而不锐，具少数微刺。

**量度(mm)：**体长5.20~6.50，宽2.50~2.80；头长0.60~0.70，宽1.05~

1.15；头顶宽0.40~0.45(♂)、0.47~0.50(♀)；触角1~4节的长度分别为0.50~0.60、1.40~1.80、0.90~1.10、0.70~0.80；前胸背板长1.13，后缘宽2.10~2.50；革片长2.50~2.70，楔片长1.08。

**采集记录：**2♂，留坝红崖沟，1500~1650m，1998.Ⅶ.22，陈军采；1♀，宁陕火地塘，1580m，1998.Ⅶ.27，张学忠采。

**分布：**陕西(留坝、宁陕)、黑龙江、吉林、内蒙古、河北、甘肃、四川；蒙古，俄罗斯(西伯利亚)，朝鲜。

## 68. 纹翅盲蝽属 *Mermitelocerus* Reuter, 1908

*Mermitelocerus* Reuter, 1908a: 489. **Type species**: *Mermitelocerus annulipes* Reuter, 1908.

**属征：**体中大型，狭长，两侧平行。光泽弱。绿色(干标本黄褐色)，具黑色斑纹。毛一型：刚毛状，黑色。眼不接触前胸背板领，侧面观眼高出头顶。触角窝位于眼内缘的下部2/5处，其下端略伸过眼的下端。唇基与额间有1个浅横缢。头顶后缘无脊。触角第1节较粗长，第2节向端渐粗，亚棒状至棒状。喙较短，仅伸达中足基节。

前胸背板领明显，较粗，具毛。胝界限较明显，侧端不伸达背板前角，二胝不相连；领及胝区低平，胝后的区域则明显升高，圆隆饱满；背板侧缘前部呈弱棱边状，向后渐钝圆。半鞘翅侧缘直，后部下折不强。足较细长。跗节第1跗分节最短，长约为第2跗分节的1/2；第2、3两节约等长。

阳茎端不对称，左膜叶较大；右膜叶具小型微齿区。左阳基侧突的顶突弧弯，背缘有1个突起，感觉叶端部成齿状(Rosenzweig, 1997)。

**分布：**古北区。中国记录1种，秦岭地区记述1种。

### (122) 纹翅盲蝽 *Mermitelocerus annulipes* Reuter, 1908

*Mermitelocerus annulipes* Reuter, 1908a: 490.

**鉴别特征：**体狭长，两侧平行。略具光泽。底色鲜绿，干标本黄褐色至深黄褐色。具黑色斑纹。毛黑色，短。

头较宽短，眼相对较大，明显伸出于前胸背板前部之外。额饱满程度较弱；头顶中部具略为下凹的宽带状微刻区，成“x”形宽带状；头顶后部略下凹，微呈颈状；额部的平行横纹只可辨痕迹；额前部中央圆钝地成1个低锥状隆起；侧面观唇基基半轻微前隆。头部毛淡色，较细密。头在淡色个体中底色黄绿或黄褐色，额具若干黑褐色平行横纹，唇基背面黑色，头顶中纵带(1条或2条)黑色；在深色个体中底色黑色，额中央1个黄色椭圆形小斑，触角窝内侧各1个小斑沿眼内缘及前、下缘的宽带淡黄褐色。触角第1节粗长，粗约为头顶宽之间，淡红褐色至黑色，被整齐的浓密的粗黑色半直立毛；第2节亚棒状，长，基部2/3淡色而其余黑色，直至全部黑色不等，毛短小而密，色较淡；第3、4两节线形，污黑褐色，第3节基部渐淡。喙伸达中胸腹板后缘。

前胸背板领粗，约与触角第2节端部等粗，背面全黄，或只部分黄色而其余黑色。背板其余部分底色绿色或黄褐色，盘域前的部分在淡色个体中只胝缘断续地黑色；深色个体中几乎全黑色，仅前缘中央及两侧在胝前各有1个小黄斑，胝上有1个小黄斑。盘域侧缘宽带黑色，淡色个体只侧缘后半如此；各胝后有1个黑色纵带，深色个体伸达后缘区中段两侧的大黑斑，成连续的宽纵带状，淡色个体则只伸达盘域中部；后缘区黑斑可横列而小，或无。盘域圆隆饱满，具不规则的粗皱刻，毛基部具细刻点；毛短小，黑色，半直立，较密。背板侧缘直，侧角圆钝，宽阔，微翘起。

小盾片淡黄绿或淡锈黄色，基缘、基角及侧缘前半黑色，基缘黑色部分有时中央有1对短纵纹向后伸出；表面较光滑，侧区横皱明显。

半鞘翅绿或污黄褐色，侧缘直；爪片各缘狭细，黑褐色，爪片具粗皱刻；革片外缘以及由此缘中央向内后方发出并渐与前者平行的1条细纹黑褐色，爪片内半的一部分常成深色；革片中部的斜纵带淡黑褐色，起自前部，向后渐宽，伸达革片端缘的内半，革片表面具皱刻，浅于爪片不规则，粗糙，似不具明显的刻点；半鞘翅毛似前胸背板，但较长，半平伏。楔片淡黄白色，末端黑褐色，基外角浅黑褐色。膜片烟黑褐色，脉黄。

足细长，淡污褐色；股节被碎褐色斑；后足股节背面深褐色至淡黑褐色；后足胫节刺黑褐色，较短小，短于胫节直径，基部小黑点斑不明显。跗节细长，污黑褐色。

**量度**(mm)：体长7.50～9.50，宽2.30～2.90；头长0.70，宽1.28；头顶宽0.54；触角1～4节的长度分别为1.50、3.40、1.30、1.58；前胸背板长1.48，后缘宽2.50；革片长4.40，楔片长1.66。

**采集记录**：1♀，周至厚畛子，1500～2000m，1999.Ⅵ.21，刘缠民采。

**分布**：陕西(周至)、黑龙江、吉林、辽宁、河北；俄罗斯(远东地区)，朝鲜，日本。

## 69. 新丽盲蝽属 *Neolygus* Knight, 1917

*Neolygus* Knight, 1917: 561. **Type species**: *Lygus communis* Knight, 1917.

**属征**：体长椭圆形，中等大小，体长3.50～7.10mm；背面通常浅绿色，干制标本常褪色为黄褐色，略具光泽，被有黄褐色或金黄色半直立毛。

头垂直，具稀疏毛，头顶后缘具明显的脊。触角相对长，第2节通常长于前胸背板宽。喙长，伸达或伸过后足基节。前胸背板具不规则刻点，被半直立毛。中胸盾片外露部分及小盾片几乎构成等边三角形。小盾片多横皱。半鞘翅刻点浅，楔片相对长。足细长，胫节刺通常浅色，刺基常具深色点状斑。

本属全部已知种类均生活于阔叶树或灌木上，如桦木科、壳斗科、杨柳科、蔷薇科等。多将卵产于阔叶树或灌木枝干的表皮下或形成层中越冬，常于新叶开始生长时孵化为若虫（Kullenberg，1944）。已知生活史记录均为一化性（Kullenberg，1944；Yasunaga，1991）。一些种类具有趋光性。

**分布**：中国记录 37 种，秦岭地区记述 8 种。

## 分种检索表

1. 唇基与头一色，无深色斑 ………………………………… **狭顶新丽盲蝽 *N. angustiverticis***
   唇基至少端部黑褐色至黑色 ………………………………………………………… 2
2. 唇基仅端部不伸过 1/3 的部分深色 ………………………………………………… 3
   唇基端部至少 1/3 的部分深色 ……………………………………………………… 5
3. 触角第 2 节一色 …………………………………………………………………… 4
   触角第 2 节至少端部深色 ……………………………… **二斑新丽盲蝽 *N. bimaculatus***
4. 前胸背板具 1 对明显的深色斑 …………………………… **胡桃新丽盲蝽 *N. juglandis***
   前胸背板无深色斑 ………………………………………… **任氏新丽盲蝽 *N. renae***
5. 体下两侧有红色至黑色的纵带 …………………………… **卜氏新丽盲蝽 *N. bui***
   体下一色，两侧无深色纵带 ………………………………………………………… 6
6. 爪片内侧色不加深 ………………………………………………………………… 7
   爪片内侧色加深 ………………………………………………… **椴新丽盲蝽 *N. tiliicola***
7. 喙伸过后足基节 …………………………………………… **卡氏新丽盲蝽 *N. carvalhoi***
   喙不伸过后足基节 ………………………………………… **甘肃新丽盲蝽 *N. gansuensis***

### （123）狭顶新丽盲蝽 *Neolygus angustiverticis* Lu *et* Zheng，2004

*Neolygus angustiverticis* Lu *et* Zheng, *in* Zheng *et al*., 2004: 385.

**鉴别特征**：体长椭圆形，黄褐色，被黄褐色毛。

头色略深；头顶极窄，雄虫头顶宽约为头宽的 0.19～0.20 倍；中纵沟以及后缘脊明显。触角第 1、2 节黄褐色，其余深褐色。喙伸过后足基节。前胸背板黄褐色，刻点细小，毛半直立。中胸盾片外露部分及小盾片略带黄色，具横皱。半鞘翅黄褐色，具毛；爪片内缘褐色；革片端部内侧有 1 个模糊的褐色斑。楔片长约为基部宽的 2 倍，前缘褐色；膜片烟褐色。体下黄褐色。足黄褐色；股节亚端部有 2 个褐色环；第 3 跗分节端半部黑褐色；胫节节刺浅褐色，刺基具 1 个深色小点斑。

雄虫左阳基侧突感觉叶端部具突起。右阳基侧突体部直，粗壮，端突狭三角形，与阳基侧突体部近垂直，感觉叶端部具 1 个锥状突起。阳茎端针突长且弯；叶状骨片基部窄，向端部渐宽大，亚端部具 1 个小的突起，末端狭尖；锉叶长形，端部 1/3 具刺；中骨叶缺失；箍骨片明显；最右端膜叶长形，基部表面密布微刺；导精管膨大，近长筒形，次生生殖孔宽大。

**量度(mm)**：体长4.90～5.67，宽1.96～2.10；头长0.30～0.34，宽1.00～1.02；头顶宽0.23(♂)、0.40(♀)；触角1～4节的长度分别为0.54～0.58、1.97～2.21、1.09～1.12、0.71～0.78；前胸背板长0.80～0.94，后缘宽1.56～1.70；革片长2.38～2.69，楔片长0.85～0.95。

**采集记录**：1♂(正模)，留坝庙台子，1600m，1980.Ⅷ，魏建华采；7♂(副模)，同前。

**分布**：陕西(留坝)。

## (124) 二斑新丽盲蝽 *Neolygus bimaculatus* (Lu *et* Zheng, 1996)

*Lygocoris* (*Neolygus*) *bimaculatus* Lu *et* Zheng, 1996: 134.

*Neolygus bimaculatus*: Zheng *et al.*, 2004: 387.

**鉴别特征**：体长椭圆形；浅绿色；被黄褐色毛，具光泽。

头略带黄色，毛稀疏；雄虫头顶宽为头宽的0.29倍，雌虫的为0.38倍；唇基端部1/3黑色；头顶中纵沟及后缘脊明显。触角第1、2节浅褐色，第3、4节褐色。喙伸达后足基节。

前胸背板浅绿色，刻点细小，毛半直立，有时盘域中央为褐色；胝色略加深，胝前略黄。中胸盾片外露部分及小盾片浅黄色，为全体颜色最浅处，小盾片具浅横皱。半鞘翅浅绿色，具毛；爪片内缘褐色至黑褐色；革片端部内侧有1个黑褐色大斑；楔片约为基部宽的1.50倍；膜片黄褐色至褐色。体下及足黄褐色，第3跗分节端半部黑褐色；胫节刺浅褐色，刺基具1个深色小点斑。

雄虫左阳基侧突感觉叶端部具明显的突起。右阳基侧突体部直且粗壮，端突与阳基侧突体部近垂直，感觉叶无明显突起。阳茎端针突从基部起呈弧状弯曲；叶状骨片狭长，骨化较强，末端尖锐；锉叶宽短；中骨片长大，与簏骨片愈合；最右端膜叶长筒形，表面密布微刺。导精管膨大，近长筒形。

雌虫环骨片长肾脏形；交配囊后壁的侧叶宽阔且于中部愈合；内支叶宽短；中突水滴形，部分被侧叶遮盖。

**量度(mm)**：体长5.80～7.10，宽2.40～2.52；头长0.36～0.46，宽1.10～1.30；头顶宽0.34(♂)；触角1～4节的长度分别为0.59～0.65、2.05～2.15、1.13～1.16、0.80～0.84；前胸背板长1.00～1.10，后缘宽1.98～2.20；革片长2.86～2.97，楔片长1.05～1.16。

**采集记录**：1♀，留坝闸口石，1800～1900m，1998.Ⅶ.20，袁德成采；1♂，留坝庙台子，1350m，1998.Ⅶ.19，张学忠采；1♂，佛坪，1200m，1985.Ⅶ.16，李法圣采；2♂2♀，宁陕火地塘，1580m，1998.Ⅷ.14，袁德成灯诱。

**分布**：陕西(留坝、佛坪、宁陕)、甘肃、四川。

## (125) 卜氏新丽盲蝽 *Neolygus bui* Lu *et* Zheng, 2004

*Neolygus bui* Lu *et* Zheng, *in* Zheng *et al*., 2004: 390.

**鉴别特征：**体较小，长椭圆形；背面黄褐色；毛黄褐色。

头黄褐色，有时褐色，具光泽，毛稀疏；雄虫头顶宽约为头宽的0.25～0.30倍，雌虫的为0.35倍；后顶中纵沟及后缘脊明显；唇基端部1/3深褐色。触角第1节黄褐色，有时腹面加深为褐色，第2节黄褐色，端部1/3深褐色，第3、4节深褐色。喙伸达后足基节。

前胸背板黄褐色，胝色略深，刻点细小，毛半直立。小盾片黄褐色，端角色略浅，有时中央隐约有1个“人”字形褐色纹，具横皱。半鞘翅黄褐色；爪片端角及内缘加深为深褐色；革片端部内角有1个深褐色横斑，可从内角伸抵缘片；楔片浅黄褐色，端角深褐色，长约为基部宽的1.60倍；膜片烟褐色。体下黄褐色，侧缘有1条宽窄不一的深褐色纵带，至腹板略带红色。足黄褐色；前、中足股节亚端部具2个褐色环，后足股节端部2/3深褐色，略带红褐色，亚端部具2个浅色环；胫节刺黄褐色，刺基具1个较大的黑褐色斑；第1跗分节端部2/3黑褐色。

雄虫左阳基侧突感觉叶端部具1个尖锐的锥状突起，与端突同向；末端伸出；端突端部成小而钝的短弯钩。右阳基侧突感觉叶端部微隆；端突细长，弯为镰刀状，末端尖。阳茎端针突细长，中部急弯，末端尖锐；叶状骨片为1个狭长的针形，骨化强，中部弯，与针突近平行；锉叶细长，末端具1个突起，仅端部1/4具刺；中骨叶及箍骨片缺失；最右端膜叶长筒形，表面密布微刺；导精管中部膨大，次生生殖孔宽大。

**量度(mm)：**体长4.05～4.62，宽1.61～1.89；头长0.24～0.27，宽0.91～0.96；头顶宽0.25(♂)；触角1～4节的长度分别为0.44～0.55、1.38～1.44、0.72～0.77、0.50～0.52；前胸背板长0.69～0.72，后缘宽1.42～1.47；革片长1.84～2.20，楔片长0.63～0.74。

**采集记录：**1♂(正模存NKU)，宁陕旬阳坝，1600m，1994.Ⅷ.16，卜文俊采。

**分布：**陕西(宁陕)、台湾、四川、云南。

## (126) 卡氏新丽盲蝽 *Neolygus carvalhoi* Lu *et* Zheng, 2004

*Neolygus carvalhoi* Lu *et* Zheng, *in* Zheng *et al*., 2004: 392.

**鉴别特征：**体长椭圆形；背面绿色；毛黄褐色。

头垂直，具光泽，绿色，具稀疏毛；雄虫头顶宽约为头宽的0.29倍，雌虫的为0.31倍；头顶中纵沟及后缘脊明显；唇基端部1/4～1/3黑褐色。触角第1节及第2节基部4/5黄褐色，其余部分深褐色。喙伸过后足基节。

前胸背板黄绿色至绿色，刻点细小，毛半直立。中胸盾片外露部分及小盾片黄绿色，具横皱。半鞘翅浅绿色；爪片一色；革片端部内侧有1个黑褐色斑；楔片约为基部宽的1.60倍；膜片烟褐色。体下黄绿色至绿色。足浅绿色，第3跗分节黑褐色；胫节刺浅褐色，刺基具1个深色小点斑。

雄虫左阳基侧突感觉叶端部具明显的突起。右阳基侧突体部狭长，感觉叶端部强烈凸出；端突细长。阳茎端针突长，轻度弯曲；叶状骨片长，中部极宽大，向端渐细，指向一侧，末端狭尖；锉叶端半部具刺；中骨叶发达，为宽阔的片状；簏骨片明显；最左端膜叶基部表面密布微刺；导精管膨大。

**量度(mm)：**体长5.12～5.74，宽2.10～2.66；头长0.28～0.36，宽1.08～1.15，头顶宽0.33(♂)、0.36(♀)；触角1～4节的长度分别为0.54～0.83、1.79～2.00、1.03～1.21、0.62～0.68；前胸背板长0.96～1.08，后缘宽1.78～2.16；革片长2.38～2.94，楔片长0.88～0.99。

**采集记录：**1♂(正模存NKU)，凤县秦岭车站，1400m，1994.Ⅶ.26，吕楠采；1♀(副模)，同正模，1994.Ⅶ.29；1♀(副模)，周至板房子，1400m，1994.Ⅷ.07，吕楠灯诱。

**分布：**陕西(周至、凤县)。

### (127) 甘肃新丽盲蝽 *Neolygus gansuensis* (Lu *et* Wang, 1996)

*Lygocoris* (*Neolygus*) *gansuensis* Lu *et* Wang, 1996: 206, 209.

*Neolygus gansuensis*: Zheng *et al.*, 2004: 401.

**鉴别特征：**体长椭圆形，绿色；密被黄褐色半直立毛。

头垂直，略带黄色；雄头顶宽为头宽的0.28倍；头顶中纵沟及后缘脊明显；唇基端部1/3黄褐色。触角第1节绿色，略带褐色，第2节除近端部为深褐色外，其余黄褐色，第3、4节黑褐色。喙伸达后足基节。

前胸背板绿色，略带褐色，具光泽，胝色略浅。小盾片浅绿色，具横皱。中胸盾片外露部分黄褐色。革片绿色，端部内侧有1个深褐色斑；爪片绿色；楔片长约为基部宽的2.20倍；膜片淡褐色，翅室近端部1/2暗色，翅室外、楔片端部下方有1个暗色斑、膜片近端部以及近中央区域各有1个不规则暗色碎斑，近端部的一个较小。体下方与足浅绿色，胫节端部及第1、2跗分节黄褐色，第3跗分节深褐色；后足股节近端部具2个模糊的暗色环；胫节刺浅褐色，刺基具1个褐色小点斑。

雄虫左阳基侧突感觉叶端部略凸出。右阳基侧突感觉叶端部略凸出。阳茎端针突相对直，在近端部轻度弯曲；叶状骨片极宽大，两侧近平行，末端尖锐；锉叶相对长大，端部近1/3具刺；中骨叶发达；簏骨片发达；最右端膜叶表面密布微刺；导精管膨大，近长筒形，次生生殖孔宽阔。

**量度(mm)：**体长6.30～6.46，宽2.70～2.84；头长0.25～0.34，宽1.05～

1.10；头顶宽 0.29(♂)；触角 1～4 节的长度分别为 0.41～0.45、2.22～2.28、1.12～1.15、0.75～0.79；前胸背板长 0.80～0.85，后缘宽 1.85～1.94；革片长 2.88～2.95，楔片长 1.10～1.15。

**采集记录：**1♂，凤县秦岭车站，1400m，1994.Ⅶ.26，吕楠灯诱；1♂，宁陕火地塘，1640m，1994.Ⅷ.12，吕楠灯诱；1♂，同前，1994.Ⅷ.15。

**分布：**陕西（凤县、宁陕）、甘肃。

### (128) 胡桃新丽盲蝽 *Neolygus juglandis* (Kerzhner, 1988)

*Lygocoris* (*Neolygus*) *juglandis* Kerzhner, 1988b: 17.

*Neolygus juglandis*: Zheng *et al*., 2004: 406.

**鉴别特征：**体长椭圆形；浅绿色，密毛黄褐色。

头垂直，黄褐色；雄虫头顶宽为头宽的 0.34 倍；雌虫的为 0.39 倍；头顶中纵沟及后缘脊明显；唇基端部深褐色。触角第 1、2 节黄褐色，第 3、4 节深褐色。喙伸达后足基节。

前胸背板黄褐色，具光泽，近后缘有 2 个深褐色大斑，有时两斑连成 1 条横带，有时两斑不甚清晰。小盾片黄褐色，具横皱。革片端部内侧有 1 个深褐色大斑；爪片黄褐色，内缘黑褐色；楔片黄绿，约为基部宽的 1.90 倍。膜片灰褐色。体下及足黄褐色；后足股节近端部具 2 个模糊的暗色环；第 3 跗分节端半部深褐色；胫节刺浅褐色，刺基具 1 个褐色斑。

雄虫左阳基侧突感觉叶端部具突起，但不甚明显，基部略膨大；右阳基侧突体部直且粗壮，感觉叶略突出。阳茎端针突相对长大，于中央弯曲；叶状骨片发达，但骨化不强；无尖锐的末端；锉叶端部 1/3 具刺；中骨叶发达；箍骨片明显；最右端膜叶近于三角形，表面密布微刺；导精管膨大，近长筒形，次生生殖孔宽阔。

**量度(mm)：**体长 5.67～6.44，宽 2.25～2.61；头长 0.27～0.32，宽 0.86～0.95；头顶宽 0.40(♂)、0.45(♀)；触角 1～4 节的长度分别为 0.63～0.68、1.94～2.07、1.22～1.31、0.77～0.81；前胸背板长 0.95～1.08，后缘宽 1.85～2.07；革片长 2.79～3.02，楔片长 1.04～1.17。

**采集记录：**7♂7♀，宁陕火地塘，1640m，1994.Ⅷ.14，吕楠采。

**分布：**陕西（宁陕）、湖北；俄罗斯，日本。

### (129) 任氏新丽盲蝽 *Neolygus renae* Lu *et* Zheng, 2004

*Neolygus renae* Lu *et* Zheng, *in* Zheng *et al*., 2004: 417.

**鉴别特征：**体长椭圆形；绿色；毛黄褐色。

头垂直，具光泽，绿色，具稀疏毛；雄虫头顶宽约为头宽的0.32倍；头顶中纵沟及后缘脊明显；唇基端部1/3黄褐色。触角第1节黄绿色，第2节黄褐色，其余部分深褐色。喙伸达后足基节。

前胸背板绿色，刻点细小，柔毛半直立。中胸盾片外露部分及小盾片黄绿色，具横皱。半鞘翅浅绿色；革片一色无斑；爪片内侧略带褐色；楔片黄绿色，长约为基部宽的1.70倍。膜片烟褐色。体下黄绿至绿色。足浅绿色，股节亚端部具2个褐色环，不清晰；胫节刺浅褐色，刺基具1个深色小点斑；跗节黄褐色，第3跗分节黑褐色。

雄虫左阳基侧突感觉叶端部具明显的突起。右阳基侧突体部直且粗壮；端突狭三角形，与体部近垂直；感觉叶略突出。阳茎端针突于中部轻度弯曲；叶状骨片长形，向端渐尖锐，指向一侧；锉叶直，端部1/3具刺，末端圆钝；无中骨叶；箍骨片明显；最右端膜叶近于长袋状，表面密布微刺；导精管膨大，近长筒形，次生生殖孔宽大。

**量度(mm)：**体长5.25，宽2.18；头长0.26，宽1.04；头顶宽0.34(♂)；触角1~4节的长度分别为0.58、2.23、1.20、0.74；前胸背板长0.88，后缘宽1.80~1.98；革片长2.62，楔片长0.95。

**采集记录：**♂(正模)，宁陕火地塘，1640m，1994.Ⅷ.15，吕楠灯诱。

**分布：**陕西(宁陕)。

## (130) 椴新丽盲蝽 *Neolygus tiliicola* (Kulik, 1965)

*Lygocoris tiliicola* Kulik, 1965b: 1502.

*Lygocoris* (*Neolygus*) *tiliicola*: Josifov & Kerzhner, 1972: 158.

*Neolygus tiliicola*: Zheng *et al.*, 2004: 428.

**鉴别特征：**体长椭圆形，较小；背面浅绿色至黄褐色；毛黄褐色。

头垂直，毛稀短；雄虫头顶宽约为头宽的0.29倍，雌虫为0.34倍；头顶中纵沟及后缘脊明显；唇基端部1/2深褐色。触角第1节黄褐色，第2节略深于第1节，其余部分2节为深褐色。喙略伸过后足基节。

前胸背板有时后缘色略深，刻点细小，毛半直立。小盾片具横皱。半鞘翅浅绿色至黄褐色；爪片内缘常加深为褐色至黑褐色；革片端部内角有1个黑褐色斑；楔片约为基部宽的2倍。膜片烟褐色。足浅褐色，股节端部色深，后足股节亚端部有2个褐色环，第3跗分节端部深褐色；胫节刺浅褐色，刺基具1个深色小点斑。

雄虫左阳基侧突感觉叶端部具明显的突起；右阳基侧突感觉叶端部强烈突出。阳茎端针突粗短，缓和弯曲；叶状骨片长，向端渐狭尖；锉叶端部1/2具刺；中骨叶发达；箍骨片明显；最右端膜叶表面密布微刺；导精管膨大，近长筒形。

**量度(mm)：**体长4.65~5.07，宽1.75~2.26；头长0.30~0.39，宽0.89~1.06；头顶宽0.25(♂)、0.34(♀)；触角1~4节的长度分别为0.50~0.55、1.67~

1.88、0.98～1.10、0.58～0.66；前胸背板长0.76～0.84，后缘宽1.56～1.88；革片长2.14～2.48，楔片长0.84～0.98。

**采集记录**：2♂，宁陕火地塘，1640m，1994.Ⅷ.14，吕楠采。

**分布**：陕西（宁陕）、江西；俄罗斯，日本。

## 70. 东盲蝽属 *Orientomiris* Yasunaga，1997

*Orientomiris* Yasunaga，1997b：728. **Type species**：*Calocoris tricolor* Scott，1880.

**属征**：体长椭圆形，常两侧近平行；棕褐色、锈褐色或黑褐色，多少具光泽。

头半垂直或较前倾；额-头顶区均匀饱满，光滑，毛被常很短小，表面常具极浅的密微刻，中纵沟清楚，细，伸达头后缘，常在后端向两侧分歧成二叉状；头顶后缘光滑无隆脊；额区可有若干极浅的平行横棱，或无。触角长，与体长近等或伸过，第2节亚线形或线形，其上的毛被短小而密，淡色，半直立，均匀；第1节亚端部内侧常有1根至数根深色刚毛状毛。

前胸背板相对较平，前倾程度常较弱；领约与触角第1节基部等粗，具细长的直立毛列，多无光泽；胝较平坦，光滑，二胝相连，胝间区与胝等高；盘域多少具横皱，无明显的刻点，有时可见不甚显著的刻点而呈点皱状；侧缘钝或微锐；后缘多宽弧弯而中段略平。小盾片平或较饱满，具横皱。半鞘翅常具油脂状光泽，无刻点，表面常因毛基微隆出而在高倍镜下略呈颗粒状，毛多为单一类型，几乎平伏至半直立。胫刺黑褐色，显著。

**分布**：中国记录9种，秦岭地区记述1种。

### （131）斑胸东盲蝽 *Orientomiris pronotalis*（Li *et* Zheng，1991）

*Megacoelum pronotalis* Li *et* Zheng，1991：184.

*Orientomiris pronotalis*：Yasunaga，1998a：68；Zheng *et al*.，2004：439.

**鉴别特征**：雄虫深褐色，雌虫色较淡。

头前倾，均匀饱满，深褐色，上颚片红褐色；额-头顶区几乎无毛而光滑，表面密布极浅的微刻；额区无若干平行横棱；头顶沟见属征。触角第1节深褐色；第2节褐色，向端渐深成黑色，基部深褐色；第3节黄褐色；第4节深褐色，最基部黄褐色。喙伸达后足基节末端。

前胸背板略前倾，背面较平；锈红褐色或褐色，有光泽，有1条明显而向后渐宽的黑色宽中纵带贯全长，前端只限于胝间区域，或包括胝区，向侧方伸达背板侧缘，后端亦可沿后缘向两侧扩展；盘域遍布不甚规则的浅横皱，毛半平伏，淡褐色；胝较平；侧缘圆钝，侧面观呈较粗的圆柱状边，前胸背板的侧腹方锈红褐色，较平，横皱不显；领红褐色、锈褐色或淡黑褐色，略细于触角第1节基部；中胸盾片露出甚少，具粉被。小盾片较隆出，黑褐色或黑色，色深于半鞘翅，具细横皱，毛同半鞘翅。半鞘翅淡褐色至褐色，毛稀而较长，较平伏或半平伏。膜片污黑褐色。

足淡红褐色、红褐色或深褐色；后足胫节深红褐色至深锈褐色。

腹部腹面不均匀地红褐色，具光泽。雄虫生殖囊开口边缘在左阳基侧突前方有1个很长的小突起。

**量度(mm)**：体长8.56~10.09，宽2.93~3.30；头长1.27~1.35，宽1.35~1.42；头顶宽0.39~0.40(♂)、0.51~0.52(♀)；触角1~4节的长度分别为1.31~1.42、3.65~3.95、2.41~2.81、1.20~1.61；前胸背板长1.57~1.68，后缘宽2.55~2.91；革片长4.36~4.69。

**采集记录**：1♂，镇巴，1985.Ⅶ.20，任树芝采。

**分布**：陕西(镇巴)、浙江、湖北、江西，贵州。

## 71. 奥盲蝽属 *Orthops* Fieber, 1858

Orthops Fieber, 1858: 311. **Type species**: *Lygaeus pastinacae* Fallén, 1807.

**属征**：体椭圆形或长椭圆形，具光泽。毛被刚毛状，半平伏，简单。前胸背板及前翅具刻点。头垂直或近垂直，额-头顶区饱满，侧面观超出眼之前，头顶具中纵沟及完整的基脊。触角第2节较粗短，明显短于前胸背板后缘宽。前胸背板领明显，多无光泽；后缘中部平直。胫刺基部无黑色点斑。阳茎端具1枚针突。交配囊后壁的左右侧叶愈合成一体，横跨整个后壁。

**分布**：中国记录5种，秦岭地区记述1种。

### (132) 东亚奥盲蝽 *Orthops* (*Orthops*) *udonis* (Matsumura, 1917)(图63)

*Lygus flavoscutellatus* Matsumura, 1911b: 37 (Preoccupied).

*Lygus udonis* Matsumura, 1917: 434.

*Orthops* (*Orthops*) *udonis*: Kerzhner & Josifov, 1999: 134.

*Lygus sachalinus Carvalho*, 1959: 138 (new name for *Lygus flavoscutellatus* Matsumura, 1911).

*Orthops sachalinus*: Kerzhner, 1978: 40.

**鉴别特征**：体长卵形；体色及斑纹变异较大；被金黄色柔毛，略具光泽。头垂直，黄褐色，具稀疏毛；雄虫头顶宽为头宽的0.42~0.46倍，雌虫的为0.47~0.49倍；中叶深褐色至黑色；头顶中纵沟明显，沿中纵沟常有1个褐色至黑褐色的宽纵斑；后缘基脊完整；侧叶及下颚叶多为黄白色，有时颊及小颊褐色至黑褐色。触角深褐色，有时第1节黄褐色，唯其端部具1个褐色环，基部腹面褐色。喙黄褐色，末节黑褐色；伸达中足基节。

领黄白色；前胸背板有时全黑色，有时为黄褐色，仅胝区或近后缘有褐色斑，有时为黑褐色至黑色，中央有 1 个黄褐色纵斑，有时前半部黄褐色，胝区黑褐色，后半部黑褐色，以后两种色斑型最为常见；具光泽，刻点小且浅。小盾片黄白至浅黄褐色，基部中央有 1 个深褐色斑，或大或小，大时几乎可占据整个小盾片，小时几乎不可辨；较平滑，基半部具横皱。半鞘翅黄褐色；缘片前缘黑褐色；革片端部 1/3 ~ 2/5 黑褐色，有时仅在近端部具 1 个褐色斑；爪片有时沿接合缝有 1 个褐色纵斑，有时全部为黑褐色或黑色，仅基部前缘及近端部前缘黄褐色；楔片有时端部 1/3 ~ 2/5 深褐色，长约为其基部宽的 1.50 倍；膜片烟褐色，通常楔片端部外的膜片有 2 个浅色大斑。

体腹面为均一的黄褐色；有时胸部腹面黑色，臭腹沟缘及蒸发域黄白色，腹部腹面黄褐色，侧缘具 1 条褐色至黑色的宽纵带，雄虫生殖节常为褐色至黑褐色。足浅黄褐色至黄褐色，股节亚端部具 2 个褐色环，前、中足者常色极浅或消失，有时后足股节端半部褐色；胫节刺黑褐色至黑色。

左阳基侧突：感觉叶基部强烈膨大；端突端渐细，亚端部具 1 个倒钩。

右阳基侧突：端突宽短，端缘平截，末端尖。阳茎端：针突缓弯，端部 1/3 狭细，伸达片状骨片长的 4/5 处；边缘具锯齿的大型片状骨片宽大，较弯曲。

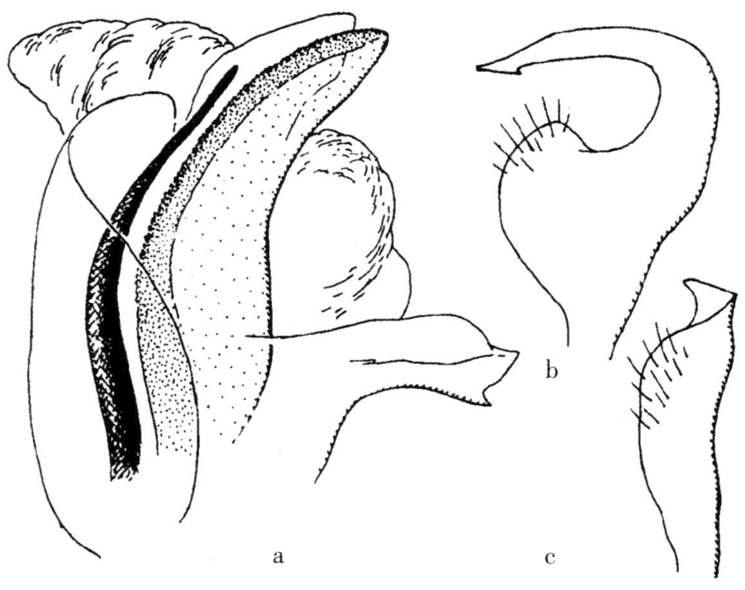


图 63 东亚奥盲蝽 *Orthops* (*Orthops*) *udonis* (Matsumura)

a. 阳茎端；b. 左阳基侧突；c. 右阳基侧突

**量度(mm)**：体长 3.20 ~ 5.11，宽 1.58 ~ 2.11；头长 0.24 ~ 0.36，宽 0.79 ~ 0.90；头顶宽 0.33 ~ 0.42(♂)、0.42 ~ 0.45(♀)；触角 1 ~ 4 节的长度分别为 0.26 ~ 0.35、1.04 ~ 1.10、0.51 ~ 0.55、0.45 ~ 0.51；前胸背板长 0.69 ~ 1.10，后缘宽

1.45 ~1.81；革片长1.82 ~2.16，楔片长0.63 ~0.83。

**采集记录：** 1♀，略阳，1984.Ⅶ.04，唐周怀采；1♂，旬阳，1985.Ⅴ.15，贺达汉采；1♀，石泉，1980.Ⅴ.25，向龙成、马宁采。

**分布：** 陕西（略阳、旬阳、石泉）、黑龙江、吉林、内蒙古、河北、山西、河南、新疆、江苏、湖北、广西、四川、贵州；俄罗斯，朝鲜半岛，日本。

**寄主：** 均为伞形科植物（Kerzhner，1978；Yasunaga，1993）；国内河南安阳（韩运发、孟祥玲采集）的标本采自胡萝卜（*Daucus carota*）；内蒙古莫尔道嘎的标本采自伞形科的一种植物。

## 72. 拟壮盲蝽属 *Paracyphodema* Lu *et* Zheng，2004

*Paracyphodema* Lu *et* Zheng，2004：462，**Type species**：*Cyphodema inexpectata* Zheng *et* Liu，1992.

**属征：** 体中大型，光泽较强，毛极稀短。头略前伸，光滑无刻点；头顶后缘脊隐约可辨，中段几乎消失；复眼小；头顶宽。触角短，第2节最长，略向端部加粗，短于前胸背板宽。喙短，伸达中胸腹板中部。前胸背板均匀隆起，刻点稀浅，光滑；胝微隆。小盾片饱满，基半部具横皱。半鞘翅刻点浅，毛稀；楔片狭长。胫刺深色。

**分布：** 中国记录1种，秦岭地区记述1种。

### （133）居间拟壮盲蝽 *Paracyphodema inexpectata*（Zheng *et* Liu，1992）

*Cyphodema inexpectata* Zheng *et* Liu，1992：295，303.

*Paracyphodema inexpectata*：Zheng *et al.*，2004：462.

**鉴别特征：** 长椭圆形，光泽较强，毛稀短。头褐色，唇基黑色无刻点，头顶中央纵沟几乎不可辨，头顶后缘基脊仅隐约可辨。眼接触前胸背板。触角黑褐色，第2节向端略为加粗，基半褐色，第1节光泽较强，毛极稀细，平滑；第2节端半毛渐密，短。喙伸达中胸腹板中部。领淡黄色，无光泽。

前胸背板均匀圆隆，不强烈，表面光滑，仅有极少数刻点状浅凹，均匀前下倾，侧缘微外拱；褐色向后渐深，盘域1对纵走宽黑带贯穿此外前胸背板侧缘及亚后缘等处也加深为深褐色，在前、后端左右两带相连；胝微隆，后缘界限清晰，前方伸达前胸背板侧缘，二胝在中间相连，相连处较窄。

小盾片饱满，两侧黄，中间黑色，中部具横皱前翅革质部黑褐色，具光泽，革片中部不规则宽横带及楔片基部2/5黄色，革片及爪片具刻点状稀疏小型浅凹痕，表面大同小异甚平整，毛被短小平伏，褐色，稀；革片侧缘除两端外，几乎直；膜片黑褐色，基外角的1个斑色较淡；脉后方部分微红褐色。

头部及胸部下方棕褐色，臭腺沟缘前半灰黑色，后半黄白色，腹部下方红褐色，中纵线处向后渐成黑褐色。足红褐色，股节末端及胫节基部黑色。

两性外生殖器见属征描述。

**量度**(mm)：体长 7.40，宽 3.30；头长 0.45，宽 1.40；头顶宽 0.43；触角 1~4 节的长度分别为 0.80、2.00、1.00、0.40；前胸背板长 1.40，后缘宽 2.80；革片长 3.90，楔片长 1.40。

**采集记录**：1♀，宁陕火地塘，1580~1650m，1999. Ⅵ.26，袁德成采。

**分布**：陕西(宁陕)、湖北、湖南、四川、云南、西藏。

## 73. 植盲蝽属 *Phytocoris* Fallén, 1814

*Phytocoris* Fallén, 1814: 10. **Type species**: *Cimex populi* Linnaeus, 1758.

**属征**：体长椭圆形或狭长形，短翅型雌虫体长卵形。无刻点。身体背面常具斑纹，具 2~3 种毛(浅色丝状毛，浅色及深色直立或半直立毛)。下颚片膨胀隆起。触角长，圆柱形。后足股节长，常达于或超过腹部末端，轻度到中度扁平，近基处最宽，向端逐渐变窄。雄虫生殖囊开口边缘有时具有瘤状或片状突起。左阳基侧突常弯曲，约呈直角状。阳茎端背面观基部向左弯折约呈直角。次生生殖孔较大，阳茎端腹面具骨化带状骨片，或称梳状板；膜囊可为单叶至多叶，古北界种类阳茎端具梳状板，新北界有些种类无梳状板。

**分布**：世界广布。中国记录 38 种，秦岭地区记述 5 种。

### 分种检索表

1. 触角第 3 节深褐色或更深 ………………………………………… 2
   触角第 3 节浅色 ………………………………………… 4
2. 触角第 3 节中央无浅色环，前翅无清晰、鲜艳的大色斑 ………………………… 3
   触角第 3 节中央具浅色环，或前翅具清晰、鲜艳的大色斑 ………………… **吕氏植盲蝽 *Ph. lui***
3. 胫节具深色环 ………………………………………… **沙氏植盲蝽 *Ph. shabliovskii***
   胫节无深色环 ………………………………………… **锦绣植盲蝽 *Ph. pictipennis***
4. 头顶宽与眼宽之比小于或等于 1.50(雄虫)、小于或等于 2(雌虫) ………… **诺植盲蝽 *Ph. nowickyi***
   头顶宽与眼宽之比大于 1.50(雄虫)、大于 2(雌虫) ………… **蒙古植盲蝽 *Ph. mongolicus***

### (134) 吕氏植盲蝽 *Phytocoris lui* Xu *et* Zheng, 2002

*Phytocoris lui* Xu *et* Zheng, 2002: 194.

**鉴别特征**：体小型，色深。

头黄白色或浅黄褐色，被黑褐色毛及浅色毛，额具深褐色放射状斜纹，唇基、上颚片、下颚片及小颊具深色斑。触角线形，深褐色或黑褐色；第1节具浅色斑，腹面浅色，被浅色直立毛及平伏短毛，直立毛长于该节直径；第2节基部狭窄，浅色；第3节基部、中部及端部具3个窄环，黄白色。喙伸达后足基节端或超过之。

前胸背板密布黑褐色硬毛及银白色丝状毛，后缘狭窄，黄白色，盘域黄褐色或黑褐色；胝区及领黄白色，具褐色斑。小盾片灰褐色或黑褐色，具少许黄褐色斑。半鞘翅深褐色或黑褐色，密布黑褐色半直立毛及浅色丝状毛；缘片具浅黄斑，革片端部具1个灰褐色大斑块；膜片灰褐色，翅脉仅端部灰白色。前胸侧板灰褐色，下缘白色。中央具1个浅色纵条纹。足基节黄白色，具1~2个褐色斑；股节黄白色，密布褐色或黑褐色斑，中足股节后缘具少许浅色长毛，毛长几乎等于该节直径。胫节深褐色或黑褐色，背面具黄白斑或圆点，腹面可见浅色环；跗节褐色。腹部腹面浅褐色，两侧稍深，雄虫生殖囊基部深褐色。

头顶宽与眼宽之比为0.73~0.86；触角第2节长与触角第1节长之比为2.69~2.72，宽与前胸背板宽之比为0.65~0.69；触角第1节长与头宽之比为1.00~1.04；触角第1节长与前胸背板宽之比为0.68~0.69；体长与前胸背板宽之比为3.30~3.50；触角第2节长与前胸背板宽之比为1.82~1.89。

雄虫生殖囊开口周缘无突起。右阳基侧突背面具齿，端部骨化，上指。左阳基侧突弯曲呈直角，具少许微齿，感觉叶轻度突出，阳基侧突杆部短，其中部侧扁，端部膨大、背腹压扁；端突侧扁。阳茎端次生生殖孔右侧具1个侧膜囊，表面基部轻度骨化；次生生殖孔腹面上方具1个骨化片状小突起；导精管基部轻微膨大；主膜叶两叶，轻度分开，左叶大，上表面端部密布微齿(未膨胀)；梳状板附于主膜叶上，位于次生生殖孔端方，中央凹陷呈槽状，左侧具齿，端半密布6齿，齿尖、骨化强，基部具2齿，骨化弱。

**量度**(mm)：♂，体长5.10~5.50，宽2.10；头长0.43，宽1.00~1.09；头顶宽0.29~0.30；触角1~4节的长度分别为1.04~1.09、2.80~2.97、1.29~1.34、1.02~1.03；前胸背板长0.55，后缘宽1.54~1.57；革片长3，楔片长1.05。

**采集记录**：1♂(正模)，周至板房子，1994.Ⅷ.07；1♀，同前，1994.Ⅷ.09。

**分布**：陕西(周至)。

## (135) 蒙古植盲蝽 *Phytocoris mongolicus* Nonnaizab *et* Jorigtoo, 1992

*Phytocoris mongolicus* Nonnaizab *et* Jorigtoo, 1992: 316.

**鉴别特征**：雄虫体长椭圆形；雌虫短翅，长卵形。体背密布平伏银白色丝状毛及半直立黑褐色毛。

头污白色或黄白色，密布深褐色或黑褐色斑，个别个体具红斑；额具放射状斜纹，唇基基部倒“V”形斑与额端部深色斑会合；唇基显著；额顶端明显突起。触角线形，第1节深褐色或黑褐色，具白色或黄白色斑点，具少许直立白毛，直立毛短于该节直径，雌虫直立毛约等于该节直径；触角第2节褐色或浅褐色，基部及中部白色；触角第3节黄褐色，基部白色，端部浅褐色；第4节浅褐色。喙长，伸过后足基节。

前胸背板灰褐色或黄灰褐色，前缘浅色具红褐色或褐色斑色，后缘浅色，亚后缘黑褐色或深褐色，具4个或6个极轻微的隆起，隆起处黑褐色或深褐色。小盾片黄灰色，具褐色或深褐色斑。半鞘翅灰白色，密布模糊的黑褐色或深褐色斑；爪片内缘及革片外缘中央常无斑或斑少，爪片端、革片外缘端部、片内缘基部、中部及顶端(雌虫为基部及近中区)黑色或黑褐色，具黑色毛。膜片密布深灰褐色或褐色斑点，翅室几乎全部深色，膜片不超过楔片端。前胸侧板浅褐色，下缘白色，上缘附近常稍浅。足黄白色，股节密布黑褐色或深褐色斑；前足胫节具褐色或深褐色环，端部深褐色，中足胫节具少许深褐色小斑，后足胫节具少许深褐色小斑，近基部具不完整深色环。腹部腹面淡黄色，密布红褐色或褐色斑，雄虫生殖囊两侧深褐色。雄虫腹部末端超过楔片缝，雌虫腹部末端伸过前翅。

雄虫生殖囊开口周缘无突起。右阳基侧突细小。左阳基侧突弯曲几乎成直角，感觉叶轻度突起，阳基侧突杆部高度侧扁，向端中度扭曲，端部中度背腹压扁。阳茎端次生生殖孔两侧具栉状构造，与 *Ph. rubiginosus* 相近，但本种栉状构造的齿向基方渐短；右侧膜叶表面中度骨化；阳茎端腹面具1枚高度骨化的带状骨片，梳状板全长附于膜囊上，其齿排列呈“S”形，基部齿排列不规则。

头顶宽与眼宽之比为1.87~2.29(♂)、2.22(♀)；触角第2节长与触角第1节长之比为1.85~1.99(♂)、1.82(♀)，宽与前胸背板宽之比为0.58~0.62(♂)、0.77(♀)；触角第1节长与头宽之比为1.35~1.64(♂)、1.72(♀)；触角第1节长与前胸背板宽之比为0.83~0.96(♂)、1.33(♀)；体长与前胸背板宽之比为3.70~3.90(♂)、4.10(♀)。

**量度(mm)**：体长5.30~6.20(♂)、5.20(♀)，体宽0.95；头长0.50，宽0.87~0.98(♂)、0.97(♀)；头顶宽0.43~0.49(♂)、0.51(♀)；♂触角1~4节的长度分别为1.20~1.61、2.27~2.98、1.79~2.42、缺，♀触角1~4节的长度分别为1.67、3.04、2.52、缺；前胸背板长0.80，后缘宽1.43~1.67(♂)、1.26(♀)；革片长3，楔片长1。

**采集记录**：1♂1♀，凤县秦岭车站，1965.Ⅷ.18，路进生采；1♂，神木，1985，Ⅷ.05，任树芝采。

**分布**：陕西(凤县、神木)、内蒙古、山西。

### (136) 诺植盲蝽 *Phytocoris nowickyi* Fieber, 1870 (图64)

*Phytocoris nowickyi* Fieber, 1870: 261.

**鉴别特征**：雄虫体长椭圆形；雌虫体长翅型个体长椭圆形，短翅型个体长卵形。大多数个体染成鲜红或深红色，极少数个体无鲜红或深红斑。头底色淡黄，常密布鲜红或深红斑，有时具黑褐色斑，极少数个体无红斑，仅具褐色或更浅色斑纹；额具放射状斜纹。触角细长，第 1 节黄白色具红褐色斑，很少具浅褐色斑，被直立银白色长毛及平伏短毛，直立毛明显长于该节直径，第 2、3 节浅黄褐色或黄褐色，基部色常更浅，端部稍深，第 4 节褐色。喙伸过后足基节。

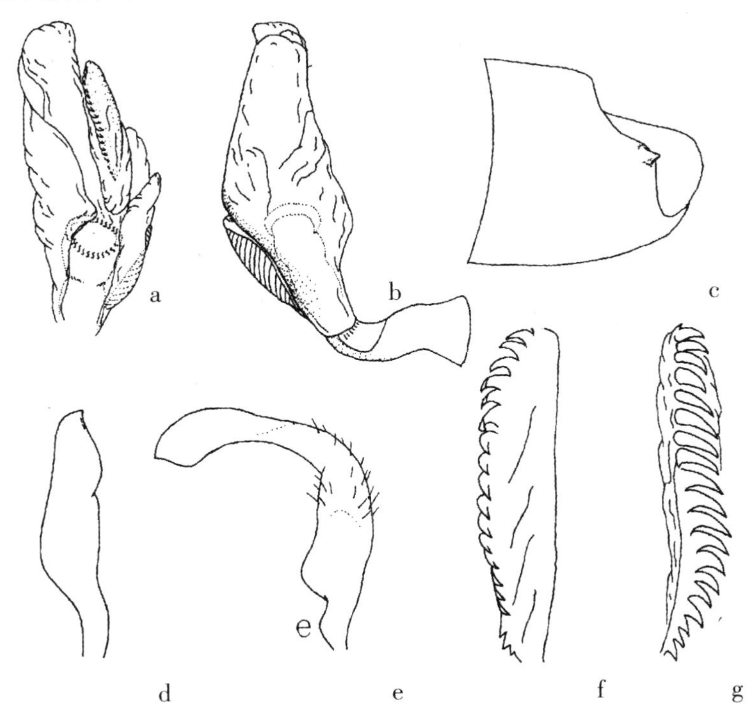


图 64　诺植盲蝽 *Phytocoris nowickyi* Fieber

a－b. 阳茎端；c. 雄虫生殖囊；d. 右阳基侧突；e. 左阳基侧突；f－g. 梳状板

前胸背板通常雄虫色较深，雌虫较浅，被银白色丝状毛及半直立黑毛；领具直立浅色长毛。小盾片淡黄色，雄虫或多或少具红斑，雌虫有时具少许红斑，有时无斑。半鞘密布丝状银白色毛，雄虫具黑色或黑褐色半直立毛，及少许浅色半直立毛；雌虫浅色半直立毛较多，深色半直立毛少。半鞘翅底色浅色，具深色斑，或多或少具红斑，雌虫有时无红斑，雄虫有时半鞘翅几乎深褐色，革片近端部常具深色斜纹。膜片灰白色，密布灰褐色斑点，翅室脉通常红色。前胸侧板深褐色或褐色，下缘白色，近中央色稍浅。足浅黄褐色；股节基部无斑，前、中足股节具少许深色斑，后足股节密布深色斑；前足、中足胫节具深色窄环，后足胫节基部深；跗节第 1、3 节深褐色。腹部腹面雄虫通常深褐色或深红褐色，中央色稍浅，腹部末端超过楔片缝；雌虫腹部腹面色浅，具红色、红褐色或深褐色斑；短翅个体有时腹部末端稍超过膜片端。

雄虫生殖囊左侧阳基侧突基部上方具 1 个小瘤状突起。右阳基侧突中度侧扁，端部末端几乎平截。左阳基侧突弯曲呈直角状，感觉叶轻度突出，阳基侧突杆部的端部膨大，高度背腹压扁。阳茎端次生生殖孔右侧膜囊表面轻度骨化，阳茎端腹面具1枚中度骨化带状骨片，主膜叶肥厚(未膨胀)，梳状板全长附于膜囊上，全长具齿，齿斜指向基方，几乎与梳状板垂直。

头顶宽与眼宽之比为1.27~1.46(♂)、1.54~1.92(♀)；触角第2节长与触角第1节长之比为1.83~1.96，宽与前胸背板宽之比为0.61~0.66(♂)、0.61~0.72(♀)；触角第1节长与头宽之比为1.43~1.62(♂)、1.55~1.80(♀)；触角第1节长与前胸背板宽之比为0.93~1.07(♂)、0.95~1.26(♀)；体长与前胸背板宽之比为3.90~4.40(♂)，3.70~4.40(♀)。

**量度(mm)：**体长5.70~6.80(♂)、5.20~6.50(♀)，宽2.10；头长0.60，宽0.90~0.98(♂)、0.92~0.98(♀)；头顶宽0.38~0.40(♂)、0.43~0.48(♀)；眼宽0.26~0.30(♂)、0.24~0.28(♀)；♂触角1~4节的长度分别为1.40~1.57、2.62~3.08、1.99~2.10、1.37~1.60，♀触角1~4节的长度分别为1.50~1.76、2.80~3.22、1.89~2.31、1.33~1.65；前胸背板长0.83，后缘宽1.40~1.55(♂)、0.36~1.50(♀)；革片长3.15，楔片长1。

**采集记录：**1♀，凤县东峪，1994.Ⅶ.30，董建臻采；3♂，凤县秦岭车站，1965.Ⅷ.18，路进生采；12♂2♀，同前，1994.Ⅵ.Ⅰ.27-29；8♂3♀，留坝庙台子，1994.Ⅷ.03，董建臻、吕楠采；1♂1♀，宁陕旬阳坝，1994.Ⅷ.16-17，吕楠采；1♂，宁陕火地塘，1994.Ⅷ.14，吕楠采；1♂，南郑，1985.Ⅶ.22，任树芝采。

**分布：**陕西(凤县、留坝、宁陕、南郑)、黑龙江、吉林、内蒙古、河北、甘肃、湖北、四川；俄罗斯，朝鲜，日本，欧洲。

### (137) 锦锈植盲蝽 *Phytocoris pictipennis* Xu *et* Zheng, 2002

*Phytocoris pictipennis* Xu *et* Zheng, 2002: 200.

**鉴别特征：**体长椭圆形。

头部底色淡黄，稍带黄褐色，密被深色半直立毛，银白色丝状毛较少。头背面纵中线通常黑色或灰黑色，额具黑褐色或褐色放射状斜纹，额端部及唇基黑褐色或褐色，侧叶中央、下颚及小颊上半大部分深色。触角线形，第1节乳白色，有时污白色，具深色斑，被直立长毛及平伏短毛，直立毛长于或等于该节直径；第2节褐色，稍带橙色，端部及亚基部色稍深，基部狭窄部分浅色；第3、4节黑褐色，第3节基部很窄浅色，雌虫第3节端部色稍浅。喙略伸过后足基节。

前胸背板深黄褐色或深灰褐色，密布黑色半直立毛，银白色丝状毛稍少。前胸背板缘浅色，亚后缘具深色横纹；领淡色，具红褐色或浅褐色斑，被直立黑色长毛及少许银白色丝状毛。小盾片黄白色，稍带褐色，亚端部两侧具2个不明显褐色斑。半鞘翅灰褐色或灰黑色，密布黑色半直立毛及银白色丝状毛，通常具零星的模糊浅色斑；楔片基部或多或少稍带红色，基部外缘白色。膜片灰白色，具灰褐色斑，有时几乎全呈灰褐色，脉端部白色。前胸侧板浅褐色至黑褐色，下缘白色。股节全长具深色斑；胫节灰白，具灰褐色或灰黑色斑，无明显环纹。腹部腹面黄褐色，稍带灰色，具红色小斑；雄虫生殖囊深褐色；或腹部腹面灰黑色，具浅色斑。雄虫腹末不达楔片缝，雌虫约达楔片端。

雄虫生殖囊开口前缘左端1个扁平小突起。右阳基侧突轻度侧扁，亚基部及亚端部具齿；端部细长，横指。左阳基侧突弯曲约呈直角，感觉叶高度突出，阳基侧突杆部高度侧扁，向端中度扭曲成背腹状。阳茎端次生生殖孔右侧膜囊外表面极度轻微骨化，主膜叶背面具极度细小骨化刺，排列呈线状；阳茎端腹面具1枚高度骨化的带状骨片，向上延伸至梳状板近基部，与梳状板分界不清晰；梳状板基半附于膜囊之上，具2排齿，右侧齿少，较大，左侧端部齿较大，斜指向基方，基部齿小，斜指向端方。

头顶宽与眼宽之比为0.80~0.93(♂)、1.08(♀)；触角第2节长与触角第1节长之比为2.36~2.42(♂)、2.25(♀)，宽与前胸背板宽之比为0.58~0.65；触角第1节长与头宽之比为1.13~1.24(♂)、1.37(♀)；触角第1节长与前胸背板宽之比为0.69~0.76(♂)、0.80(♀)，体长与前胸背板宽之比为3.90~4.40。

**量度**(mm)：体长7.10，宽2.70；头长0.70，宽1.11~1.16；头顶宽0.32~0.37(♂)、0.43(♀)；♂触角1~4节的长度分别为1.25~1.39、2.95~3.36、1.67~1.82、1.33~1.51，♀触角1~4节的长度分别为1.67、3.75、1.99、1.40；前胸背板长1.05，后缘宽1.71~2.09；革片长4.35，楔片长1.25。

**采集记录**：1♀，宁陕火地塘，1994. Ⅶ. 14，1640m，卜文俊灯诱。

**分布**：陕西(宁陕)、甘肃、宁夏。

### (138) 沙氏植盲蝽 *Phytocoris shabliovskii* Kerzhner, 1998

*Phytocoris shabliovskii* Kerzhner, 1998a: 38.

**鉴别特征**：体较小，长椭圆形。

头黄白色，额具褐色或深褐色斜纹，唇基中部(有时端部)、上颚片中央、下颚片上缘及小颊上缘具褐色或黑褐色斑，唇基基部的倒"V"形斑常与额前缘深色斑汇合。触角深褐色或黑褐色，线形；第1节背面具黄白斑，腹面浅色，被直立浅色毛及平伏短毛；第2节基部黄白色，中部稍浅；第3节基部及顶端狭窄，浅色。喙明显超过后足基节。

雄虫前胸背板灰褐色或灰黑色，胝区常黄白色，领浅色，具不明显斑纹，前胸背板后缘狭窄，浅色，其前方具呈块状中断的深色斑；雌虫前胸背板黄白色，两侧具深色斑，亚后缘具常中断的黑褐色至黑色横纹。小盾片黄白色，近端两侧具深色斑。半鞘翅灰白色，具不清晰的灰褐色至黑褐色斑；革片端部有1个亚方形浅色斑块，其前缘常为1个深色斑纹；楔片基部浅色，半鞘翅被银白色丝状毛及深褐色或黑褐色半直立毛，有时深色毛的端部为金黄色。膜片灰白色，散布灰褐色斑点，脉端部浅色。前胸侧板浅色，上缘深色，中央具1个深色纵条纹。足黄白色，股节散布深褐色或黑褐色斑，后足股节基部无斑，近端部具1个浅色斜纹；前足、中足胫节具3个深褐色或黑褐色环，中间深色环比浅色稍浅。腹部腹面浅黄，两侧具红褐色或黑褐色斑，有时腹部腹面深褐色，雄虫腹末不超过楔片缝，雌虫腹末不超过楔片端。

雄虫生殖囊开口前缘左端具1个扁平小突起。右阳基侧突内侧具齿，顶部侧扁。左阳基侧突弯曲约呈直角，感觉叶肥大，中度突出，内侧具齿；阳基侧突杆部近基部处最窄，向端稍变宽；端突侧扁。阳基端主膜叶腹面可见两叶，梳状板附于主膜叶上，其侧具1枚带状骨片延伸到次生生殖孔下方；阳茎端基部右侧具1枚小骨片；梳状板具2排齿，左侧基半与端半齿相向相列，中间较大部分齿较平。

头顶宽与眼宽之比为0.54～0.75（♂）、1.27～1.29(♀)；触角第2节长与触角第1节长之比为2.25～2.62；触角第1节长与头宽之比为1.14～1.22(♂)、1.28～1.34(♀)；触角第1节长与前胸背板宽之比为0.75～0.84，宽与前胸背板宽之比为0.66～0.70(♂)，0.55－0.58(♀)；体长与前胸背板宽之比为3.80～4.10。

**量度(mm)：**体长5.80～6.50，宽2；头长0.40，宽0.98～1.03；头顶宽0.22～0.27(♂)、0.38～0.40(♀)；♂触角1～4节的长度分别为1.13～1.26、2.76～3.22、1.54～1.62、0.74～1.37，♀触角1～4节的长度分别为1.25～1.37、2.81～3.22、1.65、1.26；前胸背板长0.93，后缘宽1.50～1.68。革片长4.30，楔片长1.05。

**采集记录：**5♂，留坝庙台子，1400m，1994.Ⅷ，吕楠采。

**分布：**陕西(留坝)、黑龙江、山西、甘肃、湖北；俄罗斯。

## 74. 异盲蝽属 *Polymerus* Hahn, 1831

*Polymerus* Hahn, 1831: 27. **Type species**: *Polymerus holosericeus* Hahn, 1831.

**属征：**体中型，体型较适中，或相对短厚。体背面与腹面均明显被有容易脱落的丝状毛。背面共有2种毛，均平伏或半平伏，一种直，一种丝状而有闪光，弯曲。头垂直或前倾。唇基基部与额有较明显界限。触角第1节粗于或等于领的长度，第2节直径等于或细于领长。头部几乎无刻点，头顶后缘成狭边状。前胸背板多明显倾斜，有刻点，具领。小盾片隆出，具刻点。爪片刻点明显，密，不成行，R与Cu脉之间的区域刻点极浅，喙第3节很短。跗节第1跗分节明显短于第2节。

**分布：**世界性分布。中国记录9种，秦岭地区记述3种。

### 分种检索表

1. 半鞘翅全黑色，或仅楔片一端或两端淡色；小盾片全黑色 ………………………… 2
   前翅革质部淡色部分面积颇大；小盾片至少端部淡色 ……………… **红楔异盲蝽 *P. cognatus***
2. 胫节黑色，具2个白环 …………………………………………………… **北京异盲蝽 *P. pekinensis***
   胫节白色，只两端黑色。触角全黑色 ………………………………… **横断异盲蝽 *P. funestus***

### (139) 红楔异盲蝽 *Polymerus cognatus* (Fieber, 1858)

*Poeciloscytus cognatus* Fieber, 1858: 331.

*Polymerus cognatus*: Carvalho, 1959: 235.

**鉴别特征:** 体小而较狭长，光泽颇弱。底色灰黄。

两性色斑异型：雄虫黑色成分多，头黑色，眼内侧淡黄斑甚大，几乎达眼前缘水平位置，上颚片与下颚片淡黄白色，上颚片下半黑褐色，成1条黑带夹于上下两个白斑之间。触角污褐色。前胸背板几乎全黑色，只后缘狭窄，黄色。小盾片黄斑小，仅为小盾长的3/7。爪片除两端略淡外，几乎全为黑褐色；革片后半、外革片后1/3靠R脉处(向端渐扩展成沿端缘的横斑)黑褐色，边缘渐晕淡，革片侧缘黑色，楔片红色，外缘黑色，基缘及端角黄白色。体下斑驳，外咽片两侧、前胸腹板、侧板下缘、前足基节、中胸腹板后缘附近和臭腺沟缘，以及中足和后足的基节、转节及股节腹方及胫节淡黄白色，股节上多有不规则黑褐色斑，后足股节亚端部成白环状，胫节刚毛黑褐色，基部有小黑晕斑，股节背面黑褐色。腹下大部分为黑色。

雌虫头黄褐色，中部色深，并有一些成对黑斑，排成数排。唇基黑色，上、下颚片同雄虫。前胸背板仅盘域黑色，领黄色，后缘宽阔，黄色，前方晕入黑色区，侧方全黄色，背板前角处有1个黑色无毛的圆斑。雄虫中亦有，但在黑色背景中不显。小盾片黄斑长度超过小盾长的1/2。爪片黑斑大致只占据长度的1/3，位于中部，向两端渐淡。革片黑斑范围较雄为小，斑的模式相似，但相对较深，为黑褐色，界限更为分明，晕淡程度较弱。楔片缝前方黄色部分多。体下方底色全部淡黄白色。足色亦更淡，但股节背面仍为褐色，后足股节腹面亚端部淡色环不显著。腹下淡黄白色，产卵器漆黑。

**量度(mm):** 体长4.20~5.30，宽1.50~2.15；头长0.40~0.55，宽0.90~1.05；头顶宽0.40~0.45(♂)、0.45~0.53(♀)；触角1~4节的长度分别为0.30~0.35、1.70~2.00、0.70~1.00、0.55~0.60；前胸背板长0.75~0.83，后缘宽1.30~1.80；革片长1.80~2.20，楔片长0.65~0.68。

**采集记录:** 1♂1♀，武功。

**分布:** 陕西(武功)、黑龙江、吉林、内蒙古、北京、天津、河北、山西、山东、河南、甘肃、新疆、四川；俄罗斯(远东地区)，朝鲜，中亚地区，欧洲。

### (140) 横断异盲蝽 *Polymerus funestus* (Reuter, 1906)(图65)

*Poeciloscytus funestus* Reuter, 1906a: 48.

*Polymerus funestus*: Carvalho, 1959: 236.

图 65　横断异盲蝽 *Polymerus funestus*（Reuter）
a. 阳茎端；b. 阳茎端刺 1 基部骨化区

**鉴别特征：**黑色，有光泽，体厚实。

头部眼内侧有 1 对白斑。触角相对细长，黑色，第 1 节有时污褐色；第 2 节与领等粗。前胸背板拱隆，后缘极狭窄，黄白色。小盾片隆出，与中胸盾片之间凹入颇深。爪片及革片内侧 Cu 脉后部刻点更成皱刻状。革片平伏毛密，毛分为 2 种：一种细直，另一种较粗而弯曲，后者多少聚集成很不规则的图案，相互连续，不若 *pekinensis* 之成很明确而分散的小毛斑状，此类毛的覆盖面积很大，远大于 *pekinensis*。爪片缝两侧、楔片端角以及革片在爪片端角后的内缘有一小段均为白色。膜片灰黑色，脉淡色。喙、股节、胫节两端以及体下全部为黑色。胫节黄白色，刚毛状毛黑色，基部无晕斑。

阳茎端构造近似北京异盲蝽，不同之处有：刺 1 端部弯曲部分较长；刺 3 端部狭细部分较短；刺 1 与刺 2 之间的膜囊上的具齿骨化带短于不具齿骨化带，锯齿更为明显；刺 1 基方膜囊颗粒状骨化区形状不同。

**量度**(mm)：体长 4.70 ~ 6.50，宽 2.30 ~ 3.10；头长 0.40 ~ 0.60，宽 1.00 ~ 1.20；头顶宽 0.45 ~ 0.50(♂)、0.55 ~ 0.62(♀)；触角 1 ~ 4 节的长度分别为 0.40 ~ 0.60、1.75 ~ 2.10、0.85 ~ 1.00、0.85 ~ 1.00；前胸背板长 1，后缘宽 1.70 ~ 2.30；革

片长 2.20～2.80，楔片长 0.96。

**采集记录**：1♀，秦岭青柯坪，1951. Ⅸ. 07；1♀，太白山中山寺，1951. Ⅷ. 21。

**分布**：陕西（太白、华阴）、北京、四川、西藏。

### （141）北京异盲蝽 *Polymerus pekinensis* Horváth，1901

*Polymerus pekinensis* Horváth，1901：267.

**鉴别特征**：黑色，有一定光泽，体厚实。背面具 2 种毛，直毛较短且略稀，似更易脱落，丝状弯曲毛聚合成若干块状小毛斑，毛斑散布，在毛被完整的全体中，前翅宛若雪花漫布状。

头顶在眼内侧有 1 个白斑。触角相对颇细，触角第 1 节黄褐色，其余为黑色；第 2 节明显细于领，雌虫第 2 节可能中段 1/3 为污褐色。前胸背板拱隆，全为黑色，后缘有时有细白边。楔片黑色，楔片缝周围狭窄，淡黄白色，楔片末端亦同。膜片灰黑色，脉淡色。体下几乎全黑色，仅中、后胸侧板后缘部分黄白色。足黑色，各足股节有 1 个亚端白环，胫节基部 3/5～1/2 黑色，其中有 1 个亚基白环，足折叠时与股节亚基白环成 1 条连续白纹；胫节其余部分黄白色至淡褐色，端部黑色，中段白色部分中的毛黑色，毛基部有很小的黑色晕斑。

阳茎端构造：刺 1 与刺 2 之间的膜囊上具 2 条骨化带，约等长，左侧骨化带锯齿甚浅，几乎不能辨。刺 1 与刺 3 约等长，明显长于上述骨化带，端部弯曲部分较短。刺 3 基部甚宽。

**量度（mm）**：体长 4.70～7.70，宽 2～3；头长 0.40～0.60，宽 1.00～1.20；头顶宽 0.42～0.50（♂）、0.50～0.60（♀）；触角 1～4 节的长度分别为 0.40～0.55、1.65～1.95、0.65～0.80、0.80～1.00；前胸背板长 1.13，后缘宽 1.75～2.30；革片长2.10～2.50，楔片长 0.76。

**采集记录**：1♂1♀，凤县秦岭车站，1965. Ⅷ. 18，路进生采；1♀，留坝庙台子，1350m，1998. Ⅶ. 21，姚建采。

**分布**：陕西（凤县、留坝）、黑龙江、吉林、内蒙古、北京、天津、山西、山东、浙江、安徽、江西、福建、四川、云南；朝鲜，日本。

## 75. 纤盲蝽属 *Stenotus* Jakovlev，1877

*Stenotus* Jakovlev，1877：288. **Type species**：*Stenotus sareptanus* Jakovlev，1877.

**属征**：体中小型，长椭圆形，常两侧近平行；底色黄绿，有红色、褐色或黑色斑，斑常纵走。

头较平伸，均匀饱满；唇基界限清楚，与额间有 1 个清晰的凹痕；额-头顶区光滑，无平行横凹纹；头顶中纵沟极浅，或不能分辨，或该处略下凹；头顶后缘光滑，无隆脊。触角较长，第2节线形或亚线形，第1节具较多而分布均匀的半平伏毛，毛不长过该节直径的1/2。

前胸背板轻度前倾，背面略饱满，侧缘钝圆；领较粗而明显，位置较高，具多数半平伏淡色丝状毛，部分较直立，仅微弯，后者毛基无深色小点斑；胝略隆出或较平，盘域具密而明显的刻皱。小盾片具横皱。半鞘翅无刻点，表面无光泽；毛半平伏或近平伏，常较短而有闪光。足较长，后足股节较粗长；后足跗节第1节甚长，长为第2节的1.50倍以上。

**分布：** 中国记录6种，秦岭地区记述1种。

### (142) 赤条纤盲蝽 *Stenotus rubrovittatus* (Matsumura, 1913)

*Calocoris rubrovittatus* Matsumura, 1913: 181.

*Stenotus rubrovittatus*: Linnavuori, 1961c: 157.

**鉴别特征：** 体长椭圆形，红锈色或红褐色，具光泽。

头平伸，额-头顶区饱满，被短小而密的淡色毛，红至红褐色，中线处黄色，成宽纵带状，唇基黑色；头顶中纵沟不可辨或极浅，刻处常略下凹。触角第1节红褐色，略短于头宽，长度的1/2伸过头端；第2~4节淡红褐色，线形，第2节粗约为第1节的1/2，第3、4节略细于第3节。喙伸达后足基节中部。

前胸背板底色黄，具光泽，两侧各具1个红色、红褐色或褐色宽纵带，起自领侧，向后渐宽，覆盖胝区外半，伸达背板后缘。背板平置，几乎不前倾，后缘中段平直，侧缘近直，仅微凹弯；侧面观前胸背板侧缘较钝圆；半鞘翅基外角略伸出于前胸背板之外；盘域具细密明显刻皱，毛短密，几乎平伏；胝略隆出，界限清楚，被毛，与盘域同，无刻皱；胝间区略隆出，具刻皱。小盾片平，中内为黄色两侧平行的宽条状，两侧宽阔，红褐色。半鞘翅淡黄，爪片红色或红褐色，外侧沿爪片缝的窄条常为淡黄色，革片内角区域或内半红色或红褐色，伸达楔片内角，此区域的外缘常为纵走直线状；毛短密，平伏，略弯而有闪光。膜片淡烟色，脉红色。

各足股节红色，胫节淡黄色。

体下方淡黄色，有光泽，侧方有红褐色宽带贯全长。

**量度(mm)：** 体长4.25~5.63，宽1.45~1.90；头长0.65，宽0.93；头顶宽0.43(♂)、0.37(♀)；触角1~4节的长度分别为0.60、2.00、1.15、0.85；前胸背板长0.80，后缘宽1.55；革片长2.80，楔片长0.75。

**采集记录：** 1♂1♀，汉中，1963.Ⅷ.02。

**分布：** 陕西(汉中)、吉林、河北、河南、江苏、湖北、江西、云南；俄罗斯(远东地区)，韩国，日本。

## 76. 猬盲蝽属 *Tinginotum* Kirkaldy, 1902

*Tinginotum* Kirkaldy, 1902b: 263. **Type species**: *Tinginotum javanum* Kirkaldy, 1902.

**属征**: 体小型，多为椭圆形。体常被有明显的粉被，以至无光泽。体背面具直立或半直立长毛及丝状平伏毛。

头直立或近直立。头前面观眼下部分甚短。眼大，侧面观几乎伸达小颊，小眼面常为颗粒状。头顶可有不甚明显的纵中沟，后缘锐，脊不明显或明显。触角线形，雄虫第2节可略加粗。

前胸背板前倾程度不等，均匀拱隆，盘域中央无明显的瘤状突起，具均匀密布的刻点，表面常具浓厚粉被，较不平整；胝较低平，界限不甚明显，亦无光泽；领粗，具毛，其后缘处有1列大型深刻点。小盾片平或略隆起，具刻点；一般中胸盾片不外露。半鞘翅平置，爪片及革片无刻点。胫节刺淡色，刺基有深色斑。

**分布**: 中国记录4种，秦岭地区记述1种。

### (143) 松猬盲蝽 *Tinginotum pini* Kulik, 1965

*Tinginotum pini* Kulik, 1965b: 1503.

*Tinginotum distinctum* Miyamoto *et* Lee, 1966: 386.

**鉴别特征**: 体长椭圆形，体色深浅变异较大，无光泽。

头垂直。底色黄白或灰黄，淡色个体仅下颚片下半灰黑色，多数个体额-头顶区灰黑色，被浓密粉被，可见平行横棱，头部毛直立，粗长而较密，头顶中央毛黑色，其余白色。头顶常有1对斜置光滑横斑；头顶后缘处具1个宽而低平的脊，与头顶间有1个浅凹痕分开，后缘较锐。触角第1节底色黑，两侧具几乎贯穿全长的白纹，淡色个体中外侧只基部2/3具白纹，且常不甚完整，深色个体中可几乎全部黑色；第2节黑色，基部及中央狭窄，黄白色，第3节黑色，中央有1个小白环，第4节全部黑色。喙黑褐色，粗壮，伸达后足基节后缘或略过之(浙江庆元标本仅伸达中足基节)。

前胸背板深灰褐色至灰黑色，具粉被，领同；盘域在淡色个体中可辨4条宽褐色纵带与5条灰白粉被带相间，褐色纵带后端处及中段常加深成深褐色斑状；直立毛较粗强，长而密，多为黑色至全部黑色，或只褐色纵带上的毛黑色，其余淡色，或上述深褐色斑上的毛更密而成黑毛撮状；刻点较深大。背板前倾程度相对较小，盘域在胝后较平缓地拱隆，侧角区离角端不远处在后缘前略下凹，后缘中段平直。小盾片较平，灰褐色或灰黑褐色，一色，或中央具灰白纵带，或端部灰白色，或基角变为淡色，直立毛长，中部黑毛多。半鞘翅底色橙褐色、栗褐色至黑褐色，淡色斑白色至深灰色，革片淡色斑集中于中段成横带状，此带状区域长短不一，可成横纹状，或上革片长这1/3以上；直立毛淡色。楔片可全为深栗褐色至黑褐色，其上的淡斑亦有白色的丝状短密毛。膜片深栗褐色或黑褐色；大室端缘白色。

胸下色多少加深，淡色个体淡黄褐色，深色个体同前胸背板，被浓厚粉被而呈灰黑。足底色黄褐色或黑褐色，各股节相应具细碎褐色斑或白斑，或隐约组成环状；前、中足胫节具3个或4个环，后足胫节在深色个体中有3个很小的白环，淡色个体中或背面一色，不辨明显的白环。腹下淡黄白色至黑褐色。

**量度**(mm)：体长4.20~4.70，宽1.68~1.90；头长0.43，宽1.10~1.18，头顶宽0.40(♂)、0.50(♀)；触角1~4节的长度分别为0.60、2.10、1.00、1.00；前胸背板长0.90，后缘宽1.75；革片长2.20，楔片长0.70。

**采集记录**：10♂16♀，凤县秦岭车站，1994.Ⅶ.29，1400m，吕楠采；4♂3♀，留坝庙台子，1994.Ⅷ.03，1500m，油松，卜文俊采；2♂1♀，宁陕火地塘，1994.Ⅷ.12-13，1640m，吕楠灯诱；2♂1♀，同上，采自油松；5♂4♀，宁陕旬阳坝，1994.Ⅷ.17，1700m，松属一种，卜文俊采；1♂，宁陕火地塘，1580m，1998.Ⅷ.20，袁德成灯诱。

**分布**：陕西(凤县、留坝、宁陕)、甘肃、浙江、四川、云南；俄罗斯(远东地区)，朝鲜半岛，日本。

## Ⅱ. 狭盲蝽族 Stenodemini China, 1943

**鉴别特征**：体狭长，两侧平行，一般无光泽。唇基多与头部背面垂直。额可向前突伸覆盖于唇基基部之上，或否。除少数属外，头顶背面具明显的中纵沟。触角细长；第1节短于头长与前胸背板长之和。前胸背板前端无界限分明的领部，胝多平坦而宽大。足细长，后足跗节第1节长为第2节的2倍。

**分类**：中国记录9属52种，秦岭地区发现3属6种。

### 分属检索表

1. 小盾片具深大而明确的刻点 ······ **狭盲蝽属 *Stenodema***
   小盾片无刻点，或具细浅而不甚明确的"刻点" ······ 2
2. 触角第1节具直立或半直立长毛，毛至少为该节直径之半 ······ **长盲蝽属 *Dolichomiris***
   触角第1节具短而平伏的毛，毛长不及该节直径之半 ······ **赤须盲蝽属 *Trigonotylus***

## 77. 长盲蝽属 *Dolichomiris* Reuter, 1882

*Dolichomiris* Reuter, 1882: 29. **Type species**: *Dolichomiris linearis* Reuter, 1882.

**属征：**体狭长，两侧平行，体型较大，在族内属于体型较大的属。一般无强光泽，体毛被甚为稀短，几乎不可见。头平伸，背面较平坦简单，唇基大，垂直，侧扁，侧面观成狭片状，向下渐窄，成圆锥形伸出于额前甚多，额与唇基间有深凹痕，额末端伸出覆盖或不覆盖唇基基部，侧面观时端部常上翘。头顶有中纵沟，小颊向后渐低。喙第 1 节宽扁。触角第 1 节粗长，常长于头或前胸，短于头与前胸背板长度之和，毛长而密，半直立或直立，长于该节直径的 1/2，长度较一致。第 2、3 节长度相近，第 2 节基部略粗，向端渐细，基段毛长，向端渐短；触角其余部分的毛则短密，长度一致。眼触及前胸背板。喙几乎达中足基节后缘，可略过后足基节基部。前胸背板长梯形，整体微弱下倾，前、后部坡度一致，具不甚规则而较浅的皱刻状"刻点"，前、后缘凹入，侧缘棱边状；胝宽大，亚圆形或亚方形，位置相对靠后，胝光滑，平，几乎不隆出，内缘中央有 1 个小凹点。前翅表面具浅密刻点状皱刻。楔片明显长于基部宽。足细长，胫节全长具较长密的半直立刚毛状毛，长于该节直径。雄虫左阳基侧突钩状，末端有 1 个倒齿。阳茎端具 2～3 枚骨化附器，骨化强，其上常有羽毛状或锯齿状小突起，这些骨化附器中，较大型的 1 枚基部常被 1 个骨化的鞘状环所包围。

**分布：**热带、亚热带地区。中国记录 5 种，秦岭地区记述 1 种。

### （144）大长盲蝽 *Dolichomiris antennatis*（Distant，1904）

*Megaloceraea antennata* Distant，1904d：5.

*Dolichomiris antennatis*：Eyles & Carvalho，1975：259.

**鉴别特征：**体狭长，干标本黄褐色或略带红褐色。头部有时有 1 条暗色中纵线贯全长。额宽约为眼宽的 2 倍，额的前端略为上翘，不向前覆盖唇基至或多或少覆盖。触角红黄色，第 1 节色较淡，近基部处较宽，散布许多小红点斑，毛较长密，长不及该节直径，淡黑褐色至黑褐色。第 2 节淡红褐色，基段色较淡，雌虫基部约 2/5 毛较长而蓬松，最长者略长于该节直径，雄虫基部约 1/3 毛较长，但略短于雌虫的；端部密被短小的毛。第 3、4 节色同第 2 节，毛同第 2 节端段。喙达中足基节中部或末端。

前胸背板中纵线淡黄色，两侧有时各具 1 对隐约的暗色纵带。前、后缘均显著内凹，侧缘向后分歧渐明显。前缘宽与后缘宽之比约为 1.00∶1.80～1.90。刻点相对粗糙。

前翅一色，或脉以外区域色较暗，毛稀小而平伏。后足股节散布淡红褐色小点斑，后半背侧具较多的黑褐色刚毛状短毛。后足胫节多少红色，具红色小点斑，全长被毛，黑褐色，长约为该节直径的 1.50 倍。后足跗节色同后足胫节，末端黑色。

阳茎端骨化附器 2 枚，其中较大型的 1 枚强烈扭曲，旋转部分达于刺的中部，基半表面明显呈羽毛状。另 1 枚压扁而较宽，表面光滑。

**量度（mm）：**体长 7.50～9.50，宽 1.30～1.80；头长 0.90～1.10，宽 0.85～

1.00；头顶宽0.48～0.50(♂)、0.55～0.60(♀)；触角1～4节的长度分别为1.50～1.60、3.10～3.50、3.30～3.70、1.20～1.40；前胸背板长0.85～1.00，后缘宽1.10～1.50；革片长3.20～4.50，楔片长1.40。

**采集记录**：3♀，凤县秦岭车站，1965.Ⅷ.18，路进生采；1♂，留坝庙台子，1470m，1999.Ⅶ.01，姚建采；1♀，佛坪凉风垭，1900～2100m，1998.Ⅶ.24，姚建采；1♀，秦岭山梁及北坡，2050m，1998.Ⅶ.30，姚建采。

**分布**：陕西(凤县、留坝、佛坪)、甘肃、宁夏、湖北、江西、福建、台湾、广东、广西、四川、云南；印度。

## 78. 狭盲蝽属 *Stenodema* Laporte, 1833

*Stenodema* Laporte, 1833: 40. **Type species**: *Cimex virens* Linnaeus, 1767.

**属征**：体狭长，中型或中大型，两侧平行或近平行，具弱光泽。多黄绿色、绿色至黄褐色，一色或前翅爪片及革片内半黑褐色。头平伸，前端垂直，背面观大致成三角形，额端部高出于唇基基部，两者之间有1条深沟，部分种类额端成檐状突伸于唇基基部之上。背面观唇基基部可见，成小突起状。额隐约可见成对的平行斜纹。头顶中内具深中纵沟，沟两侧区域常平坦或略下凹，具微刻；头顶后部区域整体抬升，成宽阔的横带状，其上具长密的平伏毛，两侧各有1片三角形漆黑的光滑区域。头背面无明确刻点，密被平伏具丝光的弯曲短毛。背面观眼接触或不接触前胸背板。头侧面观前平伸，唇基垂直位或略后倾；上、下颚片前端几乎平齐；小平面向后渐尖。触角窝位置相当眼前缘的下半，眼下端不达头的下缘。触角第1节短于头与前胸长之和，明显较粗，过伸过头前端，毛长而密，半平伏，常杂以更细长的半直立或直立毛。第2～4节线形，部分种类基部毛较长，并向端渐短，雌虫尤显。前胸背板几乎平置，盘域略饱满拱隆，具较深密的明确刻点，胝前区较长，约等于胝区长，亦具与盘域相同的刻点；胝区平坦，近圆形，无光泽，具不规则稀疏刻点，毛被方向杂乱，二胝远离，胝间区同盘域；前胸背板侧缘，锐，棱状；后缘中央前凹。小盾片平；半鞘翅及小盾片刻点同前胸背板，毛被短密，近平伏，具闪光，略弯曲。后足股节下方可具大刺，端部常略变细；胫节毛长密，外侧者较长。阳茎端无针突，膜囊常有一些指状囊突。

主要生活于禾本科植物上。

**分布**：中国记录25种，秦岭地区记述4种。

### 分种检索表

1. 额端向前突伸于唇基基部之上 …… 2
   额端不向前突伸于唇基基部之上 …… 3

2. 左阳基侧突杆部端半向端渐狭而端尖。雄虫生殖囊背开口在左阳基侧突着生处的内侧的突起长，成长条状。阳茎端在次生生殖孔左侧有 1 个独立的细指状直长囊。雌虫触角第 2 节淡色细长毛角度明显大于稠密的毛，因而显著 ………………………… **山地狭盲蝽 *S.*（*S.*）*alpestris***
左阳基侧突干部亚端部不膨大成鸭头形，端部斜截。雄虫生殖囊背开口在左阳基侧突着生处的内侧的突起短，成短钝的突起状。阳茎端在次生生殖孔左侧无指状直长囊，膨胀时有 1 个弯曲短囊。雌虫触角第 2 节淡色细长毛角度与稠密毛相似，因而不显 … **深色狭盲蝽 *S.*（*S.*）*elegans***
3. 雄虫和雌虫的前胸背板胝区淡色或只外侧黑色。爪片与革片刻点细小，大小及相互距离不甚均一，表面不呈鲨鱼皮状 ……………………………………………… **川狭盲蝽 *S.*（*S.*）*plebeja***
至少雄虫胝区黑色，中纵纹常狭窄，黄色。爪片与革片刻点较大而均匀，表面外观略呈鲨鱼皮状 ……………………………………………………… **秦岭狭盲蝽 *S.*（*S.*）*qinlingensis***

## （145）山地狭盲蝽 *Stenodema*（*Stenodema*）*alpestris* Reuter，1904

*Stenodema alpestre* Reuter，1904b：5，13.
*Stenodema*（*Stenodema*）*alpestris*：Zheng *et al*.，2004：618.

**鉴别特征：**体狭长，多两侧平行。前胸背板两侧及翅外半在生活时鲜绿色，干标本中为淡黄褐色，体背面其余部分淡栗褐色、紫褐色、淡黑褐色至黑褐色不等。

头同体色，头顶可有 1 个心形淡色斑。额伸出于中叶之上，额端略成短二叉状。触角淡黄褐色至淡褐色，第 1、2 节毛多数为淡黑褐色至深黑褐色，其余毛淡黄色至淡褐色；第 1 节相对细长，毛半平伏，密而蓬松，长略短于该节直径，疏生细长的直立细毛，外侧较明显，毛色较淡，毛完整时，间隔均匀，可多达 10 根以上，长约等于该节直径，角度近垂直；第 2 节亦较细，直径多在 0.01mm 以下，具红褐色成分的个体较少，基部毛长，蓬松（雄虫约占全长的 1/8～1/4，雌虫约占全长的 2/3），雄虫的毛最长可达该节直径的 1.50～2.00 倍。其余部分毛短，平伏，长不及直径的 1/2；雌虫的毛蓬松，黑且密，大部为半直立，长过该节直径，同时有较多更为细长而色较淡的直立毛，长达该节直径的 2 倍，与触角节垂直或成大于 45°的角度，角度明显大于大量更为浓密的深色毛的角度，因而明显易见，成为此种雌虫与邻近种 *S. elegans* 之间最有用的鉴别特征。

前胸背板中部色常较淡，其两侧常成深色纵带状，常有较清楚的淡色中纵纹，可略成脊状；刻点深密，毛半平伏；小盾片亦具淡色中纵带，毛较蓬松。革片毛平伏至半平伏。后足胫节直，毛长密蓬松，最大角度为 75°左右，长者约等于胫节直径。

雄生殖囊开口在左阳基侧突着生处的内侧有 1 个相当长的条状突起。左阳基侧突杆部向端均匀渐细尖，端部不成亚平截状，右阳茎侧突内缘与 *elegans* 相较，中段凹入更显。阳茎端基部左侧有 1 个细长的囊突，充分膨胀成直长的指状或雪茄形，未膨胀时抑或为单一而较短的指状囊突，为此种的特点；阳茎端膨胀时顶面观不成较规则的三歧形，分叉较多而不规则。

**量度**（mm）：体长 8.25～9.25，宽 1.75～1.95；头长 0.87～1.05，宽 1.03～1.15；头顶宽 0.53～0.58（♂）、0.60～0.63（♀）；♂ 触角 1～4 节的长度分别为

1.38～1.50、3.40～3.65、1.53～1.80、1.00～1.25；♀触角1～4节的长度分别为1.50～1.63、3.40～3.50、1.75～2.03、1.13～1.30；前胸背板长1.25～1.43，后缘宽1.61～1.82；革片长3.75～4.38，楔片长1.05－1.22。

**采集记录：**3♂2♀，周至厚畛子，1350m，1999. Ⅵ. 21-22，章有为灯诱；2♂1♀，同前，1999. Ⅵ. 24，刘缠民采；1♀，同前，姚建采；1♀，凤县秦岭车站，1965. Ⅷ. 18，路进生采；6♂，留坝庙台子，1470m，1999. Ⅶ. 01，姚建采；1♂1♀，同前，刘缠民采；1♂，同前，贺同利采；1♂，同前，1999. Ⅶ. 02，朱朝东采；2♂，留坝，1800～1900m，1998. Ⅶ. 20，袁德成采；3♀，留坝韦驮沟，1600m，1998. Ⅶ. 21，陈军采；1♀，同前，廉振民采；2♂1♀，宁陕火地塘，1580m，1998. Ⅶ. 26，袁德成采；1♂1♀，同前，1998. Ⅶ. 27，张学忠采；2♂2♀，宁陕火地塘鸦雀沟，1600～1700m，1998. Ⅶ. 28，陈军采；1♀，宁陕大水沟，1500～1760m，1999. Ⅵ. 30，袁德成采。

**分布：**陕西(周至、凤县、留坝、宁陕)、甘肃、浙江、湖北、江西、福建、广西、四川、贵州、云南。

**讨论：**该种是狭盲蝽属中我国最常见的种，分布遍及我国南半部。此种与深色狭盲蝽 *S. elegans* Reuter 极为相似，两者在川、甘、陕一带的山地重叠分布，均为该地区最常见的狭盲蝽属种类，成为不易区别的姐妹种。

### (146) 深色狭盲蝽 *Stenodema* (*Stenodema*) *elegans* Reuter, 1904

*Stenodema elegans* Reuter, 1904b: 5, 14.
*Stenodema* (*Stenodema*) *elegans*: Zheng *et al.*, 2004: 628.

**鉴别特征：**本种与 *S. alpestris* 极为相似，但体较为宽壮，外观不若 *alpestris* 之狭细，而且前胸背板以后的身体较明显地向后渐狭，不若 *alpestris* 两侧平行。身体的深色部分总体较深。

雄虫头部整个相对较大。触角第2节较 *alpestris* 略粗，红色成分显著；此节的淡色细长毛与该触角节间的角度较小，与深色浓密毛相近，因而不显。

雄虫生殖囊开口左侧突起甚短，明显短于 *alpestris* 者。左阳茎侧突杆部的大部分几乎全长粗细一致，至近末端处斜截而末端尖。右阳基侧突内缘中段凹入不若 *alpestris* 的明显。阳茎端膨胀时顶面观成三歧形，较为均匀整齐；次生生殖孔左侧为1个有数个粗短小突起的小囊，其一侧伸出成1个粗短而弯曲的囊突；未膨胀时，此处不成独立的短直小囊突。

**量度(mm)：**体长7.75～10.00，宽1.89～2.63；头长0.95～1.13，宽1.10～1.25；头顶宽0.55～0.60(♂)、0.63～0.70(♀)；♂触角1～4节的长度分别为1.38～1.45、3.25～3.60、1.45～1.68、1.43～1.50，♀触角1～4节的长度分别为1.50～1.63、3.25～3.65、1.33～1.80、1.0～1.75；前胸背板长1.25～1.55，后缘宽1.55～2.18；革片长3.63～4.83，楔片长0.80～1.08。

**采集记录：**2♂，周至厚畛子，1350m，1999. Ⅵ. 24-25，胡建采；1♂，同前，1999. Ⅵ. 24，刘缠民采；1♂8♀，留坝庙台子，1470m，1999. Ⅶ. 01，姚建采；2♂2♀，

同前，刘缠民采；2♂1♀，同前，贺同利采；2♂♂1♀，同前，1999. Ⅶ.02，朱朝东采；3♂2♀，留坝韦驮沟，1600m，1998. Ⅶ.21，陈军采；1♂，同前，廉振民采；1♂1♀，同前，袁德成采；2♂1♀，佛坪凉风垭，1800～2100m，1999. Ⅵ.28，刘缠民采；1♂2♀，宁陕火地塘，1580m，1998. Ⅶ.26，袁德成采；1♀，同前，张学忠采；2♂，宁陕火地塘鸦雀沟，1600～1700m，1998. Ⅶ.28，陈军采；1♂，宁陕火地塘大水沟，1500～1760m，1999. Ⅵ.30，袁德成采。

**分布：**陕西（周至、留坝、佛坪、宁陕）、甘肃、浙江、湖北、江西、湖南、福建、台湾、广东、广西、四川、云南。

### （147）川狭盲蝽 *Stenodema*（*Stenodema*）*plebeja* Reuter，1904

*Stenodema plebejum* Reuter，1904b：6，17.
*Stenodema*（*Stenodema*）*plebeja*：Zheng *et al.*，2004：639.

**鉴别特征：**雌虫体较狭长且较匀称。干标本黄绿色或污黄褐色。

头淡色，几乎无明确黑色斑、带。额不伸出于唇基基部之上。头顶后部抬起区域的平伏毛常长密显著。触角第1节较长，污黄褐色至浅栗褐色，浓密毛褐色至淡黑褐色，微弯，小于45°角。长约为该节直径的1/2或稍微超过，外侧可见成45°角左右的较细长的毛，数较少，因此与深色毛角度相近而不显；第2节与第1节同色，雌虫基部4/5毛略长，向端渐短，角度为30°～45°，较密，略蓬松，长度及排列大体整齐规则，毛长多与该节直径相近，可略过之。

前胸背板略狭长，侧缘凹弯，盘域前区域与盘域两者前倾程度比较连续一致，盘域不呈明显的突然拱隆。整个前胸背板淡色，只胝的前外角下凹处常为黑褐色，胝侧缘区有时色略深，成深褐色或淡黑褐色；盘域该点同底色或色略深。

小盾片同体色，刻点同色，密，淡色中纵纹几乎不隆起，基缘中央有1对明显的深色小凹斑。爪片及革片内半黄绿色至污黄褐色，其外方的区域色略淡。爪片与革片刻点浅小，色略深于底色，大小与相互间距离不均一，略呈较细碎杂乱的鲨鱼皮状；毛细短而平伏。

后足胫节基段微弯，与 *Brachystira* 亚属的后足胫节略似，但弯曲程度较弱；毛较密，内侧毛长密，近垂直，角度多为60°～75°，长多为该节直径的1.50～2.00倍，外侧毛较短，角度为45°左右。

**量度（mm）：**体长8.00～9.50，宽1.90～2.10；头长0.90～0.95，宽1.05～1.10；头顶宽0.45～0.50（♂）、0.58～0.60（♀）；触角1～4节的长度分别为1.25～1.40、3.00～3.70、1.40～1.60、1.10～1.30；前胸背板长1.25～1.38，后缘宽1.80～1.95；革片长3.80～4.50，楔片长1.30。

**采集记录：**1♀，周至厚畛子，1500～2000m，1999. Ⅵ.21，刘缠民采；1♀，佛坪凉风垭，1750～2150m，1999. Ⅵ.28，姚建采。

**分布：**陕西（周至、佛坪）、甘肃、四川。

### (148) 秦岭狭盲蝽 *Stenodema* (*Stenodema*) *qinlingensis* Tang, 1994

*Stenodema qinlingensis* Tang, 1994: 15, 18.

*Stenodema* (*Stenodema*) *qinlingensis*: Zheng *et al*., 2004: 640.

**鉴别特征：**干标本黄褐色、红褐色或暗褐色，雄虫较深。

头同体色，眼内侧黑色，或额-头顶区黑色，可有1条隐约的黄色中纵纹，由额前端伸达头顶中纵沟前端。基部有1个"V"形淡斑。触角锈黑褐色，第1节相对细长，毛黑色，密，多在30°左右，长约等于该触角节直径，较蓬松，稀疏直立毛细长毛角度较大，约为45°，外侧者较为显著；第2节全长的毛长度近一致，均短小，雄虫基半微加长，并向端渐短，最长者约为直径的1/2。喙伸达后足基节中央。

前胸背板胝前区暗色，胝黑色，盘域中央区域污黄褐色，两侧区宽阔，淡黑褐色，侧缘区较宽地淡黄褐色。小盾片基缘中央有1对小黑斑。前翅爪片及革片内半深锈黑褐色，革片外半淡锈褐色，向外渐淡，渐成淡黄褐色，与缘片同色，而成较宽的淡色半鞘翅外缘。膜片烟灰色或暗褐色。

后足股节有数行排列规则的褐色或黑褐色点斑，端部不缢束。后足胫节直，外侧毛较倾斜，在45°以下，长为后足胫节直径的1.50~2.00倍；内侧毛长而直立，约60°至垂直，长度为后胫直径的1.50~2.50倍。

雄虫阳茎端主囊突上有4~6个短指状的膜囊，无针突。

此种与 *S. nigricallum* 相似，但体较小，阳茎端构造等不同。

**量度(mm)：**体长8.29~8.34，宽1.70~1.90；头长0.85~0.95，宽0.95~0.98；头顶宽0.40~0.45(♂)、0.50~0.55(♀)；♂触角1~4节的长度分别为1.20、3.40~3.70、1.50、1.10~1.15，♀触角1~4节的长度分别为1.20、2.80、1.35、1.30；前胸背板长1.25，后缘宽1.55~1.70；革片长3.40~3.60，楔片长1。

**采集记录：**1♂(副模，下同)，宁陕火地塘，1984.Ⅷ.14，赵怡红采；1♂1♀，宁陕火地塘，1984.Ⅷ.14，唐周怀采；1♀，宁陕火地塘，1985.Ⅵ.21，唐周怀采；1♀，宁陕火地塘，1985.Ⅷ.28，袁忠林采；1♂，宁陕火地塘，1985.Ⅷ.30，白显涛采。

**分布：**陕西(宁陕)。

## 79. 赤须盲蝽属 *Trigonotylus* Fieber, 1858

*Trigonotylus* Fieber, 1858: 302. **Type species**: *Cimex ruficornis* Geoffroy, 1785.

**属征：**体狭长，两侧平行，相对较小而纤弱。体无直立毛。绿色。头、前胸背板及小盾片可有晕状暗色纵纹。头顶具明显的中纵沟。额一般，不向前突伸覆盖于唇基基部之上。眼接触或几乎接触前胸背板。触角细长，前2节毛简单而较短，短于各节的直径，不蓬松，雌雄二型不明显。前胸背板梯形，常较短，刻点细浅而不甚整齐，侧缘常略呈叶状。股节下方无刺。后足胫节毛短小，多短于该节的直径。雄虫阳茎端无骨化附器，或有 1 根针突。

**分布：**世界广布。中国记录 7 种，秦岭地区记述 1 种。

## (149) 条赤须盲蝽 *Trigonotylus coelestialium* (Kirkaldy, 1902)（图 66）

*Megaloceraea coelestialium* Kirkaldy, 1902b: 266.

*Trigonotylus coelestialium*: Reuter, 1903b: 1.

*Trigonotylus procerus* Jorigtoo *et* Nonnaizab, 1993: 354, 355.

**鉴别特征：**鲜绿色，干标本污黄褐色，体近一色。

眼至触角窝间的距离约为触角第 1 节直径的 1/2。触角红，第 1 节有明显的红色纵纹 3 条，具暗色毛，但不呈明显的硬刚毛状。喙明显伸过中胸腹板后缘，几乎达或略过中足基节后缘。

前胸背板长宽比例为 1.00∶1.70，有时有很隐约的暗色纵纹 4 条，侧缘色较淡。小盾片中线两侧有时亦有暗色纵纹。胫节端部及跗节红色、红褐色至黑褐色不等。雄虫左阳基侧突如图所示（图 66：b）。阳茎端无针突（图 66：a）。

**量度（mm）：**体长 4.80～6.50，宽 1.30～1.60；头长 0.70～0.85，宽 0.70～0.80；头顶宽 0.20～0.25（♂）、0.40～0.45（♀）；触角 1～4 节的长度分别为 0.60～0.75、1.95～2.40、1.60～1.90、0.45～0.60；前胸背板长 0.50～0.70，后缘宽 1.00～1.30；革片长 2.00～2.80。

**采集记录：**1♀，武功张家岗，1951. V. 22；1♀，留坝大洪渠，2500m，1998. Ⅶ. 20，陈军采；2♂，佛坪，950m，1998. Ⅶ. 23，张学忠采。

**分布：**陕西（杨凌、留坝、佛坪）、黑龙江、吉林、辽宁、内蒙古、河北、山西、河南、山东、甘肃、宁夏、新疆、江苏、湖北、江西、四川、云南；俄罗斯，朝鲜，欧洲，北美洲。

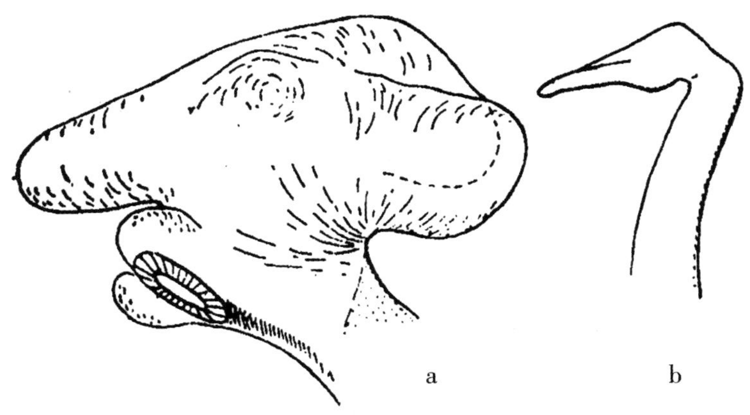


图 66　条赤须盲蝽 *Trigonotylus coelestialium* (Kirkaldy)
a. 阳茎端；b. 左阳基侧突

# （五）合垫盲蝽亚科 Orthotylinae

刘国卿
（南开大学昆虫研究所，天津 300071）

**鉴别特征：**体中小型。少数种类体型呈蚁型。雌虫短翅型（brachypterous）个体较常见，雄虫短翅型较少，多为长翅型。前胸前缘有时具扁平或圆领（collar）。副爪间突（parempodia）肉质，带状，扁平，端部相互靠拢，弯曲。爪垫（pulvilli）微小，与爪的腹面联结。该类群阳茎端膜质，可膨胀到一定的程度，有时在端部有较长的骨化针突（spiculi），阳茎鞘与阳茎基（phallobase）相联结。阳基侧突形状多样，左阳基侧突常大于右阳基侧突。雌虫生殖腔的后壁呈简单的骨化板，有时特化成 K 结构。

**分类：**中国记录 27 属 122 种，陕西秦岭地区分布 2 族 9 属 14 种。

### 分族检索表

体常为黑色。后足腿节极度膨大。头部高度较大，颊高与眼高相当，或大于眼高。头顶宽，两眼突出。第 3 触角节明显远细于第 2 触角节。雄虫阳茎端无针突，雌虫生殖腔后壁无 K 结构。短翅型非常普遍 ……………………………………………………………… **跳盲蝽族 Halticini**

体常为淡绿色。后足腿节不极度膨大。头部高度较小，颊高小于眼高。两眼不明显突出，第 3 触角节略细于第 2 触角节。雄虫阳茎端常具刺突，雌虫生殖节后壁具 K 结构。短翅型较少 ………………………………………………………………………… **合垫盲蝽族 Orthotylini**

## Ⅰ. 跳盲蝽族 Halticini Costa, 1853

**鉴别特征：**体小，椭圆形，有时身体狭长。常呈黑色，有时具淡斑，体壁骨化程度较强，背面常光滑，具光泽，很少有深刻点。头部高度较大，颊颇高，其与眼的高度相当或大于眼的高度；头顶宽阔，复眼突出；第 1 触角节常明显细于第 2 触角节。短翅型种类普遍。后足腿节常很发达。阳茎端膜质，无针突；左阳基侧突常长，顶端具小钩，右阳基侧突扁平，端部扩展，常呈“匙”状。雌虫生殖腔后壁无 K 结构。

**分类：**中国记录 9 属 33 种，秦岭地区发现 3 属 3 种。

### 分属检索表

1. 触角细长，第 2 节长是第 1 节长的 4 倍或 4 倍以上，短翅型常见 ……………………………… 2
   触角较短，第 2 节长是第 1 节长的 3 倍或 3 倍以下…………………… **直头盲蝽属 *Orthocephalus***

2. 眼不靠近前胸背板前缘，雄虫左阳基侧突三叉型，楔片端部淡色…… **跃盲蝽属 *Ectmetopterus***
复眼后缘紧靠前胸背板前缘，雄虫左阳基侧突不呈三叉型，楔片常一色 ………………………………………………………………………………………………… **跳盲蝽属 *Halticus***

## 80. 跃盲蝽属 *Ectmetopterus* Reuter, 1906

*Ectmetopterus* Reuter, 1906: 59. **Type species**: *Ectmetopterus angusticeps* Reuter, 1906.

**属征**：体小，长椭圆形，头部背面观横阔，复眼后缘不紧靠前胸背板前缘。触角细长，第2节最长，是第1节长的4倍以上。喙长，伸达后足基节。前胸背板后缘在小盾片基部处常呈直线。楔片顶端常为淡黄色。

雄虫生殖节不对称，左阳基侧突三叉形，右阳基侧突长叶状，顶端略锐。雌虫未查。

**生物学**：有关生物学方面的资料较少，少数种类有较详细的描述，如甘薯跃盲蝽（章士美，1995）。寄主植物有胡枝子（邹环光，1995）、甘薯及豆类。

**分布**：中国记录6种，秦岭地区记述1种。

### (150) 甘薯跃盲蝽 *Ectmetopterus micantulus* (Horvath, 1905)（图67）

*Halticus micantulus* Horvath, 1905: 422.

*Ectmetopterus angusticeps* Reuter, 1906: 60.

*Ectmetopterus micantulus*: Josifov & Kerzhner, 1972: 169.

**鉴别特征**：体较小，卵圆形，褐色至黑褐色，略具光泽，被白色鳞片状及褐色细毛。

头部横阔，黑褐色，靠近复眼内侧略淡。头后缘呈脊状，直，被稀疏淡色长毛；背面观头前缘呈弧形突出；眼高是头高的1/2，眼褐色，后缘远离前胸背板前缘。触角细长，第1节短粗，褐色，基部光滑，其余部分具较密的钩状短微毛和稀疏长毛；第2节细长，淡黄色，基部与端部褐色，其长是第1节的5.60倍，亦被较密的钩状短微毛和长毛，第2、3节间具较小闰节；第3、4节间具较小闰节，第3节基部淡黄色，其余部分与第4节均为褐色，第4节基部具钩状短微毛，其余部分被较密半倒伏长毛。喙褐色，较粗，伸达后足基节。

前胸背板黑褐色，略具光泽，无刻点；前缘具领片，中部略向后凹；侧缘直；侧角圆钝；后缘呈弓形向后突出，其宽是头宽的1.64倍，是触角第1节的4.40倍。中胸小盾片褐色，部分露出。小盾片三角形，褐色至黑褐色，略具光泽。前翅革质部褐色，被褐色短毛及白色鳞片状毛，翅前缘略向前弓出；缘片长是头宽的1.90倍，几乎与第2触角节相当，是前胸背板宽的1.20倍；楔片黑褐色，顶角黄褐色；膜片烟色，半透明。臭腺沟缘呈黄褐色。足各基节黑褐色，腿节黑褐色，被同色半倒伏毛；胫节基半部及端部黑褐色，其余为淡黄色；跗节端部褐色。体腹面黑褐色，被淡色毛，略具光泽。

雄虫阳基侧突左右不对称，骨化较强；左阳基侧突三叉型；右阳基侧突呈长狭片状；阳茎较小无端刺。

**量度**(mm)：体长 2.50～2.70，宽 1.30～1.50；头宽 0.67，头长 0.21；眼高 0.30，头高 0.60，眼间距 0.35；触角 1～4 节的长度分别为 0.25、1.40、0.95、0.60；前胸背板长 0.56，宽 1.10；小盾片长 0.33，宽 0.55～0.60；爪片接合缝长 0.65～0.75；缘片长 1.30～1.50；楔片长 0.28，宽 0.50。

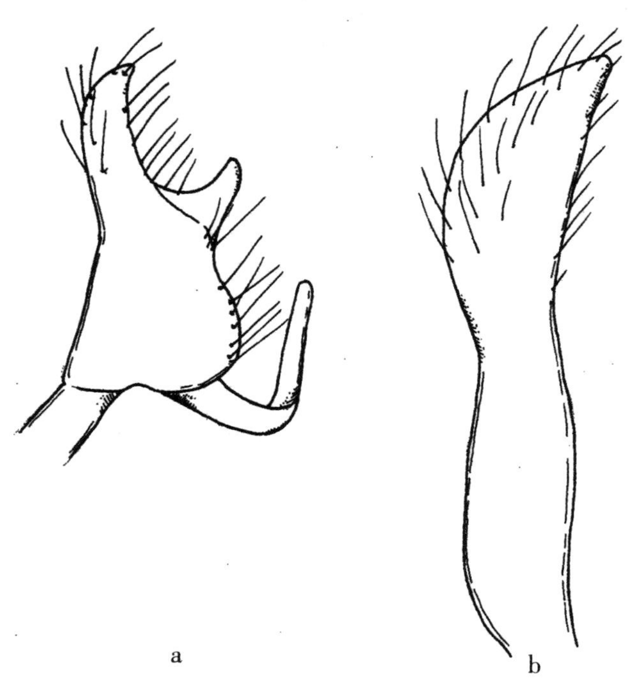


图 67 甘薯跃盲蝽 *Ectmetopterus micantulus* (Horvath)

a. 左阳基侧突；b. 右阳基侧突

**采集记录**：19♂28♀，武功，1963。

**分布**：陕西(武功)、北京、天津、河北、河南、山东、甘肃、浙江、湖北、江西、湖南、福建、广东、海南、广西、四川、贵州、云南；日本。

## 81. 跳盲蝽属 *Halticus* Hahn, 1832

*Halticus* Hahn, 1832: 113. **Type species**: *Acanthia pallicornis* Fabricius, 1794.

**属征：** 该属种类体较小，常为长翅型或短翅型。复眼后缘紧靠前胸背板前缘。此外，触角一般细长，长于身体，第 2 节为第 1 节的 4 倍以上，颊亦较高，常大于 1 个眼的高度。该属种类后足粗壮，善跳。

雄虫左右阳基侧突不对称，右阳基侧突顶端不削尖，左阳基侧突端半部常呈细片状弯曲，感觉叶突出，或略突出。

**分布：** 中国记录 4 种，秦岭地区记述 1 种。

### (151) 微小跳盲蝽 *Halticus minutus* Reuter, 1885

*Halticus minutus* Reuter, 1885: 197.

**鉴别特征：** 体小型，褐色至黑褐色，略具光泽，卵圆形，密被半倒伏褐色短毛。

头部褐色至黑色，背面观横阔，前缘呈弓形突出，光滑；头部正面观，头顶弧型隆起，两触角的间距大于各自离复眼的距离。触角第 1 节淡黄色，短粗；第 2 节长，端半部色渐深，其长度是头宽的 1.57 倍，是第 1 触角节长的 5.50 倍；第 3 节与第 4 节端部色渐深，基部均为淡黄色，且较细于第 2 节。喙较粗，黄色，基部略带红色，伸达后足基节。

前胸背板横宽，无刻点，密被半倒伏短毛；前缘中部略向后凹入，侧缘直，侧角钝圆，后缘呈弓形，向后突出；宽是长的 2.10 倍，是头宽的 1.36 倍，是第 2 触角节长的 0.86 倍。中胸盾片不外露。小盾片较小，三角形，长度远小于其基宽，黑褐色。

前翅革质部褐色至黑褐色，密被褐色半倒伏短毛，略具光泽，无刻点，略具横皱；缘片前缘呈弧形向外突出，其长几乎与第 2 触角节相等，是头宽的 1.46 倍，是前胸背板宽的 1.07 倍；革片黑色；爪片与革片同色；楔片褐色至黑褐色，被褐色短毛，内缘呈黄褐色，其长度与基宽几乎相等；膜片半透明，烟色。体腹面褐色至黑褐色，具光泽，被褐色半倒伏短毛。足基节、腿节褐色至黑褐色，其端部淡黄或黄褐色；前、中足胫节淡黄色，被半倒伏硬毛；后足腿节粗大，端部淡黄色，胫节基半部褐色至黑褐色，端半及基部黄褐色；各足第 3 跗节褐色，其余黄褐色。

雄虫生殖节黑褐色，左右阳基侧突不对称，骨化较强；右阳基侧突片状，背面具较长的毛；左阳基侧突钩状突较细，弯曲，感觉叶端部较锐，褐色较细长毛。

—— **量度**(mm)：体长 2.20(♂)、2.40(♀)，最宽 1.25；头宽 0.70，长 0.65；眼间距 0.45；触角 1 ~4 节的长度分别为 0.20、1.10、0.80、1.00；前胸背板宽 0.95，长 0.45；小盾片长 0.20，宽 0.35；缘片长 1.02；楔片长 0.35 ~4.00，宽 0.45；爪片接合缝长 0.45。

**采集记录：** 5♂3♀，武功，1957. Ⅷ. 29；1♂13♀，陕西，时间不详。

**分布：** 陕西(武功)、北京、河南、浙江、湖北、江西、福建、台湾、广东、广西、四川、云南；东洋区。

## 82. 直头盲蝽属 *Orthocephalus* Fieber, 1858

*Orthocephalus* Fieber, 1858: 316. **Type species**: *Lygaeus brevis* Panzer, 1798.

**属征**：本属种类较小，体中小型，黑色，体常被白色鳞片状毛和普通毛，触角具刺毛和一般柔毛，头顶后缘直，喙较短。前胸背板无刻点，半鞘翅表面一般光滑，少有清晰的刻点，常具皱褶。

本属种类有长翅型和短翅型，一般长翅型为雄虫，亦有少数为雌虫，短翅型为雌虫，翅的表面略皱。

**分布**：中国记录 2 种，秦岭地区记述 1 种。

### (152) 艾黑直头盲蝽 *Orthocephalus funestus* Jakolev, 1881

*Orthocephalus funestus* Jakolev, 1881: 195.

*Orthocephalus beresovskii* Reuter, 1906: 57.

*Orthocephalus beresovskii chinensis* Stichel, 1958: 831.

**鉴别特征**：体黑褐色，被淡色鳞片状及褐色长毛，体为长翅型或短翅型。一般长翅型为雄虫，短翅型为雌虫，但亦有少数长翅型也为雌虫。

长翅型：体较长，雄虫体两侧近于平行，雌虫略呈长椭圆形。头部黑色，被两种类型的毛。较宽阔，宽是长的 2.36 倍；头顶背面靠近复眼内侧各具 1 个黄褐色小圆斑，后缘无明显横脊，复眼后缘不紧靠前胸背板前缘。触角第 1 节略粗，黄色，长相当于头长，表面被较密钩状短微毛和半倒伏长毛；第 2 节较细且长，褐色，毛被同第 1 节，最长毛约是其端部直径的 2.50 倍，第 2 触角节长是头宽的 1.53 倍，是第 1 节的 3.60 倍，2、3 节间具 1 个明显闰节；第 3、4 节细于第 2 节，毛被同前，长毛远超过其直径，第 4 节上被一种形态较特殊的片状感觉器。喙较短，仅伸达前、中足基节之间。前胸背板梯形，表面略光滑，无刻点，黑色；侧缘略直，后缘中部向前微凹，侧角钝圆；宽是长的 1.75 倍，是头宽的 1.35 倍，是第 2 触角节长的 0.875 倍。中胸盾片微露。小盾片黑色，光滑，三角形，宽略大于长。前翅革质部褐色至黑褐色，表面微皱；缘片较长，是头宽的 2.30 倍，是第 2 触角节长的 1.50 倍，是前胸背板宽的 1.71倍；楔片较长，是基宽的 1.80 倍；膜片烟色，半透明，表面微皱。足橘黄色，被淡褐色毛，转节端部褐色；中后足腿节具淡色黑斑；后足腿节较粗壮，胫节细长，具刺，刺基部具褐色斑。体腹面黑色被长毛及鳞片状毛。

短翅型(雌虫)：体较短，向后端渐阔，表面密被淡色鳞片状和半倒伏细长毛。头部形状与长翅型基本相同，头顶复眼内侧亦各具 1 个小黄褐色斑，有时此斑略暗。触角各节与长翅型相同，但第 1 节颜色略深。喙粗，伸达中足基节。前胸背板胝区后具1个较浅的横缢。中胸背片露出较多。小盾片三角形，中部微隆。前翅革质部表面微皱，革片与楔片愈合成一个整体，但楔片缝痕迹状，可见，膜片不易见到。腹部末端露出，不被翅覆盖。足形状及颜色同长翅型，有时色较深，呈黑褐色。

雄虫阳茎端具1个细长刺突；阳基侧突不对称，右阳基侧突叶片状，顶端微突；左阳基侧突端部较细，呈钩状，中部宽阔，骨化较强。

雌虫骨化，环卵圆形，中骨片弯曲，宽度窄于骨化环宽。

**量度(mm)：**长翅型：体长6.70，宽2.73；头宽1.30，长0.55；眼间距0.60；触角1～4节的长度分别为0.55、2.00、1.50、0.60；前胸背板长1，宽1.75；小盾片长0.70，宽0.80；缘片长3；楔片长1.10，宽0.60；爪片接合缝长1.30。短翅型：体长4.90，宽3.10；头宽1.50，长0.70，眼间距0.80；触角1～4节的长度分别为0.55、2.10、1.40、0.70；前胸背板长0.95，宽1.80；小盾片长0.70，宽0.80；缘片长2.90。

**采集记录：**1♂，南郑，1650m，1985. Ⅶ. 22，任树芝采。

**分布：**陕西(南郑)、黑龙江、吉林、内蒙古、河南、甘肃、新疆、江苏、湖北、四川；蒙古，俄罗斯，朝鲜半岛，日本。

## Ⅱ. 合垫盲蝽族 Orthotylini Van Duzee, 1916

**鉴别特征：**该类体型、颜色和体被物多样，有蚁型种类；雌虫偶有短翅型；背面很少有刻点；前胸偶有扁平的领，很少具圆领。雄虫阳茎端膜质，可膨胀，有或无长的骨化针突，左阳基侧突大于右阳基侧突。雌虫具K结构，骨化环的侧缘强烈折叠。

**分类：**中国记录18属89种，秦岭地区发现6属11种。

### 分属检索表

1. 复眼后缘圆形，常达头的中部；常远离前胸背板前缘，楔片较长 ………… **平盲蝽属 *Zanchius***
　 复眼后缘直，紧靠前胸背板前缘或略离开一些 ………………………………………… 2
2. 头顶后缘具清楚的脊 ……………………………………………………………………… 3
　 头顶后缘无横脊或横脊不显著 …………………………………………………………… 5
3. 头顶后缘脊位于两眼之间，其常被直立黑色毛 ……………………… **突额盲蝽属 *Pseudoloxops***
　 头顶后缘脊上无黑色毛 …………………………………………………………………… 4
4. 头顶后缘横脊呈弓形弯曲，体大型，体长6.50mm以上 …………… **弯脊盲蝽属 *Campylotropis***
　 头顶后缘横脊不呈弓形弯曲，体中型，小于6.50mm ………………… **合垫盲蝽属 *Orthotylus***
5. 前胸背板具1个扁平窄领 ……………………………………………………… **昧盲蝽属 *Mecomma***
　 前胸背板前缘无领 ……………………………………………………………… **盔盲蝽属 *Cyrtorhinus***

## 83. 弯脊盲蝽属 *Campylotropis* Reuter, 1904

*Campylotropis* Reuter, 1904: 35. **Type species:** *Campylotropis jakovlevi* Reuter, 1904.

**属征：**体小型，黄褐色，略带橘红色成分。体表被半倒伏淡色短微毛。头顶后缘具横脊，光滑无毛，向后呈弧形突出。前胸背板胝区微隆，后缘具1个“W”形线横沟，小盾片黄色，前翅革质部脉明显可见，淡黄色。楔片基半部黄白色，其余部分红褐色。

雄虫阳基侧突宽阔，顶部平直，右阳基侧突钩状突较长，端部明显呈钩状弯曲，感觉叶呈圆锥状突出，但端部较钝；阳茎端刺数枚，其端部均具小齿。

本属仅含1种，它与胝突盲蝽属(*Cyllecoris*)比较相似，但胝突盲蝽属头顶后缘横脊不明显。雄虫左阳基侧突构形亦不同。右阳基侧突钩状突长，端部呈钩状弯曲。

**分布：**中国；朝鲜。中国记录1种，秦岭地区分布1种。

### (153) 雅氏弯脊盲蝽 *Campylotropis jakovlevi* Reuter, 1904 (图68)

*Campylotropis jakovlevi* Reuter, 1904: 36.

**鉴别特征：**体大型，黄褐色，略带橘红色成分，表面被半倒伏淡色钩状短微毛。

头部阔，背面观，唇基可见，黑褐色；头顶具4块黑色斑，之间由橘黄色细带分开，前端两斑呈长三角形，后端两斑呈圆形，外缘紧靠复眼内缘；头顶后缘具横脊，脊向后呈弧形突出，表面黄色或红黄，光滑，无毛，宽大于触角第1节长度；喙黄褐色，近端节红褐色，伸达中足基节之前(中胸腹板后端)。触角第1节较粗，橘红色，顶端及基部色略深，呈红褐色，表面仅被稀疏细长毛；第2节黄褐色，粗细均匀，直径细于第1节，粗于第3、4节，长是第1节的2.90倍，是头宽的1.95倍，基部光滑，其余部分被较密长毛；第3、4节较细，两节长度之和短于第2节之长，毛被同前。

前胸背板梯形，黄褐色。胝微隆，黄色，具黑褐色斑纹，胝区后缘具1条横沟，伸达两侧缘，横沟中央微向前凸，横沟后部区域明显向前倾斜；背板中纵线淡黄色，隐约可见；前缘直，头顶后缘部分明显盖于其上，侧缘波浪形，后缘呈弓形微凹入；宽是长的1.84倍，是第1触角节的2.30倍，是第2触角节长的0.80倍，是头宽的1.55倍。中胸盾片外露，光滑，具光泽，橘黄色，靠近前胸背板后缘处呈红褐色。小盾片黄白色，基宽大于长。前翅革质部分黄褐色，略带橘红色。靠近前缘区域具红色不规则微小的碎点，其上翅脉隆出，黄色；缘片长，是头宽的2.88倍，是第1触角节长的4.33倍，是第2触角节的1.48倍，是前胸背板宽的1.85倍；楔片较长，约是宽的1.63倍，基部黄色，靠近端部渐成橘红至红褐色；膜片烟色，翅脉橘红色，靠近膜片基部的内缘呈褐色。足黄褐色，基节橘红色常为主要成分；腿节具褐色小斑；胫节刺较短，褐色。胸部腹板黑褐色，侧板红黄色，其上亦有褐色斑纹，腹部腹面黑褐色，各节后半部色淡，两侧具橘红色斑。

雄虫生殖节黄褐色，右阳基侧突钩状突较粗壮，顶端呈钩状弯曲；左阳基侧突顶端平直较宽阔。阳茎端刺突3枚，中间1枚较粗壮，端部分叉，其上有许多小齿，其较细的 1 枚端部亦分叉。

**量度(mm)：** 体长 6.75，宽 1.80；头长 0.60，宽 1.13；眼间距 0.40；触角 1 ~ 4 节的长度分别为 0.75、2.00、1.00、0.40；前胸背板长 0.95，宽 1.75；小盾片长 0.75，宽 0.95；爪片接合缝 1.40；缘片 3.25；楔片长 0.90，宽 0.55。

**采集记录：** 1♂，陕西泾惠棉作站。

**分布：** 陕西(秦岭、三原)、北京；朝鲜半岛。

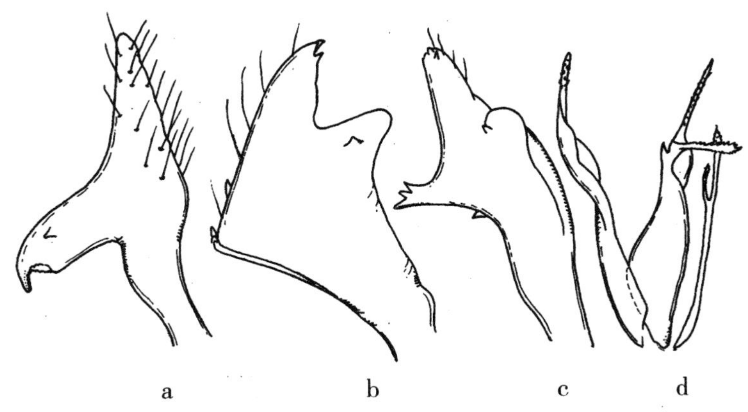


图 68 雅氏弯脊盲蝽 *Campylotropis jakovlevi* Reuter
a. 右阳基侧突；b – c. 左阳基侧突不同方位；d. 阳茎端刺

## 84. 盔盲蝽属 *Cyrtorhinus* Fieber，1858

*Cyrtorhinus* Fieber，1858：313. **Type species**：*Capsus elegantulus* Meyer-Dür，1843.

**属征：** 体小至中型。体长 2.50 ~ 4.50mm，体被单一类型半直立毛，色斑常为黑色或淡绿色。背面观头部前缘呈弧形，额面向下倾斜。触角基部靠近眼前缘。喙最长仅能伸达中足基节。前胸背板钟形，其宽长于头宽；胝略隆起，其后具 1 个较浅的横沟。臭腺沟缘隆起。雌虫有时有短翅型。

雄虫阳基侧突左右不对称，阳基侧突均具明显的感觉叶；右阳基侧突钩状突短，端部不锐，宽；左阳基侧突钩状突长，细，弯曲，端部不宽；阳茎端刺圆形。雌虫具菱形的 K 结构。

**分布：** 中国记录 2 种，秦岭地区记述 2 种。

### 分种检索表

前胸背板黑色；头部黑色，仅两复眼内侧各具 1 个淡色三角斑 …………… **褐盔盲蝽 *C. caricis***
前胸背板中纵线区域具 1 条较宽黄色纵带；头部具 1 个较大的黄色斑……………………………
…………………………………………………………… **黑肩绿盔盲蝽 *C. lividipennis***

### (154) 褐盔盲蝽 *Cyrtorhinus caricis* (Fallén, 1807)（图 69：a－d）

*Capsus caricis* Fallén, 1807:102.

*Capsus elegantulus* Meyer-Dür, 1843: 86.

*Capsus chloropterus* Herrich-Schäffer, 1853: 34 (new name (unnecessary) for *Capsus elegantulus* Meyer-Dür, 1843).

*Cyrtorhinus caricis*: Carvalho, 1958b: 54.

**鉴别特征：**体淡绿色，长椭圆形，密被淡色半倒伏短微毛。

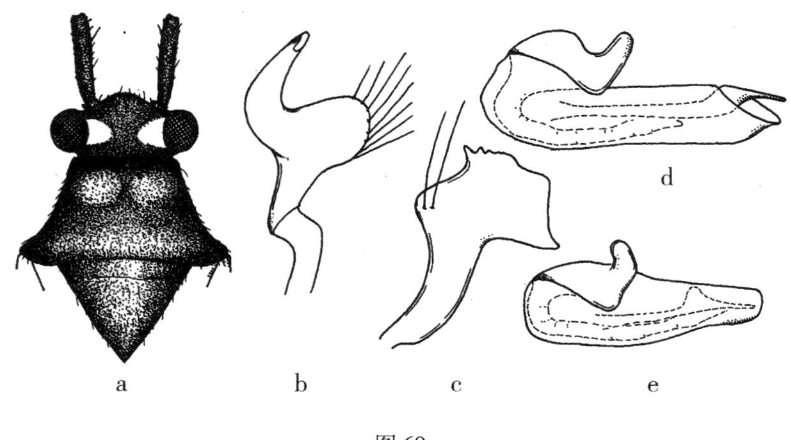


图 69

a. 褐盔盲蝽头、前胸背板及小盾片；b. 褐盔盲蝽左阳基侧突；c. 褐盔盲蝽右阳基侧突；d. 褐盔盲蝽阳茎；e. 黑肩绿盔盲蝽阳茎

头部横阔，黑色，复眼内侧各具 1 个三角形黄色斑。头顶被较为蓬松淡色的细毛，头顶前缘呈弓形向前突出，头后缘微凹，略具横脊。眼间距是复眼宽的 1.50 倍。触角黑褐色，被同色毛；第 1 节较短，呈香蕉形，长是头宽的 1/2；第 2 节细长，粗细均匀，长是第 1 节的 2.57 倍，是头宽的 1.29 倍；第 3 节细于第 2 节，并短于第 2 节；第 4 节细，短小。喙黄褐色，端节黑褐色，伸达中足基节前缘。

前胸背板钟形，黑褐色，略具光泽，被半倒伏较短的淡色细毛；领片较窄，扁平；胝区隆出，前缘中部及后缘微凹，侧缘中部向内微凹入；宽是长的 2 倍之多，是第 1 触角节的 2.57 倍，与第 2 触角节等长。中胸盾片黑褐色，露出，长条状。小盾片三角形，微隆，黑褐色，毛被同前胸背板，基宽大于长。前翅革质部淡绿色，密被淡色半倒伏短细毛；爪片接合缝区域常呈淡褐色；缘片长是头宽的 1.64 倍，是第 2 触角节长的 1.28 倍；楔片基宽是长的 1.20 倍，表面颜色及毛被同革片；膜片淡色，半透明，内缘具 1 个褐色线状斑，基部较宽。各足黄绿色或黄色，被淡色毛及刺。胸部腹面黑褐色，后胸侧板后缘有时呈黄色。

腹部腹面淡绿色或褐色。

雄虫右阳基侧突端部较宽阔，钩状突短小，背面具不规则小齿状突起；左阳基侧突钩状突较长，弯曲，感觉叶发达，呈半圆球状；阳茎筒状，阳端刺突明显可见。

**量度**(mm)：体长3.40，宽1.10；头长0.25，宽0.70；眼间距0.30；触角1～4节的长度分别为0.35、0.90、0.75、0.45；前胸背板宽0.90，长0.40；小盾片宽0.50，长0.35；爪片接合缝0.65；缘片长1.15；楔片长0.50，宽0.25。

**采集记录**：4♂1♀，Yulinfou(榆林)，1922. Ⅶ.22，Licent 采。

**分布**：陕西(秦岭、榆林)、内蒙古、甘肃、新疆；俄罗斯(西伯利亚)，欧洲。

## (155) 黑肩绿盔盲蝽 *Cyrtorhinus lividipennis* Reuter，1885（图69：e；图70）

*Cyrtorhinus lividipennis* Reuter，1885：199.

**鉴别特征**：体小型。长椭圆形，黄绿色，密被较短半倒伏淡色毛。

头部横阔，被半直立淡色长毛。额区黑色，头顶中央具1个黑色菱形斑，该斑前端与额区黑色部分相接。头后缘呈黑色，有时色稍淡，其余部分呈黄绿色，后缘无明显横脊。背面观，头的前缘呈弓形向前突出，复眼大，眼间距是眼宽的2倍。触角4节，被半倒伏淡色毛；第1节香蕉形，黑色，基部及端部黄色，长几乎是头宽的1/2，表面的长毛较稀疏，钩状短微毛非常稠密；第2节褐色或基部1/5及靠近端部2/5处呈褐色，中间部分黄色，该节长是第1节的2.57倍(♂)、2.14倍(♀)，是头宽的1.38倍(♂)、1.07倍(♀)，表面亦被稀疏的钩状短微毛，第2节之间具闰节；第3、4节褐色，细于第2节，第3节与第2节等长，毛被相同。

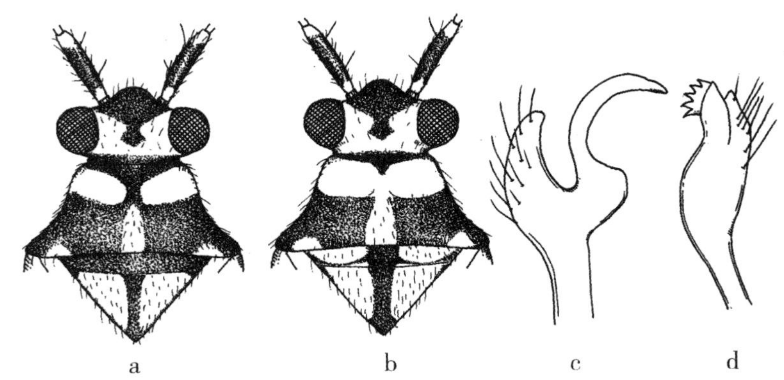


图70　黑肩绿盔盲蝽 *Cyrtorhinus lividipennis* Reuter
a－b. 头、前胸背板及小盾片；c. 左阳基侧突；d. 右阳基侧突

喙黄褐色，端部黑褐色，伸达中足基节之前。

前胸背板钟形，密被半倒伏淡色短毛。领片扁平，较窄，黑色。胝区隆出，黄绿色，光滑。前缘向内收缩。背板表面，中纵线上具1条较宽的黄绿色纵带，前半叶纵带两侧黄绿色(胝区部分)，后半叶纵带两侧各具1个近于方形黑斑，斑后缘近外端部各具1个黄斑。宽是长的2.42倍，是头宽的1.30倍(♂)、1.21倍(♀)，是第2触角节长的0.94倍。中胸盾片外露，中部黑褐色。小盾片较小，基宽略大于长，中纵线区域具1个较宽的黑色纵带，其余部分黄绿色，有时侧缘亦呈褐色。前翅革质部绿色，密褐色半倒伏淡色短毛，表面光滑，无任何刻点；缘片长是头宽的2.07倍，是前胸背板宽的1.59倍；楔片基宽短于长，表面毛被，颜色同于革片；膜片色淡，半透明，脉绿色或黄绿色。足黄绿色，被半倒伏淡色毛。后足胫节基部淡褐色。

体腹面黄色或黄绿色，被淡色半倒伏短毛，有时胸部侧板略带黑褐色。

雄虫右阳基侧突钩状突较短，端部呈扁齿状，感觉叶发达；左阳基侧突钩状突较长，细，弯曲，端部略锐，感觉叶发达；阳茎较小，阳茎端针突发达。雌虫K结构弯曲。

**量度**(mm)：体长2.85~3.00，宽1.00~1.20；头宽0.60~0.70，长0.30；眼间距0.35；触角1~4节的长度分别为0.35、0.75~0.90、0.70-0.90、0.45；前胸背板长0.35，宽0.85；小盾片长0.30，宽0.40；爪片接合缝长0.55；缘片长1.35；楔片长0.35，宽0.25。

**采集记录**：1♀，周至板房子，1994.Ⅷ.07，吕楠灯诱；1♂1♀，宁陕火地塘，1994.Ⅷ.12，吕楠采；4♀，同上，1994.Ⅷ.13，吕楠灯诱。

**分布**：陕西(周至、宁陕)、河北、河南、山东、江苏、上海、安徽、浙江、湖北、江西、湖南、福建、台湾、广东、海南、广西、四川、贵州、云南；日本，越南。

## 85. 眛盲蝽属 *Mecomma* Fieber, 1858

*Mecomma* Fieber, 1858: 313. **Type species**: *Capsus ambulans* Fallén, 1807.

**属征**：本属成虫雌雄体型各异，雄虫常为长翅型，雌虫多为短翅型，偶尔会到长翅型。体长一般为2~5mm。头部横阔，眼向两侧突出，头顶复眼内侧常各具1个淡色斑，头后缘无横脊；触角细长；喙多伸达后足基节前缘。前胸背板钟形，前端具较狭的领片，黑色或褐色，侧角钝圆。雄虫翅楔片常较长，约是基宽的2倍。体色常为褐色或黑色。

雄虫右阳基侧突具明显的齿，亚端部具1个片状感觉叶；左阳基侧突钩状突明显伸出，感觉叶较宽阔；阳茎长筒状，具阳茎端刺。

**分布**：中国记录11种，秦岭地区记述1种。

### (156) 陕眛盲蝽 *Mecomma shaanxiensis* Liu *et* Yamamoto, 2004 (图71)

*Mecomma shaanxiensis* Liu *et* Yamamoto, 2004: 231.

**鉴别特征**：雄虫体瘦长，向后端渐宽，密被淡色长毛。

头部黑褐色，横宽，是第1触角节长的2.30倍，后缘具稀疏褐色长毛。眼大，向两侧突出。背面观头前缘略呈弧形突出，眼间距是眼宽的 1.20 倍。触角密被半倒伏毛，第 1 节淡黄褐色，靠近端部色渐加深，其长度是头宽近 2/5；第 2 节细长，粗细均匀，黑褐色，是第 1 节长的 3.90 倍，是头宽的 1.70 倍；第 3、4 节较细，黑褐色，两节长度之和略长于第 2 节。喙伸达后足基节前缘，淡黄色，基节及端节色渐深。

前胸背板钟形，黑色，被同色长毛，略具光泽。前缘具扁平狭领，直，前缘两侧各具 1 根长毛。侧缘后端向外略翘出，后缘微凹，侧角钝。前胸背板宽是长的近 2 倍，几乎与头宽相当，是第 2 触角节长的 0.70 倍。中胸盾片外露，褐色。小盾片三角形，黑褐色，略隆出，被细长毛，长与宽几乎相等。前翅革质部淡黄褐色，密被褐色长毛；缘片长是头宽的 2.20 倍，是第 2 触角节长的 1.30 倍，是前胸背板宽的 1.90 倍；爪片内侧域黑褐色，革片顶角及内端缘黑褐色；楔片较长，长几乎是宽的 2 倍，外缘与顶角褐色；膜片烟色，半透明，翅脉褐色。足黄色至淡黄褐色，被淡色长毛，后足腿节及胫节略深，各跗节褐色。

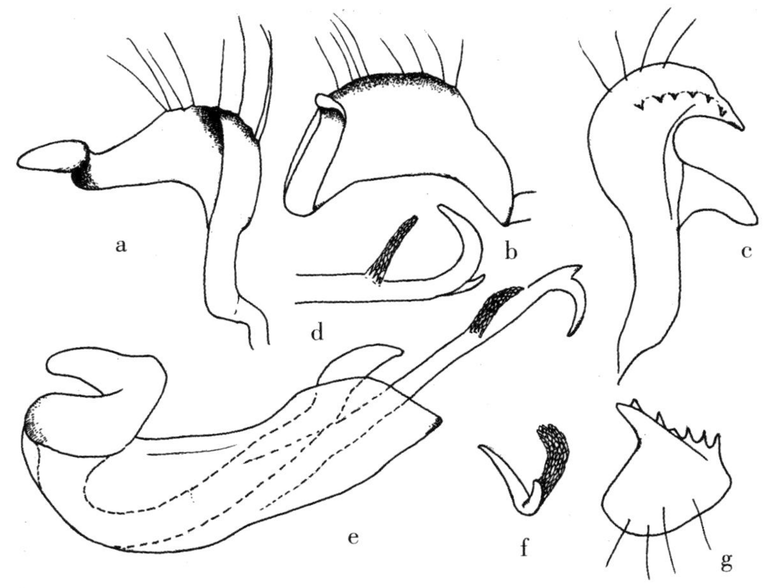


图 71　陕眛盲蝽 *Mecomma shaanxiensis* Liu *et* Yamamoto

a–b. 左阳基侧突不同方位；c. 右阳基侧突；d. 阳茎端刺；e. 阳茎；f. 阳茎端刺顶视；g. 右阳基侧突顶视

体腹面黑褐色至黑色，略具光泽。腹部被细毛，有时腹面色淡，略具红色成分。

雄虫左右阳基侧突不对称，左阳基侧突钩状突细长，弯曲；右阳基侧突齿缘具齿 6 枚；阳茎端刺顶端分叉。

**量度**(mm)：体长 3.70～4.00，宽 1.20；头宽 0.80，长 0.25；眼间距 0.30；触角 1～4 节的长度分别为 0.35、1.35、1.10、0.40；前胸背板长 0.50，宽 0.90；小盾片基宽 0.45，长 0.40；缘片长 1.75；爪片接合缝长 0.65；楔片长 0.75，宽 0.40。

**采集记录**：1♂（副模），凤县，1994. Ⅶ. 27，吕楠采；2♂，留坝，1994. Ⅷ. 03，卜文俊采；1♂（正模），宁陕火地塘，1994. Ⅷ. 13，1640m，卜文俊采；2♂，宁陕，

1640m, 1994. Ⅷ. 13, 卜文俊采。

**分布:** 陕西(凤县、留坝、宁陕)。

## 86. 合垫盲蝽属 *Orthotylus* Fieber, 1858

*Orthotylus* Fieber, 1858: 315. **Type species:** *Orthotylus nassatus* Fieber, 1858.

**属征:** 合垫盲蝽属在合垫盲蝽亚科中是1个较大的属。体型较小, 长椭圆形, 体常为绿色或略带黄色, 体背面常被半直立淡色或黑色毛, 在 *Melanotrichus* 亚属等类群中常有银色鳞片状毛存在。头部头顶中央无纵沟, 较为平坦, 头顶后缘常具横脊, 眼大, 复眼后缘与前胸背板前缘接触或几乎靠近。触角细长。前胸背板梯形, 侧缘略直, 后缘弯曲, 胝模糊。

雌虫常较短, 但体比雄虫宽阔。

雄虫生殖节简单或开口背缘具一些突起; 阳茎端刺突简单或复杂; 阳基侧突多变, 形状简单或复杂。雌虫具K结构。

**分布:** 中国记录28种, 秦岭地区记述4种。

### 分种检索表

1. 被淡色半直立长毛, 少数为黑色, 常无平伏毛 …… 2
   被半直立长毛褐色或黑色, 少数为淡色, 有时夹杂淡色平伏毛 …… **杂毛合垫盲蝽 *O.* (*Melanotrichus*) *flavosparsus***
2. 复眼红色; 雄虫生殖节开口处具1个较大的二分叉突起; 前胸背板及头部向下倾斜, 唇基背面不可见 …… **红眼合垫盲蝽 *O.* (*Orthotylus*) *rubioculus***
   复眼暗黄褐色; 雄虫生殖节开口不如上述 …… 3
3. 触角第1节褐色; 膜片小翅室后具1个明显的褐色三角斑 …… **斑膜合垫盲蝽 *O.* (*O.*) *sophorae***
   触角第1节颜色不如上述; 膜片无斑 …… **灰绿合垫盲蝽 *O.* (*O.*) *interpositus***

### (157) 杂毛合垫盲蝽 *Orthotylus* (*Melanotrichus*) *flavosparsus* (Sahlberg, 1841) (图版2: 3)

*Phytocoris flavosparsus* Sahlberg, 1841: 411.

*Phytocoris viridipennis* Dahlbom, 1851: 212.

*Lygus unicolor* Provancher, 1872: 105.

*Oncotylus pulchellus* Reuter, 1874: 48.

*Orthotylus viridipunctatus* Reuter, 1899: 154.

*Tuponia guttula* Matsumura, 1917: 432.

*Orthotylus parallelus* Lindberg, 1927: 24.

*Orthotylus nigropilosus* Lindberg, 1934: 41.

*Orthotylus flavosparsus*: Southwood & Leston, 1957: 166.

*Orthotylus* (*Melanotrichus*) *flavosparsus*: Southwood & Leston, 1959: 264.

*Melanotrichus flavosparsus*: Hsiao & Meng, 1963: 445.

*Melanotrichus bicolor*: Carvalho & Carpintero, 1986: 618, figs. 31-34.

**鉴别特征:** 体型较小，雄虫体两侧近于平行，雌虫略呈长椭圆形。绿色，前翅具隐约黄色不规则斑，密被黑褐色半直立长毛及簇状分布的淡色鳞片状毛(极易脱落)。

头顶略平坦，黄绿色，被蓬松的淡色鳞片状毛及黑褐色毛。头顶前缘微下倾，通常唇基背面观可见，后缘具横脊。雄虫复眼较大，眼间距是眼宽的 1.75 倍(♂)、2.67(♀)。触角黄褐色，密被淡色半倒伏毛；第 1 节短粗，明显小于眼间距，常呈淡黄绿色；第 2 节细长，黄褐色；第 3、4 节颜色加深为褐色，细于第 2 节。眼褐色，后缘紧靠前胸背板前缘。喙黄褐色，端部褐色，伸达中足基节。

前胸背板绿色，前端 1/3 的区域呈黄绿色，其他部分具一些不规则隐约可见的黄色斑，密被黑褐色半直立长毛及淡色鳞片状毛。前缘中部微凹，后缘直，侧缘斜直，肩角和侧角圆钝。中胸盾片外露，呈长条状，黄褐色。小盾片绿色，具隐约小黄斑，基部常为黄色，基宽略大于其长。前翅革质部绿色，具有隐约可见的不规则小黄斑，密被褐色半直立长毛以及簇状分布的淡色鳞片状毛；楔片绿色，毛被同前；膜片色略淡，半透明，翅脉及翅室均为绿色。足淡黄褐色，被淡色细毛，有时胫节端部以及跗节色略深。

腹部腹面淡黄色，被淡色细毛。

雄虫生殖节开口处具 2 个大小不同的突起；左阳基侧突钩状突弯曲，感觉叶端缘锯齿状；右阳基侧突勺状，无任何突起，感觉叶内凹；阳茎端刺光滑，二分叉；K 结构简单，椭圆形，密被细小齿状突起。

**量度(mm):** ♀: 体长 3.10～4.00，宽 1.30～1.60；头长 0.25～0.41，宽 0.70～0.79；眼间距 0.35～0.45；触角 1～4 节的长度分别为 0.25～0.30、1.00～1.25、0.95～1.10、0.30～0.46；前胸背板长 0.45～0.55，宽 1.00～1.20；小盾片长 0.42～0.45，宽 0.55～0.60；缘片长 1.75～2.18；爪片接合缝长 0.75～1.04；楔片长 0.60～0.75，宽 0.35～0.45。♂: 体长 2.80～3.22，宽 1.00～1.20；头长 0.26～0.42，宽 0.68～0.76；眼间距 0.33～0.42；触角 1～4 节的长度分别为 0.21～0.28、0.98～1.15、0.77～1.00、0.29～0.42；前胸背板长 0.39～0.48，宽 0.86～1.00；小盾片长 0.33～0.39，宽 0.49～0.64；缘片长 1.46～1.75；爪片接合缝长 0.60～0.73；楔片长 0.55～0.62，宽 0.29～0.36。

**生物学:** 主要寄生于黎科植物，在灰黎上发生最多；以卵在寄主的组织内越冬。据章士美等(1995)报道，该种危害甜菜、菠菜、灰黎、滨黎等植物的叶片及花蕾。1997 年张兴华、操宇琳报道了杂毛合垫盲蝽危害棉花，成虫通常在嫩芽、蕾柄、苞叶内或正在开花的花蕊上取食，幼蕾受害后，失绿黄化而脱落，除此之外，还发现其危害狼尾草 *Pesnisetum alopecuroides*（L.）Speng、狗尾草 *Setaria viridis*（L.）Beauv、狗牙根 *Cynolon dactylon*（L.）Pars、千金子 *Leptochloa chinensis*（L.）Ness、圆果雀稗 *Paspalum orbiculare* G. Forst、看麦娘 *Alopecurus aequalis* Sobol、马唐 *Digitaria adscendens*（H. B. K.）、马铃薯 *Solanum tuberosum* L.、羊蹄 *Rumex japonicus* Hoatt、牛膝 *Achyanthes bidentata* L、艾 *Artemisia rulgaris* Linn、豚草 *Ambrosi artemisiifolia* L、小藜 *Chenopolium serotinum* L. 等 13 种植物。虫产卵于黎科植物的嫩茎和叶柄中。毛被及颜色与所在环境较相似。

**采集记录：** 1♀，武功，1957. Ⅶ. 15；1♀，泾阳，1953. Ⅶ. 29；1♀，留坝庙台子，1994. Ⅷ. 03，卜文俊采；1♀，佛坪岳坝保护站，2006. Ⅶ. 20，许静杨采；1♀，延安，1963。

**分布：** 陕西（武功、泾阳、留坝、佛坪、延安）、黑龙江、内蒙古、北京、天津、河北、山西、河南、山东、宁夏、甘肃、新疆、浙江、湖北、江西、四川；俄罗斯，韩国，日本，中亚地区，欧洲，美国，阿根廷，智利。

### （158）灰绿合垫盲蝽 *Orthotylus*（*Orthotylus*）*interpositus* Schmidt, 1938（图 72）

*Orthotylus interpositus* Schmidt, 1938: 469.

*Orthotylus*（*Orthotylus*）*interpositus*: Carvalho, 1958b: 102.

**鉴别特征：** 体型较大，长椭圆形，绿色或黄绿色。密被淡色细长毛，毛长超出触角第 1 节直径。

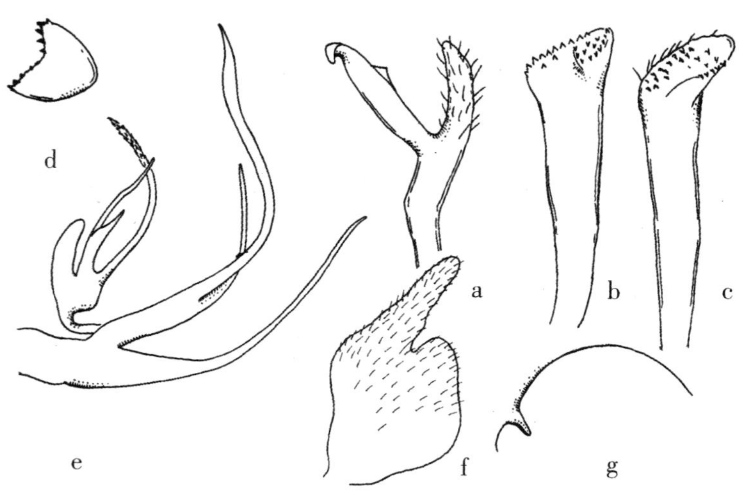


图 72 灰绿合垫盲蝽 *Orthotylus*（*Orthotylus*）*interpositus* Schmidt

a. 左阳基侧突；b－c. 右阳基侧突不同方位；d. 右阳基侧突顶视；e. 阳茎端刺；f. K 结构；g. 雄虫生殖节开口基缘

头部土黄色，光滑无刻点，被淡色细长毛。唇基略带绿色，稍具光泽。头部背面观头前缘呈弓形向前拱出，后缘具横脊。触角窝紧靠复眼内侧缘。复眼后缘靠近前胸背板前缘。触角细长，黄褐色，密被淡色半倒伏毛；第1节有时基半部色略深，靠近端部色渐淡，其上除被稀疏长毛外，还具不规则横列小短毛；第2节略细，但较长，粗细均匀，雌虫体长大多长于雄虫，雄虫是第1节的3.80倍，雌虫是4.60倍，体表除密被长毛外，还具钩状短微毛；第3、4节细于第2节，雌雄虫的长度几乎相等，颜色较深，各节仅基部具钩状短微毛。喙黄褐色，端部色较深，伸达中足基节前缘。

前胸背板梯形，具扁平的领，表面无刻点，黄褐色，被淡色细长毛。前缘中部微向后凹入，侧缘略斜直，后缘略直，侧角钝圆。雌雄虫的前胸背板大小略有差异，雄虫常较小。中胸盾片橘黄色，外露，呈横带状。小盾片微隆，绿色或黄褐色，基宽略大于长。前翅革质部绿色或黄褐色，翅前缘略淡，密被淡色长毛；雄虫缘片长是头宽的2.67倍，雌虫为3.10倍；爪片色常较深；楔片细长，边缘绿色成分常较浓，长几乎是基宽的2倍；膜片烟色，半透明。体腹面黄色，胸部腹面光滑，腹部腹面具浓密的淡色毛。足细长，黄褐色，有时足上亦带有绿色成分。被淡色半倒伏毛，胫节上具排列规则的硬刺毛。跗节褐色，第3节及爪为黑褐色。

雄虫生殖节较大，开口处左边具1个齿状突起；右阳基侧突靠近端部渐宽，无任何分支；左阳基侧突分支呈叉状，钩状突端部弯曲；阳茎端刺突较为复杂，属典型的合垫盲蝽型。雌虫K结构一侧凹入。

**量度(mm)：**体长5.30~6.50，宽1.80~2.20；头顶至楔片缝间距3.75~4.40；头宽1.05，长0.40；眼间距0.40~0.50；触角1~4节的长度分别为0.50、1.90(♂)~2.30(♀)、1.00~1.15、0.50~0.60；前胸背板宽1.45~1.60，长0.70~0.80；小盾片宽0.70~0.85，长0.65~0.70；缘片长2.80~3.25；楔片长1.00~1.10，宽0.50~0.60；爪片接合缝长1.30~1.40。

**采集记录：**3♀，凤县秦岭车站，1400m，1994.Ⅶ.28、26，吕楠采；1♀，凤县秦岭车站，1400m，1994.Ⅶ.27，卜文俊采。

**分布：**陕西(凤县)、黑龙江、内蒙古、河北、河南、宁夏、甘肃、四川；俄罗斯，德国，意大利，葡萄牙。

### (159) 红眼合垫盲蝽 *Orthotylus* (*Orthotylus*) *rubioculus* Liu *et* Zheng, 2014 (图73)

*Orthotylus* (*Orthotylus*) *rubioculus* Liu *et* Zheng, 2014: 180.

**鉴别特征：**体中型，长椭圆形，淡黄绿色，密被淡色半直立长毛。前胸背板及头部向下倾斜。

头部淡黄绿色，光滑，被淡色半直立长毛。头部向下倾斜，背面观唇基不可见，后缘横脊不甚明显。复眼红色，后缘靠近前胸背板前缘。触角第1节暗黄褐色，被褐色半倒伏短毛，内侧具几根黑色直立长毛；第 2 节淡黄色，粗细均匀，密被淡色半直立毛，长是第 1 节长的 3.80 倍；第 3、4 节颜色较深，呈暗黄褐色。喙细长，淡黄色，端部黄褐色，伸达后足基节。

前胸背板梯形，略淡黄绿色，密被淡色半直立长毛，肩毛点毛明显可见；前缘微凹，后缘较平直，侧缘斜直，侧角圆钝；胝微隆，后缘具 1 个较浅的波浪形横沟；宽是长的 2.14 倍，短于触角第 2 节。中胸盾片外露，淡黄绿色。小盾片淡黄绿色，微隆，被淡色半直立长毛。前翅革质部淡黄绿色，毛被同前胸背板。爪片黄绿色，与小盾片相接处具 1 个绿线；楔片淡黄绿色，较狭长；膜片烟褐色。足淡黄色，各足胫节密被淡色半直立毛及浅褐色长刺。后足跗节浅黄褐色，第 2、3 节长度相当，略长于第 1 节。

腹面黄褐色，密被淡色半倒伏长毛。

雄虫左阳基侧突，端部弯曲，锯齿状，近基部有 1 个较大的分叉；右阳基侧突钩状突细长而弯曲，感觉叶边缘具 1 个弯曲的小突起；阳茎端刺 3 枚，1 枚较小，另 2 枚较大而分叉，锯齿状；雄虫生殖节开口处具 1 个较长的二分叉的突起；K 结构边缘锯齿状，前缘具 1 个明显的突起。

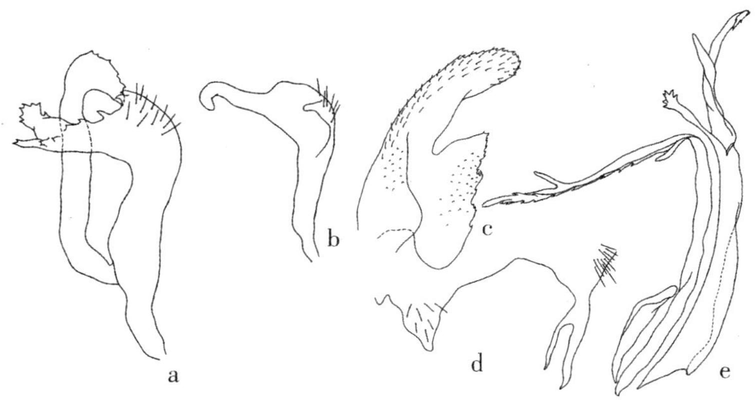


图 73 红眼合垫盲蝽 *Orthotylus* (*Orthotylus*) *rubioculus* Liu *et* Zheng

a. 左阳基侧突；b. 右阳基侧突；c. K 结构；d. 雄虫生殖节开口后缘；e. 阳茎端刺

**量度**(mm)：♀：体长 4.29 ~ 4.37，宽 1.61 ~ 1.71；头长 0.38 ~ 0.44，宽 0.72 ~ 0.73；眼间距 0.39 ~ 0.41；触角 1 ~ 4 节的长度分别为 0.36 ~ 0.40、1.33 ~ 1.50、0.78 ~ 0.80、0.67 ~ 0.70；前胸背板长 0.55 ~ 0.59，宽 1.18 ~ 1.20；小盾片长 0.48 ~ 0.52，宽 0.59 ~ 0.61；爪片接合缝长 0.91 ~ 0.99；楔片长 0.80 ~ 0.86，宽 0.40 ~ 0.44；缘片长 1.94 ~ 2.05。♂：体长 4.01 ~ 4.37，宽 1.52 ~ 1.58；头长 0.34 ~ 0.44，宽 0.74 ~ 0.78；眼间距 0.34 ~ 0.36；触角 1 ~ 4 节的长度分别为 0.36 ~ 0.38、1.40 ~ 1.44、0.73 ~ 0.83、0.61 ~ 0.68；前胸背板长 0.54 ~ 0.57，宽 1.16 ~ 1.20；小盾片长 0.44 ~ 0.50，宽 0.59 ~ 0.62；爪片接合缝长 0.84 ~ 0.90；楔片长 0.81 ~ 0.86，宽 0.38 ~ 0.50；缘片长 1.90 ~ 2.00。

**采集记录：**1♂（正模），留坝庙台子，1400m，1994. Ⅷ. 02，吕楠采；2♂10♀，同前。

**分布：**陕西（留坝）、贵州。

## （160）斑膜合垫盲蝽 *Orthotylus*（*Orthotylus*）*sophorae* Josifov，1976（图版2：4）

*Orthotylus*（*Orthotylus*）*sophorae* Josifov，1976：145.

**鉴别特征：**体淡绿色至黄绿色，体表光滑，被半倒伏淡色毛。

头部淡黄色至淡绿色，复眼褐色，头顶后缘具横脊，被淡色毛。触角细长，被淡色毛；第1节淡褐色至黑褐色，短粗，短于头顶宽；第2节黄褐色，粗细均匀，端部色微深，直径是第1节的1/2，长是第1节的4倍，是头宽的1.60倍；第3、4节黄褐色，略细于第2节。喙较短，黄色，端节黄褐色，伸达中胸腹板。

前胸背板梯形，表面光滑，黄绿色至淡绿色，被半倒伏淡色毛。前缘中部向后微凹，侧缘略直，后缘直，肩角及侧角均圆钝。前胸背板宽是长的3.30倍，是第1触角节的3.90倍，与第2触角节长几乎相等，是头宽的1.57倍。中胸盾片微露。小盾片微隆，黄绿色或淡黄色，基宽略大于长。

前翅革质部淡黄色至绿色，被淡色毛，无任何色斑；缘片长是头宽的2.10倍，是第2触角节长的1.30倍，是前胸背板宽的1.37倍；楔片基宽略短于长；膜片淡色，半透明，翅室后端具1个渐宽的褐色三角斑，伸达膜片边缘。体腹面黄绿色或淡黄色。足色略深，微带褐色成分。尤以后足腿节腹面及胫节为最；跗节第1节短，其他2节几乎等长。

腹面淡黄色至淡黄绿色，被淡色短毛。

雄虫左阳基侧突感觉叶具较短的突起，弯曲钩状突短宽，端部亦有短小的突起；右阳基侧突钩状突细长，感觉叶具短小的突起；阳茎端简单，无阳茎端刺；K结构椭圆形，密被细小齿状突起。

**量度（mm）：**♀：体长4.14~4.31，宽1.44~1.50；头长0.34~0.35，宽0.80~0.82；眼间距0.41~0.42；触角1~4节的长度分别为0.34~0.35、1.24~1.27、0.90~0.93、0.44~0.45；前胸背板长0.57~0.59，宽1.17~1.20；小盾片长0.48~0.49，宽0.59~0.61；缘片长1.97~1.99；爪片接合缝长0.95~0.98；楔片长0.76~0.78，宽0.36~0.37。♂：体长3.65~3.72，宽1.29~1.33；头长0.33~0.34，宽0.73~0.76；眼间距0.38~0.39；触角1~4节的长度分别为0.27~0.31、1.10~1.14、0.78~0.82、0.41~0.42；前胸背板长0.53~0.57，宽1.03~1.14；小盾片长0.43~0.45，宽1.03~1.14；爪片接合缝长0.80~0.82；缘片长1.81~1.83；楔片长0.63~0.70，宽0.34~0.44。

**采集记录：**2♂，泾阳，1953. Ⅴ. 17。

**分布：**陕西（秦岭、泾阳）、天津、河南、甘肃、湖北、四川；朝鲜半岛。

## 87. 突额盲蝽属 *Pseudoloxops* Kirkaldy, 1905

*Loxops* Fieber, 1858: 314 (nec Cabanis, 1847). **Type species**: *Capsus coccineus* Meyer-Dür, 1843.
*Pseudoloxops* Kirkaldy, 1905: 268 (new name for *Loxops* Fieber, 1858).

**属征:** 体长椭圆形，被半倒伏长毛，两侧常具红色至血红色宽纵带，背面有时具红色斑。头顶平，表面具直立毛，额前部隆起，背面观向前突出。唇基明显突出，并向后倾斜。复眼一般血红色，后缘紧靠前胸背板前缘。头顶后缘具横脊。触角细长，第 1 节粗壮，常呈血红色，被较长的褐色毛；第 2 节常黄色，有时基半或端半部亦呈红色，粗细均匀，被半倒伏淡色毛。前胸背板梯形，黄色至黄褐色，两侧靠近边缘具较宽的红色或褐红色纵带。小盾片较平，顶角常呈红色。前翅缘片红色或褐红色。革片外缘色同缘片，楔片红色或仅边缘红色。足一般黄或黄褐色，后足腿节靠近端部常红色或红褐色。

雄虫阳基侧突形状变化较大；生殖腔左侧背缘常具 1 个突起。

**分布:** 中国记录 7 种，秦岭地区记述 1 种。

### (161) 紫斑突额盲蝽 *Pseudoloxops guttatus* Zou, 1987 (图版 2: 5)

*Pseudoloxops guttatus* Zou, 1987b: 390.

**鉴别特征:** 体黄白色，具密集的紫红色斑点，以致外观紫红色。具长毛，毛长几乎与眼宽相等。

头部黄白色，红斑稀少，毛直立或半直立；头前半部或多或少具有红色色彩，头顶平，额的前部稍微突出，中央具 1 条淡红色纵纹，后缘具横脊，并具 1 列直立长毛。唇基突出，圆弧形，向后倾斜，淡红色或黄褐色。复眼血红色，后缘紧靠前胸背板前缘。触角瘤明显，紧靠复眼。触角第 1 节粗，向端部渐细，微呈弧形外弯，血红色，具粗的黑褐色刚毛，毛长于该节直径，同时被密集钩状短微毛；第 2 节细长，粗细均匀，黄色，是头宽的 2.14 倍，是第 1 触角节长的 3.30 倍，表面除被半倒伏长毛外，基半部被钩状短微毛，2、3 节间具闰节；第 3、4 节等粗，细于第 2 节，两节长度之和短于第 2 节之长，颜色深，第 3 节基部被钩状短微毛，表面具横波纹。喙黄色，端节褐色，伸达后足基节。

前胸背板梯形，淡黄色，两侧缘各具 1 条较宽的红褐色纵带，毛褐色，直立或半直立，红斑点有时稀少，中央有 1 条淡红色纵纹，或仅有 1 个长椭圆形红斑。前缘弯，侧缘和后缘直，侧角圆钝。胝微隆。前胸背板宽是长的 2.44 倍，是头宽的 1.57 倍，是第 2 触角节长的 0.73 倍。中胸盾片外露，长条状。小盾片平，末端红色，两侧接近侧角处暗红色，毛被同前胸背板。前翅缘片红色，最末端黄白色，窄长，长是头宽的2.36倍，是第2触角节长的1.10倍，是前胸背板宽的1.50倍；爪片较革片色淡，两端暗红，红斑稀少；革片红斑较密，前缘和接近端部的区域暗红色；楔片外缘、顶角和基部血红色，中部红斑较稀，色淡，基宽与长相等；膜片半透明，翅室端部的翅脉血红色。腿节具斜立毛，前足和中足胫节密被刚毛，具少量直立长毛；后足腿节端部2/5血红色，胫节刚毛少，亦具少数长毛，另外，还具4列黑色颗粒状突起。体腹面淡黄色，腹部两侧微红，生殖节毛较长。

雄虫生殖节开口基部右侧具1个突起；右阳基侧突不分叉，端部较锐；左阳基侧突分叉，钩状突短粗，端缘具1列小齿。

**量度(mm)**：体长3.40，宽1.55；头长0.30，宽0.70；眼间距0.35；触角1～4节的长度分别为0.45、1.50、0.55、0.35；前胸背板长0.45，宽1.10；小盾片长0.45，宽0.60；革片长1.65；爪片接合缝0.75；楔片长0.50，宽0.50。

**采集记录**：4♀2♂，杨凌，1994.Ⅶ.25，卜文俊采。

**分布**：陕西(杨凌)、河北、河南、山东。

## 88. 平盲蝽属 *Zanchius* Distant, 1904

*Zanchius* Distant, 1904c: 477. **Type species**: *Zanchius annulatus* Distant, 1904.

**属征**：体长椭圆形，纤弱，背面平，淡绿色或红色，被浅色半直立毛。头顶较平，背面观呈方形，眼常位于头中部以前，向两侧突出，眼后部饱满，不甚细缩，边缘与前胸背板前缘垂直或几乎垂直。头部后缘具横脊。前胸背板梯形，一般光滑无刻点，胝微隆，其后缘常有1个横缢。中胸盾片外露，长条状。小盾片一般光滑。前翅前缘常向前拱出，翅合拢时，背面平坦，革质部有时透明或半透明。雄虫阳茎骨化亦较弱。

**生物学**：郑乐怡等(1991)曾报导此属种类捕食小叶蝉的成虫和若虫。

**分布**：中国记录12种，秦岭地区记述2种。

### 分种检索表

背面红色或具较大红色斑块 ………………………………… **陕平盲蝽 *Z. shaanxiensis***
背面具较小的红色斑点3～5个 ……………………………………… **红点平盲蝽 *Z. tarasovi***

### (162) 陕平盲蝽 *Zanchius shaanxiensis* Liu *et* Zheng, 1999 (图74)

*Zanchius shaanxiensis* Liu *et* Zheng, 1999: 389.

**鉴别特征**：体长椭圆形，淡绿色或淡黄褐色，体表光滑略具光泽，被半直立淡色长毛。背面具红色斑块。

头部呈长方形，背面略隆起，具淡色长毛。有时后半部呈淡红色，背面观唇基略露出，头前端略超过复眼前缘，后缘具横脊，眼向两侧略突出，其长度大于眼后距，眼后部饱满。触角细长，被半倒伏短毛，淡黄色；第 1 节短粗，具较长硬毛，毛长与此触角节的直径相当；第 2 触角节细长，约是头宽的 2.25 倍，是第 1 节长的 3.86 倍；第 3 节略长于第 4 节，两节长度之和长于第 2 节。唇基下倾，略带红色。喙长，伸达后足基节。

前胸背板梯形，胝区黄色，其余部分均为红色，被半倒伏淡色长毛。前缘直，侧缘斜直，后缘中部略内凹；肩角与侧角均为圆形。前胸背板宽是长的 2.20 倍，是头宽的 1.83 倍，是第 2 触角节长的 0.81 倍。中胸盾片外露，光滑，红色或略带黄色。小盾片光滑。略隆起，红色或红褐色，毛被同前胸背板。

前翅革质部亦被半倒伏淡色毛，前缘略呈弓形突出，红色；翅中部具 1 条较宽的红色横带，有时此横带的前缘伸达革片中部，后缘可达革片端缘；缘片窄长，是头宽的 3.17 倍，是第 2 触角节长的 1.48 倍，是前胸背板宽的 1.85 倍；爪片内半红色，其余部分黄绿色或红黄色；楔片黄绿色，有时外缘呈红黄色，长是宽的 1.44 倍；膜片半透明，靠内角处呈红色，其余部分淡黄绿色。足纤细，黄绿色，被淡色毛；腿节略粗壮，除被短的半倒伏毛外，中、后足还具少量较长的毛点毛；后足胫节较细，且长，具成行的黑褐色小短刺及稀疏规则的长刺毛。体腹面黄绿色或带有较多的红色成分。

雄虫的阳茎端形状如图所示（图 74：a），阳茎端刺细长，弯曲；右阳基侧突弯曲；左阳基侧突片状，中部较宽。

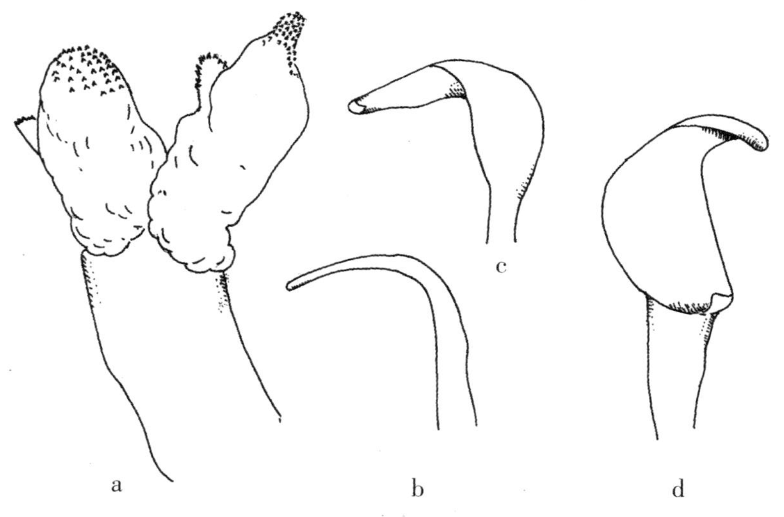


图 74 陕平盲蝽 *Zanchius shaanxiensis* Liu *et* Zheng

a. 阳茎端；b. 阳茎端刺；c. 右阳基侧突；d. 左阳基侧突

**量度**（mm）：体长 3.65 ~ 4.10，宽 1.35 ~ 1.55；头宽 0.60 ~ 0.63，长 0.30；眼后距 0.125；眼间距 0.35；触角 1 ~ 4 节的长度分别为 0.35、1.35、0.85、0.60；前胸背

板长0.50，宽1.10；小盾片宽0.50，长0.375；爪片接合缝长0.75~0.90；缘片长1.90~2.00；楔片长0.65，宽0.45。

**采集记录：**2♂（副模），留坝庙台子，1994.Ⅷ.1-2，1400m，吕楠采；1♂（正模），宁陕火地塘，1994.8.14，1640m，吕楠采；2♀（副模），同前；1♂（副模），宁陕旬阳坝，1994.Ⅷ.16，吕楠采。

**分布：**陕西（留坝、宁陕）。

### （163）红点平盲蝽 *Zanchius tarasovi* Kerzhner, 1988（图版2：6）

*Zanchius tarasovi* Kerzhner, 1988b: 49.

**鉴别特征：**体长椭圆形，柔弱，无刻点，略具光泽，被半直立淡色长毛，淡绿色至黄绿色。

头部略呈长方形，眼位于前方，较大，向两侧突出，眼长明显大于眼后距，眼后长是眼长的2/5。眼后部分饱满，外缘有时具1个红色小斑。背面观，头前部略隆起，后半部较平，后缘具1个横脊。触角细长，淡黄色，第1节短粗，密被半直立硬毛，腹侧面具1个红色条形斑，有时此斑不显著；第2节细长，粗细均匀，端半部有时略带红色，长度是头宽的2.07~2.67倍，是第1节长的4倍；第3、4节细于第2节，两节长度之和长于第2节。喙粗壮，淡黄色，末节黄褐色，伸达中足基节，第1节达前胸腹板前缘。

前胸背板梯形，淡绿色至黄绿色，表面无刻点，光滑，被淡色长毛，胝微隆，侧缘前端常具红斑，该斑与眼后域红斑常连在一起。后叶中纵线处具1个较短的红条斑，有时该斑色较淡或不易看清。前胸背板前缘直，后缘微向前凹。侧缘近侧角处微翘。肩角及侧角圆形。前胸背板宽是长的1.70~2.00倍，是头宽的1.47倍，是第2触角节长的0.55~0.69倍。中胸盾片外露，光滑，淡绿色。小盾片三角形，光滑，具光泽，基宽略大于长，中部常具1个红黄色斑，斑缘常不伸达顶角。

前翅革质部淡绿色至黄绿色，密被半倒伏同色毛，前缘呈弧形向外凸出，被淡色硬毛，缘片长是头宽的2.40~2.85倍，是第2触角节长的0.90~1.38倍，是前胸背板宽的1.64~2.00倍；爪片端部各有1个红黄色斑，有时此斑不显著；楔片淡绿色，基宽短于长；膜片半透明，略带淡黄色，超过腹部末端较长。足纤细，较长，淡绿色；前、中足腿节腹面具长刺毛，其长度与腿节中部直径相当或略长一些；后足腿节粗壮，胫节细长，具硬刺毛。

体腹面淡绿色。

雄虫生殖节颜色同体色，阳茎较粗，具阳茎端刺3枚，1枚较细，无齿，另2枚较粗，明显具齿；左阳基侧突钩状突较粗，端部具3枚短齿，端部腹面成1个大致为三角形的平面；右阳基侧突顶端圆形，中部突出。

**量度**（mm）：体长4.20~5.00，宽1.35~1.75；头宽0.70~0.75，长0.45；眼长

0.22，眼后距 0.10；眼间距 0.30；触角 1～4 节的长度分别为 0.35～0.50、1.45～2.00、1.05～1.45、0.55～0.80；前胸背板长 0.50～0.65，宽 1.00～1.10；小盾片长 0.45～0.55，宽 0.50～0.60；缘片长 1.80～2.00；爪片缝长 1.00～1.25；楔片长 0.75～0.80，宽 0.45～0.50。

**采集记录：** 1♂，周至板房子，1994. Ⅷ. 07，吕楠采；2♀，同上，吕楠灯诱；1♂，宁陕火地塘，1640m，1994. Ⅷ. 15，吕楠采；3♀，宁陕旬阳坝，1994. Ⅷ. 15-16，吕楠采。

**分布：** 陕西（周至、宁陕）、河北、河南、甘肃、台湾；俄罗斯。

# （六）叶盲蝽亚科 Phylinae

李晓明[1] 张旭[2] 刘国卿[1]

（1. 南开大学昆虫研究所，天津 300071；2. 北京第四中学，北京 100034）

**鉴别特征：** 叶盲蝽亚科在盲蝽科中体型偏小，体长通常在 2～5mm 之间，最长不超过 8mm。科内体形不甚相同：敖盲蝽族和蚁叶盲蝽族的多数类群为典型的束腰形，其余少数类群为狭长形；束盲蝽族和奇盲蝽族的部分类群为束腰形，其他类群为椭圆形或长椭圆形；叶盲蝽族全部种类为椭圆形或长椭圆形。叶盲蝽亚科身体背面较平坦，无明显刻点，有一定的厚度，前胸背板不同程度的前下倾。半鞘翅在楔片缝后平直或成一定角度下折，遮盖腹部后端。多数种类长翅型，极少数类群的雌虫呈短翅型，膜片小或无，背面观可见腹部末端。

**分类：** 中国记录 55 属 221 种，陕西秦岭地区分布 2 族 7 属 19 种。

### 分族检索表

1. 副爪间突膜片状，肉质 ………………………………………… 2
   副爪间突刚毛状 ………………………………………… **叶盲蝽族（部分）Phylini（part）**
2. 副爪间突顶部靠拢；无拟蚁体型 ………………………… **叶盲蝽族（部分）Phylini（part）**
   副爪间突顶部不靠拢；部分种类为拟蚁体型 ……………………… **束盲蝽族 Pilophorini**

## Ⅰ. 叶盲蝽族 Phylini

**鉴别特征：** 叶盲蝽族在盲蝽科中体型偏小，体长通常在 2～5mm 之间，最长不超过 8mm。论文中体型大小主要就叶盲蝽族内而言，体长小于 3mm 的叶盲蝽为小型，在 3～4mm 之间的叶盲蝽为中型，体长超过 4mm 为大型。叶盲蝽族体长中小型的偏多。

**分类：**中国记录 40 属，秦岭地区发现 5 属 8 种。

## 分属检索表

1. 体背具仅具一种毛，通常为刚毛 …… 2
   体背被两种毛 …… 3
2. 爪垫发达，超过爪腹面的 1/2 …… **蓬盲蝽属 *Chlamydatus***
   爪垫不发达，至多伸达爪腹面的 1/2 …… **斜唇盲蝽属(部分) *Plagiognathus*(part)**
3. 雄虫生殖囊中央具纵脊 …… **短唇盲蝽属 *Phaeochiton***
   雄虫生殖囊中央无纵脊 …… 4
4. 阳茎端中部中央具 1 个轮齿带或片状突起 …… **斜唇盲蝽属(部分) *Plagiognathus*(part)**
   阳茎端中部中央无齿带或片状突起 …… 5
5. 阳茎鞘具舌状突 …… **柽盲蝽属 *Tuponia***
   阳茎鞘无舌状突 …… **微刺盲蝽属 *Campylomma***

## 89. 微刺盲蝽属 *Campylomma* Reuter, 1878

*Campylomma* Reuter, 1878: 52. **Type secies**: *Campylomma nigronasuta* Reuter, 1878.

**属征：**体小型，椭圆形或长椭圆形，长翅型。颜色多变，白色至黑色，多数种类为浅黄色或污黄色，极少数种类为橙黄色或黑色。背部被有浅色或深色刚毛，革片和爪片上被光泽的丝状毛。

头横宽，宽大于长，高小于宽。背面观，额常凸出。头顶一般扁平或微隆起，后缘通常圆弧形。眼大，常占据整个头高，后缘与前胸背板前缘接近，雌虫眼小于雄虫，眼间距相对宽。触角第 1 节短，长仅是眼间距的 1/2；触角第 2 节颜色白色至黑色，浅色时触角基部经常具黑色环，有时端部也为黑色，端部直径略加粗，长变化较大，或略短于头宽，或大于头宽；第 3、4 两节细，颜色变化较大。喙通常伸达中足基节，有时也伸达后足基节。

前胸背板光滑或有褶皱，多少扁平，侧缘直或均匀外凸，前侧角具 1 枚直立的肩毛。中胸盾片外露部分窄，扁平。半鞘翅通常无光泽，有时具微弱光泽，半透明。楔片缝明显。中足和后足腿节上的刺和毛点毛基部通常具黑斑，后足腿节常较粗壮，背表面基半部具 1 排褐色或黑色的骨刺。胫节刺黑色，刺基具黑斑，刺长不小于胫节直径的 2 倍。跗节第 2、3 节比第 1 节长，两节几乎等长。爪基宽，弯曲，爪垫小，副爪间突刚毛状，极少轻微肉质状。腹部基部宽大，锥形，少数腹部较细。生殖囊圆锥形。

阳茎端"S"形，扭曲，端部一般具 2 枚端刺，次生生殖孔近端部。阳茎鞘"C"形或"L"形。左阳茎基侧突舟形；右阳茎基侧突小，披针状。

**分布：**古北区，东洋区。中国记录 6 种，秦岭地区记述 1 种。

### (164) 佛坪微刺盲蝽 *Campylomma fopingensis* Li *et* Liu, 2010 (图 75; 图版 2: 7)

*Campylomma fopingensis* Li *et* Liu, 2010: 720.

**鉴别特征**: 体小型, 椭圆形。体黄色, 略显绿色, 背面无黑斑, 表面光滑, 光泽较弱。背面具浅褐色近倒伏长毛。

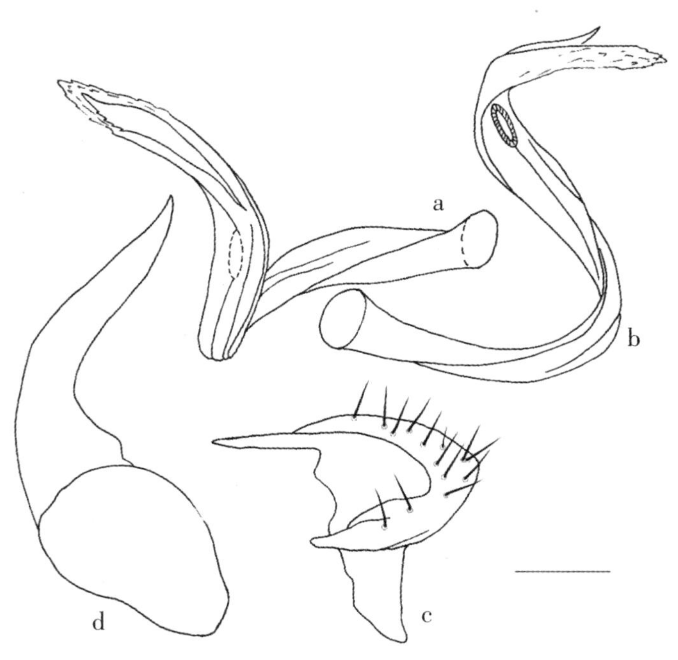


图 75 佛坪微刺盲蝽 *Campylomma fopingensis* Li *et* Liu
a－b. 阳茎端; c. 左阳基侧突; d. 阳茎鞘。比例尺: 0.2mm

头垂直, 横宽, 额区微圆隆, 与唇基相连处微凹。雄虫头顶较雌虫窄, 相对扁平, 雌虫头顶阔, 表面略成弧面, 后缘脊明显。唇基宽短, 不强烈拱隆。上颚片三角形, 微鼓。下颚片较窄。小颊窄, 被金黄色长毛。眼黑褐色, 雄虫眼大于雌虫, 侧面观, 占据整个头高。触角窝紧贴复眼, 位于两眼内侧, 距眼下缘 1/3 处, 眼近触角窝的一边凹入。触角颜色不均一, 绒毛浅褐色, 雄虫第 1 节黑色, 基部缢缩处及端部为黄色窄环, 第 2 节完全黑色, 或基部 1/4 ~ 1/2 黑色, 其余污黄色, 第 3、4 节黑色或污黄色; 雌虫第 1 节黑色, 两端黄色, 具贯穿第 1 节的黄色窄条带, 第 2 节基部 1/2 黑色, 端部 1/2 污黄色, 第 3、4 节污黄色。触角第 1 节中部具 2 枚黑色直立硬毛; 第 2 节粗细均一, 长约等于头宽; 第 3、4 节总长约与第 2 节长相等。喙黄色, 端部黑色, 伸至中足与后足基节间。

前胸背板略前倾, 盘域圆隆, 侧缘及后缘直, 胝区不明显。中胸盾片外露部分窄。小盾片平坦, 基宽大于长。半鞘翅两侧均匀外凸, 爪片平坦, 不强烈隆起, 翅面在楔片缝处轻微下折。膜片黄色，脉同色。

足黄色，前、中足腿节黑斑小，后足腿节膨大，黑斑较大，近端部具 1 枚较长的黑色硬毛，端部具 1 枚稍短的黑色硬毛。胫节基部无暗斑，胫节刺黑色，刺长大于胫节直径，刺基具黑斑，后足胫节具径向的黑色微刺。跗节端部稍黑，第 1 节短，第 3 节稍长于第 2 节。爪黑褐色，弯曲，爪垫片状，伸达爪中部。体腹面黄色或黄绿色，被毛金黄色。

雄虫阳茎端"S"形，端部具 2 枚端突，1 枚具齿，另 1 枚骨化弱，膜质化，次生生殖孔位于端突基部下方。左阳基侧突舟形。阳茎鞘中部弯曲，端部渐细。

**量度(mm)：** 体长 2.40 ~ 2.51，宽 1.00 ~ 1.07；头宽 0.50 ~ 0.56；眼间距 0.26，眼宽 0.19；触角 1 ~ 4 节的长度分别为 0.13、0.56 ~ 0.63、0.37 ~ 0.42、0.26；前胸背板长 0.37 ~ 0.40，后缘宽 0.88 ~ 0.92；革片长 1.22 ~ 1.30；楔片长 0.38。

**采集记录：** ♂（正模），陕西佛坪岳坝保护站，1100m，2006. Ⅶ. 23，李晓明采；11♂10♀（副模），同前；12♂11♀（副模），地点同前，2006. Ⅶ. 20，李晓明采。

**分布：** 陕西（佛坪）。

**讨论：** 该种与异须微刺盲蝽 *Campylomma diversicornis* 在大小体型上较相似，有时触角颜色也与异须微刺盲蝽 *C. diversicornis* 相同，但两者雄虫外生殖器差异较明显，可将两种区分。

## 90. 蓬盲蝽属 *Chlamydatus* Curtis, 1833

*Chlamydatus* Curtis, 1833: 198. **Type secies:** *Chlamydatus marginatus* Curtis, 1833.

**属征：** 体椭圆形或长椭圆形，长不超过 3.50mm，具长翅型或短翅型。体色多变，以深色为主。被简单刚毛，毛色多样，黑色、银色或金色，具光泽。

头强烈下倾，横宽。头顶圆隆，后缘向后凸出。触角第 2 节长不超过头宽或略大于头宽。足颜色多样，浅色至黑色。爪中等大小，弯曲程度较弱，爪垫发达，超过爪腹面的 1/2，副爪间突刚毛状。

阳茎端端部仅具 1 枚端突，"S"形，次生生殖孔发达。

深色种类常常与深色的斜唇盲蝽在外形上很容易混淆，但是这两个类群雄虫外生殖器差异较大，可将其区分。

**分布：** 中国记录 4 种，秦岭地区记述 1 种。

### (165) 黑蓬盲蝽 *Chlamydatus pullus* (Reuter, 1870)

*Agalliastes pullus* Reuter, 1870: 324.

*Campylomma albicans* Jakovlev, 1893: 308.

*Chlamydatus attus pullus*: Hoberlandt, 1956: 56.

*Chlamydatus pullus*: Knight, 1964: 141.

*Chlamydatus euattus pullus*: Linnavuori, 1998: 32.

**鉴别特征**：体小，椭圆形，长翅型。体色单一，黑色。被毛易脱落，金褐色，具光泽。

头垂直，光滑，被毛稀疏，眼前部分约为头长的1/2。额区略隆起，与唇基分界处略凹陷。头顶扁平，宽阔，后缘具脊明显，直。眼黑褐色，侧面观，占据整个头高，后侧缘紧贴前胸背板。触角窝位置低，下缘几乎与眼的下缘平齐，不与眼相连，眼近触角窝的一边直。触角黑色，第 1 节短，基部缢缩；第 2 节向端渐粗，长约短于头宽，毛金色；第 3、4 节细，毛同第 2 节，总长略大于第 2 节。喙黑褐色，伸达后足基节前缘。

前胸背板微前倾，黑色，表面平整，后缘微向前凹，侧缘直或微内凹，胝不明显。中胸盾片外露部分窄，条形。小盾片饱满，毛同前胸背板。半鞘翅色单一，光滑，具光泽，毛金褐色。膜片烟黄色，脉深色。

足腿节端部为黄色宽环，其余部分褐色，后足腿节粗大。胫节棕黄色，基部无暗色斑，胫节刺黑色，刺基具黑斑。跗节黑褐色。爪黑色，中等大小，端部弯曲，爪垫占爪腹面的2/3。腹部黑色，被金色毛。

雄虫生殖囊占腹部的1/2。阳茎端细长，端部较直，中部缠绕约呈环状。左阳基侧突发达。阳茎鞘均匀弯曲。

**量度(mm)**：体长 2.37 ~ 2.40(♂)、2.12 ~ 2.30(♀)，宽 1.01 ~ 1.05(♂)、1.03 ~ 1.06(♀)；头宽 0.68 ~ 0.71(♂)、0.66 ~ 0.67(♀)；眼间距 0.31 ~ 0.36(♂)、0.30 ~ 0.32(♀)；眼宽 0.15 ~ 0.17(♂)、0.14 ~ 0.15(♀)；♂触角 1 ~ 4 节的长度分别为 0.21、0.57 ~ 0.60、0.42 ~ 0.51、0.30，♀触角 1 ~ 4 节的长度分别为 0.22、0.53 ~ 0.56、0.45 ~ 0.51、0.27；前胸背板长 0.42 ~ 0.43(♂)、0.38 ~ 0.39(♀)，后缘宽 0.83 ~ 0.90(♂)、0.83 ~ 0.88(♀)；革片长 1.20 ~ 1.31(♂)、1.12 ~ 1.19(♀)；楔片长 0.34 ~ 0.37(♂)、0.32 ~ 0.36(♀)。

**采集记录**：26♂5♀，武功，1957.Ⅵ，寄主为苜蓿；4♀，武功，1973.Ⅶ.08。

**分布**：陕西(武功)、黑龙江、吉林、内蒙古、北京、天津、河北、河南、山东、宁夏、新疆；俄罗斯，伊朗，芬兰，丹麦，德国，英国，西班牙，意大利，加拿大。

**寄主**：*Alchemilla* sp., *Artemisiatridentata*, *Dryas* sp., *Lupinus* sp., *Rosa* sp., *Salix* sp., *Taraxacum* sp.。

## 91. 短唇盲蝽属 *Phaeochiton* Kerzhner, 1964

*Phaeochiton* Kerzhner, 1964b: 128. **Type species**: *Heterocapillus caraganae* Kerzhner, 1964.

**属征**：体中到大型，长椭圆形，较宽，长翅型。体色浅，稍具光泽。背面被毛两种，一种为暗褐色刚毛，另一种为银色鳞状毛。

头下倾，光滑而无刻点。具浅色平伏刚毛。头顶圆鼓，额区及唇基正面观丰满圆隆，侧面观额与唇基交界之处稍凹。唇基短，垂直向下倾斜。触角窝位于眼下端内侧，几乎与眼的内缘接触，下缘位于眼下缘之上方，眼内缘在触角窝处向侧方凹。头顶后缘平，无脊。触角第 2 节粗细均匀，或端部加粗，雌虫该节较雄虫稍细，长小于或约等于前胸背板后缘宽，毛浅色，密短，整齐。喙第 1 节最粗，端部略超过头后缘，2、3 节明显细，端部不超过中足基节。

前胸背板梯形，中度下倾，无刻点，具浅色平伏毛被，胝区稍稍隆起，前端无领，前缘、侧缘及后缘近平直。小盾片无刻点，基部具浅色平伏较长毛被，中胸背板后缘外露。前翅无刻点，具浅色平伏短毛，革片前缘前端稍向后弯，与爪片接合缝平行，楔片略向后侧方倾斜，具平伏暗色毛及浅色扁平毛，外缘略向侧方弯，内缘略凹。膜片几乎透明，大翅室呈斜置的等腰三角形，较狭长，小翅室小三角形。足一色，胫节刺暗色，基部不具黑斑，后足跗节第 3 节长于第 2 节，爪基部较粗壮，爪垫明显，端部游离，最多伸至爪中部。

雄虫生殖囊较大，腹面中央具 1 个纵脊。阳茎端具两枚端突，次生生殖孔大，位于较粗 1 枚端刺基部背侧系膜上；左阳基侧突感觉叶较粗壮而短，右阳基侧突叶形。阳茎鞘中部弯曲。

**分布：**古北区。我国记录 2 种。秦岭地区记述 1 种。

### （166）阿拉善短唇盲蝽 *Phaeochiton alashanensis*（Qi *et* Nonnaizab，1996）（图版2：8）

*Monochroica alashanensis* Qi *et* Nonnaizab，1996：299，303.

*Phaeochiton alashanensis*：Li *et* Liu，2010：723.

**鉴别特征：**体大型，厚实，长椭圆形。体色浅灰黄色至灰褐色，仅前胸背板前缘、胝区周围及侧缘略带绿色，体略具光泽。背面具两种毛，一种为暗褐色刚毛，另一种为银色鳞状毛。

头短，近垂直，背面浅灰黄色至浅棕黄色，有时带有绿色成分。额区圆隆，雌虫较雄虫鼓，具浅褐色的横纹，有时不清晰。雄虫头顶表面稍拱隆，雌虫头顶强烈圆，雌虫头顶较雄虫宽，后缘直。唇基略圆隆，有时基部具浅褐色纵条纹，上颚片鼓，下颚片雌虫为褐色，小颊黄色，毛金黄色。眼黑褐色，雄虫眼大于雌虫，顶端低于头顶顶点。触角窝不紧贴眼，位置较低，几乎与眼下缘齐平，触角近触角窝处微凹。触角颜色不均一，为污黄色至黑褐色，第 1 节污黄色，基部具浅褐色环；第 2 节完全为黑褐色或从基部向端部渐由污黄色渐变成黑褐色，长远小于前胸背板，大于头宽，毛浅色，较短；第 3、4 节污黄色至黑褐色，总长度微小于第 2 节。喙淡灰黄色，末梢黑褐色，伸达中足基节。

前胸背板宽大，表面微隆，灰黄色，雄虫胝区稍深。胝平，前胸背板侧缘及后缘直，或后缘微前凹。中胸盾片外露部分橙黄色，微鼓，后缘中部微前凹。小盾片饱满，略高前翅，橙黄色或灰黄色。半鞘翅浅灰黄色或灰褐色，爪片接合缝为翅面最高处。爪片内、外缘及革片内缘具银色平伏丝状毛。膜片浅灰褐色，脉略黄褐色。足基节基半部黑褐色，端半部灰黄色。腿节灰黄色或棕黄色，近端部具浅褐色小斑点，不明显，短毛浅色。胫节污黄色，端部黑色，胫节刺黑色，刺基无黑色斑，除胫节刺外，亦具浅色半直立短毛及4纵列黑色极短的微刺。跗节及爪黑褐色。爪小，中部弯曲，爪垫达弯曲处。雄虫体下胸部黄色，腹部黑色，带有黄色区域，雌虫黄色，黑色部分较小。毛银色丝状毛，较稠密。

雄虫生殖囊约占整个腹部的1/3，中部具纵脊。阳茎端“S”形，扭曲，具2枚端突，较长的1枚基部弯曲，端部稍弯曲，渐尖；另1枚相对短直，端部尖。次生生殖孔位于阳茎端中部背侧，开口较大，次生生殖孔一侧具1个分支的骨化杆。左阳基侧突钩状突直，平伸。阳茎鞘中部弯曲成直角。

**量度**(mm)：体长4.62~5.00(♂)、4.32~4.67(♀)，宽1.90~2.00(♂)、1.91~2.03(♀)；头宽0.89~0.92(♂)、0.88~0.93(♀)；眼间距0.42~0.47(♂)、0.37~0.42(♀)；眼宽0.26(♂)、0.23(♀)；♂触角1~4节的长度分别为0.30~0.38、1.30~1.45、0.94~1.05、0.56~0.62，♀触角1~4节的长度分别为0.28、1.26~1.30、0.90~0.99、0.55~0.60；前胸背板长0.78~0.83(♂)、0.65~0.68(♀)，后缘宽1.50~1.61(♂)、1.40~1.44(♀)；革片长2.37~2.45(♂)、2.20~2.31(♀)；楔片长0.70~0.73(♂)、0.58~0.66(♀)。

**采集记录**：1♀，镇巴，500~1200m，1985.Ⅶ.21，任树芝采；2♂3♀，定远，1985.Ⅶ.01、08，任树芝采；1♀，神木，1985.Ⅶ.04，任树芝采。

**分布**：陕西(镇巴、定远、神木)、内蒙古、甘肃。

## 92. 斜唇盲蝽属 *Plagiognathus* Fieber, 1858

*Plagiognathus* Fieber, 1858: 320. **Type species**: *Plagiognathus arbustorum* Fabricius, 1794.

**属征**：体小至大型，长翅型，长椭圆形或椭圆形。体色多样，苍白色至完全黑色。被毛一般为刚毛，但有时亦具丝状毛，极少数具鳞状毛。

头部略下倾至完全垂直，背面观唇基可见或不可见。触角颜色多样，从完全白色至完全黑色，相对长，第2节长通常不小于头宽，无明显加粗。喙的长度从伸达中足基节前缘至伸达腹部。

胫节通常浅色，基部背面通常具黑色斑，胫节刺刺基通常具暗色斑，但少数种类胫节刺和胫节完全浅色，刺基无暗斑。体表光滑，无刻点，多少具光泽。爪纤细，微弯曲至强烈弯曲，爪垫相对小，片状，贴生在爪的腹面，副爪间突刚毛状。

生殖囊大，锥形。阳茎端“S”形，端半部扭曲，端部具2枚端突，次生生殖孔椭圆形，一般远离阳茎端端部，阳茎端中部次生生殖孔下常具片状构造；阳茎鞘通常强烈弯曲，端部渐尖，无附属结构；左阳基侧突舟形；右阳基侧突叶形，端部不平截。

**分布：**全北区。中国记录 9 种，秦岭地区记述 4 种。

### 分种检索表

1. 体背面完全黑色，或头部和前胸背板完全黑色 ··········· 2
   体背面不完全为黑色，头部和前胸背板不为黑色 ··········· 3
2. 体背面完全黑色 ··········· **黑斜唇盲蝽 *Pl. yomogi***
   体背面褐色，但头部和前胸背板黑色 ··········· **褐斜唇盲蝽 *Pl. obscuriceps***
3. 体型大，体长大于 3.90mm ··········· **银灰斜唇盲蝽 *Pl. chrysanthemi***
   体型相对小，体长小于 3.80mm ··········· **龙江斜唇盲蝽 *Pl. amurensis***

### （167）龙江斜唇盲蝽 *Plagiognathus amurensis* Reuter，1883（图 76）

*Plagiognathus amurensis* Reuter, 1883: 454.

*Plagiognathus nigricornis* Hsiao *et* Meng, 1963: 447, 449.

**鉴别特征：**体中型，厚实，椭圆形。体色变化大，体色不大一，大致为黄褐色，有时稍黑，具光泽。被毛一种，为较细的褐色刚毛。

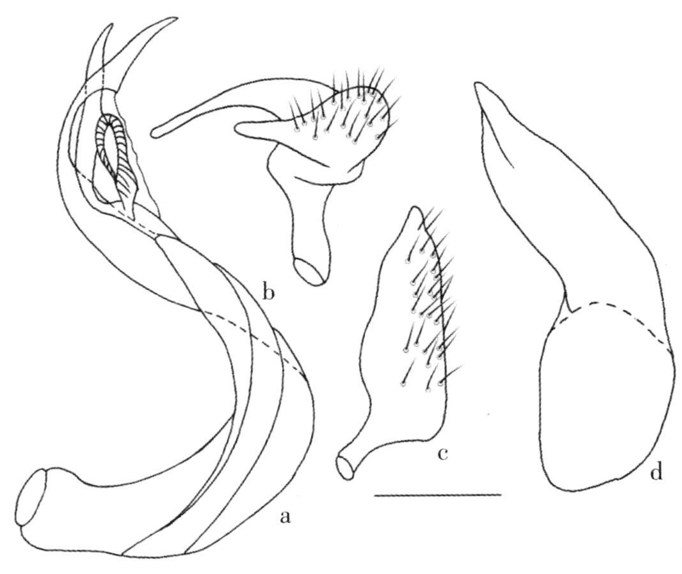


图 76 龙江斜唇盲蝽 *Plagiognathus amurensis* Reuter

a. 阳茎端；b. 左阳基侧突；c. 右阳基侧突；d. 阳茎鞘。比例尺：0.1mm

头部半垂直至垂直。浅色个体，额区和头顶黄褐色，唇基、上下颚片和部分小颊黑色；深色个体，头部黑褐色，有时仅后缘黄褐色。额圆隆，与唇基相连处不凹陷。

头顶扁平，横宽，略具脊，后缘直。唇基拱隆，基部弯曲。眼红褐色，雄虫眼高约等于头高，雌虫眼高小于头高。触角窝位于两眼内侧，距眼下缘1/4处，眼近触角窝处凹。触角细长，第1、2节黑色，第3、4节暗污黄色。触角第1节中部具褐色直立硬毛，与第2节连接处黄色；第2节粗细相对均一，长大于前胸背板宽，有时端部具黄色窄环，浅褐色毛长短一致，毛长小于该节直径；第3节基部有时黑褐色，长约是第4节的3倍，第3、4两节总长约等于第2节长。喙黄色或黄褐色，末梢黑色，伸至后足基节前缘。

前胸背板前倾，表面光滑，有时后半部色较前半部色深，侧缘及后缘直。胝平，不明显。深色个体中胸盾片外露部分两端橙黄色，中段黑褐色，小盾片两侧黄褐色，中央黑褐色；浅色个体中胸盾片外露部分完全黄褐色，小盾片完全黄褐色。半鞘翅宽大，两侧微外凸，毛密集，翅面在楔片缝处下折。深色个体楔片缝处及楔片端角为浅色斑。膜片灰褐色，大翅室基部和小翅室深褐色，楔片端角下方为横宽的深褐色宽斑。

足深黄色，前、中足腿节斑点相对稀疏，较小，后足腿节斑点稠密，斑点大，毛金黄色，近端部背面具2枚金褐色近直立刺。胫节基部具黑色斑，胫节刺黑色，刺基具黑斑，胫节上毛金黄色，后足腿节具径向的黑色微刺。跗节末节黑褐色，第2节最长。爪细长，中部弯曲，爪垫达爪腹面中部。浅色个体体下黄褐色，有时胸部中部黑色，深色个体腹面下黑色，毛金褐色。

雄虫生殖囊大，粗壮，微下弯，几乎占腹部长的1/2。阳茎端"S"形，2枚端突较短，渐尖，次生生殖孔发达，阳茎端中部具片状突；左阳基侧突钩状突较长；右阳基侧突钩状突短钝。阳茎鞘微弯曲。

**量度**(mm)：体长3.17~3.67(♂)、3.32~3.76(♀)，宽1.26~1.46(♂)、1.35~1.69(♀)；头宽0.66~0.68(♂)、0.68~0.70(♀)，眼间距0.30(♂)、0.39(♀)；眼宽0.20(♂)、0.19(♀)。♂触角1~4节的长度分别为0.33、1.02~1.07、0.76、0.31，♀触角1~4节的长度分别为0.32、1.00~1.05、0.72、0.30；前胸背板长0.59~0.62(♂)、0.57~0.60(♀)，后缘宽1.05~1.22(♂)、1.09~1.27(♀)；革片长1.66~1.70(♂)、1.64~1.69(♀)；楔片长0.44(♂)、0.43(♀)。

**采集记录**：1♂4♀，宁陕旬阳坝，1700m，1994.Ⅷ.17，卜文俊采。

**分布**：陕西(宁陕)、黑龙江、北京、天津、山西、河南、山东、湖北；俄罗斯(远东地区)。

**寄主**：*Artemisia vulgaris*。

**讨论**：雌雄个体色泽上差异很大。该种的黑色个体与黑斜唇盲蝽 *Pl. yomogi* 相似，但是黑斜唇盲蝽 *P. yomogi* 体毛为黑色，且后足腿节内侧背腹缘各有1个黑色短带。

### (168) 银灰斜唇盲蝽 *Plagiognathus chrysanthemi* (Wolff, 1804) (图77)

*Miris chrysanthemi* Wolff, 1804: 157, pl. 15, fig. 151.

*Plagiognathus cunctator* Horvath, 1887: 73.
*Plagiognathus cinerascens* Reuter, 1904: 17.
*Plagiognathus chrysanthemi*: Lindberg, 1959: 21.

**鉴别特征：** 体大型，雄虫体长椭圆形，雌虫椭圆形。银灰色，体表光滑略具光泽。被一种半倒伏的黑色刚毛，易脱落。

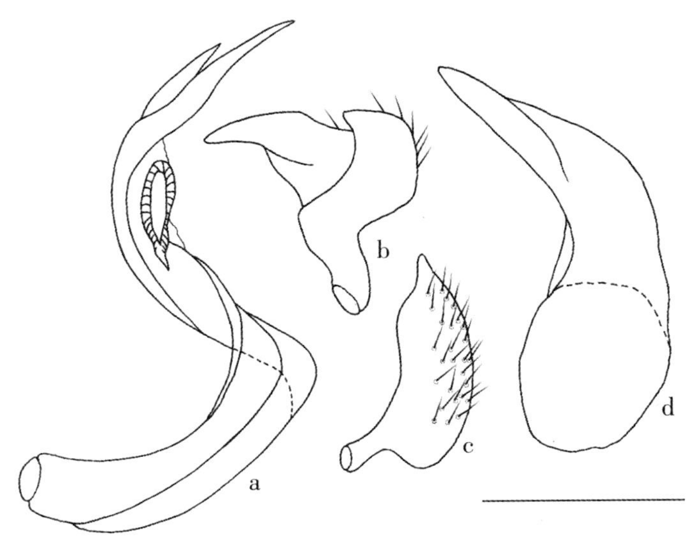


图 77　银灰斜唇盲蝽 *Plagiognathus chrysanthemi* (Wolff)
a 阳茎端；b 左阳基侧突；c 右阳基侧突；d 阳茎鞘。比例尺：0.1mm

头部半垂直，背面观可见唇基，被蓬乱近直立的黑色毛。额区圆隆，具黑褐色横纹，有时横纹不明显或无与唇基相连处黑色，微凹陷。头顶扁平，后缘低，伸长，后凸。唇基圆隆，完全黑色或端部黑色。上颚片黄灰色，有时下缘黑褐色，下颚片完全黑褐色。小颊黄色，长毛褐色或黑色。眼红褐色，后缘不与前胸背板接触，雄虫眼高约等于头高，雄虫眼较雌虫眼大。雄虫触角窝具眼下缘 1/5 处，雌虫触角窝下缘略高于眼下缘。触角细长，第 1 节污黄色，两端黑色或完全黑色，短毛黑色，近端部内侧具数枚直立的黑色硬毛；第 2 节污黄色，两端黑褐色，长大于前胸背板后缘宽，被金色短毛；第 3、4 节污黄色或浅褐色，较细，第 3 节长是第 4 节长的 2 倍，两节总长度稍大于第 2 节长，毛同第 2 节。喙第 1、2 节污黄色，第 3、4 节黑褐色，伸达后足基节。

前胸背板梯形，前倾，侧缘及后缘直，胝微鼓，颜色稍黑。中胸盾片外露部分相对宽，黄色或中段稍黑。小盾片表面扁平，几乎为正三角形，与爪片的接合缝隙黑色。半鞘翅银灰色，黑色刚毛稠密，翅面较为平整，不下折或在楔片缝处微下折，爪片微鼓，爪片接合缝黑色。膜片灰褐色，脉色稍浅。

足黄色，基节有时基部黑褐色，具黑色硬毛。腿节具黑色斑点，后足腿节短毛黑色。胫节基部黑色，短毛黑色，胫节刺黑色，刺长大于胫节直径，刺基具黑斑，后足胫节上具纵向微刺。跗节黑色。爪黑褐色，微弯曲，爪垫膜片状，几乎伸至爪腹面1/2处，端部与爪腹面分离。雄虫体下黑褐色或胸部黄色，腹部黑褐色，雌虫体腹面黄色，腹部具横向的黑色条纹，软毛浅黄色。

雄虫生殖囊大，粗壮，几乎占腹部长的1/2。阳茎端粗壮，“S”形，中部扭曲，端突渐尖，次生生殖孔开口较大，无明显片状突。左阳基侧突钩状突粗；右阳基侧突钩状突明显可见。阳茎鞘中部微弯曲。

**量度(mm)**：体长4.14～4.41(♂)、4.00～4.40(♀)，宽1.39～1.42(♂)、1.43～1.53(♀)；头宽0.70～0.74(♂)、0.76～0.77(♀)；眼间距0.31(♂)、0.34(♀)；眼宽0.20(♂)、0.22(♀)；♂触角1～4节的长度分别为0.34、1.19～1.22、0.94～0.98、0.48，♀触角1～4节的长度分别为0.31、1.17～1.20、0.90～0.97、0.43；前胸背板长0.64～0.68(♂)、0.63～0.67(♀)，后缘宽1.15；革片长2.00～2.03(♂)、1.97～2.00(♀)；楔片长0.58(♂)、0.50(♀)。

**采集记录**：凤县火车站，1400m，1994.Ⅶ.29，卜文俊、吕楠采。

**分布**：陕西(凤县)、黑龙江、内蒙古、河北、甘肃、宁夏、新疆、湖北、四川、西藏；蒙古，俄罗斯，日本，法国，德国，瑞典，意大利，丹麦，英国，加拿大，美国。

### (169) 褐斜唇盲蝽 *Plagiognathus obscuriceps* (Stål, 1858)（图78）

*Eurymerocoris obscuriceps* Stål, 1858: 190.

*Plagiognathus alashanensis* Qi *et* Nonnaizab, 1993: 32.

*Plagiognathus obscuriceps*: Schuh, 2001: 248.

**鉴别特征**：体中型，雄虫体长椭圆形，两侧近平行，雌虫椭圆形。褐色或黑褐色，体表光滑，被褐色或黑色刚毛。

头小，近垂直，背面观唇基几乎不可见，头部黑色，后缘色稍浅，光滑具光泽。额区圆隆，与唇基相连处凹陷。头顶扁平，后缘略具脊。唇基拱隆，中部弯曲，端部下指。上、下颚片光亮。小颊黑色，长毛黑褐色。眼红褐色，侧面观几乎占整个头部的侧面。触角窝位于眼下缘1/5处，眼近触角窝处微凹。触角细长，黑色，有时第3、4节黑褐色，第1节基部缢缩，端部具黄色窄环，近端部具黑色较短硬毛；第2节雄虫粗细均一，雌虫第2节细，向端微加粗，长大于前胸背板宽，短毛金褐色；第3、4节细，总长几乎与第2节相等。喙黄色或黄褐色，端部黑色，伸至后足基节。

前胸背板前倾，深色个体完全为黑色，浅色个体褐色，胝稍深，胝微鼓。前胸背板侧缘为内凹，后缘直或微前凹。中胸盾片外露部分褐色或两端褐色，中段黑褐色。小盾片饱满，基宽稍大于长。半鞘翅黑褐色或褐色，毛稠密，翅面直，几乎不下折。深色个体，楔片缝处及楔片顶角浅色，浅色个体爪片缝黑褐色。膜片灰褐色，脉色稍浅。

足黄色或灰黄色，腿节具黑色斑点，毛金色或金褐色，后足腿节背腹缘近端部具黑色短带。胫节基部黑色，胫节刺黑色，刺基具黑斑，被褐色毛，后足胫节具径向排列的黑色微刺。跗节端部黑褐色，第 1 节最短，第 2 节略长于第 3 节。爪小，黑褐色，中部弯曲，爪垫伸达爪腹面中部。浅色个体，体下褐色，生殖节黑褐色，深色个体黑色，毛金褐色。

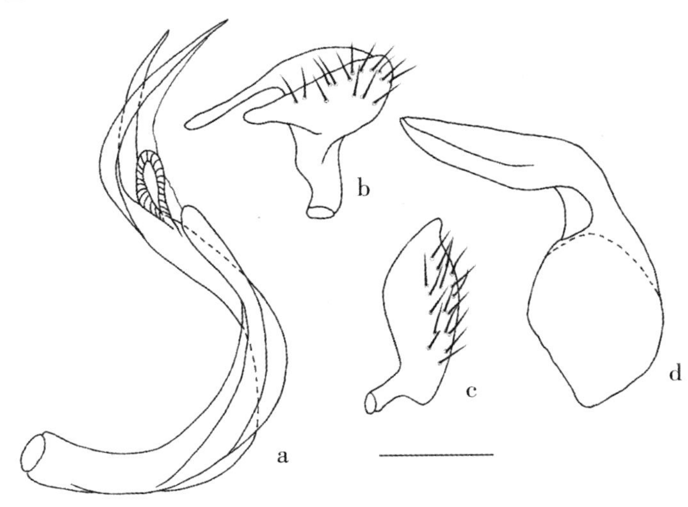


图 78　褐斜唇盲蝽 *Plagiognathus obscuriceps*（Stål）

a. 阳茎端；b. 左阳基侧突；c. 右阳基侧突；d. 阳茎鞘。比例尺：0.1mm

雄虫生殖囊大，占腹部长的 1/2。阳茎端"S"形，端刺尖，阳茎端中部具片状突。左阳基侧突钩状突长直；右阳基侧突钩状突大，略弯曲。阳茎鞘中部弯曲，约成直角。

**量度（mm）**：体长 3.57 ~ 3.64(♂)、3.48 ~ 3.61(♀)，宽 1.12 ~ 1.19(♂)、1.15 ~ 1.23(♀)；头宽 0.70(♂)、0.72(♀)；眼间距 0.31(♂)、0.33(♀)；眼宽 0.74 ~ 0.78(♂)、0.73 ~ 0.75(♀)；♂触角 1 ~ 4 节的长度分别为 0.38、0.94 ~ 0.97、0.70 ~ 0.73、0.29，♀触角 1 ~ 4 节的长度分别为 0.33、0.90 ~ 0.93、0.67 ~ 0.70、0.25；前胸背板长 0.43(♂)、0.42(♀)，后缘宽 0.98 ~ 1.01(♂)、0.96 ~ 0.98(♀)；革片长 1.48 ~ 1.52(♂)、1.45 ~ 1.50(♀)；楔片长 0.48(♂)、0.45(♀)。

**采集记录**：11♂6♀，宁陕旬阳坝，1700m，1994.Ⅷ.17，卜文俊采。

**分布**：陕西（宁陕）、辽宁、内蒙古、河北；俄罗斯。

**寄主**：*Salix* sp.。

### （170）黑斜唇盲蝽 *Plagiognathus yomogi* Miyamoto, 1969

*Plagiognathus yomogi* Miyamoto, 1969: 88.

**鉴别特征：**体中小型，雄虫体长椭圆形，雌虫椭圆形。体黑色，光滑具光泽。被一种半倒伏的黑色刚毛。

头略下倾至半垂直，背面观可见唇基，黑色，有时后缘色稍浅，眼前部分相对较窄。额微隆，与唇基相连处具较不凹陷，额低于唇基后缘。头顶扁平，后缘不与眼后缘齐平，伸长，呈颈状，使眼远离前胸背板前缘，后缘向后凸。唇基强烈拱隆，基部弯曲。上颚片微鼓，下颚片窄。小颊较窄，毛黑褐色。眼大，红褐色，雄虫眼大于雌虫，几乎占头部的整个侧面。触角窝位于两眼内缘，距眼下缘1/4处，眼近触角窝处微凹。触角细长，第1、2节黑色，第3、4节稍浅，黑褐色，第1节基部缢缩，无直立硬毛，黑褐色毛较短，整齐；第2节粗细均一，长约等于前胸背板宽，毛同第1节；第3、4节细，总长略大于第2节。喙黄色或黄褐色，端部稍黑，伸达中足基节。

前胸背板梯形，略前倾，雄虫表面多平坦，雌虫有时胝微凸，光滑具光泽。中胸盾片外露部分窄，常两端微黄，中段黑色。小盾片饱满，完全黑色。半鞘翅全黑色，毛稠密，爪片鼓起。膜片黑褐色，近楔片端角处稍浅，脉色稍浅。

足黄色，基节基部黑色。腿节具斑点，背腹面均有黑色带。胫节基部具黑色斑，胫节刺黑色，刺长大于胫节直径，刺基具黑色斑。跗节第3节黑色，第1节最短，第2、3节约等长。爪黑褐色，中部弯曲，爪垫伸达弯曲处。体下黑色，常具黄褐色成分，毛金褐色。

雄虫生殖囊圆柱形，约占腹部长的1/3。阳茎端端部微弯曲，两端突尖，几乎等长，阳茎端中部具片状构造。右阳基侧突钩状突指状。阳茎鞘中部弯曲。

**量度(mm)：**体长3.00~3.63(♂)、2.98~3.64(♀)，宽1.22~1.25(♂)、1.24~1.30(♀)；头宽0.64~0.78(♂)、0.66~0.80(♀)；眼间距0.34(♂)、0.33(♀)；眼宽0.17(♂)、0.15(♀)；♂触角1~4节的长度分别为0.27、0.90~0.97、0.60~0.64、0.44，♀触角1~4节的长度分别为0.22、0.87~0.95、0.58~0.64、0.40；前胸背板长0.43(♂)、0.42(♀)，后缘宽0.93(♂)、0.90(♀)；革片长1.59~1.76(♂)、1.42~1.51(♀)；楔片长0.48~0.54(♂)、0.42~0.49(♀)。

**采集记录：**凤县天台山，1650~1850m，1999.Ⅸ.03，郑乐怡采；2♂2♀，西乡，1963.Ⅷ.11。

**分布：**陕西(凤县、西乡)、黑龙江、北京、安徽、湖北、湖南、重庆、四川、贵州、云南；俄罗斯，日本。

**寄主：***Artemisia rubripes*, *Artemisia* sp., *Artemisia vulgaris*, *Salix gracilistyla*。

## 93. 柽盲蝽属 *Tuponia* Reuter, 1875

*Tuponia* Reuter, 1875b: 98. **Type species**: *Megalodactylus tamarisci* Perris, 1857.

**属征：**柽盲蝽属 *Tuponia* 是一个大属，其中很多种类的形态特征差异较大，主要特征为：体小到中型，体色以浅黄色和黄褐色为主，体表无斑点。背面毛通常两种，浅色或黑褐色。头短，半垂直至垂直，唇基不强烈拱隆，通常下指。触角一般浅色，第 1 节中部具 1 ~2 枚黑色直立硬毛，毛基一般无黑斑，第 2 节不小于头宽。喙伸达中足基节或后足基节。

前胸背板及半鞘翅表面无刻点。足浅色，腿节无斑点或近端部较小不明显的暗斑。胫节基部无暗斑，胫节刺黑色，刺长一般不小于胫节直径，刺基无暗斑。跗节第 1 节极短，第 2、3 节长度相差不大。爪细长，直或微弯曲，爪垫极小，一般极难观察大。阳茎端细长，“S”或“L”形，端部具 1 ~2 枚端突，有时具膜质包裹。

**分布：**中国记录 8 种，秦岭地区记述 1 种。

### (171) 中华柽盲蝽 *Tuponia chinensis* Zheng *et* Li, 1992（图 79）

*Tuponia chinensis* Zheng *et* Li, 1992: 12.

**鉴别特征：**体微小，椭圆形。绿色或稍黄，体表光滑略具光泽。被近倒伏的黑褐色较长刚毛和银色的丝状毛，稀疏。

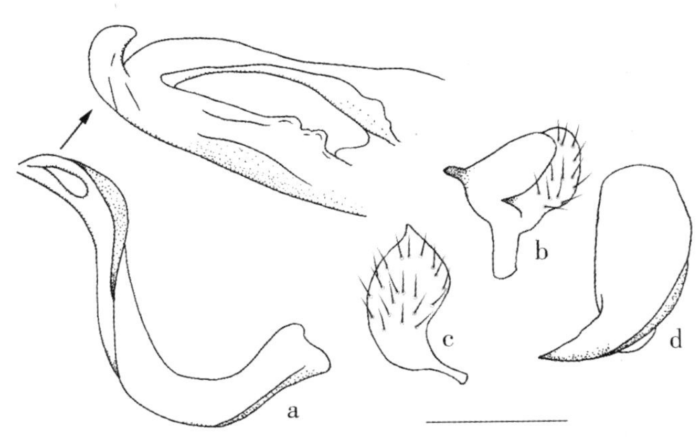


图 79　中华柽盲蝽 *Tuponia chinensis* Zheng *et* Li

a. 阳茎端；b. 左阳基侧突；c. 右阳基侧突；d. 阳茎鞘。比例尺：0.2mm

头垂直，相对扁，具少数黑色刚毛及蓬乱的丝状毛，无斑点。额区微圆隆，与唇基相连处微凹。头顶略前倾，扁平，后缘直，后缘脊明显。唇基宽扁，微弯曲，银色毛密集。上颚片宽厚，下颚片窄小。小颊处长毛金黄色。眼黄褐色，具短毛，后侧缘紧贴前胸背板。触角窝远离复眼，下缘几乎与眼下缘齐平，眼近触角窝的一边直或微凹。触角污黄色，第 1 节短，基部缢缩，背面 1 ~2 枚黑色半直立硬毛，毛基无黑斑；第 2 节粗细相对均一，约等于头宽，短于前胸背板后缘宽，半直立短毛金黄色；第 3、4 节稍细，总长几乎与第 2 节长相等，毛同第 2 节。喙黄褐色，端部黑色，伸至后足基节。

前胸背板略前倾，盘域光滑圆隆，横短，侧缘及后缘直，胝平坦，不明显。中胸盾片外露部分黄褐色，与小盾片分界沟明显。小盾片饱满，端部稍浅，基宽稍大于长。半鞘翅颜色均一，黑色刚毛相对较稠密。爪片扁平，微隆起，翅面在楔片缝处微下折。膜片浅灰色，具荧光，无暗斑，脉同色。

足污黄色。略带绿色，腿节无明显斑点，后足腿节近端部具不清晰的暗色小斑点，腿节短毛金黄色，背面近端部及端部各具 1 排半直立黑刺，每排两枚。胫节基部无暗斑，胫节刺黑色，刺长略大于胫节直径，刺基无斑点，后足胫节上具径向的黑色微刺。跗节黑褐色，第 1 节短，第 2、3 节长几乎相等。爪黑褐色，长直，几乎不弯曲，爪垫微小。腹面浅黄绿色，短毛金黄色。

雄虫阳茎端小，近“S”形，端部无强烈尖锐，次生生殖孔较大，椭圆形，近端部。左阳基侧突钩状突和感觉叶端部突起均较小；右阳基侧突钩状突小。阳茎鞘背面具突起。

**量度**(mm)：体长 2.10 ~2.13(♂)、2.18 ~2.28(♀)，宽 0.75 ~0.77(♂)、0.79 ~0.81(♀)；头宽 0.51 ~0.54(♂)、0.55 ~0.57(♀)；眼间距 0.28(♂)、0.32(♀)；眼宽 0.13(♂)、0.13(♀)；♂触角 1 ~4 节的长度分别为 0.13、0.58 ~0.61、0.35、0.21，♀触角 1 ~4 节的长度分别为 0.15、0.56 ~0.59、0.41、0.26；前胸背板长 0.36(♂)、0.40(♀)，后缘宽 0.71 ~0.72(♂)、0.72 ~0.77(♀)；革片长 0.92 ~0.97(♂)、1.02 ~1.07(♀)；楔片长 0.25(♂)、0.30(♀)。

**采集记录**：21♂16♀，杨凌，1994. Ⅶ. 25，吕楠采。

**分布**：陕西(杨凌)、天津、河北、山东、宁夏。

**寄主**：*Tamarix chinensis*。

## Ⅱ. 束盲蝽族 Pilophorini Douglas *et* Scott, 1876

**鉴别特征**：本族包含束腰形和椭圆形两种不同体形的类群；体色多变，但多以黄色、栗色为主，色泽鲜艳者极少。头下倾或前伸，头顶后缘内凹，常与外凸呈弧形的前胸背板前缘紧密相接。多数种类半鞘翅被明显的宽扁鳞状毛。副爪间突狭片状，由中央向两端渐尖，略呈“( )”形。爪垫缺失。阳茎端骨化强烈，呈“C”形或“L”形，无强烈扭曲，末端常具膜质状结构，其下缘具梳状板，次生生殖孔简单。左阳基侧突舟形。右阳基侧突叶片状。阳茎鞘弯曲或直。

本族长期置于合垫盲蝽亚科中，Schuh(1974)根据其体型、头顶后缘形状及雄虫生殖节结构等特征重新定义了本族，将本族归为叶盲蝽亚科，这一变更得到同行的认可并延续至今。

**分类**：广泛分布于古北区、新北区、东洋区、埃塞俄比亚区和澳洲区。中国记录 5 属。秦岭地区分布 2 属 11 种。

### 分属检索表

拟蚁形，体型呈明显束腰状 …………………………………………………… **束盲蝽属 *Pilophorus***
体椭圆形 ……………………………………………………………………… **吸血盲蝽属 *Pherolepis***

## 94. 吸血盲蝽属 *Pherolepis* Kulik, 1968

*Pherolepis* Kulik, 1968: 140. **Type species**: *Neocoris aenescens* Reuter, 1901.

**属征：**体中型，椭圆形，较粗壮，颜色较暗，体被三种毛：一种为直立、半直立或倾斜的刚毛状毛，第二种是平伏、弯曲、具明显光泽的丝状毛，第三种是平伏、弯曲、具明显光泽且明显宽扁的鳞状毛。

头前伸，头顶宽阔，后缘隆脊状。上颚片和下颚片宽阔，具明显光泽。小颊厚实。喙相对较粗，至少伸至后足基节附近。前胸背板梯形，侧缘直，前角具直立长毛。小盾片中央微隆拱。半鞘翅宽阔，缘片外缘凸出呈弧形，程度随种类而异。楔片宽阔，中等程度下倾。副爪间突狭片状，中央宽，向两端渐尖。雄虫阳茎端骨化强烈，弯曲呈“L”形，中央具不同形状的狭长突起(突起的形状是种类鉴定的重要依据)。末端膜叶较宽阔，次生生殖孔简单。左阳基侧突舟形，右阳基侧突狭片状，椭圆形。阳茎鞘圆柱形，末端侧突呈喙形。

**分布：**中国记录6种，秦岭地区记述3种。

### 分种检索表

1. 体被直立或半直立、浓密、极长的刚毛状毛 ……………………… **长毛吸血盲蝽 *P. longipilus***
   不如上述 ……………………………………………………………………………………… 2
2. 半鞘翅被银白色、宽扁的鳞状毛 …………………………………… **鳞毛吸血盲蝽 *P. aenescens***
   半鞘翅被倾斜的刚毛状毛或具光泽的丝状毛，无鳞状毛 ……………… **广吸血盲蝽 *P. amplus***

### (172) 鳞毛吸血盲蝽 *Pherolepis aenescens* (Reuter, 1901)(图80)

*Neocoris aenescens* Reuter, 1901: 188.
*Pherolepis atrans* Kulik, 1968: 140.
*Hypseloecus aenescens*: Kerzhner, 1970: 639.
*Pherolepis aenescens*: Schuh, 1989: 4.

**鉴别特征：**体宽椭圆形，黄褐色至黑色，半鞘翅基半及小盾片密布宽扁、平伏的银白色鳞状毛。

头下倾，较前伸，背面观可见唇基基部，正面观略宽，侧面观眼前部分与复眼等长，眼下部分小于复眼高的1/2。头顶及额黑色，近复眼处黄褐色，表面平坦无隆起，被稀疏、略具闪光的平伏毛，头顶后缘隆脊几乎直；唇基红褐色，略深，显著隆起呈拱形；上颚片及下颚片红褐色，两者连接处黄褐色，被纤细、较短的平伏毛；小颊狭长，前端棕黄色，向后端渐深直棕黑色，被若干倾斜、纤细的长毛；喙细长，伸至后足基节末端，第1、2节红褐色，后2节棕黑色；触角窝污黄色，明显远离复眼前缘，距离约等于其直径，触角第1节棕褐色，第2节基部顶点处污黄色，其余红褐色，端部略加深，几乎直，基部略细，第3、4节几乎等长，棕黑色。

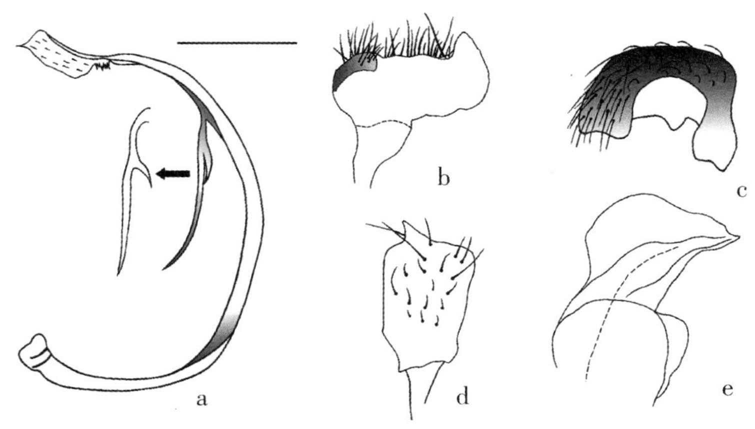


图80 鳞毛吸血盲蝽 *Pherolepis aenescens* (Reuter)

a. 阳茎端；b. 左阳基侧突正面观；c. 左阳基侧突顶视图；d. 右阳基侧突；e. 阳茎鞘。比例尺：0.1mm

前胸背板梯形，除侧角棕黄色外黑色，略横宽，平坦、微隆，具浓密小刻点及浅横皱，几乎无毛；前缘均匀外凸，约为后缘宽的3/5，侧缘直，前角无直立硬毛，侧角微侧伸，后缘几乎直。中胸盾片外露部分黑色，较宽阔，约为小盾片长的1/3，微下倾。小盾片平坦无隆起，除顶角处褐色外其余均为黑色，密布宽扁、具光泽的银白色鳞状毛。半鞘翅较宽阔，缘片外缘微凸，爪片棕黄色，革片大部黑褐色，侧缘棕黄色，端部红褐色；基半密布宽扁鳞状毛；革片端部具光泽。楔片黑色，侧缘红褐色，较下倾，具略带闪光的平伏短毛。膜片淡棕黄色，翅脉浅而几乎不可见。

中、后胸侧板黑色；中胸侧板平坦具明显横皱，具光泽，后缘具不规则的鳞状毛组成的纵带；后胸侧板颗粒状，后缘被略显杂乱的一簇鳞状毛。足基节基半黑褐色，端半污黄色；腿节深褐色，基部略浅；胫节直，棕黄色，具三排半直立棕褐色硬刺；跗节第1、2节黄色，第3节深褐色，第2节最短，第1节略长，第3节最长，约等长于前2节之和。腹部黑色，两端黑褐色，光亮、具明显光泽，被覆稀疏、纤细的淡色平伏毛。

雄虫生殖囊黑色，表面光滑、具光泽，被淡色倾斜毛。阳茎端狭长，弯曲略呈"C"形，骨化杆端部1/3处具极纤细、略弯曲的刺状突起，其基部一侧着生尖锐的指状侧突。左阳基侧突钩状突和感觉叶较圆钝，被毛浓密。右阳基侧突呈宽叶状。阳茎鞘较粗壮，端部明显膨大。

**量度(mm)：**体长3.42~4.13(♂)、3.53~4.08(♀)，宽1.60~1.68(♂)、1.66~1.83(♀)；头长0.87~1.04(♂)、0.92~1.08(♀)，宽0.95~1.08(♂)、0.95~1.05(♀)；眼间距0.37~0.45(♂)、0.40~0.45(♀)；眼宽0.22~0.31(♂)、0.24~0.28(♀)；♂触角1~4节的长度分别为0.33~0.39、0.88~1.05、0.45~0.53、0.47~0.55，♀触角1~4节的长度分别为0.30~0.36、0.85~0.97、0.45~0.50、0.47~0.55；前胸背板长0.75~0.87(♂)、0.73~0.92(♀)，后缘宽1.22~1.38(♂)、1.25~1.34(♀)；小盾片长0.93~1.05(♂)、0.91~1.12(♀)，基宽0.95~1.12(♂)、1.04~1.16(♀)；缘片长1.55~1.75(♂)、1.58~1.79(♀)；楔片长0.59~0.67(♂)、0.63~0.73(♀)，基宽0.44~1.56(♂)、0.47~0.61(♀)。

**采集记录：**2♂，凤县秦岭车站，1400m，1994.Ⅶ.28，吕楠采；1♂1♀，陕西。

**分布：**陕西(凤县)、黑龙江、内蒙古、北京、河南、甘肃、宁夏；蒙古，俄罗斯(远东地区)。

**寄主：***Salix* sp.，*Ulmus pumila*。

### (173) 广吸血盲蝽 *Pherolepis amplus* Kulik，1968（图81；图版2：9）

*Pherolepis amplus* Kulik，1968：142.

**鉴别特征：**体椭圆形，棕褐色，密被闪光、丝状的平伏毛。

头下倾，背面观唇基不可见，正面观略宽；侧面观宽阔，眼前宽略小于眼宽。头顶及额黑褐色，后缘棕黄色，平坦、宽阔，密布略呈带状、横向排列的闪光丝状平伏毛，后缘隆脊微凸；唇基较短，褐色，端半明显隆起；上颚片及下颚片红褐色，较宽阔，平坦；小颊细长，棕褐色，向后端渐尖，被若干直立、纤细的长毛；喙粗壮，具明显光泽，伸至后足基节末端，第1节红褐色，其余3节黄色；触角第1节污黄色，第2节棕黄色，末端黑色，几乎直，端半微加粗，不呈膨大状，第3、4节黑褐色，第3节略长于第4节。

前胸背板梯形，宽阔、平坦，端半略抬升，密被纤细、无光泽的平伏毛，基半黑褐色，端半褐色，后缘棕黄色；前缘几乎直，约为后缘宽的3/5，侧缘直，前角无直立硬毛，后缘中央微内凹。中胸盾片外露部分黑褐色，较宽阔，长约小盾片长的1/3，明显下倾，被闪光丝状平伏毛。小盾片黑褐色，平坦，两侧具不规则浅横皱，被稀疏的闪光丝状毛。半鞘翅棕黄色，被闪光丝状毛及若干纤细平伏毛。楔片褐色，略下倾，三角形，基部被稀疏闪光丝状毛，楔片被倾斜、纤细的刚毛状毛。膜片淡棕黄色，具光泽，翅脉黄色，轮廓清晰。

中、后胸侧板黑褐色，平坦、具光泽，被杂乱的闪光丝状平伏毛，中胸侧板具明显横皱。足污黄色，第3跗节略加深，胫节刺棕褐色，刺基无深色斑。腹部黄褐色至红褐色，被倾斜纤细的淡色刚毛状毛。

雄虫生殖囊小，约占整个腹长的1/4，被毛浓密，表面具光泽。阳茎端狭长，“L”形，中央近端部具矛尖状突起，突起上着生3个较小的侧突；次生生殖孔简单；

末端膜叶宽阔，其基部梳状板明显。左阳基侧突横宽，钩状突和感觉叶明显。右阳基侧突两端较窄，中央横宽，钩状突呈指状，狭长。阳茎鞘端部侧突微弯曲。

**量度**(mm)：体长 3.65 ~3.97(♂)、3.68 ~4.18(♀)，宽 1.55 ~1.73(♂)、1.64 ~1.95(♀)；头长 0.87 ~1.05(♂)、0.90 ~1.07(♀)，宽 0.92 ~1.12(♂)、0.95 ~1.12(♀)；眼间距 0.46 ~0.53(♂)、0.47 ~0.59(♀)；眼宽 0.25 ~0.33(♂)、0.25 ~0.38(♀)；♂触角 1 ~4 节的长度分别为 0.30 ~0.35、0.86 ~0.95、0.43 ~0.48、0.37 ~0.43，♀触角 1 ~4 节的长度分别为 0.33 ~0.37、0.85 ~0.97、0.45 ~0.50、0.41 ~0.45；前胸背板长 0.68 ~0.83(♂)、0.70 ~0.85(♀)，后缘宽 1.10 ~1.27(♂)、1.12 ~1.25(♀)；小盾片长 0.97 ~1.22(♂)、0.95 ~1.27(♀)，基宽 1.06 ~1.27(♂)、1.12 ~1.25(♀)；缘片长 1.88 ~2.07(♂)、1.90 ~2.32(♀)；楔片长 0.55 ~0.63(♂)、0.55 ~0.68(♀)，基宽 0.45 ~0.56(♂)、0.50 ~0.65(♀)。

**采集记录**：5♂3♀，凤县秦岭车站，1400m，1994. Ⅶ.28，卜文俊采；4♂4♀，同上，吕楠采；1♀，神木，1985. Ⅶ.04，任树芝采。

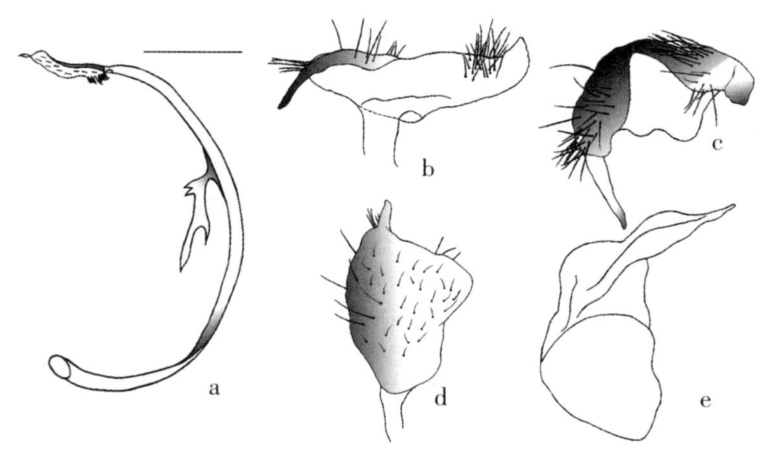


图 81 广吸血盲蝽 *Pherolepis amplus* Kulik

a. 阳茎端；b. 左阳基侧突正面观；c. 左阳基侧突顶视图；d. 右阳基侧突；e. 阳茎鞘。比例尺：0.1mm

**分布**：陕西(凤县、神木)、黑龙江、内蒙古、河北、山东、甘肃、宁夏、贵州；蒙古，俄罗斯(远东地区)。

**寄主**：*Salix rorida*。

## (174) 长毛吸血盲蝽 *Pherolepis longipilus* Zhang *et* Liu, 2009 (图 82)

*Pherolepis longipilus* Zhang *et* Liu, 2009: 12.

**鉴别特征**：体椭圆形，棕黄色，体背密布半直立纤细长毛及闪光丝状平伏毛。

头明显前伸，背面观唇基可见，正面观复眼明显侧凸，侧面观较狭长，眼前宽明显宽于复眼。头顶及额黑褐色，密布半直立、平伏的闪光丝状毛，头顶后缘隆脊几乎直；唇基褐色，平坦。上颚片及下颚片红褐色，平坦、微隆，被几根丝状平伏毛。小颊具若干直立、半直立长毛。喙较纤细，伸至第3腹节末端，第1节浅红褐色，略粗，具光泽，其余3节棕黄色，粗细均匀。触角第1节污黄色，背面被2根直立黑褐色短毛；第2节微弯曲，基部略细，基部1/3污黄色，端部红褐色，末端加深至黑褐色；第3、4节黑褐色，第3节约为第2节长的1/2。

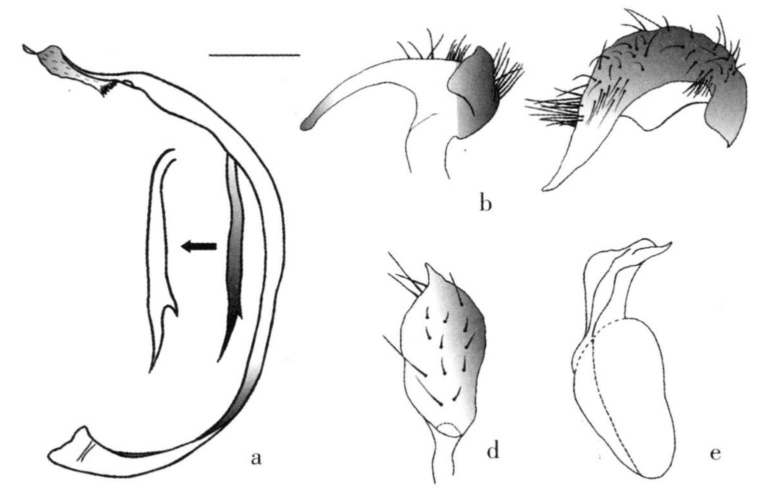


图82　长毛吸血盲蝽 *Pherolepis longipilus* Zhang *et* Liu

a. 阳茎端；b. 左阳基侧突侧面观；c. 左阳基侧突顶视图；d. 右阳基侧突；e. 阳茎鞘 比例尺：0.1mm

前胸背板、中胸盾片外露部分及小盾片黑褐色，密被半直立纤细长毛及闪光丝状平伏毛。前胸背板梯形，横宽，平坦，具较短的横皱；前缘微凸，侧缘直，前角无直立硬毛，后缘中央微内凹。中胸盾片外露部分较短，长约为小盾片长的1/5，微下倾。小盾片中央微隆，具浅横皱。半鞘翅密被半直立长毛及闪光丝状毛，端半稀疏；浅棕黄色，爪片棕黄色至棕褐色，缘片端半外缘凸出；楔片浅棕黄色，略下倾，基部具稀疏的闪光丝状毛，其余部分无毛。膜片色极淡，仅中央棕黄色，其余部分透明、无色；翅脉清晰，具纵向的闪光波纹。

中、后胸侧板红褐色，具光泽；中胸侧板宽阔、平坦，后缘具带状排列、杂乱的闪光丝状毛；后胸侧板中央内陷，具横皱，后缘具少数倾斜长毛。足基节黄色，较粗壮；腿节棕黄色，基部略浅；前足胫节棕黄色，中、后足胫节棕褐色；跗节第1、2节黄色，第3节黑褐色，第1、2节几乎等长，第3节略短于前2节之和。腹部狭长，不及本属其他种类粗壮；腹节基半黄色，端半红褐色，被闪光丝状毛及稀疏的半直立长毛，两侧稀疏或无。

雄虫生殖囊表面光滑，具光泽，约占整个腹长的1/4。阳茎端弯曲呈“C”形，端部1/3处具粗壮的矛尖状突起，其近端部一侧着生指状侧凸；次生生殖孔简单。左阳基侧突舟形，钩状突和感觉叶末端圆钝。右阳基侧突狭片状。阳茎鞘端半较狭，端部指状侧凸较小、略弯曲。

**量度(mm)**：体长3.75～3.97(♂)、3.83～4.25(♀)，宽1.55～1.67(♂)、1.55～1.87(♀)；头长0.67～0.75(♂)、0.63～0.74(♀)，宽0.95～1.08(♂)、0.95～1.16(♀)；眼间距0.42～0.48(♂)、0.45～0.54(♀)；眼宽0.31～0.38(♂)、0.35～0.42(♀)；♂触角1～4节的长度分别为0.35～0.46、0.93～1.27、0.53～0.67、0.48～0.55，♀触角1～4节的长度分别为0.30～0.39、0.88～1.25、0.45～0.62、0.45～0.58；前胸背板长0.62～0.77(♂)、0.65～0.84(♀)，后缘宽1.30～1.42(♂)、1.37～1.45(♀)；小盾片长0.83～0.94(♂)、0.79～0.90(♀)，基宽0.88～1.05(♂)、0.92～1.13(♀)；缘片长1.65～1.85(♂)、1.73～1.94(♀)；楔片长0.59～0.68(♂)、0.62～0.83(♀)，基宽0.41～0.53(♂)、0.47～0.56(♀)。

**采集记录**：1♂(副模)，凤县秦岭车站，1400m，1994.Ⅶ.27，卜文俊采。

**分布**：陕西(凤县)、天津、河南。

## 95. 束盲蝽属 *Pilophorus* Hahn, 1826

*Pilophorus* Hahn, 1826: 23. **Type species**: *Cimex clavatus* Linnaeus, 1767.

**属征**：体中型或小型，束腰状，呈拟蚁形，体狭长，体色多以黄色、黄褐色、栗色和黑色为主，半鞘翅被排列呈带状或点斑状的鳞状毛。

头中等程度下倾，微前伸。头顶均匀隆拱，有时具粉被，头顶后缘隆脊内凹。唇基狭长，均匀隆拱，少数种类强烈隆拱。触角细长，第1节通常具几枚黑色硬毛，第2节长，少数种类向端部明显加粗呈棒状。喙较长，通常伸至后足基节，有时深达腹节。

前胸背板微下倾，梯形或钟形，表面平坦或端半隆拱，少数种类前胸背板中央强烈缢缩；前缘均匀前凸。小盾片中央微隆，两侧被带状排列的鳞状毛。半鞘翅狭长，缘片外缘中央内凹，程度随种类而异；被带状或点斑状排列的鳞状毛。楔片下倾明显。足细长，胫节刺基无深色斑。副爪间突狭片状，端部相互靠近。无爪垫。

阳茎端骨化强烈，弯曲呈"L"形或"C"形，中央常具1个细长的突起，突起的形状是种类鉴定的重要依据；末端常具膜叶包裹，膜叶基部具1排梳状结构，次生生殖孔简单。左阳基侧突舟形，钩状突较狭长，感觉叶末端圆钝。右阳基侧突狭片状。阳茎鞘圆柱形，末端呈喙状。

**分布**：中国记录33种，秦岭地区记述8种，其中包括1个新种，4个中国新纪录种。

### 分种检索表

1. 半鞘翅密被细长的半直立或直立刚毛状毛 ·································· **长毛束盲蝽 *P. setulosus***

不如上述，半鞘翅被毛短或无 ………………………………………………………………… 2

2. 半鞘翅鳞状毛排列成几个毛簇……………………………… **丽束盲蝽新种 *P. elegans* sp. nov.**

半鞘翅鳞状毛呈横带状排列 ……………………………………………………………………… 3

3. 体黑色 ……………………………………………………………………………… **泛束盲蝽 *P. typicus***

体黄色、黄褐色、褐色或栗色 ………………………………………………………………… 4

4. 半鞘翅被黑褐色短刚毛状毛 ………………………………………… **棒角束盲蝽 *P. clavatus***

不如上述 …………………………………………………………………………………………… 5

5. 楔片鳞状毛排列成 1 条由外缘向内角倾斜的整齐的条带 …………… **远洋束盲蝽 *P. erraticus***

楔片鳞状毛排列呈 1、2 个毛簇或杂乱排列，不呈整齐的条带 ………………………………… 6

6. 楔片鳞状毛排列成 1 个较整齐、点斑状的毛簇，常位于楔片内角 … **全北束盲蝽 *P. perplexus***

楔片鳞状毛不如上述 ……………………………………………………………………………… 7

7. 触角第 3 节基半黄色，端半褐色或栗色 ………………………………… **冈本束盲蝽 *P. okamotoi***

触角第 3 节黄白色，仅端部末端略深 ……………………… **拟全北束盲蝽 *P. pseudoperplexus***

## （175）棒角束盲蝽 *Pilophorus clavatus*（Linnaeus，1767）（图 83；图版 2：10）

*Cimex clavatus* Linnaeus，1767：729.

*Cimex trilineatus* Muller，1776：106.

*Capsus obscurellus* Walker，1873：93.

*Pilophorus clavatus*：Carvalho，1958：144.

**鉴别特征：**体中型，束腰形，棕褐色至栗色，被稀疏半直立的黑褐色短毛及浓密、闪光的金黄色平伏毛。

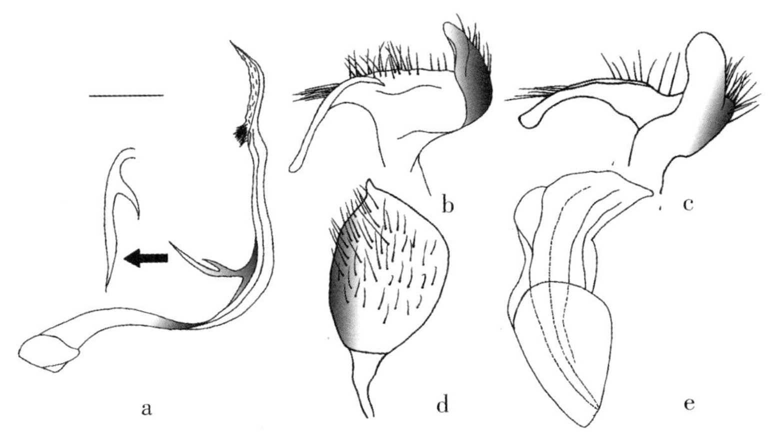


图 83　棒角束盲蝽 *Pilophorus clavatus*（Linnaeus）

a. 阳茎端；b. 左阳基侧突正面观；c. 左阳基侧突侧面观；d. 右阳基侧突；e. 阳茎鞘。比例尺：0.1mm

头栗色，略前伸，背面观可见唇基基部，头侧面观较粗壮，眼前区域宽度略大于复眼宽。头顶及额平坦，微隆起，被金黄色直立刚毛状毛及浓密的纤细毛；头顶后缘隆脊黑褐色，几乎直。唇基污黄色，均匀隆拱。上颚片及下颚片黄色，两者后缘红褐色，表面平坦。小颊较厚实，被直立或半直立硬毛。喙棕褐色，伸至后足基节后缘，第 1 节较粗壮，略带红色，第 2、3 节褐色，第 4 节加深至黑褐色；触角第 1 节污黄色，被少数直立硬毛；第 2 节微弯曲，端部加粗，红褐色，端部加深至黑褐色；第 3 节基半黄白色，端半逐渐加深至褐色；第 4 节除基部顶点黄白色外黑褐色。

前胸背板钟形，栗色，具不规则横皱，被半直立短毛及纤细毛；前缘几乎直，前侧缘各具 1 根短的直立硬毛，侧缘、后缘中央内凹。中胸盾片外露部分长度约为小盾片长的 1/3，被杂乱的金黄色平伏毛。小盾片栗色，较宽阔，中央近基部微隆，被 3 种毛：遍布小盾片的金黄色平伏毛、基部两侧略显杂乱的白色鳞状毛簇及若干直立长毛。半鞘翅较平坦，黄褐色，缘片端部 1/3 黑褐色，具明显光泽；密被金黄色平伏毛及黑褐色直立短毛；白色鳞状毛组成 2 条横带，前横带位于革片基部 1/3 处，整齐排列，不达爪片，后横带位于革片端部 1/3 处，横跨体宽，但在爪片接合缝处明显分支，位于爪片上的毛带明显向基部平移；革片端缘近中央处及楔片基部各具鳞状毛簇，两者常相连，略显杂乱。楔片狭长，中等程度下倾，被若干倾斜硬毛及稀疏的金黄色平伏毛。膜片色淡，除翅脉周围烟褐色外，其余大部黄白色。

中胸侧板黄褐色，平坦具光泽，后缘具 1 条较短的鳞状毛带，后胸侧板褐色，后缘具 1 个小的鳞状毛簇，相当数量的个体缺失而只留下白斑。足黄白色，端部褐色；腿节褐色，端部略浅，较粗壮；前足胫节褐色，中、后足胫节黑褐色，胫节刺黑褐色，具光泽，后足胫节具纵向排列的微刺；跗节较长，第 1、2 节黄色，第 3 节黑褐色。腹部黄褐色，中央加深至黑色；基部无明显缢缩；第 2、4 节腹侧具面积较大的不规则白色鳞状毛簇。

雄虫阳茎端明显狭长，在本族内扭曲较强烈，骨化杆中部具 1 个较长的矛尖状突起，其基部又着生一略弯曲的侧凸，端突弯曲，末端膜叶狭长，排刺明显；左阳基侧突较宽阔，钩状突狭长、下折；右阳基侧突宽叶形；阳茎鞘端部略膨大，端部指状突起圆钝。

**量度(mm)**：体长 4.32 ~ 4.49(♂)、4.35 ~ 4.54(♀)，宽 1.60 ~ 1.69(♂)、1.58 ~ 1.74(♀)；头长 1.04 ~ 1.11(♂)、1.07 ~ 1.15(♀)，宽 0.96 ~ 1.07(♂)、0.95 ~ 1.03(♀)；眼间距 0.47 ~ 0.52(♂)、0.46 ~ 0.54(♀)；眼宽 0.17 ~ 0.23(♂)、0.19 ~ 0.23(♀)；♂触角 1 ~ 4 节的长度分别为 0.50 ~ 0.55、1.73 ~ 1.78、0.67 ~ 0.73、0.51 ~ 0.54，♀触角 1 ~ 4 节的长度分别为 0.48 ~ 0.57、1.74 ~ 1.82、0.70 ~ 0.75、0.52 ~ 0.58；前胸背板长 0.75 ~ 0.78(♂)、0.73 ~ 0.79(♀)，后缘宽 1.23 ~ 1.31(♂)、1.24 ~ 1.35(♀)；小盾片长 1.07 ~ 1.15(♂)、1.04 ~ 1.13(♀)，基宽 1.07 ~ 1.14(♂)、1.07 ~ 1.16(♀)；缘片长 2.22 ~ 2.36(♂)、2.24 ~ 2.38(♀)；楔片长 0.51 ~ 0.60(♂)、0.54 ~ 0.63(♀)，基宽 0.34 ~ 1.40(♂)、0.36 ~ 0.42(♀)。

**采集记录**：1♂，周至板房子，1994. Ⅷ. 08，吕楠采。

**分布**：陕西(周至)、内蒙古、河北、山东、甘肃、宁夏、新疆、浙江；俄罗斯，丹麦，瑞典，意大利，德国，法国，加拿大，美国。

**寄主：** *Cornus* sp.，*Cuercus* sp.，*Quercus macrocarpa*，*Quercus* sp.，*Salix* sp.。

### （176）丽束盲蝽，新种 *Pilophorus elegans* Liu *et* Zhang，sp. nov.（图 84；图版 2：11）

**鉴别特征：** 体中型，狭长形，微束腰，半鞘翅基部 2/3 黄色，端部黑色；被稀疏的金黄色平伏毛，半鞘翅上白色鳞状毛排列成 3 个明显的毛簇。

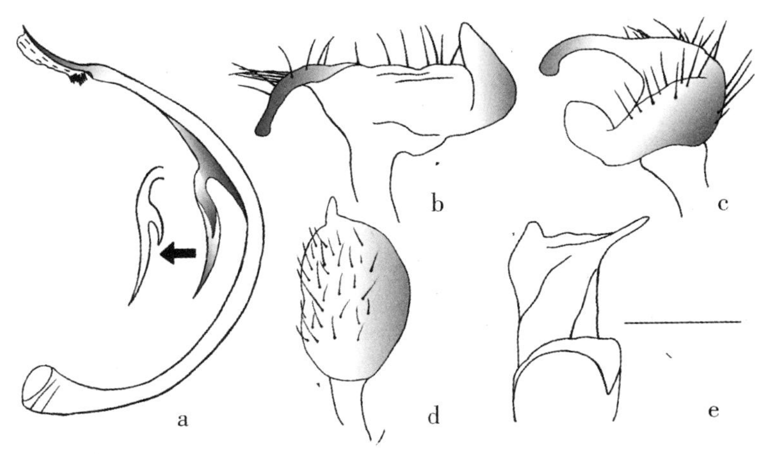


图 84 丽束盲蝽，新种 *Pilophorus elegans* Liu *et* Zhang，sp. nov.

a. 阳茎端；b. 左阳基侧突正面观；c. 左阳基侧突侧面观；d. 右阳基侧突；e. 阳茎鞘。比例尺：0.1mm

头下倾，背面观唇基不可见；正面观呈宽三角形；侧面观眼前区域略短于复眼宽。头顶及额黑色，平坦，几乎无毛，额区可见极少的纤细毛，头顶后缘隆脊几乎直；上颚片及下颚片棕黄色，表面平坦，被稀疏的金黄色平伏毛，下颚片后缘微隆；小颊被浓密的半直立长毛。喙较纤细，伸至中足基节末端，棕黄色，第 1 节较粗壮。触角第 1 节污黄色，背面具不规则浅红色斑；第 2 节黑褐色，基部略浅，粗细均匀，端部无明显膨大；第 3、4 节基部黄白色，两节其余部分黑褐色，第 3 节约为第 2 节长的 1/2，第 4 节明显短于第 3 节。

前胸背板、中胸盾片外露部分与小盾片黑色，具明显光泽，表面颗粒状，密布小刻点。前胸背板钟形，均匀微隆，被黑色平伏毛；前缘微凸，前角无直立硬毛，两侧缘基半平行，端半部侧凸，后缘微弯曲。中胸盾片外露部分短宽，均匀下倾，被稀疏的平伏毛。小盾片基半微隆，被若干金黄色丝状平伏毛；两侧基角与顶角处具白色鳞状毛簇，基角处毛簇较浓密。半鞘翅宽阔，被稀疏的金黄色丝状平伏毛；白色鳞状毛排列成三个毛簇：一簇位于革片基部 1/3 处，不达爪片；一簇位于缘片中央；一簇位于爪片基部 3/4 处；半鞘翅基部 2/3 黄色，末端黑色，分界明显；革片端部 1/3 具明显光泽。楔片较狭长，黑褐色，平直无下倾，无白色鳞状毛。膜片烟褐色，翅脉明显。

中胸侧板及后胸侧板黄褐色，具光泽；中胸侧板后缘具2个不相连的白色鳞状毛簇；后胸侧板无鳞状毛。足基节污黄色；腿节红褐色，两端略浅；前、中足胫节黄褐色，后足胫节基半红褐色，端半污黄色；跗节第1、2节污黄色，几乎等长，第3节黑褐色，略短于前2节之和。腹部除第2、3节红褐色外其余部分黑色，具光泽，基部微缢缩，被倾斜的刚毛状毛，第3～5腹节每节两侧各具松散的白色鳞状毛簇。

雄虫生殖囊微膨大，表面光滑，具光泽，约占整个腹长的1/4。阳茎端"C"形，中部具弯曲、端部呈二叉状突起，两突起一长一短，顶端较锐。左阳基侧突明显横宽，较粗壮。右阳基侧突宽阔。阳茎鞘直，末端侧突喙形。

**量度(mm)**：体长3.22～3.45(♂)、3.25～3.46(♀)，宽1.10～1.25(♂)、1.13～1.30(♀)；头长0.78～0.86(♂)、0.75～0.86(♀)，宽0.82～0.95(♂)、0.85～0.97(♀)；眼间距0.45～0.58(♂)、0.43～0.55(♀)；眼宽0.17～0.26(♂)、0.19～0.33(♀)；♂触角1～4节的长度分别为0.16～0.23、0.90～1.07、0.35～0.43、0.37～0.48，♀触角1～4节的长度分别为0.19～0.35、0.86～1.14、0.40～0.57、0.25～0.39；前胸背板长0.75～0.82(♂)、0.72～0.85(♀)，后缘宽0.93～1.13(♂)、1.08～1.15(♀)；小盾片长0.80～0.87(♂)、0.82～0.88(♀)，基宽0.75～0.80(♂)、0.72～0.84(♀)；缘片长1.80～1.98(♂)、1.85～2.06(♀)；楔片长0.44～0.58(♂)、0.48～0.65(♀)，基宽0.33～0.39(♂)、0.35～0.38(♀)。

**采集记录**：♂(正模)，留坝庙台子，1400m，1994. Ⅷ. 04，吕楠采；2♂1♀(副模)，同正模；2♂4♀(副模)，同正模，张旭采。

**种名词源**：意指本种体形、颜色美观，"elegans"意指"美丽的"。

**分布**：陕西(留坝)、天津、河南、山东、湖北。

**讨论**：本种体形、体色与亮束盲蝽 *Pilophorus lucidus* Linnavuori 极相似，但半鞘翅鳞状毛分布显著不同：亮束盲蝽爪片的鳞状毛更接近爪片顶角且与缘片鳞状毛处于同一水平、鳞状毛延伸至爪片缝旁的革片区域；半鞘翅黑色部分上缘平。而新种爪片鳞状毛位置明显高于缘片鳞状毛；半鞘翅黑色部分向爪片顶角明显倾斜。雄虫生殖节结构亦不同：亮束盲蝽阳茎端中央处的突起较粗壮，呈典型的二叉角状，两部分几乎等长，而本种明显一长一短；亮束盲蝽左阳基侧突钩状突较短，弯曲呈圆弧形，本种则较狭长，微弯曲。作者在山东昆嵛山于一簇小灌木丛中采得此种。

### (177) 远洋束盲蝽 *Pilophorus erraticus* Linnavuori, 1962 中国新纪录(图85；图版2：12)

*Pilophorus erraticus* Linnavouri, 1962: 170.

*Pilophorus alni* Josifov, 1987: 117.

**鉴别特征**：体狭长，微束腰，黄褐色至栗色，半鞘翅白色鳞状毛带完整、较直，楔片鳞状毛排列成一条完整狭长的横带。体被密度均等、倾斜毛，无金黄色丝状平伏毛。

头宽阔，微下倾，背面观可见唇基基部，侧面观宽阔圆钝，眼前区域宽度与复眼等宽，被具光泽的倾斜毛。头顶及额褐色，宽阔、微隆，具均匀粉被，头顶后缘隆脊明显内凹。唇基黄褐色，狭长，均匀弯曲，端部平截。上颚片红褐色，表面平坦，下颚片黄色。小颊黄褐色，被倾斜长毛。喙棕褐色，伸至中足基节中央，第 1 节明显加粗。触角第 1 节细长，污黄色，被 2 根直立短硬毛；第 2 节基部 1/3 黄褐色，端部逐渐加深至黑褐色，微弯曲，端部略加粗；第 3 节端部、第 4 节端部 2/3 褐色，两节其余部分黄白色。

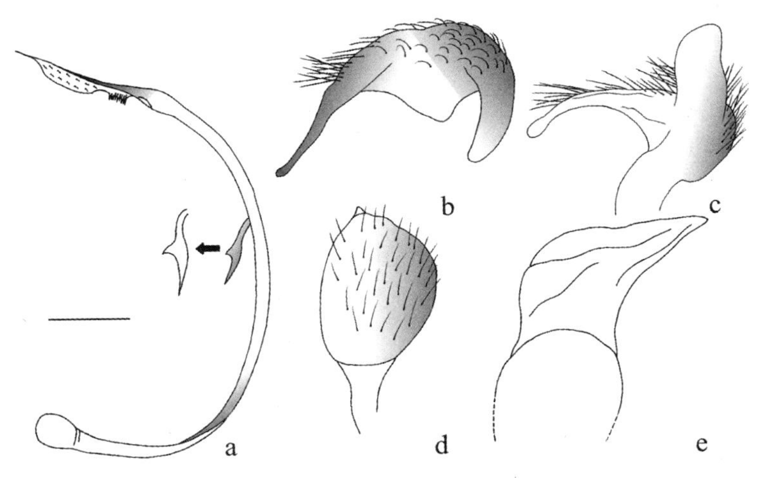


图 85 远洋束盲蝽 *Pilophorus erraticus* Linnavuori

a. 阳茎端；b. 左阳基侧突顶视图；c. 左阳基侧突侧面观；d. 右阳基侧突；e. 阳茎鞘。比例尺：0.1mm

前胸背板梯形，深褐色，微隆，前缘平直，略短于后缘宽，前角无直立硬毛，侧缘中央微内凹，后缘几乎直。中胸盾片外露部分淡褐色，平坦，微下倾，具光泽。小盾片褐色，较平坦，中央近基部微隆，两侧基角处各具一簇较松散的白色鳞状毛簇。半鞘翅黄褐色，缘片端部略加深；被黑褐色倾斜毛，爪片沿爪片接合缝处明显抬升；缘片外缘中部微内凹；白色鳞状毛在革片排列成 2 条横带，前横位于革片基部 1/3 处，不达爪片，后横带横跨体宽，几乎直，二横带均整齐、浓密。楔片略下倾，黄褐色，较狭长，被整齐的鳞状毛带。膜片烟褐色，翅脉清晰可见。

中胸侧板黄褐色，平坦，光滑无毛，具光泽，后缘具 1 条整齐排列的鳞状毛带；后胸侧板红褐色，无光泽，后缘具一小簇鳞状毛。前、后足基节黄白色，中足基节红褐色；腿节红褐色，前足腿节略淡；前足胫节污黄色，中、后足胫节黑褐色，后足胫节略弯曲；跗节黄色，末端略深，第 1、2 节几乎等长，第 3 节短于前 2 节之和。

腹部宽阔，基部微缢缩；第 3 ~5 腹节每节两侧各具一簇松散的白色鳞状毛簇。

雄虫生殖囊棕褐色，具光泽，长度约为整个腹长的 1/4。阳茎端狭长，呈“L”形，中部具向基部倾斜的狭长突起，其亚端部伸出 1 个较宽短刺状突。左阳基侧突舟形，被浓密倾斜毛，钩状突狭长，感觉叶狭片状，末端圆钝。右阳基侧突椭圆形，狭片状。阳茎鞘直，末端侧突渐尖。

**量度(mm)**：体长3.45～3.65(♂)、3.42～3.65(♀)，宽1.12～1.24(♂)、1.15～1.27(♀)；头长0.85～0.94(♂)、0.85～0.91(♀)，宽0.82～0.90(♂)、0.81～0.88(♀)；眼间距0.42～0.47(♂)、0.43～0.48(♀)；眼宽0.20～0.26(♂)、0.22～0.33(♀)；♂触角1～4节的长度分别为0.24～0.28、1.12～1.18、0.65～0.77、0.44～0.49，♀触角1～4节的长度分别为0.22～0.30、1.02～1.14、0.60～0.67、0.42～0.49；前胸背板长0.78～0.87(♂)、0.72～0.85(♀)，后缘宽1.03～1.13(♂)、1.03～1.11(♀)；小盾片长0.83～0.93(♂)、0.82～0.88(♀)，基宽0.75～0.83(♂)、0.72～0.84(♀)；缘片长2.22～2.43(♂)、2.15～2.37(♀)；楔片长0.48～0.58(♂)、0.45～0.52(♀)，基宽0.36～0.43(♂)、0.34～0.42(♀)。

**采集记录**：1♀，留坝庙台子，1400m，1994.Ⅷ.2，吕楠采。

**分布**：陕西(留坝)、黑龙江、山东、四川。

### (178) 冈本束盲蝽 *Pilophorus okamotoi* Miyamoto *et* Lee, 1966 中国新纪录（图86）

*Pilophorus okamotoi* Miyamoto *et* Lee, 1966: 379.

**鉴别特征**：体中型，束腰形，黄色至栗色，半鞘翅除鳞状毛横带外光滑无毛，或仅被极少金黄色平伏毛；白色鳞状毛组成2条横带，前横带位于革片基部1/3处，较浓密，不达爪片，后横带位于革片基部2/3处，横跨体宽，较稀疏。

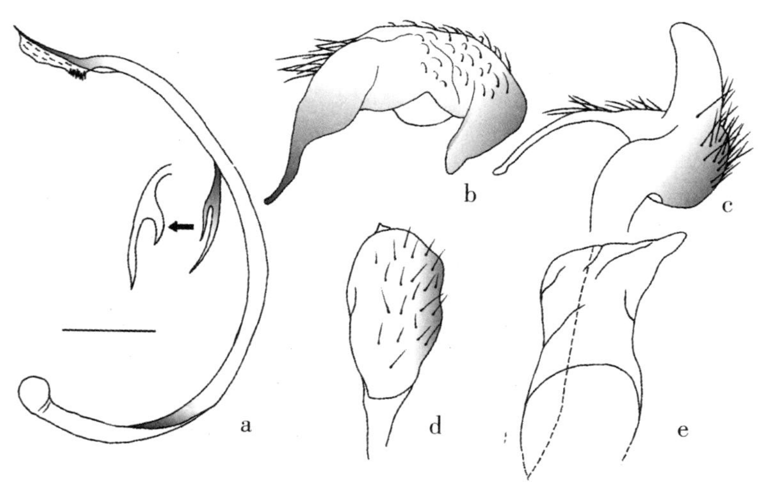


图86 冈本束盲蝽 *Pilophorus okamotoi* Miyamoto *et* Lee

a. 阳茎端；b. 左阳基侧突顶视图；c. 左阳基侧突侧面观；d. 右阳基侧突；e. 阳茎鞘。比例尺：0.1mm

头微下倾，背面观可见唇基基部；侧面观眼前区域与复眼宽几乎相等。头顶及额褐色，宽阔、平坦，具粉被，被密度均一的金黄色平伏毛，头顶后缘黑褐色，后缘隆脊几乎直；唇基黄褐色，狭长、均匀微隆；上颚片及下颚片黄褐色，平坦，被金黄色平伏毛，下颚片后缘微隆；小颊黑褐色，被半直立黑褐色长毛。喙黑褐色，伸至中足基节后缘，第 1 节略加粗。触角第 1 节污黄色，被两根直立黑褐色短毛；第 2 节基部 2/3 黄褐色，末端黑色，端部微加粗，但不呈明显膨大；第 3 节基半、第 4 节基部处黄白色，二节其余部分黑褐色。

前胸背板钟形，宽阔、平坦，基半褐色，端半黑褐色；微隆起，具横皱，被稀疏平伏毛；前缘直，略小于后缘宽，前角无直立硬毛，侧缘中央近基部处微内凹，侧角微侧伸，后缘中部微内凹。中胸盾片外露部分褐色，较宽阔，约为小盾片长的 1/3，被稀疏金黄色平伏毛。小盾片褐色，较平坦，基部具横皱，被稀疏金黄色平伏毛；两侧基角及顶角处具明显的白色鳞状毛簇，基角处较浓密。半鞘翅平坦，缘片外缘中央微内凹，端半明显加宽；革片黄色，缘片端半黄褐色；整个半鞘翅除鳞状毛横带外光滑无毛，或被极少数金黄色平伏毛；白色鳞状毛组成 2 条横带，前横带位于革片基部 1/3 处，较浓密，不达爪片，后横带位于革片基部 2/3 处，横跨体宽，较稀疏；革片端缘近中央及楔片基部各具一簇白色鳞状毛，较松散。楔片红褐色，较宽阔，具明显光泽。膜片基部 2/3 烟褐色，端部色淡，翅脉明显。

中胸侧板褐色，平坦具光泽，后缘具较短且浓密的白色鳞状毛带；后胸侧板黄褐色，表面颗粒状，后缘具一小簇鳞状毛。前、后足基节黄白色，中足基节黑褐色；腿节褐色，端部黄褐色，胫节红褐色，胫节刺棕褐色，具光泽；跗节基半黄色，端半黑褐色，第 1、2 节几乎等长，第 3 节长于前 2 节之和等长。腹部宽阔、平坦，基部无缢缩；第 3 ~5 腹节每节两侧各具一簇浓密的白色鳞状毛，互不相连。

雄虫生殖囊黄褐色至褐色，被毛稀疏，约占整个腹长的 1/3。阳茎端狭长，弯曲略呈“L”形，中央近端处具 1 个狭长的矛尖状突起，其亚基部一侧具细长、弯曲的侧突；次生生殖孔简单，末端膜叶狭长。左阳基侧突舟形，较粗壮，钩状突细长，末端微膨大，感觉叶薄片状，末端圆钝。右阳基侧突椭圆形，钩状突较小。阳茎鞘直，末端侧突呈喙形。

**量度(mm)：**体长 4.31 ~4.38(♂)、4.30 ~4.40(♀)，宽 1.58 ~1.65(♂)、1.60 ~1.65(♀)；头长 0.78 ~0.85(♂)、0.73 ~0.85(♀)，宽 0.88 ~0.96(♂)、0.85 ~0.94(♀)；眼间距 0.50 ~0.55(♂)、0.47 ~0.55(♀)；眼宽 0.22 ~0.25(♂)、0.24 ~0.28(♀)；♂触角 1 ~4 节的长度分别为 0.20 ~0.25、1.30 ~1.35、0.46 ~0.55、0.41 ~0.47，♀触角 1 ~4 节的长度分别为 0.21 ~0.25、1.28 ~1.36、0.45 ~0.50、0.44 ~0.47；前胸背板长 0.75 ~0.80(♂)、0.73 ~0.80(♀)，后缘宽 1.08 ~1.13(♂)、1.05 ~1.10(♀)；小盾片长 0.76 ~0.86(♂)、0.75 ~0.84(♀)，基宽 0.80 ~0.87(♂)、0.77 ~0.84(♀)；缘片长 2.12 ~2.24(♂)、2.06 ~2.14(♀)；楔片长 0.51 ~0.55(♂)、0.53 ~0.57(♀)，基宽 0.44 ~0.59(♂)、0.41 ~0.53(♀)。

**采集记录：**3♂2♀，凤县秦岭车站，1994. Ⅶ. 27，吕楠采。

**分布：**陕西(凤县)、湖北；日本。

### (179) 全北束盲蝽 *Pilophorus perplexus* Douglas *et* Scott, 1875 中国新纪录 (图 87)

*Pilophorus perplexus* Douglas *et* Scott, 1875: 101.

**鉴别特征:** 体中型, 束腰形, 较狭长, 黄褐色, 半鞘翅被白色鳞状毛和稀疏的金黄色平伏毛; 白色鳞状毛组成 2 条横带, 前横带位于革片基部 1/3 处, 较浓密, 不达爪片, 后横带位于革片基部 2/3 处, 横跨体宽, 几乎直, 较纤细; 楔片具一簇点斑状的白色鳞状毛。

头较小, 明显下倾, 背面观唇基不可见, 正面观呈等边三角形; 侧面观宽阔, 眼前区域宽明显大于复眼宽, 被密度均等、纤细的倾斜毛。头顶及额黑褐色, 表面平坦, 具粉被, 被极少金黄色平伏毛; 头顶后缘隆脊几乎直, 微凸。唇基褐色, 较狭长, 微弯曲。上颚片及下颚片黄褐色, 平坦, 下颚片中央微隆, 红褐色。小颊栗色, 被几根倾斜半直立长毛。喙较粗壮, 伸至中足基节后缘, 除第 3 节黄褐色外, 其余部分褐色; 第 1 节较粗壮, 圆柱形, 略短于第 2 节, 第 2、3 节几乎等长, 第 4 节略长于第 3 节。触角第 1 节污黄色, 背面被 2 根直立黑褐色短毛; 第 2 节褐色, 基部略浅, 直, 端部略加粗, 但不呈明显膨大状; 第 3 节基半、第 4 节基部黄白色, 其余部分褐色。

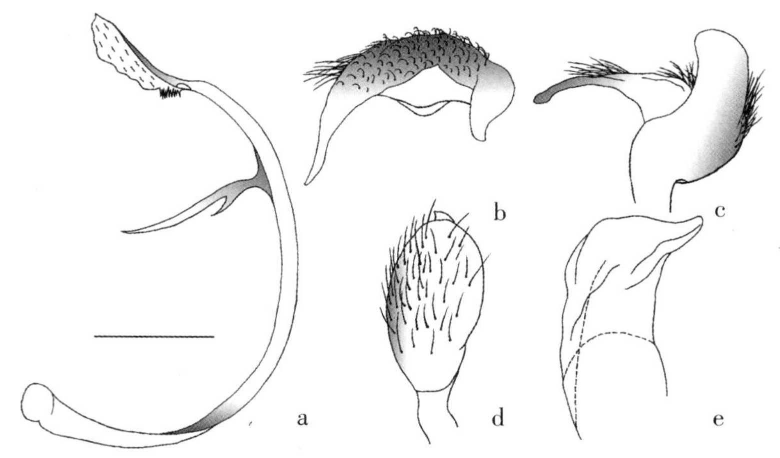


图 87 全北束盲蝽 *Pilophorus perplexus* Douglas *et* Scott

a. 阳茎端; b. 左阳基侧突顶视图; c. 左阳基侧突侧面观; d. 右阳基侧突; e. 阳茎鞘。比例尺: 0.1mm

前胸背板、中胸盾片外露部分及小盾片黑褐色。前胸背板梯形, 平坦, 被密度均等的黑褐色平伏毛, 微隆拱; 前缘微凸, 宽度约后缘宽的 1/2, 前角无直立硬毛, 侧缘、后缘几乎直。中胸盾片外露部分短宽, 长约为小盾片长的 1/3, 被稀疏的金黄色平伏毛。小盾片较宽阔, 中央微隆, 金黄色平伏毛较浓密, 在顶角处呈簇状分布; 两侧基角各具一小簇白色鳞状毛, 较稀疏。半鞘翅黄褐色, 较狭长, 缘片外缘中部微内凹, 被稀疏的金黄色平伏毛及黑褐色倾斜毛; 白色鳞状毛组成 2 条横带, 前横带位于革片基部 1/3 处, 较浓密, 不达爪片, 后横带位于革片基部 2/3 处, 横跨体宽, 几乎直，较纤细。楔片黄褐色，微下倾，中央具一簇白色鳞状毛排列成的圆斑。膜片中央烟褐色，周围黄白色，翅脉较模糊。

中胸侧板黑褐色，平坦，具光泽，后缘具整齐、浓密的白色鳞状毛带。后胸腹板褐色，具横皱，后缘具一小簇鳞状毛。足基节黄白色；腿节褐色，端部污黄色；胫节褐色，胫节刺黑褐色，具明显光泽；跗节基半污黄色，端半黑褐色；跗节第1、2节污黄色，第3节棕褐色。腹部黄褐色至褐色，宽阔、平坦，基部无缢缩；第3~5腹节每节两侧各具一簇浓密的白色鳞状毛，

雄虫生殖囊棕褐色，微膨大，长度约占整个腹长的1/4。阳茎端狭长，弯曲呈“L”形，中央具略弯曲的矛尖状突起，其亚基部一侧具较短的指状侧突；次生生殖孔简单，末端膜叶宽阔。左阳基侧突舟形，钩状突狭长，末端微膨大，感觉叶末端圆钝。右阳基侧突椭圆形，钩状突明显。阳茎鞘直，略呈圆柱形，末端侧突圆钝。

**量度(mm)**：体长3.93~4.05(♂)、4.02~4.08(♀)，宽1.31~1.36(♂)、1.33~1.42(♀)；头长0.89~1.12(♂)、0.92~1.04(♀)，宽0.85~0.88(♂)、0.85~0.92(♀)；眼间距0.34~0.38(♂)、0.35~0.38(♀)；眼宽0.20~0.24(♂)、0.23~0.27(♀)；♂触角1~4节的长度分别为0.33~0.38、1.25~1.35、0.49~0.55、0.42~0.47，♀触角1~4节的长度分别为0.35~0.43、1.28~1.39、0.53~0.60、0.46~0.52；前胸背板长0.75~0.80(♂)、0.65~0.83(♀)，后缘宽1.24~1.37(♂)、1.30~1.35(♀)；小盾片长0.77~0.85(♂)、0.75~0.87(♀)，基宽0.87~1.07(♂)、0.93~1.06(♀)；缘片长2.25~2.43(♂)、2.28~2.48(♀)；楔片长0.55~0.63(♂)、0.53~0.65(♀)，基宽0.44~0.57(♂)、0.41~0.55(♀)。

**采集记录**：1♂2♀，凤县天台山，1600~1700m，1999. Ⅸ. 03，任树芝采；1♂，佛坪岳坎村，1100m，2006. Ⅶ. 10，丁丹采。

**分布**：陕西(凤县、佛坪)、河北、山西、甘肃；英国，德国，法国，意大利，西班牙，瑞典，美国，加拿大。

### (180) 拟全北束盲蝽 *Pilophorus pseudoperplexus* Josifov, 1987 中国新纪录(图88)

*Pilophorus pseudoperplexus* Josifov, 1987: 118.

*Pilophorus oculatus* Kerzhner, 1988: 53.

**鉴别特征**：体中型，束腰形，较狭长，雌虫略宽于雄虫；栗色至黑色；略具光泽；白色鳞状毛组成2条横带，前横带位于革片基部1/3处，不达爪片，后横带位于革片基部2/3处，横跨体宽，微弯曲。

头褐色或棕褐色，略前倾，背面观唇基不可见；正面观呈等边三角形；头顶及额平坦，被均匀粉被及具光泽的倾斜毛，头顶后缘隆脊微凹，被若干直立或半直立长毛。唇基褐色，较狭长，微隆拱，被半直立纤细毛。上颚片褐色至红褐色，表面微隆，被倾斜纤细毛。下颚片狭长，棕褐色，表面平坦，几乎无毛。小颊较狭长，深褐

色，后端渐细，被少数深褐色半直立长毛。喙细长，伸至后足基节末端；第 1 节微粗，褐色；第 2、3 节几乎等长，棕黄色；第 4 节略长于第 3 节，基半棕色，端半渐深至棕黑色。触角第 1 节污黄褐色，背面被 2 根直立黑褐色短毛；第 2 节基部约 1/5 处黄褐色，向端部渐深至黑色，中部略带红色，末端微粗，但不呈明显膨大状；第 3 节黄白色，端部 1/4 棕褐色；第 4 节基部色淡，其余部分深褐色。

前胸背板梯形，棕褐色或黑褐色，微前倾，表面平坦，覆盖一层紧贴表面的绒毛，细小不显著；前缘微凸，侧缘中央微内凹，后缘几乎直。中胸盾片外露部分较宽阔，长度约为小盾片长的 1/4，色同前胸背板。小盾片色棕褐色，具明显横皱，中央隆拱；被金黄色平伏毛，两侧基角各具一簇银白色鳞状毛。半鞘翅棕黄褐色至深栗色，缘片外缘中央内凹；革片被金黄色平伏毛和棕褐色倾斜毛；白色鳞状毛组成 2 条横带，前横带位于革片基部 1/3 处，不达爪片，后横带位于革片基部 2/3 处，横跨体宽，微弯曲。楔片黄褐色，被若干倾斜的刚毛状毛，具两簇白色鳞状毛，两者常相连，较杂乱。膜片烟褐色，翅脉色深。

中胸侧板棕黄色，后缘具 1 条排列规则的白色鳞状带；后胸侧板黄褐色，后缘具一小簇鳞状毛。前足、中足基节黑褐色，后足基节黄白色；腿节棕褐色，腹侧色略淡；前足、中足胫节黄褐色至红褐色，后足胫节黑褐色；腹节第 1、2 节棕褐色，两者几乎等长，第 3 节深褐色，略长于前 2 节之和。腹部第 2、3 节污黄色，其余部分黑色；雌虫基部宽阔，雄虫基部明显缢缩；第 2 ~4 节每节两侧各具一簇白色鳞状毛。

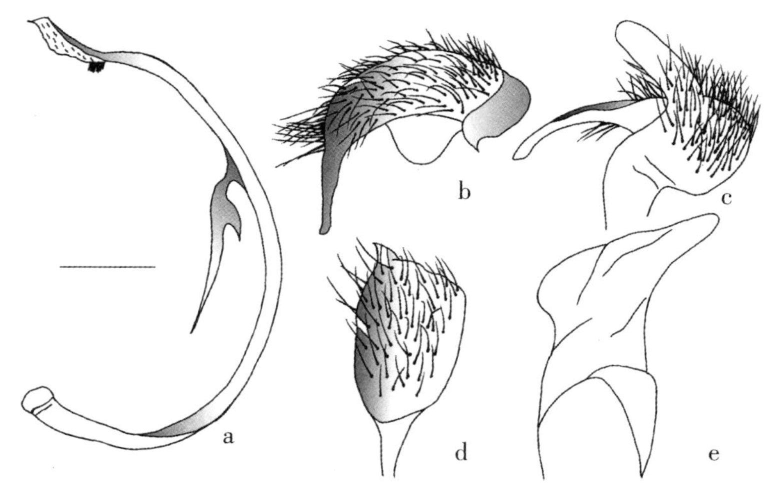


图 88 拟全北束盲蝽 *Pilophorus pseudoperplexus* Josifov

a. 阳茎端；b. 左阳基侧突顶视图；c. 左阳基侧突侧面观；d. 右阳基侧突；e. 阳茎鞘。比例尺：0.1mm

雄虫生殖囊较小，长度约为整个腹长的 1/5。阳茎端细长，弯曲呈“L”形，中央近端处具较长的矛尖状突起，其亚基部一侧具较小的刺状侧突；次生生殖孔简单，末端膜叶较宽阔，排刺明显。左阳基侧突舟形，被毛极浓密，钩状突细长，感觉叶亦长，末端圆钝。右阳基侧突狭片状，椭圆形，被毛浓密。阳茎鞘直，末端侧突较圆钝。

**量度(mm)：**体长3.78~4.18(♂)、3.85~4.29(♀)，宽1.35~1.42(♂)、1.31~1.40(♀)；头长0.73~0.89(♂)、0.75~0.87(♀)，宽0.68~0.71(♂)、0.67~0.69(♀)；眼间距0.37~0.46(♂)、0.35~0.49(♀)；眼宽0.19~0.25(♂)、0.21~0.27(♀)；♂触角1~4节的长度分别为0.31~0.38、1.46~1.55、0.69~0.74、0.44~0.53，♀触角1~4节的长度分别为0.33~0.36、1.43~1.50、0.62~0.71、0.45~0.49；前胸背板长0.58~0.68(♂)、0.48~0.55(♀)，后缘宽1.18~1.21(♂)、1.15~1.23(♀)；小盾片长0.83~1.05(♂)、0.85~1.03(♀)，基宽0.92~1.12(♂)、0.88~0.98(♀)；缘片长1.93~2.11(♂)、2.04~2.15(♀)；楔片长0.51~0.55(♂)、0.48~0.62(♀)，基宽0.61~0.68(♂)、0.58~0.66(♀)。

**分布：**陕西(秦岭)、黑龙江、山东、浙江；俄罗斯，朝鲜，日本。

### (181) 长毛束盲蝽 *Pilophorus setulosus* Horvath, 1905 (图89)

*Pilophorus setulosus* Horvath, 1905: 421.

**鉴别特征：**体中型，束腰形，较狭长，褐色至栗色，体被密度均等的褐色直立长毛、较稀疏的金黄色平伏毛和白色鳞片状毛；白色鳞状毛组成的2条横带：前横带位于革片基部1/3处，少数个体略靠下，较短且不达爪片，后横带位于革片端部1/3处，横跨体宽，微弯曲。

头中等下倾，背面观唇基不可见；正面观略呈等边三角形；侧面观较狭长，眼前区域宽度大于复眼宽。头顶及额褐色至黑褐色，较宽阔，均匀微隆，被直立或半直立毛；头顶后缘隆脊均匀内凹；额具不规则横皱，具粉被。唇基狭长，微隆拱，污黄色，末端褐色。上颚片、下颚片红褐色，较平坦，被具光泽的倾斜短毛。小颊棕褐色或黑褐色，被稀疏直立长毛。喙棕褐色，较狭长，伸至后足基节前缘，第1节较粗壮；第2、3节几乎等长；第4节略长于第3节。触角第1节污黄色，背面具2根直立短硬毛，第2节基部2/3黄褐色，端部加深至黑褐色，几乎直，端部微加粗，无明显膨大；第3节基部1/3黄白色，端部黑褐色，第4节黑褐色。

前胸背板梯形，栗色或黑色，较平坦、宽阔，被深色直立硬毛及平伏毛；胝区微隆；基半均匀下倾；前缘微凸，前角各具1根深色长毛，侧缘几乎直，仅在端部1/4处微凹，后缘微内凹。中胸盾片外露部分长度约为小盾片长的1/2，色同前胸背板。小盾片栗色，基部具横皱，中央隆拱。半鞘翅褐色至栗色，较平坦，中央沿爪片接合缝处略抬升，被明显的棕褐色直立长毛及金黄色平伏毛；缘片外缘中部微内凹；半鞘翅具2条白色鳞状毛组成的横带：前横带位于革片基部1/3处，少数个体略靠下，较短且不达爪片，后横带位于革片端部1/3处，横跨体宽，微弯曲。楔片色同半鞘翅，较宽阔，明显下折，被密度中等的倾斜刚毛状毛；中央具一簇鳞状毛。膜片烟褐色，翅脉明显。

中胸侧板黑褐色，宽阔、平坦，具光泽，后缘具1条鳞状毛带；后胸侧板黑褐色，中央具较短的横皱，后缘被零星的白色鳞状毛。足基节黄白色，端部褐色；腿节红褐色，端部色略淡；胫节直，红褐色，胫节刺黑褐色；第1、2跗节污黄色，两者几乎等长，第3节黑褐色，略长于前2节之和。腹部棕褐色，淡色个体呈褐色，基部较宽阔，被密度均等的倾斜毛；第3～5腹节每节两侧各具一簇鳞状毛。

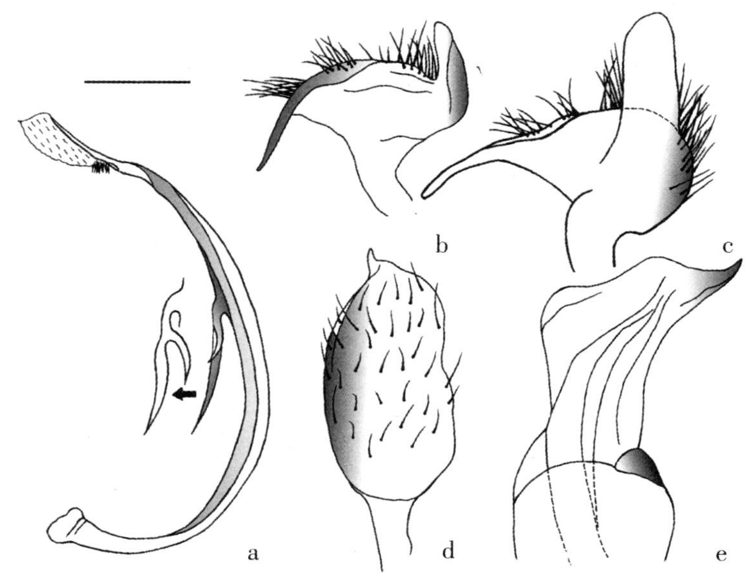


图89 长毛束盲蝽 *Pilophorus setulosus* Horvath

a. 阳茎端；b. 左阳基侧突正面观；c. 左阳基侧突侧面观；d. 右阳基侧突；e. 阳茎鞘。比例尺：0.1mm

雄虫生殖囊色同其他腹节，约占整个腹长的1/4。阳茎端狭长，呈"L"形，中部具1个较长的矛尖状突起，突起基部具狭长、弯曲的侧突；次生生殖孔简单，末端膜叶宽阔。左阳基侧突宽阔，被毛浓密，钩状突细长，末端微膨大，感觉叶末端圆钝。右阳基侧突呈宽叶状。阳茎鞘粗壮，直，端半略扩展，末端侧突呈喙状。

**量度(mm)：**体长4.42～4.78(♂)、4.47～4.81(♀)，宽1.41～1.57(♂)、1.44～1.60(♀)；头长1.12～1.24(♂)、1.07～1.25(♀)，宽1.06～1.15(♂)、1.08～1.14(♀)；眼间距0.57～0.63(♂)、0.55～0.66(♀)；眼宽0.23～0.28(♂)、0.22～0.31(♀)；♂触角1～4节的长度分别为0.45～0.49、1.65～1.77、0.55～0.62、0.57～0.64，♀触角1～4节的长度分别为0.43～0.53、1.67～1.84、0.53～0.70、0.47～0.55；前胸背板长0.78～0.92(♂)、0.77～0.95(♀)，后缘宽1.27～1.46(♂)、1.30～1.44(♀)；小盾片长1.14～1.25(♂)、1.11～1.21(♀)，基宽1.05～1.27(♂)、1.07～1.22(♀)；缘片长2.44～2.57(♂)、2.47～2.58(♀)；楔片长0.58～0.64(♂)、0.46～0.65(♀)，基宽0.92～1.14(♂)、0.87～1.11(♀)。

**采集记录：**1♂1♀，周至板房子，1994.Ⅷ.08，卜文俊采；2♂3♀，凤县秦岭车站，1400m，1994.Ⅶ.29，吕楠采；2♀，同前，1994.Ⅶ.28；1♀，同前，1994.Ⅶ.27。

**分布**：陕西(周至、凤县)、黑龙江、内蒙古、天津、河北、河南、山东、甘肃、宁夏、新疆、四川、贵州、西藏；俄罗斯，日本。

### (182) 泛束盲蝽 *Pilophorus typicus* (Distant, 1909) (图 90)

*Thaumaturgus typicus* Distant, 1909b: 519.

*Pilophorus pullulus* Poppius, 1914: 238.

*Pilophorus typicus*: Schuh, 1995: 468.

**鉴别特征**：体型较小，束腰形，较狭长，通常黑色，少数个体深褐色；革片基部2/3被金黄色丝状纤细毛，端部被黑色倾斜毛；半鞘翅白色鳞状毛排列成2条横带，1条位于革片基部1/3处，较浓密，不达爪片，另1条位于革片基部2/3处，略弯曲。

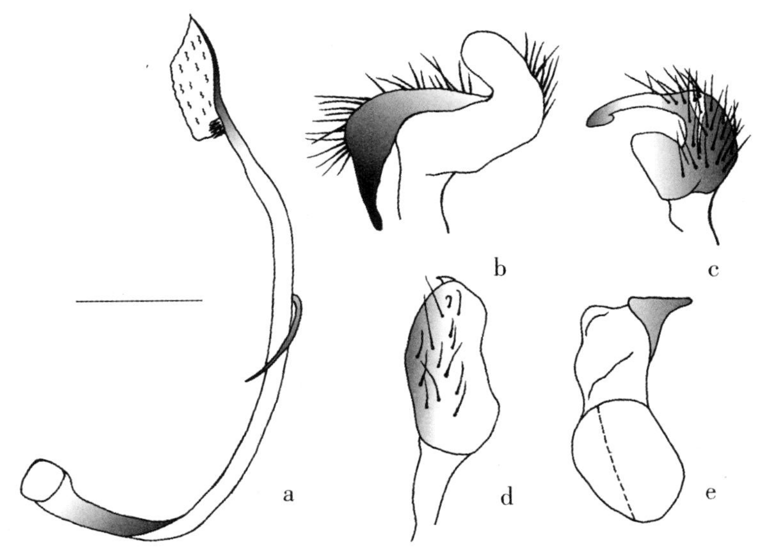


图 90　泛束盲蝽 *Pilophorus typicus* (Distant)

a. 阳茎端；b. 左阳基侧突正面观；c. 左阳基侧突侧面观；d. 右阳基侧突；e. 阳茎鞘。比例尺：0.1mm

头下倾，微前伸，侧面观眼前区域宽度略大于复眼宽。头顶及额平坦，表面被中等密度的直立或倾斜的刚毛状毛；头顶后缘隆脊均匀微凹。上颚片、下颚片平坦，下颚片中央微隆。喙较纤细，伸至中足基节末端，第1节略粗，棕黄色，具明显光泽；第2节褐色，略长于第3节；第3节污黄色；第4节基半褐色，末端渐深至黑色，略短于第3节。触角第1节腹面、第3节基半及第4节基端污黄色，第1节背面、第2节和第3节端半及第4节大部黑褐色，第2节略弯，向端部微加粗。

前胸背板钟形，黑色，表面均匀隆拱，密被黑色倾斜毛；前缘微凸，侧缘倾斜，基半内凹，前角处具1根黑褐色直立刚毛，后缘内凹；整个前胸背板基半覆盖一层不明显的粉被，极容易擦落，端半具不规则横皱，具光泽。中胸盾片外露部分较小，长度仅为小盾片长的1/4，均匀下倾。小盾片黑色，中部微隆拱，两侧基角及顶角各具一簇白色鳞状毛。半鞘翅黑色或棕褐色，明显存在地区差异；缘片外缘基半内凹；革片基部2/3被金黄色丝状纤细毛，端部被黑色倾斜毛；半鞘翅白色鳞状毛排列成2条横带，1条位于革片基部1/3处，较浓密，不达爪片，另1条位于革片基部2/3处，横宽体宽，略弯曲。楔片黑色或深褐色，较狭长，平直或微下倾，无鳞状毛。膜片烟褐色，翅脉明显。

中胸侧板及后胸侧板黑色，中胸侧板后缘具带状排列的白色鳞状毛；前足基节黄色，中、后足基节褐色；腿节棕褐色；胫节基半棕褐色，末端渐淡，胫节刺黑色，具光泽；跗节第1、2节褐色，几乎等长，第3节深褐色，略短于前2节之和。腹部深褐色至黑色，基部明显缢缩，被倾斜的倾斜毛，第3腹节两侧具较小的白色鳞状毛簇。

雄虫生殖节黑色，表面光滑，被毛略浓密，约占整个腹长的1/3。阳茎端细长，呈“L”形，中部着生纤细的突起，次生生殖孔简单，几乎不可见，末端膜叶较小。左阳基侧突舟形，钩状突细长，微弯曲，末端微膨大，感觉叶末端圆钝。右阳基侧突椭圆形；阳茎鞘直，末端侧突呈喙形。

**量度(mm)**：体长2.54~3.12(♂)、2.70~3.18(♀)，宽0.92~1.04(♂)、0.95~1.11(♀)；头长0.67~0.77(♂)、0.68~0.83(♀)，宽0.73~0.88(♂)、0.77~0.86(♀)；眼间距0.30~0.37(♂)、0.34~0.43(♀)；眼宽0.19~0.25(♂)、0.20~0.27(♀)；♂触角1~4节的长度分别为0.16~0.23、0.92~1.23、0.44~0.55、0.46~0.55，♀触角1~4节的长度分别为0.16~0.22、0.89~1.17、0.44~0.52、0.47~0.56；前胸背板长0.61~0.70(♂)、0.64~0.69(♀)，后缘宽0.80~0.95(♂)、0.88~1.07(♀)；小盾片长0.74~0.85(♂)、0.71~0.77(♀)，基宽0.74~0.81(♂)、0.68~0.75(♀)；缘片长1.47~1.55(♂)、1.52~1.74(♀)；楔片长0.37~0.49(♂)、0.35~0.72(♀)，基宽0.35~0.47(♂)、0.33~0.52(♀)。

**采集记录**：1♀，佛坪岳坝保护站，1000m，2006.Ⅶ.19，许静杨采；1♂，佛坪，2006.Ⅶ.25，丁丹采。

**分布**：陕西(佛坪)、北京、甘肃、浙江、湖北、湖南、福建、台湾、广东、香港、澳门、海南、广西、四川、贵州、云南；日本，越南，印度，斯里兰卡，马来西亚，菲律宾。

# 十一、网蝽科 Tingidae

李传仁[1] 党凯[2] 卜文俊[2]

(1. 长江大学农学院农学系，湖北 荆州 434025；
2. 南开大学昆虫学研究所，天津 300071)

**鉴别特征**：体微小至小型，背腹扁平，体色暗淡。头背面常具刺突0~9根，刺突数随属、种而异；中叶(唇基)发达而侧叶(上额片)退化；无单眼，触角4节，第3

节最长，第 2 节最短，第 4 节长于第 1 节，触角基瘤发达。喙 4 节，长短不一，胸部腹板形成喙沟，喙沟两侧具片状突起。前胸背板分 4 域：领域、盘域、三角突及侧背板，各域的形状、质地变化多样。小盾片甚小，常被前胸背板向后延伸形成的三角突盖覆。前翅全部革质，由 Sc、R + M、Cu 及 1 个次生凹脉将前翅分为爪片、狭缘片、前缘域、亚前缘域、中域及膜域，由次生脉形成各域的网状纹。跗节 2 节，前跗节有 1 对刚毛状的副爪间突。雄虫第 8 腹节成完整的环状，生殖囊及阳基侧突左右对称。产卵器针状，第 8 侧背板与第 1 载瓣片愈合；雌虫腹板 7 后缘大多分离出下生殖片，并盖住产卵器基部。

**生物学：**植食性。翅多型现象普遍。

**分类：**广布于世界各地。中国记录 59 属 237 种，陕西秦岭地区分布 2 亚科 11 属 17 种。

### 分亚科检索表

腹部腹板 2 ~ 5 愈合；前翅爪片特化为搁置三角突的窄片，明显低于翅面，静止时完全为三角突遮盖 ………………………………………………………………………… **网蝽亚科 Tinginae**

腹部腹板 2 ~ 3 愈合；前翅爪片正常外露 ……………………… **长头网蝽亚科 Cantacaderinae**

# （一）长头网蝽亚科 Cantacaderinae

## 96. 长头网蝽属 *Cantacader* Amyot *et* Serville, 1843

*Cantacader* Amyot *et* Serville, 1843: 299. **Type species**: *Piesma quadricornis* Le Peletier *et* Serville, 1828.

**属征：**头刺 2 对，额-颚刺（jugo-frontal spine）及眼前刺（preocular spine）；头顶平隆；额区延长，唇基近垂直下倾，小颊强烈突出于唇基前；触角细长，触角第 3 节基部缢缩，触角第 4 节纺锤形，端半部具长毛。喙较长，伸达腹部第 3 或第 4 腹板；喙沟末端开放。前胸背板 1 ~ 5 条纵脊，侧纵脊在胝区中断，外纵脊低于中纵脊和侧纵脊；三角突中度向后扩展，完全盖覆中胸小盾片；侧背板片状，外缘近直或弓形；领区环带状，前端上翘，前缘浅弧形凹入。后胸臭腺孔扇形下凹。前翅爪片外观可见，但短翅型个体的爪片与中域愈合；狭缘片 1 列网室；下缘域基部中断并形成臭腺释放通道。抱器镰形；雌虫无下生殖片。

长翅型和短翅型个体常见。

**生物学：**常生活于苔藓上，趋光性较强，常在诱虫灯下采到。

**分布：**中国记录 5 种，秦岭地区分布 1 种。

### (183) 长头网蝽 *Cantacader lethierryi* Scott, 1874

*Cantacader lethierryi* Scott, 1874: 291.

**鉴别特征:** 长翅型雌成虫:体黄褐色, 前翅前缘域基部1/3处有1个明显黑褐色斑; 爪片缝缘、Cu、Sc中部及R+M+Cu基部黑褐色。

短翅型成虫: 较长翅型个体小, 且前胸背板盘域平隆, 前翅爪片缝消失, 前翅后缘与爪片结合缝在1条直线上, 膜域退化; 后翅退化为圆片状。

头刺4枚, 额颚刺粗于眼前刺, 平伸, 先端超过触角第2节且达小颊前端, 着生于唇基基部两侧; 眼前刺细长, 弓形内弯, 先端达额-颚刺中部, 着生于复眼中部连线前的复眼间。复眼暗红褐色; 小颊窄, 前端尖, 在头前方强烈向外翻卷; 喙伸达腹节第4腹板前缘。喙沟侧脊左右平行, 末端开放。触角第1节近2倍于触角第2节, 触角第3节细长, 基部缢缩, 约为触角第4节的4.50倍长; 触角第4节纺锤形, 黑褐色, 端半部被半直立长毛。

前胸背板具5纵脊, 侧纵脊中部向外微弓, 外纵脊长而显著低于中、侧纵脊, 其前端内倾且接近胝和侧纵脊; 各脊1列网室。盘域中央适度隆起, 密布小网纹; 领区前部翘起, 前缘浅弧形后凹, 4排小网室; 侧背板片状, 近直立, 前部4~5列网室, 肩角处2列网室; 三角突侧缘在中纵脊及侧纵脊处呈角状。

前翅前缘浅弧形外弓, 后半部(黑斑后方)几乎等宽。前缘域基部3列网室, 中部(黑斑处)2列网室, 后部5~6列网室; 黑斑内侧的Sc色深而加厚; 亚前缘域宽, 最宽处6~7列网室, 端部稍窄于中部, 中部的次生横脉不明显; 中域狭长, 最宽处6列网室; 膜域网室稍大, 最宽处8列网室。

**量度(mm):** ♀(长翅型): 体长4.79~4.85, 宽1.94~1.97; 前翅长3.29~3.36, 中域长1.95~2.14; 触角1~4节的长度分别为0.19、0.10、1.11、0.25。♀(短翅型): 体长4.30~4.55, 宽1.89~1.93; 前翅长2.85~3.09, 中域长1.89~2.10; 触角1~4节的长度分别为0.18~0.22、0.10、1.06~1.20、0.27~0.29。♀(短翅型): 体长4.20~4.36, 宽1.60~1.72; 前翅长2.73~2.90, 中域长1.80~1.95; 触角1~4节的长度分别为0.22、0.11、1.35~1.47、0.29~0.33。

**采集记录:** 1♀(长翅型), 周至(周至至楼观台途中), 1962.Ⅷ.17, 李法圣; 2♀8♂(短翅型), 汉中龙岗, 采于石下, 1974.Ⅻ.13; 2♀1♂(短翅型), 汉中龙岗, 1974.Ⅻ.19; 1♀(短翅型), 汉中龙岗, 1975.Ⅲ。

**分布:** 陕西(周至、汉中)、北京、河北、浙江、台湾、云南; 韩国, 日本, 越南, 泰国。

# （二）网蝽亚科 Tinginae

## 分属检索表

1. 头部明显延长（唇基基段长而平伸），唇基端部多前伸至触角第 1 节端部（有时达第 2 节端部）……………………………………………………………… **长喙网蝽属 *Derephysia***
   头部不延长，或稍延长，唇基端部仅前伸达触角第 1 节的基部或中部 ……………………… 2
2. 前胸侧背板宽片状（1～2 列较大网室）；纵脊贝壳状，三角突或多或少具囊状隆起；前翅网室十分大……………………………………………………………… **贝脊网蝽属 *Galeatus***
   前胸侧背板窄片状（1～2 列网室）或宽片状（多列网室）；三角突平坦；前翅网室较小 ……… 3
3. 侧背板翻卷约 180°，贴伏或几乎贴伏于盘域上，外缘紧贴盘域或稍上翘 ……………………… 4
   背板向两侧平伸或上翘，但仅翻卷 90°左右，外缘明显远离盘域……………………………… 5
4. 前胸背板纵脊窄片状；侧背板外缘明显上翘且中部深凹 ………………… **华网蝽属 *Hurdchila***
   前胸背板纵脊脊状；侧背板外缘紧贴前胸背板盘域且中部圆凸 ………… **折板网蝽属 *Physatocheila***
5. 前翅中域外侧明显隆起，中域内侧低于外侧 …………………………………………………… 6
   前翅中域平坦，外侧不上翘 ……………………………………………………………………… 7
6. 头兜屋脊状，其上网室细碎；侧背板前侧角明显前突至复眼外侧 ……… **角肩网蝽属 *Uhlerites***
   头兜盔状，其上网室较大；侧背板斜上翘，前侧角不锐角状前伸 ……… **冠网蝽属 *Stephanitis***
7. 侧背板发达，片状；头兜明显 ………………………………………………… **菊网蝽属 *Tingis***
   侧背板不发达，脊状或局部呈片状；领区一般呈弧状隆起，无头兜，偶见低平的屋脊状头兜 …… 8
8. 侧背板脊状，无网室…………………………………………………………… **菱背网蝽属 *Eteoneus***
   侧背板脊状或窄片状，见小网室 ………………………………………………………………… 9
9. 侧背板在胝区外侧加宽；触角正常………………………………………………… **柳网蝽属 *Metasalis***
   侧背板全长等宽；触角第 3、4 节密被平伏短毛和半直立长毛 …………… **粗角网蝽属 *Copium***

## 97. 粗角网蝽属 *Copium* Thunberg，1822

*Copium* Thunberg，1822：8. **Type species**：*Coprum cornntum* Thunberg，1822.

**属征**：体较短，椭圆形。触角更为粗壮，尤以第 3、4 节为甚，长度约为体长的 1/2，较大角网蝽（*Paracopium*）为短；第 3、4 节粗于第 1、2 节，并具较长的毛，第 1 节的长和宽约等于或稍大于第 2 节，第 4 节约等长或略短于第 3 节，第 3、4 节连接处呈钝角。前胸背板无头兜，领较发达，前侧缘斜直，侧角圆弧状，三角突约呈等边三角形；背板背面 3 条纵脊直且彼此平行。侧背板呈窄叶片状，前翅前缘除端部向内微弯外几乎直。

**分布**：中国记录 1 种。秦岭地区分布 1 种。

### (184) 粗角网蝽 *Copium japonicum* Esaki, 1931

*Laccometopus clavicornis* Scott, 1874a: 291 (nec Linnaeus, 1758).

*Copium japonicum* Esaki, 1931: 244, 251.

**鉴别特征:** 头锈褐色或黑褐色; 头顶中央具2~3列刻点, 刻点间被白色粉被, 构成1片椭圆形隆起区域。头刺5枚, 前3枚深褐色, 后1对黄褐色; 触角基之间的1对基部极粗, 圆瘤状, 向内侧弯并前伸, 端部彼此接近并变细; 中间1枚圆柱形, 端部伸在前1对刺之间; 头基部1对刺很细, 伸向复眼内端缘, 呈倒"八"字形: 触角漆黑或黑褐色, 第1、2节具平伏短卷毛, 第3节基部细, 向端部渐变粗, 第4节基部及端部等粗, 第3、4节均具密而平伏的短毛及直立的长毛, 长毛长度大于复眼的高度; 小颊黄褐色, 宽叶状, 下缘色较淡, 具3列大小不等的小室; 头中叶发达, 位于小颊上缘的前方, 瘤状, 端部呈粗刺状伸过头的前端; 喙端伸达中足基节或后腾腹板的前缘。

前胸背板锈褐色, 胝黑褐色; 背板较长, 长度为体长的1/2, 遍布粗刻点, 两侧及胝附近密被金色平伏短毛; 领部具3排圆形小室, 三角, 三角突具圆形及椭圆形小室; 背板中部, 两侧角间有1个横缢, 将背板隆起部横切为两部分, 后部较小, 呈半球形隆半球形隆起; 前角尖角状, 侧角宽圆形; 3条纵脊几乎平行, 两侧纵脊短, 前端伸达胝的后缘并略向内微弯, 中纵脊端部略向上高起, 各纵脊具1列小室。侧背板呈窄叶状, 具1列椭圆形小室, 于相当胝的外方变为2列, 内缘1列极小。前翅褐色, 前缘域中部、端部及中域的端角均有宽条状或不规则的褐色斑; 前缘域具1列小室, 最宽处(相当中域端角的外侧)具2列小室, 小室形状不规则, 各小室室脉褐色或深褐色; 亚前缘域较宽, 具3列排列整齐的圆形小室, 小室面积最小; 中域最宽, 基部及端部锐角状, 最宽处具7列圆形小室, 小室面积稍大于亚前缘域但小于前缘域; 膜域稍短小, 其中端部及后缘小室最大且排列整齐。后翅烟褐色, 约与前翅等长。胸部腹板纵沟侧脊具1列小室, 后胸腹板纵沟侧脊长心形, 末端不封闭。

腹部腹面及足红褐色, 并具金色短毛。

**量度(mm):** ♂: 体长3.58, 宽1.60。♀: 体长3.63, 宽1.47。

**采集记录:** 1♂, 留坝韦驮沟, 1600m, 1998.Ⅶ.21, 袁德成采。

**分布:** 陕西(留坝)、上海、湖北、江西、福建、台湾、广东、四川、重庆、贵州; 朝鲜, 日本。

**寄主:** *Teucrium viscidum* 等(唇形科)。

## 98. 长喙网蝽属 *Derephysia* Spinola, 1837

*Derephysia* Spinola, 1837: 166. **Type species**: *Tingis foliacea* Fallén, 1807.

**属征**：本属椭圆形，较宽，头中叶较发达，稍粗于触角第 1 节或与其等粗，稍短于或等于触角第 1 节的长度；背面仅具 1 对短小的或颗粒状头刺；触角粗短，明显短于体长的 1/2，被有长毛，第 4 节近端部略膨大；小颊前端仅止于头中叶的两侧，在喙的前端不相遇；喙长，超过胸部伸达腹部第 3 节后缘或第 4 节中部；前胸背板具屋脊状头兜，未完全覆盖头部，触角基及两眼外露；3 条纵脊叶片状，两侧脊的高度及长度约为中纵脊的 1/2，均具 1 列小室；侧背板向外侧扩展呈宽叶片状，向上侧翘但并不翻转于背板之上，前缘的外侧呈角状，前伸超过眼的前端，外侧缘宽圆形或圆弧状，随种类不同具 2 ~3 列或 3 ~4 列小室；前翅透明，所具小室均较大，呈方形、长方形或五边形，亚前缘域具 1 列小室，亚前缘域及中域的交接处明显向上拱起呈屋脊状，致使前翅不平坦，中域及膜域分界不明显，膜域端部完全重叠但端缘略有分歧。未见臭腺沟及臭腺沟缘。

**分布**：中国记录 2 种，秦岭地区记述 1 种。

### (185) 宽长喙网蝽 *Derephysia longirostrata* Jing，1980

*Derephysia longirostrata* Jing，1980：399，403.

**鉴别特征**：体宽卵圆形，背板深褐色，前翅透明，全部小室室脉为浅褐色的种类。

头红褐色，背面粗糙不平，头中叶基部具 1 对褐色短棒状刺，头中叶褐色，较粗，粗于触角第 1、2 节，与触角第 1 节等长或前端刚伸出触角第 1 节端部；触角基褐色，长瘤状，触角褐色，粗壮，第 4 节深褐色，第 3、4 节具半直立毛；小颊浅褐色，具 2 ~3 列小室；喙极长，伸达腹部第 4 节中部。

前胸背板深褐色，光亮，遍布均匀刻点，胝宽，浅褐色，三角突灰白色，具不规则小室，室脉深褐色；背板盘域平坦，头兜较大而长窄，前端尤窄，长橄榄球状，前端前伸超过触角第 2 节端部，除触角基及复眼外，几乎覆盖头的大部；中纵脊直立高起，稍低于头兜的高度，背缘宽弧形，具 1 列长方形小室；两侧脊窄叶状，长度及高度约为中纵脊的 1/2，具 1 列方形小室；侧背板较宽，极度向外侧扩展并向上翘起，前缘外侧角向前伸出达触角第 1 节端部，具 3 ~4 列小室。

前翅宽椭圆形，略长于腹部末端，端部略有分歧，中域及膜域的中部有 1 个深褐色圆锥形斑块：前缘宽圆形，前缘域较宽，具 2 列较大的五边形小室；亚前缘域高起，具 1 列长方形小室；中域及膜域宽，向外侧逐渐高起并与亚前缘域连成 1 个屋脊形突起，突起约与头兜等高。后翅退化全无。

**量度(mm)**：♂(短翅型)：体长 3.52，宽 2.06。♀：体长 3.45，宽 2.04。

**采集记录**：1♂(正模，亚长翅型)，秦岭，1962. Ⅷ. 07，杨集昆采；2♀(亚长翅型)，凤县秦岭车站，1994. Ⅶ. 27，吕楠采；1♀(亚长翅型)，同前，1994. Ⅶ. 29，吕楠采；1♀(亚长翅型)，同前，卜文俊采；1♀(配模，亚长翅型)，华山，1962. Ⅷ. 22，李法圣采。

**分布**：陕西(凤县、华阴)。

## 99. 菱背网蝽属 *Eteoneus* Distant, 1903

*Eteoneus* Distant, 1903: 129. **Type species**: *Serenthia dilatata* Distant, 1903.

**属征**：体宽卵圆形，全身上下，触角及各足均有光泽并被金色短毛；头部短宽，眼远离前胸背板前缘；触角稍细长，被短毛；第4节长于第1、2节之和。前胸背板前缘平直，不具头兜，领明显，侧角圆弧状、角状或刺状，两侧角之间部分向上半球状隆起；无侧背板或仅呈脊状；背板中央具1个纵脊，前翅前缘域向外扩展较宽，中域及亚前缘域分界明显，其后端斜行狭窄。

**分布**：东南亚，非洲。中国记录3种，秦岭地区记述1种。

### (186) 角菱背网蝽 *Eteoneus angulatus* Drake *et* Maa, 1953

*Eteoneus angulatus* Drake *et* Maa, 1953: 89.

**鉴别特征**：头、前胸背板深褐色；前翅具明显褐色斑的种类。头背面除前面1对头刺部分圆鼓外，其余部分平坦，但表面粗糙不光滑，中央具2列刻点，周缘被平伏金色短毛；头刺5枚，圆瘤状；前面1对黑褐色，距离较近，后面1对，距离较远，向前侧指；复眼后缘后面1对，距离较远，向前侧指；复眼后缘横椭圆斑褐色并略圆鼓。触角基黑褐色，短突状，触角褐色，第4节黑褐色，被半直立短毛；小颊褐色，叶状，前端狭，后端稍宽并伸过头基部，具2~3列小室；喙端黑色，伸达中足基节。

前胸背板除胝黑色、三角突端部黄褐色外，其余一色深褐色，密被深刻点及金色平伏短毛；两侧角之间部分向上圆鼓，三角突的前半亦有1/2为球形隆起，前后2个隆起之间有1个横缢；前侧缘直，后侧缘中部之前极轻微向内弯；侧角呈明显的锐角，三角突大，几乎呈等边三角形，端角呈锐角，直伸达前翅中域中部以远；背板中央的纵脊后端未伸达三角突的末端，侧背板呈脊状。中后胸腹板纵沟甚宽且浅，尤以后胸为甚，中胸腹板纵沟侧脊弯呈椭圆形，后胸腹板纵沟侧脊弯呈心形，末端封闭，且开放较大，均灰黄色。

前翅浅黄褐色或灰黄色，长于腹部末端、前缘域及亚前缘域中部之前、前缘域的端部以及中域大部分的基部及端部均具明显的褐色斑，膜域上亦有4~5条斜线或直线褐色斑；前缘呈明显的圆弧状，相当于中域端部之后渐缩窄至端部呈半圆形；前缘域宽于亚前缘域，具5列小室；亚前缘域也具5列小室，但小室面积小于前者；中域基部斜窄，端部几乎呈三角形，相当于三角突端角部分最宽，该处具10~12列与亚前缘域等大的小室；膜域宽大于中域，端部及后缘小室稍大且排列规则；后翅稍短于前翅，烟色。

**量度(mm)**：♂：体长3.87，宽1.05。♀：体长4.07，宽2.06。

**采集记录**：20♀25♂，凤县大散关，1200m，寄主为泡桐，1994.Ⅸ.04，武三安、吴鸿、李传仁采；1♀，留坝庙台子，1994.Ⅷ.01，吕楠采。

**分布**：陕西(凤县、留坝)、河南、甘肃、江西、湖南、福建、海南、广西、重庆、贵州。

**寄主**：泡桐 *Paulownia* sp.(玄参科 Scrophulariaceae)。

## 100. 贝脊网蝽属 *Galeatus* Curtis, 1837

*Galeatus* Curtis, 1837: 196. **Type species**: *Tingis spinifrons* Fallén, 1807.

**属征**：体浅黄色至黄褐色，体表光滑。长翅型及短翅型均常见。

头刺5枚或无头刺，头刺长；头顶丘隆，唇基垂直下倾；小颊左右平行，不在喙前相接；触角基瘤钝而小，触角细弱；具复眼后片；上额片可见。

前胸背板3纵脊：中纵脊高，直或背缘大多波曲；侧纵脊片状或贝壳状高耸(侧面观呈半球形)。侧背板1列大网室，前侧角尖，后侧角钝圆。头兜大小变化极大：侧扁，伸至头背面或伸过头前端；圆鼓，盖住头部。盘域隆起，三角突囊状隆起。

前翅前缘基部突然加宽，翅面网室极大；前缘域1~2列大网室；亚前缘域1~2列大网室，斜置或近垂直；中域2~4个大网室，端角抬升，外侧上翘；膜域与中域的分界不清晰，1~2列大网室。Sc强烈波曲，R+M波曲，Cu及R+M+Cu微弱，且几乎与域内网脉等粗。

无后胸臭腺孔。雌虫无下生殖片。

**分布**：中国记录6种，秦岭地区记述2种。

### 分种检索表

头兜短而低，不明显前伸过头端；侧纵脊半球形，3列网室 ……………… **短贝脊网蝽 *G. affinis***

头兜长但较低，明显前伸过头端；侧纵脊贝壳状，1列共3个网室 …… **半贝脊网蝽 *G. decorus***

### (187) 短贝脊网蝽 *Galeatus affinis* (Herrich-Schäffer, 1835)

*Tingis affinis* Herrich-Schäffer, 1835: 58.

*Tingis spinifrons* Flör, 1860: 366 (nec Fallén, 1807).

*Galeatus uhleri* Horváth, 1923: 108.

*Galeatus affinis*: Liu & Bu, 2009: 260.

**鉴别特征**：体较小，前翅稍伸过腹部末端，后头刺长度小于头兜高度的2倍，侧纵脊网室内见细小颗粒，三角突后端的囊泡较宽。

头部具5枚细长头刺，半直立，后头刺长度小于头兜高度的2倍；复眼后片十分发达；小颊左右平行，不在喙前相接；唇基垂直下倾，头短；上颚片宽大；触角细弱。头兜小，盔状，明显低于侧纵脊和中纵脊；中纵脊由3个大网室组成，前部低而后部明显加高；侧纵脊半球形，背方黑色，黑色网室内见细小颗粒；侧背板扇形，1列大网室，斜向上翘；三角突呈囊状隆起。前翅宽大，但外露于腹部末端的部分明显短于腹部长度；中域1列共3个大网室，外侧上翘，R+M隆起；Cu细弱，膜域与中域分界不清；Sc波曲，前缘域宽大，1列大网室，但网室的大小差异很大。无后胸臭腺孔缘。

**采集记录**：1♂，周至板房子，1994. Ⅷ. 07，吕楠灯诱；1♀，周至厚畛子，1200m，2000. Ⅶ. 23，谢强采。

**分布**：陕西(周至、武功)、黑龙江、辽宁、北京、天津、河北、山西、河南、山东、甘肃、安徽、浙江、湖北、湖南、福建、广西、重庆、四川、云南；蒙古，俄罗斯，朝鲜，日本，中亚地区，欧洲，美国。

**寄主**：菊科：*Artemisia* spp.，*Antennaria dioica*，*Aster macrophyllus*，*Chrysanthemum* sp.，*Eupatorium* sp.，*Helichrysum* sp.，*Hieracium* sp.。豆科：*Medicago* sp.。

## (188) 半贝脊网蝽 *Galeatus decorus* Jakovlev, 1880

*Galeatus decorus* Jakovlev, 1880: 134.

**鉴别特征**：长椭圆形，各小室横脉的两侧有褐色横带斑的种类。

头橘褐色，眼后缘橘黄部分短，背面光滑，不具刻点；头刺黑褐色，5枚，彼此多少平行，均细长，伸达触角第1节端部，头基部的1对中部向上向内微弯；触角褐色，第4节黑褐色，第3、4节被半直立短毛及直立的长毛，第4节端半的短毛较密。小颊褐色，下缘黄白色，前端窄尖，后端宽圆，似成长三角形，被3列网状小室；喙端伸达中足基节。

前胸黑褐色，光亮，被稀疏细小刻点；领深褐色，甚短，仅在侧面可见；头兜灰白色，窄菱形，侧面观马鞍形，较长，前端超过头的端部很多，视若伸达触角第1节端部，两侧被直立金色长毛；向上高高地翘起，几乎与中纵脊等高；头兜之后紧连中纵脊，两者之间有1个浅凹陷，中纵脊亦向上高起，背缘似成圆弧状，具4个较大的长方形小室，两侧被金色直立长毛，中纵脊之后紧接褐色高耸的菱形囊状三角突；两侧脊亦向上举起，前半再向外侧弯成半壳状，侧脊的左右两侧均被金色直立长毛；侧背板玻璃状透明，不向上侧方翘起，平坦，共具5个小室，后3个小室的横脉的前后侧有褐色横带或横椭圆形斑驳。

前翅玻璃状透明，各域所具长方形小室的横脉前后侧均有横椭圆形褐色斑驳，亚前缘域及中域端部的拱起以及膜域的中部均有褐色晕；前缘基部十分狭窄，而后向外侧突然成直角状加宽，加宽部分的外缘似呈直的，至端部又成宽圆形；下前缘叶较宽，具1列长方形小室；足褐色，跗节端深褐色。

**量度(mm)：**♂：体长3.10，宽2.02。♀：体长3.16，宽2.09。

**采集记录：**1♀，武功，1884.Ⅶ.25，吕楠采。

**分布：**陕西(武功)、内蒙古、北京、天津、甘肃、浙江、湖北；俄罗斯，哈萨克斯坦，保加利亚，匈牙利，罗马尼亚。

## 101. 华网蝽属 *Hurdchila* Drake, 1953

*Hurdchila* Drake, 1953: 92. **Type species**: *Jannaeus togularis* Drake *et* Poor, 1936.

**属征：**头短，具短头刺，被头兜覆盖一部分。臭腺沟具1个较长的管形沟缘。喙长；喙沟侧脊具小室，多少平行、末端开放。小颊具小室，在喙基部前方相接。触角基短；触角细长，被短毛；第1、2节短粗；第3节长，很细；第4节短，略膨大。前胸背板十分长，中部略鼓起，具3条较长且上举的纵脊；三角突向后伸展较长，但未伸达中域的顶部；具小室，侧背板长大，翻卷于背板的表面；头兜较大、前端伸出于领部之前，有时伸过头的顶立前翅长于腹部，近基部不突然加宽；中域伸过前翅的中部。

**分布：**中国记录6种，秦岭地区记述1种。

### (189) 翘华网蝽 *Hurdchila lewisi* (Scott, 1880)

*Leptodictyal lewisi* Scott, 1880: 314.

*Hurdchila lewisi*: Pericart, 1985b: 170.

**鉴别特征：**体黄褐色；侧背板1/3黄褐色，后2/3黑褐色；前翅前绮缘域中部和端部具黑褐色横斑，小室横脉亦黑褐色。

头部复眼红色或深红褐色；具5枚粗长半直立头刺，前3枚聚集成一束，前指超过触角第2节中部；触角第1节粗且长于第2、3节，约为触角第4节的2.50倍，触角第4节长棒状，密被半直立长毛：触角基瘤外侧十分发达，钝角状前伸；小颊喙前宽接，3列小室，中胸喙沟长榷状，后胸喙沟稍宽于中胸喙沟，侧脊十分粗，1列小室，稍外弓，喙沟末端开放。

前胸背板盘域十分隆起，3条窄片状纵脊，具1列小室，侧纵脊中部明部明显显向内侧弓；头兜十分发达，中部弧形上翘，未接触盘域。前翅前缘强烈波曲，中部明显外弓；前缘域多具1列不规则较大小室，偶有内较小小室，横斑处具2列小室；亚前缘域具2列小室；中域长于翅的1/2，具4～5列小室；膜域具5～6列小室。

**采集记录：**1♀，凤县秦岭车站，1400m，1994.Ⅶ.29，卜文俊采。

**分布：**陕西(凤县)、福建；日本。

## 102. 柳网蝽属 *Metasalis* Lee, 1971

*Metasalis* Lee, 1971: 25. **Type species**: *Tingis populi* Takeya, 1932.

**属征：**长翅型。体长卵圆形。头顶丘隆，明显高于复眼；具 3 枚柔弱头刺，指状，背中刺位于丘隆中部，后头刺贴伏头表；唇基先斜向下倾，后垂直下倾，在头前端见明显折点；上颚片低，内侧外露，外侧为狭条形的下颚片盖覆，后者见明显网室；小颊近三角形，在喙前窄接；喙伸至后胸腹板，喙沟浅，中胸喙沟侧脊近平行，中胸喙沟稍深于后胸喙沟，后者呈心形，末端封闭。触角基瘤小，触角第 1 节十分粗，且长于触角第 2 节(长度为触角第 2 节的 2 倍)，触角第 3 节长但不很细，触角第 4 节棒状，被半直立长毛。无复眼后片。

前胸背板盘域适度隆起，3 条脊状纵脊，侧纵脊前端发自胝区后部，各脊隐约见 1 列网室。头兜屋脊状，前缘中央稍向前突，后端伸至胝区间；胝区十分发达，稍隆起；侧背板脊状平伸，在胝区外明显加宽且外缘脉加粗，1 列(胝区外侧 2 列)网室；三角突平坦，短(不及翅长的 1/3)。前胸前侧板上见大型胝区样疤。前翅长，远超出腹部末端。前翅前缘宽弧形，但在中部后稍内凹；Sc 强烈波曲，R + M 短而 R + M + Cu 很长，R + M、Cu 和 R + M + Cu 脊状。前缘域宽大，在中部后(Sc 内凹处)强烈加宽，2 ~ 3 列网室，且中部和端部各有 1 个黑斑向翅内方扩展；亚前缘域很宽，在中域外侧 4 ~ 5 列网室，斜置；中域极短，仅翅长的 1/3，网室小；膜域宽大，向后网室加大。静止时两翅端大部重叠，末端近半圆形。后胸臭腺孔缘横长，外端伸达侧板外侧。雄虫生殖囊十分大且形状特异(见 Lee, 1969)；雌虫产卵器基部具大型长舌状的下生殖片，下生殖片先端伸达第 9 侧背板中部(下生殖片长度等于生殖节长度的 1/2)。

**分布：**东亚。中国记录 1 种，秦岭地区分布 1 种。

### (190) 杨柳网蝽 *Metasalis populi* (Takeya, 1932)

*Tingis populi* Takeya, 1932: 10.

*Nobarnus hoffmanni* Drake, 1938: 195.

*Hegesidemus habrus* Drake, 1966: 135.

*Metasalis populi*: Liu & Bu, 2009: 272.

**鉴别特征：**头红褐色，光滑，短而圆鼓；头刺黄白色，前面 1 枚短棒状，位于触角基之间，后面 1 对长，位于复眼内缘，紧贴头背面；触角浅黄褐色，被短毛，第 4 节端半部黑褐色，被半直立长毛。小颊黄白色，前缘窄，后缘宽，具 3 列小室；喙端未伸达中胸腹板中部。前胸背板浅黄褐色至黑褐色，遍布细刻点；头兜、侧背板及三角突的端部黄白色，该处之前往往具1个大褐色斑，胝深褐色，三角突端部具小室；头兜屋脊状，前缘中部略向前拱出，3条纵脊灰黄色，等高，两侧脊端半与中纵脊平行，由中部往前渐向外分歧，至胝又向内略弯；侧背板窄，脊状，具1列小室，前半略扩展呈窄叶状，具2列小室；缘沟侧脊黄色，较低而宽，后胸喙沟侧脊心形，后端封闭。前翅长椭圆形，长过腹部末端，黄白色，具深褐色"X"形斑，前翅最宽处正位于前缘域深褐色横带斑处，端部彼此重叠，端缘呈半圆形；前缘域宽，具2列小室，横带斑处的小室不透明，室脉较粗，所具小室也较大，亚前域约与前缘域等宽，具4列小室；中域较短，不及前翅长度的1/2，最宽处具5列小室；亚前缘域及中域所具小室均远小于前缘域的；膜域长而宽，端部1/3及后缘1排小室均较大而排列整齐。后翅白色，稍短于前翅。胸部腹面黑褐色，各足基节基部及缘沟侧脊浅黄褐色或黄白色；腹部下方锈褐色或黑褐色；足黄褐色，跗节深褐色，雄虫腹部末端红褐色。

**量度(mm)：**♂：体长3.05，宽1.18。♀：体长2.97，宽1.27。触角1~4节的长度分别为0.15、0.08、0.99、0.37。

**采集记录：**113(♀♂)，周至板房子，1994.Ⅷ.09，卜文俊采；1♂，凤县秦岭车站，1961.Ⅷ.18，周尧、路进生采；1♂，同前，1962.Ⅷ.09，杨集昆采；2♀5♂，凤县秦岭车站，1400m，1994.Ⅶ.29，卜文俊采；1♀4♂，略阳，1985.Ⅶ.26，任树芝采；44(♀♂)，宁陕旬阳坝，1700m，1994.Ⅷ.17，卜文俊采。

**分布：**陕西(周至、凤县、略阳、杨凌、宁陕)、黑龙江、北京、天津、河北、山西、河南、山东、甘肃、湖北、江西、福建、广东、香港、重庆、四川、贵州；俄罗斯(远东地区)，朝鲜，日本。

**寄主：**白杨，柳，龙爪柳。

## 103. 折板网蝽属 *Physatocheila* Fieber, 1844

*Physatocheila* Fieber, 1844: 80. **Type species**: *Acanthia quadrimaculata* Wolff, 1804 ( = *Acanthia costata* Fabricius, 1794).

**属征：**体长椭圆形。触角中等粗细，坚实粗壮；2个小颊前缘在喙的前端全长相接；头兜屋脊形或倒钟形，向前不超过眼的中央；前胸背板具3条纵脊，两侧脊长且几乎与中纵脊平行；侧背板长叶片状，向背上方翻卷，完全覆盖于背板之上，并于背板侧角部分略向上拱起，其外缘中部几乎直，或接近侧脊，或远离侧脊：外缘后部圆弧状向外弯曲；前翅不透明，基部宽圆，中部或中部之前明显宽大，端大，端部狭窄，背面平扁，不向上拱曲；具臭腺沟及臭腺沟缘。

**分布：**中国记录8种，秦岭地区记述1种。

### (191) 折板网蝽 *Physatocheila costata* (Fabricius, 1794)

*Acanthia costata* Fabricius, 1794: 77.

*Acanthia quadrimaculata* Wolff, 1804: 133.

*Physatocheila costata*: Hsiao *et al.*, 1981: 333.

**鉴别特征:** 体长椭圆形，深褐色，前缘域及亚前缘域透明，并于中部之前有深褐色宽横带斑的种类。

头部黑褐色，短宽；前面1对及中间1枚头刺褐黄色，后面1对黄白色，各刺尖端均略向下弯，中间1枚位于两复眼之间，与后面1对均同样紧贴头背面；触角褐黄色，被短而平伏的细毛，第4节黑褐色，被半直立长毛。小颊褐黄色，下缘及后缘黄白色，被2列网室；喙端伸达或刚超过胸部腹板纵沟末端。

前胸背板深褐色，胝区黑褐色，满布圆形刻点，三角突具圆形小室；头兜扁宽，倒钟形，前缘中部微向前凸出，刚超过眼的后缘；三纵脊端部之前各有1个长条状黑褐色斑，其后为灰白色点斑，中纵脊背缘加厚，具1排较小长方形小室；两侧脊与中纵脊几乎平行，略低，仅在后半部可见具1列较小长方形室；侧背板底色灰黑褐色，上具5列具褐黄色室脉的五角形室，在侧角部室脉特别加厚，该处并略微鼓起，外缘前半部几乎覆盖两侧脊的前部。

前翅略呈梭形，前缘基部向内缩窄；前缘域前端具2~3列小室，小室大而稀，深褐色宽带斑则具3列小室，小室小而密，中部之后小室又变大而稀疏，数目减为2列，直至后端减为1列；亚前缘域约与前缘域等宽，其褐色宽带斑为3列小室，宽带部前后端均为2列小室，小室面积小于前缘域宽带斑部；中域深褐色，中间部分杂有一些黄白小圆晕，最宽处具8列小室，小室面积同于亚前缘域；膜域一色，浅锈褐色，后缘及端缘的小室略大，同于前缘域后半。后翅烟褐色，长于腹部末端但短于前翅。

**量度(mm):** ♂: 体长3.25，宽1.49。♀: 体长3.27，宽1.71。

**采集记录:** 2♂，周至板房子，1994. Ⅷ. 09，卜文俊采；1♂，凤县秦岭车站，1400m，1994. Ⅶ. 27，吕楠采；1♀，凤县天台山，1800~2200m，1999. Ⅸ. 03，李传仁采；1♀3♂，华山，1962. Ⅷ. 22，杨集昆、李法圣采(CAU)。

**分布:** 陕西(周至、凤县、华阴)、内蒙古、甘肃；俄罗斯(远东地区)，中亚地区，欧洲。

**寄主:** 杨属，栎属，桦属，蓟属等。

## 104. 冠网蝽属 *Stephanitis* Stål, 1873

*Stephanitis* Stål, 1873: 119, 123. **Type species**: *Acanthia pyri* Fabricius, 1775.

**属征：**触角第1节长，至少是第2节的2倍；唇基基段短而端段垂直下倾，头短，头顶稍隆；上颚片窄小，大部为下颚片盖覆；小颊在喙前窄接或几乎相接，喙沟末端开放；具复眼后片。前胸背板盘域平隆，1~3条纵脊，侧纵脊有时很短或消失；侧背板宽片状，上翘；头兜盔状，前缘明显前突至头背方，后端不向盘域扩展；前胸侧板上见胝区样疤。后胸臭腺孔缘长，孔缘前片稍长于后片，但孔缘前片的外端后弯(与 *Uhlerites* 的一致)，稍呈勺状，孔缘外端接近侧板外缘。足细长，腿节不加粗。前翅网室较大，除"X"处外网室透明；中域外侧隆起，其后侧角处隆起最高；Sc 强烈波曲，前缘域在中部后强烈加宽；Cu 清晰，中域与膜域界限清晰。阳茎的内阳茎上见3~4对骨化片。产卵器基部见大型下生殖片。

**分布：**中国记录28种，秦岭地区记述1种。

### (192) 梨冠网蝽 *Stephanitis nashi* Esaki *et* Takeya, 1931

*Tingis pyrioides*: Matsumura, 1905: 33 (nec Scott, 1875) (misidentification).

*Stephanitis pyri*: Horváth, 1906: 55 (nec Fabricius, 1775) (misidentification).

*Stephanitis ambigua*: Matsumura, 1917: 440 (nec Horváth, 1912) (misidentification).

*Stephanitis nashi* Esaki *et* Takeya, 1931: 52.

**鉴别特征：**体较小，头兜、中纵脊、侧背板及前翅的网脉上密布直立长细毛。头部红褐色，5枚头刺浅黄色，额刺和背中刺较短，先端刚伸至头前端，后头刺细长，先端达触角基瘤；触角第4节色加深；小颊黄褐色但下缘和后缘白色，2~3列网室；喙端至中足基节。头兜盔状，前半部见1个褐色横斑，头兜宽度等于复眼间距，头兜前端稍伸过头前端；中纵脊稍高于头兜，最宽处3列网室，其背缘弧形(近对称的半圆形)，中部黑斑宽大；侧纵脊较低而短，长度约为中纵脊的1/3；侧背板宽大于长，最宽处4列网室，后部见明显褐色斑。前翅"X"斑十分明显，且此斑外侧隐约见1个浅横斑；前翅相对宽短，后半部的前缘几乎与后缘平行；中域外侧上翘，R+M 强烈隆起，中域长度仅达翅长的1/2，最宽处3~4列网室；前缘域中部黑斑处3列网室，最宽处4列网室；亚前缘域2列网室；膜域3列网室。

**量度(mm)：**体长2.90~3.20。

**采集记录：**10♀8♂，杨凌，1994.Ⅶ.25，卜文俊采；1♀2♂，武功，1951.Ⅴ.20，周尧采(NWAU)。

**分布：**陕西(杨凌、武功)、黑龙江、吉林、北京、天津、河北、山西、河南、山东、安徽、浙江、湖北、江西、湖南、福建、台湾、广东、海南、广西、四川；俄罗斯(远东地区)，朝鲜，日本。

**寄主：**蔷薇科的梨、苹、桃、李、花红、海棠、木瓜等。

## 105. 菊网蝽属 *Tingis* Fabricius, 1803

*Tingis* Fabricius, 1803: 124. **Type species**: *Cimex cardui* Linnaeus, 1758.

**属征**：体扁平，宽卵圆形或长卵圆形，体表常被毛和刺。头短，具4 或5 枚头刺；触角长度随亚属的不同而不同，或短于前胸背板，或等于前胸背板，或长于前胸背板。小颊前端在喙基部前方相遇；喙端伸至胸部末端，未达腹部；喙沟于后胸腹板处加宽，末端封闭。臭腺沟在一些种类明显，在另一些种类不明显。前足及中足基节间的距离大于中足及后足间距离。前胸背板被粗刻点，与长尖的三角突之间具1 个清晰横缢；胝略鼓起；具3 条较低的纵脊，有时低于盘域，中纵脊直伸至领背面，有时消失在三角突上。侧背板平展，或向上翘起。前翅长椭圆形或倒卵形；前缘域平展，具1 ~4 列小室；亚前缘域斜置；中域长度或为前翅的1/2 或短于1/2；外缘直，或于末端稍向外弯，略往上翘；膜域全部重叠，基部小室等大于亚前缘域及中域，但端部变大，同于前缘域。

**分布**：中国记录22 种，秦岭地区记述5 种。

### 分种检索表

1. 领区前缘稍向前突起；触角第3 节端部平齐；头兜标准屋脊状 ································· 2
   领区前缘明显后凹；触角第3 节端部斜截；头兜扁囊状(背腹扁平)；体表密被长绒毛，前胸侧背板外缘的绒毛长于复眼直径 ························· **长毛菊网蝽 *T.* (*Neolasiotropis*) *pilosa***
2. 体外缘具成列整齐排列的强刺(刺基见明显瘤突)；后胸臭腺孔缘仅伸至侧板中部；Sc 强烈波曲，前缘域具1 个明显的加宽区；5 龄若虫的1、5、6、8 节背板中央各具1 对枝刺 ··································································· **卷刺菊网蝽 *T.* (*Tropidocheila*) *buddleiae***
   侧背板近直立或直立；体外缘具成列弱刺(刺基无明显瘤突)或缘毛或光滑；后胸臭腺孔缘伸至侧板外缘；Sc 稍波曲或浅弧形，前缘域有时具1 个明显的加宽区，有时仅稍加宽；5 龄若虫的1、5、6、8 节背板中央各具1 枚刺突 ··························································· 3
3. 侧背板仅半圆形，外缘强烈弧形外弓，最宽处5 列网室；无复眼间毛；前缘域4 ~5 列网室，为亚前缘域宽度的2 倍 ··············································· **米氏裸菊网蝽 *T. miyamotoi***
   至少侧背板后半部的外缘直，侧背板2 ~3 列网室；有复眼间毛；亚前缘域宽于前缘域的1/2 ········ 4
4. 体窄长；触角第4 节等粗于触角第3 节，棒状 ··············· **卷毛裸菊网蝽 *T.* (s. str.) *crispata***
   体较宽短；触角第4 节粗于触角第3 节，短纺锤形；前缘域2 列不规则排列的网室 ··························································· **长卷毛裸菊网蝽 *T.* (s. str.) *longicurvipilis***

### (193) 卷刺菊网蝽 *Tingis* (*Tropidocheila*) *buddleiae* Drake, 1930

*Tingis buddleiae* Drake, 1930b: 168.

*Tingis himalayae* Drake, 1948a: 173.

**鉴别特征：**体长椭圆形，浅黄褐色，有光泽；前翅前缘域中部之前具1个褐色横带斑，中域上有8～10个褐色圆形小斑，膜域前后缘端部具褐色椭圆形斑；前胸背板及前翅的背面具很密且平伏的或向下略弯曲的灰白细毛；前胸板外缘、纵脊、前翅前缘以及各域间的纵脉上均具1列基部带齿的刚毛。

头部黑褐色，满布污白粉被及细毛，呈浅黄褐色，有5枚浅黄褐色略向上翘前指的头刺，前面1对，1对尖端向内聚合，长度伸达触角第1节的中部；触角橘黄褐色，第1节较粗，被有短细毛，第2节略细略短于第1节，被有稀疏长细毛，第3节细，端部最细，被直立的刚毛，第4节端部3/4处黑褐色，近端部略膨大，被有稀疏直立的刚毛。小颊黄白色，窄叶片状，下缘直，与体纵轴平行，具2列小室；喙端伸过腹板纵沟末缘；后胸腹板纵沟侧脊较中胸腹板纵沟侧脊稍宽，末端不封闭；中足及后足之间的间隙宽于前足。

前胸背板浅黄褐色，胝黑褐色，满布圆形深刻点，三角突褐色，不具刻点两侧脊起自胝后缘，后端略相向聚合，中纵脊中部及后端具褐色条斑，前端略向上举呈屋脊形头兜，所具小室较小，前缘向前略呈圆弧状；侧背板宽叶状，前端宽，并向前略突出刚超过复眼后缘，后端侧角部分较窄，前半部具3列小室，侧角部分具1～2列小室，所具小室较大而透明；胸部侧板被白色粉被，尤以前胸侧板为甚。

前翅浅黄褐色，前缘基部略窄，端部呈半圆形，中部几乎呈直线；前缘域较宽，所具小室与侧背板小室等大而透明，前半具2～3列小室，后半小室更大，具3列，最宽处位于相当中域端角的外侧，亚前缘域窄于前缘域，具2列较小排列整齐的小室；中域较大，约占前翅的3/4，基部及端部均较窄，其前后缘的纵脉呈脊状拱起，最宽处具6～7列与亚前缘域等大的小室。亚前缘域与中域虽呈角状连接，而前翅背面呈现平坦，无任何拱起。后翅浅褐色，稍短于前翅。各足橘黄褐色，被直立刚毛，跗节深褐色。

**量度(mm)：**♂：体长3.63，宽1.67。♀：体长3.74，宽1.80。

**采集记录：**3♀3♂，凤县秦岭车站，1994.Ⅶ.29，卜文俊采；1♂，华山，1962.Ⅷ.22，李法圣采(CAU)；1♂，佛坪龙草坪，1985.Ⅶ.16，任树芝采；17♀9♂，宁陕旬阳坝，1700m，1994.Ⅷ.16-17，吕楠采。

**分布：**陕西(凤县、华阴、佛坪、宁陕)、湖北、湖南、四川、贵州、云南；印度，不丹，菲律宾。

### (194) 米氏裸菊网蝽 *Tingis miyamotoi* Lee, 1976

*Tingis miyamotoi* Lee, 1976: 1.

**鉴别特征：**体宽扁，黄白色；前胸侧背板及前翅杂有网状黑褐色斑；体表密被平伏短毛及白色粉被。头背部密被白色粉被及平伏短毛，头刺5枚，细长但基部粗壮，半直立，前3枚端部汇集一处，后2枚前端超过前2枚，达触角基部；触角第1节粗且长于触角第2节，密被白色粉被，触角第3节细长，约为触角第4节的1.50倍，前3节被稀疏平伏短毛，触角第4节明显膨大，棒状，密被平伏较长直毛；小颊窄片状，前端明显超出喙基部前方，在喙基部前方大部相接，具3列小室；喙伸达中胸腹板中后缘；中胸喙沟较窄且深，近平行，后胸喙沟变宽，宽心形，喙沟侧脊低平，末端开放，中后胸侧脊密被白色粉被及绒毛。

前胸背板盘域明显隆起，密被刻点及平伏短毛，具3条纵脊；头兜背面观多少呈半圆形，向上拱，侧面观背缘直，稍低于中纵脊，与中纵脊呈1条直线，前缘略向前略呈弧形拱出；侧纵脊基部稍向内弯，后与中纵脊近平行，3条纵脊具1列不明显小室；侧背板向侧上方扩展呈片状，前侧角不明显，圆弧形，外缘强烈宽弧状外弓，最宽处具7列小室，背面观可见5列小室。

前翅前缘中部稍向外宽弧形弓，端部重叠；前缘域较宽，基半部具4列小室，中部黑褐色斑具3～4列，后逐渐加宽，最宽处5列小室；亚前缘具3列不规则小室，明显窄于前缘域黑褐色斑处；中域最宽处具7～8列小室；膜域最宽，端部小室不增大，最宽处具11列小室，小室分界不明显；下前缘域较窄，具1列近方形小室。

**量度(mm)：**体长3.96，宽1.96；触角1～4节的长度分别为0.24、0.13、0.66、0.40。

**采集记录：**1♂，长安南五台，1956.Ⅵ.28，杨集昆采(CAU)。

**分布：**陕西(长安)、吉林、内蒙古、湖北、贵州；俄罗斯(远东地区)，朝鲜，日本。

**寄主：**菊科的苦买菜类。

### (195) 卷毛裸菊网蝽 *Tingis* (s. str.) *crispata* (Herrich-Schäffer, 1838)

*Derephysia crispata* Herrich-Schäffer, 1838: 72.
*Monanthia crispata*: Fieber, 1844: 66.
*Phyllontocheila crispata*: Costa, 1860: 6.
*Monanthia pallida* Garbiglietti, 1869: 273.
*Tingis crispata*: Horváth, 1906: 75.
*Tingis crispata* var. *addita* Horváth, 1911: 584.
*Dictyonota comosa* Takeya, 1931: 66.
*Tingis modosa* Drake, 1937: 593.
*Tingis* (s. str.) *crispata*: Liu & Bu, 2009: 274.

**鉴别特征：**头黑褐色，眼黑色，触角及头刺褐色，小颊浅黄褐色。前胸背板褐色；头兜、3个纵脊、侧背板及胸部腹板纵脊浅黄褐色。前翅前缘域及亚前缘半透明，具黄褐色或深褐色室脉。前缘域中部之前及端部具黑带斑，中域褐色。触角基显然向前突出，小颊前端向前突出与头中叶之前，与喙基部前方相连很大部分，喙伸达中胸腹板中部。触角粗壮而短，第1、2节圆柱形，第3节细且长于第1、2节，第4节显然更细于且短于第3节。头兜背面观多少呈半圆形，略微向上拱，前缘略向前伸出，前半具3列小室，后半窄狭，具2列小室；中胸腹板纵沟侧脊甚为靠近，后端向内弯，既互相接触，后胸腹板纵沟侧脊向外弓形弯曲，沟的宽度几乎为中胸腹板纵沟的2倍。前胸腹板无纵沟侧脊。前翅略狭长，前缘域全长等宽，具2列小室，亚前缘域及中域所具小室等大，小于前缘域，前者具2列小室，后者由于密被卷毛，所具小室界限不清晰。两翅端部合并呈直线形。

**量度(mm)**：♂：体长2.64，宽1.10。♀：体长2.85，宽1.43。

**采集记录**：1♂，凤县天台山，1800～2200m，1999. Ⅸ. 03，李传仁采。

**分布**：陕西(凤县)、内蒙古、北京、浙江、湖北、福建、四川；蒙古，俄罗斯，朝鲜，日本，印度，中亚地区，欧洲。

**寄主**：狭叶青蒿，鹤虱，山柳菊，蒿属 *Artemisia*。

### (196) 长卷毛裸菊网蝽 *Tingis* (s. str.) *longicurvipilis* Nonnaizab, 1988

*Tingis* (s. str.) *longicurvipilis* Nonnaizab, 1988: 355.

**鉴别特征**：体椭圆形，黄褐色或褐色，前胸背板、前翅具卷曲黄细毛，毛长不超过复眼直径，毛卷曲成圆形。

头褐色，密被卷曲黄细毛，前端稍下倾，头刺5枚，赀褐色，前2枚半直立，前指；顶端靠近，中间1枚半直立，顶端达前2枚中央，后2枚长，紧贴头背面，顶端达复眼内侧中央；触角基黄褐色，具卷曲细毛，顶端钝，达触角第1节中部；触角4节，具卷曲黄细毛，位头前端两侧，第1、2节褐色，第3节黄褐色，第4节褐色，纺锤状，布半直立浅色毛；复眼褐色，扁卵形，外突。头下方黄褐色，密布黄细毛，小颊黄褐色，宽叶状，高，前端在喙前方部分相遇，后端钝，长于头基部，下缘直，具2列圆形小室；喙4节，黄褐色，末端褐色，伸达中胸腹板中部。

前胸背板侧角间明显上鼓，具圆形刻点，胝区黑色，3条纵脊明显，1列小室隐约可见(侧面观)，2条侧脊前端稍外弓，后端平行，末端具白粉被，中纵脊前端到头兜前缘，末端达三角突顶端，2条侧脊前端始头兜后侧缘，末端达三角突侧缘；三角突基部稍鼓，顶端钝，具圆形小室；头兜宽扁，前缘中部稍前突，略超过头基部；侧背板宽，侧缘直，前半端斜上翅，背面可见2列小室，末端在侧角处垂直上翅，呈脊状，侧面观前端2列小室，后端1列小室。胸部侧板侧缘褐色，内侧及中部黄褐色，密被白色卷曲细毛，臭腺孔明显；中、后胸腹板褐色，具白色短细毛，中胸纵沟深，2条侧脊黄褐色，平行，具1列小室，后胸纵沟浅，宽，具浅色长细毛，侧脊稍外弓，后端不封闭。前翅椭圆形，前缘域窄，基半部上翅，具1列小室，有时末端具2列小室，亚前缘域末端1列小室，其余2列小室，中域长为前翅的3/4，最宽处9～10列小室，膜域顶端钝圆，重叠，最宽处8列小室，超过腹部末端约0.18mm。足基节、腿节褐色，布白色长细毛，胫节黄褐色，布浅色长毛，跗节 2 节，末端褐色，爪褐色。腹部腹面褐色或黄褐色，具白色平伏短细毛。

**量度(mm)**：体长 3.00 ~ 3.40，宽 1.40 ~ 1.50。

**采集记录**：2♀2♂，凤县秦岭车站，1400m，1994. Ⅷ. 27，吕楠、董建臻采；1♂，同前，1300m，1994. Ⅷ. 28，卜文俊采；1♀2♂，同前，1965. Ⅷ. 08，周尧、路进生采(NMAU)；1♂，凤县天台山，1700m，1999. Ⅸ. 04，李传仁采。

**分布**：陕西(陇县、凤县)、黑龙江、内蒙古、山西、甘肃。

### (197) 长毛菊网蝽 *Tingis* (*Neolasiotropis*) *pilosa* Hummel, 1825

*Tingis pilosa* Hummel, 1825: 69.
*Monanthia angusticollis* Herrich-Schäffer, 1836: 72.
*Monanthia kiesenwetteri* var. *antennalis* Puton, 1879: 297.
*Tingis* (*Tropidocheila*) *pilosa*: Oshanin, 1908: 437.
*Tingis* (*Tropidocheila*) *kirinana* Drake, 1948: 1.
*Tingis* (*Neolasiotropis*) *pilosa*: Liu & Bu, 2009: 274.

**鉴别特征**：体卵圆形，黄褐色；背面、侧背板外缘、前翅前缘满被直立细长而密的金色毛，毛的基部不具小齿，毛的长度大于复眼的直径；前翅上杂有黑褐色斑纹。

头部黑褐色，短宽，5 枚头刺黄褐色，短钝而粗，前面 1 对"八"字形排列；触角褐色，粗短，短于前胸背板的长度，第 3 节黑褐色，近端部膨大，均被半直立毛。小颊浅褐色，有时前半部有深晕，两片与喙前端接近但未完全相遇，或仅基部相遇；喙深褐色，喙端伸达中足基节或刚超过中足基节。

前胸背板黄褐色，三角突较大，几乎成等边三角形，具脉粗的小室；3 条纵脊较长，彼此平行，前端稍加宽；头兜浅黄褐色，宽而平扁，背面观略呈半横圆形，宽及长之比约为 23∶13，前缘平直；侧背板极窄，垂直翘起，背面观脊状，侧面观由 1 列脉极粗的小室组成。中后胸腹板纵沟侧脊灰黄，几乎平行，末端敞开，完全不封闭。

前翅长于腹部末端，前缘从基部至端部成宽弧形，两翅弧端部完全重叠并呈半圆形；前缘域具 8 ~ 10 个黑褐色横条斑，基部具 1 列小室，中部具 2 列小室，端部以前具 3 列小室；亚前缘域与前缘域略等宽，中部具 1 个较宽的黑褐色横带斑，全场具 2 列小室；中域较宽而长，约为前翅的 2/3，除基部外，满具形状不规则黑褐色斑纹，最宽处具 6 列小室，所有以上各域小室的室脉均较粗。足褐色，股节较粗短，胫节浅黄褐色，均被有细长直立的毛，跗节端部黑褐色；胸腹部腹面有时具白色粉被。

**量度(mm)**：♂：体长 3.34，宽 1.47。♀：体长 3.45，宽 1.54。

**采集记录**：3♂，周至，1200m，2000. Ⅶ. 25，谢强采；14♀5♂，5 若虫，凤县大散关，1200m，1999. Ⅸ. 09，寄主为益母草，李传仁采。

**分布**：陕西(周至、凤县、武功)、黑龙江、吉林、辽宁、内蒙古、北京、天津、河北、山西、甘肃、新疆、湖北；蒙古，俄罗斯，中亚地区，欧洲。

**寄主：**益母草（唇形花科）。

## 106. 角肩网蝽属 *Uhlerites* Drake, 1927

*Uhlerites* Drake, 1927b: 56. **Type species**: *Phyllontochila debile* Uhler, 1896.

**属征：**头顶光滑，丘隆且高于复眼；唇基垂直下倾，强烈隆起；上颚片为发达的下颚片覆盖。具5枚头刺：背中刺及额刺指状，额刺相互靠近并斜向上伸出，背中刺平伸；后头刺细长，平伏于头表。小颊在喙前宽接，稍超过头前。触角基瘤小瘤状，触角与 *Stephanitis* 同。无复眼后片。中、后胸喙沟侧脊圆弧形（侧面观），喙沟末端。

前胸背板盘域强烈隆起，肩角内侧各具1条纵沟。1纵脊（4种）或3纵脊（仅 *miyamotoi* 1种），中纵脊片状直立，1列网室。头兜形状特殊：基部囊状，端部屋脊状且前缘中央强烈向前扩展至头背面。侧背板片状且近平伸，前部宽而向后显著缩窄，其前缘深凹，外缘平直，前侧角角状前伸，后侧角钝圆。盘域及三角突的网室小，但三角突末端的网室透明。前胸前侧板上 胝区样疤。后胸臭腺孔及孔缘特殊：臭腺孔开口于后胸侧板前缘中部，孔缘前片与孔缘后片间的空腔长而大，孔缘前片斜伸至侧板外缘后再向后延伸，孔缘后片外侧与孔缘前片相接，但明显短于孔缘前片（同 *Stephanitis*）。前翅前缘基部突然加宽，前缘波曲。前缘域基半部上翘，后半部平坦，中部及近端部处各有1个深色斑，中部暗斑处最窄，对着 R + M 凹入处最宽；亚前缘域较宽大，斜置，网室小；中域外侧上翘（与 *Stephanitis*，*Galeatus*，*Aconchus*，*Dulinus* 等属接近，但 *Uhlerites* 的中域内平坦）；膜域宽大；下缘域1~2列网室，雌下缘域中部一般有2列网室。Sc、R + M 粗壮且强烈波曲；Cu 脉弱，有时与中域内网脉等粗，致使中域与膜域分界不清。雌虫无下生殖片；雄虫生殖囊扁囊状（与 *Metasalis* 及 *Monosteira* 等属相近），生殖囊腹缘有1对齿状突起。

*Uhlerites* 是一个单质性很好的属级阶元，作者发现其后胸臭腺、前胸背板盘域纵脊、头兜形状、侧背板形状在网蝽科中独特。

**分布：**亚洲东南部。中国记录3种，秦岭地区记述2种，其中包括1新种。

### 分种检索表

前胸前侧板前侧角前端与头端平齐；前翅前缘的折点（对着前缘域最宽处）不明显，前缘中部后不明显缢缩；后胸臭腺孔缘后片较短，仅伸至侧板中部稍外（即孔缘端距侧板外缘较远）………………………………………………………………………… **东亚角肩网蝽，新种 *U. orientalis***

前胸侧背板前侧角仅前伸至复眼中部连线上；前翅前缘的折点明显，前缘中部后明显缢缩；后胸臭腺孔缘后片长，近达侧板外缘 ……………………………… **褐角肩网蝽 *U. debilis***

### (198) 褐角肩网蝽 *Uhlerites debilis* (Uhler, 1896)

*Phyllontochila debile* Uhler, 1896: 265.

*Stephanitis* (*Norba*) *x-nigrum* Lindberg, 1927: 15.

*Uhlerites debilis*: Hsiao *et al.*, 1981: 367.

**鉴别特征:** 体长椭圆形, 黄褐色, 前翅具深褐色斑的种类。

头部黄褐色, 皆大部被头兜所覆盖, 短宽, 头刺黄白色, 细棒状; 触角灰黄色, 中长, 被平伏短毛, 第4节褐色, 端半具半直立长毛; 小颊端半部黑褐色, 后半部黄白色, 具4列小室; 喙浅褐色, 端部深褐色, 伸达中胸腹板后缘。

胸部腹板纵沟深褐色, 前部窄, 中部加宽, 后部更宽呈近方形, 腹板纵沟侧脊黄白色, 直立, 具1列小室; 后胸腹板纵沟侧脊心形, 末端不封闭, 中胸及后胸腹板纵沟侧脊之间断开。前胸背板较宽, 褐色, 胝区深褐色; 头兜、侧背板及三角突的端角黄白色, 背面具深而大的刻点, 至三角突刻点变大; 头兜侧面观屋脊状, 向前扩展呈宽角状, 前缘略平直, 伸达头的前端, 几乎覆盖头的大部, 中纵脊直立, 具1列较小不明显的小室, 后端1/3略微高起; 侧背板外缘中部略向内弯曲, 前角侧面观稍伸过眼的中部, 最宽处具4排小室。前翅宽椭圆形, 端部合端部合为一, 呈宽圆形, 黄白色, 自中部至端部有1个明显的褐色"x"形斑, 前缘中部之后略向内缩窄; 前缘域前后等宽, 具3列大型小室; 亚前缘域具4列较小的小室, 亚前缘域与中域呈斜面相接, 中域较短但长度约为前翅的1/2, 最宽处具6列小室, 小室面积大于亚前缘域但小于域, 小室面积大于亚前缘域但小于前缘域的, 中域及膜域之间界限明显, 膜片较长, 外缘端部不向外扩展。

腹部腹面、中胸及后胸侧板前半部深褐色, 后半部黄白色; 臭腺沟缘黄白色; 腹部下方中间部分的前半部深褐色, 其余部分浅褐色; 各足黄白色, 胫节端部浅褐色, 跗节褐色。

**量度(mm):** ♂: 体长2.72, 宽1.40。♀: 体长2.87, 宽1.43。

**采集记录:** 1♂, 周至楼观台, 1962.Ⅷ.13, 杨集昆采; 3♂, 勉县, 1982.Ⅴ.07, 韩国强。

**分布:** 陕西(周至、勉县)、山西、安徽、湖北、台湾、广西、云南; 俄罗斯(远东地区), 朝鲜, 日本。

**寄主:** 栎类 *Quercus* spp。

### (199) 东亚角肩网蝽, 新种 *Uhlerites orientalis* Li *et* Bu, sp. nov. (图91)

**鉴别特征:** 体黄色, 杂少量棕斑。复眼、唇基、小颊端1/5、喙沟、前、中足基节间及后胸臭腺孔缘后方黑色或黑褐色, 触角第4节端部、头顶、胝区、前翅前缘域的

2个暗斑、亚前缘域中部的部分网室及中域内部分网脉棕色；腹部腹板颜色多变：部分个体的腹板中部黑褐色而两侧红棕，部分个体的第2~5腹板中央黑褐色而其两侧及第6~7腹板黄色，部分个体的腹板全为黄色(腹板颜色好像是内脏色透过表皮形成)；触角第1~3节、头刺、前胸背板、足及前翅大部黄色或浅黄色。头刺5枚，细长，额刺半直立，近达触角1中部；背中刺平伸至额刺间；后头刺平状，前伸到复眼前部内侧。下颚片窄长，2列不规则网室；小颊在喙前宽接，前1/5黑色，后4/5黄色；喙伸到中胸喙沟末端。触角第3节细长，约为触角第4节的3.50~3.80倍。前胸背板盘域适度隆起，仅具中纵脊，中纵脊前部(位于盘域最高点前)低，1列模糊可见网室，中纵脊后部(盘域最高点后)明显加高，1列较大网室。头兜较长，前伸过头前端。侧背板宽大，无暗斑，侧缘波曲，前缘强烈后凹，前侧角向前伸过复眼，先端几乎与头端平齐；前半部4~5网室，向后渐窄，肩角处2列网室。前翅前缘基部突然加宽，中部直，在前缘域最宽处外侧略见折点(不明显缢缩)。前缘域宽大，基半部具排列较为整齐的3列网室，最宽处4列大网室，中部棕斑处宽于对应的亚前缘域；亚前缘域4列(雄虫及部分雌虫)或5列(部分雌虫)不规则排列的网室，前缘域棕斑内侧的亚前缘域网脉棕色；中域长度仅为翅长的41%~45%，最宽处7列网室，域内有时见不规则的小棕斑；膜域最宽处7列网室。雌虫下缘域明显宽于雄虫的，前者全长2列网室，后者仅基部1/4处有2列网室，而后3/4处仅1列网室。后胸臭腺孔缘外端远离侧板外侧。雄虫生殖囊腹缘上的2对齿突大，且后齿突伸出于生殖囊后缘；内阳茎上的2对骨片骨化强。抱器端部粗短。

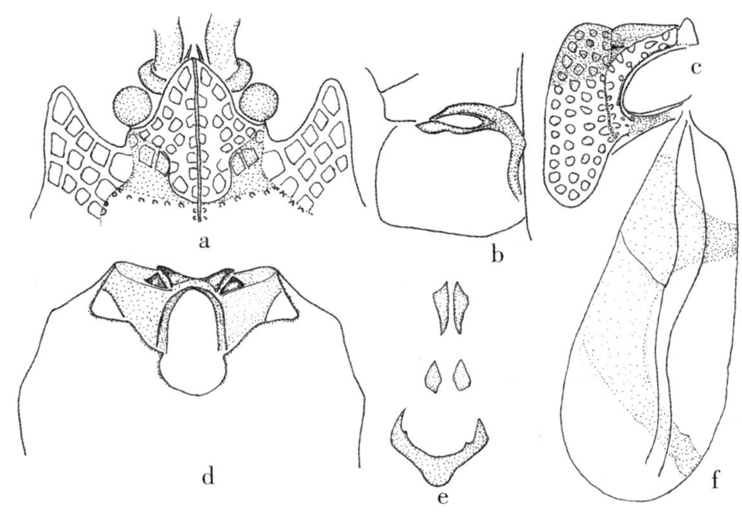


图91　东亚角肩网蝽，新种 *Uhlerites orientalis* Li *et* Bu, sp. nov.

a. 头部和前胸背板前半部背面观；b. 后胸臭腺沟缘；c. 头部侧面观；d. 背兜背面观；e. 阳茎鞘和内阳茎上的骨片；f. 前翅

**量度(mm)**：♂：体长3.40，宽1.51(过前翅中部)；前胸背板长1.51，头兜长

0.46；前翅长2.52，中域长1.05；触角第3节长1.38，触角第4节长0.36。♀：体长3.60，宽1.76(过前翅中部)；前胸背板长1.57，头兜长0.47；前翅长2.67，中域长1.19；触角第3节长1.26，触角第4节长0.36。

**采集记录**：♂(正模)，周至板房子，1400m，1994.Ⅷ.08，卜文俊采；31♀22♂(副模)，同正模；3♂(副模)，周至板房子，1994.Ⅷ.10，卜文俊采；2♀1♂(副模)，宁陕旬阳坝，1700m，1994.Ⅷ.16，吕楠采；1♀1♂(副模)，太白山，1740m，1956.Ⅶ.23-28，周尧采(保存于西北农林科技大学昆虫博物馆)；1♀(副模)，太白山大殿，2200m，1956.Ⅶ.26-28，周尧采(保存于西北农林科技大学昆虫博物馆)。

**分布**：陕西(周至、太白、宁陕)。

**种名词源**：指新种分布于东亚地区。

**讨论**：*Uhlerites* 是典型的东亚分布属，目前已记录4种。新种与 *U. debilis* (Uhler)相似，但后者体明显小(2.80~3.10mm)、侧背板前侧角仅前伸到复眼中部连线上、抱器端部较细长、下缘域全长1列(雄虫)或中部2列而前、后端1列(雌虫)。新种与其他种的区别见检索表。

# 姬蝽总科 Naboidea

# 十二、姬蝽科 Nabidae

叶瑱 任树芝
(南开大学昆虫学研究所，天津 300071)

**鉴别特征**：姬蝽科为中、小型(体长5~14mm)或极小型个体(体长2~3mm)的昆虫。一般种类体色为污黄色，具褐色、黑色或黄色斑；少数种类色深，呈褐色或黑褐色体色，通常具红色、橘黄、橘红色的艳丽色彩。

体长形，或狭长。头短或较长，但均短于前胸背板的长度，头背面具1对单眼，两侧的眼(或称复眼)大而显著；触角一般细长，为4节；喙细长或粗短，由4节组成。前胸背板分两叶，前叶与后叶之间有1个横缢，此横缢显著或隐约不清，背板的前缘有领或无领。小盾片三角状，构造简单。前翅膜片具2或3个长形翅室，通常具放射翅脉或残余部分，一般前翅达腹部末端或超过腹端，常出现不同程度的短翅型个体，主要表现在膜片的多变。前足粗于中足和后足，通常前足股节显著粗于其他各足的股节。雄虫生殖器通常对称，抱器或阳茎在一些亚科中有的种不对称，雄虫后足胫节及生殖节上均具有一种特殊的形态构造，即艾氏器(Ekblom′s Organ)。雄虫生殖器特征为分类的重要形态特征依据。

**分类**：中国记录2亚科14属77种，陕西秦岭地区发现2亚科5属11种。

### 分亚科检索表

体健壮，足较短，前中足股节腹面具显著的成列小坚刺，后足股节短于腹部的长度；前胸背板领退化或领不明显，前翅爪片向后渐狭窄，爪片接合缝短于小盾片的长度；后胸臭腺沟缘发达 ………………………………………………………………………… **花姬蝽亚科 Prostemminae**

体较细弱，足较长，前、中足股节腹面无成列的小刺，通常具浓密刚毛列，若具小刺突则甚小；后足股节长于腹部的长度；前胸背板领显著；前翅爪片向后较宽，爪片接合缝长于小盾片的长度 ………………………………………………………………………… **姬蝽亚科 Nabinae**

## (一)花姬蝽亚科 Prostemminae

**鉴别特征：**体黑色，光亮或晦暗，或者体为红色。黑色种类常具红色、黄色或白色斑。体长椭圆形，小至中型(体长 2～10mm)，通常生活的场所隐蔽，如地表、植物的根际处、土表层下或枯枝落叶下及朽树木皮下。体健壮，有的种类体背、腹面扁平，但所有的种类前足股节粗壮，特别是栖息于地表上的种类尤为显著粗壮，腹面具坚硬的刺列，胫节前端部膨大，具栉刺列，及发达的海绵窝。雄虫后足胫节的艾氏器(Ekblom's Organ)由 7～10 根硬刚毛或坚硬的刺状毛组成，如红盾光姬蝽 *Rhamphocoris borneensis* (Schumacher)，雄虫后足胫节的艾氏器由 10 根刺毛状的刚毛组成，生殖节腹面上的艾氏器由 7～10 根细硬刚毛组成；又如黑头异姬蝽 *Alloeorhynchus* (*Alloeorhynchus*) *vinulus* (Stål)雄虫生殖节及后足胫节的艾氏器的组成刚毛数与前种相同，亦各由 10 根刚毛组成。

**分类：**中国记录 4 属 16 种，陕西秦岭地区发现 1 属 1 种。

### 107. 花姬蝽属 *Prostemma* Laporte, 1832

*Prostemma* Laporte, 1832: 12. **Type species**: *Prostemma guttula* Fabricius, 1787.

**属征：**体长椭圆形，体长 6～10mm，体色黑色，黑褐色或棕褐色，光亮，被有稀疏长毛及短毛，一般具橘黄、橘红色或淡黄色、白灰色斑。触角第 1 节短，约为头长的 1/2。头长与头宽约相等。喙第 2 节短于第 3 节。前胸背板的前叶、后叶分界明显。前足股节明显加粗，背面圆隆，腹面近平直，具排列规则的小刺；前足胫节略向内弯，由基部向端部渐渐加粗，明显粗于基半部，其前端的海绵窝显著。后胸臭腺发达，臭腺沟缘中部弯，呈角状。雄虫生殖节的艾氏器(Ekblom's Organ)由丛生的硬刚毛组成。雌虫的生殖腔具 1 个或 2 个骨化环。在种内或种间翅的大小多变化，可分为小翅型、短翅型及长翅型个体。长翅型个体，前翅膜片发达，达到或几乎达腹部末端；小翅型的前翅膜片甚小(仅留有膜片基部的痕迹)。

**分布：**中国记录4种，秦岭地区记述1种。

### (200) 长胸花姬蝽 *Prostemma longicolle* (Reuter, 1909)

*Nabis longicolle* Reuter, 1909: 14.

*Prostemma longicolle*: Hsiao & Ren, 1981: 544.

**鉴别特征：**体黑色，头及前胸背板光亮。触角黄褐色，前翅橘红色或红色，膜片端缘淡黄色，各足浅红棕色(除前足股节基部黑色及各足胫节褐色外)。

雄虫体长8.80mm，腹部宽2.90mm。由背面观察，头长1.10mm，宽1.30mm，头顶宽0.50mm；由侧面观察，头长1.50mm。触角第1节短，约为头长的1/3(0.50mm)，第2节几乎与头等长(1.40mm)。前胸背板长2mm，前角间宽0.90mm，侧角间2mm。短翅型，前翅长1.90mm，略超过小盾片的顶端。

雌虫体长9.50mm，腹部宽3.40mm。由背面观察，头长1.20mm，宽1.40mm，头顶宽0.50mm；由侧面观察，头长1.70mm，眼前部分、眼与眼后部分的长度分别为0.7mm、0.7mm、0.30mm。触角第1节(0.50mm)略短于第2节(1.60mm)，第3节(1.70mm)略长于第2节(1.60mm)。喙1~4节的长度分别为0.3mm、0.9mm、1.00mm、0.40mm。前胸背板长2.40mm，后叶具稀疏小刻点，前角间宽0.90mm，侧角间宽2.40mm。前翅长2mm，超过小盾片顶端0.50mm。后胸臭腺沟缘前半部不明显向内弯，后中部外缘呈圆形。第7腹板中突短，为该节长的1/2，生殖腔具1个大骨化环。

**采集记录：**华县，1981.Ⅳ.16；渭南，1981.Ⅴ.01，王丰贤采；甘泉清泉镇，1971.Ⅴ.05，杨集昆采。

**分布：**陕西(华县、渭南、甘泉)、甘肃、江苏。

## (二) 姬蝽亚科 Nabinae

**鉴别特征：**体色一般污暗(除柽姬蝽属 *Aspilaspis* Stål 的种呈绿色，并有黄色、橘黄或橘红色斑)，常具黑色、褐色或黄色斑。头的前端略向下倾斜，触角细长，由4节组成；喙稍弯，分为4节，第1节粗而极短，第2节最长。单眼之间较远离或彼此靠近，位于1个小丘上；眼位于头两侧，近中部。前胸背板呈钟形，近中域的横缢明显，将背板分为前、后两叶，或两叶之间无明显界线，后缘一般构造简单，侧角钝圆或略高起。多数个体的前翅达或几乎达腹部末端、不同程度的超过腹部末端，少数个体的翅甚短，称为短翅型或小翅型。雄虫生殖节两侧各具1个抱器，抱器通常为1叶或分为2叶；生殖节的背面两侧，各具1列刚毛列(由一行或几行刚毛组成)。雌虫的生殖腔具 1 个或 2 个骨化环。

**分类：** 中国记录 10 属 61 种，陕西秦岭地区发现 4 属 10 种。

### 分属检索表

1. 触角第 1 节长于前胸背板；雌虫的生殖腔较小，为 2 或 4 个 ………………… **高姬蝽属 *Gorpis***
   触角第 1 节长于前胸背板；雌虫的生殖腔较大，为 1 或 2 个 ……………………………………… 2
2. 触角长，长于体长的 3/4，第 1 节长或等于头的长度，第 2 节长于前胸背板；腹部第 7 节后角圆形 ………………………………………………………………………… **希姬蝽属 *Himacerus***
   触角短，短于体长的 2/3，第 1 节短于头的长度，第 2 节短于前胸背板；腹部第 7 节后角方形 … 3
3. 腹部背面具深色及浅色纵带斑纹……………………………………………… **捺姬蝽属 *Nabicula***
   腹部背面一色，多为黑色，有的种类为褐色或黄色 ……………………………… **姬蝽属 *Nabis***

## 108. 高姬蝽属 *Gorpis* Stål, 1859

*Gorpis* Stål, 1859: 377. **Type species**: *Gorpis cribraticollis* Stål, 1859.

**属征：** 通常前胸背板具刻点，或仅背板的后叶刻点清楚；前胸腹板包围着前足基节窝，或不包围着前足基节窝。前、中足胫节端部的海绵窝构造特异，明显与其他亚科的海绵窝构造不相同。雄虫抱器分内、外两叶；阳茎内部的骨化构造较复杂。雌虫生殖腔的骨化环小；具 2 或 4 个，分别位于生殖腔的两侧。

**分布：** 中国记录 9 种，秦岭地区记述 3 种。

### 分种检索表

1. 前胸腹板包围着前足基节窝后方，为封闭型基节窝 ………………………………………………… 2
   前胸腹板不包围着前足基节窝后方，为开放型基节窝……………… **山高姬蝽 *G. brevilineatus***
2. 前胸背板侧角成短锥状或长刺状………………………………………… **角肩高姬蝽 *G. humeralis***
   前胸背板侧角圆 ………………………………………………………… **日本高姬蝽 *G. japonicus***

### (201) 角肩高姬蝽 *Gorpis humeralis* (Distant, 1904)

*Dodonaeus humeralis* Distant, 1904c: 399, fig. 255.

*Gorpis* (*Dodonaeus*) *humeralis*: Reuter, 1908: 95.

*Gorpis humeralis*: Harris, 1930: 421

*Gorpis* (*Gorpis*) *humeralis*: Kerzhner, 1992: 255.

**鉴别特征：**体淡草黄色，具红色泽，被褐色及淡黄色亮毛。前胸背板前叶侧缘下方纵带纹及前翅革片中域的深色斑为褐色；前翅爪片内侧域淡褐色，翅脉为淡褐色泽，膜片透明。

雌虫体长14.50mm，腹部宽3.20mm。触角第1、2两节及中、后足胫节基部和股节顶端具红色泽。前胸背板前叶光滑，后叶具密刻点及小皱纹；触角具褐色刚毛，第1触角节的刚毛显著长于其余各节的刚毛，触角1～4节的长度分别为2.80mm、4.10mm、4.60mm、2.00mm。头长1.50mm，宽1mm。喙第1节明显超过头的后缘，1～4节的长度分别为0.40mm、1.50mm、1.30mm、0.60mm。前胸背板前叶光滑，后叶具密刻点及小皱纹，使其表面粗糙。后叶侧角向两侧呈短锥状突。前足股节(5mm)长于胫节(4mm)，前足股节下缘具浅色浓密毛列，胫节略向内弯曲。前翅长10.90mm，超过腹部末端2.30mm。

雄虫体长13.20mm，腹部宽2.10mm。头长1.50mm，宽1mm，头顶宽0.50mm。触角1～4节的长度分别为3.30mm、4.10mm、4.50mm、1.80mm。喙1～4节的长度分别为0.30mm、1.40mm、1.20mm、0.60mm。前胸背板长2.20mm，前叶(1.15mm)略长于后叶(1.10mm)，前叶(0.71mm)狭于后叶(2.60mm)。前翅长9.50mm。腹部侧接缘一色黄。抱器的外叶大于内叶，阳茎无骨化刺构造，但基半部表面布满着浓密小刺。

体长13.20mm～14.50mm，腹部宽2.20～3.20mm。

**采集记录：**留坝庙台子，1400m，1994.Ⅶ.02，卜文俊采。

**分布：**陕西(留坝)、湖北、湖南、贵州；印度，斯里兰卡。

### (202) 日本高姬蝽 *Gorpis japonicus* Kerzhner，1968

*Gorpis* (*Gorpis*) *japonicus* Kerzhner，1968：849.

*Gorpis* (*Gorpis*) *japonicus*：Hsiao & Ren，1981：550.

**鉴别特征：**体浅黄色，被有稀疏淡色亮毛，具红色、橘黄色、淡褐色斑纹。触角第1、2两节、各足股节顶端及胫节基部红色，前胸背板前叶两侧及前翅膜片翅脉淡褐色，背板后叶两侧橘黄色，前翅爪片外缘、革片内缘红色，革片中部斑常由红色变暗，前足股节外侧有2个斑、内侧中部有1个斑、亦为红色，但多数干标本前足上的斑非常不明显或无。

雄虫体长11.50～12.80mm，腹部宽2.10～2.40mm。头长1.70mm，宽1mm，头顶宽0.40mm。触角1～4节的长度分别为2.70mm、3.80mm、4.40mm、1.40mm。喙1～4节的长度分别为0.31mm、1.40mm、1.10mm、0.60mm。前胸背板前叶光亮。圆隆，后叶刻点浓密而明显；背板长2.20mm，前角间宽0.80mm，侧角间宽2.30mm；前叶(1.30mm)长于后叶(1mm)。前翅长8.80mm，超过腹部末端1.80mm。前足基节长2mm，前足股节长4.50mm，前胫节长3.50mm。雄虫腹部第7腹板前缘中央具长突，顶端略弯。抱器中部宽阔，外叶顶端钝，内叶顶端尖锐；阳茎基部有3个形状各异的骨化刺，表面基半部的小刺浓密而显著。

雌虫体长13～14mm，腹部宽2.40～3.00mm。前翅长10mm。超过腹部末端1.20mm。产卵器长2.60mm；生殖节构造复杂。

日本高姬蝽 *Gorpis*（*Gorpis*）*Japomcus* Kerzhner 身体的红色泽鲜艳，但此色斑不稳定，老化的个体或干标本前翅上的红色斑，常变为淡褐色或暗灰黄色，或此斑的周围呈红色，而中部为褐色；爪片及革片内侧的红色纵纹渐变为淡褐色，仅有在前翅革片端角的红色不易褪色。

日本高姬蝽在我国分布很广，北至山东，南达海南，向西延伸到陕西，东至东南沿海各地区。主要栖息在乔木、灌木丛中及作物田，如柿 *Diospyros* sp.（柿树科 Ebenaceae）、枫杨（胡桃科 Juglandaceae）、苹果 *Malus pumila* Nill. 以及活动于烟草、蔬菜等田中捕食小虫。

本种一年一代，以卵在树皮缝中越冬。翌年5月下旬卵开始孵化，出现第1龄若虫，7月中下旬出现第5龄若虫，7月上旬陆续变为成虫，7月中下旬为成虫盛期。8月份雌虫体内的卵开始成熟。在河北保定、石家庄、邢台、邯郸西郊山区观察（丽娟等，1992）若虫及成虫栖息于柿树，捕食柿树的害虫，如河北零叶蝉 *Limassolla hebeinensis* Cai *et* Liang 的若虫和成虫，对该种害虫的发生起着一定的控制作用，为叶蝉的主要天敌。

卵：淡黄色、透明。卵长（卵巢内成熟卵）3.50～3.70mm，粗0.50～0.55mm。卵壳领缘高（当卵成熟时由淡黄色变为棕褐色）卵体略向一侧弯，卵在雌虫体内排列紧密，一般可见7～9粒卵（对经解剖几个即将产卵的雌虫腹部内的观察情况）。

若虫：体黄色，各足股节前端及胫节基部为红色。第1龄体长4～5mm；第2龄体长5～7mm，第1、2两个龄期均无翅芽，第3龄体长7～8mm，出现翅芽，之后翅芽并渐渐膨大；第5龄体长10～14mm，触角第1节红色，翅芽达第3腹板节，草绿色，后期出现黄色或红色斑；胸部背面具2条黑色纵纹，两侧有红纵纹。腹部背面具2条橘黄色纵纹。

**采集记录**：杨凌，1986.Ⅶ.24。

**分布**：陕西（杨凌）、北京、河北、河南、山东、浙江、福建、海南、四川、贵州；俄罗斯，朝鲜，日本。

### （203）山高姬蝽 *Gorpis brevilineatus*（Scott，1874）

*Nails breoilineatus* Scott，1874：445.

*Gorpis suzuki* Matsumura，1919：179.

*Oronabis gorpiformis* Hsiao，1964：79，fig. 4.

*Oronabis brevilineatus*：Hsiao & Ren，1981：550.

*Gorpis*（*Oronabis*）*brevlitneatus gorpiformis*：Kerzhner，1981：127.

**鉴别特征：**体污黄色，着浅褐色，体毛黄色。触角第 2 节顶端、爪片顶角及侧接缘端部均为浅褐色，头的腹面中央、中胸及后胸腹板中央、腹部腹面基半部中央褐色或黑褐色，中胸侧板中域及后胸侧板后缘各有 1 个黑色斑点，各足股节端半部均具 2 个不清楚的浅褐色环纹。

雄虫体长 9.80mm，腹部宽 2.40mm，头长 1.40mm，宽 1mm，头顶宽0.50mm；触角 1 ~4 节的长度分别为 2.00mm、2.40mm、3.10mm、1.50mm；喙第 2 ~4 节的长度分别为 1.40mm、1.20mm、0.60mm。前胸背板长 1.85mm，前角间宽0.70mm，侧角间宽 2.10mm，前叶长于后叶。各足具稀疏长毛，前足基节长 1.50mm，股节长3.90mm，中部最粗（0.70mm），腹面具黑色小齿，胫节长 3mm；中足股节与胫节等长（3.70mm）；后足股节长 4.60mm，稍弯曲，胫节长 5.70mm，腹面具 1 行排列整齐的栉毛。雄虫抱器的外叶显著小于内叶，阳茎基半部表面小刺浓密，另一面有 1 枚显著的骨化刺，呈弯曲状。

雌虫体长 10.20mm，腹部宽 3.20mm。前翅长 7.70mm，超过腹部末端 0.70mm。生殖节发达，第 2 产卵瓣的端半部内缘具 13 ~14 个显著的齿突及横脊纹，向前端渐渐消失，其一侧有 1 列小突起。

体长 9.50 ~10.50mm，腹部宽 2.30 ~3.20mm。

**生物学：**山高姬蝽通常栖息于林区的树木上，如麻栗 *Quercus acutissiam* Carr.，胡桃楸 *Juglans mandshurlca* Maxium（胡桃科 Myricaceae）及猕猴桃 *Actinidia* sp.（猕猴桃科 Actinidiaceae）等树木以及大田作物间捕食小虫。在河北蓟县山区（任树芝 1987 年观察），于 5 月下旬采到的越冬雌虫和 7 月中旬采到的雌虫，经在室内饲养，均先后产卵于植物组质内（卵及若虫发育正常）。雌虫将卵产卵于胡桃楸叶柄的基部和叶片反面主脉内，卵与卵之间有一定间距；或者产在其他植物茎处，卵成单行排列，卵与卵之间的距离一般大于卵的长度，初产的卵经过 4 ~5 天发育之后，卵的前极两侧各出现 1 个鲜红色眼点。卵壳领缘周围的气孔外突色泽由淡黄色渐渐变暗，并向外伸出，同时透过卵壳可辨出头部的破卵器构造及附肢的轮廓，当前若虫发育完全之后（卵期 6 ~9 天），则刚孵化出的若虫高开卵壳后，不久即开始觅食（通常卵前极的卵壳盖依然留在空卵壳前极的斜上方）。

若虫：第 1 龄若虫呈无色透明，眼鲜红色；前足股节中部及亚端部环斑，中、后股节顶端环斑，中、后胸侧板中域各有 1 个长形斑均为黑色；各足跗节前端褐色。体长 2.50mm，腹部长 1.10mm。第 1 龄若虫经过 5 天发育之后，开始蜕皮，即将变成第 2 龄若虫之前，它的身体变大。这时体长为 3.50mm，腹部长 1.80mm，腹部宽 0.80mm；头长 0.60mm，宽 0.50mm，触角 1 ~4 节的长度分别为 1.20mm、9.90mm、1.60mm、0.50mm；前足股节（1.20mm）长于胫节（1.10mm）。若虫共 5 个龄期，每个龄期约为 5 ~6 天（在室内饲养以白杨毛蚜 *Chaltophorus popuiti* Panzer、*Aphis atrlcoia* Van der Goot 为食料）。

卵：长形，略向一侧弯，卵长 2.50mm，粗 0.60mm，卵前极的卵壳领缘白色，卵前极周缘具 21 ~25 根长腕状气孔外突。关于该种卵特征的详细描述请参阅《中国半

翅目昆虫卵图志》(任树芝，科学出版社 1992 年版)

**采集记录**：周至，1951. X。

**分布**：陕西(周至)、辽宁、河北、河南、甘肃、浙江、湖北、江西、湖南、福建、海南、广西、四川、云南；俄罗斯，朝鲜，日本。

## 109. 希姬蝽属 *Himacerus* Wolff，1811

*Himacerus* Wolff, 1811: 165. **Type species**: *Reduvius apterus* Fabricius, 1798.

**属征**：希姬蝽属 *Himacerus* Wolff 为姬蝽科(Nabidae)中的大型个体类群，体长 7.20～12.50mm。体棕色、黄棕色、褐色或黑色，有的种类具黄色或橘黄色斑纹，触角第 1 节与头的长度相等或几乎相等；前胸背板前叶与后叶之间分界较明显，前胸腹板为开放型(即在前足基节窝后方张开)。前翅分短翅型及长翅型，如泛希姬蝽 *Himacems* (*Himacerus*) *apterus* (Fabricius)多数个体为短翅型，少数个体为长翅型(长翅型雌虫个体数量显著多于雄虫)。

本属种类的雄虫抱器分为两叶、具突起或呈阔片状等形状且阳茎骨化刺数目多、形态各异，并具囊突这些种间的形态特征，通常显著不同，易区分。

该属在我国亦广泛分布。

**分布**：古北区，东洋区，非洲区。中国记录 8 种，秦岭地区记述 1 种。

### (204) 泛希姬蝽 *Himacerus apterus* (Fabricius，1798)

*Reduvius apterus* Fabricius, 1798: 546.

*Himacerus appterus*: Southwood & Leston, 1959: 165.

**鉴别特征**：体暗赭色，被淡色光亮短毛，淡黄色、暗黄色斑和晕斑。触角第 2 节及各足胫节淡色环斑；前胸背板后叶色暗，淡色斑纹隐约；小盾片黑绒色，仅两侧中部各具 1 个橘黄色状小斑；前翅革片色淡，膜片色较暗，前翅各部分(爪片、革片及膜片)均具浅褐色点状晕斑。前足股节背面具暗黄色晕斑，外侧斜向排列的 9 个暗色斑之间为淡黄色，前足胫节亚端部及基部各具 1 个淡黄色环斑(除两端及中部褐色)，内侧有 2 列小刺黑褐色；中足胫节色斑同前足，而后足胫节中部褐色域具 4 个淡色斑。腹部腹面光亮，黑褐色；侧接缘各节端部为淡黄色。

雄虫体长(短翅型)9mm，腹部宽 3mm。头长 1.50mm，宽 1.20mm，头顶宽 0.45mm。触角第 1 节与头等长(1.50mm)，触角 1～4 节的长度分别为 1.50mm、2.40mm、2.00mm、1.60mm。前胸背板前叶拱起，领显著，前叶与后叶之间两侧各具 1 个暗黄色圆斑，前胸背板长 1.80mm，前角间宽 0.90mm，侧角间宽 2.20mm，后叶平，侧角微隆起，后缘近直。前翅长 3.10mm，达第 5 腹背板前端。雄虫生殖节端部平截，抱器棕褐色、光亮，由近中部处分为内、外两叶，外叶小于内叶，顶端尖，内叶外缘近中部呈角状突；生殖节背面亚端部两侧的刚毛列的刚毛呈单行排列（艾氏器），后足胫节上的艾氏器由45～47根硬刚毛组成。阳茎休止状态，不易看出内部构造；当剥开阳茎鞘，逐渐膨胀，而呈具囊突的长囊状，近中部具2个长短、形状不同的囊突，各囊突的端部具骨化刺；阳茎的端半部及基半部均各具2列骨化刺构造，而基半部的骨化刺细小，近端域的骨化刺短粗。

雌虫体长（长翅型）11mm，腹部宽3.50mm。头长1.50mm，头顶宽0.50mm，宽1.20mm。触角第1节与头等长，触角1～4节的长度分别为1.50mm、2.50mm、2.30mm、1.70mm。喙1～4节的长度分别为0.4mm、1.60mm、1.40mm、0.60mm。前胸背板长2.20mm，前角间宽1mm，侧角间宽2.80mm，前叶（1.30mm）长于后叶（0.80mm）。前翅长7.60mm，超过腹部末端1mm。前足股节长3.30mm，胫节长3.10mm（包括海绵窝的长度0.40mm）；后足股节（4.20mm）短于胫节（4.90mm）。腹部长5.10mm，产卵器长1.90mm，短于腹部长的1/2。第2产卵瓣端半部侧缘具10个齿突，端部的显著小。第7腹板前缘中突长0.60mm，为该腹节长的1/3，基半部细，向端部渐加宽，呈长椭圆形。

卵：雌虫卵巢内的卵，卵长3.00～3.10mm（包括卵壳领缘高0.22mm），卵粗0.60mm；卵壳浅棕色，卵壳领缘乳白色，半透明，气孔明显可见，卵壳盖中央凹陷，表面具六边形脊状网纹构造。

第1龄若虫体长3.50mm，暗棕色，具浅色或浅红色“Y”形纹位于头背面，腹部亦有淡红色泽，第1～2腹节侧缘宽，色淡。腹部向上拱起，似蚂蚁体形。

**采集记录：**凤县秦岭车站，1400m，1994.Ⅶ.29，卜文俊采；南郑，1985.Ⅶ.22，镇巴，1985.Ⅷ.21，任树芝采；延安，1985.Ⅶ.12，任树芝采。

**分布：**陕西（凤县、南郑、镇巴、延安）、黑龙江、辽宁、内蒙古、北京、河北、山西、河南、山东、甘肃、宁夏、青海、湖北、广东、海南、四川、云南、西藏；俄罗斯，朝鲜半岛，日本，欧洲，非洲（北部）。

## 110. 捺姬蝽属 *Nabicula* Kirby, 1837

*Nabicula* Kirby, 1837: 279. **Type species**: *Nabicula subcoleoptrata* Kirby, 1837.

**属征：**体健壮，腹部光亮，或污暗；体长或细长。为姬蝽族 Nabini Costa 的大型类群。体长8～12mm，头略短于触角第1节或几乎与之等长，前胸背板前叶与后叶分界不明显；个体间翅型变异较大，分为长翅型、短翅型，其中多数雄虫为短翅型，偶见长翅型个体；雌虫个体通常为长翅型。

卵：卵长形，卵前极的卵壳盖向上明显圆隆，呈穹隆状，表面具六边形网状脊纹，壳领缘高、显著。雌虫将卵产在植物茎、叶内，卵前极明显露于组织的表面（当卵的胚胎发育后期，卵体向上升，这时卵体的部分亦外露），卵呈单行排列，常卵与卵之间较靠近或3~5粒成簇的集在一起。在英国以成虫越冬(Southwood and Leston, 1959)。

**生物学**：常栖息于盐碱滩、盐沼、草甸及半干旱、半湿润的草原地带，一般活动于杂草、芦苇、灌木丛间或植物根际处。

**分布**：我国的北方地区。中国记录7种，秦岭地区记述1种。

### (205) 黄缘捺姬蝽 *Nabicula* (*Nabicula*) *flavomarginata* (Scholtz, 1847)

*Nabis flavomarginata* Scholtz, 1847: 114.
*Reduviolus* (*Reduviolus*) *flavomarginata*: Reuter, 1908: 111.
*Nabicula flavomarginata*: Kerzhner, 1968: 852.
*Nabicula* (*Nabicula*) *flavomarginata*: Kerzhner, 1981: 236.
*Dolichonabis flavomarginata*: Hsiao & Ren, 1981: 56.
*Dolichonabis flavomarginaia*: Ren, 1992: 86.

**鉴别特征**：体浅黄褐色。头背面中央及两侧、前胸背板前叶纵走的3条带纹(其中央纵带伸达后叶的后缘)、小盾片中央带纹斑及侧角、腹部背面(除浅色中央纵纹及一色黄或红赭色的侧接缘外)及腹面中央纵纹均为黑色。各足股节具稀疏散布的褐色小斑点。

雄虫体长8mm，腹部宽2.20mm。头长1.20mm，宽1.10mm，头顶宽0.50mm；触角第1节稍长于头，1~4节长度分别为1.30mm、2.30mm、1.90mm、1.30mm。前胸背板长1.60mm，前角间宽0.85mm，侧角间宽1.80mm。前翅长2.10mm(短翅型)，翅的末端达第4腹背板的前缘。抱器棕黑色，光亮，前半部的内缘近直，基部具1个突起；生殖节背面近端缘的刚毛列(艾氏器)为多行；阳茎(当在膨胀状态时)清楚可见基部具1个大的骨化刺，端部的骨化刺小，不显著。后足胫节上的艾氏器由54~56根硬刚毛组成。

雌虫体长10.50mm，腹部宽3.50mm。头长1.50mm，宽1.20mm，头顶宽0.55mm。前胸背板长1.90mm，前角间宽0.90mm，侧角间宽2.20mm。前翅长3.80mm，达第5腹背板前缘。雌虫的生殖腔构造。

本种个体间翅的大小变化较大，多数个体为短翅型，翅长为2.60~3.80mm，几乎达腹部的中部；少数为长翅型个体，通常前翅伸达腹部末端、几乎达腹部末端或略微超过腹部末端，一般前翅长为5.40~5.90mm。

**采集记录**：凤县秦岭车站，1400m，1994.Ⅶ.27，卜文俊采；留坝张良庙，1200m，Ⅶ.23；佛坪，1985.Ⅶ.16，任树芝采；南郑，650m，1985.Ⅶ.22，任树芝采。

**分布**：陕西(凤县、留坝、佛坪、南郑)、黑龙江、辽宁、内蒙古、河北、宁夏、甘肃、青海、新疆、四川；蒙古，俄罗斯，朝鲜半岛，日本，加拿大。

## 111. 姬蝽属 *Nabis* Latreille, 1802

*Nabis* Latreille, 1802: 248. **Type species**: *Cimex ferus* Linnaeus, 1758.

**属征：**姬蝽属为姬蝽科中最大的类群，体色污暗，种间的体形、色斑的色泽相似。雄虫的抱器不分叶，但有的种类抱器侧缘具不同形状的突起；阳茎的骨化刺数目少，多数种类具 1 个或 2 个骨化刺，少数种很不明显或为不同形状的骨化构造，如扇形齿缘状骨化构造等；雌虫生殖腔的前半部有 1 个或 2 个骨化坏，骨化环的大小、形状因种而异，一般位于生殖腔的前部。卵较短小（长 1.00 ~ 1.40mm，粗 0.28 ~ 0.34mm），略弯，卵前极的壳领缘狭窄，卵壳盖中域略凹陷，或明显向上圆隆，表面上具六边形网纹或者并具形状各异的多孔物质的白色小突起。

**分布：**中国记录 21 种，秦岭地区记述 5 种。

## 分种检索表

1. 雄虫抱器外缘近中部略突出或明显突出，抱器端半部呈亚圆形；阳茎基半部无骨化刺，端半部有骨化结构；雌虫腹部第 7 腹板中突端缘圆 ………………………………………… 2
   雄虫抱器外缘近中部无上述特征，若中部有突起，则其前端平截；阳茎基半部具 2 个显著的骨化刺，少数种的阳茎其中的 2 个骨化刺甚小或无，仅有 1 个骨化刺 ……………………… 3
2. 雄虫抱器前半部内缘直，外缘近中部的突起短宽，阳茎由基部向端部逐渐变细 ………………
   …………………………………………………………………… **北姬蝽 *N.*（*M.*）*reuteri***
   雄虫抱器前半部内缘显著突出，呈齿状，外缘近中部突起短 ……… **波姬蝽 *N.*（*M.*）*potanini***
3. 雄虫抱器由中部向前渐加宽，前端圆，内缘前端呈鸟喙状……………… **原姬蝽 *N.*（*N.*）*ferus***
   雄虫抱器由中部向前渐加宽，前端狭，叶突较长 ……………………………………………… 4
4. 体色淡，前翅无深色斑，腹部腹面无深色纹 ……………………… **华姬蝽 *N.*（*N.*）*sinoferus***
   体色暗，前翅具深色斑，腹部腹面具深色纹 ……………………… **暗色姬蝽 *N.*（*N.*）*stenoferus***

### (206) 波姬蝽 *Nabis*（*Milu*）*potanini* Bianchi, 1896

*Nabis potanini* Bianchi. 1896: 113.

*Reuteronabis potanini*: Kerzhner, 1981: 176, figs. 147.

*Reuteronabis potanini*: Ren, 1992: 170.

**鉴别特征：**头背面中央、头腹面及眼前部、后部两侧、前胸背板前叶纵带纹黑色，背板前叶云形斑纹褐色，后叶六条纵纹显著，呈浅褐色，触角第 2 节顶端黑褐色，前翅爪片、革片散布褐色小点斑，前翅革片中域 4 个褐色斑，成纵行排列，膜片翅脉显著，为深褐色。

雄虫体长 5.10mm，腹部 1.80mm。头长 0.90mm，宽 0.80mm。触角第 1 节与头等长，触角 1 ~ 4 节的长度分别为 0.90mm、1.40mm、1.30mm、0.95mm。前胸背板长 1mm，前叶较圆隆，前角间宽 0.60mm，侧角间宽 1.10mm。前翅长 3mm，几乎达腹末端。雄虫抱器端半部宽阔，外缘近中部略突出，前端舌突明显，外缘圆，近基部具 1 个锥状突。生殖节背面亚端部左右两侧各具 1 列刚毛列（艾氏器）的刚毛成单行排列，每列由 39～40 根刚毛组成。当阳茎膨胀状态，端部细，向基部逐渐膨大，表面具稀疏小刺突，近中部有 1 个小区的小刺显著浓密，位于端部有 2 个具齿缘骨化片，前者具 7 个齿突，后者较宽，具 4 个齿突。

雌虫体长 6.60mm。腹部宽 2.40mm。头长 1.10mm，宽 0.90mm。触角第 1 节略短于头的长度，触角 1～4 节的长度分别为 0.90mm、1.50mm、1.30mm、1.10mm。前胸背板长 1.30mm，前角间宽 0.75mm，侧角间宽 1.40mm。前翅长 4.10mm，膜片超过腹部末端 0.50mm（有的个体前翅长 3.90mm，前翅超过腹部末端 0.20mm）。雌虫腹部第 7 腹板端中突呈短棒状，其长度（3mm）略短于第 7 腹板的长度（4.50mm）。雌虫生殖腔外形呈亚圆状，前半部两侧各具 1 个卵圆形骨化环，由背面观察清楚可见。

本种采于四川若尔盖扎达寺 3300mm 高度处的 1 个雌虫标本，为波姬蝽在我国垂直分布的最高纪录。采于云南哀牢山徐家坝，2800m，地域的标本，体色较暗，尤其是深色斑显著深于其他地区个体标本的色泽。

体长 5.00～5.20mm，腹部宽 6.20～6.70mm。

**采集记录：**佛坪龙草坪，1985.Ⅶ.16，任树芝采。

**分布：**陕西（佛坪）、河北、河南、湖北、四川、贵州、云南、西藏；欧洲。

### （207）北姬蝽 *Nabis*（*Milu*）*reuteri* Jakovlev, 1876

*Nabis reuteri* Jakovlev, 1876: 230.

*Nabis reuteri*: Remane, 1964: 292.

*Reuteronabis reuteri*: Kerzhner, 1981: 173.

*Nabis*（*Milu*）*reuteri*: Kerzhner, 1988: 767.

**鉴别特征：**体灰黄色，具黑色及褐色斑。头背面与眼之间的中央的纵纹、前胸背板前叶中央的纵带纹、小盾片中央、头腹面及头两侧眼前部和后部、胸部腹面及两侧均为黑色；腹部侧接缘暗黄，各节外侧前部腹面为褐色。前翅革片端半部散布的褐色小点斑较基部显著，膜片翅脉明显，为棕褐色，各足股节花斑褐色。

雄虫体长 6.10mm，腹部宽 1.60mm。头长 1.10mm，宽 0.95mm，头顶宽 0.40mm。触角第 1 节最短，触角 1～4 节的长度分别为 0.85mm、1.40mm、1.10mm、1.20mm。前胸背板长 1.40mm，前角间宽 0.70mm。侧角间宽 1.60mm。前翅长 4.20mm，超过腹部末端0.70mm。雄虫抱器外缘直。阳茎具稀疏小刺，基半部粗于端半部，近端部具 2 列强度骨化构造，每列由 6 个褐色小齿突组成。

雌虫体长 7.10mm，腹部宽 2.50mm。头长 1.10mm，宽 1mm。头顶宽0.40mm。触角 1～4 节的长度分别为 0.90mm、1.50mm、1.30mm、1.20mm。喙 1～4 节的长度分别为 0.26mm、0.90mm、0.90mm、0.60mm。前翅长 4.40mm，超过腹部末端 0.50mm。前足股节（2.30mm）长于股节（1.90mm），后足股节（2.90mm）短于胫节（3.30mm）。腹部第 7 腹板前端中突长 0.35mm，呈粗棒状，其长度（0.35mm）短于第

7 腹板的长度(0.45mm)，前端缘圆。

卵长 1.40 ~ 1.50mm，粗 0.40mm(卵巢内成熟卵粒)。

体长 6.00 ~ 7.10mm，腹部宽 1.60 ~ 2.50mm。

**采集记录**：武功，1951. Ⅴ.22，周尧采。

**分布**：陕西(武功)、黑龙江、吉林、内蒙古、北京、天津、河北、山东、甘肃；俄罗斯(远东地区)，朝鲜，日本。

**讨论**：个体之间的深色花斑常有变化，前胸背板后叶褐色纵纹显著或隐约不清，腹部侧接缘通常一色暗黄，并着红色纵纹(靠近气孔处)。采于吉林净月(1975. Ⅷ. 07)的雄虫个体，腹部侧接缘各节前端具褐色斑。采于河北雾灵(1973. Ⅷ. 29)的个体，雄虫腹部侧接缘一色暗黄，而雌虫腹部侧接缘各节前半部为深褐色。侧接缘深色斑有或无，个体间变化大。前翅的长短亦不一致，前翅几乎达到或刚达腹部末端或不同程度的显著超过腹部末端。

### (208) 原姬蝽 *Nabis* (*Nabis*) *ferus* (Linnaeus, 1758)

*Cimex ferus* Linnaeus, 1758: 449.

*Nabis ferus*: Remane, 1964: 277.

*Nabis* (*Nabis*) *ferus*: Kerzhner, 1981: 255.

**鉴别特征**：体浅黄褐色，具深色斑纹，头顶中央纵纹，眼后部两侧、前胸背板前叶中央纵走条纹及小盾片中部(除基部两侧角橙色外)、中胸腹板中部及亚侧域均为黑褐色；触角第 2 节顶端、革片后半部中域的 3 个纵列的小斑点、腹部腹面中央纵纹由基部伸达生殖节末端、腹部两侧及各足股节的斑均为棕褐色；前翅膜片色淡，翅脉不显著。

雄虫体长 7. 10mm，腹部宽 1. 85mm。头长 1. 10mm，宽 0. 87mm，头顶宽 0.35mm。触角第 1 节最短，1 ~ 4 的长度分别为 0. 75mm、1. 15mm、1. 00mm、0.80mm。由侧面观察，头的眼前部分、眼长与眼后部分的长度分别为 0. 67mm、0.40mm、0.25mm，喙第 2 节与第 3 节等长(0.80mm)。前胸背板长 1.43mm，前角间宽 0.70mm，侧角间宽 1.80mm，前翅长 4.85mm，超过腹部末端 0.70mm，雄虫抱器前半部(0.35mm)显著大于基半部(0.21mm)，内缘前端舌突为鸟喙状；由外侧面观察，抱器近中部具 1 个显著突出构造，它的基部较宽。生殖节背面亚端缘左右两侧各具 1 列刚毛列(艾氏器)，每列由 45 ~ 46 根硬刚毛组成，刚毛呈单行排列，阳茎的导精管细长，阳茎前半部细缩，表面被有浓密小刺突，基半部膨大，具 2 个骨化刺(前方的小于后方)；阳茎基部细与导精管接连处有 1 个小囊突。

雌虫体长 8. 30mm，腹部宽 2. 10mm，头长 1. 10mm，宽 0. 95mm，前胸背板长 1.50mm，前角间宽 0. 76mm，侧角间宽 1. 90mm。前翅长 5. 80mm，超过腹部末端 1mm，腹部长 3.60mm，产卵器长 1.30mm。生殖腔具 1 个大的骨化环，第 7 腹板中突的长度为该腹板长的 1/2，前端钝圆。

本种接近于暗色姬蝽 *Nabis*(*Nabis*)*stenoferus* Hsiao，但色泽较淡，前翅革片端半部的短毛比较密，膜片翅脉不显著，生殖节构造明显不同。

体长 7.10～8.30mm，腹部宽 1.80～2.00mm。

卵：卵巢内的成熟卵，卵长形，较粗短，长为 1.10mm，粗 0.40mm。

若虫：第 5 龄若虫体长 5.50～6.00mm，淡灰褐色，体背面中央具 1 条红色断续的细纵纹，头前端两侧具褐色纹，眼黑褐色，头顶两眼间具倒"八"字形褐色纹；触角暗黄色，第 1 节基部 1/3 色泽深，前胸背板淡褐色，具褐色云形花纹，翅芽达第 4 腹背板，为灰褐色，端部黑色，外侧色淡。腹部侧接缘色显著浅于腹板，腹部腹面中央及两侧各有 1 条褐色纵纹。

**采集记录**：秦岭，1994.Ⅶ.27，董建臻采。

**分布**：陕西(秦岭)、吉林、内蒙古、甘肃、宁夏、青海、新疆、四川、云南、西藏；蒙古，日本，欧洲。

### (209) 华姬蝽 *Nabis*（*Nabis*）*sinoferus* Hsiao, 1964

*Nabis sinoferus* Hsiao, 1964：234, 239.

*Nabis*（*Nabis*）*sinoferus*：Kerzhner, 1981：271.

**鉴别特征**：体色淡，草黄色。头顶中央色斑甚小，有时不显著或消失。前胸背板领及后叶的纵纹不明显，小盾片中央及前翅爪片顶端黑色，革片端半部的 3 个斑点通常不清楚，膜片翅脉浅褐色。中胸及后胸腹板中域黑色，腹部腹面一色淡黄，有的个体腹部中央具暗色纵条纹。各足股节上的斑点及横纹亦不显著。

雄虫体长 7.40mm，腹部宽 1.90mm。头长 1mm，宽 0.80mm。触角 1～4 节的长度分别为 0.90mm、1.60mm、1.40mm、0.70mm。前胸背板长 1.40mm，前角间宽 0.65mm，侧角间宽 1.50mm。前翅长 5.50mm，膜片超过腹部末端 1.10mm。雄虫抱器宽阔，内缘近直，中部靠近外缘具 1 个小突起，抱器前端的叶突显著。膨胀状态的阳茎，可看到基半部的囊突，其中 2 个囊突内各具 1 个骨化刺构造，均清楚可见。

雌虫体长 8.50mm，腹部宽 2.10mm。头长 1.10mm，宽 0.85mm，头顶宽 0.40mm。触角第 1 节略短于头长，1～4 节的长度分别为 0.90mm、1.60mm、1.40mm、0.90mm。喙第 3 节最长，1～4 节的长度分别为 0.30mm、0.80mm、0.90mm、0.50mm。前胸背板长 1.40mm。前角间宽 0.70mm，侧角间宽 1.80mm。前翅长 6mm，膜片超过腹部末端 1.20mm。腹部第 8 腹板前缘中突似粗棒状。雌虫生殖腔亚圆形，两侧各具 1 个骨化环，呈弯长形。

体长 7.40～9.00mm，腹部宽 1.90～2.20mm。

卵：卵长 1.30～1.40mm，卵粗 0.31～0.32mm，卵壳盖椭圆形，呈淡黄色或橘黄色，中部明显向上圆隆，表面具六边形脊状网纹；卵壳领缘高 75μm，包围着卵壳盖周缘，其内表面亦为多孔体组织。卵前极构造及花纹装饰显著不同于暗色姬蝽 *Nabis*

(*Nabis*) *stenoferus* Hsiao 的卵。

若虫：第 1 龄若虫体长 1.80～1.90mm，体色淡，透明；眼大，红色，后渐变为赭红色。第 2 龄若虫体长 2～3mm，淡乳黄色，胸部背面中央具红色纹纵斑，出现 1 对翅芽。第 3 龄若虫体长 3.20～4.00mm，体色变暗，呈淡黄褐色，体两侧各具 1 条灰褐色纵纹，翅芽末端达第 2 腹节。第 4 龄若虫体长 4.00～5.60mm，与成虫的体色非常相似，翅芽达第 4 腹节，同时出现 1 对单眼。第 5 龄若虫体长 6～7mm，翅芽已伸达第 5 腹节，其体形及体色与成虫相似。

**采集记录：**武功，1965. Ⅷ. 31，路进生采；定边，1985. Ⅶ. 02，任树芝采。

**分布：**陕西(武功、定边)、黑龙江、吉林、内蒙古、北京、天津、河北、河南、山东、甘肃、宁夏、青海、新疆、湖北、广西；蒙古，阿富汗，乌兹别克斯坦，吉尔吉斯斯坦，塔吉克斯坦。

## (210) 暗色姬蝽 *Nabis* (*Nabis*) *stenoferus* Hsiao, 1964

*Nabis stenoferus* Hsiao, 1964: 234.

*Nabis mandschurius* Remane, 1964: 263.

*Nabis* (*Nabis*) *stenoferus*: Kerzhner, 1981: 261.

**鉴别特征：**体灰黄色，具褐色及黑色纹斑。头顶中央纵带、眼前部及后部两侧、触角第 1 节内侧及第 2 节基部和顶端、前胸背板中央纵带(领及背板后叶的部分较显著)、背板前叶两侧的云形斑纹、小盾片基部及中央、前翅革片端部 2 个斑点和膜片基部的 1 个斑点、胸腹板中部及胸侧板中央纵纹、腹部腹面中央及两侧纵纹均为黑色，或伴有红色泽(淡色个体这些色纹斑常隐约不清或消失)。各足股节深色斑，为褐色至黑色。

雄虫体长 7.80mm，腹部宽 1.60mm。头长 1mm，宽 0.80mm，头顶宽0.40mm。触角第 1 节短于头的长度，触角 1～4 节的长度分别为 0.90mm、1.50mm、1.60mm、1.10mm。喙达中胸腹板中部，1～4 节的长度分别为 0.30mm、0.90mm、0.80mm、0.40mm。前胸背板长 1.30mm，前角间宽 0.60mm，侧角间宽 1.50mm。前翅长 5.40mm，膜片超过腹部末端 1mm。雄虫抱器前半部略弯，内缘近中部具刚毛，前端的舌突甚小，外缘表面有短毛。生殖节背面亚端部左右两侧各具 1 列刚毛列(称为“艾氏器”Ekblom's Organ)，每列由 38～39 根刚毛组成。阳茎前端细，向后显著膨胀、大而宽阔，近基部各侧具 1 个囊突，其中部有 2 个大小及形状相似的骨化刺，呈赭棕色，光亮，阳茎布满稀疏微小刺；当阳茎外翻状态时，这些小微刺及 2 个骨化刺明显暴露在表面上，则清楚可见。

雌虫体长 8.70mm，腹部宽 1.60mm。头长 1.10mm，宽 0.76mm，头顶宽 0.37mm。触角 1～4 节的长度分别为 1.00mm、1.70mm、1.70mm、1.20mm。前胸背板长1.40mm，前角间宽 0.70mm，侧角间宽 1.55mm。前翅长 6mm，膜片超过腹部末端 1mm。腹部第 7 腹板前端的中突细长，顶端尖锐；生殖腔前部具 2 个骨化环，由背面观察与腹面观察生殖腔的骨化环形状略有不同。

卵：淡乳黄色，长形，向一侧略弯。卵长1.27mm，粗0.31mm，卵壳盖椭圆形，初产的卵淡黄色，卵前极的卵壳盖及领缘均为乳白色；卵壳盖中域向下略凹陷，具六边形脊状网纹，并散布着形态各异的多孔体小突起，此小突起易损坏或脱掉。随着胚胎的发育，卵前极的卵壳盖及领缘色泽变深、变暗，呈暗黄色，同时领缘向外翻展，这时，卵壳盖周缘蠕虫形多孔体网络组织外露，其细微构造清楚呈现出来。在卵的胚胎发后期，卵壳盖周缘开始与卵壳领缘分离，当孵化时，卵壳盖渐渐向上启升，若虫不断用力慢慢地爬出卵壳。通常卵壳盖连着胚胎表皮蜕依然留在空卵壳前端的侧上方。

若虫：第5龄若虫体的外形及色泽与成虫体很相似，体长梭形，浅黄褐色。体长6.50mm，腹部宽1.50mm。体背面具2条暗色纵带纹，由眼的后部两侧伸达腹部末端，在单眼后方至腹部末端有1条红色中央纵纹（有时断续）。头长1mm，宽0.78mm。前胸背板长0.90mm，后部宽1.20mm。翅芽末端达腹部第3腹板节后缘，各足跗节为2节，第1节甚小。腹部背面中央域具3对臭腺孔，每对臭腺孔分别位于第3~4、第4~5及第5~6腹板节之间，第1对臭腺孔的2个孔之间的距离略大于后2对的距离。

**采集记录：**武功，1965.Ⅷ.31，路进生采；洋县，1985.Ⅶ.01，任树芝采；南郑，1650m，1985.Ⅶ.22-23，任树芝采；定边，1985.Ⅶ.02，任树芝采。

**分布：**陕西（武功、洋县、南郑、定边）、黑龙江、吉林、辽宁、北京、天津、河北、山西、河南、山东、甘肃、宁夏、新疆、安徽、浙江、江苏、福建、江西、湖北、四川、云南；俄罗斯，朝鲜半岛，日本。

# 臭蝽总科 Cimicoidea

## 十三、细角花蝽科 Lyctocoridae

卜文俊 张丹丽
（南开大学昆虫研究所，天津 300071）

**鉴别特征：**头平伸；触角4节，第3、4节线形，明显细于第1、2节。喙直，至少伸达腹部基部，第1节很短，第2、3节较长，第3节明显长于第2或第4节。有臭腺沟缘，臭腺具1个囊。前足胫节有海绵窝。前翅有1条明显的楔片缝；膜片具1~4条脉。腹部有背侧片；腹侧片与腹板愈合；腹部第1气孔缺；第7腹板前缘中部有1个内突（internal apophysis），若虫臭腺位于腹部第4~6背板前缘。雄虫生殖节不对称，阳基侧突1对，左大，右小，稍不对称，阳基侧突无容纳阳茎的沟槽，不起交配器官的作用；阳茎端部骨化较强，尖锐，有刺穿雌虫腹部的作用。雌虫腹部第6、7背板节间膜上有创伤授精的刺痕。产卵器发达，无储精，卵在卵巢管(vitellarium)内受精，产卵之前，卵巢已略有发育，卵无精孔(micropyles)。

**分类：**中国记录1属4种，陕西秦岭地区分布1属1种。

## 112. 细角花蝽属 *Lyctocoris* Hahn, 1835

*Lyctocoris* Hahn, 1835: 19. **Type species**: *Acanthia campestris* Fabricius, 1794.

**属征：**体长椭圆形，长翅型。头短，其上的大型刚毛状毛短；触角第3、4节细，多毛，毛长可超过该节直径的2倍以上；喙长超过中足基节。前胸背板有细刻点，领窄，胝区稍隆起；后叶中部呈宽阔的凹陷，亚中部凹陷略深。小盾片基半有细刻点，端半横皱状。前翅刻点细密，毛被短，平伏。中胸腹板有中纵沟，后胸腹板圆，有中纵脊。臭腺沟缘折角状，向前弯，端部伸达后胸侧板前缘。前、中足胫节有海绵窝。雄虫左右两侧的阳基侧突均发达，片状，内侧具小齿突，左侧阳基侧突大，右侧的小；阳茎细管状，有横皱褶，端部骨化强，呈细长的刺状。雌虫产卵器发达。

**分布：**中国记录4种，秦岭地区发现1种。

### (211) 东方细角花蝽 *Lyctocoris beneficus* (Hiura, 1957)

*Euspudaeus beneficus* Hiura, 1957: 31.

*Lyctocoris beneficus*: Hiura, 1966: 33.

*Lyctocoris campestris*: Zhang, 1985: 192.

**鉴别特征：**体长椭圆形。头深栗褐色，前端色浅，长0.54，宽0.58，头顶中部有刻点列，略呈“V”形；复眼较突出，上有极短的毛；触角污黄褐色，第2节基半色浅，1~4节的长度分别为0.19mm、0.62mm、0.40mm、0.46mm，第2节毛长不超过该节直径，第3、4节细，其上毛长超过该节直径2倍以上。前胸背板和小盾片深褐色；前胸背板长0.46mm，领宽0.42mm，后缘宽1.28mm；领不明显，侧缘较凹，略呈薄边状，胝区较隆起，中部平坦，中纵线处为1列刻点，后缘凹陷较深，后叶中央凹陷浅，两侧呈三角形深凹陷，凹陷区呈横皱状，整个背板除胝区中部外刻点密，毛被短，较密。小盾片基半光滑，有零星小刻点，端半呈皱刻状。前翅污黄白色，爪片基部白色覆盖物被去掉后呈透明状，楔片后角浅黄褐色，刻点较密，毛生于刻点前缘，膜片浅灰白色，半透明；外革片长1.20mm，楔片长0.70mm。喙黄色，长达于中足基节，各节长0.42mm、0.76mm、0.46mm。足黄褐色，胫节刺长可超过该节直径。雄虫左右阳基侧突端部渐尖，内外侧均狭缩；阳茎端部骨化部分短，直。体长3.20~3.80mm。

**采集记录：**周至板房子，1994. Ⅷ. 07，吕楠灯诱；1♀，宁陕，1984. Ⅷ

(DECAU)；1♂4♀，太白山蒿坪寺，1982. Ⅸ. 6-13，陕西太白山昆虫考察组采(IENAU)；1♀，商洛市金丝峡，777m，2013. Ⅶ. 23，刘华希采；1♂1♀，武功，1965. Ⅸ. 06，韩丙才采；1♀，武功，1964. Ⅶ. 01，王汝贤采；2♀，武功，1980. Ⅴ. 30-Ⅶ. 06，灯诱(DECAU)；1♀，陕西，1965. Ⅸ；1♀，武功西北农学院，1962. Ⅷ. 09，杨集昆采(DECAU)；1♂，甘泉清泉沟，1971. Ⅹ. 07，杨集昆采(DECAU)；1♂1♀，合阳，1980. Ⅸ. 05，灯诱(DECAU)。

**分布：**陕西(周至、眉县、武功、宁陕、商洛、甘泉、合阳)、北京、天津、河北、河南、山东、江苏、浙江、湖北、江西、广东、广西、四川、贵州；日本。

# 十四、花蝽科(狭义)Anthocoridae

卜文俊　张丹丽

(南开大学昆虫研究所，天津 300071)

**鉴别特征：**外观变化较大，与典型的花蝽相比，有些种类更扁平，狭长，齿股花蝽族(Scolopini)的某些种类甚至类似鞭蝽科(Dipsocoridae)昆虫。触角第3、4节纺锤形，略细于第2节；或线形，明显细于第2节。喙直，长短不等，第1节退化，通常第3节最长。臭腺蒸发域形状不同，臭腺具1个囊和1个开口。前翅具楔片缝，膜片通常有4条脉。前足胫节通常有海绵窝，有时极度退化或缺失。腹部有背侧片，腹侧片与腹板愈合；腹部第1气孔缺。若虫臭腺位于腹部第4～6节背板前缘。雄虫生殖节不对称，右侧阳基侧突退化缺失；左侧阳基侧突常为镰状，有接受阳茎的沟槽，起交配器官的作用。精巢通常2叶。产卵器发达或极度退化。雌虫腹部有与创伤授精有关的雄虫外生殖器刺入区域，或刺入孔，或交配管；无储精囊。卵在卵巢管中受精，卵产出前略有发育，卵无精孔(micropyles)。体长1.40～5.00mm。

**分类：**中国记录18属88种，陕西秦岭地区分布3族5属11种。

## 分族检索表

1. 触角第3、4节线形，明显细于第2节；前胸背板有3对长毛；雌虫无交配管；雄虫腹部第4或第5腹板上无腺体开口，亦无横列毛；臭腺沟缘向前或向后弯，直接伸达或通过一脊伸达后胸侧板前缘；小盾片中部通常有2个圆陷窝 ………………………… **沟胸花蝽族 Dufouriellini**

   触角第3、4节略呈纺锤形，与第2节约等粗；前胸背板仅具2对长毛或无；雌虫有1个交配管 …… 2

2. 前胸背板通常有1个明显的领，较宽，明显横皱状；前跗节缺爪垫；雄虫前足胫节内侧无齿或刺；第8腹节稍不对称，生殖节左侧着生有1个镰刀状阳基侧突 …… **原花蝽族 Anthocorini**

   前胸背板的领窄，稍呈横皱状，或几乎不分化出领；前跗节有爪垫；雄虫前足胫节内侧有齿或刺；第8腹节强烈不对称，向左弯曲，生殖节左侧着生1个螺旋状阳基侧突………… **小花蝽族 Oriini**

# Ⅰ. 沟胸花蝽族 Dufouriellini Van Duzee, 1916

**鉴别特征:** 喙长短不一，伸达头后缘或至中足基节。小盾片中部通常有2个圆形陷窝。前翅爪片无大圆刻点。前足胫节一般有海绵窝，后足胫节无刺(端部除外)。足股节不显著加粗，无齿。臭腺沟缘向前或向后弯，直接伸达或通过一脊伸达后胸侧板前缘(刺花蝽属 *Physopleurella* Reuter 臭腺沟端缘不明显延伸成脊，但指向后方)。雄虫阳基侧突有纵向凹槽，有些形状稍复杂；阳茎很小，不明显。雌虫产卵器退化。体表交配区域多数位于腹后部腹面，少数位于背面。

**分类:** 中国记录4属，陕西秦岭地区分布2属2种。

### 分属检索表

臭腺沟缘指向后方，通常延伸成一脊伸达后胸侧板前缘 ………………… **叉胸花蝽属 *Amphiareus***
臭腺沟缘向前弯，端部延伸成脊状达于后胸侧板前缘 ……………………… **镰花蝽属 *Cardiastethus***

## 113. 叉胸花蝽属 *Amphiareus* Distant, 1904

*Amphiareus* Distant, 1904d: 220. **Type species**: *Xylocoris constrictus* Stål, 1860.

**属征:** 体细长，长毛多。头长与宽约相等。喙伸达前足基节。前胸背板胝后为深凹陷，前半光滑，后半具刻点。前翅有长毛被，稀布刻点，近中部略扩展。中胸腹板有中纵沟，后胸腹板后端向后延伸呈二叉状为此属的显著特征。后足基节相互靠近。臭腺沟缘向侧后弯，再以折角状细脊向前延伸达后胸侧板前缘。腹部仅第1、2节具侧背片；第2、3腹节腹面节间呈锯齿状。雄虫阳基侧突细长，向端部渐细，弯曲。雌虫产卵器退化。雌雄腹末均有长毛伸出。

**分布:** 中国记录3种，秦岭地区发现1种。

### (212) 黑头叉胸花蝽 *Amphiareus obscuriceps* (Poppius, 1909)

*Cardiastethus obscuriceps* Poppius, 1909: 19.
*Cardiastethus fulvescens*: Miyamoto, 1957: 76.
*Amphiareus obscuriceps*: Hiura, 1960: 53.

**鉴别特征:** 体黄褐色，长椭圆形，稀布直立或半直立长毛，毛长超过复眼直径的1/2。头长0.42mm，宽0.41mm；头顶黑色，前端稍浅；复眼黑色，其上有短毛伸出；

头顶后缘有1横列长毛，向后半直立，毛长者接近复眼直径；触角除第2节基部3/4黄色外，余污黄褐色，第2节毛长稍超过该节直径，第3、4节细，毛长者超过该节直径2倍以上。前胸背板长0.36mm，领宽0.32mm，后缘宽0.90mm；侧边黑褐色；领窄，明显，后缘有1列刻点；侧缘微凹，略呈薄边状，近四角各有1个直立长毛；胝区隆出，前半两侧各有1个小陷窝，胝后下陷较深；后叶刻点浅、稀，中央浅宽凹陷，略成横皱状。小盾片基角及侧缘发污，中部凹陷，基部和端部隆出。前翅黄褐色，楔片内缘深褐色，爪片基部和小盾缘、爪片接合缝两侧、内革片及楔片稍污暗；爪片外侧大部及外革片有光泽；膜片污灰褐色；爪片和外革片毛被较密；外革片长0.94mm，楔片长0.42mm。喙黄褐色，长超过前足基节，第2~4节的长度分别为0.12mm、0.44mm、0.23mm。足深黄色，股节毛长不超过该节直径。臭腺沟缘端脊折角大于120°，折角后直伸至蒸发域前缘。雄虫阳基侧突细长，弯曲度较大。体长2.40~2.90mm。

**采集记录：** 1♀，西北农学院，1962.Ⅷ.10，李法圣采；2♂，留坝庙台子，1400m，1994.Ⅷ.01，吕楠采；6♀6♂，佛坪岳坝保护站，1083m，2013.Ⅶ.27，刘华希采；1♀，宁陕火地塘，1640m，1994.Ⅷ.15，卜文俊采；1♀，宁陕旬阳坝，1994.Ⅷ.17，吕楠采；1♀，汉中龙岗，1975.Ⅶ.17；5♀5♂，丹凤街坊村，1199m，2014.Ⅷ.12，刘华希采。

**分布：** 陕西(武功、留坝、佛坪、宁陕、汉中、丹凤)，辽宁、内蒙古、北京、天津、河北、河南、山东、甘肃、江苏、浙江、湖南、台湾、海南、广西、四川、云南；日本。

## 114. 镰花蝽属 *Cardiastethus* Fieber, 1860

*Cardiastethus* Fieber, 1860: 266. **Type species**: *Cardiastethus luridellus* Fieber, 1860.

**属征：** 体长椭圆形。头短，喙伸过中胸腹板中部。前胸背板有刻点；领窄，胝区隆起，光滑。小盾片基半光滑，端半横皱状。前翅有细刻点，毛被略长密。中胸腹板有中纵沟，后胸侧板三角形，有中纵脊。臭腺沟缘半圆形，向前弯，伸达后胸侧板前缘。腹部第1~3节具侧背片；第2、3腹节腹面节间呈锯齿状。前足胫节近基部内侧有若干齿。腹部末端有长毛伸出。产卵器不发达。

**分布：** 中国记录3种，秦岭地区发现1种。

### (213) 小镰花蝽 *Cardiastethus exiguus* Poppius, 1913

*Cardiastethus exiguus* Poppius, 1913: 253.

*Cardiastethus pygmaeus* Poppius, 1914: 7.

*Triphleps cocciphagus* Hesse, 1947: 42.

**鉴别特征**：体黄褐色，长椭圆形。头前端色浅，复眼黑褐色，长 0.28mm，宽 0.32mm，复眼较突出，其上有较密的短毛，头顶皱刻状，稀布短毛，头顶后缘有 1 横列毛，毛指向中央；触角第 3、4 节色深，1～4 节的长度分别为 0.08mm、0.24mm、0.16mm、0.15mm，第 2 节毛长者稍超过该节直径，第 3、4 节较细，毛长超过该节直径 2 倍以上。前胸背板长 0.29mm，领宽 0.28mm，后缘宽 0.68mm；毛被短密；领窄；侧缘直；四角各有 1 根直立长毛，近前角处呈纵的凹陷状，凹陷前缘较深，陷窝状；胝区隆出显著，胝后缘凹陷较深；整个背板皱刻，污暗。小盾片中部有 2 个较大的凹陷。前翅稍污暗，外革片端半及楔片大部色深；侧缘稍凹，前 2/3 有短粗毛；膜片灰褐色；外革片长 0.48，楔片长 0.35。喙伸达前足基节，第 2～4 节的长度分别为 0.15mm、0.28mm、0.20mm，足黄色，后足胫节毛长者稍超过该节直径，臭腺沟缘端部略向后弯曲，然后沿一脊向前弯伸至后胸侧板前缘。

**采集记录**：1♀，镇巴，500～1200m，1985.Ⅶ.21，任树芝采。

**分布**：陕西（镇巴）、河南、山东、上海、江苏、浙江、湖北、湖南、台湾、海南、广西、四川；日本，印度，斯里兰卡，非洲。

## Ⅱ. 原花蝽族 Anthocorini Carayon, 1958

**鉴别特征**：体型多为长椭圆形，或狭长形，长 2.20～5.00mm。多数种类为长翅型（macroptera），长略超过或远超过腹部末端；原花蝽属（*Anthocoris* Fallén）和截胸花蝽属（*Temnostethus* Fieber）中的少数种类有短翅型（brachyptera）。头平伸；4 节触角粗细较为均匀，第 2 节明显长于第 3、4 节，触角第 3、4 节常略为纺锤形，其上毛长多不超过该节直径，少数较长的毛长不超过该节直径的 2 倍。前胸背板通常有明显的领，有时横皱状；侧缘略成薄边状或缺；胝区完整，光亮，或多或少隆起，毛被稀疏；四角的长毛一般不明显。前、中足胫节端部有海绵垫，前跗节无爪垫。雄虫前足胫节无小刺列。第 8 腹节略为不对称；左侧的阳基侧突发达，常为镰刀状，部分种类背面有沟槽，休息时反折于生殖节侧缘；右侧缺阳基侧突。内阳茎（endosoma）管状，一般很长，膜质，有微刺。雌虫交配管已知均仅 1 根，管壁薄，皱折状，长大多等于或超过腹部长的 1/2，端部呈膨大的囊状。

**分类**：中国记录 5 属，秦岭地区分布 1 属 6 种。

### 115. 原花蝽属 *Anthocoris* Fallén, 1814

*Anthocoris* Fallén, 1814: 9. **Type species**: *Cimex nemorum* Linnaeus, 1758.

**属征**：体长椭圆形，多数种类的毛被长度中等。复眼不接触前胸背板前缘；单眼接近复眼后缘；喙短，伸达于前足基节。触角第 1 节几乎伸达头前端，第 2 节最长，

第3、4节纺锤形，略细于第2节。前胸背板领发达；侧缘较直；后缘弯；四角各具1根明显直立的长毛或后角有各有1根直立长毛。前翅膜片常有浅色斑，但不呈纵带状。臭腺沟缘较直，端部稍向前弯并向前延伸成一脊状。腹部末端有长毛伸出。雄虫生殖节较直，稍向左弯，仅左侧具1个阳基侧突。雌虫产卵器发达，交配管较长，末端为1个较大的囊。

Péricart (1972)根据前翅有无光泽、毛被的长短、腹部第2腹板后缘的不同以及雄虫阳基侧突等特征将古北区西部的种类分为6个群(group)，即：*nemorum* 群、*nemoralis* 群、*gallarumulmi* 群、*confusus* 群、*alienus* 群和 *sibiricus* 群。

作者根据体型、前胸背板构造、前翅色斑类型及光泽的有无、毛被的长短、腹部第2腹板后缘的不同和第3腹板膜质区域的有无以及雄虫阳基侧突等特征，并参考Péricart (1972)的分群意见，将我国的原花蝽属(*Anthocoris* Fallén)分为以下9个群：欧原花蝽群(*nemorum* group)，川藏原花蝽群(*thibetanus* group)，宫本原花蝽群(*miyamotoi* group)，束翅原花蝽群(*angustatus* group)，西伯利亚原花蝽群(*sibiricus* group)，黄足原花蝽群(*flavipes* group)，混色原花蝽群(*confusus* group)，小原花蝽群(*chibi* group)和日本原花蝽群(*japonicus* group)；其中欧原花蝽群、混色原花蝽群和西伯利亚原花蝽群的界定与Péricart (1972)相同。

**分布：**中国记录37种，秦岭地区发现6种。

## 分种检索表

1. 前翅革质部全部有光泽 …………………… 2
　前翅爪片和内革片污暗 …………………… 3
2. 体小，体长小于3mm；雄虫阳基侧突有纵向凹槽 ………… **灰胫原花蝽 *A. notatotibialis***
　体较大，体长大于3mm；雄虫阳基侧突无纵向凹槽 ………… **乌苏里原花蝽 *A. ussuriensis***
3. 前翅革质部除外革片基半浅色外，均为一致的深褐色至黑褐色 ……… **萧氏原花蝽 *A. hsiaoi***
　前翅革质部内、外革片均具浅色斑块 …………………… 4
4. 腹部第3腹板上有1对肾形膜质区域，前翅色斑 ………… **宫本原花蝽 *A. miyamotoi***
　腹部第3节腹板上无膜质区域，第2腹板中后部有1对膜质区域，前翅色斑不如上述 …… 5
5. 体狭长，前翅中部略缢缩，胝区宽大，光滑，隆起强烈。腹部第2或3腹板上有1对膜质区域，成三角形或肾形，干标本此处色浅 ………… **黑脉原花蝽 *A. gracilis***
　体较宽短，多椭圆形；前翅中部不缢缩；腹部第2、3节腹板无成对的膜质区域 …………
　……………… **秦岭原花蝽 *A. qinlingensis***

### (214) 秦岭原花蝽 *Anthocoris qinlingensis* Bu *et* Zheng, 1990

*Anthocoris qinlingensis* Bu *et* Zheng, 1990: 330.

**鉴别特征：**体长椭圆形。头黑色，长0.50mm，宽0.52mm，眼前部分长与眼前缘以后部分长之比为1∶1；触角第1节、第2节端部1/4以及第4节黑褐色，第2节基部3/4黄褐色，第3节基半黄褐色或全部黑褐色，各节毛长不超过该节直径，1～4各节的长度分别为0.22mm、0.64mm、0.42mm、0.42mm。前胸背板黑色，长0.58mm，领宽0.48mm，后缘宽1.18mm，毛被短，平伏；侧缘几乎不伸出；前角处圆缓；胝后缘凹陷较浅，胝后横皱明显。前翅革片基半淡色，内革片端半内侧为深褐色，此斑外缘直，外革片在楔片缝前为1个大黑斑，楔片大部色较淡，外缘色深，向后逐渐加重；外革片长1.28mm，楔片长0.78mm，膜片长1.55mm。足黄色，股节黄褐色至黑褐色或在端部有褐色环，胫节基部有时加深为黑褐色。雄虫阳基侧突宽大，内侧缘亚端部略成钝三角状突起，端部呈小钩状。体长3.70～4.10mm，宽1.20～1.40mm。

与欧原花蝽群(*nemorum* group)中其他种相比，本种体较宽大，前翅深色部分色较淡，多数个体革质部中段黑斑不成横带状。阳基侧突内侧缘亚端部略成钝三角状突起，端部呈小钩状，而与群内其他种不同。

**采集记录：**1♂1♀(正模、配模)，秦岭(Tsinling)，1916.Ⅷ.22，C. C. Licent采；3♂1♀(副模)，同前；2♂1♀，眉县南(Sinntai)，1916.Ⅸ.15，C. C. Licent采；1♀，华山，1962.Ⅷ.22，杨集昆采。

**分布：**陕西(眉县、华阴)、甘肃、四川。

### (215) 萧氏原花蝽 *Anthocoris hsiaoi* Bu *et* Zheng, 1991

*Anthocoris hsiaoi* Bu *et* Zheng, 1991: 92.

**鉴别特征：**体黑色，全体具光泽。头宽短，长0.43mm，宽0.48mm，眼前部分长与眼前缘以后部分等长，雄虫触角第1节黑褐色，第2节黄褐色，两端黑褐色，第3节基半黄褐色，端半和第4节黑褐色；雌虫第2节仅基部1/4黑褐色，第3节全部黄褐色；1～4节的长度分别为0.15mm、0.50mm、0.38mm、0.40mm，第2节毛多不长于该节直径，第3、4节毛可略长于该节直径。前胸背板长0.46mm，领宽0.40mm，后缘宽1.04mm，毛长密，半直立，长可超过复眼直径的1/2，前角处毛长约与复眼直径等长；侧缘几乎直或微凹，前半略呈狭边状；领皱刻清楚，胝后缘下陷较深，后叶具稀浅刻点，中部呈皱刻状。前翅深栗褐色至黑褐色，外革片基半淡黄白色，楔片缝内端处常色淡，膜片灰褐色，在楔片后角后方有淡色斑；密布半直立长毛，长约为复眼直径的1/2；外革片长1.13mm，楔片长0.67mm；前翅略超过腹部末端。足基节、股节两端、前胫两端以及中、后足胫节黑褐色，股节中段及前胫污黄褐色，但颇多变异，胫节毛长超过该节直径。雄虫阳基侧突细长，折角状，内缘弯曲圆缓，折角处外缘成直角，以折角为界时，其端半长5mm，基半长为4mm。体长3.70～4.00mm。

**采集记录：**3♀，太白山骆驼寺，2100m，1983.Ⅴ.26，陕西太白山昆虫考察组采(IENAU)；1♂3♀，凤县秦岭车站，1980.Ⅴ.08，向龙成、马宁采(IENAU)；5♂14♀，地点同前，1400m，1994.Ⅶ.27-30，卜文俊采；8♀，宝鸡石门(Cheumen)，

1919. Ⅴ.6-8, C. C. Licent 采; 2♀, 华山, 1962. Ⅷ.22, 杨集昆、李法圣采; 2♂6♀, 留坝庙台子, 1400m, 1994. Ⅷ.03, 卜文俊采; 1♀, 地点同前, 1984. Ⅴ.08, 赵晓明采(IENAU); 1♂, 佛坪龙草坪, 1985. Ⅶ.16, 任树芝采(本种原始描记发表时未给出副模标本采集标签上的详细内容, 现增补如上); 4♂52♀, 宁陕火地塘, 1640m, 1994. Ⅷ.13-15, 卜文俊采; 4♀, 地点同前, 1750m, 1979. Ⅶ.24, 韩寅恒采(IZAS); 2♀, 宁陕旬阳坝, 1994. Ⅷ.16, 卜文俊采; 1♂1♀, 南郑, 1650m, 1985. Ⅶ.22, 任树芝采。

**分布**: 陕西(周至、凤县、宝鸡、华阴、留坝、佛坪、宁陕、南郑)、北京、甘肃、四川。

## (216) 黑脉原花蝽 *Anthocoris gracilis* Zheng, 1984

*Anthocoris graclils* Zheng, 1984: 65, 68.

**鉴别特征**: 深褐色至黑褐色, 全体具强光泽。头较伸长, 长 0.52mm, 宽 0.45mm, 眼前部分与眼后部分长度约等。触角黑褐色; 第 2 节中段黄褐色或淡褐色, 向端渐粗; 个别个体第 3 节基半黄褐色, 毛被短于该节直径, 各节长 0.18mm、0.53mm、0.33mm、0.21mm。前胸背板长 0.42mm(♂)、0.45mm(♀), 领宽0.42mm, 后缘宽 1.03mm; 毛被短小平伏; 胝后缘强烈下凹, 凹痕由刻点列组成, 胝后横皱疏浅, 仅中部较清楚; 侧缘微凹, 前角垂缓。前翅毛被短小平伏, 各脉棱出显著, 爪片及革片全部淡黄褐色, 或革片各脉及爪片基部与接合缝两侧宽阔, 加深, 可成黑褐色, Cu 脉外支四周常扩散成晕斑状, 楔片深褐色至黑褐色, 膜片基部淡白色, 有灰褐色斑; 革片外缘明显凹弯, 外缘后半亦成明显的弧形, 但雄虫较不显著。外革片长 1.05mm(♂)、1.25mm(♀), 楔片长 0.43mm(♂)、0.58mm(♀), 膜片长 1.25mm(♂)、1.33mm(♀)。前胸背板后缘宽 1mm, 前翅长 2.30mm。足一色黑褐色, 胫节常略淡。雄虫阳基侧突略细长, 弯镰状。体长 3.10mm(♂)、3.50~3.60mm(♀)。

**采集记录**: 1♀, 南郑, 1650m, 1985. Ⅶ.22, 任树芝采。

**分布**: 陕西(南郑)、四川。

## (217) 宫本原花蝽 *Anthocoris miyamotoi* Hiura, 1959

*Anthocoris miyamotoi* Hiura, 1959: 3.

**鉴别特征**: 体较狭长, 头、前胸背板、小盾片黑褐色, 全体具光泽, 毛被长, 稀, 多直立, 少数半直立。头长 0.46mm, 宽 0.45mm, 眼前部分长与眼前缘以后部分长之比为 3:4; 头顶中部及后缘有数对略长的毛; 触角第 2 节基半至 3/4、第 3 节基部 1/4 至基半黄褐色, 其余深褐色, 触角上的毛平伏, 稀有直立者, 长约等于该节直径;

1～4节的长度分别为0.15mm、0.45mm、0.29mm、0.35mm。前胸背板长0.41～0.48mm，领宽0.35～0.39mm，后缘宽0.87～0.92mm；有稀疏直立或半直立长毛；领横皱清楚，较宽；侧缘中部内凹，前半略呈薄边状，前角圆缓；胝区面积较大，较平坦，约占整个前胸背板前叶；胝后缘凹陷深，由1～2列粗糙刻点组成；后叶光滑，无横皱。前翅爪片基部、小盾缘、端部、内革片基部、内缘、端部、外革片基部和端部以及楔片大部为黑褐色，爪片中部外侧、内革片和外革片中部以及楔片缝前后及内侧为淡色，透明；膜片灰褐色，亚基部及楔片后角之后为灰白色；外革片侧缘中部稍凹，两楔片外侧略平行；外革片长0.85～0.92mm，楔片长0.60～0.62mm；前翅膜片约1/2超过腹部末端。腹部第3腹板具1对肾形膜质区域。足全部紫褐色，仅胫节内侧黄褐色。雄虫阳基侧突细长，中部向内拱突，亚基部和亚端部向外拱突，端部呈弯钩状。体长2.90～3.20mm，宽0.82～0.95mm。

**采集记录：**4♂4♀，周至板房子，1994.Ⅷ.09，卜文俊采；5♂7♀，凤县秦岭车站，1400m，1994.Ⅶ.28-30，卜文俊采；1♂4♀，同前，吕楠采；2♀，留坝庙台子，1994.Ⅷ.03，卜文俊采；9♂7♀，宁陕火地塘，1640m，1994.Ⅷ.14-15，卜文俊采；11♂5♀，宁陕旬阳坝，1700m，1994.Ⅷ.16，卜文俊采；3♂1♀，同前，吕楠采。

**分布：**陕西(周至、凤县、留坝、宁陕)；俄罗斯(远东地区)，日本.

### (218) 灰胫原花蝽 *Anthocoris notatotibialis* Bu, 2001

*Anthocoris notatotibialis* Bu, 2001: 159.

**鉴别特征：**体小，黑色，雄虫小于雌虫，雄虫体两侧平行，雌虫腹部略加宽。头长0.38～0.42mm，宽0.37～0.42mm；眼前部分长：眼前缘以后部分长为1:1；头顶中部光滑，具数根毛；雄虫触角第1节黑色，其余黑褐色，雌虫第2节中段大部以及第3节基部黄至黄褐色，其余黑褐色；触角毛长不超过该节直径，1～4节长度分别为0.12～0.13mm、0.44～0.47mm、0.22～0.26mm、0.28～0.30mm。喙伸达前足基节后缘。前胸背板长0.35～0.40mm，领宽0.35～0.36mm，领长0.09mm，后缘宽0.70～0.83mm；毛被短稀，金黄色；领较大，横皱明显；侧缘稍凹，前半略呈薄边状；前角圆缓；胝区隆起较强烈，完整，光滑，与领等长，中部纵列毛很少，胝后下陷较深，横皱清楚。小盾片上的毛较长，略弯曲，金黄色。前翅毛被多数平伏，少数直立或半直立，爪片和内革片上的毛银白色，弯曲显著，较密，外革片和楔片上的毛为金黄色，略弯曲，直立和半直立的毛较爪片和内革片上的多；爪片和内革片油污状，其余具强光泽，光滑，黑褐色，仅革片基角和楔片缝内侧色淡；膜片光泽弱，端半和基角浅黑褐色，中段浅灰色，呈倒"V"形；外革片长0.80～0.85，楔片长0.41～0.46。足黑褐色至黑色，仅胫节外侧基半灰白色，后足胫节毛长者略超过该节直径。雄虫阳基侧突细长，外缘4/5上卷，内侧较平滑的弯曲，向端渐尖，端部略向内弯。体长2.40～2.60，宽0.80～1.00。

**采集记录：** 1♂3♀（正模、副模），留坝庙台子，1400m，1994. Ⅷ. 03，卜文俊采自松树 *Pinus* sp. 上。

**分布：** 陕西（留坝）。

### (219) 乌苏里原花蝽 *Anthocoris ussuriensis* Lindberg, 1927

*Anthocoris ussuriensis* Lindberg, 1927: 21.

**鉴别特征：** 体略狭长。头黑色，长 0. 54mm，宽0. 52mm，眼前部分长与眼前缘以后部分长之比为 3∶4，头顶中部有若干毛，呈“Y”形分布，头顶后缘有 1 横列毛，半直立，向后方斜指；触角第 2 节中段浅褐色，其余褐色；触角上的平伏毛长不超过该节直径，少数直立毛长略超过该节直径；1 ~4 节长度分别为 0. 14mm、0. 42mm、0. 30mm、0. 30mm。前胸背板黑色，后角及后缘色略浅，长 0. 54mm，领宽 0. 46mm，后缘宽1. 26mm；领、胝区及胝后区域大约各占前胸背板长度的 1/3；领较发达，皱刻明显；侧缘平直，前半成狭边状，前角垂缓；胝区低平，中部有纵列毛，胝后凹陷浅宽，后叶横皱不明显，胝后中部稍凹。前翅毛被稍密，爪片以及内革片内侧少部分污浅褐色，外革片及内革片外侧大部褐色，有强光泽；楔片，黑褐色，有强光泽；楔片缝内侧有 1 个浅色小斑，爪片接合缝端部淡色；膜片浅褐色，在亚基部和楔片端角后有淡色斑。足浅褐色，胫节毛长不超过该节直径。雄虫阳基侧突细长，基半甚宽，向端渐细，端部向内弯曲。体长 3. 50 ~4. 00，宽 1. 20 ~1. 40。

**采集记录：** 1♀，太白山中山寺，1500mm，1983. Ⅵ. 12，陕西太白山昆虫考察组采（IENAU）；1♂1♀，凤县，1984. Ⅴ. 7，赵晓明采（IENAU）；1♀，留坝桑园，1984. Ⅴ. 07，赵晓明采（IENAU）。

**分布：** 陕西（周至、凤县、留坝）、辽宁、河北、湖北；蒙古，俄罗斯。

## Ⅲ. 小花蝽族 Oriini Carayon, 1958

**鉴别特征：** 触角第 3、4 节略细于第 1、2 节，其上毛长短于该节直径的 2 倍；前胸背板侧缘的长毛常明显，领区大不显著；胫节无海绵窝；前跗节有爪间垫，爪短，强烈弯曲；雄虫前足胫节内侧常有 1 列齿。腹部第 6 ~8 节左右不对称，背板有纵缝或无，向左弯。雄虫阳基侧突位于生殖节的背面，常复杂，向左扭曲成螺旋状，有鞭、齿和其他特殊构造，内阳茎小，不明显。雌虫交配管短，1 个，长不及腹部长的 1/2，可明显地分为两段，基段较光滑，壁较厚，端半壁较薄。

**分类：** 中国记录 4 属，秦岭地区发现 2 属 3 种。

### 分属检索表

体长椭圆形，两侧平行或略外拱；头平伸；前胸背板前角处略呈薄边状；外革片短于或等于楔片长的 2 倍；头的眼前部分长等于或长于复眼直径的 1/2 …………………………… **小花蝽属 *Orius***
体短宽，呈卵圆形或圆形，侧缘强烈外拱；头下倾；前胸背板前角薄边极宽；外革片长大于楔片长的 2.50 倍；头的眼前部分很短，短于复眼直径的 1/2 …………………………… **圆花蝽属 *Bilia***

## 116. 圆花蝽属 *Bilia* Distant, 1904

*Bilia* Distant, 1904c: 480. **Type species**: *Bilia fracta* Distant, 1904.

**属征**：体卵圆形至圆形。头部复眼前的部分很短，复眼强烈突出，后缘与前胸背板前缘相接。喙短，伸达前足基节。前胸背板前角处薄边宽大，后缘内凹浅，略直。楔片缝宽。雄虫阳基侧突由扭曲的基部和 1 个大的爪状体构成，爪状体背面中部有 1 个小钩状突起，爪状体向左侧弯曲，平贴于生殖节上，沿纵向呈凹槽状。雌虫交配管短，可模糊地分为两段，基段粗，多皱折，端段窄，光滑。

**分布**：中国记录 4 种，秦岭地区发现 1 种。

### (220) 日本圆花蝽 *Bilia japonica* Carayon *et* Miyamoto, 1960

*Bilia japonica* Carayon *et* Miyamoto, 1960: 27.

**鉴别特征**：体黑色，毛被长密。头长 0.24mm，宽 0.39mm，头顶毛被较密，中部有若干长毛，呈"V"形排列，毛长者可达复眼直径；两单眼间有 3 对毛。触角缺失［日本标本各节长的比例为 7∶21∶17∶21(♂)、6∶20∶15∶20(♀)］。前胸背板长 0.25mm，领宽 0.32mm，后缘宽 0.24mm；侧缘直，前角处薄边宽接近复眼直径的 1/2；胝区细长，位于中部两侧；两胝之间较宽，与前叶质地相同，其余部分刻点浅，细密，胝后及中部凹陷较深，后叶中部略呈横皱状。小盾片中部深陷，横皱状，每侧各有 1 个较深的圆形陷坑。前翅外侧缘凸出，成弓形；外革片长 0.60mm，楔片长 0.25mm，膜片大部浅灰褐色，后端为灰白色。臭腺沟缘略呈半圆形弯曲，端半部分为脊状。足的基节和股节红褐色，中、后足胫节基部 1/3 褐色，其余黄色，中足胫节毛一般，胫节毛长稍超过该节直径。雄虫阳基侧突弯钩状，外侧具小刺突。体长 1.73mm。

**采集记录**：1♂，略阳，1985.Ⅶ.27，任树芝采。

**分布**：陕西(略阳)；俄罗斯(远东地区)，日本。

## 117. 小花蝽属 *Orius* Wolff, 1811

*Orius* Wolff, 1811: iv, fig. 161. **Type speices**: *Salda nigra* Wolff, 1811.

**属征：**体椭圆形，有光泽。头上大型刚毛状毛很短；单眼突出；触角粗细较为一致，常雌雄异型，雄虫触角常粗于雌虫者，其中第2节尤其明显。喙超过前足基节。前胸背板具刻点，领短，胝区隆起，光滑；四角具直立长毛或仅后角具直立长毛。前翅具刻点，膜片具3条脉。后足基节相互靠近，雄虫前足胫节内侧有小齿。臭腺沟缘向前弯，略呈半圆形。后胸腹板三角形。雄虫阳基侧突螺旋形，向左旋，分为叶部和鞭部，叶部具齿或无齿，鞭部1～3支。雌虫交配管着生于腹部第7、8腹节的节间膜上，分为基段和端段两部分，基段骨化较强，壁厚，端段骨化弱，壁薄。雄虫阳基侧突叶部的形状，叶上齿的有无，鞭的长短和形状，以及雌虫交配管的形状和着生位置是分亚属和分种的重要特征。

**分布：**中国记录14种，秦岭地区发现2种。

## 分种检索表

雄虫阳基侧突的鞭部基部2/3加粗，直伸，在2/3处有小齿状或片状突起，端部明显变细 ……………………………………………………………………… **中国小花蝽 *O. chinensis***

雄虫阳基侧突的鞭部仅最基部略粗，其余细长，弯曲，粗细一致无小齿状或片状突起 ……………………………………………………………………… **明小花蝽 *O. nagaii***

### (221) 中国小花蝽 *Orius chinensis* Bu, 2001

*Orius chinensis* Bu, 2001: 195.

**鉴别特征：**头黑色，长0.28mm，宽0.41mm，头顶中部有刻点和纵列毛，呈"Y"形，两单眼间有1个横列毛；触角第2节基部3/4黄褐色，其余黑褐色，第3、4节毛长者可稍长于该节直径，1～4节的长度分别为0.11mm、0.32mm、0.22mm、0.23mm。前胸背板黑色，长0.32mm，领宽0.30mm，后缘宽0.83mm；侧缘微凹成薄边状，前角处略宽大；四角无直立长毛；毛被稍密；胝区隆出显著，中部有纵列毛，将胝区前部分为左右两部分，胝区中部偏前有1列毛横贯；后叶刻点较深，较大，呈横皱状，胝后凹陷深，中部更深。前翅爪片和革片浅黄褐色，楔片大部黑褐色，某些雌虫爪片和革片颜色亦呈浅黑褐色；外革片长0.76mm，楔片长0.45mm。足黄褐色，转节、股节端部1/4以及前、中足胫节黄色，基节、股节大部、后足胫节褐色至黑褐色。雄虫胫节毛长者稍长于该节直径(不长于1.50倍)，雌虫很少有长于该节直径者。体长2.40～2.60。

**采集记录：**6♂6♀，凤县秦岭车站，1400m，1994.Ⅶ.27，卜文俊采；3♂2♀，凤县秦岭车站，1400m，1994.Ⅶ.27，吕楠采；2♂，地点同前，1300m，1994.Ⅶ.28，吕楠采；7♂20♀，地点同前，1300m，1994.Ⅶ.28，卜文俊采；10♂10♀，地点同前，1400m，1994.Ⅶ.29，卜文俊采；2♂，地点同前，1400m，1994.Ⅶ.30，卜文俊采；1♂9♀，留坝庙台子，1400m，1994.Ⅷ.03，卜文俊采；1♂1♀，地点同前，1400m，1994.Ⅷ.01，吕楠采；1♂2♀，宁陕火地塘，1640m，1994.Ⅷ.14，卜文俊采；2♂2♀，宁陕

旬阳坝，1994. Ⅷ. 16，卜文俊采。

**分布**：陕西(凤县、留坝、宁陕)、四川、云南。

### (222) 明小花蝽 *Orius nagaii* Yasunaga, 1993

*Orius nagaii* Yasunaga, 1993: 19.

**鉴别特征**：体相对较狭长，为本属内的中等类型。头、前胸背板、小盾片栗褐色至黑褐色。头前端色浅，长 0.28mm，宽0.36mm，头顶中部有若干刻点列，呈“V”形分布，两单眼间亦有 1 列毛；触角基部两节黄色，端部 2 节褐色，雄虫有时第 4 节基半色浅，雌虫有时第 3 节基半至全部亦为黄色；雄虫 1 ~4 节长度分别为 0. 12mm、0. 32mm、0. 23mm、0. 23mm，雌虫 1 ~4 节长度分别为 0. 12mm、0. 26mm、0. 18mm、0. 22mm，其上毛长者接近或稍长于该节直径。前胸背板长 0. 32mm，领宽 0. 30mm，后缘宽 0. 71 ~0. 78mm。毛被短稀；领的皱刻清楚，呈横皱状；胝区略大，完整，光滑，较为隆起，中部具 1 ~2 列纵列毛，胝后凹陷浅，与后叶在同一水平；后叶刻点粗糙，中部略呈横皱状；侧缘较直，中部略向内凹，除后角外，全为薄边状，向前略加宽。小盾片中部凹陷，呈横皱状。前翅除楔片端角为褐色外，其余均为黄色，膜片浅灰褐色；外革片长 0. 65 ~0. 80mm，楔片长 0. 35 ~0. 45mm，翅合拢时两侧略平行。足黄色，基节基半和爪褐色。体腹面深褐色至黑褐色。雄虫阳基侧突叶部略窄，齿较小，位于叶中央，指向侧方，鞭略伸过叶端(安徽宜城标本雄虫阳基侧突叶部的齿更为细长)。体长 1. 90m ~2. 20mm，宽 0. 80 ~0. 92mm。

**采集记录**：4♂1♀，汉中龙岗，1975. Ⅶ. 20，采自水稻。

**分布**：陕西(汉中)、天津、河北、山东、安徽、浙江；日本。

# 蝽次目 Infraorder Pentatomomorpha

**鉴别特征**：体壁多数较为坚实。触角 4 或 5 节，极少数类群为 3 节。喙 4 节，第 1 节多明显可见。上颚和下颚口针拼接紧密，刺入食物时均共同到达吸食位置。下颚口针端段无棘刺列，吸食时口针束外裹有唾液所形成的唾液鞘。胸部臭腺为“侧式”，后胸侧板上臭腺沟及；挥发域明显，表面常密布蘑菇状细微构造。前翅为典型半鞘翅，无前缘裂，无楔片；膜片多具 5 根以上的脉，简单，或具分支，或成网状，少数无脉。前跗节爪对称；爪下有爪垫，由骨化的基爪垫(basipulvillus)和肉质的端爪垫(distipulvillus)2 个部分构成；副爪间突刚毛状，无中垫。除扁蝽总科等少数类群外，腹部第 3 ~7 节腹面具成对的毛点毛。雄虫腹部后端及外生殖器构造左右对称。

阳茎鞘常强烈骨化，导精管具各种泵式构造。内阳茎常有种种分化。雌虫受精囊发达，末端多膨大成囊状，并具檐状构造。产卵器多数成片状。中肠具数列盲囊。卵不具臭虫次目式的真正卵盖，孵化时常不规则开裂，具杯状呼吸突，精孔可开口其上。

**生物学**：全部为植食性。由吸食菌丝、种子、花器，发展到取食植物输导组织中的液体。显示出以植物为寄主关系的进一步发展。以作物为寄主的种类可造成危害。

**分类**：中国记录30科，陕西秦岭地区分布23科。

# 扁蝽总科 Aradoidea

# 十五、扁蝽科 Aradidae

白晓拴[1] 彩万志[2]

（1. 内蒙古师范大学生命科学院，呼和浩特 010022；
中国农业大学昆虫学系，北京 100094）

**鉴别特征**：本科昆虫的身体均较扁平，颜色深暗，通常黑褐色。头在触角之间伸出，触角较短，明显分为4节，无单眼。翅不盖及整个腹部，亦有一些短翅及无翅的种类。热带的扁蝽，身体多具奇异的突起和疣状构造，骨化较强而坚硬。大多数扁蝽生活在腐朽的树皮下，以菌类为食。口器具细长吻丝，适应菌食习性，平时卷曲头内。扁蝽除有时大迁飞外，一般活动性不强。

**分类**：中国记录27属121种，陕西秦岭地区分布3亚科3属4种。

### 分亚科检索表

1. 颊不超过中叶前端，故头前端钝圆；腹部背面有3个发达的臭腺孔，其间距相等 ……………………………………………………………… **扁蝽亚科 Aradinae**

   颊发达，向前延伸或多或少超过中叶，故头前端形成切口或凹缘；臭腺孔不发达或消失 … 2

2. 喙基部前方开放；腹部背面第1臭腺孔不或稍后移 ………………… **无脉扁蝽亚科 Aneurinae**

   喙基部前方封闭，仅留1条纵缝，稀有喙基部前方开放者 ………… **短喙扁蝽亚科 Mezirinae**

## （一）扁蝽亚科 Aradinae

### 118. 扁蝽属 *Aradus* Fabricius, 1803

*Aradus* Fabricius, 1803: 116. **Type species**: *Cimex betulae* Linnaeus, 1758.

**属征**：体多呈椭圆形。头通常长于宽，中叶突出，前端较膨大。眼小而凸出，常具眼前刺和眼后刺。触角基齿形或刺状，触角第 1 节最短，第 2 或第 3 节最长。喙通常超过头的后缘。前胸背板横宽，有 4 或 6 条纵脊。小盾片三角形或五边形，边缘具隆脊。前翅完全，但也有短翅型；革片基部明显扩展，前翅膜片具少数显著翅脉。后足基节前方有 1 个小的臭腺孔，无臭腺沟缘。腹部背面臭腺孔明显，腹面中央具纵沟。前、中足转节与股节局部愈合。腹节气门(除第 8 节外)均位于腹面，接近各节前缘但远于侧缘。

**分布**：中国记录 27 种，秦岭地区发现 2 种。

## 分种检索表

触角大部粗于足股节，第 2、3 节被棘状粗毛 …………………… **秦岭山扁蝽 *A. quinlingshanensis***
触角细于前足股节，第 2、3 节无棘状粗毛 ……………………………………… **郑氏扁蝽 *A. zhengi***

### (223) 秦岭山扁蝽 *Aradus quinlingshanensis* Heiss, 2003

*Aradus quinlingshanensis* Heiss, 2003: 174.

**鉴别特征**(自 Heiss, 2003)：雌虫长翅形。头、前胸背板脊突、小盾片侧缘、革片翅脉具大的瘤状突。触角第 1 节光滑，第 2、3 节具大的棘状刺，第 4 节具短的棘状刺，近基部 2/3 处有长的刚毛，端部具细毛。身体和触角为赭色；头顶光滑区、前胸背板光滑区、小盾片端半部、侧接缘 7、8 两节为黑褐色到黑色；膜片褐色；足赭色，腿节中央与端部、胫节端部与基部、跗节第 2 节端部褐色。

头长短于宽；中叶端部具瘤突；触角基突斜向指出，几乎达第 1 触角末端；复眼球状突出；眼前刺尖削，眼后刺域具大的瘤突；头顶中央具瘤状纵脊，两侧为光滑的卵圆形凹。触角长与头宽比为 2.39；第 1 节最短，近圆筒形，第 2 节最长，圆筒状，第 3 节短，圆筒状，第 4 节纺锤形，1 ~ 4 节的长度比例为 6: 26: 17: 12；喙伸达中胸腹板前缘；前胸背板向两侧延展，微上折，前侧缘具齿状突，后缘中央内凹；小盾片三角形，狭长，侧缘显著隆起，基部 1/3 处隆起，内有 2 个卵圆形光滑斑，端部凹陷，具横皱纹；革片扩展，两侧微上折，伸达第 5 腹背板中央，翅脉被瘤突，膜片皱，翅脉清晰：侧接缘各节后角显著突出，第 8 节侧缘内凹；气门 2 ~ 7 节位于腹面，远离侧缘，第 8 节位于侧缘，背面可见；前、中足转节与腿节愈合，后足转节分离。体长 7.60mm，宽 3.60mm，翅宽 2.70mm。

**分布**：陕西(宁陕)。

### (224) 郑氏扁蝽 *Aradus zhengi* Heiss, 2001

*Aradus zhengi* Heiss, 2001a: 1018.

**鉴别特征：**体中型，宽卵形；体表密被颗粒和皱褶，足及触角被毛瘤。褐色至黑褐色。

头中叶高隆，伸达触角第2节基部；触角基突短刺状，伸达触角第1节1/2处；复眼小，两侧突出；眼后域窄，两侧平行，后角处有2个瘤状突起；眼前刺瘤状；头顶中央微隆，两侧凹，内有胼胝沟，眼内侧具脊；触角细长，为头宽的2.36(♂)或2.18(♀)倍；第1节最短，第2节最长，第3、4节之和远大于第2节之长；第1节圆柱状，第2、3节杆状，中央两侧略细缩，第4节纺锤状；喙伸达前足基节前方。

前胸背板前缘近平直，前角处具齿状突起，侧缘具细齿，前端较平直侧角钝角状，强烈向上翘折，最宽处位于背板中央上方，侧缘后端略内凹，后缘中央近平直，两侧于小盾片处微向后半月状突出；背板中央具4条纵脊，中间2条贯穿背板，外侧2条伸达前叶中央；小盾片长三角形，侧缘具脊，近中央处向内会聚，近端部略扩张，然后向端部会聚，端部尖削，并向上翘折，背板中央近基部有1个短脊隆起；雄虫前翅基部略窄于前胸背板，雌虫前翅基部略宽于前胸背板；爪片未伸达小盾片端部，革片基部半圆形扩展，并向上翘折，端部伸达第5侧接缘中央；膜片伸达8腹节中央；足细长，前、中足股节与转节愈合，后足股节与转节分离，无爪垫；各足转节、股节2个环纹及胫节1个环纹浅色；腹部各节侧接缘后角渐向后宽叶状突出；气门2~7节位于腹面，第8节位于侧缘。

**量度(mm)：**♂：体长8.37~8.55，宽4.00~4.45；头长1.38~1.42，宽1.38~1.40；前胸背板长1.40~1.42，宽3.28~3.50；小盾片长1.80~1.90；宽1.22~1.30；翅基宽3.09~3.18；触角1~4节的长度分别为1.38、1.18~1.34、0.88~1.08、0.62~0.72。♀：体长10.93，宽5.55；头长1.48，宽1.46；前胸背板长1.52，宽3.55；小盾片长1.96，宽1.34；翅基宽3.73；触角1~4节的长度分别为0.36、1.26、0.94、0.62。

**采集记录：**1♀1♂，留坝，2006.Ⅶ.12，杜刚、崔玲采。

**分布：**陕西(留坝)、河南、甘肃、湖北。

## (二)无脉扁蝽亚科 Aneurinae

### 119. 无脉扁蝽属 *Aneurus* Curtis, 1825

*Aneurus* Curtis, 1825: 86. **Type species**: *Acanthia laevis* Fabricius, 1775.

**属征：**长翅型；身体多数极扁平；体表面粗糙，多具颗粒与刻纹；小盾片顶端宽圆；触角第4节长于第3节；前足基节由背部不可见；喙起自一个开放的口前腔；第4~6腹节腹面前缘各有1条横脊。

**分布**：中国记录 9 种，秦岭地区发现 1 种。

### (225) 陕无脉扁蝽 *Aneurus* (*Neaneurus*) *shaanxianus* Heiss, 1998

*Aneurus* (*Neaneurus*) *shaanxianus* Heiss, 1998: 838.

**鉴别特征**（据 Heiss, 1998）：体卵圆形，黑褐色；头、胸部、足、触角具明显的颗粒，无光泽；膜片翅脉杂乱，基部与边缘较平滑；侧接缘具颗粒与刻纹；腹部光滑，两侧具刻纹且光滑；膜片色较浅，基部白色。

头宽于长；头中叶两侧近平行，略超第 1 节触角端部；颊细窄，未达中叶端部；触角基侧突成刺状；眼后刺钝圆，末达眼外缘，向后骤缩；触角长与头宽之比为1.75；触角各节比例为 10:10:11:24；前胸背板宽大于长的 2 倍；前角钝圆，略超过领；小盾片半圆形，宽几乎为长的 2 倍(39/21)，亚侧缘具颗粒形成的脊突，基部隆起，具粗糙颗粒；革片短，仅达小盾片 1/3 处，侧缘外凸，仅具 1 条纵脉；膜片皱，伸达第 6 腹节背板后缘或第 7 腹背板 1/2 处；腹部卵圆形，各节后角不突出，侧缘平滑；第 2、3 侧接缘分离，仅在第 3 节内侧有三角形骨片；腹背板近内具刻纹，伸达第 3 腹背板；气门 2、5 ~ 7 节位于侧缘，背部可见，3 ~ 4 节位于腹面，第 8 节位于端部；雄虫生殖节梨形，长宽之比为 11/14；第 8 腹节侧叶细长，伸达生殖节端部；雌虫较长；前胸背板前角突出明显；膜片伸达第 5 腹节的 1/2 或第 7 腹节的 1/2 处。

**量度(mm)**：♂：体长 4.65 ~ 5.05，宽 2.27 ~ 2.30。♀：体长 4.65 ~ 5.30，宽 2.35 ~ 2.55。

**分布**：陕西(秦岭)。

## (三) 短喙扁蝽亚科 Mezirinae

### 120. 似喙扁蝽属 *Pseudomezira* Heiss, 1982

*Pseudomezira* Heiss, 1982: 264. **Type species**: *Mezira nuda* Kormilev *et* Heiss, 1973 ( = *Neuroctenus kashmirensis* Kormilev, 1971).

**属征**：与 *Mezira* 相近，但口前腔开放，第 4 ~ 6 节腹节具横脊；雌虫第 6 节腹后缘一次弯曲，与 *Neuroctenus* Fieber 雌虫不同。前胸背板的 4 个脊突前端连接。

**分布**：中国记录 2 种，秦岭地区发现 1 种。

**(226)双脊似喙扁蝽 *Pseudomezira bicaudata*(Kormilev, 1971)**

*Neuroctenus bicaudatus* Kormilev, 1971: 63.

*Pseudomezira bicaudata*: Hsiao *et al*., 1981: 253.

**鉴别特征:**体近长方形,被弯曲短毛和显著小瘤。棕色至暗棕色。

头、前胸背板前叶及小盾片常棕黑色。眼后刺显著,粗刺状,稍超过眼的外缘。中叶较弱,头前端具明显切口。触角第1节基部显著收缩,较光滑,第4节端部明显膨大。喙浅棕色,其基部前方呈圆形开放,末端伸达喙沟后缘。

前胸背板领较细,向后凹入,前角超过领前缘,稍向上翘折,前叶有4个不规则突起,位于外侧2个较显著,侧缘稍扩展并向上翘起。小盾片三角形,边缘具隆脊,其中央纵脊明显。前翅膜片浅色,翅脉不明显。

侧接缘较宽,向上翘折,自第5节开始,后角逐渐突出,第7节后角近叶状。雄虫生殖节背面中央近方形,第8腹节侧叶显著,约伸达端节4/5。腹面较隆起,第4~6腹节腹板基部具明显横脊。腹节气门位于腹面,远于侧缘。雌虫第8腹节侧叶发达,长叶状,明显超过第9节末端。第9节通常有2个(1+1)细指状附器,在不同个体间其长短变异较大,甚至有几乎不明显者。

**量度(mm):**雄虫体长7.54,前胸背板宽2.72,腹部宽3.20。头长1.14,宽1.28;小盾片长1.12,宽1.52;触角1~4节的长度分别为0.60、0.40、0.76、0.58。

**分布:**陕西(太白、临潼)、四川。

# 长蝽总科 Lygaeoidea

## 十六、跷蝽科 Berytidae

蔡波[1] 乐大春[2] 卜文俊[1]

(1.海南省出入境检验检疫局,海口 570311;

2.南开大学昆虫学研究所,天津 300071)

**鉴别特征:**跷蝽科是异翅亚目中一个比较小的科,却存在很大的形态变异。大多数身体狭长,具细长的触角和足,英文名"stilt bugs"和中文名"跷蝽"也因此而来。

成虫头部具单眼;触角4节;喙4节;有的种类体表具刻点;小盾片末端常常具刺或突起;在一些类群中翅具多态现象;后胸臭腺孔缘常常延伸,蒸发域总是存在;前翅膜区5~6根翅脉,与长蝽总科其他类群相同;腿节端部通常膨大;跗节3节,爪具中垫;生殖节对称。卵不具卵盖。若虫5龄,具2个腹部背臭腺,一些类群具直立的腺毛。

**分类**：中国记录 11 属 24 种，陕西秦岭地区分布 6 属 7 种。

## 分属检索表

1. 身体被短毛，尤其是头部、前胸背板和喙沟两侧；腹部腹面遍布刻点；额具突起 …………… 2
   身体不被短毛；腹部腹面无刻点；额不具突起 …………………………………………………… 3
2. 前唇基端部具明显的结节或突起 ………………………………………… **锥头跷蝽属 *Neides***
   前唇基端部无结节或突起 ………………………………………… **华锥头跷蝽属 *Chinoneides***
3. 后胸臭腺孔缘明显延长成沟槽状 ……………………………………………………………… 4
   后胸臭腺孔缘退化，只余 1 条"L"形狭缝 ……………………………… **肩跷蝽属 *Metatropis***
4. 后胸臭腺孔缘端部具刺状突起 ………………………………………… **刺胁跷蝽属 *Yemmalysus***
   后胸臭腺孔缘端部不具刺状突起 ……………………………………………………………… 5
5. 喙第 2 节相对较短，不长于第 3 节 ……………………………………… **背跷蝽属 *Metacanthus***
   喙第 2 节较长，远长于第 1 和第 3 节 ……………………………………… **锤胁跷蝽属 *Yemma***

## 121. 华锥头跷蝽属 *Chinoneides* Štusák, 1989

*Chinoneides* Štusák, 1989: 289. **Type species**: *Neides lushanica* Hsiao, 1974 (*as lushaicus* [sic!]).

**属征**：本属与 *Bezu* 和 *Plyapomus* 的共同特征是：腹部背面遍布刻点，短翅型，腹部侧背片背面观气孔可见(*Chinoneides tasmaniensis* 除外)。本属与 *Bezu* 的区别在于：喙较长，达于或超过中足基节后缘；喙第 2 节长于第 1 节；后胸臭腺孔缘较 *Bezu* 稍宽，近端部稍扩展。而 *Plyapomus* 的自有衍征为退化且相距甚远的单眼和具"Y"形沟的小盾片，据此可与华锥头跷蝽属区分。

**分布**：中国记录 1 种，秦岭地区分布 1 种。

### (227) 华锥头跷蝽 *Chinoneides lushanicus* (Hsiao, 1974)

*Neides lushanica* Hsiao, 1974: 56.

*Chinoneides lushaicus* [sic!] Štusák, 1989: 290.

*Chinoneides lushanicus*: Henry & Froeschner, 1998: 7.

**鉴别特征**：雄虫黄褐色至褐色。头部褐色，腹面自复眼腹缘以下(包括下颚片)深褐色；额部具 1 个水平向前、短粗的突起，长 0.13mm；具刻点；头的腹面和背面被黄白色平伏卷毛，额部突起具浓密毛被，并自额部突起沿头部纵向延伸至缝线，共有 3 条：1 条宽，位于头部背面中央；剩余 2 条窄，在其两侧伴行，位于中间毛带和复眼之间；小颊黄褐色，半卵圆形，超过喙第 1 节外缘。喙达于后足基节前端。触角黄褐色，第1节端部稍膨大，褐色，第4节纺锤形，褐色，只基部和端部1/3黄白色；前胸背板近似长方形；褐色，胝区黄褐色，中纵脊和2条侧纵脊黄白色；密布刻点，胝区无刻点；被极稀疏的黄白色平伏短毛；中纵脊和2条侧纵脊不高于背板，中纵脊前端端部稍膨大；后缘直。小盾片端部具向后的极短的平伏突起；突起基部具黄白色平伏短毛。前翅小翅型，不达于腹部第2节前缘；黄褐色。前胸侧板黄褐色，前、后侧叶片上方和前方的区域褐色，其上被极稀疏的黄白色平伏卷毛；密布刻点。胸部腹面深褐色，被黄白色平伏卷毛，喙沟两侧尤密。孔缘延伸部分较短，耳状。腹部梭形；腹部背面黄褐色，刻点褐色，各节侧接缘外缘基部具不规则形状的深黑色区域；腹部腹面深褐色，中央稍浅，各节侧接缘外缘除两端外黄白色，刻点深褐色；被极稀疏的黄白色平伏短毛，腹部第2节背腹面较浓密；背面和腹面均密布刻点，刻点中央具平伏钉状短毛；各节侧接缘背面近内缘具锥形突起状的气门。足黄褐色；腿节端部稍膨大，褐色；胫节端部褐色；跗节深褐色，爪黑色。

**量度(mm)：**♂：体长6.80，宽0.80；头长0.88，宽0.48；喙1~4节的长度分别为0.50、0.52、0.32、0.53；触角1~4节的长度分别为4.20、1.90、2.90、0.70；前胸背板长0.73，前缘宽0.42，后缘宽0.40；前足腿节长2.98，中足腿节长3.15，后足腿节长4.75；前足胫节长3.50，中足胫节长3.65，后足胫节长6。♀：体长7.50，宽1.02；头长0.80，宽0.48；额部突起长0.13；喙1~4节的长度分别为0.50、0.60、0.35、0.55；触角1~4节的长度分别为4.00、1.80、2.50、0.60；前胸背板长0.70，前缘宽0.43，后缘宽0.42；前足腿节长2.50，中足腿节长2.70，后足腿节长4.30；前足胫节长3.20，中足胫节长3.30，后足胫节长5.50。

**采集记录：**1♂，太白山蒿坪寺，1982.Ⅶ.16，路进生采；1♀，留坝，900m，1985.Ⅶ.23，任树芝采。

**分布：**陕西(眉县、留坝)、河南、湖北、江西。

**寄主：**扛板归。

## 122. 锥头跷蝽属 *Neides* Latreille, 1802

*Neides* Latreille, 1802: 246. **Type species**: *Berytus tipularius* Fabricius, 1803 (a junior objective synonym of *Cimex tipularius* Linnaeus, 1758. Designated by ICZN, Opinion 1504, 1988: 230).

**属征：**本属的自有衍征是前唇基端部具明显的结节或突起。

**分布：**中国记录2种，秦岭地区发现1种。

### (228) 邻锥头跷蝽 *Neides propinquus* Horváth, 1901

*Neides propinquus* Horváth, 1901: 259.

**鉴别特征：**雄虫黄褐色，腹面深褐色。头部黄褐色，腹面自复眼腹缘以下（包括下颚片）深褐色；额部具1个水平向前、侧扁的板状突起，长0.42~0.48mm，端部钝，腹缘弧线较平，略成指状；前唇基近端部具1个指向斜前下方的指状突起，深褐色；无刻点；头的腹面和背面（包括前唇基突起）被白色米粒状平伏短毛，并自头部前端起延伸至头部后端形成若干粗细不等的毛带（包括：自额部突起背面两侧起，沿头部中央两侧，至缝线处汇合，再至头部后缘；自额部突起腹面起至缝线，位于上一毛带与复眼中间；自下颚片背缘前端起，环触角基部腹缘、后缘，沿复眼上方至头部后缘；自下颚片起，于复眼下方至头部后缘；沿喙沟两侧）；小颊黄褐色，超过喙第1节外缘，前端延长，几乎达于前唇基端部，被零星短毛。喙达于中足基节。触角黄褐色；第1节基部褐色，端部膨大部黑褐色，其上被白色米粒状平伏短毛；第2节近端部具1个小的不明显的褐色区域；第4节纺锤形，黑色，只端部稍浅。前胸背板近似梯形；黄褐色，胝区稍深，中纵脊和2条侧纵脊黄白色；密布刻点，胝区无刻点；被白色米粒状平伏短毛，后端较稀疏；中纵脊和2条侧纵脊明显高出背板；中纵脊前端端部稍突起，后端弧线平缓，无明显突起；侧纵脊前端端部明显向前成圆形突起；侧角微隆，端部圆；后缘中间内凹。小盾片端部向后平伏延伸，但不成突起状，被稀疏的白色米粒状短毛。前翅长，超过腹部末端；黄褐色，膜片具碎花状黑褐色斑点，端部具黑褐色斑纹；膜片端部内弯，不相互重叠。前胸侧板黄褐色，前、后侧叶片上方和前方的区域下部褐色；具白色米粒状平伏短毛组成的毛带；密布刻点。胸部腹面深褐色，被白色米粒状平伏短毛，喙沟两侧尤密。孔缘延伸部分较短，耳状，端部较扩展。腹部背面具稀疏的刻点，浅而不甚明显；腹面褐色，间以黄褐色分布；密布白色米粒状平伏短毛。足黄褐色；腿节端部稍膨大，膨大部背面黄褐色，具若干黑褐色小点，腹面黑褐色；胫节近基部和端部黑褐色；跗节黑色；爪黑色；基节、转节、腿节的基部和端部膨大部分上被白色米粒状短毛。

**量度（mm）：**♂：体长9.19，宽0.92；头长1.44，宽0.56；喙1~4节的长度分别为0.56、0.46、0.38、0.62；触角1~4节的长度分别为3.75、1.30、2.88、0.85；前胸背板长1.36，前缘宽0.54，后缘宽0.62；前足腿节长3.12~3.68，中足腿节长3.45~4.10，后足腿节长5.68~6.16；前足胫节长3.44~4.00，中足胫节长3.90~4.60，后足胫节长6.76~7.84。♀：体长10，宽1.06；头长1.45，宽0.57；额部突起长0.40~0.54；喙1~4节的长度分别为0.58、0.52、0.42、0.69；触角1~4节的长度分别为3.48、1.12、2.10、0.78；前胸背板长1.36，前缘宽0.54，后缘宽0.62；前足腿节长3.32~3.48，中足腿节长3.55~3.90，后足腿节长5.60~6.32；前足胫节长3.60~3.80，中足胫节长3.85-4.35，后足胫节长6.40~7.36。

**采集记录：**1♂，华山，1963.Ⅸ，周尧、田畴采。

**分布：**陕西（华阴）、内蒙古、山东；蒙古，俄罗斯。

## 123. 背跷蝽属 *Metacanthus* Costa, 1843

*Metacanthus* Costa, 1843: 26. **Type species**: *Berytus meridionalis* Costa, 1843.

**属征:** 本属后胸臭腺孔缘为细长的管槽状，端部下弯，超出前翅的部分绝不超过其全长的1/2；雄虫生殖囊尾端具加厚的边缘。

**分布:** 中国记录2种，秦岭地区发现1种。

### (229) 娇背跷蝽 *Metacanthus* (*Cardopostethus*) *pulchellus* Dallas, 1852

*Metacanthus pulchellus* Dallas, 1852: 490.

*Metacantha* [sic!] *viridiventris* Matsumura, 1907: 154.

*Metacanthus gibberosus* Horváth, 1922: 187.

*Gampsocoris viridiventris*: Esaki, 1950: 218.

*Gampsocoris pulchellus*: Gross, 1950: 323.

*Gampsocoris gibberosus*: Hsiao, 1974: 63.

*Metacanthus* (*Cardopostethus*) *pulchellus*: Henry, 1997: 80.

**鉴别特征:** 雄虫黄褐色至褐色，腹面褐色至深褐色。头部黄白色至黄褐色，复眼以下腹面褐色，复眼后方具1个褐色弧形条纹，达于头部后缘，下颚片近复眼处具1片褐色三角形区域，底边与头部腹面褐色部分相连；头顶隆起，额部无刺或突起；无刻点无被毛；小颊黄褐色，退化，较狭窄，不达于喙第1节外缘。喙达于后足基节。触角黄白色，具均匀分布的褐色环斑，第2节较浅，第3节几乎不可见；第1节端部稍膨大；第4节纺锤形，褐色，端部和基部黄白色。前胸背板背面观近似梯形，中段稍鼓，侧面观后部鼓起，中央具1个明显的三角形突起，侧角隆起明显，成丘形；褐色，胝区和纵脊黄褐色；密布刻点，胝区无刻点；后缘几乎直，两侧圆钝。小盾片后端平截，具刻点，端部具1根直立长刺，长0.26mm。前翅超过腹部末端；透明，微黄。前胸侧板黄褐色，前、后侧叶片上方具1个“口”字形凹痕，褐色，其中间黄褐色，除该区域外遍布刻点。中胸侧板黄褐色，后缘和前、后侧叶片背缘具褐色条纹；黄褐色区域具若干刻点。胸部腹面黑褐色。孔缘延伸较长，远超前翅水平；端部不扩展，向后弯曲。腹部腹面和背面均无刻点；腹面黄褐色，各节侧接缘、腹部第2节全部和第3节前半部褐色。足黄白色，具均匀的褐色环斑；腿节端部稍膨大，黄褐色；跗节第1节黄褐色，第2、3节稍深；爪黑色。

**量度(mm):** ♂：体长3.95，宽0.78；头长0.46，宽0.43；喙1~4节的长度分别为0.34、0.30、0.26、0.44；触角1~4节的长度分别为2.03、1.12、0.93、0.66；前胸背板长0.78，前缘宽0.40，后缘宽0.68；前足腿节长1.37，中足腿节长1.65，后足腿节长2.62；前足胫节长1.50，中足胫节长1.89，后足胫节长3.36。♀：体长

4.35，宽0.82；头长0.48，宽0.44；喙1～4节的长度分别为0.44、0.38、0.30、0.49；触角1～4节的长度分别为2.50、1.38、1.06、0.66；前胸背板长0.89，前缘宽0.46，后缘宽0.75；小盾片刺长0.32；前足腿节长1.55，中足腿节长1.86，后足腿节长3.14；前足腿节长1.76，中足腿节长2.11，后足腿节长4。

**采集记录**：3♂2♀，长安南五台，1980.Ⅷ.26-29，路进生采；1♀，秦岭，1951.Ⅶ.13；2♀，凤县秦岭车站，1994.Ⅶ.29，1400m，吕楠采；1♀，同上，1965.Ⅷ.18，路进生采；1♂，留坝张良庙，1985.Ⅶ.23，任树芝采；1♂，洋县，1985.Ⅶ.18，任树芝采；1♂，宁陕火地塘，1640m，1994.Ⅷ.14，卜文俊灯诱；1♀，甘泉清泉乡，1971.Ⅶ.14，杨集昆采。

**分布**：陕西（长安、凤县、留坝、洋县、宁陕、甘泉）、山西、山东、甘肃、浙江、湖北、湖南、福建、台湾、广东、海南、广西、四川、贵州、云南；日本，韩国，印度，斯里兰卡，印度尼西亚，马来西亚，巴布亚新几内亚，澳大利亚，菲律宾。

**寄主**：豆科芒柄花属 *Ononis* sp.，葫芦科葫芦属 *Lagenaria siceraria*，锦葵科木槿属 *Hibiscus mutabilis*，*Hibiscus* sp.，茄科番茄属 *Lycopersicon esculentum*，烟草属 *Nicotiana tabacum*，茄属 *Solanum melongena*，曼陀罗属 *Datura fastuosa*，西番莲科西番莲属 *Passiflora foetida*，梧桐科可可属 *Theobroma cacao*，唇形科薄荷属 *Mentha* sp.，胡麻属 *Sesamum indicum*，玄参科泡桐属 *Paulownia* sp.等。

**讨论**：笔者通过查看 *M. gibberosus* 的模式标本（保存于匈牙利自然历史博物馆），确认其为 *Metacanthus*（*Cardopostethus*）*pulchellus* 的次异名。*Metacanthus gibberosus* 曾多次被转移到 *Gampsocoris*，然而本种在大小、体态和体色上虽然与 *Gampsocoris* 类似，但后胸臭腺孔缘延长细长的管槽状，可作鉴别。

## 124. 锤胁跷蝽属 *Yemma* Horváth, 1905

*Yemma* Horváth, 1905a: 56. **Type species**: *Yemma exilis* Horváth, 1905.

**属征**：本属的自有衍征是头部光亮，后叶长度接近前叶的2倍，单眼到同侧复眼之间的距离与头部后缘的距离相等。

**分布**：中国记录1种，秦岭地区分布1种。

### （230）锤胁跷蝽 *Yemma exilis* Horváth, 1905

*Yemma exilis* Horváth, 1905a: 56.

*Metacanthus signatus* Hsiao, 1974: 61.

*Yemma signatus* [sic!]: Hsiao *et al.*, 1984: 112.

*Metacanthus acinctus* Qi *et* Nonnaizab, 1992: 90.

*Yemma signata*: Henry & Froeschner, 2000: 1007.

**鉴别特征：**雄虫黄褐色。头部黄褐色，头部侧面较浅，复眼后方自缝线起至近头部后缘具1个黑褐色条纹，近似弧形，后端渐细；头顶微隆，额部无刺或突起；无刻点，无被毛；小颊黄褐色，半卵圆形，超过喙第1节外缘，前端不达于前唇基端部。喙超过后足基节。触角黄褐色，第1节近基部具1个黑褐色环斑，其上方具极稀疏的黑褐色小点，端部略膨大，黄褐色；第2、3节不具小点；第4节纺锤形，黑褐色，基部稍浅，端部黄褐色。前胸背板背面观近似梯形，后段稍鼓起；侧面观稍鼓起，中纵脊近后部具1个小的突起，侧角微隆；黄白色，胝区黄褐色，纵脊与背板颜色一致；密布刻点，胝区无刻点；后缘中部微凹，两侧圆钝。小盾片后端平截，黄褐色，端部具1根稍向后倾斜的直立刺，黄白色，尖部深褐色，长0.24mm。前翅仅达于腹部第6节中央；透明，微黄，革片端部颜色一致，革片与膜片相接翅脉的内缘黑褐色。前胸侧板黄白色，前、后侧叶片上方黄褐色，有的个体在前、后侧叶片的背缘具1个深褐色斑痕；除该区域外遍布刻点。中胸侧板黄白色，具刻点。胸部腹面黄褐色。后胸臭腺孔缘为细长的管槽状，远超前翅水平；端部向后弯曲，稍扩展；孔缘与蒸发域黄褐色。腹部腹面和背面均无刻点；腹部背面黄褐色，主背片几乎全为褐色，在腹部背面中央形成1片纵向的宽度均一的深褐色区域；腹部腹面黄褐色。足黄褐色，腿节具均匀的黑褐色小点，端部稍膨大，颜色稍深；胫节不具小点，端部渐深为黑褐色；跗节黑褐色；爪黑色。

**量度(mm)：**♂：体长6.40，宽0.70；头长0.74，宽0.42；喙1~4节的长度分别为0.36、0.72、0.48、0.54；触角1~4节的长度分别为4.40、2.68、2.05、0.62；前胸背板长1，前缘宽0.42，后缘宽0.58；前足腿节长2.98，中足腿节长3.45，后足腿节长5；前足胫节长3.50，中足胫节长3.85，后足胫节长6.76。♀：体长7.44，宽0.80；头长0.80，宽0.48；喙1~4节的长度分别为0.40、0.76、0.56、0.59；触角1~4节的长度分别为4.52、2.85、2.14、0.66；前胸背板长1，前缘宽0.42，后缘宽0.58；小盾片刺长0.31；前足腿节长3.01，中足腿节长3.50，后足腿节长5.20；前足胫节长3.55，中足胫节长6.04，后足胫节长7。

**采集记录：**1♀，周至楼观台，1973.Ⅸ.27-29，周尧、殷梅生、王素梅采；1♂，武功，1980.Ⅴ.15，周静若采；1♂，武功，1980.Ⅶ.14，采集人不详；1♂，武功，1980.Ⅶ.24，采集人不详；1♀，武功，1965.Ⅸ.19，采集人不详；1♂2♀，南郑龙岗寺，1975.Ⅹ.15，采集人不详；1♀，安康，1980.Ⅳ.17，采集人不详；1♀，商南，1982.Ⅳ.30，孙益知采；1♂1♀，紫阳，1985.Ⅷ.24，唐周怀采；1♀，紫阳，1983.Ⅴ.17，路进生采；1♂，紫阳毛坝，1983.Ⅴ.17，路进生采。

**分布：**陕西(周至、武功、安康、南郑、商南、紫阳)、辽宁、北京、天津、河北、山西、河南、山东、甘肃、浙江、湖北、江西、湖南、海南、四川、贵州、云南；日本。

**寄主：**豆科大豆属 *Glycine max* (L.) Merr.。

**讨论：**萧采瑜(1974)基于采集自北京西山的正模标本建立了 *Metacanthus signatus*，又在1977年将其转入 *Yemma* 之中。笔者通过检查 *Yemma exilis* Horváth, 1905的模式标本(保存于匈牙利自然历史博物馆)，确认 *Y. signatus* 是 *Y. exilis* 的次异名。齐宝瑛、能乃扎布（1992）基于采集自山东昆嵛山的正模标本建立了 *Metacanthus acinctus*，本研究认为该种亦是 *Y. exilis* Horváth, 1905 的次异名，与孙路（1999）的意见相同。

## 125. 刺肋跷蝽属 *Yemmalysus* Štusák, 1972

*Yemmalysus* Štusák, 1972: 373. **Type species**: *Yemmalysus parallelus* Štusák, 1972.

**属征**：本属臭腺孔缘管槽端部具刺，类似于美洲分布的 *Jalysus*，但是比后者更长，表面粗糙。两者是姐妹群关系。*Yemmalysus* 喙第 2 节长于其他各节，且远长于第 1 节，*Jalysus* 的喙第 2 节短于第 1 节。

**分布**：中国记录 2 种，秦岭地区发现 1 种。

### （231）短刺肋跷蝽 *Yemmalysus brevispinus* Cai, Ye *et* Bu, 2013

*Yemmalysus brevispinus* Cai, Ye *et* Bu, 2013: 340.

**鉴别特征**：雄虫：黄白色至黄褐色，腹部背面黑褐色。头黄白色，前唇基、头部后叶侧面和腹面黄褐色；头顶微隆，额部无刺或突起；无刻点，无被毛；小颊黄褐色，近椭圆形，超过喙第 1 节外缘，前端延长，超过前唇基端部。喙几乎达于腹部第 2 节前缘。触角黄褐色，不具小点，第 1 节端部稍膨大，颜色一致，第 2、3 节颜色稍深；第 4 节长纺锤形，黑色，端部 1/3 黄白色，末端稍深；前胸背板背面观近方形，后段稍鼓；侧面观略成长方形，后段稍高，仅近后部具 1 个极小突起，侧角微隆；黄褐色，胝区和纵脊颜色一致；密布刻点，胝区无刻点；后缘中部内凹极轻微，两侧圆钝。小盾片后端平截，黄褐色，端部具 1 根向后斜上方指向的直短刺，黄白色，长 0.16mm。前翅达于腹部第 6 节前端 1/3 水平；透明，微黄，革片端部和革片与膜片相接翅脉的内缘与翅颜色完全一致。前胸侧板黄褐色，具刻点，前、后侧叶片上方颜色一致，不具刻点。中胸侧板黄褐色，具刻点。胸部腹面黄褐色。后胸臭腺孔缘为长的管槽状，超过前翅水平；端部具 1 个向后弯曲的短刺，表面较光滑；孔缘与蒸发域黄白色。腹部腹面和背面均无刻点；腹部背面黄褐色，第 2～5 腹节主背片几乎全部为黑褐色，仅两侧黄褐色，第 6 节黑褐色区域前端连接第 5 节黑褐色区域，向后迅速变窄，于第 6 节后缘之前消失。足黄褐色，不具小点；腿节端部稍膨大，颜色一致；胫节端部褐色；跗节深褐色；爪近黑色。

**量度**（mm）：♂：体长 7.76，宽 0.68；头长 0.65，宽 0.51；喙 1～4 节的长度分别为 0.30、0.71、0.44、0.66；触角 1～4 节的长度分别为 6.24、3.79、2.94、0.87；前胸背板长 1.08，前缘宽 0.51，后缘宽 0.61；前足腿节长 3.72，中足腿节长 4.05，后足腿节长 6.24；前足胫节长 4.35，中足胫节长 4.49，后足胫节长 7.65。♀：体长

8.81，宽0.84；头长0.76，宽0.55；喙1～4节的长度分别为0.34、0.92、0.38、0.76；触角1～4节的长度分别为6.88、4.00、3.05、0.80；前胸背板长1.27，前缘宽0.48，后缘宽0.69；小盾片刺长0.20；前足腿节长4.05，中足腿节长4.20，后足腿节长6.80；前足胫节长4.70，中足胫节长4.85，后足胫节长8.50。

**采集记录：**1♀（副模），安康溪洞，1983.Ⅴ.12，贺达汉采。

**分布：**陕西（安康）、浙江、江西、湖南、四川、贵州。

## 126. 肩跷蝽属 *Metatropis* Fieber，1859

*Metatropis* Fieber，1859，3：207. **Type species**：*Berytus rufescens* Herrich-Schäffer，1835.

**属征：**本属自有衍征为孔缘退化，只余1条"L"形狭缝。本属身体相对粗壮，头部腹面和喙沟具深皱。

**分布：**中国记录5种，秦岭地区发现2种。

### 分种检索表

前胸背板后角略隆起，圆钝，不明显，低于中纵脊；雄虫生殖囊杯骨片具1个突起，阳基侧突叶片较细长，具1个明显突起 ………………………………………………… **光肩跷蝽 *M. brevirostris***

前胸背板后角成明显的角状或刺状突起，达于或明显高于中纵脊；雄虫生殖囊杯骨片不具突起，阳基侧突叶片不甚细长，具弧形鼓起…………………………………………… **齿肩跷蝽 *M. denticollis***

### （232）光肩跷蝽 *Metatropis brevirostris* Hsiao，1974

*Metatropis brevirostris* Hsiao，1974：58.

**鉴别特征：**雄虫：个体间体色差异较大，从黄褐色到黑褐色不等，头部和胸部腹面黑色，也有颜色较浅者，腹部腹面从褐色到黑褐色不等。头部从黄褐色到褐色不等，头部腹面黑色，也有颜色较浅者，有的个体自复眼腹缘以下（包括上、下颚）黑色，区域较大，复眼后方具黑褐色横纹至近头部后缘，一般较窄，不达于头部后缘，也有较宽较长者，达于头部后缘，个别横纹只余一点，甚至消失；复眼后方具皱纹，无刻点；小颊从黄褐色到黑褐色不等，近卵圆形，达于喙第1节外缘，前端不延长。喙超过中足基节后缘。触角黄褐色，第1节基部具稀疏的黑褐色小点，端部膨大，颜色稍深，第2、3节不具小点；第4节长纺锤形，黑色，只端部黄褐色。前胸背板背面观近似梯形，后段鼓起；侧面观后段弧形鼓起，弧线平滑无突起，后角稍隆起，低于中纵脊，纵脊略高于背板，侧纵脊后段沿后角隆起外缘至隆起后方；黄褐色到黑褐色不等，胝区一致，纵脊一致或略浅；密布刻点，胝区无刻点；后缘中部内凹，两侧圆钝，内凹段弧线平滑。小盾片后端平截，褐色，具刻点；端部具 1 个短的平伏突起，端部钝，内弯，颜色一致。前翅超过腹部末端；黄褐色，透明。前胸侧板遍布刻点，前、后侧叶片上方刻点小且浅；近背缘部分红褐色，近腹缘部分黄褐色，个别前、后侧叶片上方黑褐色。中胸侧板红褐色，具刻点。胸部腹面黑褐色。后胸臭腺不具孔缘，仅具 1 条“L”形狭缝。腹部腹面和背面均无刻点；腹部腹面具皱，黑褐色，个别红褐色，腹部第 4 ~7 侧接缘背缘具狭窄的黄褐色条纹，两端渐细，不达于腹节前后缘。足黄褐色；腿节具黑褐色小点，端部膨大，褐色；胫节不具小点；跗节第 1、2 节黄褐色，第 3 节黑褐色；爪近黑色。

**量度(mm)**：♂：体长 7.50，宽 1.18；头长 0.80，宽 0.65；喙 1 ~4 节的长度分别为 0.65、0.40、0.30、0.65；触角 1 ~4 节的长度分别为 4.30、1.90、2.40、1.30；前胸背板长 1.60，前缘宽 0.67，后缘宽 1.08；前足腿节长 3.10，中足腿节长 3.50，后足腿节长 5.20；前足胫节长 3.40，中足胫节长 3.70，后足胫节长 6.60。♀：体长 8.19，宽 1.24；头长 0.88，宽 0.65；喙 1 ~4 节的长度分别为 0.70、0.47、0.42、0.70；触角 1 ~4 节的长度分别为 4.20、1.81、2.13、1.23；前胸背板长 1.18，前缘宽 0.68，后缘宽 1.12；前足腿节长 3.17，中足腿节长 3.40，后足腿节长 5.28；前足胫节长 3.25，中足胫节长 3.50，后足 6.48。

**采集记录**：1♀，长安南五台，1980. Ⅸ. 28，花雷采；1♀，留坝庙台子，2000. Ⅷ. 31，周长发采；1♀，宁陕火地塘，1640m，1994. Ⅷ. 14，卜文俊采。

**分布**：陕西(长安、留坝、宁陕)、河南、甘肃、浙江、湖北、江西、湖南、福建、广东、广西、贵州、云南。

### (233) 齿肩跷蝽 *Metatropis denticollis* Lindberg, 1934

*Metatropis denticollis* Lindberg, 1934: 28.

*Metatropis spinicollis* Hsiao, 1974: 60.

**鉴别特征**：雄虫：褐色，头部和腹部腹面黑色。头部褐色，头部腹面黑色，眼后方黑褐色，达于头部，有的个体黑褐色区域较弱；复眼后方具皱纹，无刻点；小颊基部黑色，端部黄褐色，半圆形，达于喙第 1 节外缘，前端不延长。喙达于中足基节前缘。触角黄褐色，第 1 节基部具稀疏的黑褐色小点，第 2 节几乎不可见，第 3 节无；第 1 节端部膨大，颜色稍深；第 4 节成细长的纺锤形，黑色，只端部黄褐色。前胸背板背面观近似梯形，后段鼓起；侧面观后段近球形鼓起，中纵脊近后端或具 1 个小的隆起，弧线不甚平滑，后角成侧后方指向，端部稍向后弯的角状突起，顶端略钝或稍延伸或成刺状强烈延伸，达于或明显高于中纵脊，中纵脊明显高于背板，纵脊微高于背板，侧纵脊后段沿后角突起外缘至突起端部；褐色，胝区和纵脊一致；密布刻点，胝区无刻点；后缘中部内凹，两侧圆钝，内凹段弧线平滑。小盾片后端平截，褐色，具刻点；端部具 1 个短的平伏突起，端部钝，内弯，颜色一致。前翅超过腹部末端；

黄褐色，透明。前胸侧板遍布刻点，前、后侧叶片上方刻点小且浅；近背缘部分红褐色，近腹缘部分黄褐色，个别前、后侧叶片上方具“口”字形凹痕，凹痕后半部分黑色，后角突起部分黑褐色。中胸侧板黄褐色，具刻点。胸部腹面黑褐色。后胸臭腺不具孔缘，仅具1个“L”形狭缝。腹部腹面和背面均无刻点；腹部腹面具皱，深褐色，第4～7侧接缘背缘具狭窄的黄褐色条纹，两端渐细，不达于腹节前后缘。足黄褐色；腿节具黑褐色小点，端部膨大，褐色；胫节不具小点，有的个体具小点；跗节第1、2节黄褐色，第3节黑褐色；爪近黑色。

**量度(mm)**：♂：体长7.40，宽1.38；头长0.80，宽0.60；喙1～4节的长度分别为0.60、0.40、0.35、0.65；触角1～4节的长度分别为3.50、1.60、2.00、1.20；前胸背板长1.30，前缘宽0.66，后缘宽1.22；前足腿节长3.32，中足腿节长3.72，后足腿节长5.04；前足胫节长3.48，中足胫节长4，后足胫节长6.40。♀：体长8.50，宽1.50；头长0.78，宽0.68；喙1～4节的长度分别为0.66、0.37、0.42、0.68；触角1～4节的长度分别为4.00、1.70、2.20、1.20；前胸背板长1.58，前缘宽0.66，后缘宽1.22；前足腿节长3.32，中足腿节长3.72，后足腿节长5.04；前足胫节长3.48，中足胫节长4，后足胫节长6.40。

**采集记录**：1♂，周至厚畛子，1500～3000m，1999.Ⅵ.21，胡建采；1♂，周至厚畛子，1320m，1999.Ⅵ.23，章有为采；1♂，周至厚畛子，1350m，1999.Ⅵ.24，朱朝东采；1♂，周至厚畛子，2500～3000m，1999.Ⅵ.22，刘缠民采；1♂，周至厚畛子，1600～2500m，1999.Ⅵ.23，姚建采；1♀，凤县秦岭车站，1400m，1994.Ⅶ.07，吕楠采；1♂1♀，凤县天台山，1600～1700m，1999.Ⅸ.03，任树芝灯诱；1♂，凤县天台山，1800～2200m，1999.Ⅸ.03，李传仁采；1♀，太白山，1992.Ⅷ，采集人不详；1♀，留坝韦驮沟，1600m，1998.Ⅶ.21，陈军采；1♀，留坝韦驮沟，1600m，1998.Ⅶ.21，张学忠采；2♂2♀，留坝庙台子，1400m，1994.Ⅶ.03，吕楠采；1♀，留坝庙台子，1600m，1994.Ⅷ.01，董建臻采；1♂，宁陕火地塘，1580m，1998.Ⅶ.27，姚建采。

**分布**：陕西(周至、凤县、太白、留坝、宁陕)、山西、甘肃、宁夏、湖北、湖南、广东、广西、四川、云南、西藏。

**讨论**：萧采瑜(1974)记录 *Metatropis denticollis* Lindberg, 1934 国内分布地为“甘肃南部，四川马尔康、宝兴”，并基于广西龙胜红滩的模式标本建立了 *M. spinicollis* Hsiao, 1974，指出该种与 *M. denticollis*“极为近似，仅前胸背板侧角成长刺状，稍向后指；喙稍短”。笔者在研究中发现分布于甘肃以及周边省份的标本，前胸背板后角突起较短，端部不尖锐，稍向后弯；广西、广东、湖南、云南、西藏的标本前胸背板后角突起明显，端部成刺状，且向后弯曲；而四川的个别标本和湖北的大部分标本前胸背板后角端部延伸程度、指向和形状存在比较大的变异。作者对大量标本的喙和触角各节长度和比例进行测量对比，数据表现出非常好的一致性；还对不同产地的雄虫标本进行生殖节解剖，发现生殖囊开口形状和阳基侧突形状均有着共同的典型特征，容易与本属其他种区分。基于以上依据，将两者合并为一种。

# 十七、杆长蝽科 Blissidae

高翠青[1]　卜文俊[2]

（1. 南京林业大学林学院，南京 210037；2. 南开大学昆虫研究所，天津 300071）

**鉴别特征：**体黑色或黑褐色，狭长至十分狭长，常两侧平行，成小杆状，不少种类具粉被。腹部气孔除第 7 腹节外均位于背面。腹部腹面各节的节间缝直，完整，伸达侧缘。翅革片淡色，几乎全无刻点。爪片结合缝不特别缩短。前胸背板侧缘无棱边，前、后两叶之间无明显的横缢。后翅无扇间脉，钩脉无或退化。雄虫阳茎精泵具翼骨片（Slater，1979；Henry，1997），若虫背臭腺存在于第 4、5 和 5、6 背板之间（Slater，1979；Henry，1997）。

**生物学：**取食单子叶植物。

**分类：**世界已知 50 属和 435 种，中国记录 10 属 45 种，陕西秦岭地区目前仅知的 1 属 1 种。

## 127. 狭长蝽属 *Dimorphopterus* Stål，1872

*Dimorphopterus* Stål，1872：44. **Type species**：*Micropus spinolae* Signoret，1857.

**属征：**体多狭长而两侧平行，部分种类较粗短。许多种类具短翅型。头多少略呈三角形，背面略拱，背腹面皆具刻点及毛，背面除后缘及眼内缘有时有粉被外，均多少具光泽，腹面常有粉被。触角在多数种类中较粗短，小颊由背面常可见。喙置于胸部腹板的浅沟中。前胸背板梯形或方形，表面平坦或微拱，背面无粉被，具光泽，腹面粉被有或无，为有用的分种特征；背、腹面均具刻点及毛；肩部宽圆，后缘直或两侧略后伸，胝区大，宽圆。前足基节臼开放。小盾片平，中央隆起不显著，具毛及刻点，常具粉被。爪片及革片具毛，刻点在长翅型中多不显著，在短翅型中可以看出，沿脉排列，爪片周缘及革片脉隆出，革片端缘直或两端微弯，膜片不透明、半透明或仅基部不透明，翅常狭于腹部。中、后胸腹面常具粉被。臭腺沟缘多少圆，或末端尖，有时呈下垂状。足较粗短，前足股节宽扁，下方无刺或有刺，端部下方常渐狭或切入，雄虫常较显著。腹部两侧平行，密被平伏毛，背面具刻点及横皱，背面侧接缘上翘，第 5 腹节背板后缘中央成舌状后伸。

Stål 建立本属时的原有范围为体大而前足无刺，后 Slater 等进一步明确并扩展了本属的范围。

**分布：**古北区，东洋区，非洲区。世界已知 40 种，我国记载 11 种，秦岭地区发现 1 种。

(234) **高粱狭长蝽(高粱长蝽)*Dimorphopterus japonicus* (Hidaka, 1959)** (图版 2: 13)

*Blissus japonicus* Hidaka, 1959: 100.

*Dimorphopterus spinolae*: Zheng & Zou, 1981a: 60, fig. 220, pl. 9: 85, 86 (misidentification).

**鉴别特征:** 长翅型: 头黑色, 略下倾, 有光泽, 刻点浅密, 被半直立毛, 复眼具少数直立毛。触角淡褐色至褐色, 第 4 节深褐色, 第 1 节末端与头端平齐或略过之。喙伸达中足基节前缘。头下方具刻点及较为平伏的毛, 全无粉被, 有光泽, 或在后缘处有粉被。前胸背板黑色, 后端 1/5 ~ 1/4 逐渐成深褐色, 梯形, 前缘向后弯曲成弧形, 后缘直, 或微向前弯, 两侧缘近平行, 肩宽圆, 后角圆, 表面平, 前、后叶间的横缢微凹, 不明显, 有时后叶微升起。胝区刻点较稀, 胝间及胝后的刻点粗糙, 深大, 向后至淡色区域逐渐变浅消失, 前缘及肩部刻点细浅而密; 背板前半的毛半直立, 向后渐成直立, 均不甚长。小盾片灰黑色, 具粉被。前翅黄褐色, 不鲜明, 爪片基半、接合缘、顶角、革片端缘、顶角、脉的端半黑褐色, 被黄色丝状毛, 革片端缘两端微弯。膜片完全不透明, 乳白色, 脉褐色。前胸侧板具刻点及平伏毛, 无粉被, 前足基节臼亦无粉被, 中、后胸侧板及腹板具粉被, 后胸侧板后缘黑褐色。臭腺沟缘黑褐色, 末端较尖。足淡褐色, 前足股节加粗, 下方无刺, 雄虫近端处下方较明显地切入, 成一大于直角的角度, 切刻的下角无刺突, 雌虫切入浅缓。腹部深褐色至黑褐色, 背、腹面均密被平伏毛及少数直立毛, 腹部宽于前翅, 侧接缘翘起。

短翅型: 前胸背板更呈方形, 左右两侧缘平行, 有时前半甚至略宽于后方。前翅左右不叠覆, 内缘叉开, 末端伸达第 2 腹节背板的后缘或略过之。爪片及革片端部褐色, 可见狭窄的膜片。腹部最宽处为翅基部的 1.60(♀) ~ 1.70(♂)倍。第 5 节背板后缘中央成舌状向后伸出, 第 6 节后半及第 7 节背面具横皱, 其余各节背面具刻点。

生殖节开口侧突 1 对, 接近生殖节开口中部, 侧突前生殖节开口侧缘圆, 侧突后生殖节开口侧缘直, 向两侧外展, 并且向生殖腔内折入; 后缘中部后凹, 形成 1 个凹窝; 中突向背方、前方直伸。抱握器内外突靠近抱握器基部, 基干相对较短, 外突指状向侧方伸出, 内突 2 个, 靠近基部的 1 个向斜后方伸出, 较大。阳茎精泵端突较退化, 翼骨片条带状, 平铺于端突背方伸向后方; 阳茎端导精管中部具 3 个盘绕螺旋圈, 基部和端部不盘绕。

**量度(mm):** 长翅型♂: 体长 3.80 ~ 4.60; 头长 0.48, 宽 0.67; 触角 1 ~ 4 节的长度分别为 0.13、0.31、0.26、0.48; 前胸背板长 0.88, 前缘宽 0.50, 后缘宽 1.10; 小盾片长 0.31, 宽 0.51; 爪片接合缝长 0.75, 爪片端-革片端 0.84, 革片端-膜片端 1.19。短翅型: 体长 3.00 ~ 4.50。

**采集记录:** 2♂, 礼泉, 1959, 周尧采。

**分布:** 陕西(礼泉)、黑龙江、吉林、辽宁、内蒙古、山东、浙江、湖北、江西、湖南、福建、广东、广西、四川、贵州、云南；日本，欧洲。

**寄主：**高粱，谷子，玉米，小麦，糜子，狗尾草(据吉林省农科院植保所资料)。本种在北方可对高粱和谷子造成严重危害。在湖南危害芦苇。

# 十八、尼长蝽科 Ninidae

高翠青[1] 卜文俊[2]

(1. 南京林业大学林学院，南京 210037；2. 南开大学昆虫研究所，天津 300071)

**鉴别特征：**体小型，多长毛，宽，垂直，眼突出，体狭瘦，翅基束缢，翅常透明而刻点少。腹部气门第 7 节以前者位于背面，第 7 节位于腹面。若虫臭腺孔位于第 3、4 及第 4、5 腹节背板之间。头、前胸具刻点，爪片和革片具明显的刻点。触角第 2、3 节细长，第 4 节加粗。单眼前方有沟，深浅不一(Zheng & Zou, 1981a)。

**分类：**中国记录 3 属 4 种，陕西秦岭地区分布 1 属 1 种。

## 128. 蔺长蝽属 *Ninomimus* Lindberg, 1934

*Ninomimus* Lindberg, 1934: 8. **Type species**: *Lygaeosoma flavipes* Matsumura, 1913.

**属征：**眼无柄，大而较突出。喙第 1 节端半显著加粗。革片沿爪片缝及端缘有刻点列，革片中部除沿 R 脉有刻点外，尚有许多散布的刻点，爪片与革片常不透明，或爪片端半透明。体亦有浓厚的粉被及长毛。本属可谓前翅不透明而眼完全无柄的尼长蝽。

**分布：**亚洲东部。中国记录 1 种，秦岭地区有分布。

### (235) 黄足蔺长蝽 *Ninomimus flavipes* (Matsumura, 1913) (图版 2: 14)

*Lygaesoma flavipes* Matsumura, 1913: 142.

*Ninomimus flavipes*: Scudder, 1957a: 34, 100, 107.

**鉴别特征：**体较瘦狭，被黄色长毛，在翅基部最为浓密。头黑色，除中叶、单眼前方 1 对大斑粉被较稀外，余均被浓厚白色粉被；头呈灰黑色，眼紫红，大而圆，眼后的区域饱满，触角淡褐色至褐色，第 3、4 节上的毛在尼长蝽族中相对较密较短，约为该触角节直径的 2 倍。喙伸达中足基节，黄褐色，喙第 1 节端半膨大部分黄白色，第 4 节黑褐色。前胸背板黄褐色，胝灰黑色，周圈有灰色晕，或胝区边界明显；后角黑褐色，成大斑状，在此斑内侧各有 1 个菱形黄褐色大斑，无粉被，但亦无光泽，上有深色刻点，除上述部分外其余区域均具粉被；后缘成浅波状，两侧钝圆，略向后伸出。小盾片黄褐色，具浓厚粉被。爪片与革片淡黄褐色，不透明，仅革片沿内缘有1个长卵形半透明区域，革片末端及翅上的刻点黑褐色，爪片上有3列较完整的刻点列，外侧1列不伸达爪片末端，革片刻点通常不扩散至外革片。头下方黑色，前胸下方黄褐色，基节臼背方有1个大黑斑；中、后胸下方大部分黑色，基节臼、各节后缘及臭腺沟缘附近黄褐色，除后胸侧板后缘外均无光泽，头下及胸下中部粉被浓厚，呈灰白色。足黄褐色、股节略深。

**量度(mm)：**体长3.40左右；头长0.40，宽0.37；单眼间距0.13，眼间距0.46，单眼-复眼间距0.13；触角1~4节的长度分别为0.22、0.71、0.62、0.67；前胸背板长0.75，前缘宽0.53，后缘宽0.86；小盾片长0.31，宽0.40；爪片接合缝长0.33，爪片端-革片端0.70，革片端-膜片端0.75。

**采集记录：**1♂，凤县秦岭车站，1994.Ⅶ.28，1400m，卜文俊采；22♂26♀，佛坪岳坝保护站，2006.Ⅶ.19-20，1100m，丁丹、许静杨采。

**分布：**陕西(凤县、佛坪)、黑龙江、吉林、河南、浙江、湖北、江西、湖南、福建、海南、广西、四川、贵州；俄罗斯，日本。

# 十九、大眼长蝽科 Geocoridae

高翠青[1]　卜文俊[2]

(1.南京林业大学林学院，南京 210037；2.南开大学昆虫研究所，天津 300071)

**鉴别特征：**大眼长蝽科种类或者狭长，长椭圆形到卵圆形(Geocorinae，Henestarinae)，或者长椭圆形具奇特的装饰(Pamphantinae：Epipolopini)，或者拟蚁型(Bledionotinae，Pamphantinae：Cattarini，Pamphantini)，复眼通常为肾形，有时具柄。具单眼。触角和喙4节。腹部第2~4节气孔位于背面，第5~7节气孔位于腹面。若虫腹气门位于第4、5和5、6腹节背板之间(Scudder，1963；Malipatil，1994；Schuh & Slater，1995；Henry，1997)。后翅扇间脉缺失，钩脉缺失或者退化。然而，虽然扇间脉缺失，通常扇折大部分长度分离。

**分类：**中国记录4属27种，陕西秦岭地区分布2亚科2属4种。

## (一)大眼长蝽亚科 Geocorinae

**鉴别特征：**体小型。头大，眼大而突出，具柄或视若具柄状。前足股节不特别加粗，无刺。前胸背板中央无横缢。不少种类无爪片接合缝，第2~4节腹部气门位于背面，第5~7节位于腹面，第4、5背板中央强烈后伸成舌状。第4腹板后缘直、完整，伸达侧缘。若虫腹部气门位于第4、5和5、6腹节背板之间。后翅钩脉缺失或退化，无扇间脉(intervannal)。雄虫阳茎具极长的蜗附器。

大眼长蝽亚科为长蝽科中唯一确知为捕食性的亚科。在地表与低矮植物上生活，捕食小型昆虫，活泼，爬行迅速。

**分类：**中国记录2属，秦岭地区分布1属3种。

## 129. 大眼长蝽属 *Geocoris* Fallén, 1814

*Geocoris* Fallén, 1814: 10. **Type species**: *Cimex grylloides* Linnaeus, 1761.

**属征：**体小型，较粗短，椭圆形，头横宽，中叶伸出，眼大，肾形，向后向外斜伸，后端位于前胸背板前角之外，水平位置位于前胸背板前缘之后，眼无明显的柄，但常外观微成柄状，在眼基部与头顶之间平坦，无任何线纹，头多无刻点，有时微具横皱，单眼前常具凹沟或小隆突。喙第2节短于第1节。前胸背板梯形至接近长方形，侧缘多直，背板具刻点。爪片狭窄，向后渐窄，左右两爪片后端在体中线不成1个爪片接合缝而相遇，爪片基半内侧常有少数刻点，外侧沿爪片缝有1长列整齐刻点，革片多在沿爪片缝的区域有数列刻点，革片端半散布刻点。不少种类具短翅型。前胸腹面前缘成宽领状，在深色种类中此部分常为淡色。前足基节臼前缘与领接触，因此前胸腹板面积狭小；胸部侧板多密布较规则的刻点。臭腺沟缘短，圆钝。体毛长短不等，体表多有光泽，雄虫腹下的毛常较同种雌虫为长。

**分布：**中国记录19种，秦岭地区发现3种。

### 分种检索表

1. 头黄色至红黄色，有时后缘具极狭窄的黑带，或单眼后方外侧成1个黑斑……………………………………………………………………………………… **宽大眼长蝽 *G. varius***

   头部黑色，或黑色为主，具有少量白斑 …………………………………………………… 2

2. 前胸背板前、后各具1个小黄斑……………………………………… **大眼长蝽 *G. pallidipennis***

   前胸背板黑色，无黄色中线 ………………………………………………… **黑大眼长蝽 *G. itonis***

### (236) 黑大眼长蝽 *Geocoris itonis* Horváth, 1905 (图版2: 15)

*Geocoris itonis* Horváth, 1905b: 414.

**鉴别特征：**体宽大，黑色，眼大，体向后渐宽而翅向背面圆拱的短翅种类。雌虫体大，而雄虫明显狭小。

头黑色，有光泽，光滑无刻点，中叶两侧的侧叶上有2个白斑，三角形，单眼外侧下凹，向前有1个短凹沟。头外侧眼柄附近的区域有浅纵皱，头顶中线有1条细纵沟，纵贯头部，头被白色短毛，背面观前缘的毛呈密绒毛状，长度明显短于触角第2节的直径。眼明显向后向外伸出，头的后缘两侧常与前胸背板前角明显离开。触角前3节黑色，第4节除基部色深外，为黄白色，毛短。

前胸背板梯形，前、后缘微前拱，侧缘中央微内凹，前角突圆；背板多少圆拱成马鞍形，黑；前缘及后角黄白色，刻点黑大，不甚密，遍布于黑色区域，少数侵入白色区域，白色区域内常可见许多极细小的黑点。小盾片极大，隆脊不明显，黑色，端角白色，成明显的白斑状，除端角白斑外，遍布浅刻点。前翅宽大，向上拱隆，雌虫前缘向外强烈拱圆，最宽处在相当于小盾片末端的水平位置，雄虫则较窄；黑色，雄虫较淡，质地亦较软，侧缘及爪片黄白色，雄虫革片基部及沿爪片缝处亦为黄白色，翅有强光泽，除黄白边缘外，遍布不甚密的均匀同色刻点，雌虫短翅，革片与爪片半愈合，革片后缘后弯，膜片成极短小的狭窄状，翅不达腹部末端，有两节半的腹节露出；雄虫长翅，前翅微过腹部末端。

体下方黑色，有光泽，头下方微具横皱，胸部密布粗糙刻点，头下具灰白色多少平伏的短毛，腹部下方毛相当密，长于头部者，灰白色，半直立；前胸侧板前缘，各足基节臼、臭腺沟缘与腹部最侧缘背、腹面均为黄白色。雌虫足股节黑褐色，胫节及股节末端黄褐色，雄虫足全部黄褐色。

**量度(mm)：**体长4.50~4.60；头长0.72~0.74，宽2.24~2.53；眼间距1.15~1.37，复眼最大宽度0.55~0.87；触角1~4节的长度分别为0.36~0.44、0.77~1.00、0.66~0.79、0.77~1.00；前胸背板长1.05~1.26，前缘宽1.26~1.55，后缘宽1.76~2.14；小盾片长1.21~1.48，宽1.43~1.83；小盾片-革片端1.10~1.37；雌虫翅合拢宽2.50~2.84，雄虫翅合拢宽2.04~2.24。雌虫体长4.95~5.33，雄虫体长4.61~4.74。

**采集记录：**1♀，秦岭，1951. Ⅶ. 13；2♀，凤县秦岭车站，1994. Ⅶ. 29，1400m，吕楠采；1♀，同上，1965. Ⅷ. 18，路进生采；1♀，甘泉清泉乡，1971. Ⅶ. 14，杨集昆采。

**分布：**陕西(凤县、甘泉)、黑龙江、辽宁、内蒙古、北京、河北、山西、宁夏；日本。

### (237) 大眼长蝽 *Geocoris pallidipennis* (Costa, 1843)（图版3：1）

*Ophthalmicus pallidipennis* Costa, 1843, 309.

*Geocoris pallidipennis*: Dohrn, 1859, 35.

**鉴别特征：**头黑色，中叶两侧(侧叶)有1个三角形白斑；有光泽、无刻点，但微具横皱，被甚短的白色毛，单眼前内方有短沟状深窝。触角雌者色深，全部深色，只第4节渐淡；雄者色淡，第1、2节色深，其末端淡，第3、4节淡；或第1、2节基半黑色，端半或端半上方淡白色，第3、4节色淡。

前胸背板梯形，前、后缘分别略向前方与后方拱弯，侧缘几乎直，中间微微内凹，后角较圆钝(在 *tibetanus* 亚种中较方)，前角宽圆；黑色，侧缘处有宽阔的黄白色、白色区域，内缘起自前角后端，终于小盾侧角处，此区域或成向后渐宽的三角形，或成梯形，前缘及后缘中央各有1个三角形淡色小斑，前缘处的斑较大，后缘斑较小，有时不显著，云南标本及 *tibetanus* 亚种中这2个斑分别向前、后延伸，后者(*tibetanus* 亚种)成两端粗而中间细的黄色中纵线状。除后角及其附近、后缘以及胝区外，遍布刻点，黑色部分中的刻点黑色，白色部分中的刻点多淡色，北方种群刻点较密，南方则较稀。小盾片黑色，具光泽，中部微呈"T"形隆出，除此区域外遍布刻点，背板与小盾片上毛被均极不显著。前翅革质部淡黄褐色，革片内角处有1个小黑斑，或只在端缘上端成短黑带状，刻点淡色，爪片刻点1列，革片沿爪片缝有刻点2~3列，内、外各1列，微向后分歧，完整，在此二列之间近末端处有时有极少数零散的刻点，革片顶角区域具极浅的刻点；膜片透明，长翅型超过腹部末端；两翅合拢时最宽处在相当于小盾片末端稍后处。侧接缘黑色，各节外缘黄褐色，向后角渐宽，腹部背面黑。

体下方黑色，喙及头部下方亦黑褐色，只前胸腹面前缘、各基节臼，臭腺沟缘、后胸侧板后角及各腹节腹面后侧角淡色。足黑褐色，股节两端色渐淡，或股节深而胫节淡色，雄虫足常全部淡色。腹下具淡色毛被，雌虫稀短，雄虫密，且较长。侧突明显，斜后伸。杯骨片两侧下延伸成1对宽瓣状，约成倒"U"形，顶半后面观三角形，侧壁沿生殖囊侧壁前伸成悬阳茎内突。储精囊的端突与翼骨片相对发达，面积大，端突凹入颇深，侧面观几乎成半圆形，翼骨片宽大，成直角折弯，端片遮于端突端方，背面遮于端突"碗口"方向；"颈部"为1个向端弯曲的小钩状构造；导精管进入端系膜区域后加粗。螺旋状骨片一端游离，成尖角状。阳茎端导精管盘旋成18圈。抱握器基缘后侧有关节突，基干较细长，外突明显，内突更为发达，斜下指，叶片狭长。

**量度(mm)：**头宽1.31~1.49，长0.36~0.52；眼间距0.59~0.76；触角1~4节的长度分别为0.21~0.22、0.44~0.45、0.26~0.33、0.43~0.55；前胸背板长0.71~0.93，前缘宽0.93~1.17，后缘宽1.21~1.48；小盾片宽0.69~0.86，长0.66~0.88；两翅合拢时最大宽度1.33~1.76，体长3.00~3.84。

**采集记录：**4♂10♀，武功，1973.Ⅶ.08；1♀，户县桦树坪，2007.Ⅵ.23-28，1700m，周顺采(存于上海昆虫博物馆)；1♂1♀，黄陵侯庄，2007.Ⅴ.20，1700m，周顺采。

**分布：**陕西(周至、户县、武功、黄陵)、辽宁、北京、天津、河北、山西、河南、山东、宁夏、甘肃、上海、浙江、湖北、江西、福建、海南、四川、云南；印度，印度尼西亚，菲律宾，土耳其，以色列，南斯拉夫，欧洲，埃及，摩洛哥，突尼斯。

### (238) 宽大眼长蝽 *Geocoris varius* (Uhler, 1860) (图版3：2)

*Ophthalmicus varius* Uhler, 1860: 229.

*Geocoris varius*: Scott, 1874: 14, 290.

**鉴别特征**：体形和构造与南亚大眼长蝽 *G. ochropterus* (Fieber) 十分近似，区别之处有以下几点：

①前胸背板几乎全部黑色，后缘不呈淡色，只后角处淡黄褐色，但有时前延而致侧缘成短而较狭的淡边；在少数个体中此淡色边亦较宽，在这种情况下前胸背板极似 *G. ochropterus*。

②触角第 1 节淡色，第 4 节黑褐色，色同第 2、3 节，有时略成淡黑褐色，但绝不成黄褐色或黄白色。

③前胸背板刻点较 *G. ochropterus* 略稀。

④爪片及革片刻点数略多，较深凹而色亦浓，因此外观显著（本种爪片刻点列刻点数为 14～15，革片沿爪片缝的 1 列刻点数在 22～25 左右）。

⑤腹下全部黑色，无淡色边。侧接缘黑色，最内缘黄色。

⑥体略大于 *G. ochropterus*。体长 4.50～4.80mm。

补充描述：体色为黑褐色、黑色或黄褐色。体色为黄褐色的标本，头部及革片为黄褐色，触角、前胸背板、小盾片为红褐色。有些个体前胸背板前缘和侧缘均色淡。有些个体前胸腹板前侧缘色淡。

背面观侧突较方，内面观侧突细钩状向下延伸。杯骨片（cuplike sclerite）两侧下延伸成 1 对宽瓣状，两瓣之间成“Ω”形，侧壁沿生殖囊侧壁前伸成悬阳茎内突。储精囊的端突近三角形，基部宽，翼骨片相对较宽，近三角形，后面观成直角折弯，覆盖端突两侧，翼骨片端部突然缩细。阳茎端导精管长，盘旋成 20 余圈。抱握器外突明显，圆润，内突 2 个，圆润。

**量度**（mm）：头宽 2.05～2.15，长 0.45～0.60；眼间距 1.13～1.20；触角 1～4 节的长度分别为 0.33、0.50～0.56、0.45～0.53、0.65～0.70；前胸背板长 1.10～1.38，前缘宽 1.85～2.02，后缘宽 1.95～2.25；小盾片宽 1.30～1.50，长 1.15～1.25；两翅合拢时最大宽度 2.25～2.75，体长 4.50～5.45。

**采集记录**：2♀，秦岭，1952. Ⅴ. 25，周尧采；1♀，镇巴，1985. Ⅶ. 21，任树芝采。

**分布**：陕西（周至、留坝、镇巴）、天津、山西、甘肃、江苏、安徽、浙江、湖北、江西、湖南、福建、台湾、广东、海南、广西、重庆、四川、贵州、云南、西藏；日本。

## （二）盐长蝽亚科 Henestarinae

**鉴别特征**：体中、小型，长椭圆形至卵圆形。头部横列，两侧延长成粗的眼柄状，复眼着生其上。第 2、6、7 节气门着生于腹面，第 3～5 节着生于背面。若虫臭腺孔 2 对，开口于第 4、5 及第 5、6 节之间。后翅具钩脉。生活于盐碱地、海滨、盐泽周围及河湖岸边，适应于盐分较多的环境。

**分类：**世界已知 3 属，中国记载 2 个属：*Henestaris* Spinola，1839 和 *Engistus* Fieber，1864，全部在古北区分布，秦岭地区分布 1 属 1 种。

## 130. 卤长蝽属 *Engistus* Fieber，1864

*Engistus* Fieber，1864：67；**Type species**：*Engistus brucki* Fieber，1864.

**属征：**长翅型，体短而宽的种类，粗壮。背面观呈驼背状。革片黄褐色，绿色或灰黄色，具浓密的深色或同色刻点。头部横宽，下倾或垂直；复眼大，具柄或稍具柄。小颊前后等高，或后部高于前部。触角第 1 节非常粗壮，第 2、3 节细，第 4 节呈纺锤形。喙伸达后足基节。前足股节无刺。雄虫 阳茎结构似 Henestaris；雌虫产卵器将第 7 腹板割裂。

**分布：**古北区，非洲区。世界已知 7 种，我国记载 1 种，秦岭地区分布 1 种。

### (239) 突眼高颊长蝽 *Engistus salinus*（**Jakovlev，1874**）（图版 3：3）

*Brachypterna salinus* Jakovlev，1874：49(3)，248.

*Engistus salinus*：Jakovlev，1877：52.

**鉴别特征：**个体较小，体色几乎一色淡黄白色，刻点与体色同色，体表无明显毛被。头部显著下倾，整体成三角形，被极浅刻点，中叶长于侧叶，触角瘤由背面可见；眼柄后倾，似微微压在前胸背板前角的上方，前面观时眼柄几乎平；单眼间距约为单眼与复眼间距的 2 倍，单眼外侧具 1 个显著凹沟；触角第 1 节长于各节，较粗，中部最粗，第 4 节成纺锤形；小颊较宽，前后宽度一致，长度接近头部长度的 2/3；喙伸达中足基节，色较深。头部基部和前胸背板前缘有时色深；前胸背板宽短，前缘和后缘均稍外拱，侧缘稍内凹，胝区黄色，后叶微鼓隆。革片前缘基部直，中部外拱，革片端缘直，爪片端部褐色；膜片伸达腹部末端，有时膜片脉间散布黑斑。侧接缘外露，一色黄褐色或每节后端褐色。腹部中、后胸腹板黑褐色；各足被黑褐色斑点，胫节端部、第 1 跗节端部和第 3 跗节色加深。雌虫产卵器第 1 载瓣片中部伸向腹部末端 1 个叶片状突起。

生殖节开口侧突 1 对，位于开口基部接近 1/4 处，端部钝圆，侧突前生殖节开口侧缘向两侧展开；后缘中部前拱；中叶直伸，端部垂直于开口平面，侧面观，中叶端部伸出生殖节开口平面。抱握器基干长，稍长于叶片，叶片端部尖，外突宽大，内突相对狭窄。阳茎精泵端突成鸭蛋状，基部稍窄，两侧翼骨片成倒“V”形；阳茎端导精管盘绕 3 圈，端部不加粗。

**量度(mm)：**体长 4.10；头长 0.74，宽 1.62；眼间距 1.07，单眼间距 0.46；触角

1～4 节的长度分别为0.51、0.46、0.31、0.38；前胸背板长0.95，前缘宽1.18，后缘宽1.41；小盾片长0.56，宽0.77；爪片接合缝长0.41，爪片端-革片端0.82，革片端-膜片端0.95。

**分布：**陕西(秦岭、定边)、内蒙古、甘肃、宁夏、新疆、广西。

# 二十、室翅长蝽科 Heterogastridae

高翠青[1] 卜文俊[2]

(1. 南京林业大学林学院，南京 210037；2. 南开大学昆虫研究所，天津 300071)

**鉴别特征：**体为长卵圆形，小颊短。成虫所有气门均位于腹部腹面。前翅膜片具 1～2 个小室。雄虫阳茎简单，退化。雌虫有些种类产卵器发达，致使雌虫腹节缝在腹中线极度向前弯曲，有的几乎达到腹部基部。雌虫受精囊延长，盘绕、简单。若虫背臭腺开口于第 3、4，第 4、5 和第 5、6 背板之间(Scudder, 1957b; Scudder, 1962; Slater, 1981; Schuh & Slater, 1995; Henry, 1997; Péricart, 1998; Zheng & Zou, 1981a)。

该科大部分属发现于非洲区和东洋区，*Heterogaster* 和 *Platyplax* Fieber 属种类主要发现于古北区(Péricart, 1998)。大部分属由 5 种或更少的种类组成，并且局限分布于一个动物区系。

**分类：**中国记录 6 属 13 种，陕西秦岭地区分布 2 属 2 种。

## 分属检索表

雌虫生殖节腹节缝极度向前收缩，几乎达腹基部，前胸背板横缢深，将前胸背板分成明显两部分。前胸背板在 3/5 处横缢，横沟狭而深，前叶从背面观呈算盘珠形 …… **裂腹长蝽属 *Nerthus***

雌虫腹节缝不向前收缩或仅缩到腹部中部，但绝不缩至腹基部，前胸背板横缢宽而浅，不明显。前胸背板后缘弯曲，背面较平，无横缢和中纵脊，侧缘直或稍弯曲，后缘在小盾片基部明显前弯 ……………… **腹长蝽属 *Heterogaster***

## 131. 异腹长蝽属 *Heterogaster* Schiling, 1829

*Heterogaster* Schiling, 1829: 37. **Type species**: *Cimex urticae* Fabricius, 1775.

**属征：**长椭圆形，头长几乎与眼间距相等，头在眼后稍缩细，头前端几乎成锥状，中叶长于侧叶，单眼间距约为单眼与复眼间距的 3 倍。触角瘤位于复眼前的下方，末端向下弯曲，触角第 1 节稍长于头的前端，第 2、3 节长度约等，第 4 节最长。小颊短，半圆形。喙伸达中足基节，第 1 节为头长的1/2，第 2 节最长。前胸背板长，梯形，前叶窄，侧缘和后缘弯曲；前叶平，无纵脊、也无隆胝及胝沟；后侧角向后微突。小盾片平，为等边三角形。翅与腹部等长，革片前缘基部直，后部稍外弯，端缘直，爪片具3列刻点，侧接缘外露。臭腺沟缘耳状，前足股节较中、后足股节粗大，接近前端腹面具刺，后足第1跗节长于第2、3节之和。雌虫第5、6节腹板中央向前收缩至腹中部，第7节腹板纵裂。

**分布：**古北区，新北区，非洲区。中国记录6种，秦岭地区发现1种。

## (240) 中华异腹长蝽 *Heterogaster chinensis* Zou *et* Zheng, 1981（图版3：4）

*Heterogaster chinensis* Zou *et* Zheng, 1981b: 69.

**鉴别特征：**头、前胸背板、小盾片及身体腹面黑色、闪光。刻点粗大而且密集，具斜立长毛。头顶凸圆，前端呈锥状；中叶高，长于侧叶，最末端淡黄色。触角瘤在复眼前下方并向下倾斜，由背面不可见。触角黑褐色，具毛，第1节粗短，刚达头部末端，前3节最末端黄色，第2、3节长度约等，均短于第4节，第4节纺锤形，褐色。喙黄褐色到褐色，伸达中足基节，第1节仅达头长的1/2，第2节最长，第3、4节等长，稍短于第2节。两单眼间的距离约为单眼至复眼间距的3倍，眼突出，头在眼后细缩，眼不与前胸背板相接，头基部中央具1个淡黄色小纵斑。前胸背板两侧缘弯曲，边缘具脊，后侧角圆，并向后突出，其后缘在小盾片基部明显呈弧形弯曲。前胸背板在后部2/5处横缢，横沟宽而浅，背面向上中度隆起，以前叶最明显，刻点密集，前叶刻点比后叶小，而且圆。无中纵脊，仅在后叶中央具淡黄色纵纹。小盾片黑色，平坦，三边微向外侧弯，长度相等，末端淡黄色，纵脊仅后半微显，刻点大，密，并具长斜立毛。前翅密被斜立毛，刻点均为黑褐色，前翅端部1/2黑褐色，基半黄褐色，爪片内半黑褐色，革片在接近爪片接合缝处具1个黑褐色小斑，另外在革片亚前缘相当小盾片末端还有1个隐约褐色斑，革片近顶角处的颜色稍淡，有时则不明显。爪片具3列完整的刻点列。革片前缘基部直，后部微弯，但两侧基本平行。膜片微褐色或散布褐色斑，透明，膜片基部与革片端缘连接部分黑褐色，与腹部等长或稍超过之。足具黄白色长毛，基节基部黑褐色，转节黄褐色，前股节黑色，膨大，接近前端腹面具1个大刺和1个小刺，前股节末端、中足和后足股节基半淡黄褐色，中、后足股节端半膨大、黑色，最末端淡黄色，胫节黄褐色，基部和中央具黑色环，其末端色暗；跗节第1节端部和第3节，以及爪褐色。臭腺沟缘耳状、黄褐色，基部和蒸发面黑色，蒸发域小。腹部紫黑色，侧接缘由背观微外露或不外露，其中每节中后部有1个淡黄色小斑。雌虫生殖节及第5、6、7腹板向前缢缩，腹面观几乎被产卵器完全割裂。

生殖节开口后半宽，前半窄，侧缘立体感强，侧突发达，伸入内部中突之内，中突宽大，背面观，前缘中部平滑，无任何突起，前缘侧面每侧具1个小刺，侧面观，中突背部具1/2圆状鼓隆，几乎与生殖节开口平齐。抱握器叶片与基干接近在一个平面内，外突指状伸出，端部钝圆，与外突相对位置具1个弧形凹陷，此凹陷前后缘形成2个内突，前内突端部钝圆，稍向后指，后内突尖，指向前方；叶片宽，基部显著弯曲，端部较直，端部斜截。阳茎显著退化，完全缩入生殖翘基半的1/2内，成短管状。

**量度(mm)：**体长5.94；头长0.89，宽1.24；眼间距0.69；触角1～4节的长度分别为0.30、0.60、0.60、0.69；前胸背板长1.19，前缘宽0.69，后缘宽1.68；小盾片长1.09，宽0.90；爪片接合缝长0.40，爪片端-革片端0.99；革片端-膜片端1.39。

**采集记录：**3♂4♀，凤县秦岭车站，1991.Ⅶ.29，1400m，卜文俊、董建臻采；1♂，宝鸡太白山，2011.Ⅷ.7-12，1400～3500m，刘阳采；1♂1♀，佛坪岳坝保护站，2006.Ⅶ.21-24，1100～1700m，朱耿平采；2♀，佛坪岳坝保护站，2006.Ⅶ.20-24，许静杨采；1♂，同上，丁丹采；1♀，西乡至镇巴，1985.Ⅶ.19，任树芝采；1♂1♀，镇巴，1985.Ⅶ.20，任树芝采；1♀，南郑，1985.Ⅶ.22，1600m，任树芝采。

**分布：**陕西(凤县、宝鸡、佛坪、西乡、镇巴、南郑)、甘肃、浙江、湖北、江西、湖南、福建、重庆、四川、贵州、云南。

## 132. 裂腹长蝽属 *Nerthus* Distant, 1909

*Nerthus* Distant, 1909a: 327. **Type species**: *Nerthus dudgeoni* Distant, 1909.

**属征：**体长形，宽，眼前部分窄，中叶明显突出，触角第1节最短，但也超过头的端部，第2节最长，第3节比第4节稍长。喙超过后足基节，第1节达到前胸腹板，第2节与第3节长度约等。两单眼相互远离，更接近复眼。前胸背板长，后缘为前缘宽的1.60倍，两侧在中部下包，在中部明显横缢，侧缘弯曲，后侧角圆并向后呈小叶状突出。前叶圆突，后叶较平，刻点小而密，具长毛。小盾片长大于宽，基部隆突，具中纵脊。前翅具密毛，前缘在中部内凹，R+M与Cu脉间无刻点。足适度长，股节均匀加粗，前股节腹面具刺，后足第1跗节稍长于第2、3节之和。雌虫腹板中央极度前缩，几乎达腹基部。雄虫腹部中央具纵脊，呈线状。

**分布：**中国记录1种，秦岭地区发现1种。

### (241) 台裂腹长蝽 *Nerthus taivanicus* (Bergroth, 1914)(图版3：5)

*Hyginus taivanicus* Bergroth, 1914: 358.

*Nerthus taivanicus*: Zheng & Zou, 1981a: 113.

**鉴别特征：**头部、前胸背板、小盾片以及头胸腹的腹面黑色。头、胸背腹两面皆具密集刻点，全体被金黄色毛。头三角形，头顶平，稍下倾，中叶突出，末端褐色。头不与前胸背板相接。触角黑褐色，细长，具毛，第1节最基部黄色，长度最短，伸过头部前端，第2~4节依次缩短，第4节不成纺锤形。喙褐色到黑色，伸达或超过后足基节，第1节超过头的基部，小颊短小。腹面观，小颊至触角瘤之间部分鼓隆。前胸背板长，后缘宽为前缘宽的1.60倍，在中部稍靠前位置横缢，中部下包，侧缘弯曲，前叶形似算盘珠形，后叶背面稍突，后侧角圆并向后伸成小叶状突出，后缘具细窄的黄褐色边。小盾片长大于宽，黑色，基部微隆起，纵脊明显，黄褐色，具刻点或无刻点。前翅褐色，被黄褐色密毛和黑褐色刻点。革片翅脉显著，前缘、顶角、端缘，以及爪片内缘和爪片接合缝黑褐色，有时革片前缘色不加深。革片前缘中部稍缢缩，端缘直。爪片上具3列刻点，但是靠近爪片缝的2列刻点不完整，并且2列之间散布几个刻点。膜片烟褐色，超过或与腹部等长。腹部侧接缘由背面可见，前半大部分黄色，后半小部分黑色。侧接缘后侧角向后形成1根小尖刺，该尖刺靠近腹部末端更加明显。体腹面有光泽。臭腺沟缘圆，蒸发域灰黑色。足黑色或红褐色，但中足和后足股节基部黄褐色。后足第1跗节长于2、3节之和。腹部黑色，雌虫腹板中央极度向前收缩，达到第3腹节基部。雄虫腹部中央具纵脊，第7背板后缘具1列细小刺突。

生殖节开口三歧状，侧缘大部分区域向内突出，后缘大部分区域前突，背面观成锥形；中突宽大，端部平截，背面观成梯形。抱握器叶片显著延长，长度接近基干的3倍，宽度与基干类似，叶片端部尖，外侧缘端部1/3处具1个小突起，基部1/3处向内直角状折弯；外突伸出，端部圆钝，内突缺失，在基干内侧缘靠近基部具1个小方形凹槽。

**量度**(mm)：体长9.05~11.4；头长1.00~1.26，宽1.88~2.28；眼间距1.00~1.37，单眼间距0.45~0.60，单眼-复眼间距0.19~0.20；触角1~4节的长度分别为0.55~0.68、1.52~1.84、1.21~1.47、1.14~1.37；前胸背板长2.10~2.63，前缘宽1.48~1.84，后缘宽2.21~2.97；小盾片长1.34~1.89，宽1.21~1.74；爪片接合缝0.59~0.74；爪片端-革片端2.28~3.16，革片端-膜片端2.03~2.26。

**采集记录**：1♂，周至板房子，1994.Ⅷ.03，吕楠灯诱。

**分布**：陕西(周至)、上海、江苏、浙江、湖北、江西、福建、台湾、广东、海南，广西、贵州、云南。

# 二十一、长蝽科 Lygaeidae

高翠青[1] 卜文俊[2]
(1.南京林业大学林学院，南京 210037；2.南开大学昆虫研究所，天津 300071)

**鉴别特征**：Henry(1977)研究证实红长蝽亚科 Lygaeinae，背孔长蝽亚科 Orsillinae 和蒴长蝽亚科 Ischnorhynchinae 组成1个单系群，并把该类群定义为狭义的长蝽科 Lygaeidae (s. str.)。该类群的主要识别特征为：腹部第2~7节所有的气门均位于腹部背面。前胸背板胝区凹痕状，后翅具钩脉。

**分类：**中国记录3亚科22属79种，陕西秦岭地区分布3亚科6属13种。

### 分亚科检索表

1. 爪片无刻点。前胸背板后缘在小盾片与侧角之间压扁 ………………………………………… 2
   爪片具刻点。前胸背板后缘在小盾片与侧角之间不压扁 ……… **蒴长蝽亚科 Ischnorhynchinae**
2. 革片端缘直。体较大，常为红色和黑色相间，大部分类群或多或少带有红色成分 ……………
   …………………………………………………………………………………… **红长蝽亚科 Lygaeinae**
   革片端缘基部明显内弯。体较小，常为灰色、黄色和褐色，无红色斑纹 ……………………
   …………………………………………………………………………………… **背孔长蝽亚科 Orsillinae**

## （一）蒴长蝽亚科 Ischnorhynchinae

**鉴别特征：**体椭圆形，具刻点，刻点内着生丝状平伏毛。头中叶长于侧叶，伸出。复眼接近或接触前胸前缘。前翅宽于腹部，爪片及革片具成行列的刻点。后翅具钩脉及扇间脉。腹部气门全部位于背面。

**分类：**中国记录3属8种，陕西秦岭地区分布2属3种。

### 分属检索表

革片沿爪片缝共有2列平行的刻点，接近爪片缝的1列较短，位于革片内角处，另1列长而完整，贯全长 ………………………………………………………………… **穗长蝽属 *Kleidocerys***
革片沿爪片缝处只有1列刻点列 ……………………………………………………… **蒴长蝽属 *Pylorgus***

### 133. 穗长蝽属 *Kleidocerys* Stephens, 1829

*Kleidocerys* Stephens, 1829: 342. **Type species:** *Lygaeus resedae* Panzer, 1797.

**属征：**头向前不甚伸长，头的眼前部分略大于复眼之宽。小颊低，延长，头的下侧方无淡色光滑的胝状构造。前胸背板侧缘较圆钝，棱脊不显著。小盾片中部平坦，无三歧形光滑隆脊。体翅较宽，呈较宽的卵圆形。爪片刻点3列；革片沿爪片缝有1长列及1短列刻点，如检索表中所述；其中前方完整的1列在革片内角折转，连续成为沿革片端缘的1列完整的刻点列；又沿R+M脉有1列完整的刻点，其内侧有若干不成行的刻点。

**分布：**中国记录1种，秦岭地区发现1种。

### (242) 桦穗长蝽 *Kleidocerys resedae resedae* (Panzer, 1797) (图版3: 6)

*Lygaeus resedae resedae* Panzer, 1797: 20.

*Kleidocerys resedae*: Horváth, 1875: 27.

*Ischnorrhynchus resedae*: Lindberg, 1934: 23.

**鉴别特征**: 头橘红色至紫红色, 刻点与头部同色, 深。头基缘处常为黑色, 至复眼内侧处逐渐扩展, 此黑色部分有时全无。触角第1节稍微超过头的前端, 触角瘤由背面几乎不可见, 触角第1节褐色, 第2、3节黄褐色, 第4节黑褐色, 最基部黄褐色。复眼接近前胸背板前缘, 头部腹面黑褐色, 小颊较长, 接近伸达复眼后缘水平位置处, 前高后低, 前半淡色。喙暗褐色, 伸达后足基节或第3腹节后缘。前胸背板赤褐色, 后叶淡黄褐色, 刻点同色或较深, 分布均匀。胝沟细长, 黑色。前胸背板后缘弧形, 微凸。小盾片赤褐色, 刻点色较深, 基部凹下, 红色或黑色, 无"Y"形纵隆脊。爪片黄褐色, 半透明, 具3列几乎等距的纵走刻点, 中间1行端部稀疏。前翅超过腹部末端, 革片黄褐色, 半透明, 内缘有1列完整的刻点, 近内角处有1列长度为内缘1/5的刻点列, 革片顶端具1个褐色斑, R+M脉前支与革片外缘相交处也有1个褐色斑, 在R+M脉3/5处有2个并列的褐色斑。膜片无色透明, 远超过腹部末端。前胸腹板刻点深, 前半黄褐色, 后半黑褐色, 中、后胸腹板黑色, 具灰白色霜状被, 刻点少而小, 前胸侧板前部及后部黄褐色, 中部黑色, 具灰黄色霜状被, 中、后胸侧板大部分黑色, 具灰黄色粉被, 并具大而黑的刻点, 仅后缘淡黄色。足基节臼及臭腺沟缘黄褐色, 基节及跗节端深褐色, 股节红褐色, 其他黄褐色, 雌虫腹部第2~4节黑色, 其余褐色, 但外侧常具黑斑, 毛点黑色。雄虫腹部第2~5节完全黑色, 第6节大部分黑色, 其他红褐色。腹面密被丝状平伏毛。

**量度**(mm): 体长4.60~4.80, 宽2.10左右; 头长0.77, 宽0.86; 眼间距0.50; 触角1~4节的长度分别为0.32、0.54、0.45、0.59; 前胸背板长0.99, 宽1.67; 小盾片长0.59, 宽0.81; 爪片端-革片端1.35, 革片端-膜片端0.90。

**采集记录**: 1♀, 凤县秦岭车站, 1994.Ⅶ.27, 1400m, 卜文俊采。

**分布**: 陕西(凤县)、黑龙江、吉林、内蒙古、河北、宁夏、甘肃、新疆、四川; 俄罗斯, 日本, 欧洲, 北美洲。

**寄主**: 生活于桦树果穗中。

## 134. 蒴长蝽属 *Pylorgus* Stål, 1874

*Pylorgus* Stål, 1874: 123. **Type species**: *Cimex colon* Thunberg, 1784.

**属征**: 头部多数不甚伸长, 少数甚为伸长。小颊常短小, 头的下侧方常有淡色光滑的胝状构造。前胸背板侧缘不呈锯齿形, 前缘成1个明显的"领", 前胸背板常明显倾斜。小盾片中央有1个三歧形光滑隆脊。前翅革片透明，沿爪片缝有1列刻点，革片R+M脉、端缘及顶角上有褐色斑，膜片透明，常有小褐色斑。前足股节无刺。

**分布：**东洋区，澳洲区，非洲区。中国记录6种，秦岭地区发现2种。

## 分种检索表

前胸背板倾斜度较大，底色中的淡色部分为黄色，有光泽，刻点分布常不甚均匀，大部分为黄褐色或褐色；深黑褐色至黑色的刻点少。触角长，第4节为两复眼间的头顶宽的2倍以上。膜片黑斑多为圆点状 ………………………………………………… **红褐蒴长蝽 *P. obscurus***

前胸背板倾斜度较小，底色中的淡色部分为青黄色，无光泽，刻点分布均匀，大部分为黑褐色或黑色。触角短，第4节长不到两复眼间头顶宽的2倍。膜片黑斑多为横列状 ……………………… ………………………………………………………………………… **灰褐蒴长蝽 *P. sordldus***

### (243) 红褐蒴长蝽 *Pylorgus obscurus* Scudder, 1962（图版3：7）

*Pylorgus obscurus* Scudder, 1962: 184.

*Pylorgus ishiharai*: Zheng & Zou, 1981a: 36 (misidentification).

**鉴别特征：**头黄褐色至褐色，中叶基部深褐色，复眼内侧具三角形淡黄褐色斑。触角第1节及第4节黑褐色，第2、3节褐色，触角第4节长为两复眼间头顶宽的2倍。喙伸达后足基节，第3节多数短于第2节，少数等于或略长于第2节。头部腹面黑色，其两侧至复眼黄色。前胸背板极倾斜，褐色，有光泽，刻点黄褐色至深褐色。胝区深褐色，其后有1个无刻点的隆起的黄褐色斑，中央具1个黄褐色纵隆线，贯穿前胸背板全长，此线每侧常有3条隐约的黑纹，内侧者宽而长，中央者常中部中断，前胸背板后缘中央有1个深褐色斑点。小盾片基部深凹，褐色，端部深褐色。"Y"形隆脊黄褐色，显著。爪片褐色，但其内缘及爪片缝深褐色。革片黄褐色透明，其内缘深褐色，端缘除接近内角处有1个黄色短纹外，亦为深褐色。革片近基部有1个深褐色斑，上有许多同色刻点，端部深褐色，但最尖端为淡黄白色。R+M脉端半深褐色，与端缘外侧的暗色部分一起形成明显的"L"形。膜片中部具1个深褐色的圆斑。中、后胸腹板在两基节间灰黑色，侧板褐色，近基节处及侧板的外方深褐色，后胸侧板后缘黄褐色。足黄褐色，但基节、股节中部、胫节基部及端部和跗节端部褐色。腹部腹面暗褐色，侧缘褐色。雄虫在各节中部具黑色大斑，侧方的毛点及各节前缘处黑色。密布平伏及半直立的毛。背面后端各节褐色，后缘淡黄色，末节后半淡黄，各节中央均无大黑斑。

生殖节开口细长，1对侧突位于侧缘自基部起1/3处，侧缘端部自基部起4/5处稍微隆出；后缘中部后凹；中突端部内面观成细长尖突状。抱握器叶片显著下倾，与基干不在同一平面内，外突延长，指状伸向背方，基半背面具长直立毛；内突不显著。阳茎精泵端突成基部窄端部宽的心形，翼骨片着生于端部背面，成带状前后延伸，后部两者叉开；阳茎端导精管基部直而细，端部盘绕、加粗。无蜗附器。

**量度(mm)：** 体长6.30(♀)、5.60(♂)；头长0.72，宽0.90；眼间距0.45；触角1~4节的长度分别为0.45、0.77、0.81、0.95；前胸背板长1.35，宽1.89；小盾片长0.86，宽0.99；爪片接合缝长0.57，爪片端-革片端1.37，革片端-膜片端1.30。

**采集记录：** 1♀，凤县秦岭车站，1994.Ⅶ.23，1400m，吕楠灯诱；4♂2♀，宁陕火地塘，1994.Ⅷ.14，1640m，吕楠采。

**分布：** 陕西(凤县、宁陕)、天津、浙江、江西、湖南、福建、广东、海南、广西、四川、贵州、云南、西藏；印度。

### (244) 灰褐蒴长蝽 *Pylorgus sordidus* Zheng, Zou *et* Hsiao, 1979 (图版3：8)

*Pylorgus sordidus* Zheng, Zou *et* Hsiao, 1979: 364.

**鉴别特征：** 头部褐色，中线处及侧叶、中叶交界处色深，具黑褐色刻点及丝状平伏毛。眼内侧有小黄斑。头位于复眼前方部位的长度不超过复眼长的2倍(背面观)。触角第1节黑褐色，第2、3节褐色，第2节两端及第3节最基部加深，第4节色黑褐色；第1节略超过头的末端，第4节短于眼间距的2倍。喙伸达腹部基部。前胸背板较倾斜，无光泽，底色黄褐色，后叶多呈青灰色，刻点大部分黑褐色，分布较均匀，胝锈褐色，胝后淡色隆突密布黑色刻点，因而不显，淡色中纵线两侧有1个褐色纵带，向后加宽，有时隐约，后角黑褐色。小盾片"Y"脊明显，刻点黑褐色至黑色。爪片及革片不甚透明，色斑型同上种，但沿R+M脉端半深色部分两侧及其内侧革片上的稀疏刻点为黑褐色，明显，端角褐色斑上的刻点亦为黑褐色。膜片黑斑横列。胸部下方具霜状构造，侧板褐色，刻点色深，侧板上的深色斑常成黑色。各胸节腹板黑色。股节大部分褐色至深褐色，两端淡色，胫节淡色至褐色，基部色深。腹部腹面褐色，有时基部数节中部加深成大黑斑状，各节侧缘后半黄色。

**量度(mm)：** 体长4.74~5.10；头长0.72~0.81，宽0.82~0.86；眼间距0.44~0.50；触角1~4节的长度分别为0.31~0.32、0.64~0.72、0.66~0.69、0.69~0.77；前胸背板长1.21，前缘宽0.69，后缘宽1.74~1.89；小盾片长0.72~0.77，宽0.85~0.86；爪片接合缝长0.44~0.48，爪片端-革片端1.08~1.23，革片端-膜片端1.01~1.08。

**采集记录：** 1♀，周至厚畛子，1999.Ⅵ.25，900~1450m，章有为灯诱；1♀，凤县东峪，1994.Ⅶ.30，董建臻采；6♂4♀，凤县秦岭车站，1994.Ⅶ.29，1400m，卜文俊采；4♂4♀，凤县秦岭车站，1994.Ⅶ.30，1400m，董建臻采；1♂1♀，凤县双石铺，1994.Ⅶ.31，1100m，董建臻采；3♂6♀，宁陕旬阳坝，1994.Ⅷ.16，吕楠采。

**分布：** 陕西(周至、凤县、佛坪、宁陕)、河北、甘肃、浙江、湖北、重庆、四川、贵州、云南、西藏。

# （二）红长蝽亚科 Lygaeinae

**鉴别特征：** 红长蝽亚科是长蝽科中体型大颜色鲜艳的一个亚科。主要分布在热带和亚热带地区，它的显著特征是：所有腹气门位于侧接缘背面，腹节几乎等长，腹节缝直，并直达侧缘。小盾片基部凹入。前翅无刻点，革片端缘直，前翅膜片有 1 个明显的基室，后翅亚前缘脉和钩脉存在，扇间脉消失。所有种类均为植食性，但在经济上的重要性并不大。

**分类：** 中国记录 15 属 57 种，陕西秦岭地区分布 3 属 9 种。

### 分属检索表

1. 复眼与前胸背板前缘相接触 …………………………………………………………… 2
   复眼明显远离前胸背板，与后者不相接触 ………………………………… **肿腮长蝽属 *Arocatus***
2. 前胸背板具完整的中纵脊，有时在后缘不甚明显，侧缘隆起也比较显 ………………………… ………………………………………………………………………… **脊长蝽属 *Tropidothorax***
   前胸背板无明显的中纵脊 ……………………………………………………… **红长蝽属 *Lygaeus***

## 135. 肿腮长蝽属 *Arocatus* Spinola, 1837

*Arocatus* Spinola, 1837: 257. **Type species**: *Lygaeus melanocephalus* Fabricius, 1798.

*Tetralaccus* Fieber, 1860: 44. **Type species**: *Lygaeus roeselii* Schilling, 1829.

*Microcaenocoris* Breddin, 1900: 171. **Type species**: *Microcaenocoris nanus* Breddin, 1900.

**属征：** 体长，近似两侧平行。体表通常被半平伏或直立长毛，个别古北区种类无直立毛。头在眼后膨大，眼远离前胸背板，单眼与复眼间距小于单眼之间的距离；触角第 4 节与第 2 节等长，或略长于第 2 节。前胸背板除胝区和最基部外具刻点，有时胝区后具中纵脊；胝区稍肿胀，微倾斜，几乎深达前胸背面前侧角。小盾片具“T”形脊，纵脊两侧的凹窝深，被粗糙刻点。前足股节无刺。臭腺沟缘伸出，黄色或红色。后胸侧板后缘直，平截，后侧角成直角。

**分布：** 古北区，东洋区，澳洲区，非洲区。中国记录 6 种，秦岭地区发现 3 种。

**讨论：** 肿鳃长蝽属 *Arocatus* Spinola 与新长蝽属 *Caenocoris* Fieber, *Achrobrachys* Horváth, 1914, 拟新长蝽属 *Thunbergia* Horváth, 1914 都具有复眼远离前胸背板前缘，眼后域膨大，前胸背板具刻点，肿鳃长蝽属与 *Achrobrachys* 的区别在于，前者触角第 2 节是第 4 节长度的 0.80 ~ 1.30 倍，体长，两侧近似平行，后者触角第 2 节是第 4 节长度的 1/2，体卵圆形。肿鳃长蝽属与拟新长蝽属的区别在于，后者前足股节亚端部具 1 个短刺，前胸背板前缘具显著的领，触角第 2 节是第 4 节的 0.55 ~ 0.70 倍。肿鳃长蝽属与新长蝽属的区别不显著，后者触角第4节通常远长于第2节(有时不显著)，前足股节亚端部具1个短刺，前胸背板无中纵脊。

## 分种检索表

1. 前胸背板红褐色至黄褐色，具黑色而且密集的刻点，头基部和小盾片深黑色，闪光；革片顶角及接近中部的大斑黑色 ………………………………………… **红褐肿腮长蝽 *A. rufipes***
   不若上述 …………………………………………………………………………………… 2
2. 前胸背板中纵线两侧的黑色纵带由后向前逐渐变窄，形成倒“V”形；革片各个边缘都宽阔，红色，其端缘端部1/3处具1个小黑斑；头部腹面黑色 …………… **韦肿腮长蝽 *A. melanostoma***
   前胸背板中纵线两侧的宽纵带，虽前窄后宽，但决不成名显的倒“V”形；革片仅基部和外侧缘狭窄，红色；头部腹面红色 …………………………………… **拟丝肿腮长蝽 *A. pseudosericans***

### (245) 韦肿腮长蝽 *Arocatus melanostoma* Scott, 1874 (图版3：9)

*Arocatus melanostoma* Scott, 1874: 426.

*Arocatus maculifrons* Jakovlev, 1881: 208.

**鉴别特征：** 体鲜红色，闪光。前胸背板具“A”形黑斑，密被斜立黄色毛。头鲜红，光滑，无刻点。头基部、两眼间的圆斑、中叶端部黑色。触角黑色，较粗，第1节长与头部末端，喙黑褐色，伸达后足基节，第1节刚达前胸腹板前缘。前胸背板“A”形黑斑大而显著，横缢宽而浅，不明显，刻点鲜红，大，不显著。前叶隆起，后叶较平，无中纵脊，前缘凹，后缘在小盾片基部微突，侧缘在中部内凹。小盾片黑色，“T”形脊粗大，纵脊鲜红。前翅黑色，前缘和端缘直，红色，毛被浓密。膜片黑色，端部无色，透明，超过腹部末端。腹部宽，侧接缘红色、外露。头、胸腹面黑褐色，胸部具刻点，背侧缘以及臭腺沟缘鲜红色。足黑褐色，多毛。腹部红，两侧的宽纵带及腹部末端黑色，直立毛和平伏毛混生。

生殖节开口宽阔，侧突靠近生殖节开口中部，较宽，侧突端部具1个伸向基部的小突起，内面观，侧突前生殖节开口侧缘折入生殖腔内；生殖节开口后缘与中突愈合；背面观，中突背方具2棱脊，中突两侧缘直。抱握器较厚，叶片端部尖，基部缩细，亚基部最宽；外突成块状鼓出，内突2个，在抱握器内侧面之背侧缘和腹侧缘各具1个，其中位于腹侧缘的内突更靠近基部。阳茎精泵端突梯形，基部窄，翼骨片在端突背方成“八”字形平铺；阳茎端导精管基部不卷曲，其他部分螺线管状盘绕5圈；蜗附器宽大。

**量度(mm)：** 体长6.70；头长0.67，宽1.53；眼间距0.92；触角1~4节的长度分别为0.43、1.04、0.85、1.22；前胸背板长1.28，前缘宽1.34，后缘宽2.14；小盾片长1.10，宽1.22；爪片端-革片端1.40，革片端-膜片端1.83。

**分布：** 陕西(陇县)、黑龙江、吉林、辽宁、天津、河北、甘肃、安徽、浙江、湖北、江西、湖南、福建、广东；俄罗斯，韩国，日本。

### (246) 拟丝肿腮长蝽 *Arocatus pseudosericans* Gao，Kondorosy *et* Bu，2013（图 92；图版 3：10）

*Arocatus sericans* Esaki，1952：221（nec Stål，1859）.
*Arocatus pseudosericans* Gao，Kondorosy *et* Bu，2013：694.

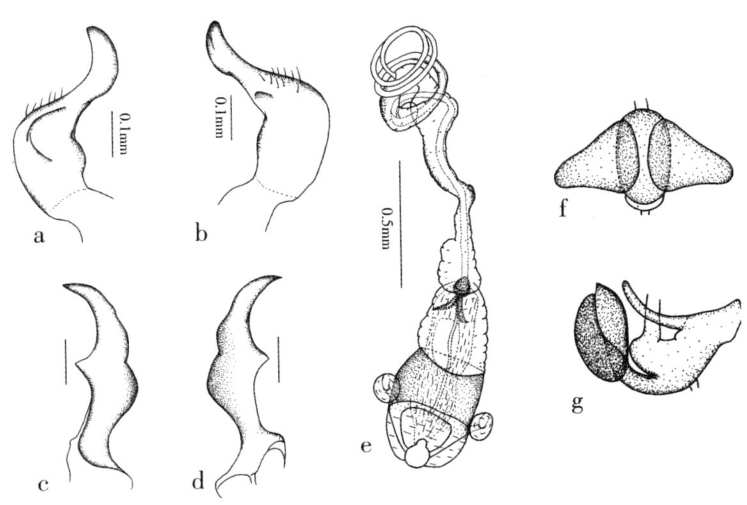


图 92 拟丝肿腮长蝽 *Arocatus pseudosericans* Gao，Kondorosy *et* Bu
a－d. 右抱握器不同方位；e. 阳茎背面观；f. 阳茎精泵背面观；g. 阳茎精泵侧面观.

**鉴别特征：**体细长，接近两侧平行，底色红色，具金黄色丝状长毛。头光滑，稍下倾，无刻点，凸圆，中叶末端黑色，头顶基部具椭圆形黑斑；单眼位于复眼后缘之后；触角细长、黑褐色，第 1 节大约有 1/4 超过中叶端部；喙褐色，第 1 节不达前胸腹板前缘，第 2 节伸达前足基节前缘，第 3 节稍微超过前足基节，第 4 节伸达中足基节。前胸背板前缘及后缘直，丝状毛密，金黄色，被粗糙刻点，在前部横缢，前部成横脊状隆起，侧缘明显内凹，胝沟后部刻点大而深，中纵脊不显或者在前胸背板中部明显，其两侧具宽大、近似平行的黑色纵带。小盾片黑褐色，其长度大约是爪片接合缝的四倍，纵脊红，其两侧具大刻点。革片、爪片红褐色，革片前缘基部红色，前缘在中部微内凹，毛被斜立，甚密。膜片黑色，端部透明，稍长于腹部末端。头部下面红色，胸部腹面黑色，基节臼至各侧板后缘黑褐色，每节的背侧各具 2 个不规则的黑褐色斑。前足、中足基节臼黑色，足黑褐色，基节黄褐色。臭腺沟缘红色。胸部腹面刻点较背面浅小，但甚密。腹部腹面底色红色，除侧缘外，各腹节具黑色条带，生殖节黑色。

生殖节开口侧突 1 对，宽，位于生殖节开口中部，内面观侧突不明显折入生殖腔内；侧突前生殖节开口侧缘波状弯曲，侧突后开口侧缘弧形内弯；中突端缘圆，侧面观，不伸出生殖节开口平面之外。抱握器叶片端部尖，外突块状鼓出，内突相对尖长。阳茎精泵端突狭长椭圆形，相对较小，翼骨片三角形片状，横向向两侧展开，相对宽大；阳茎端导精管自基部起盘绕 4 圈；基部蜗附器不显著。

**量度**(mm)：♂：体长 5.90 ~ 7.00；头长 0.64 ~ 0.93，宽 1.30 ~ 1.45；眼间距 0.88 ~ 1.00；触角 1 ~ 4 节的长度分别为 0.22 ~ 0.35、0.85 ~ 1.07、0.82 ~ 0.98、1.10 ~ 1.25；前胸背板长 1.08 ~ 1.45，前缘宽 1.00 ~ 1.21，后缘宽 1.63 ~ 1.97；小盾片长 1.00 ~ 1.25，宽 0.82 ~ 1.03；爪片端-革片端 1.50 ~ 1.75，革片端-膜片端 1.25 ~ 1.52。♀：体长 7.70 ~ 7.80；头长 0.88 ~ 0.90，宽 1.48 ~ 1.50；眼间距 1；触角 1 ~ 4 节的长度分别为 0.38、0.98 ~ 1.00、0.93 ~ 0.95、1.25 ~ 1.26；前胸背板长 1.45 ~ 1.47，前缘宽 1.28，后缘宽 2.20 ~ 2.23；小盾片长 1.38 ~ 1.40，宽 1.18 ~ 1.19；爪片端-革片端 1.75 ~ 1.77，革片端-膜片端 1.65 ~ 1.67。

**采集记录**：1♂，佛坪城关，2006. Ⅶ. 25，李晓明采。

**分布**：陕西（佛坪）、浙江、福建、台湾、广东、广西、四川、贵州；韩国，日本，印度，斯里兰卡。

## （247）红褐肿腮长蝽 *Arocatus rufipes* Stål, 1872（图版 3：11）

*Arocatus rufipes* Stål, 1872: 42.

*Arocatus fasciatus* Jakovlev, 1889: 328.

**鉴别特征**：成虫体长 5.00 ~ 7.40mm，黄褐色到红褐色，密被平伏白短毛。头深褐色，小颊和触角瘤下方褐色，复眼深褐色，单眼红色，触角 4 节，褐色，第 4 节色深，喙 4 节，伸达中足基节处或伸过中足基节。前胸背板梯形，侧缘中部弯曲，后端隆起，深褐色，雌虫深褐色部分宽于雄虫，胝区光滑，两端向上弯，中纵脊及横缢不明显，刻点深色黑而大，小盾片三角形，被白毛，"T"形脊明显。前翅爪片褐色不相接，革片前缘及端缘直，基部及外缘顶角处深褐色，中部具宽而弯曲的深褐色带，膜片长于腹部末端，半透明，基部及翅脉处烟色。胸部及腹部下方黑色，臭腺沟缘黄色，耳壳状，蒸发域黄色，腹部第 1 节背面黑色，其余均为褐色，侧接缘外露，向上翘，黄色，中部具大黑斑。足或者完全黄褐色，或者股节背侧和胫节基部黑色，后足第 3 跗节棕黑色。

生殖节开口较狭长，开口前端向前延伸接近生殖节前缘；侧突 1 对位于生殖节开口基部 1/3 处，宽大，端缘钝圆；侧突及侧突后生殖节开口侧缘向生殖腔内微折入；中突背方伸出 1 个长尖突，该突起与开口后缘愈合。抱握器叶片与基干成直角，两者长度相当，基干更粗壮；外突成块状，伸向抱握器背方，内突小，抱握器内侧面背方和腹方各具 1 个。阳茎精泵端突狭长，基部稍窄，翼骨片三角形，基部宽；阳茎端导精管基半直，端半螺线管状盘绕，粗细均一；具蜗附器。

本种颜色略有差异，北京西山标本黄色，秦岭的标本褐色，而河北东陵的标本红褐色。

**量度(mm)：**体长6.00~7.26；头长0.79~0.86，宽1.34~1.41，眼间距0.73~0.97；触角1~4节的长度分别为0.31~0.38、0.83~0.93、0.66~0.76、0.79~0.97；前胸背板长1.16~1.24，前缘宽1.21~1.31，后缘宽0.97~2.21；小盾片长1.04~1.14，宽1.17~1.24；爪片端-革片端1.41~1.55，革片端-膜片端1.41~1.76。

**采集记录：**1♀，秦岭吉峪口，1952.Ⅴ.27，周尧采。

**分布：**陕西(周至)、内蒙古、北京、天津、河北；蒙古，俄罗斯(西伯利亚)，日本。

**寄主：**榆树 *ulmus pumila cu. pendula*。

## 136. 红长蝽属 *Lygaeus* Fabricius，1794

*Lygaeus* Fabricius，1794：133. **Type species**：*Cimex equestris* Linnaeus，1758.

**属征：**多数种类黑色，具有红色斑纹，或红色具有黑色斑纹。头红色或黑色，在其基部多具斑点或纵纹。眼与前胸背板相接，前胸背板近梯形，后缘直，无纵脊，或纵脊不显。小盾片扁平，具纵脊，一般与横脊相连。革片几乎无刻点，或完全不具刻点，端缘直。膜片长于腹部，顶缘具白边或无，但绝不具宽大的白边，不透明。后胸侧板后缘直，后侧角成直角或钝圆，其前缘和后缘几乎平行，喙伸达或超过中足基节。

红长蝽属是红长蝽亚科中种类最为繁杂的属，曾经被置于本属的大部分种类已被转到了其他属或科。

**分布：**中国记录13种，秦岭地区发现4种。

### 分种检索表

1. 前胸背板胝沟前不完全黑色，胝沟后具2个四方形大黑斑 …… 2
   前胸背板胝沟前完全黑色，其后不具四方形大斑 …… 3
2. 头部腹面黑色或红色，小颊橘红色，革片、爪片的光裸黑斑比眼大，革片前缘黑色，仅端部1/5红 …… **拟方红长蝽 *L. oreophilus***
   头部腹面红或橘黄色，小颊亦同色。爪片和革片的黑斑小，与眼等大或稍大，革片前缘黑褐色，向末端逐渐变细、变淡 …… **方红长蝽 *L. quadratomaculatus***
3. 革片上的黑斑不相连，膜片中部无白斑。头顶基部至中叶中部具红色纵纹 …… **斑红长蝽 *L. teraphoides***
   革片上的不规则大黑斑在爪片末端处相接，膜片中部具白圆斑。头中叶末端、沿内侧斜向头基部中央的斑点黑色，其余部分红色 …… **横带红长蝽 *L. equestris***

### (248) 横带红长蝽 *Lygaeus equestris* (Linnaeus, 1758) (图版 3: 12)

*Cimex equestris* Linnaeus, 1758: 447.
*Lygaeus equestris*: Fabricius, 1794: 147.

**鉴别特征:** 体红色，具黑色斑。头中叶末端，眼内侧斜向头基部中央的斑点、触角、喙、前胸背板前叶及其在中线两侧向后的突出部、后缘 2 条近三角形横带(不达侧缘)及小盾片黑色。前胸背板侧缘弯，后缘直。小盾片"T"形脊显著。前翅红，爪片中部具椭圆形光裸黑斑，端部黑褐色。革片中部的不规则大黑斑，在爪片末端相连成一横带，在靠近革片前缘处，黑斑的前部和后部有 2 个光裸区，有时不显。膜片黑褐色，超过腹部末端，在接近革片端缘两端的斑点、中部的圆斑以及边缘白色。爪片缝与革片端缘等长。头胸下方黑色，喙伸达或接近后足基节，胸部侧板每节各具 2 个较底色更黑的圆斑，1 个在后背侧角上，另 1 个在基节臼上，但有些标本不显。腹部红，每侧具 2 列黑色斑纹，各斑均位于腹节的前部，1 列位于近侧接缘，另 1 列位于腹中线侧面，横带形。

本种与红长蝽很相似，但头部红色，膜片中央具白斑，革片左右 2 个大黑斑在爪片末端相接。

**量度(mm):** 体长 12 ~ 13.9；头长 1.39，宽 2.18；眼间距 1.29；触角 1 ~ 4 节的长度分别为 0.79、1.88、1.39、1.49；前胸背板长 2.48，前缘宽 2.08，后缘宽 4.36；小盾片长 1.78，宽 2.28；爪片端-革片端 1.49，革片端-膜片端 3.27。

**采集记录:** 1♂，凤县秦岭车站，1991. Ⅶ. 29，1400m，卜文俊采；1♀，凤县双十铺，1994. Ⅶ. 31，1100m，董建臻采；1♀，凤县双石铺，1994. Ⅶ. 31，1100m，董建臻采；1♂，凤县秦岭车站，1994. Ⅶ. 29，1400m，卜文俊采；1♀，彬县，1981. Ⅳ. 15；1♂，定边，1985，任树芝采；1♀，永寿，1986. Ⅹ. 29，金步先采；1♀，吴堡，1983. Ⅵ. 23，李茂新采，寄主为苹果。

**分布:** 陕西(凤县、华阴、彬县、定边、永寿、吴堡)、黑龙江、吉林、辽宁、天津、河北、山西、河南、山东、宁夏、新疆、江苏、四川、重庆、云南、西藏；印度，巴基斯坦，古北区广布。

### (249) 拟方红长蝽 *Lygaeus oreophilus* (Kiritshenko, 1931) (图版 3: 13)

*Spilostethus oreophilus* Kiritshenko, 1931: 370.
*Spilostethus potanini* Kiritshenko, 1931: 371.
*Lygaeus oreophilus*: Slater, 1964: 98.

**鉴别特征:** 红色，体被极短小的白色毛，具有黑色斑点的种类。头中叶、基部的 2 个小斑及眼内缘，触角、足、膜片黑色。小颊长，红色前胸背板具稀疏刻点，前部具黑色横带，有时被中线分开，胝后具 2 个四方形大黑斑，侧缘弯曲，后缘直。小盾片黑色，基部平，具纵脊，端部红色。爪片黑褐色，中后部具1个光裸的黑色椭圆斑。革片前缘直，仅在后部外拱，前缘黑褐色，仅端部1/5红色，其中部有1个光裸的椭圆形黑斑，端缘直。膜片边缘具白边，超过腹部末端。喙黑色，伸达中足基节。头部腹面黑色，胸部腹面红色，中、后胸腹板黑色，每侧具6个小黑斑(每节2个，其中1个在基节臼上)，后胸侧板后侧角钝圆，臭腺沟缘红色，耳状。腹部红色，腹中纵带、侧接缘的边缘及生殖节黑色。

生殖节开口侧缘基部直，接近1/2处突然呈弧形外展，在此交界处形成1个小的突起。中突端部宽圆，侧面观明显伸出开口之外。抱握器叶片显著宽，几乎与基干等宽，成镰刀状，端部尖，中部最宽，基部微缩细；内突和外突均明显伸出，均稍向后弯曲。腹面观，内突腹面亦具1个稍棱出的突起。阳茎精泵小，近似长梯形，翼骨片相对宽大，前缘直，后缘内弯；阳茎端导精管不呈螺线管状，基半细，端半膨大，近端部具外展结构。具蜗附器。

**量度(mm)：**体长9.80；头长1，宽1.75；眼间距1.10；触角1～4节的长度分别为0.60、1.65、1.30、1.55；前胸背板长1.90，前缘宽1.60，后缘宽3.20；小盾片长1.30，宽1.70；爪片端-革片端2.50，革片端-膜片端2.10。

**采集记录：**1♀，华山南峰，2100m，1978.Ⅷ.08，金根桃采(存于上海昆虫博物馆)。

**分布：**陕西(华阴)、河南、甘肃、四川、云南、西藏。

### (250) 方红长蝽 *Lygaeus quadratomaculatus* Kirby, 1891 (图版3：14)

*Lygaeus quadratomaculatus* Kirby, 1891：98.

**鉴别特征：**与拟方红长蝽相似。红色或橘黄色，头中叶、基部2个相连的小斑，触角、喙、前胸背板胝沟前的2条横带和胝后的2个方形斑黑色。前胸背板四边，中丛线及两胝形成的横脊红色或橘黄色，侧缘及后缘直。小盾片黑色，纵脊红色。革片红褐色，前缘黑色，爪片中部和革片中部各具1个同等大小的黑色光裸斑。此斑与眼几乎等大。膜片黑色，超过腹部末端。头、胸腹面红色或橘黄色，喙伸达中足基节。胸部侧板每侧具6个黑色圆斑。足黑色，不具刺。腹部红褐色或黄褐色，腹中央色更暗。有些个体爪片和革片上的圆形黑斑明显比复眼大，革片前缘向末端逐渐变细、变淡不明显，鉴别可靠的主要特征是头部腹面红色或橘黄色，小颊同色。

**量度(mm)：**体长8.40～10.00；头长0.83～0.99，宽1.59～1.76；眼间距0.97～1.17；触角1～4节的长度分别为0.48～0.56、1.47～1.54、1.17～1.19、1.26～1.28；前胸背板长1.69～1.88，前缘宽1.48～1.62，后缘宽2.66～3.07；小盾片长1.21～1.29，宽1.38～1.59；爪片端-革片端2.28～3.07，革片端-膜片端2.10～2.28；爪长接合缝长0.79～1.52。

**采集记录：**1♂，凤县大散关，1999.Ⅸ.04，郑乐怡采；1♀，山阳，1981.Ⅶ.01。

**分布：**陕西（凤县、山阳）、海南、四川、云南、西藏；斯里兰卡。

### （251）斑红长蝽 *Lygaeus teraphoides* Jakovlev, 1890（图版 3：15）

*Lygaeus teraphoides* Jakovlev, 1890b: 552.

**鉴别特征：**红色具黑色斑。头部红黑两色，中叶末端、触角瘤后部至头基部，包括单眼区域2条纵纹黑色，头顶基部至中叶中部红色。眼几乎与前胸背板相接。触角、喙、头部和胸部腹面及足黑色，喙伸达后足基节。前胸背板前缘后凹，侧缘和后缘直。前胸背板前叶及其在中纵线两侧向后的突出部、后缘2条横带（不达侧缘）黑色。胝区微突出，其前后微凹。中纵脊不太明显。小盾片黑色，纵脊及端角红，侧缘微外凸，"T"形脊显著。前翅被黄色短小平伏毛，红色，爪片基部红色，端部黑褐色，近中部的椭圆形斑和革片中部的长椭圆形斑黑色。膜片黑褐色，超过腹部末端，在接近革片端角处的斑点，以及外缘白色。爪片缝与革片端缘近等长。头胸下方黑色，胸部侧板每节各具2个较底色更深的圆绒斑，1个在基节臼上，另1个在后背侧角上。臭腺沟缘绒黑色稍隆出。腹部红色，每侧具2列黑色横带斑纹，1列位于近侧接缘前缘，另1列位于腹中线侧面。生殖节黑色。

此种似横带红长蝽 *Lygaeus equestris*（Linnaeus），但是革片上的黑斑不相连，膜片中部无白斑，小盾片端角及中纵脊红色。头顶基部至中叶中部具红色纵纹。此种与拟红长蝽 *Lygaeus vicarius* Winkler *et* Kerzhner 也非常相似，但是头部非一色黑，头顶基部至中叶中部具红色宽纵纹，前胸背板侧缘直，非成弧形弯曲，小盾片端角及中纵脊红。革片中部的黑斑较规则，无明显的角状突出。腹部每侧具2列黑色横斑，而非各腹节的前半黑色。

**量度（mm）：**体长9.84～10.63；头长0.84～1.05，宽1.84；眼间距1.21～1.26；触角1～4节的长度分别为0.58～0.74、1.05～1.53、0.97～1.03、1.32；前胸背板长1.84～2.00，前缘宽1.68，后缘宽3.16～3.32；小盾片长1.37～1.55，宽1.68～1.79；爪长接合缝长1.00～1.11，爪片端-革片端2.47～2.79，革片端-膜片端2.37～2.68。

**采集记录：**1♂，陕西，1951.Ⅸ.27，周尧采。

**分布：**陕西（秦岭）、北京、甘肃、湖北、福建、四川。

## 137. 脊长蝽属 *Tropidothorax* Bergroth, 1894

*Melanospilus* Stål, 1868: 75 (as subgenus of *Lygaeus*; upgraded by Stål, 1872: 40), junior homonym of *Melanospilus* Westwood, 1845 (Coleoptera). Type species by subsequent designation (Reuter, 1885b: 199): *Lygaeus venustus* Herrich-Schäffer, 1835 ( = *Cimex leucopterus* Goeze, 1778).

*Tropidothorax* Bergroth, 1894d: 547. New name for *Melanospilus* Stål, 1868.

**属征**：触角第 2 节与第 4 节约等长，或第 2 节稍短，喙中等长度。前胸背板无横缢，后缘直，具完整的中纵脊，并直达前缘，侧缘显著隆起，侧缘与中脊间甚凹。小盾片基部平，具纵脊。后胸侧板后缘直，平截，后侧角成直角。臭腺沟缘明显，端部膨大。股节无刺。

**分布**：东洋区，非洲区，古北区。中国记录 4 种，秦岭地区发现 2 种。

## 分种检索表

头部和前胸背板侧缘具直立毛，显著长于前翅和前胸背板盘域的毛。前胸背板黑带不伸过胝沟。爪片基部红色；革片黑斑小或者中等大小。腹部第 5、6 腹板中部黑带和侧面黑斑相连或者融合；雌雄第 7 腹板均侧面红色 ………………………………………………… **红脊长蝽 *T. sinensis***

头部和前胸背板侧缘具平伏短毛，与前翅和前胸背板盘域的毛没有区别。前胸背板黑带伸过胝沟，很少情况下，前胸背板胝沟前具分离的黑色或褐色斑点。爪片基部黑色；革片黑斑大或者中等大小。腹部第 5 和第 6 腹板具分离的中部黑带和侧面黑斑；雌虫第 7 腹板通常仅具侧面黑斑，雄虫第 7 腹板黑色，侧面红色 ………………………………………………… **斑脊长蝽 *T. cruciger***

### (252) 斑脊长蝽(大斑脊长蝽) *Tropidothorax cruciger* (Motschulsky, 1860)(图版 4：1)

*Lygaeus cruciger* Motschulsky, 1860: 502.

*Tropidothorax cruciger*: Stichel, 1959: 311.

**鉴别特征**：此种与红脊长蝽十分相似，但前胸背板的中纵脊和侧缘脊较低，侧缘和后缘弯曲度较大，爪片完全黑色，或者爪片与革片结合缘红色，前胸背板和前翅中部的黑色大斑也明显较前者大。

生殖节开口长，侧缘波浪状弯曲，形成中突之前的 2 对和之后的 1 对隆起；中突背面具 2 条深色纵脊，侧面观，中突显著伸出生殖节开口，端部钝圆。抱握器叶片宽，端部尖，中部最宽，近基部明显缩细；背面观外突指状伸向背面，着色深骨化强，内突宽、圆钝；腹面观内突腹面具 1 个小钝圆隆突。阳茎精泵近似长方形，翼骨片长带状；阳茎端导精管较短，直径均一，不成螺线管状，具骨化较弱的蜗附器。

**量度(mm)**：体长 11.50；头长 1.10，宽 1.85，眼间距 1.20；触角 1～4 节的长度分别为 0.70、1.95、1.45、1.80；前胸背板长 2.10，前缘宽 1.75，后缘宽 3.80；小盾片长 2，宽 2.20；爪片端-革片端 3，革片端-膜片端 3。

**采集记录**：1♂，长安南五台，1951. Ⅴ.30，周尧采；1♀，终南山，1936. Ⅴ.04；2♀，武功，1941. Ⅺ.12(存于中国科学院动物研究所)；1♀，洋县，1980. Ⅵ；1♀，华山，1951. Ⅵ.19，周尧采；1♀，镇巴，1985. Ⅶ.21，1200m，任树芝采。

**分布**：陕西(长安、武功、华阴、洋县、镇巴)、东北、北京、宁夏、甘肃、上海、江苏、安徽、浙江、湖北、湖南、福建、台湾、四川、西藏；俄罗斯(西伯利亚)，韩国，日本。

**(253)红脊长蝽 *Tropidothorax sinensis* (Reuter, 1888)**(图版4：2)

*Lygaeus marginatus* var. *sinensis* Reuter, 1888: 64, 68.

*Lygaeus belogolowi* Jakovlev, 1890a: 327, 328.

*Tropidothorax elegans*: Zheng & Zou, 1981a: 8 (misidentification).

*Tropidothorax sinensis*: upgraded by Lee *et al*., 1994: 25.

**鉴别特征**：体红色，具黑色大斑。头黑色，光滑，凸圆，无刻点，有时在头的背面基部具1个小橘黄色斑，小颊长，橘红色，头部前端具直立毛。触角黑色，第2节与第4节等长。喙黑色，伸达中足基节，第1节达到前胸腹板中部。前胸背板侧缘直，仅后侧角处弯，具金黄色毛，并隆起成脊状，中脊完整，侧缘脊、中脊、前缘及后缘红色，中脊和侧缘脊间具稀疏刻点，黑色，或仅胝沟后方黑色，胝沟前则具1个黑色斑。小盾片黑色，基部平，端部隆起，纵脊明显。爪片黑色，端部红色，或中部黑色，两端红色。革片红色，中部具不规则大斑，但此斑不达前缘，翅面具短小直立毛，膜片黑色，超过腹部末端，内角和边缘乳白色。前胸腹面和基节臼红，后者背方具1个大型黑斑，中胸和后胸腹面黑色，仅基节臼和其侧板后缘红色。臭腺沟缘红色、耳状。足黑色。腹部红色，各节均具黑色大型中斑和侧斑，有时相互联结成1个大型横带，腹部末端亦黑色。

生殖节开口中部1/2隆出，该隆出部分前端和后端个形成1个突起，内面观可见该隆出部分折入腔内；隆出部分前方生殖节开口圆形；隆出部分后方生殖节开口侧缘另具1对突起；生殖节开口后缘由中突替代，中突端部钝圆，侧面观明显伸出生殖节开口平面。抱握器叶片下倾，端部钝圆，中部最宽，基部缢缩；外突长，指状伸向背方；背面观，内突短小，端缘钝圆，腹面观，在抱握器内侧面另具2个小突起。阳茎精泵端突长方形，翼骨片接近三角形，位于端突背方向两侧展开；阳茎端导精管不规则盘绕，基部盘绕圈小，端部盘绕圈大；背面观，阳茎鞘端部两侧可见数个小齿。具蜗附器。

**量度**(mm)：体长10；头长0.98，宽1.71米；眼间距1.10；触角1~4节的长度分别为0.55、1.59、1.22、1.59。前胸背板长1.71米，前缘宽1.53，后缘宽2.93；小盾片长1.34，宽1.46；爪长接合缝长0.92；爪片端-革片端2.44，革片端-膜片端2.44。

**采集记录**：1♀，长安终南山，1936.Ⅴ.04(存于中国科学院动物研究所)；1♀，凤县大散关，1999.Ⅸ.03，1200m，李传仁采。

**分布**：陕西(长安、凤县)、吉林、北京、天津、河北、山西、河南、上海、江苏、浙江、安徽、湖北、江西、湖南、福建、台湾、广东、海南、广西、云南；日本。

## (三)背孔长蝽亚科 Orsillinae

**鉴别特征**：全部腹气门位于背面，腹部腹面第4、5节间的节间缝直，伸达侧缘。

雌虫产卵器长，占据第 5 ~7 或 6 ~7 节的位置。若虫腹部背面臭腺孔位于第 4、5 与第 5、6 节之间，成虫臭腺沟缘长，直伸、蒸发域面积大。爪片及革片多无刻点，革片端缘基部凹弯。后翅 Sc 脉基部不清，具钩脉(hamus)与后肘脉(postcubitus)。前胸背板无领，侧缘钝厚，不成扁薄的叶状边或棱边，前、后两叶间不下凹，往往无明显界限，胝明显，成下凹的印痕。前股常不特别发达，下方多无刺，仅少数有刺。

**分类：**中国记录 4 属 14 种，陕西秦岭地区分布 1 属 1 种。

## 138. 小长蝽属 *Nysius* Dallas, 1852

*Nysius* Dallas, 1852: 551. **Type species**: *Lygaeus thymi* Wolff, 1804.

**属征：**体中小型，长椭圆形，不压扁，毛被常浓密，多被平伏毛，有时杂以很短的直立毛。淡黄褐色至灰褐色。头宽大于长，背面不显著饱满，前半亦不显著地向下倾垂，眼有时基部微缢，较突出，头侧缘在眼后明显内缢，眼后区域甚短，眼距离前胸前缘不远。眼面无毛，单眼接近后缘，头具密刻点。头的眼前部分为眼长的 1.00 ~1.75 倍。触角基由背面可见。小颊无刻点，形状各异。喙伸达中足基节以至第 2 腹节。前胸背板梯形，具刻点，前缘几乎直，后缘宽于头，两侧常向后微伸，侧缘直，或微凹弯，胝微凹，胝区常色深。小盾片中央具“Y”形脊，常圆钝，有时后半的脊较棱起，末端不向上反卷。爪片及革片有时半透明，一般全无刻点，少数种类中沿爪片缝有刻点列，前缘在基部 1/4 前直，然后向外拱弯，膜片多伸达腹端或超过之，侧接缘不外露。头下及胸下具刻点。前股不特别加粗，无刺。

世界性分布，除南极洲外，均有本属的代表生存，一些高山种类分布可达 5000m 以上。个体数有时极多，某些种类为最为常见的长蝽之一。已知一百余种。种间差异隐晦，变异较小，鉴别种类常困难。

**分布：**中国记录 10 种，秦岭地区发现 1 种。

### (254) 小长蝽 *Nysius ericae ericae* (Schilling, 1829)（图版 4：3）

*Heterogaster ericae* Schilling, 1829: 86.

*Nysius ericae*: Zheng & Zou, 1981a: 32.

**鉴别特征：**头淡褐色，或微带红褐色色泽，或棕褐色不等，头顶基部处有时较淡，各侧在单眼处有 1 个黑色宽纵带，似 *N. thymi*，但常与复眼后的黑色区相连，以致整个头部外方黑色；头背面中央，中叶基部常有“×”形黑纹，眼内缘常淡色，眼基部缢入的倾向较弱，密被丝状平伏毛，无直立毛。触角褐色，第 1、4 节常略深，喙可伸达后足基节后缘处。喙第 1 节亦不达前胸。头的眼前部分长与眼后部分长之比为 1:1。触角第 4 节略长于第 2 节，或与之等长。前胸背板污黄褐色，刻点均匀，较大，较密，同色或黑褐色，在后叶组成一些模糊的深色纵走晕带，胝区处成 1 条宽黑横带，常边缘较完整，中央中断的情况不多，中线处向后延伸成 1 条短黑纵带，毛被似较短而平伏，趋光性弱于 *N. thymi*。前胸背板较短宽，宽度为长度的 1.70～2.00 倍（翅平置时），侧缘微内凹，雄虫较显，后缘两侧微成叶状后伸，微成波状弯曲。小盾片铜黑，被平伏毛，有时两侧各有 1 个大黄斑，后半有时有隆起的中脊。前翅淡白色，半透明，翅前缘基部有少数毛，翅面毛平伏，无直立毛，在各脉上有 1 个褐色斑。膜片几乎无色，半透明，几乎无深色斑。爪片端-革片端距与革片端-膜片端距之比为 7∶8(♂)、8∶7(♀)。翅前缘外拱不强。体下方领、各足基节臼、中、后胸后缘及臭腺沟缘淡白色，前胸侧面中段黑色，后角处褐色，中胸其余部分几乎全为黑色。后胸侧板内半（蒸发域）多黄褐色纵带与黑色纵带相间，雄虫腹下基半黑色，后半两侧黑色，向中部出现一些斑驳的淡色斑连成的纵纹，至中央全部为淡黄褐色。足淡黄褐色，股节具黑斑点。第 7 腹节背板两侧黄色部分面积极小。

**量度**(mm)：体长 3.60～4.50；头长 0.72，宽 0.98；眼间距 0.60；触角 1～4 节的长度分别为 0.26、0.66、0.50、0.66；前胸背板长 0.77，宽 1.21；小盾片长 0.60，宽 0.79；爪片接合缝长 0.55，爪片端-革片端 0.91，革片端-膜片端 1.15；翅合拢宽 1.48。

**分布**：陕西（武功）、北京、天津、河北、河南、宁夏、新疆、浙江、四川、贵州、西藏；古北区与新北区广布。

# 二十二、束长蝽科 Malcidae

高翠青[1] 卜文俊[2]

（1. 南京林业大学林学院，南京 210037；2. 南开大学昆虫研究所，天津 300071）

**鉴别特征**：体中小型，体壁厚实。复眼着生于头的前侧角，两枚单眼靠近，共同着生在 1 个隆突上。触角长，第 1 节圆柱形，第 2、3 节细杆状，第 4 节纺锤形。后翅无钩脉。腹板第 5～7 节背面侧缘各具向外平伸的叶状突起，边缘具齿。腹部所有气门均位于背面。若虫体表具刺毛状突起，外貌似网蝽科的若虫。

**分类**：束长蝽科很长一段时间被置于广义长蝽科内。大部分种类分布于东洋区和古北区东部，另有几种分布于非洲区。中国记录 2 亚科 2 属 24 种，陕西秦岭地区分布 1 属 2 种。

## 139. 突眼长蝽属 *Chauliops* Scott, 1874

*Chauliops* Scott, 1874, 14: 427. **Type species**: *Chauliops fallax* Scott, 1874.

**属征**：头部在眼前极度向下弯曲，单眼之间的距离与单眼复眼之间的距离几乎相等。触角瘤发达，通常呈刺突状。喙伸达后足基节，第1节超过头部后缘。触角多毛，第1、4节增粗，第2、3节纤细。

前胸背板具深刻点，前缘具领，侧缘稍弯曲，后缘在后侧角处下压向后突出。小盾片三角形。胸部侧板具刻点，中足基节与后足基节靠近，腿节稍增粗。翅伸达腹部末端，爪片具1排刻点，爪片接合缝短。革片伸达腹部中部附近，端缘弯曲。膜片较大，具5条纵脉。后翅具勾脉，PCu脉和扇间脉消失，1A和2A发达。

雄虫抱握器大，叶片自然交叉，储精囊精泵具翼骨片，阳茎端导精管具螺旋状突起。雌虫受精囊具稍加长的球部，基部和端部具檐。

该属的主要鉴别特征包括：体色的变化，复眼前倾或平伸的程度，触角各节之间的长度变化，刻点与体色是否同色，各足腿节是否具刺以及深色部位变化，雄虫生殖节开口中突、侧突的形状和数目，抱握器形状，雌虫产卵器球部形状和导精管是盘绕还是展开。由于该亚科标本比较小，种间差别不太大，身体各部分测量数据之间的比较也经常用于种之间的鉴定。

**分布：**中国记录6种，秦岭地区发现2种。

## 分种检索表

胫节基部1/3深色；雌虫受精囊导管紧密卷曲盘绕；雄虫生殖节开口侧叶近似方形 ……………………………………………………………………………………………… **豆突眼长蝽 *C. fallax***

胫节基部和端部1/3处各具1个深色环，或者基节基部1/3深褐色，端部1/3具深褐色环；雌虫受精囊导管几乎不卷曲；雄虫生殖节开口侧叶三角形 …………………… **锥突眼长蝽 *C. conica***

### (255) 锥突眼长蝽 *Chauliops conica* Gao et Bu, 2009（图93；图版4：4）

*Chauliops conica* Gao *et* Bu, 2009: 11.

**鉴别特征：**体色暗棕色到黑棕色，刻点黑棕色；头部黑棕色，中叶色较浅，复眼黑棕色，单眼红棕色。小颊端部色浅。喙黑棕色。触角第1节色最深，黑棕色，其次第4节，棕色，第2、3节色浅，黄棕色；前胸背板浅棕色到棕色，中纵脊明显，刻点不甚均匀，胝黑色，“S”形。小盾片黑色，基部深凹，中部具纵沟。爪片和革片端缘黑棕色，革片中部内侧具1个黑斑。膜片透明具褐色斑。腹面黑棕色，具浅刻点。胸部侧板后缘色稍浅。各足腿节端部2/3黑色，端部下方1/3处具刺。胫节黄棕色，基部和端部1/3处各具1个深棕色环，因此胫节呈斑纹状。跗节第3节端部色深。

雄虫生殖节开口中突指向尾端，侧叶2对，其中尾部1对尖，平伸，基部1对较圆，指向背侧尾部。抱握器叶片中部不缩细，不扭曲，基干比叶片稍细。储精囊精泵长圆柱形，端部稍宽，翼骨片宽大，骨化较弱，具螺旋状骨片，腹面具4个叶片状突起。雌虫受精囊球部加长，端部尖，受精囊管不盘曲呈螺旋状。

**量度(mm)：**体长 2.90(2.70～2.90)；头长 0.38(0.35～0.38)，宽 0.93(0.88～0.93)；眼间距 0.60(0.54～0.60)，单眼间距 0.21(0.21～0.23)；触角 1～4 节的长度分别为 0.35(0.35～0.38)、0.43(0.38～0.43)、0.26(0.26～0.28)、0.43(0.40～0.43)；前胸背板长 0.78，前缘宽 0.70(0.68～0.70)，后缘宽 1.23(1.15～1.23)；小盾片长 0.50(0.42～0.50)，宽 0.58(0.53～0.58)；爪片端-革片端 0.50(0.40～0.50)，革片端-膜片端 0.86(0.83～0.86)。

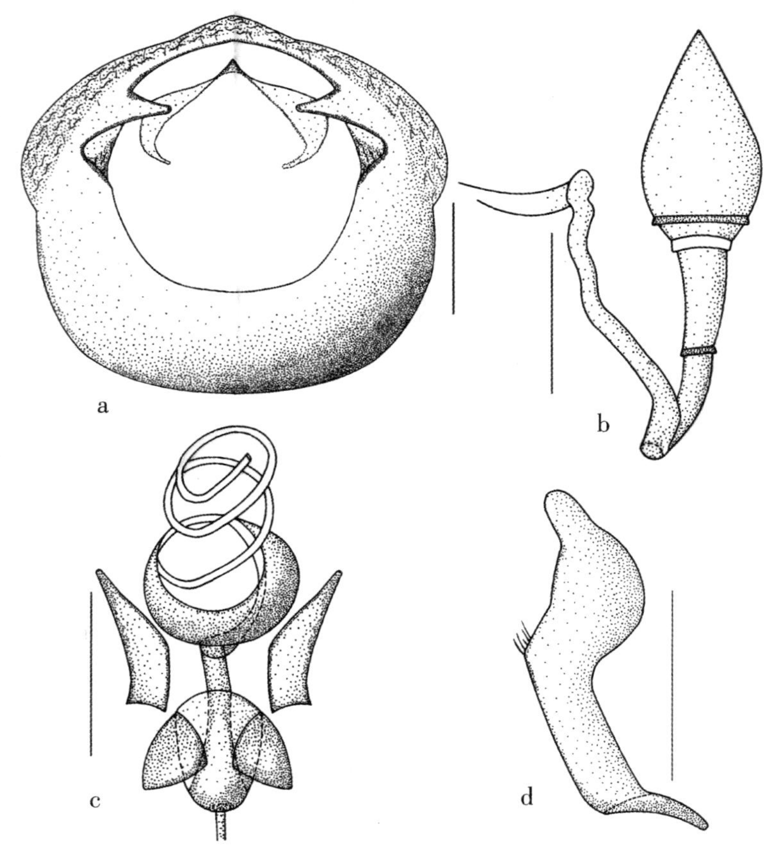


图 93　锥突眼长蝽 *Chauliops conica* Gao *et* Bu

a. 生殖节开口背面观；b. 雌虫受精囊；c. 雄虫阳茎骨片；d. 抱握器。比例尺：0.1mm

**采集记录：**3♂(副模)，凤县大散关，1200m，1999. Ⅸ. 03，李传仁采；1♂(正模)，佛坪岳坝保护区，2006. Ⅶ. 20，许静阳采；1♂3♀，同前；1♀(副模)，同前，2006. Ⅶ. 23；4♀(副模)，同前，1100m，2006. Ⅶ. 23，丁丹采；1♀(副模)，1100m，同前，2006. Ⅶ. 19，丁丹采；1♂(副模)，同前，2006. Ⅶ. 21，1100m，李晓明采；1♀(副模)，1100m，同前，2006. Ⅶ. 24，李晓明采；2♀(副模)，佛坪，2006. Ⅶ. 25；5♂4♀(副模)，佛坪，2006. Ⅶ. 25，丁丹采。

**分布：**陕西(凤县、佛坪)、湖北、广西、四川、云南。

**讨论：**该种与其他种区别之处在于各足胫节基部和端部1/3处各具1个深色环，雄虫生殖节开口每侧具2个侧突。雌虫受精囊球部端部非常尖。与*C. fallax*外观上看非常相似，除上述不同之处外，头部稍宽。与*C. nigrescens*不同之处为前胸背板刻点不均匀，雄虫生殖节开口每侧2个侧突而不是1个，抱握器基干稍窄于叶片而不是等宽。胫节基部和端部1/3处各具1个深棕色环而不是胫节基部和端部1/3深色。

## (256) 豆突眼长蝽 *Chauliops fallax* Scott, 1874（图版4：5）

*Chauliops fallax* Scott, 1874：428.

**鉴别特征：**体色变化较大，从红褐色到黑棕色，广布种。头及前胸背板栗褐色至黑褐色，眼柄长，远离前胸前缘。触角第1、4节色深，第2、3节淡黄至淡褐色；触角第1节较长，略长于小颊。头在单眼前方有时有2条黑色纵带。前胸背板胝区黑色，中线及两侧中部略隆出的区域淡色，刻点同色或加深。小盾片黑色。爪片及革片淡黄白色，端部在近外缘及端缘时渐深，成黑褐色边缘，革片中部偏内有1个黑褐色斑。膜片淡白色，微有暗色晕。体下栗褐色至黑褐色，腹部常较深，胸下色常较斑驳，在深色个体中，各节侧板后缘及基节臼等地色常较淡。第5、6两节叶状突前半淡色，后半黑褐色，第7节叶状突淡色，中央具黑褐色横带，向后伸出较远端部呈尖角状。各足股节端部1/3处下方均有1个明显的刺。体色深，褐色至黑褐色，股节端部1/2～2/3及胫节基部黑褐色。抱握器：叶片端部平截，中央不缩细；具内突（与郑1981相比较尖），上着生细毛；外突弯曲圆润。基干向外突方向较细延伸。储精囊：精泵端部宽基部窄，成倒梯形。翼骨片色淡，不明显。阳茎端导精管具螺旋状骨片。

**量度（mm）：**体长2.28～3.00；头长0.20～0.33，宽0.78～0.92；眼间距0.53～0.65，单眼间距0.10～0.16；小颊长0.28～0.375；触角1～4节的长度分别为0.26～0.38、0.35～0.47、0.25～0.30、0.33～0.45；前胸背板长0.63～0.88，前缘宽0.58，后缘宽1.03～1.22；小盾片长0.33～0.45，宽0.47～0.65；爪片接合缝长0.10；爪片端-革片端0.52，革片端-膜片端0.90。

**采集记录：**1♀，宝鸡，1951. Ⅴ.04（存于中国科学院动物研究所）；1♂，佛坪岳坝保护站，1100m，2006. Ⅶ.20，许静杨采。

**分布：**陕西（宝鸡、佛坪）、北京、天津、河北、山西、河南、山东、甘肃、上海、江苏、安徽、浙江、湖北、江西、湖南、福建、广西、四川、贵州、云南；日本，印度，斯里兰卡。

# 二十三、梭长蝽科 Pachygronthidae

高翠青[1] 卜文俊[2]
(1. 南京林业大学林学院，南京 210037；2. 南开大学昆虫研究所，天津 300071)

**鉴别特征：**梭长蝽为细长种类，通常为淡色。头部下倾，小颊短小。触角延长，线状或稍成纺锤形。触角第 1 节或者远超过头端(Pachygronthinae)，或仅仅伸达头部中叶端(Teracrinae)。前胸背板梯形，通常具 1 个浅横缢。前足股节膨大，被显著刺。前翅前缘不扩张。膜片翅脉不具翅室。大部分种类是长翅型。所有腹部气孔位于腹面。腹板节间缝伸达侧缘。雄虫抱握器或者具一绺感觉毛(Pachygronthinae)或缺失(Teracrinae)(Slater, 1955; Schuh & Slater, 1995; Henry, 1997)。

**生物学：**取食单子叶植物。

**分类：**分布于所有主要动物区系，主要是热带和亚热带地区。中国记录 4 属 13 种，陕西秦岭地区分布 1 属 2 种。

## 140. 梭长蝽属 *Pachygrontha* Germar, 1838

*Pachygrontha* Germar, 1838: 152. **Type species**: *Pachygrontha lineata* Germar, 1838.

**属征：**头微下倾，并缩入前胸，使眼与前胸背板相接。头侧叶扁并向上直立。触角细，极长。小颊短小，位于喙的基部。头通过眼的最大宽度远小于前胸背板基部的宽度。前胸背板两侧直，具边，中纵脊不突出，后缘直或稍弯，具横缢，但不明显，因此前后叶界限不明。半鞘翅前缘直，不宽于腹部侧接缘的宽度。若虫臭腺孔在第 4、5 两节前面。身体背腹两面具粗大刻点，前足股节膨大，腹面具刺，前足胫节比股节短，所有腹气门均位于腹面，腹节缝直，并直达侧缘。

**分布：**中国记录 9 种，秦岭地区发现 1 种 2 亚种。

### 分种检索表

雄虫触角第 1 节大于前胸背板长的 2 倍 ······················· **长须梭长蝽 *P. antennata antennata***
雄虫触角第 1 节小于前胸背板长的 2 倍 ······················· **短须梭长蝽 *P. antennata nigriventris***

### (257) 长须梭长蝽 *Pachygrontha antennata antennata* (Uhler, 1860) (图版 4: 6)

*Peliosoma antennata* Uhler, 1860: 229.

*Pachygrontha antennata*: Stål, 1874: 141.

**鉴别特征：** 黄褐色至暗褐色，身体腹面和头部具有浓密的金黄色丝状毛。头部、小盾片基部、胝区内侧的弧形斑、革片端缘的顶角、内角和中央大斑黑褐色。头渐下倾，唇基几乎与头顶垂直，前端稍尖，头顶平滑，侧叶具脊，较低。触角细长丝状，黄褐色，第1节末端膨大部分褐色，第4节色深，微弯。喙黄褐色，伸达中胸腹板中部，第1节超过头的中部，小颊短小。前胸背板黄褐色，刻点密，黑褐色，侧缘在后部内凹，后缘具4个褐色斑，有时不明显；后缘在小盾片基部微突，横缢宽，不甚明显，前叶中纵线明显，其两侧（胝区内侧）的弧形斑黑褐色。小盾片横脊呈弧形隆起，其两侧黄褐色，刻点黑褐色，中脊低、尚明显。半鞘翅黄褐色，刻点均匀、褐色，前缘在小盾片末端开始向外微弯曲，革片端缘直，其顶角、内角和中央大斑甚显，中斑大，有向翅基延伸的趋势，但不明显。膜片脉间褐色，达到或接近腹部末端。腹部背面黑色，侧接缘黄褐色，倒数第1、2节每侧各具1个黑斑，有时无。胸部侧面黄褐色，中部具1个隐约黑褐色纵带，刻点密集，黑褐色，中、后胸腹面黑色。臭腺沟缘短小耳状，黄褐色。足黄褐色，股节、胫节具黑斑，前足和中足基节黑色，前足转节和后足基节褐色，前足股节极膨大、黑色，下面具4个大刺和许多小刺。雄虫腹部腹面黑褐色，侧缘褐色，雌虫腹部腹面黄褐色至褐色，两侧的宽纵带和产卵器附近黑褐色。

生殖节开口小，侧缘片状向内折入，背面观侧突1对，伸向中上方；中突端部缩细成细尖状，尖突显著延长。抱握器短小，叶片成短三角形状，外突隆起，宽，较方，外突背方着生一撮长直立毛；内突2个，刺状，向斜后伸出。阳茎完全缩入生殖鞘内，生殖鞘端部缢缩，阳茎不可膨胀。

**量度（mm）：** 体长7.60（8.20～7.00）（♀）、8.35（8.90～7.80）（♂）；头长0.99，宽1.20；眼间距0.75；♀触角1～4节的长度分别为2.30、1.47、1.20、0.95，♂触角1～4节的长度分别为4.30、2.90、2.30、1.10；前胸背板长1.80，前缘宽1.10，后缘宽2.05；小盾片长1.15，宽1.10；爪片端-革片端1.60，革片端-腹部末端1.92；前足股节长2.00（♀）、2.70（♂）。

**采集记录：** 8♂3♀，佛坪岳坝保护站，2006.Ⅶ.21，1100m，丁丹采。

**分布：** 陕西（佛坪）、吉林、河北、山东、上海、江苏、安徽、浙江、湖北、江西、湖南、福建、广东、海南、广西、重庆、云南、贵州；日本。

**讨论：** 在检查标本的过程中，经常发现 *P. antennata antennata*（Uhler，1860）与 *P. antennata nigriventris* Reuter，1881 同域分布，由于两种的区分仅是根据雄虫触角的特征，而雌虫之间无明显差别，所以在同域分布的情况下，雌虫的鉴别就存在问题。

## （258）短须梭长蝽 ***Pachygrontha antennata nigriventris*** **Reuter，1881**（图版4：7）

*Pachygrontha antennata nigriventris* Reuter, 1881: 157.

**鉴别特征：**在颜色和形状构造上与长须梭长蝽极为相似，尤其是雌虫。雄虫区别比较明显，前足股节和触角的长短两者区别较大，长须梭长蝽的前足股节和触角明显长于短须梭长蝽，很易辨别。

生殖节开口小，侧缘片状向内折入，背面观侧突1对，位于侧缘中部；中突端部缩细成细尖状，尖突显著延长。抱握器短小，叶片成短三角形状，外突宽圆地隆起，外突背方着生一撮长直立毛；内突2个，刺状，向斜后伸出。阳茎完全缩入生殖鞘内，缩为一团，精泵完全退化，生殖鞘端部强烈缢缩，阳茎不可膨胀。

量度(mm)：♂：体长7.70；头长1，宽1.18；眼间距0.70；触角1～4节的长度分别为2.91、2.12、1.70、0.95；前胸背板长1.65，前缘宽0.96，后缘宽1.90；小盾片长1.10，宽1.10；爪片端-革片端1.50，革片端-腹部末端1.80；前足股节长2.20。♀：体长7.60；头长0.96，宽1.16；眼间距0.70；触角1～4节的长度分别为2.50、1.60、1.30、0.90；前胸背板长1.65，前缘宽0.96，后缘宽1.90；小盾片长1.02，宽1.10；爪片端-革片端1.50，革片端-腹部末端1.80；前股节长1.90。

**采集记录：**2♂，佛坪城关，2006.Ⅶ.25，朱耿平采；1♀，佛坪岳坝保护站，2006.Ⅶ.20，许静杨采。

**分布：**陕西(佛坪)、黑龙江、吉林、山东、江苏、安徽、浙江、湖北、湖南、福建、四川、贵州；俄罗斯，日本。

# 二十四、地长蝽科 Rhyparochromidae

李俊兰[1] 卜文俊[2] 谢强[2]

(1.内蒙古大学生命科学院，呼和浩特 010020；
2.南开大学昆虫学研究所，天津 300071)

**鉴别特征：**腹部腹面第4、5腹节间的节间缝(第3腹接缝)在两侧向前方斜伸，终止于侧缘附近的“毛点沟”处，一般不伸达侧缘，且第4、5腹节多少愈合，只有少数属种(直腹族的 *Bryanellocoris* Slater，*Primierus* Distant，*Prosomoeus* Scott 属)此缝直而完整，伸达侧缘。头部常在复眼附近具有着生于毛点上的“毛点毛”。前股常发达膨大，下方多具刺。

**分类：**中国记录63属166种，陕西秦岭地区发现6族12属15种。

### 分族检索表

1. 腹部气门全部位于腹面腹板上 …………………………………………………… 2
   至少第4腹节气门位于背面 …………………………………………………… 5
2. 第5腹节侧方的后毛点近于该节气门而远于该节后缘 …………………… **林栖族 Drymini**

第 5 腹节侧方的后毛点近于该节后缘而远离该节气门 ………………………………………… 3

3. 第 5 腹节具 2 个毛点，分别位于该节的前缘和后缘，互相远离，后毛点位于该节气门之后；腹部背面无内侧背片 ………………………………………………………… **直腹族 Ozophorini**

第 5 腹节具 3 个毛点 …………………………………………………………………………………… 4

4. 第 5 腹节的中毛点与前毛点靠近而远离后毛点；头顶基部具 1 对虹彩区；前胸背板前角处常有 1 对刚毛状毛；革片端缘直 ………………………………………………… **毛肩族 Lethaeini**

第 5 腹节的中毛点靠近后毛点而远离前毛点，或者 3 个毛点等距排列；头顶基部无虹彩区；前胸背板前角处没有刚毛状毛 ………………………………………………… **微小族 Antillocorini**

5. 第 2 腹节气门位于背面 ……………………………………………………… **缢胸族 Myodochini**

第 2 腹节气门位于腹面 …………………………………………………… **地栖族 Rhyparochromini**

## Ⅰ. 微小族 Antillocorini Ashlock, 1964

**鉴别特征**：体小型；小颊在头腹面前端 1/2 后愈合；头基部无虹彩区；前翅革片端缘基部 1/3 ~1/2 明显向内凹弯；腹部所有气门位于腹面；第 5 腹节中毛点与后毛点靠近；若虫腹部背面无“Y”形缝，腹部背面第 3，4，第 4、5 和第 5、6 腹接缝中央具 3 对臭腺孔。

腹部背板具内侧背片（inner laterotergites）或否，以及气门是否位于“sternal shelf”上，具重要的分属价值。

**分类**：中国记录 1 属，秦岭地区发现 1 属 1 种。

### 141. 微小长蝽属 *Botocudo* Kirkaldy, 1904

*Salacia* Stål, 1874: 154 (nec Lamouroux, 1816). **Type species**: *Aphanus diluticornis* Stål, 1858.

**属征**：体微小型，体长 2 ~ 3mm，短椭圆形。多有光泽。头平伸，短宽。小颊长，在头的近基部汇合。前胸背板梯形，较平坦，前、后两叶间无明显的横缢，侧缘钝圆或具钝厚的棱边。小盾片三角形，长宽相近。爪片具刻点 3 列。革片端缘基部 1/3 ~ 1/2 向内凹弯。后胸臭腺沟缘向后强烈凹弯。前股常较膨大，下方常具 1 列极细小的齿和 1 列刚毛状毛。第 4、5 腹节的 3 个毛点成直线排列，中毛点与后毛点靠近，远离前毛点，后毛点位于该节气门之前。

**分布**：中国记录 5 种，秦岭地区记述 1 种。

#### (259) 黑褐微长蝽 *Botocudo flavicornis* (Signoret, 1880)

*Tropistethus flavicornis* Signoret, 1880: 538.

*Botocudo flavicornis*: Scudder, 1970: 98.

**鉴别特征：**头黑色或深黑褐色，具紫色光泽，有较深的刻点，平伏毛密，复眼毛明显。头眼前部分短于眼前缘至头后缘的长。触角黑褐色，但在浅色个体中第1节黄褐色，第2～4节褐色，第1节约1/3伸过头端。头下方平伏毛密，显著，前指。喙淡黄褐色，达中足基节。前胸背板黑褐色，有时后叶较淡，褐色；前、后缘逐渐成黄褐色，具光泽，多少呈虹彩状。前叶略隆出，背板除侧缘及后侧角外，全部具刻点，较密，前叶者浅，前缘略后凹，后缘在小盾片前凹入，后缘前角宽圆，其余几乎直，或微凹。小盾片黑褐色，色同头部，末端黄白色，具光泽。爪片与革片黄褐色，爪片内侧刻点列由16～17个刻点组成，革片端角处及前缘中部有1个黑褐色斑，常较隐约，有时革片内角处有1个黑褐色斑。膜片透明，伸达腹端。革片前缘成较均匀的弧形。体下黑褐色至黑色，基节臼、后胸侧板后角、革片折缘及足褐色。胸下具粗糙的深刻点，较稀。前股膨大，下方有10～11枚左右极短小的刺。腹部只有第2节的气门位于shelf上，其余位于shelf下。

**量度(mm)：**体长2.30～2.80(♂)、2.30～3.00(♀)；头长0.34～0.38，宽0.55～0.61；眼间距0.34～0.40；触角1～4节的长度分别为0.19～0.20、0.30～0.31、0.25～0.26、0.36～0.38；前胸背板前缘宽0.50～0.60，后缘宽1.05～1.10，长0.45～0.55；小盾片宽0.61～0.73，长0.54～0.69；爪片结合缝长0.15～0.18，爪片缝长0.75～1.00，革片端缘长0.63～0.76。

**采集记录：**2♀，留坝，1400～1600m，1994.Ⅷ.01，董建臻、陈军采；1♀，同前，1994.Ⅷ.31，周长发采。

**分布：**陕西(留坝)、天津、甘肃、浙江、湖北、江西、福建、海南、广西、重庆、四川、贵州、云南、西藏；印度尼西亚，菲律宾，太平洋岛屿。

## Ⅱ. 林栖族 Drymini Stål, 1872

**鉴别特征：**体中小型，大多长卵圆形。具长翅型和短翅型。复眼形态多样，大而圆或小而具柄；与前胸背板前缘接触或否，头平伸或下倾；小颊大多前端高，向后降低，但也有的属小颊全长均高。头顶无纵沟。前胸背板梯形，葫芦形或方形，前缘具狭窄的领或无，侧缘成狭细的线状或扩展成叶片状，前、后叶间大多具横缢。小盾片多具"Y"形脊。爪片刻点2～4列。革片端缘直或向内凹弯。前足股节多膨大，具刺或否。第4、5腹节间的腹接缝向前弯(*Gastrodes*属除外)。内侧背片在腹部第3～5节存在，第4、5腹节腹面具2个毛点，全部位于该节气门的前方，该节气门位于该节中段1/3，若虫臭腺孔遗迹在第3、4，第4、5和第5、6节间存在，第1个最大，后2个相等大。

**分类：**中国记录15属，秦岭地区发现3属3种。

### 分属检索表

1. 前胸背板侧边成扁薄的叶状边，全长宽度不一，在两叶间显著加宽 ······························ 2
   前胸背板侧边全长宽度一致 ·························································· **林长蝽属 *Drymus***
2. 触角第 1 节不及 1/2 伸过头端 ················································ **斑长蝽属 *Scolopostethus***
   触角第 1 节 1/2 以上伸过头端 ················································ **点列长蝽属 *Paradieuches***

## 142. 林长蝽属 *Drymus* Fieber, 1860

*Drymus* Fieber, 1860: 46. **Type species**: *Drymus pilipes* Fieber, 1861.

**属征：**体中小型，为较短的椭圆形，黑褐色，一般光泽较弱，具刻点。头平伸或略下倾，背面微拱，宽大于长。眼相对较小，接近前胸前缘，单眼位于复眼后缘水平位置之后，中叶常伸出于侧叶之前。小颊前半高，然后骤然降低，伸至靠近头的基部处，左右愈合。前胸背板梯形，较平，分为前、后两叶，两叶分界明显，侧缘具狭边，宽度一致，于两叶间内凹。小盾片侧角处有短而隆起的斜纹，基部中央区域宽平地略微下凹。爪片刻点 4~5 列。中胸侧板蒸发域面积小，占据面积不及中胸侧板面积的 1/2，具粉被，臭腺沟缘狭长，向后方弯曲。前股下方常有小刺，数目不等或无。

**分布：**中国记录 5 种，秦岭地区记述 1 种。

### (260) 林长蝽 *Drymus* (*Sylvadrymus*) *sylvaticus* (Fabricius, 1775)

*Cimex sylvaticus* Fabricius, 1775: 722.

*Drymus* (*Sylvadrymus*) *sylvaticus*: Slater, 1964: 890.

**鉴别特征：**头黑色，光泽不强，有密刻点及短小平伏毛，头背面略隆出。单眼位于复眼后缘的水平位置之后。触角黑色，第 4 节端部常较淡，但有的个体不明显，一色黑，第 1 节约 1/2 伸过头端。喙伸达中足基节，第 1 节伸达前胸前缘。前胸背板全黑，略具光泽，后叶仅在近后缘处逐渐成深黑褐色，有的个体全黑色；遍布密刻点，前叶刻点较细密，后叶者较粗糙，大而深；前缘微凹，后缘在小盾片前凹入，侧缘狭棱边状，后叶较显，前叶的刻点伸达最外缘，后叶则止于棱边内缘，侧缘在两叶交界处凹入不强烈，前、后叶长度近等。小盾片黑色，爪片及革片污黄褐色至褐色，斑驳，刻点黑褐色。爪片端部及外侧 2 列刻点间的中部常为淡黄白色，Cu 脉中部有 1 个白斑，其两端常有黑色较大的晕斑，Cu 脉后半色常深，R + M 脉后半及端缘以及前缘末端常为褐色；但有时色淡，整个翅的深色色斑均不甚显著。革片前缘较直，不强烈外扩成卵圆形。膜片端半各脉间淡黄褐色至淡烟黑色，各脉及膜片基半淡色，常在沿基缘中部有 1 个横斑及中间二脉之间近基部处有 1 个小圆斑黑褐色。体下全黑色，或腹部后端较淡。足黑色，跗节常较淡。前股下方有1个不大的刺。

**量度**(mm)：体长4.40～5.30(♀)、3.70～4.30(♂)；头长0.60～0.75，宽0.80～0.98；眼间距0.50～0.63；触角1～4节的长度分别为0.25～0.40、0.50～0.75、0.38～0.50、0.40～0.60；前胸背板前缘宽0.65～0.83，后缘宽1.40～1.90，长0.88～1.18；小盾片长0.88～1.20，宽0.75～1.08；爪片缝长1.25～1.88，革片端缘长1.00～1.38。

**采集记录**：1♂，凤县天台山，2000m，1999.Ⅸ.03，李传仁采。

**分布**：陕西(凤县、留坝)、黑龙江、吉林、河北、河南、甘肃、湖北、四川、贵州、云南、西藏；俄罗斯(西伯利亚)，中亚地区，欧洲。

## 143. 点列长蝽属 *Paradieuches* Distant, 1883

*Paradieuches* Distant, 1883: 438. **Type species**: *Paradieuches lewisi* Distant, 1883.

**属征**：体中小型，狭长。头平伸，头顶微拱圆，具极浅刻点及平伏毛。前胸背板梯形，侧缘明显成薄边状，具领，前、后叶间具横缢，前叶隆出，后叶较平；前叶刻点稀浅。小盾片长，中央具高的"Y"形脊，具刻点。爪片具整齐的刻点3列。革片沿爪片缝有完整的刻点2列，前缘域内侧有完整的刻点1列，R脉后半外侧、M脉旁及沿端缘各有1列刻点，形成整齐的图案。臭腺沟缘隆起不显，端部下垂。前股发达，膨大，下方具1枚大刺及2行较短的小刺。雄虫前胫弯曲。

**分布**：中国记录2种，秦岭地区记述1种。

### (261) 褐斑点列长蝽 *Paradieuches dissimilis* (Distant, 1883)

*Dieuches dissimilis* Distant, 1883: 483.

*Paradieuches dissimilis*: Scudder, 1962: 770.

**鉴别特征**：体狭长，斑纹美丽，无强光泽。头黑色，中叶端部稍带褐色，表面丝绒状，刻点极浅，平伏毛短小，密。头平伸，三角形，较尖。触角褐色，第3、4节黑褐色，第3节基部褐色，被金黄色平伏小毛，密，第1节1/2以上伸过头端。喙褐色，达中足基节，第1节伸达前胸前缘。头下具灰黑色粉被，后半具较明显的刻点。前胸背板黑色，表面丝绒状，侧边淡黄白色，后端最外缘黑色，其内侧为1个淡褐色纵纹。前胸背板狭长。小盾片黑色。爪片及革片基部2/5淡黄白色，爪片内缘、革片端部3/5褐色至锈褐色，一色而平整，只爪片端部中央有1个深褐色纵纹，革片内角及深色域前缘R与Cu脉间有1个褐色小斑，前缘域中段及稍靠后各有1个黑褐色大斑，2斑间淡黄白色，翅上刻点列黑褐色，排列十分整齐。膜片黑褐色，基缘及后缘宽阔，淡白色，顶角处亦淡色，后缘基部狭窄，淡黑褐色，伸过腹部末端。革片前缘在2/5处显著扩大，以致身体后半渐宽。体下方黑色，胸下丝绒状(具粉被)，具刻点。中胸腹板中央无突起。腹部略具光泽。足褐色，基节及前股常较深。

**量度(mm)：**体长4.65～5.60(♀)、4.75～4.90(♂)；头长0.75～0.83，宽0.80～0.88；眼间距0.48～0.50；触角1～4节的长度分别为0.55～0.58、1.0～1.05、0.98～1.00、0.95～0.98；前胸背板前缘宽0.63～0.70，后缘宽1.25～1.40，长1.13～1.38；小盾片长0.75～0.88，宽0.63～0.68；爪片缝长1.25～1.38，革片端缘长1.13～1.25。

**采集记录：**1♀，周至，1350m，1999. Ⅵ. 24，朱朝东采(IZAS)。

**分布：**陕西(周至、凤县、宁陕)、浙江、湖北、福建、广西、四川、贵州、云南；日本。

## 144. 斑长蝽属 *Scolopostethus* Fieber, 1860

*Scolopostethus* Fieber, 1860: 49. **Type species**: *Scolopostethus cognatus* Fieber, 1861.

**属征：**体中、小型，长椭圆形，体长3～5mm。头平伸，复眼几乎接触前胸前缘，背面略拱圆。触角基由背面明显可见。头明显宽于领。触角节较粗壮，第1节约1/2超过头端。前胸背板为接近方形的梯形，具领，前叶隆出，后叶平，两叶间具略下凹的横缢；前叶具叶片状侧边，后缘在小盾片前方前凹，前叶周围及后叶具刻点。小盾片基半中央略下凹。爪片及革片淡色而有黑褐色斑，爪片全长平行，周围具完整的刻点列，中央刻点列2行，后半不甚整齐。有些种中胸腹板上具1对程度不同的突起。前股膨大，下方具刺列，其中有1～2枚大刺。

**分布：**中国记录5种，秦岭地区记述1种。

### (262) 中国斑长蝽 *Scolopostethus chinensis* Zheng, 1981

*Scolopostethus chinensis* Zheng, 1981: 138.

**鉴别特征：**头黑色，无光泽，被平伏小毛，复眼内侧有1对长的"毛点毛"，其余无任何直立毛。触角黑色，第2节基部常渐狭，有时第1节末端亦狭窄，淡色，云南南部个体第4节端半常渐淡，第1节约1/2伸过头端。喙达中足基节中部，第1节达头的基部，头背面刻点极不显著，几乎不可辨，有时头顶基部中央可见较明显的刻点，腹面基半具较明显的刻点。复眼具极短小的毛。前胸背板无光泽，前叶黑色，领及后叶褐色，后叶中线两侧常有2条宽纵带，完整或向后渐消失，其外缘向外斜伸，后叶外缘处前叶的黑色部分后延成带状，达前胸后缘，叶状边淡白色，后端成黑斑状，侧缘直，或微内凹；长与宽之比为9:12～14；毛被极为短小，后叶刻点黑色。小盾片黑色。爪片淡白色，刻点及其周围，以及近端部处1个不规则黑褐色斑，中间刻点列在黑斑处多少分为2列状。革片黄白色，前缘中段、中裂(medial fracture)内侧，顶角，内角外侧 1/3 处具黑褐色斑，深色个体前缘中段和中裂内侧的斑连成横带状，革片端部 1/3 黑褐色，刻点及其周围黑色。膜片淡灰褐色，脉及其周围的晕黑褐色，基缘内半成黑褐色横斑状，沿端缘亦成斑驳的黑褐色。胸下黑色，无光泽，前、后胸侧板后缘及基节臼褐色，前胸下方具密的刻点，前、中胸侧板前侧叶刻点较后侧叶稀，后胸侧板后侧叶无刻点。足基节黑褐色，前股黑色，端部常淡色，其余各部分黄褐色，中、后足股节端部常有 1 个黑环，宽窄不等。前股下方刺列中，大刺位于中部略前，其基方有小刺 4 枚，端方 7 ~ 8 枚。腹部漆黑，有光泽。雄虫中胸腹面有 1 对略向后指的短钝突起，此突起在雌虫中更钝而不显著。

**量度**(mm)：体长 3.61 ~4.61(♀)、2.89 ~4.06(♂)；头长 0.57 ~0.65，宽 0.70 ~0.78；眼间距 0.28 ~0.30；触角 1 ~4 节的长度分别为 0.38、0.55 ~0.63、0. 50、0.55 ~0.63；前胸背板前缘宽 0.55 ~0.63，后缘宽 1.15 ~1.45，长 0.80 ~0.98；小盾片长 0.65 ~0.88，宽 0.63 ~0.85；爪片缝长 1.13 ~1.38，革片端缘长 0.88 ~1.13，

**采集记录**：5♀2♂，宁陕火地塘，1640m，1994. Ⅷ. 15，卜文俊采。

**分布**：陕西(宁陕)、黑龙江、河北、甘肃、宁夏、浙江、湖北、江西、四川、云南、西藏。

## Ⅲ. 毛肩族 Lethaeini Stål, 1872

**鉴别特征**：体小至中、大型，多为褐色、黑色，常具紫色光泽，毛被稀少。侧叶侧缘常成棱边状，头顶基部常有 1 ~2 个椭圆形的虹彩区。头下方常肿胀，雄虫尤甚；小颊在喙的紧后方左右愈合。前胸背板侧缘多具狭细叶状边，前角处常具 1 根刚毛状长毛。膜片脉间常有横脉相连。第 5 腹节具 3 个毛点，前 2 个毛点相互靠近，最后 1 个毛点远离中毛点，位于该节气门之后。若虫具 3 个臭腺孔，最后 1 个明显狭于前方 2 个，无“Y”形缝。

**分类**：中国记录 3 属，秦岭地区发现 1 属 1 种。

### 145. 毛肩长蝽属 *Neolethaeus* Distant, 1909

*Neolethaeus* Distant, 1909a: 340. **Type species**: *Neolethaeus typicus* Distant, 1909.

**属征**：体中小型至中大型，椭圆形，多褐色至黑褐色而有黄斑，常有光泽。头三角形，平伸，侧叶边缘多少呈棱边状，中叶略向前突出，单眼靠近基部，与复眼接近。触角第 1 节略膨大，较长，常有 1/2 以上超过头端，第 2 节长于第 3 节，纤细。喙第 1 节达头基部。前胸背板梯形，具领，其后缘后凹，侧缘成狭边状，后侧角圆钝，胝区隆出，较大，前、后叶间的横缢不明显，后叶刻点较前叶粗糙，有的种类在中央具 1 个纵脊，侧缘几乎直或在中央略凹弯，后角处常具黄斑；侧缘前端处有 1 个明显的

直立长毛。小盾片长宽相近，中央下凹，具“V”形圆脊。爪片具4列完整的刻点，内侧2列有时不甚整齐。革片遍布刻点，膜片具4脉，外侧3脉间有横脉相连，在膜片基部形成完整的2个翅室。体下方常有光泽。前股略膨大，具短小的刺，中、后足股节具刚毛状刺，胫节亦具刚毛状粗刺，有的种类雄虫后股膨大，下方具疣状突起，后足第1跗节为后2节之和的2倍。

**分布：**中国记录8种，秦岭地区记述1种。

### (263) 东亚毛肩长蝽 *Neolethaeus dallasi* (Scott, 1874)

*Lethaeus dallasi* Scott, 1874: 438.

*Neolethaeus dallasi*: Ashlock, 1964: 420.

**鉴别特征：**头黑色或深黑褐色，背面两侧被平伏小毛，头顶基部有2个半椭圆形的虹彩区，侧叶及头顶基部中央具密的刻点。触角褐色至黑褐色，第1节除末端外，第2节基部大半、第3节基部及末端色较淡，第1节一半以上伸过头端。喙黄褐色，伸达后足基节，第1节约达头的基部。头下方具粗糙刻点。前胸背板深褐色至黑褐色，胝区略隆出，领、侧边及后角处斑纹(常横列或成“L”形)黄色，刻点较浅，胝区缺，侧缘中部微凹入，小盾片“V”形脊和缓地隆起，较小盾片底色浅。小盾片黑褐色，“V”形脊上刻点稀少。爪片内侧第2刻点列在后半多少弯曲，常在该处出现不整齐的2列，爪片底色深浅不一，如为深色(褐色)时，则内侧2列刻点之间有2个长白斑，一在相当于小盾缝中部，一在内角处，色浅时，仅刻点及其周围为褐色，其余部分均为淡黄褐色。革片淡色部分面积较大，基半淡黄褐色，后半底色黑褐色，各脉淡色或至少R+M分支的两端部淡色，端缘处内侧R+M与Cu脉间有1个大的方形淡斑，端缘处外侧亦有1个形状不规则的大淡斑，深色个体中基半在R+M与Cu脉间底色亦为黑褐色，中间包围1个淡色斑块。膜片淡烟色，脉色略深。体下方栗褐色至黑褐色，有光泽。前股下方除刚毛状刺外，近端部处有3~4根粗刺。雄虫后足股节较为膨大，下方有粗糙的疣状突起。雄虫腹部第7节腹面后缘具3个小齿状突起。

**量度(mm)：**体长5.80~8.10(♂)、6.60~8.10(♀)；头长0.87~1.13，宽1.01~1.30；眼间距0.63~0.75；触角1~4节的长度分别为0.70~0.87、1.0~1.40、0.83~1.00、1.00~1.38；前胸背板前缘宽0.87~1.20，后缘宽1.83~2.50，长1.18~1.50；小盾片宽0.95~1.58，长1.0~1.63；爪片缝长1.88~2.75，革片端缘长1.38~2.00。

**采集记录：**1♀，凤县双石铺，1100m，1994.Ⅶ.31，董建臻采；1♂，留坝庙台子，1400m，1994.Ⅷ.02，董建臻采；1♀1♂，镇坪牛头店乡沙坝，600m，2003.Ⅶ.02，于海丽。

**分布：**陕西(凤县、略阳、留坝、镇坪)、内蒙古、北京、天津、河北、山西、河南、山东、甘肃、江苏、安徽、浙江、湖北、江西、湖南、福建、台湾、广东、广西、四川、重庆、贵州、云南；韩国，日本。

# Ⅳ. 缢胸族 Myodochini Blanchard, 1845

**鉴别特征:** 头伸出或略下倾。前胸背板侧缘圆钝, 不成薄片状, 亦无明显的侧脊; 前、后叶间分界明显, 常具深的横缢, 前叶多圆拱, 侧缘多成弧形, 具领。腹部第4、5两节腹板愈合, 两节之间的腹板缝不达腹部侧缘, 腹部第2 ~4节的气门位于背面, 其余位于腹面, 第5腹节的气门位于该节毛点之前, 第4、5腹节毛点1对; 腹部背面若虫臭腺孔遗迹3对, 第1对最大, 后2对一样大小。背板无内侧背片。

**分类:** 中国记录12属, 秦岭地区发现4属5种。

### 分属检索表

1. 前胸背板前、后叶间的横缢浅, 不成明确的线纹 …………………… **浅缢长蝽属** ***Stigmatonotum***
   前胸背板前后叶间具明显的横缢 …………………………………… 2
2. 前胸背板具长短不一的直立或半直立毛 …………………… **刺胫长蝽属** ***Horridipamera***
   前胸背板无任何明显的半直立或直立毛 …………………………………… 3
3. 头侧缘不成屋脊状棱边 …………………………………… **细长蝽属** ***Paromius***
   头侧缘成屋脊状棱边 …………………………………… **缢胸长蝽属** ***Gyndes***

## 146. 缢胸长蝽属 *Gyndes* Stål, 1862

*Gyndes* Stål, 1862: 314. **Type species**: *Rhyparochromus malayus* Stål, 1860.

**属征:** 头宽大, 三角形, 平伸或下倾, 侧叶外缘成屋檐状棱边突出于颊部之上。眼后区一般发达, 向后逐渐变狭。复眼不靠近前胸前缘。前胸背板领的后缘以及前、后两叶间的横缢十分明显, 领有刻点, 前叶在部分种类中发达而隆起, 但不特别长大, 前、后叶长度常相差不特别大, 侧面观前叶一般不高于后叶; 无任何直立毛或半直立毛。小盾片及革片亦无直立毛。革片底色多淡, 有光泽, 中段有1条黑色或褐色的横带, 带内内角下方有1个淡色斑, 端缘及顶角常黑。雄虫前股下方无任何刺突或小齿。

**分布:** 中国记录6种, 秦岭地区记述1种。

### (264) 川鄂缢胸长蝽 *Gyndes sinensis* (Zheng, 1981)

*Paraeucosmetus sinensis* Zheng, 1981: 179.

*Gyndes sinensis*: Slater & O'Donnell, 1995: 156.

**鉴别特征：**头相对较大而前胸前叶相对较小，平伸，不下倾。头黑色，丝状平伏毛明显，眼较大，眼后区发达，该区长度等于眼至触角基之间的距离。头端至触角基、触角基至眼、眼长、眼至前胸前缘之比为3.50∶2.00∶3.50∶2.00。触角淡褐色，第1节背侧有黑褐色纵纹，第2、3节向端部渐深，第4节深褐色，在最基部之前有1个宽白环，第1节约1/4伸过头端。喙伸达前足基节后缘。前胸背板后叶比前叶宽出甚多，前、后叶长度相近，侧面观前叶背面明显低于后叶。前胸背板黑，后叶后缘成极狭窄的完整褐色边，后叶后半中央有2个褐色斑，有时隐约，相距较近，有时可相连，侧角前有时有1个甚为隐约的小褐色斑。小盾片末端黄白色，爪片黑褐色，中央有2条淡纹，外方者长，起自爪片基部，内方纹短，两纹间被完整的黑纹分开，内外侧均不接触爪片边缘，端部白纹明显，常成小三角形，顶角黑斑成斜四角形。膜片黑褐色，内侧二脉基部及外侧三脉淡色，端半中央有1个淡白色大圆斑。体下黑褐色至黑色，领下方前缘、前胸侧板后缘及各足基节臼后端褐色至黄褐色，后胸侧板后角黄白。前足黑褐色，转节、膝、胫节及第1跗节较淡，中足褐色，转节及股节基半较淡，黄褐色，与深色部分界限不明，后足转节及股节基半淡黄褐色，渐加深成黑褐色，胫节淡褐色，两端黑褐色。腹部侧缘淡褐色，第4、5节间一带为黄色。

**量度(mm)：**体长5.80~6.24(♂)、6.40~6.90(♀)；头长1.24~1.40，宽1.00~1.20；眼间距0.58~0.65；触角1~4节的长度分别为0.48~0.60、1.20~1.26、1.04~1.10、1.20~1.50；前胸背板前缘宽0.66~0.72，后缘宽1.40~1.60，长1.26~1.40；小盾片长0.80~0.92，宽0.68~0.80；爪片缝长1.50~1.60，革片端缘长1.40~1.50。

**采集记录：**2♂，镇巴，1985.Ⅶ.21，任树芝采。

**分布：**陕西(佛坪、安康、镇巴)、山西、河南、湖北、四川、云南。

## 147. 刺胫长蝽属 *Horridipamera* Malipatil, 1978

*Horridipamera* Malipatil, 1978: 89. **Type species**: *Plociomrus nietneri* Dohrn, 1860.

**属征：**体长椭圆形，被有散乱而易脱落的弯曲平伏毛及较多直立毛，体常黑色而有蓝色光泽，具少量黄白色斑。头宽近于长。复眼与前胸远离，眼后头侧缘内倾。触角第1节伸过头端。喙第1节不达头基部。前胸背板前叶常长于后叶，圆筒形或近球形，远狭于后叶，领清楚；后叶具刻点。爪片具刻点2~3列，不规则。前股甚膨大，端半有刺2列，大小不一。雄虫常前胫中部或后半具1枚大刺或数枚后指的齿状刺。

**分布：**中国记录3种，秦岭地区记述2种。

### 分种检索表

小盾片除末端外一色黑褐色，触角第4节基部有白斑，革片色深，紫褐色，前缘域黄褐色 ……
………………………………………………………………………… **白边刺胫长蝽 *H. lateralis***

小盾片黑褐色，“Y”形脊的两臂褐色，触角一色黑褐色，革片色淡，黄褐色，散布有小的黑褐色斑……………………………………………………………………… 褐刺胫长蝽 ***H. inconspicua***

## (265) 褐刺胫长蝽 *Horridipamera inconspicua* (Dallas, 1852)

*Rhyparochromus inconspicuus* Dallas, 1852: 547.

*Horridipamera inconspicua*: Slater, 1979: 22.

*Pamerarma rustica*: Zheng & Zou, 1981: 169.

**鉴别特征**：头黑色，三角形，平伸或前半微下倾，平伏毛细小，不蓬松，眼无毛。头的眼前部分长、眼长与眼后部分长之比为4:3:1。咽颊区多少有些饱满。头高、眼高与领高之比为6.50:3.40:7.00。触角黄褐色或淡褐色，第1节基半及第4节黑褐色，第1节刚过头端。喙伸达中足基节前缘。前胸背板褐色，前、后叶有时具紫色光泽，或多少有光泽，后叶向后色渐淡，有时中部色淡及基部色淡而其余区域色深，后缘常黄色，后角前方常有黄色小纵纹或斑；毛被较短小，前叶多少成桶状，可延伸较长；侧面观前叶表面低于后叶。小盾片黑褐色，微有1个褐色细中脊，可贯全长，“Y”形脊两臂处成较宽的褐色纹，小盾片末端黄色。前翅斑驳，底色淡黄褐色，或爪片底色深褐色，外脉淡纹长，几乎贯全长，内脉纹可与端纹相接，常较细，此淡色部分之间常为褐色。革片除内角白斑外，遍布褐色刻点，各脉淡色，Cu脉内侧以及R+M脉与Cu脉间区域色常深，黑褐色，R+M脉两分支所包围的区域内近端缘处又有1个很隐约但可看出的较小的淡斑，端缘外半黑色，其前方很不平整，常沿R+M脉外支之外侧前伸。膜片底色淡黑褐色而斑驳，深浅不一，脉全部淡色。翅伸达腹端。足黄褐色，前股除端部外，前胫末端、中、后足股节近端部的深色宽环均为黑褐色。雄虫前胫下方中央有1个较大的齿状刺。腹下黄褐色而后半渐深，或全都紫褐色，丝状毛被细密而紧贴，不蓬松。

**量度**(mm)：体长5.00~5.50(♂)、5.10~6.00(♀)；头长0.90~1.04，宽0.96~1.04；眼间距0.50~0.56；触角1~4节的长度分别为0.36~0.40、0.96~1.00、0.85~0.90、0.96~1.00；前胸背板前缘宽0.70~0.80，后缘宽1.42~1.72，长1.24~1.40；小盾片长1.00~1.08，宽0.80~0.92；爪片缝长1.50~1.80，革片端缘长1.10~1.30。

**采集记录**：2♂2♀，佛坪，890m，1999.Ⅵ.26，章有为采。

**分布**：陕西(佛坪)、浙江、湖北、江西、海南、四川、贵州、云南；日本，印度，斯里兰卡，菲律宾，非洲。

## (266) 白边刺胫长蝽 *Horridipamera lateralis* (Scott, 1874)

*Diplonotus lateralis* Scott, 1874: 432.

*Horridipamera lateralis*: Zheng & Zou, 1981: 171.

**鉴别特征：** 头黑色，尖长而平伸，雄虫尤甚。雌虫头的眼前部分长、眼长与眼后部分长之比为4.50∶3.00∶1.50；眼后区发达，头较狭，眼间距相对较小，眼间距与眼宽之比为4.50∶2.40。头侧缘眼前部分垂直，平伏毛显著，密，直立毛长，较*H. nietneri*为细而且较稀疏。侧面观头高略小于领高，眼显得较大，触角第1、2节淡褐色，有时第1节基部色深，第3节基部淡褐色，然后渐深，成深褐色，第4节深褐色，近基部处为1个宽黄白环。第1节约2/5伸过头端。喙伸过中胸腹板后半。前胸背板黑，后叶后半渐淡，成浓紫褐色，后缘及侧角处的短纵纹隐约地淡褐色至褐色，成狭边状，遍被半直立毛，不甚长，明显短于*H. nietneri*，雌虫前胸领长、前叶长与后叶长之比为1.00∶7.50∶5.50，前叶明显宽于头，远狭于后叶，前狭而后宽，雄虫前叶更长，侧面观前叶表面略低于后叶。小盾片末端黄。前翅革质部密被平伏毛，爪片几乎全部深褐色至紫褐色，革片Sc脉前的区域淡黄白色，其余大部为紫褐色，爪片缝、Cu脉淡褐色，R+M脉更淡，有时基半淡色部分加深，Sc脉与R+M脉间前半色较淡，内角白斑小，圆，或不规则长形，隐约可见，有时明显，淡黄褐色，顶角黑斑为斜列三角形或四边形，斑前的大白斑色较淡，至多只外半为较鲜明的淡黄褐色。膜片烟褐色，脉色略淡，内侧二脉基半沿脉为较粗的淡纹，基缘后方不远外侧有1个隐约的宽白横带。翅伸达腹部末端，翅最宽处在偏后方。腹部下方紫褐色，侧缘色较淡，黄褐色至褐色，界限模糊。足黄褐色，前股黑色，中、后足股节端部黑褐色，雄虫前胫下方中央1~2枚大的齿状刺，近后端处有1枚小齿，前股具长毛。

**量度(mm)：** 体长5.50~5.80(♂)、5.80~7.30(♀)；头长1.00~1.20，宽1.00~1.20；眼间距0.54~0.70；触角1~4节的长度分别为0.42~0.50、0.90~1.14、0.80~1.02、1.10~1.20；前胸背板前缘宽0.70~0.80，后缘宽1.44~2.00，长1.36~1.96；小盾片长1.00~1.20，宽0.80~1.00；爪片缝长1.50~2.00，革片端缘长1.10~1.60。

**采集记录：** 1♂，佛坪，950m，1998.Ⅶ.23，姚建采(IZAS)；1♂，同前，1900~2100m；1♀，镇巴，1985.Ⅶ.20，任树芝采。

**分布：** 陕西(佛坪、镇巴)、北京、河北、河南、安徽、浙江、湖北、江西、湖南、福建、广西、贵州；俄罗斯，韩国，日本。

## 148. 细长蝽属 *Paromius* Fieber, 1860

*Paromius* Fieber, 1860: 45. **Type species**: *Stenocoris gracilis* Rambur, 1839.

**属征：** 体狭长，光滑无毛。头平伸，复眼远离前胸前缘，相对较小，头侧缘眼后部分与眼前部分约等长，眼后区宽大。颊短，终止于喙第1节的近后方，喙第1节伸达头中央或几乎伸达头基部，末端略超过前足基节或伸达中足基节间。前胸背板较狭长，领宽平，内有刻点列或无刻点，常后凹；前叶表面较平，不强烈隆起，梯形或筒形，侧缘多少有些直，两叶间的横缢相对较浅，前叶与后叶等长或长于后叶。爪片刻点5列。爪片与革片浅色，褐色斑一般较少。前股膨大，下方刺列众多，可达十余枚。雄虫前胫略弯，下方无刺。后胸臭腺沟缘略膨大，圆钝，平直，不向后弯。

**分布：**中国记录 3 种，秦岭地区记述 1 种。

### （267）短喙细长蝽 *Paromius gracilis*（Rambur，1839）

*Stenocoris gracilis* Rambur，1839：140.

*Paromius gracilis*：Fieber，1861：171.

**鉴别特征：**头黑色或黑褐色，无光泽，密被平伏白色丝状毛。触角黄褐色至柠褐色，第 1 节下方常黑褐色，成黑色纵纹状。喙短，只伸达前足基节后缘，或微过之，第 1 节短，只达头的中央或略过之，不伸达眼后。前胸背板前叶同头色，领及后叶黄褐色至淡棕褐色，均无光泽，大部分具薄粉被状，至后叶后半渐无，前叶具稀疏短毛，平伏，侧方较密；领及后叶具稀疏而均匀的粗刻点，后者伸达后缘，侧角光滑无刻点，褐色，前叶无刻点，后叶中纵线处有时无粉被而色深，约略成褐色纵纹状，侧角以内的侧区有时亦色深成模糊的褐色带状。前胸显然狭长，前缘明显后凹，后缘亦明显前凹。小盾片狭长，黑色或黑褐色，具粉被，略具“Y”形脊，前半中央较平坦，“Y”形脊后支常色深，最末端黄白色，前半中央及两侧缘具刻点。体狭长，两侧几乎平行，爪片及革片淡黄褐色，刻点褐色；革片外域刻点往往色淡，为淡黄褐色而较不显著，端缘近中央处有 1 个黑褐色小斑，显著。翅伸达或略不达腹部末端。头部下方色同背面，亦密被丝状平伏毛，前胸下方颜色与粉被、毛等亦同背面，领及后端色渐淡，中、后胸下方黑褐色至黑色，各足基节臼及后胸侧板后缘淡黄白色。腹下栗褐色，密被细的丝状平伏毛。足色淡黄褐色至淡栗褐色。

**量度（mm）：**体长 6.00～6.80（♂），6.80～7.70（♀）；头长 0.92～1.12，宽 0.84～1.00，眼间距 0.50～0.60；触角 1～4 节的长度分别为 0.44～0.58、1.20～1.40、1.00～1.10、1.04～1.26；前胸背板前缘宽 0.62～0.70，后缘宽 1.20～1.54，长 1.20～1.48；小盾片长 0.80～1.00，宽 0.60～0.76；爪片缝长 1.60～2.00，革片端缘长 1.40～1.80。

**采集记录：**2♂1♀，佛坪凉风垭，1900～2100m，1998. Ⅶ. 23，张学忠采；1♀，佛坪窑沟，870～1000m，1998. Ⅶ. 25，姚建采。

**分布：**陕西（佛坪）、山东、甘肃、浙江、湖北、江西、湖南、台湾、广东、海南、重庆、四川、云南、西藏；日本，越南，缅甸，印度，菲律宾，欧洲，中亚地区，非洲，太平洋岛屿。

## 149. 浅缢长蝽属 *Stigmatonotum* Lindberg，1927

*Stigmatonotum* Lindberg，1927：9. **Type species**：*Stigmatonotum sparsum* Lindberg，1927.

**属征：**体小型，褐色至黄褐色，被浓密而蓬松的丝状平伏毛。头平伸，眼后区不发达。喙第1节远离头的后缘。前胸背板较平，隆起不强烈，具粗糙的刻点，前缘具领，与前叶间无明显的横沟分界。背板和小盾片至少部分具粉被。爪片整齐的刻点3列，在内侧2列刻点间散布着数枚刻点。革片端缘具1列刻点，色斑斑驳而细碎，内角具白斑，顶角处黑色。臭腺孔沟缘小，末端膨大，钝圆。蒸发域约占据后胸侧板面积的1/2。前足股节下方具1~2枚大刺。

**分布：**中国记录2种，秦岭地区记述1种。

### (268) 山地浅缢长蝽 *Stigmatonotum rufipes* (Motschulsky, 1866)

*Plociomerus rufipes* Motschulsky, 1866: 188.

*Stigmatonotum sparsum* Lindberg, 1927: 10.

*Stigmatonotum rufipes*: Scudder, 1970: 103.

**鉴别特征：**体小型。头黑色，略具光泽，平伸，三角形，平伏毛浓密，向中聚合，金黄色。头眼前部分长、眼长与眼后部分长之比为3:2:1。眼大，较圆，眼面生有直立毛，头高与眼高之比为5.50:3.50。头下方毛被蓬松，明显。触角黄褐色，第1节基半及第4节黑褐色，第1节约1/4伸过头端。喙伸达中足基节前缘。前胸背板无光泽，前缘处及后叶淡褐色至黑褐色，前叶黑色，因具粉被而呈灰黑色，后叶常微具淡黄褐色细中脊，有时无，两侧中区常有1个宽纵带，淡色，刻点较稀而较光滑，略成胝状，侧角处黄色而光滑，后叶刻点深黑褐色，前叶各侧有椭圆形的细线纹，呈黑色。领不发达，与前叶界限常不很清，前叶较平，两叶间横缢全线较浅，侧缘于横缢处亦切入不深，后角圆，后缘微微前凹；毛被短小，半直立，弯曲。前叶与后叶等长，宽于头，背板表面只略倾斜，前叶表面略低于后叶。前胸前缘及侧板后叶、前足基节臼后半褐色，前胸下方全部具浓厚粉被，黑色部分成灰黑色，密被明显的刻点与丝状毛。小盾片黑色，无光泽，“Y”形脊两侧黄褐色，有时不显，此部分略具光泽，末端黄色。爪片及革片底色淡黄褐色，刻点列整齐，爪片外脉淡纹几乎贯全长，清楚，内脉淡纹只基部隆出成结节状，端部淡纹不显著，此纹前外方与外脉间黑色，略成淡斑状，或爪片全为淡色。革片具黑褐色斑。膜片底色淡白色，脉间沿脉淡黑褐色，有时扩大而彼此相连，以致色斑斑驳。翅最宽处约在革片内角的水平位置处，伸过腹部末端。中、后胸下方黑色，具粉被，基节臼及后胸侧板褐色，足基节、前股中段、中、后足股节近末端处的宽环黑褐色，其余各部黄褐色，前足转节亦黄褐色。前股下方大刺甚少，只近端部处有1个大刺，1~2小刺，雄虫前胫下方中部无小齿状刺突。腹部黑色，有光泽，侧缘及第6、7节后缘褐色，具平伏丝状毛。

触角的颜色，前足股节刺的数目，足颜色，腹部腹面的颜色在种内有变异：触角第1节黑褐色，端半黄褐色，或全部黄褐色；前足股节有1~2枚大刺；足股节的黑褐色环带在浅色个体中不显；腹部黑色，腹侧缘及第6、7节后缘褐色，或腹部黄褐色，各节在基部形成黑色的狭边，或腹部黄褐色，各节在中央黑色，或腹部黄褐色，第3、

4 节在两侧黑色。

具亚长翅型个体，膜片伸达第 7 腹节中段，其余特征同长翅形个体。

**量度(mm)：**体长 3.70 ~ 4.50(♀)，3.90 ~ 4.70(♂)；头长 0.70 ~ 0.84，宽 0.60 ~ 0.80；眼间距 0.40 ~ 0.55；触角 1 ~ 4 节的长度分别为 0.34 ~ 0.38、0.60 ~ 0.76、0.40 ~ 0.54、0.66 ~ 0.80；前胸背板前缘宽 0.60 ~ 0.80，后缘宽 1.12 ~ 1.50，长 1.00 ~ 1.04；小盾片长 0.60 ~ 0.76，宽 0.66 ~ 0.81；爪片缝长 1.20 ~ 1.50，革片端缘长 0.80 ~ 1.20。

**采集记录：**4♂5♀，宁陕旬阳坝，1700m，1994. Ⅷ. 17，卜文俊采；1♂2♀，南郑，1650m，1985. Ⅶ. 22，任树芝采；1♀，镇巴，1985. Ⅶ. 21，任树芝采。

**分布：**陕西(周至、凤县、留坝、宁陕、南郑、镇巴)、黑龙江、河南、山东、甘肃、安徽、浙江、湖北、江西、湖南、广西、重庆、四川、贵州、云南；俄罗斯，韩国，日本。

## Ⅴ. 直腹族 Ozophorini Sweet, 1967

**鉴别特征：**腹部气门全部位于腹面，背板无内侧背片，背面具 3 个若虫臭腺孔遗迹。

**分类：**中国记录 6 属，秦岭地区发现 2 属 2 种。

### 分属检索表

头的眼后部分宽，其后半不成细颈状；头背面不拱圆 …………………… **完缝长蝽属 *Bryanellocoris***

头的眼后部分在后半强烈缢束，成细颈状；头背面拱圆，成蛇头状 ……… **刺胸长蝽属 *Paraporta***

### 150. 完缝长蝽属 *Bryanellocoris* Slater, 1957

*Bryanella* China, 1930: 135 (nec Blair, 1928). **Type species**: *Bryanella longicornis* China, 1930.

*Bryanellocoris* Slater, 1957: 37 (new name for *Bryanella* China, 1930).

**属征：**体多少狭长，两侧近平行，厚实。头短小，几乎平伸，宽明显大于长，头侧缘在眼后内倾。眼远离头的后缘。单眼几乎接触前胸前缘。触角第 1 节伸过头端，第 4 节加粗，成纺锤形。前胸背板强烈倾斜，具领，两叶间横缢甚浅，横缢侧缘处缢入，两叶均具刻点，侧角常多少向外伸出，可成小突尖状。小盾片具"Y"形脊，或只端半明显。爪片中央刻点列 2 ~ 3 列，不甚整齐，革片端缘直，具深色斑。膜片半透明，具暗色斑。足不特别细长。腹部腹面密被丝状平伏毛，方向不一，组成云斑状。第 4 腹节后缘侧方伸达腹部侧缘。

**分布**：中国记录 1 种，秦岭地区分布 1 种。

### (269) 东方完缝长蝽 *Bryanellocoris orientalis* Hidaka, 1962

*Bryanellocoris orientalis* Hidaka, 1962: 166.

**鉴别特征**：头黑色，密被锈黄色粉被，中线两侧粉被少，此处可见明显的密浅刻点。眼伸出而略翘起，多少略成具柄状，侧叶侧缘棱起强烈。触角淡黄褐色，第 1 节黑褐色，端部淡黄色，第 2 节末端黑褐色，第 4 节除最基部淡色外，为深黑褐色，第 1 节约 1/2 伸过头端。喙伸达中足基节，第 1 节伸达前胸前缘。头下黑色，有光泽，密被丝状平伏毛。前胸背板前叶黑色，领及后叶污黄褐色，均无光泽，领后缘有 1 列刻点；前叶除细环状胝外，均具粉被与密刻点；前叶短于后叶，侧缘弧形，后叶无粉被，刻点不甚均匀，黑褐色，中央靠后处常有 1 个短的黑褐色横纹，侧角处有 1 个小黑斑。小盾片红褐色，基部黑色，末端黄白色。爪片与革片淡黄褐色，具珍珠光泽，爪片近端部外缘处有 1 个黑褐色纵斑，革片黑褐色，色斑鲜明。革片近基部处多少缢入。膜片淡黄色，透明。胸下黑色，具粉被，基节臼及中、后胸侧板后缘色淡。足淡黄褐色，股节端半除末端外为褐色至黑褐色，此深色部分的两端常成深色环状，胫节两端黑褐色；前股端半有 2 刺，较大而不靠近。腹下黑褐色至黑色。雄虫第 7 腹节红褐色，侧缘处褐色，平伏毛整齐，指向不一，成云斑状。

**量度**(mm)：体长 3.80～4.80(♂)、3.80～5.40(♀)；头长 0.70～0.80，宽 0.76～0.92；眼间距 0.48～0.56；触角 1～4 节的长度分别为 0.35～0.50、0.70～0.90、0.50～0.75、0.80～1.00；前胸背板前缘宽 0.60～0.72，后缘宽 1.32～1.80，长 0.80～1.08；小盾片长 0.66～0.84，宽 0.66～0.85；爪片缝长 1.20～1.60，革片端缘长 1.00～1.40。

**采集记录**：1♂，宁陕旬阳坝，1994.Ⅷ.16，吕楠采。

**分布**：陕西（宁陕）、甘肃、浙江、湖北、江西、湖南、福建、台湾、广东、广西、四川、贵州、云南；韩国，日本。

## 151. 刺胸长蝽属 *Paraporta* Zheng, 1981

*Paraporta* Zheng, 1981: 156. **Type species**: *Paraporta megaspina* Zheng, 1981.

**属征**：体狭长，无直立毛或半直立毛。头伸出，蛇头状，背面眼前部分明显倾垂，眼后部分亦渐低倾，眼位于头部中段，头的眼前部分与眼后部分常约相等，头基部具很短的"颈"状束缢部，长度小于复眼长，"颈"粗，不成小棍状。头侧叶侧缘全长具棱边。触角细长，第 1 节远伸过头端。小颊极短。喙伸达前足基节。前胸背板平置，前叶(包括领)长于后叶，两叶间明显凹缢，前叶强烈隆出成圆球形，后叶平，后叶侧角具向上方斜伸的大刺。革片中部缢束，短翅，伸达第 6 腹节。足细长，前股不特别加粗，下方端半具刺。腹部基部缢束，后半明显膨大，明显宽于翅，侧接缘斜立于翅两侧；腹面多少成船底状。

**分布：**中国记录 1 种，秦岭地区分布 1 种。

### (270) 刺胸长蝽 *Paraporta megaspina* Zheng, 1981

*Paraporta megaspina* Zheng, 1981: 156.

**鉴别特征：**头黑色，具光泽，除少数区域外，背腹面均密被浅刻点及平伏毛，腹面具横皱。触角淡褐色，第 1 节略深，第 4 节基半黄白色，端半深褐色至黑褐色，喙深褐色，第 1 节、第 3 节端部及第 4 节黑褐色，第 1 节只达复眼前部的水平位置。前胸背板前叶黑色，领黑色，多少呈具粉被状，光泽弱，具浅刻点及短小平伏毛，周缘的刻点较清楚，后叶褐色，刻点及其周围黑色，以致外观斑驳，刻点分布不甚均匀，有时连成线纹；侧角大刺基部黑，刺体褐色；前叶中部中线两侧各有 1 个低的结节状突起。小盾片黑褐色，基部大半具粉被及刻点，基部略下凹。爪片深栗褐色，丝绒状，基半沿爪片缝有 1 个淡色纵斑。革片基半黄白色，端半深栗褐色或黑褐色，R + M 脉处及亚前缘域处各为淡褐色，约成“八”字形纵纹，革片内角下方 1 个小斑及端缘外半前方的半月形大斑黄白色，端缘及顶角黑褐色，或整个革片褐色，上述深色或浅色部分分界不清，只内角和端缘前的黄白斑比较清楚。膜片黑褐色，有时可见淡白色的端缘、端角内侧二脉及中央小斑；膜片较小，伸达第 6 腹节前半或中央。胸下黑色，具薄粉被。足栗褐色，中、后足基部淡黄白色，前股下方端半有 2 个刺。腹部黑褐色，有光泽，被平伏毛，各节侧接缘处有模糊的黄褐色斑。

**量度(mm)：**体长 5.10 ~ 5.30(♂)、5.30 ~ 6.50(♀)；头长 1.20 ~ 1.25，宽 0.88 ~ 1.04；眼间距 0.48 ~ 0.60；触角 1 ~ 4 节的长度分别为 0.74 ~ 0.80、1.74 ~ 2.00、1.60 ~ 1.75、1.55 ~ 1.65；前胸背板前缘宽 0.50 ~ 0.68，后缘宽 0.80 ~ 1.20，长 0.90 ~ 1.32；小盾片长 0.48 ~ 0.64，宽 0.34 ~ 0.46；爪片缝长 1.20 ~ 1.60，革片端缘长 0.80 ~ 1.20。

**采集记录：**1♀，华山，1962. Ⅷ. 22，杨集昆采。

**分布：**陕西(华阴)、河南、浙江、湖北、江西、湖南、福建、广东、广西、贵州。

## Ⅵ. 地栖族 Rhyparochromini

**鉴别特征：**与 Megalonotini 接近，气门位置、腹部毛点情况等均与之相似，但若虫具“Y”形缝，为此二族的根本区别。前胸背板多具叶状边，体常具深色而密集的刻点，以致外观斑驳。世界性分布，种属众多。

**分类：**中国记录 15 属，秦岭地区发现 1 属 3 种。

## 152. 狭地长蝽属 *Panaorus* Kiritshenko, 1951

*Panaorus* Kiritshenko, 1951: 215. **Type species**: *Pachymerus adspersus* Mulsant *et* Rey, 1852.

**属征:** 体中型。头平伸，约成三角形，背面微拱。复眼较大，几乎接触前胸前缘。单眼靠近复眼。触角多较粗壮，第1节伸过头端，内侧有刺状刚毛数根。喙多伸达中足基节，第1节约达前胸前缘。前胸背板梯形，有宽阔的叶状侧边，前叶常黑而后叶淡，两叶虽分明但交界处不成明显凹入的横缢状，前叶刻点稀浅，后叶刻点较深。小盾片具刻点。前翅常淡色而具深色刻点。爪片具多行刻点。臭腺沟缘狭细，下弯。前股下方有数个较短的粗刺，大小相间，后足股节常有一些刺突或刚毛状刺，前胫下方端半常有一些齿状刺突。腹部背板第3~6节具内侧背片。

**分布:** 中国记录4种，秦岭地区记述3种。

### 分种检索表

1. 革片中段有1条多少完整的宽黑带，带与后角之间有1个白色大斑；触角第4节有白环 …… 2
   革片中段无界限明显的横带状黑斑；触角第4节全黑色 ………… **淡边狭地长蝽 *P. adspersus***
2. 小盾片的具明显的黄色“V”形斑；爪片基部无黑斑 ………… **白斑狭地长蝽 *P. albomaculatus***
   小盾片只顶角淡色或者具窄而断续的“V”形斑；爪片基部具黑色的方形斑 …………………………………………………………………………………………… **黑斑狭地长蝽 *P. csikii***

### (271) 淡边狭地长蝽 *Panaorus adspersus* (Mulsant *et* Rey, 1852)

*Pachymerus adspersus* Mulsant *et* Rey, 1852: 115.

*Rhyparochromus* (*Panaorus*) *adspersus*: Kiritshenko, 1931: 285.

*Panaorus adspersus*: Kerzhner, 1964: 791.

**鉴别特征:** 体较狭细。头黑色，触角除第2节基部1/3~1/2黄白色至黄褐色外，其余全黑色。喙黑褐色，伸达中足基节。前胸背板前叶黑色，后叶底色淡黄白色，刻点较密且色深，侧缘全部淡黄白色，无黑斑及刻点，侧缘略为平直，前端突出较少。小盾片黄纹“V”形，靠近侧缘。爪片基部黑斑不显。革片底色褐色成分较多，晦暗，内半整个色调较深，略呈褐色，无明显的黑褐色大型斑块，只在顶角及前缘3/5处各有1个小型黑褐色斑，刻点黑褐色，前缘域完全无刻点。各足股节黑色，胫节褐色，端部渐为黑色。

**量度(mm):** 体长6.00~7.30(♂)、6.30~7.40(♀)；头长0.85~1.10，宽1.15~1.25；眼间距0.75~0.85；触角1~4节的长度分别为0.50~0.55、1.05~1.10、1.00~1.05、1.10~1.15；前胸背板前缘宽1.00~1.25，后缘宽1.50~

2.10，长 1.15 ~ 1.50；小盾片长 1.00 ~ 1.50，宽 0.80 ~ 1.20；爪片缝长 1.70 ~ 2.25，革片端缘长 1.35 ~ 1.60。

**分布：** 陕西（南郑）、黑龙江、吉林、内蒙古、河北、山西、山东、甘肃、新疆、湖北、四川；蒙古，俄罗斯，韩国，日本，哈萨克斯坦，欧洲。

### （272）白斑狭地长蝽 *Panaorus albomaculatus*（Scott，1874）

*Calyptonotus albomaculatus* Scott，1874：439.

*Rhyparochromus*（*Panaorus*）*albomaculatus*：Seidenstücker，1963：294.

*Panaorus albomaculatus*：Kerzhner，1964：791.

**鉴别特征：** 头黑色，无光泽，密被金黄色平伏短毛。触角第 1 节褐色至黑色，有时前半淡色，第 2 节黄褐色，端部渐成黑褐色，第 3 节几乎全黑色，有时基部渐淡，第 4 节黑色，基部有 1 个宽白环；第 1 节内侧有少数刚毛状毛，黑褐色，第 3 节向端渐膨大。头下方黑，略具横皱及平伏毛。喙伸达中足基节，第 1 节达头的后缘。前胸背板前叶黑色，无光泽，其余一色淡黄白，或侧缘前端及后角处色略深，前叶周缘及后叶具褐色刻点，后叶多少有 1 个不宽的中纵线，无刻点，侧缘上无刻点，或有时有很少数的褐色刻点。前、后缘均凹入。小盾片黑色，具刻点，沿侧缘端半各有 1 个黄带，排成"V"形，或只小盾片末端淡色。爪片与革片淡黄褐色或淡黄白色，刻点褐色。爪片基都有时黑色。革片前缘域全无刻点，中部后方在内角的水平位置处有 1 个黑褐色横带，横贯全翅，达于前缘，向外渐狭，有时此带的外端渐淡，但仍可察知其存在，带后为 1 个白色近三角形大斑，中有同色至淡褐色浅刻点若干，端缘处多少黑色，在 R-M 脉外支末端及顶角处扩大成小黑斑状。膜片黑褐色，散布不规则的细碎斑。体下黑色，前胸侧缘下方、后缘及后侧角、基节臼以及后胸后缘黄白色。基节黑色，前股亦黑色，最基部褐色，中、后足股节基部 1/3 ~ 1/2 淡黄褐色，其余黑色，各足胫节全黑色，或黄褐色至淡褐色，端部常加深。

**量度（mm）：** 体长 5.80 ~ 7.30（♂）、6.30 ~ 7.90（♀）；头长 1.00 ~ 1.05，宽 1.10 ~ 1.25；眼间距 0.70 ~ 0.80；触角 1 ~ 4 节的长度分别为 0.45 ~ 0.55、1.00 ~ 1.20、0.90 ~ 1.05、1.20 ~ 1.30；前胸背板前缘宽 0.90 ~ 1.10，后缘宽 1.60 ~ 2.20，长 1.25 ~ 1.60；小盾片长 1.00 ~ 1.50，宽 0.85 ~ 1.30；爪片缝长 1.65 ~ 2.35，革片端缘长1.40 ~ 1.80。

**采集记录：** 2♂，陇县，1987.Ⅹ.09。

**分布：** 陕西（陇县）、黑龙江、吉林、内蒙古、北京、天津、山西、河南、山东、甘肃、江苏、湖北、四川、贵州；俄罗斯，朝鲜，日本。

### （273）黑斑狭地长蝽 *Panaorus csikii*（Horváth，1901）

*Aphanus*（*Elasmolomus*）*csikii* Horváth，1901：251.

*Elasmolomus csikii* Oshanin，1912：37.

*Rhyparochromus* (*Panaorus*) *csikii* Scudder, 1970: 199.

*Panaorus csikii*: Kerzhner, 1964: 791.

**鉴别特征：**与白斑地长蝽 *Panaorus albomaculatus* (Scott, 1874)极其相似，小盾片只末端浅色或具断续而隐约的"V"形斑，爪片基部具黑色方形斑，抱握器叶片向内折弯程度强，几乎与基干成直角与白斑地长蝽 *Panaorus albomaculatus* (Scott, 1874)相区别。

**量度(mm)：**体长5.50~6.00(♂)、5.80~7.30(♀)；头长0.90~1.25，宽1.10~1.35；眼间距0.75~0.85；触角1~4节的长度分别为0.45~0.60、1.00~1.40、0.80~1.20、1.15~1.50；前胸背板前缘宽1.00~1.20，后缘宽1.50~2.15，长1.25~1.70；小盾片长1.10~1.40，宽0.80~1.10；爪片缝长1.65~2.15，革片端缘长1.20~1.65。

**采集记录：**1♀，镇巴，1200m，1985.Ⅶ.22，任树芝采。

**分布：**陕西(镇巴)、内蒙古、北京、河北、河南、山东、浙江、湖北、湖南、广西；俄罗斯，韩国，日本。

# 红蝽总科 Pyrrhocoroidea

# 二十五、大红蝽科 Largidae

王树景 刘国卿

(南开大学昆虫学研究所，天津 300071)

**鉴别特征：**体小至大型。常为椭圆形，鲜红色或多少带有一些红色色泽。触角4节。着生位置为头侧面中线下方，无单眼。腹部气门全部位于腹面。第3~4腹节腹中线两侧各有3对毛点毛，第5~6节有3对，第7节有2对均位于腹部两侧，气门的前方或后方。产卵期发达，雌虫第7腹板纵列成两半，雄虫外生殖器构造接近长蝽，阳茎端膜极细而光滑，完全无间膜附器。

**生物学：**生活场所与红蝽科相似，食之物液汁并取食果实与种子，世界性分布，热带种类众多。

**分类：**中国记录3属7种，陕西秦岭地区分布1属2种。

## 153. 斑红蝽属 *Physopelta* Amyot *et* Serville, 1843

*Physopelta* Amyot *et* Serville, 1843: 271. **Type species**: *Physopelta erythrocephala* Amyot *et* Serville, 1843 ( = *Cimex albofasciatus* de Geer, 1773).

**属征:** 触角长度一般,第 1 节短于头及前胸背板长度之和;头短于或等于宽,由眼至触角基前端距离等于或稍长于眼长;爪片缝长于革片顶缘。前胸背板前叶隆起部分伸达前缘,其侧缘窄,不明显向上翘折;前翅革片具黑色或棕色圆斑.

**分布:** 中国记录 5 种,秦岭地区记述 2 种。

## 分种检索表

体棕黄色,被平伏短毛;前胸背板前叶强烈突出;革片顶角黑斑亚三角形,其中央黑斑几乎无刻点 ……………………………………………………………………… **突背斑红蝽 *Ph. gutta***

长棕褐色,被半直立细毛;前胸背板前叶微隆起;革片顶角黑斑几乎圆形,其中央黑斑具明显刻点 ……………………………………………………………………… **小斑红蝽 *Ph. cincticollis***

### (274) 小斑红蝽 *Physopelta cincticollis* Stål, 1863

*Physopelta cincticollis* Stål, 1863: 392.

**鉴别特征:** 体窄长圆形。

头部暗棕色,三角形状,密被较短柔毛及较长细毛;触角黑褐色,第 4 节基半部显著为黄白色;喙伸达后足基节间。

前胸背板梯形,被半直立浓密细毛,黑褐色,前叶刻点稀少,后叶刻点粗大明显,前胸背板前缘和侧缘棕红色。小盾片黑褐色,近顶角处渐呈红黄色。前翅刻点显著,爪片、革片内侧暗棕色,革片中央具 1 个大黑圆斑,其顶角具 1 个小黑斑,翅膜片黑褐色,革片前缘棕红色;

胸侧板及腹部腹面暗棕色;腹部腹面节缝棕黑色,侧接缘棕红色。雄虫前胸背板前叶中央较雌虫稍隆起,其后叶、小盾片及前翅具刻点。前足股节稍粗大,其腹面近端部有 2 个或 3 个刺。

**量度(mm):** 体长 11.50 ~14.50;前胸背板宽 3.50 ~4.50;触角 1 ~4 节的长度分别为 1.80、1.80、1.40、2.20。

**采集记录:** 3♂5♀,商洛,2014. Ⅶ.02,张佳庆采。

**分布:** 陕西(商洛)、江苏、浙江、湖北、江西、湖南、台湾、广东、四川;印度。

### (275) 突背斑红蝽 *Physopelta gutta* (Burmeister, 1834)

*Lygaeus* (*Pyrrhocoris*) *gutta* Burmeister, 1834: 300.

*Physopelta bimaculata* Stål, 1855: 186.

*Physopelta gutta*: Hsiao *et al*., 1981: 224.

**鉴别特征:** 体延伸,两侧略平行。常棕黄色,被平伏短毛。

头三角形，头顶中部呈暗棕褐色，被短柔毛，触角棕黑色，第4节基半部呈黄白色，第1节基部常亦呈黄褐色；喙棕褐色，末端伸达后足基节间。

前胸背板梯形，黑褐色，有时前叶色较深后叶渐淡，前、后及侧缘呈红色宽边；小盾片黑褐色；前翅爪片边缘略呈淡黄色线状，其余部分淡褐色，革片中央具1个黑色大圆斑，其顶角亦具1个亚三角形黑色斑，斑内几乎无刻点，膜片暗棕褐色。胸腹面及足暗棕褐色；前胸背板侧缘腹面及足基部通常红色。腹部腹面棕红色，有时黄褐色；腹部腹面侧方节缝处有3个显著新月形棕黑色斑。

雄虫前胸背板前叶极隆起，后叶中央、小盾片、爪片及革片内侧具棕黑色粗刻点。

**量度(mm)**：体长14～18；前胸背板宽3.50～5.50；触角1～4节的长度分别为3.00、3.50、2.00、3.50。

**采集记录**：3♀，商洛，2014.Ⅶ.02，张佳庆采。

**分布**：陕西(商洛)、台湾、广东、广西、四川、云南、西藏；日本，缅甸，印度，孟加拉国，斯里兰卡，印度尼西亚，澳大利亚等。

# 缘蝽总科 Coreoidea

# 二十六、蛛缘蝽科 Alydidae

朱卫兵[1]　尹文博[2]　卜文俊[1]

(1. 中国科学院上海生命科学研究院植物生理生态研究所，上海200032；2. 山西省忻州师范学院，忻州034000；3. 南开大学昆虫学研究所，天津300071)

**鉴别特征**：体中小至中型。身体多狭长。头平伸，多向前渐尖。触角常较细长。小颊短，不伸过触角着生处。后胸侧板臭腺沟缘明显。雌虫第7腹板完整，不纵裂为两半。产卵器片状。受精囊端段不膨大成球部。

**生物学**：多生活于植物上，活泼，善飞翔。植食性，危害豆科，禾本科等。

**分类**：世界性分布。中国记录16属，陕西秦岭地区发现2亚科3属3种。

### 分亚科检索表

后足股节显著膨大，内侧具刺；头的眼前部分呈三角形，眼后部分突然狭窄 ……………………………………………………………………………… **蛛缘蝽亚科 Alydinae**

后足股节不膨大，内侧无刺；头的眼前部分至触角着生处两侧平行，眼后部分不突然狭窄 ………………………………………………………………… **微翅缘蝽亚科 Micrelytrinae**

## (一)蛛缘蝽亚科 Alydinae

**鉴别特征**：体中型，黑褐色或黄褐色居多，宽，三角形，超过前胸背板宽或仅稍稍窄于前胸背板；头中叶发达，显著超过侧叶；后足股节显著膨大，内侧具有 1 列刺；腹部第 5 节腹板的毛点毛排列成 1 横列，位于气门前方或与气门相平。

**分类**：中国记录 16 属 37 种，秦岭地区发现 2 属 2 种。

### 分属检索表

触角第 1 节显著长于第 2 节；前胸背板侧角呈刺状突出；后足胫节弯曲，短于股节 ………………………………………………………………………………………… **蜂缘蝽属 *Riptortus***

触角第 1 节短于第 2 节；前胸背板侧角不呈刺状突出；后足胫节直，不弯曲，稍长于股节 ………………………………………………………………………………………… **蛛缘蝽属 *Alydus***

### 154. 蜂缘蝽属 *Riptortus* Stål, 1860

*Riptortus* Stål, 1860: 459. **Type species**: *Cimex dentipes* Fabricius, 1787.

**属征**：体中型，身体褐色，头三角形，窄于前胸背板的宽度，复眼不具有眼柄；头顶中央无浅色纵向条纹；触角第 1 节显著长于第 2 节和第 3 节；前胸背板侧角尖锐；多数种类的头部和胸部侧板有不规则黄色斑块，为本属最为显著的特征，也是属内分种的重要依据之一。本属昆虫善于飞行，以豆科植物为主要寄主植物。

**分布**：中国记录 3 种，秦岭地区记述 1 种。

#### (276) 点蜂缘蝽 *Riptortus pedestris* (Fabricius, 1775)(图 94)

*Cimex pedestris* Fabricius, 1775: 727 (nec Poda, 1761).

*Cimex pedes* Gmelin, 1790: 2191.

*Lygaeus fuscus* Fabricius, 1798: 539.

*Alydus ventralis* Westwood, 1842: 20.

*Alydus major* Dohm, 1860: 402.

*Riptortus pedestris*: Hsiao *et al*., 1977: 277.

**鉴别特征**：体中型，较粗壮，体色偏暗，以深棕色或深褐色为主，被稀疏的匍匐状短毛。头三角形，被有稀疏的匍匐状短毛，在复眼附近毛长；头顶黄褐色，复眼和单眼的基部处以及单眼和同侧复眼之间的区域颜色黑色；头部腹面黑色，侧面具有黄色形状不规则纵向条纹；复眼大，并且向两侧突出，但不具有眼柄；单眼大而向外侧突出，单眼附近的头顶区域颜色深；头后部缢缩，呈颈状；触角第4节最长，第1节次之，第2节和第3节最短，第2节长于或等于第3节。第1节端部膨大；第4节基部浅色，第1～3节端部色稍深；喙伸达中足基节。

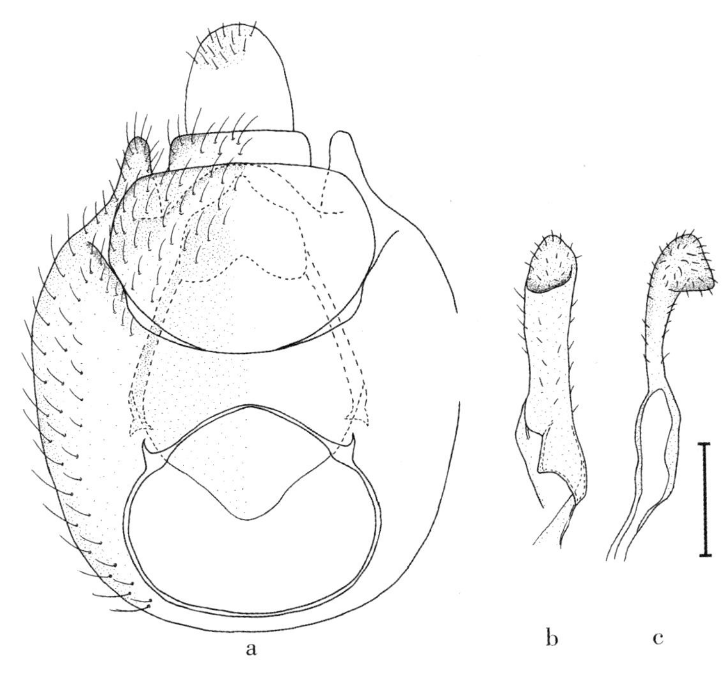


图94　点蜂缘蝽 *Riptortus pedestris*（Fabricius）

a. 生殖囊背面观；b－c. 阳基侧突不同方位。比例尺：0.5mm

前胸背板、侧板以及中后胸侧板均具有显著的黑色颗粒状瘤突，是本种区别与属内其他种重要的鉴别特征。前胸背板被银白色或浅黄色细小的匍匐状短毛；前胸背板侧角尖锐，呈刺状突出，并显著向外侧扩展；后缘靠近侧角处各有1个刺状突出，后缘中央靠近小盾片处具有1个向后伸出的刺突；小盾片三角形，端部不隆起，无刺；后胸臭腺蒸发域色深，臭腺孔缘色浅，似大写字母“J”（该处指左侧臭腺，右侧臭腺与左侧镜像对称），中间具有1条沟缝，臭腺孔位于基部，开口不明显。胸部侧板具有黄色不连续斑点，大小不一，形状不规则，种内存在变异。各足股节色深，胫节色浅，胫节端部稍稍膨大，颜色加深。后足股节粗大，表面具有颗粒状突起，有些标本颗粒状突起不明显；后足股节内侧具有1列刺，靠近端部的位置还有若干小刺突；后足胫节弯曲，短于股节，基部和端部颜色加深，端部具有1个刺状突出；前翅深棕色，革片和爪片除翅脉外的区域具有深色刻点和匍匐状黄色短毛。

腹部基部窄，中间宽，外缘一般不被前翅覆盖；腹部腹面具有黄色和黑褐色的不规则花纹或斑点，种内变异较大；腹部第5～6节背板中央区域具有1个大型的黄色的圆斑，第7节端半部和第8～9节背板为橘黄色；腹部外缘具有黄黑相间的花纹，黄色区域位于各节靠近基部的位置，约占各节长度的1/4～1/3。

雄虫生殖囊长大于宽，背缘稍宽，无后侧突，腹缘凸出，腹后突显著；阳基侧突端部呈钩状，尖端不分裂。

**量度**(mm)：体长14.80～17.20；头长2.20～2.70，宽2.30～2.70；触角1～4节的长度分别为2.40～3.20、1.90～2.20、1.80～2.00、4.20～5.40；喙1～4节的长度分别为1.40～1.70、1.40～1.90、0.70～0.90、1.30～1.70；前胸背板长2.80～3.30，前胸背板宽3.20～4.20；小盾片长1.40～1.60，宽1.20～1.40。

**采集记录**：1♀，周至板房子，1400m，1994.Ⅷ.08，卜文俊采；1♀，朱雀国家森林公园，1500m，2011.Ⅷ.01，杨贵江采；2♂，太白山保护区蒿坪管理站，1350～1700m，2011.Ⅷ.07，赵清、党凯采；1♂1♀，宁陕实验林场，2012.Ⅷ.12，张海光采。

**分布**：陕西(周至、户县、眉县、宁陕)、辽宁、北京、天津、河南、安徽、浙江、湖北、江西、福建、广东、海南，广西、四川、贵州、云南；韩国，日本，泰国，缅甸，印度，斯里兰卡，印度尼西亚，马来西亚。

**寄主**：豆科，禾本科植物。

## 155. 蛛缘蝽属 *Alydus* Fabricius, 1803

*Alydus* Fabricius, 1803: ix, 248. **Type species**: *Cimex calcaratus* Linnaeus, 1758.

**属征**：体小型，体色较暗，多为棕褐色或黑褐色；头大，眼前部分呈三角形，眼后部分收缩，头部长宽约相等，窄于前胸背板的宽度；单眼小，单眼间距大；触角第1节短于第2节；前胸背板侧角不显著外翻，不呈刺状突出；股节加粗，端部内侧排列有3～5个刺；胫节直，不弯曲，稍长于股节；雄虫生殖囊背刺彼此交叉，端部外侧锯齿状；阳基侧突宽扁似扇子；雌虫第7腹板中央不分裂。

**分布**：中国记录2种，秦岭地区记述1种。

### (277) 角蛛缘蝽 *Alydus angulus* Hsiao, 1965 (图95)

*Alydus angulus* Hsiao, 1965: 430.

**鉴别特征**：体小到中型，身体黑色或棕褐色。

头宽，三角形，显著窄于前胸背板；头顶具有细密的匍匐状短毛，头顶黑色，无中央浅色中线，仅在单眼之间的短纵纹和后方外侧的斑点，以及复眼侧后方的短纵纹浅色；单眼间距小于单眼到同侧复眼的距离；触角第1节不短于第2节和第3节，第2、3节约等长，第4节最长，长纺锤形，稍稍弯曲；喙达到中足基节中央。

前胸背板梯形，宽大于长，前倾，具领，侧角外翻，但不呈尖锐的刺状突出；前胸背板具有显著的三角形深黑色区域；小盾片长大于宽，顶角不上翘，无刺，顶角颜色稍稍浅；各足股节颜色稍稍加深，后足股节端部具有4个显著的刺；胫节颜色稍浅，在端部颜色加深，不弯曲，长于股节；跗节第1节基半部色浅，端半部色深，显著长于2、3节之和，第2节短于第3节。前翅革片棕褐色或红棕色，外缘颜色稍浅，具有深色刻点和匍匐状短毛，在革片顶角的区域具有浅色斑，斑点小而且不显著。

腹部基部缢缩，侧缘具有深浅相间的条纹。腹部腹面黑褐色，具有银白色匍匐状短毛。

雄虫生殖囊具有背刺稍向中央弯曲，末端不分叉，其上无刺突，向端部稍稍变细；阳基侧突端部分叉，形成大小两叶；雌虫第7腹板中央后缘分裂，裂纹长度为腹板长度的1/2左右。

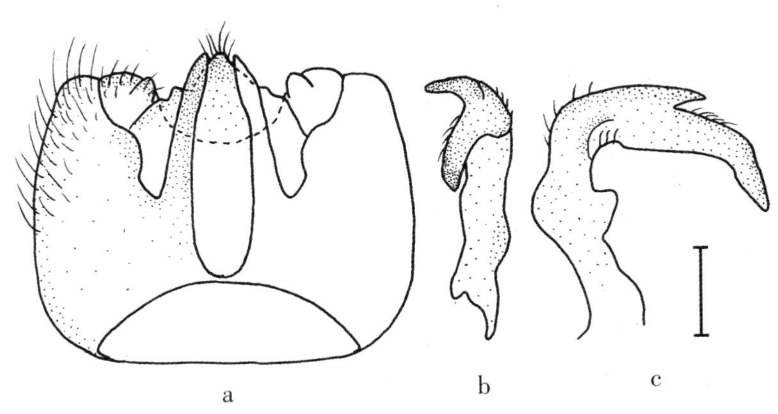


图95　角蛛缘蝽 *Alydus angulus* Hsiao

a. 雄虫生殖囊背面观；b－c. 阳基侧突不同方位。比例尺：0.5mm

**量度(mm)：**体长13.00～13.90；头长2.10～2.40，宽2.30～2.50；触角1～4节的长度分别为2.00～2.20、1.90～2.10、1.90～2.10、4.30～4.90；喙1～4节的长度分别为1.20～1.50、1.20～1.50、0.50～0.60、0.90～1.10；前胸背板长2.10～2.50，前胸背板宽2.80～3.10；小盾片长1.30～1.60，宽0.80～1.10。

**采集记录：**1♀，宁陕火地塘，1640m，1994.Ⅷ.14，卜文俊采。

**分布：**陕西(宁陕)、内蒙古、河北、山西、甘肃、四川、云南、西藏。

## (二)微翅缘蝽亚科 Micrelytrinae

**鉴别特征：**体中到大型，细长，棕黄色，黄绿色或黑褐色；头显著窄于前胸背板侧角宽，后足股节不膨大，无刺；第5腹节的3个毛点毛呈三角形排列。

**分类：**中国记录10属21种，秦岭地区发现1属1种。

## 156. 副锤缘蝽属 *Paramarcius* Hsiao, 1964

*Paramarcius* Hsiao, 1964: 255. **Type species**: *Paramarcius puncticeps* Hsiao, 1964.

**属征：**身体狭长，暗黄色，具黑色刻点和斑纹，身体背面较平；头部中叶超过侧叶；复眼大，向两侧突出；复眼后部稍稍细缩；触角细，第1节端部粗大；单眼小，突出；前胸背板不前倾，侧角不突出；小盾片无刺；前翅革片透明，外缘端部黑褐色。副锤缘蝽属为我国特有属。

**分布：**中国记录1种，秦岭地区记述1种。

### (278) 副锤缘蝽 *Paramarcius puncticeps* Hsiao, 1964（图96）

*Paramarcius puncticeps* Hsiao, 1964: 255.

**鉴别特征：**体型狭长，暗黄色，具黑色刻点和斑纹，身体背面较平。

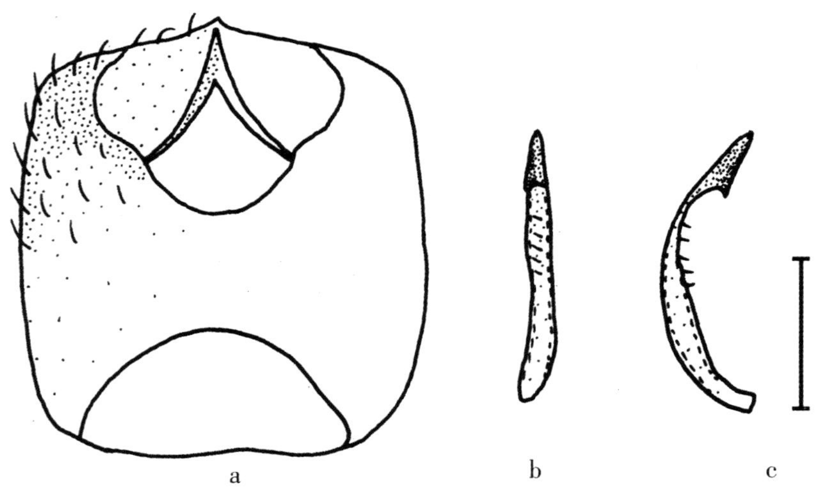


图96　副锤缘蝽 *Paramarcius puncticeps* Hsiao

a. 雄虫生殖囊背面观；b－c. 阳基侧突不同方位。比例尺：0.5mm

头长，背面密布黑褐色刻点，中叶超过侧叶，最前端向下倾斜；头部背面和腹面密布刻点和银白色匍匐状短毛；复眼显著突出，头部在复眼后稍稍细缩；头顶具有短的中央纵沟，后方具有黑色花纹；单眼小，突出，单眼间距短于单眼到同侧复眼的距离；单眼后方具有向前弯曲的黑色花纹；触角光滑细长，仅具有稀疏的直立短毛，第

1 节最粗，端部稍稍膨大；前 2 节长度接近，第 3 节稍短于前 2 节，第 4 节最长，第 4 节浅色；喙长，超过中足后缘，达到后胸腹板中央；第 2 节最长，第 3 节最短。

前胸背板梯形，黄褐色，腹面中央黑色；后缘的宽度超过头宽；不前倾，不具领，侧角不外翻；其上密布棕褐色刻点和匍匐状短毛，侧角处的颜色深；小盾片具刻点，长稍大于宽，顶角无刺；胸部侧板草黄色，密布刻点；胸部腹面黑褐色，无刻点，中央具有喙沟；足细长，光滑，仅分布稀疏的直立长毛，股节端部稍粗；前翅革片透明，革片沿翅脉分布黑褐色刻点，前翅外缘细长，端部黑褐色。

腹部狭长，棕黄色，基部中央具有黑褐色中央条纹；气门浅色，第 4 ~6 节气门位于腹部背面；毛点毛黑褐色。

雄虫生殖囊端部较宽，后缘中央突出，阳基侧突端弯曲，中部宽，两端细；端部呈三角形膨大。

**量度(mm)：**体长 13.70 ~16.90；头长 2.40 ~2.60，宽 1.80 ~2.00；触角 1 ~4 节的长度分别为2.40 ~3.20、2.30 ~2.90、2.20 ~2.60、3.80 ~5.10；喙1 ~4 节的长度分别为 1.60 ~2.00、1.80 ~2.00、0.50 ~0.70、1.20 ~1.40；前胸背板长 2.10 ~2.50，前胸背板侧角宽 2.00 ~2.30；小盾片长 0.90 ~1.20，宽 0.80 ~1.00。

**采集记录：**1♂1♀，佛坪窑沟，870 ~1000m，1998. Ⅶ. 15，陈军采；3♂4♀，宁陕火地塘，2013. Ⅷ. 15，刘华希采。

**分布：**陕西(佛坪、宁陕)、安徽、浙江、湖北、江西、湖南、福建、广西、重庆、贵州。

# 二十七、缘蝽科 Coreidae

朱卫兵[1]　尹文博[2]　张海光[1]　卜文俊[2]

(1. 中国科学院上海生命科学研究院植物生理生态研究所，上海 200032；
2. 山西省忻州师范学院，忻州 034000；3. 南开大学昆虫学研究所，天津 300071)

**鉴别特征：**体中到大型，体长与体型多变。头相对于身体较小，有单眼，触角 4 节。小盾片小，三角形。前翅静止时爪片形成显著的爪片接合缝。前翅膜片基部多具 1 条横脉并由此发出多条平行或分叉的纵脉，通常基部无翅室。后胸具臭腺孔。后足股节和胫节通常膨大或扩展。腹部背面一般具内侧片，腹部气门均分布在腹面。腹部 3 ~7 节具毛点。雄虫抱器简单，左右对称。

**生物学：**本科种类均为植食性，吸食植物幼嫩部分，引起寄主植物的枯萎或死亡。

**分类：**世界性分布。全世界已知 250 属约 1800 种，中国已记录约 63 属近 200 种，陕西秦岭地区发现 2 亚科 7 属 8 种。

### 分亚科检索表

头顶前方具纵走凹陷，臭腺沟外缘不完整，各足胫节背面通常具纵沟，雄虫第6腹板后角不突出 ………………………………………………………………………… **缘蝽亚科 Coreinae**

头顶前方无纵走凹陷，臭腺沟外缘通常完整，各足胫节背面无纵沟，雄虫第6腹板后角成角状突出 …………………………………………………………………… **棒缘蝽亚科 Pseudophloeinae**

## （一）缘蝽亚科 Coreinae

**鉴别特征：** 体中到大型，头小，喙长短不一，单眼间的距离远大于复眼到单眼的距离，臭腺发达，蒸发域面积通常为臭腺孔缘耳状突起的2倍，前翅革片外缘直或稍弯曲，雌雄的腹部第1～2节背板融合。产卵器片状，受精囊端部膨大成球状。

**分类：** 中国记录47属，秦岭地区分布4族6属7种。

### 分族检索表

1. 前足股节腹面顶端前侧有1个或2个尖锐的齿 ………………………… **巨缘蝽族 Mictini**
   前足股节腹面顶端无齿，或具2列刺 ……………………………………………………… 2
2. 头方形，前端在触角着生处突然向下弯曲，触角基向前突出；喙短，不超过中胸腹板后缘；雌虫第7腹板褶后缘成角状 ………………………………………… **同缘蝽族 Homoeocerini**
   头较长，前端伸出于触角基的前方，如头较短，则雌虫第7腹板褶后缘不成角状或腹部两侧显著扩展；喙长短不一 ………………………………………………………………………… 3
3. 腹部不向两侧扩展；气门与腹节侧缘的距离小于其与腹节前缘的距离；中胸及后胸侧板各具1个黑色斑点 ……………………………………………………………… **岗缘蝽族 Gonocerini**
   腹节显著向两侧扩展，气门远离腹部侧缘，胸侧板无黑色斑点 ……………… **缘蝽族 Coreini**

## Ⅰ. 巨缘蝽族 Mictini Amyot *et* Serville, 1843

**鉴别特征：** 体大型，体长一般为20～40mm。一般为栗色或褐色。头方形，短小，在触角基着生处陡然向下弯曲，触角基向上突出于头顶的前方，头顶中央具深纵沟；喙短，不达于中胸腹板后缘。各足股节腹面顶端前侧有1个或2个尖锐的齿，后足股节粗大，通常具有若干瘤状突起或巨齿。雌虫第7腹板褶后缘中央成锐角向后弯曲。

**分类：** 中国记录13属，秦岭地区发现2属2种。

### 分属检索表

雄虫腹部腹板简单，后足股节近中央处常具 1 个巨刺………………………… **赭缘蝽属 *Ochrochira***
雄虫腹部第 3 腹板中央强烈向后延长，伸入第 4 节，后足股节腹面扩展成三角形突起…………
……………………………………………………………………………… **安缘蝽属 *Anoplocnemis***

## 157. 赭缘蝽属 *Ochrochira* Stål, 1873

*Ochrochira* Stål, 1873: 39, 44. **Type species**: *Myctis albiditarsis* Westwood, 1842.

**属征**：腹部腹板正常；前胸背板无颗粒状突起，侧叶不强烈扩展；前足胫节背面不宽阔，后足胫节背面近顶端处逐渐宽阔；雄虫后足股节近中央处常有 1 个巨刺。

**分布**：中国记录 13 种，秦岭地区记述 1 种。

### (279) 波赭缘蝽 *Ochrochira potanini* (Kiritshenko, 1916)

*Mictis potanini* Kiritshenko, 1916: 48, 55.
*Ochrochira potanini*: Hsiao *et al.*, 1977: 206.

**鉴别特征**：体大型。棕褐色，被淡色光亮平伏短毛。

头方形，相对身体较小，宽大于长。单眼前具陷坑。触角第 1～3 节褐色，第 4 节基半部为橘红色，端半部为浅褐色。喙短，仅伸达中胸腹板中部。

前胸背板领域色浅，为黄棕色，前胸背板梯形，前端 2/3 向下倾斜，较为平滑。侧缘较为平直，微成锯齿状；侧角钝圆，略微上翘；后缘较为平直。

小盾片三角形，顶端黄色，外露。前翅达腹部末端，膜片黑褐色。

足股节黑褐色，前足及中足胫节黄褐色，后足胫节黑褐色，所有跗节黄色，爪黑色。后足股节略微膨大；雄虫股节腹侧具几个黑色瘤状突起，末端具 1 个尖锐的小齿；雌虫股节腹侧末端具 3 个连续的尖齿，胫节腹侧末端具 1 个尖锐的刺。

侧接缘各节侧前缘色浅，腹部较宽，侧接援不为前翅所覆盖。

雄虫抱器基半部粗壮，端半部细缩，顶端向内弯曲。

**量度(mm)**：♂：体长 22；腹部最宽处 7.20；头长 1.60，宽 2.50；头顶宽 1.40；触角 1～4 节的长度分别为 4.50、3.80、3.20、4.90；喙长 4.30；前胸背板长 4.50～4.80，后侧角宽 6.50，前翅长 17.50。

**采集记录**：15 头，周至厚畛子，1350m，1999. Ⅵ. 21-24；1 头，周至厚畛子，1320m，1999. Ⅵ. 23；3 头，周至厚畛子，1500～2000m，1999. Ⅵ. 21；3 头，留坝庙台子，1470m，1999. Ⅶ. 01；3 头，宁陕火地塘，1580～1650m，1999. Ⅵ. 29。

**分布**：陕西(周至、留坝、宁陕)，湖北、四川、西藏。

## 158. 安缘蝽属 *Anoplocnemis* Stål, 1873

*Anoplocnemis* Stål, 1873: 39, 47. **Type species**: *Cimex curvipes* Fabricius, 1781.

**属征**: 前胸背板侧角圆形；腹部副面雌雄均无刺，第 3 腹板中央强烈向后延长，伸入第 4 节；后足胫节较短，显著的短于股节；雄虫后足股节腹面扩展成三角形突起，胫节腹面无齿。

**分布**: 中国记录 3 种，秦岭地区记述 1 种。

### (280) 斑背安缘蝽 *Anoplocnemis binotata* Distant, 1918

*Anoplocnemis binotata* Distant, 1918: 153.

**鉴别特征**: 体大型。棕褐色到黑褐色，被淡色光亮平伏短毛。

头方形，相对身体较小，宽大于长。单眼前具陷坑。触角第 1～3 节黑色，第 4 中部黑色，基部和端部橘黄色。喙短，仅伸达中足基节前端。

前胸背板颜色较为均匀，同体色；前胸背板梯形，前端 2/3 极度向下倾斜。侧缘平直，具一些细小的齿；侧角较钝，不向上翘起；后缘中央呈轻微的弧形凹陷。

小盾片三角形，顶端黄色，外露。前翅达腹部末端，膜片黑褐色，具金属光泽。臭腺明显，臭腺孔周围橘黄色。

足股节与胫节颜色与体色一致，胫节末端和跗节黑色，爪黑色。后足股节膨大，明显弯曲；雄虫股节腹侧后半段具三角形扩展；雌雄胫节腹侧末端均具 1 个尖锐的刺。

腹部背面黑色，中央具 2 个浅色斑点；侧接缘不被前翅完全覆盖，各节侧前缘色浅。腹部腹面第 3 腹板中央向后延伸，雄虫较雌虫更为明显。

**量度(mm)**: 成虫体长 20～24；腹部最宽处 9.10；头长 2，宽 2.80；头顶宽1.80；触角 1～4 节的长度分别为 4.00、3.50、3.00、4.20；喙长 4.60；前胸背板长 6.50～7.00，后侧角宽度 8，前翅长 17.90。

**采集记录**: 21 头，周至厚畛子，1350m，1999. Ⅵ. 24-25；1 头，周至厚畛子，1350m，1999. Ⅵ. 24，灯诱；3 头，周至厚畛子，900m，1999. Ⅵ. 27；2 头，留坝庙台子，1470m，1999. Ⅶ. 01。

**分布**: 陕西(周至、留坝)、山东、河南、甘肃、江苏、安徽、浙江、湖北、江西、湖南、福建、广东、广西、四川、贵州、云南、西藏；印度，马来西亚。

**寄主**: 紫穗槐，赤松。

# Ⅱ. 同缘蝽族 Homoeocerini Stål, 1873

**鉴别特征:** 头方形, 前端在触角着生处突然向下弯曲; 喙短, 不达中胸腹板后缘, 触角第 3 节不扩展; 前足股节无刺; 雌虫第 7 腹板褶后缘成角状。

**分类:** 中国记录 3 属, 秦岭地区发现 1 属 2 种。

## 159. 同缘蝽属 *Homoeocerus* Burmeister, 1835

*Homoeocerus* Burmeister, 1835: 300. **Type species**: *Homoeocerus nigripes* Burmeister, 1835.

**属征:** 本属种类外形变异比较大, 从椭圆到狭长, 从中型到大型。一般为黄绿色或浅褐色, 前翅带白色或黑色斑点。头方形, 前端在触角着生处突然向下弯曲, 触角基向前向上突出; 喙短, 不达中胸腹板基部; 股节简单无刺。

**分布:** 中国记录 30 种, 秦岭地区记述 2 种。

### 分种检索表

身体宽短, 腹部两侧显著扩张, 侧接缘大部分外露不为前翅所覆盖 …… **广腹同缘蝽 *H. dilatatus***
身体狭长; 腹部两侧不显著扩展, 侧接缘几乎全被前翅覆盖 ………… **纹须同缘蝽 *H. striicornis***

### (281) 广腹同缘蝽 *Homoeocerus dilatatus* Horváth, 1879

*Homoeocerus dilatatus* Horváth, 1879: 145.

**鉴别特征:** 体中型, 略呈宽纺锤形, 褐色至黄褐色, 密布深色的小刻点。

头方形, 前端在触角基基部强烈下倾; 头顶密布黑色刻点, 中央纵沟明显; 触角基明显; 触角 1~3 节三棱形, 2、3 节显著扁平, 第 4 节长纺锤形, 第 1 节略弯, 约与第 3 节等长, 第 2 节最长, 第 4 节最短。喙 4 节, 达中足基节处。

前胸背板梯形, 前 2/3 强烈下倾; 前角向前突出, 侧角稍大于 90°, 侧缘平滑, 中纵线明显。小盾片三角形, 顶端尖; 前翅革片上具 1 个小黑斑, 膜片透明, 略有金属光泽, 不达腹部末端。

腹部较扩展, 侧接缘不为前翅所完全。雄虫生殖节构造简单。

**量度(mm):** 成虫体长 13.50~14.50, 腹部最宽处 10。

**采集记录:** 2 头, 留坝庙台子, 1350m, 1999. Ⅶ.22; 6 头, 佛坪, 900m, 1999. Ⅵ.27。

**分布**：陕西(留坝、佛坪)、黑龙江、吉林、辽宁、北京、天津、河北、河南、江苏、浙江、湖北、江西、湖南、福建、广东、四川、贵州；俄罗斯，朝鲜，日本。

### (282) 纹须同缘蝽 *Homoeocerus striicornis* Scott, 1874

*Homoeocerus striicornis* Scott, 1874: 362.

*Homoeocerus marginatus* Uhler, 1896: 260.

**鉴别特征**：体中型，略细长，淡草绿色或淡黄褐色。

头方形，前端强烈下倾；触角浅栗褐色，第 1、2 节外侧具 1 条纵走黑纹，第 4 节淡黄色，端半部烟褐色；第 1、2 节几乎等长，第 3 节最短，稍短于第 4 节。喙第 3 节显著短于第 4 节，第 2 节约等于第 3 节。

前胸背板长，有浅色刻点；侧缘黑色，黑缘内有淡红色纵纹；侧角成显著的锐角，略突出，具黑色颗粒；小盾片草绿色，微具皱纹，基部较为明显；前翅革片烟褐色，亚前缘及爪片内缘黑色；膜片烟褐色，透明；足细长，中、后足胫节常呈淡红褐色。

**量度(mm)**：体长 18 ~21，宽约 5。

**采集记录**：1 头，佛坪，890m，1999. Ⅵ. 26，灯诱；2 头，佛坪，900m，1999. Ⅵ. 27。

**分布**：陕西(佛坪)、北京、河北、甘肃、江苏、浙江、湖北、江西、湖南、福建、台湾、广东、四川、云南；日本，印度，斯里兰卡。

## Ⅲ. 岗缘蝽族 Gonocerini Stål, 1872

**鉴别特征**：头小，长，前端突出于触角基前方或向下倾斜；中胸与后胸侧板各具 1 个黑色斑点；股节简单，腹部不向两侧扩展；腹部气门位于腹节的中央；雌虫第 7 腹板褶后缘凹陷，靠近该节的前缘。

**分类**：中国记录 4 属，秦岭地区发现 2 属 2 种。

#### 分属检索表

头长，显著伸出于触角基的前方 ………………………………………………… **普缘蝽属 *Plinachtus***

头较短，前端向下倾斜 ……………………………………………………………… **棘缘蝽属 *Cletus***

### 160. 普缘蝽属 *Plinachtus* Stål, 1860

*Plinachtus* Stål, 1860: 470. **Type species**: *Plinachtus spinosus* Stål, 1860.

**属征：**身体狭长；头小，伸出于触角基前方，触角较细，圆柱形，第4节长于第3节；足简单。

**分布：**中国记录4种，秦岭地区记述1种。

### (283) 二色普缘蝽 *Plinachtus bicoloripes* Scott, 1874

*Plinachtus bicoloripes* Scott, 1874: 363.

*Plinachtus similis* Uhler, 1896: 261.

*Plinachtus dissimilis* Hsiao, 1964: 94.

**鉴别特征：**体中型，黑褐色，密被细小深色刻点，腹面黄色。

头小，前端伸出于触角基前方，中叶长于侧叶；触角红色，稍长于体长的2/3，第2节最长，第3节最短，短部稍侧扁。喙短，末端黑色，达于中足基节。

前胸背板梯形；侧缘黑色，平直；侧角不突出或成刺状；小盾片三角形，顶端黑色；前翅膜片浅褐色，达于腹部末端；各足股节基半部黄色，端半部、胫节及跗节红褐色。

腹部背面略向下凹陷，侧接缘上翘；侧接缘基半部黄色，端半部黑色；腹面污黄色；气门黑色，与腹板后缘距离远小于距侧缘距离；雄虫生殖节后缘中央凹陷。

**量度(mm)：**体长13.50～14.00，宽5.20～5.30。

**采集记录：**1♂1♀，宁陕旬阳坝，1368m，2014.Ⅷ.18，宁馨采；1♀，丹凤街坊村，1199m，2014.Ⅷ.12，刘华希采。

**分布：**陕西(宁陕、丹凤)、北京、天津、山西、江苏、浙江、湖北、江西、四川、云南；韩国，日本。

## 161. 棘缘蝽属 *Cletus* Stål, 1860

*Cletus* Stål, 1860: 236. **Type species:** *Cimex trigonus* Thunberg, 1783.

**属征：**体中小型。头较短，前端向下倾斜，触角第4节不长于第1节。前翅革片上无浅色斑点，或仅有1个斑点。腹节后角不显著，侧接缘一色，气门几乎位于腹节中央。

**分布：**中国记录7种，秦岭地区记述1种。

### (284) 稻棘缘蝽 *Cletus punctiger* Dallas, 1852

*Gonocerus punctiger* Dallas, 1852: 494.

*Cletus rusticus* Stål, 1860: 237.

*Cletus tenuis* Kiritshenko, 1916: 184.

*Cletus punctiger*: Hsiao & Zheng, 1964: 66.

**鉴别特征**：体狭长，黄褐色，密布刻点。

头短，头顶有黑色小颗粒，中央有短纵沟；触角第1节较粗，向外略弯，显著长于第3节，第4节纺锤形；复眼红褐色，眼后有1条黑色纵纹；单眼红色，周围有黑圈；喙末端黑色，伸达中足基节间。

前胸背板多一色，有时后部色较深，前缘具黑色小颗粒；侧角细长，略向上翘，末端黑色；侧角后缘向内弯曲，有颗粒状突起；前翅革片侧缘浅色，近顶缘的翅室内有1个浅色斑点；膜片淡褐色，透明。各胸侧板中央有1个黑色小斑点。

腹部背面橘红色；侧接缘黑色；腹面色较浅，腹板每节前后缘有排成横列的小黑点。

**量度**(mm)：体长9.50~11.00，宽2.80~3.50。

**采集记录**：3♂，西乡，2012.Ⅶ.15，吕旻桦采。

**分布**：陕西(西乡)、北京、天津、河北、山东、浙江、湖北、江西、四川、广东、西藏；印度。

## Ⅳ. 缘蝽族 Coreini Stål, 1873

**鉴别特征**：头稍向前伸出于触角基的前方，前端向下弯曲；前足股节腹面前端无刺，或具2列小刺；雌虫腹部第7腹板褶后缘平直或稍向内弓，靠近前节的前缘，其后方凹陷；腹部向两侧扩展，气门远离腹部侧缘。

**分类**：中国记录4属，秦岭地区发现1属1种。

### 162. 缘蝽属 *Coreus* Fabricius, 1794

*Coreus* Fabricius, 1794: 126. **Type species**: *Cimex marginatus* Linnaeus, 1758.

**属征**：体中型。头小，前端陡然向下折成直角，中、侧叶由头背面不可见，头顶前方短纵沟显著；触角基内侧各具1根前指的长刺；触角第1节三棱形，第4节长纺锤形；具单眼前陷，单眼间距大于单眼至复眼距离；小颊长，后伸几乎达复眼后缘。前胸背板后端近后缘处具屋脊状隆起；小盾片三角形；前翅革片不透明；中、后胸腹板中央纵沟显著。腹部侧接缘扩展。

**分布**：中国记录3种，秦岭地区记述1种。

#### (285) 波原缘蝽 *Coreus potanini* (Jakovlev, 1890)

*Syromastes pntnnini* Jakovlev, 1890: 551.

*Coreus potanini*: Hsiao *et al*., 1977: 250.

**鉴别特征：**体中型。黄褐色或暗褐色。密被黑刻点及小颗粒，颗粒具平伏浅色短细毛。

头前端向下折，中、侧叶在头背面不可见，头顶前方纵沟显著，触角基顶端内侧各具1前指的长刺，两者前端平行，不接触；触角4节，同体色，第1~3节三棱形，第4节长纺锤形，第1节粗，略弯曲，与第2节约等长，第2节显著长于第3节；喙4节，第1~3节上方具明显颗粒，第4节光滑，末端黑色，伸达中足基节基部。

前胸背板显著下倾，胝区可见，圆形，后端具显著屋脊状隆起，后缘几乎平直，侧角近于直角；小盾片正三角形，刻点不清晰；前翅达腹部末端，革片中央常有1个黑斑，膜质部淡褐色透明；前胸腹板中央凹陷，中、后胸腹板具纵沟。

足股节粗大，腹面具浅纵沟，纵沟两侧各具2列小刺；胫节细，短于股节，背面纵沟达胫节末端；跗节腹面密被浅色粗毛，爪末端黑褐色。

腹部背面红色，基部黑色，第4、5背板中央向后突出；侧接缘向两侧扩展，各节内侧中央具浅色光滑大斑；腹部腹面常具不规则黑斑；气门与侧缘距离远大于与该节前缘的距离。

雄虫生殖节舌状，背面观不露于腹部第7背板之外；抱器端部细，向内弯曲。

**量度(mm)：**体长12.00~13.50，腹部最宽处6.50~7.20；头长3，宽3.60；触角1~4节的长度分别为4.80、4.80、4.20、3.00。

**采集记录：**10头，周至厚畛子，1350m，1999. Ⅵ.23-25；23头，留坝庙台子，1470m，1999. Ⅶ.01；2头，留坝闸口石，1800~2100m，1998. Ⅶ.20；10头，佛坪凉风垭，1800~2100m，1999. Ⅵ.28；1头，宁陕火地塘，1580m，1999. Ⅵ.25；1头，宁陕火地塘，1580~1650m，1999. Ⅵ.26；1头，宁陕火地塘鸦雀沟，1600~1700m，1998. Ⅶ.28；1头，宁陕旬阳坝，1350m，1998. Ⅶ.29。

**分布：**陕西(周至、留坝、佛坪、宁陕)、内蒙古、河北、山西、甘肃、湖北、四川、西藏。

**寄主：**马铃薯。

## (二)棒缘蝽亚科 Pseudophloeinae

**鉴别特征：**本亚科是缘蝽科中比较小的1个亚科，均为中型种类，体长一般不超过10mm。身体背面具颗粒状小突起及刻点，每个颗粒或刻点的中央具1条细毛；头顶圆凸，前方无纵走凹陷；臭腺沟外缘粗厚完整；各足胫节圆柱形，背面无纵沟；雄虫第6腹节后角呈角状突出。

**分类：**中国记录6属，秦岭地区发现1属1种。

## 163. 颗缘蝽属 *Coriomeris* Westwood, 1842

*Coriomeris* Westwood, 1842: 6. **Type species**: *Cimex denticulatus* Scopoli, 1763.

**属征**：身体具颗粒及细毛，后部较宽，头顶较鼓，触角基外侧向前成刺状突出，触角各节约等长，前胸背板侧缘具刺状突起，顶端具细毛，后缘在小盾片基角处具2个刺，腹部两侧稍扩展，侧接缘后角无刺，后足端部膨大，腹面具刺。

**分布**：中国记录5种，秦岭地区记述1种。

### (286) 颗缘蝽 *Coriomeris scabricornis* (Panzer, 1805)

*Coreus scabricornis* Panzer, 1805: pl. 21 and legend.

*Coreus scabricollis* Stephens, 1829: 341.

*Merocoris serratus* Costa, 1847: 7.

*Coriomeris nigridens* Jakovlev, 1906: 198.

*Coriomeris scabricornis*: Hsiao *et al.*, 1977: 255.

**鉴别特征**：体型较小，长椭圆形。暗褐色，密被具浅色平伏毛的颗粒。

头短圆柱形，前端下倾。触角基顶端外侧成荆状；触角4节，第1~3节颗粒显著，被平伏短粗毛，第4节光滑，无明显颗粒，密被平伏浅色细毛及少数直立黑褐色毛；复眼圆形，褐色；单眼红色，位于显著的突起上；小颊略呈椭圆形，前端似角状，前伸几乎达头前端；喙伸达中足基节基部。

前胸背板梯形，显著下倾，前端具长刺突，后端刻点清晰，无显著刺状突，纵中线清晰，胝区可见，侧缘稍内凹，具1列较整齐的刺突；侧角顶端通常浅色，扁刺状，后缘近小盾片基角外方各具1个长刺，刺与侧角间具4~6枚小瘤突；小盾片三角形，平坦，具刻点，末端尖，向后延伸较长；前翅革片刻点暗色，具颗粒，颗粒顶端具浅色向后平伏细毛；膜片暗褐色透明，超过腹部末端；臭腺沟外缘宽厚完整；各足股节粗，长于胫节，后足股节腹面具1枚大刺，其两侧通常有几枚小刺。

腹部侧背板红褐色；第4、5节背板后缘中央向后呈叶状突出，第7背板后缘凹，后角突出；腹部腹面黄色，毛点黑色，清晰；雄虫生殖节后缘中央呈角状突起。

**量度**(mm)：成虫体长8.50~9.00，腹部最宽处3.30~3.50；触角1~4节的长度分别为1.30、1.00、1.10、1.20。

**采集记录**：1♂，南郑，1975. Ⅹ. 15。

**分布**：陕西(南郑)、北京、天津、河北、山西、河南、山东、江苏、四川、西藏。

# 二十八、姬缘蝽科 Rhopalidae

朱卫兵[1]　张海光[2]　卜文俊[2]
(1. 中国科学院上海生命科学研究院植物生理生态研究所，上海 200032；
2. 南开大学昆虫学研究所，天津 300071)

**鉴别特征：** 体小到中型。细长到椭圆形。体色多为灰暗，少数鲜红色。头三角形，前端伸出于触角基前方。触角较短，第 1 节短粗，短于头的长度，第 4 节粗于第 2、3 节，常呈纺锤形。单眼不贴近，着生处隆起。前翅革片端缘直，革片中央通常透明，翅脉常显著。胸部腹板中央具纵沟，侧板刻点通常显著。臭腺孔通常退化，如有则位于中、后足基节窝之间，无明显臭腺沟缘。雌虫第 7 腹板完整，不纵裂为两半。产卵器片状，受精囊末端具明显的球部。

**生物学：** 此类昆虫生活于植物上或在地表爬行，吸食植物营养器官及种子和花器，在田间和低矮植物上多见。

**分类：** 世界性分布。中国已记录 13 属，陕西秦岭地区分布 3 属 5 种。

### 分属检索表

1. 前胸背板前方横沟两侧弯曲成环，包围 1 个光滑的小岛或半岛；后胸侧板前后界限不清楚，刻点均匀，其后角宽圆形，由背面观察不可见 ……………………………… **环缘蝽属 *Stictopleurus***
   前胸背板前方横沟两侧不如上述弯曲；后胸侧板前后部分界限清楚，后部光滑无刻点，或刻点不清楚，后角狭窄，向外开张，由虫体背面可见 …………………………………………………… 2
2. 前胸背板颈片窄，界限清楚，无刻点，其后方有完整平滑的横脊 ……… **栗缘蝽属 *Liorhyssus***
   前胸背板颈片宽，界限不清楚，具刻点，其后方无完整光滑的横脊 ……… **伊缘蝽属 *Rhopalus***

## 164. 环缘蝽属 *Stictopleurus* Stål, 1872

*Stictopleiirus* Stål, 1872: 55. **Type species**: *Cimex crassicornis* Linnaeus, 1758.

**属征：** 长椭圆形，常密被浅色短毛。头、前胸背板、小盾片密被刻点。头三角形，头顶中央前方具 1 个不显著的细纵沟。前胸背板梯形，宽大于长，中纵脊明显，前端横沟两端弯曲成环，包围 1 个小岛或半岛。前翅革片中央透明，翅脉显著，近内角翅室呈四边形。腹部第 5 背板前缘及后缘中央向内弯曲。

**分布：** 中国记录 5 种，秦岭地区发现 2 种。

### 分种检索表

前胸背板前端横沟的两端通常不弯曲成完整的环，与被包围部分常形成 1 个半岛，横沟前方无光滑横脊 ………………………………………………………………… **开环缘蝽 *S. minutus***

前胸背板横沟的两端弯曲成一个完整的环，横沟前方有 1 个完整光滑的横脊………………………………………………………………………………………… **闭环缘蝽 *S. viridicatus***

### (287) 闭环缘蝽 *Stictopleurus viridicatus* (Uhler, 1872)

*Corizus viridicatus* Uhler, 1872: 404.

*Rhopalus* (*Stictopleurus*) *paltidus* Sahlberg, 1878: 17.

*Rhopalus* (*Stictopleurus*) *nysioides* Reuter, 1891: 178.

*Corizus novaeboracensis* var. *pallidus* Baker, 1908: 243 (nec Sahlberg, 1878).

*Stictopleurus viridicatus*: Liu & Zheng, 1993: 160.

**鉴别特征：**体小，灰绿色或浅黄棕色，被白色短毛。

头三角形，宽稍大于长. 前端伸出触角基前方，中叶与侧叶约等长；触角 4 节，第 1~3 节具棕红色或黑色斑点，第 1 节短粗，显著短于头宽，第 2、3 节圆柱状，第 2 节稍长于第 3 节，第 4 节长纺锤形；喙后伸略超过中足基节中央；小颊小，前端成角状。

前胸背板梯形，刻点与背板同色，中纵脊不完整，前端横沟两端弯曲成环，横沟前方横脊粗，脊前部分较窄，具 2 列黑色细刻点；前缘稍凹，侧缘、后缘平直，侧角钝圆；小盾片三角形；前翅革片中央透明，翅脉显著，近内角翅室呈四边形；膜片黄色透明，超过腹部末端；后胸侧板前端刻点稀疏，后胸侧板前后部分分界不清楚，后角圆，体背面不可见；无臭腺孔；各足腿节粗大. 基部稍弯曲；胫节细直，末端背侧具 2 枚黑色小齿，腹侧端部有时具若干成列小黑斑。

腹部背面黑，第 5 腹节背板中央具卵形黄斑；第 5 腹节背板前缘及后缘中央向内弯曲；侧接缘黄色；腹部腹面黄绿；腹板稍短于背板，与背板形成 1 个宽三角形开口；雄虫生殖节后缘中央突出成刺状，抱器端部长大于宽的 2 倍，不及 3 倍，顶端细尖。

**量度(mm)：**体长 5.80 ~ 7.50，宽 1.70 ~ 2.40；头长 1.10，宽 1.50；触角 1 ~ 4 节的长度分别为 0.40、1.00、0.90、1.20。

**分布：**陕西(秦岭)、吉林、辽宁、内蒙古、北京、河北、山西、新疆。

### (288) 开环缘蝽 *Stictopleurus minutus* Blöte, 1934

*Stictopleurus minutus* Blöte, 1934: 264.

**鉴别特征**：长椭圆形；黄绿色，有时略带赭色，除头的腹面及腹部腹面外，全身密布细小的黑色刻点。

头三角形；中叶长于侧叶；触角基外侧刺状向前突出；触角4节，第1节中部及端部膨大，黑褐色，第2、3节圆柱形，第4节长纺锤形；单眼红色，单眼着生处凸起，凸起周围黑色；喙伸达中足基节。

前胸背板梯形，中纵脊明显；前端横沟黑色，两端弯曲但仅包围2个小半岛；横沟前方无光滑的纵脊；前胸背板侧缘略向内弯曲，侧角钝圆，后缘略直；小盾片三角形，基角略凸起，黄色；前翅除基部、前缘、翅脉及革片顶角外透明；前翅超过腹部末端。

腹部背面黑色；背板第5节后半中央、第6节中部2个斑点及后缘和第7节两条纵带黄色；侧接缘黄色，各节后部常具黑色斑点；雄虫生殖节后缘中央成角状突出，抱器在近基部处弯曲，向端部逐渐细缩成锥状；雌虫第7腹板成龙骨状。

**量度(mm)**：体长6.00~8.20，宽2.00~2.70。

**采集记录**：14♂11♀，丹凤庾岭镇，1157m，2014.Ⅷ.10，刘华希采。

**分布**：陕西(丹凤)、黑龙江、吉林、北京、河北、新疆、江苏、浙江、江西、福建、台湾、广东、四川、云南、西藏；日本。

## 165. 栗缘蝽属 *Liorhyssus* Stål, 1870

*Liorhyssus* Stål, 1870: 222 (as subgenus of *Corizus*). **Type species**: *Lygaeus hyalinus* Fabricius, 1794.

**属征**：体长大于宽的3倍；长椭圆形。头、前胸背板、小盾片密布刻点。头三角形，眼后部分突然细缩；单眼间距大于单眼至复眼距离；小颊向后仅达复眼前缘；前胸背板前端横沟不达侧缘，横沟前方具横脊；后胸侧板前后分界清楚，后角狭窄，向外扩展，体背面可见。

**分布**：中国记录1种，秦岭地区发现1种。

### (289) 栗缘蝽 *Liorhyssus hyalinus* (Fabricius, 1794)

*Lygaeus hyalinus* Fabricius, 1794: 168.
*Corizus gracilis* Herrich-Schäffer, 1835: pl. 2 and legend.
*Corizus capensis* Germar, 1838: 144.
*Corisus truncatus* Rambur, 1839: 144.
*Corizus rubescens* Kolenati, 1845: 59.
*Merocois maculiventris* Spinola, 1852: 170.
*Merocoris microtomus* Spinola, 1852: 171.
*Rhopalus ruber* Dallas, 1852: 525.
*Rhopalus bengalensis* Dallas, 1852: 528.

*Corizus sanguineus* Costa, 1853: 13.

*Corizus dilatipennis* Signoret, 1859: 89.

*Corizus variegatus* Signoret, 1859: 89.

*Corizus quadrilineatus* Signoret, 1859: 90.

*Coizus siculus* Signoret, 1859: 91.

*Corizus lugens* Signoret, 1859: 92 (name attributed to Stål; see *Rhopalus lugens*).

*Rhopalus lugens* Stål, 1860: 240.

*Rhopalus victoris* Mulsant *et* Rey, 1870: 113, 123.

*Corizus marginatus* Sakovev, 1871: 10.

*Corizus hyalinus* var. *nigrinus* Puton, 1881: 77.

*Corizus hyalinus* var. *spathula* Rey, 1887: 2.

*Liorhyssus hyalinus* var. *rubricatus* Reuter, 1900: 276.

*Liorhyssus natalensis* var. *corallinus* Horváth, 1911: 105.

*Corizus scotti* Distant, 1913: 148.

*Corizus imperialis* Distant, 1918: 170.

*Corizus pronotalis* Distant, 1918: 170.

*Liorhyssus hyalinus* var. *pallidus* Mancini, 1935: 79.

*Liorhyssus hyalinus*: Hsiao *et al.*, 1977: 265.

**鉴别特征：**长椭圆形，黄棕色或黄褐色，密被浅色长细毛。

头三角形，背面具显著对称黑色纹；头顶稍鼓，中央具黑色短纵沟；触角第 1 ~ 3 节色较深，内侧具浅色纵纹，第 4 节色较浅；第 1 节短粗，第 2、3 节圆柱状，第 4 节长纺锤形；喙 4 节，第 4 节通常黑色，后伸几乎达后胸腹板后缘；小颊向后仅达复眼前缘。

前胸背板梯形，宽显著火于长，侧缘直，后缘稍外弓，侧角钝圆。前胸背板前方横沟黑色，两端不达侧缘；横沟前方横脊完整，上具 1 列细刻点；小盾片三角形，末端较尖；前翅透明，革片翅脉显著，膜片超过腹部末端；后胸侧板前后分界清楚，后角狭窄，向外扩展，体背面可见。

腹部背面黑；第 5 腹节背板中央具 1 个长椭圆形黄斑，两侧各有 1 个小黄斑；侧接缘黄黑相间；腹部腹面通常布红色斑点；雄虫生殖节后缘中央具 1 个显著的三角形突起。

**量度(mm)：**体长 7.00 ~ 7.80，宽 2.10 ~ 2.50；头长 1，宽 1.50；触角 1 ~ 4 节的长度分别为 0.40、0.80、0.80、1.30；前胸背板长 1.30，宽 2.20。

**采集记录：**1♂2♀，宁陕，1100m，2011. Ⅷ. 06，杨贵江采。

**分布：**陕西(宁陕)、黑龙江、内蒙古、北京、天津、河北、江苏、安徽、湖北、江西、四川、广东、广西、贵州、云南、西藏。

**寄主：**粟，高粱，小麦，麻类，向日葵，烟草。

## 166. 伊缘蝽属 *Rhopalus* Schilling, 1827

*Rhopalus* Schilling, 1827: 22. **Type species**: *Lygaeus capitatus* Fabricius, 1794.

**属征**：长椭圆形。黄红色或淡褐色，常带棕色成分。密被直立或半直立的毛。头三角形，前端伸出于触角基的前方，眼后部分突然狭窄；触角基外侧向前突出呈短刺状。前胸背板梯形，前端横沟不达侧缘。前翅革片中央透明，翅脉显著，内角附近的翅室四边形。腹部背面颜色及花斑多变。

**分布**：中国记录9种，秦岭地区发现2种。

### 分种检索表

前胸背板侧缘平直，侧角不向上翘，中部稍鼓，其宽度与头宽之比为3∶2；触角第2节外侧具1条隐约的黑色条纹 ………………………………………………… **褐伊缘蝽 *Rh. sapporensis***

前胸背板侧缘稍向内弓，侧角向上翘起，中部较平，其宽度与头宽之比大于3∶2；触角第2节背侧无黑色纵纹 ………………………………………………………………… **点伊缘蝽 *Rh. latus***

### (290) 褐伊缘蝽 *Rhopalus sapporensis* (Matsumura, 1905)

*Corizus sapporensis* Matsumura, 1905: 17.

*Rhopalus maculatus* var. *umbratilis* Horváth, 1917: 378.

*Corizus sparsus* Blöte, 1934: 260.

*Aeschyntelus communis* Hsiao, 1963: 330, 343.

*Aeschyntelus sparsus*: Hsiao *et al*., 1977: 266.

*Rhopalus sapporensis*: Liu & Bu, 2009: 394.

**鉴别特征**：椭圆形，黄褐色至棕褐色，被棕黄色毛及黑褐色刻点。

头三角形，在眼后方突然狭窄；近头后缘处有1条浅横沟，横沟后方具光滑横脊；触角第1~3节棕黄色，第4节基部及末端棕红色，中间黑色；喙伸达中足基节后端；小颊向后不达复眼后缘。

前胸背板梯形，暗褐色；前方横沟两端不弯曲成环；前胸背板中部稍鼓，中纵脊明显；侧角钝圆；小盾片宽三角形，顶端上翘；前翅透明，顶角红，翅脉显著，近内角翅室呈四边形，膜片超过腹部末端；后胸侧板前、后端分界清楚，后角狭窄，向外扩展，体背面可见。

腹部背面黑色；第5腹节背板前缘及后缘中央向内凹陷；中央具1个卵圆形黄斑，第6节背板近前缘两侧具2个不规则黄斑。侧接缘各节基部黄色；腹部腹面棕黄色，密布不规则红色斑点，基部中央具1条黑色纵带。

**量度(mm):** 体长 8.50 ~ 9.30，宽 3 ~ 4；头长 1.30，宽 1.70；触角 1 ~ 4 节的长度分别为 0.60、1.50、1.20、1.60。

**采集记录:** 4♂2♀，宁陕火地塘林场，1276m，2013. Ⅷ. 14，刘华希采；5♂5♀，汉中天台山森林公园，1443m，2014. Ⅶ. 08，张海光采。

**分布:** 陕西(宁陕、汉中)、黑龙江、内蒙古、河北、江苏、浙江、福建、广东、云南；俄罗斯，朝鲜，日本。

### (291) 点伊缘蝽 *Rhopalus latus* (Jakovlev, 1883)

*Corizus latus* Jakovlev, 1883: 109.

*Rhopalus* (*Aeschynteles* [sic!]) *angularis* Reuter, 1888: 67.

*Rhopalus* (*Aeschynteles* [sic!]) *robustus* Reuter, 1891: 179.

*Corizus reuteri* Lethierry *et* Severin, 1894: 119.

*Aeschyntelus notatus* Hsiao, 1963: 330, 343.

*Aeschyntelus notatus*: Hsiao *et al*., 1977: 267.

*Rhopalus latus*: Liu & Bu, 2009: 395.

**鉴别特征:** 椭圆形，棕褐色，密被黄褐色直立长毛，刻点细密。

头三角形；头顶具 3 条清晰的细纵沟；触角第 1 ~ 3 节棕黄色或棕红色，第 1 节短粗，中部膨大，第 2、3 节圆柱状，第 4 节长纺锤形，黑褐色，基部及末端色浅；喙向后伸超过中足基节。

前胸背板梯形，密被黑色细小刻点；前端横沟两端不弯曲成环；中纵脊明显，前缘、侧缘及后缘均较为平直，侧角突出，上翘；小盾片三角形，密被黑色刻点，顶端色淡，微上翘；前翅翅脉显著，近内角翅室呈四边形；膜片超过腹部末端；后胸侧板前后端分界清楚，前端刻点粗大稀疏，后端透明无刻点，后角狭窄，向外扩张，体背面可见。

腹部背面黄褐色到黑色；第 5 腹节背板前后缘中央向内弯曲，中央具 1 个长卵圆形黄斑；第 6、7 腹节背板前端两侧各具 1 个浅色斑点；腹部腹面密布红色或黑褐色斑点，侧接缘基部黄色，端部黑色。

**量度(mm):** 体长 8.50 ~ 10.20，宽 3.00 ~ 3.90；头长 1.60，宽 1.80；触角 1 ~ 4 节的长度分别为 0.70、1.80、1.50、1.70；前胸背板长 1.70，宽 3。

**采集记录:** 3♂4♀，留坝韦驮沟，1359m，2013. Ⅷ. 20，刘华希采。

**分布:** 陕西(留坝)、内蒙古、北京、河北、山西、甘肃、四川、云南、西藏；俄罗斯，朝鲜。

# 蝽总科 Pentatomoidea

## 二十九、同蝽科 Acanthosomatidae

王晓静　刘国卿
（1. 南开中学，天津 300100；2. 南开大学昆虫研究所，天津 300071）

**鉴别特征：**体一般为椭圆形，小型或中型，体色多样，但一般种内体色较为稳定，因此体色或色斑常常作为分类依据。虫体背面多较平坦，具粗糙刻点。

头部三角形，略下倾。近基部具单眼。触角 5 节，基部 3 节具稀疏短毛，端部 2 节短毛浓密，各节长度比例在不同类群中差别较大，可作为分类依据。喙细长，刺吸式，紧贴于头腹面，多伸达中足或后足基节，有些种类喙极长，伸达腹部中央。

前胸背板一般为六角形。胝区光滑无刻点。前缘呈宽弧形内凹；前角呈小角状伸出或圆钝不明显；侧缘斜直或中央略内凹，有时基半略波曲；侧角不明显伸出，或明显伸出成角状，或端部圆钝；后缘平直。小盾片长三角形，端部圆钝。前翅膜片一般超过腹部末端。前胸侧板多密被刻点；中胸腹板中央隆脊强烈突起成脊状，有时超过头前端，向后至中后足基节之间，有时不可见。足跗节为 2 节。

腹部有时具黑色斑带。腹面一般光滑无刻点，中央微隆起，基部中央有 1 个腹刺，向前伸达后足基节中央或超过中足基节。雌虫第 6～7 腹节有成对的下凹小体，圆形或长椭圆形的潘氏器，有些种类潘氏器消失。

雄虫生殖囊开口为背后向，在非交配时期被载肛突所覆盖。阳基侧突，左右对称；雌虫产卵器片状。

**分类：**中国记录 9 属 102 种，陕西秦岭地区分布 5 属 17 种。

### 分属检索表

1. 中胸腹板中央隆脊向后伸至中足基节之间 …………………………………………… 2
   中胸腹板中央隆脊向后未伸至中足基节之间 ………………………………………… 3
2. 臭腺沟短而匙形，椭圆形，仅占后胸侧板宽度的 1/3 ……………………… **匙同蝽属 *Elasmucha***
   臭腺沟长而斜直，大于后胸侧板宽度的 1/3 ……………………………… **直同蝽属 *Elasmostethus***
3. 前胸背板侧角缘薄且背腹扁平呈板状；中胸腹板中央隆脊前端远未达前胸背板前缘 …………
   ……………………………………………………………………………………… **板同蝽属 *Lindbergicoris***

前胸背板侧缘不薄，至少背腹有一面不扁平；中胸腹板中央隆脊前端伸达或略超过前胸腹板前缘 ………………………………………………………………………………………… 4

4. 前胸背板前部通常光滑，侧角通常延伸呈圆锥状刺；雄虫最后腹节后角尖或几乎呈直角 …… ……………………………………………………………………………… **锥同蝽属 *Sastragala***

前胸背板前部具刻点，侧角通常圆钝或突出；雄虫最后腹节后角非角状，多呈圆形 ………… ……………………………………………………………………………… **同蝽属 *Acanthosoma***

## 167. 同蝽属 *Acanthosoma* Curtis, 1824

*Acanthosoma* Curtis, 1824: 28. **Type species**: *Cimex haemorrhoidalis* Linnaeus, 1758.

**属征**：体中型。头三角形，中叶长于侧叶，复眼深红色。触角墨绿色，第 1 节明显超过头前缘，第 3 节短于第 2 节与第 4 节。前胸背板前缘除胝区为淡棕色外，其余为淡绿色，后缘棕红色；侧角突出，三角形，基部棕红色，端部不尖锐，黑色；中胸腹板中央隆脊隆起，向前伸达前足基节之间，向后未超过中足基节；臭腺沟缘较长，明显超过后胸侧板中央。小盾片具黑色刻点，端部无刻点。革片外缘草绿色，被黑色刻点，内缘深棕色；膜片烟褐色，端部略超过腹末。足腿节及胫节为草绿色，胫节端部及跗节为淡红色。腹端背面为鲜红色；腹刺发达，向前伸达前足基节，有时超过前胸背板前缘达头腹面中央。雌虫无潘氏器或具 1～2 个。

雄虫阳茎半骨化，系膜长，略骨化，一般具 1～2 对系膜基侧突及 1 对腹突；阳茎端细长，较骨化，卷曲。雌虫受精囊管较短；球部略骨化，圆形。

**分布**：东洋区，古北区，澳洲区。中国记录 20 种，秦岭地区记述 10 种。

### 分种检索表

1. 头前端亚平截，中叶与侧叶等长 …………………………………… **华同蝽 *A. sinensis***

头前端圆钝，中叶长于侧叶 …………………………………………………………… 2

2. 前胸背板侧角未成刺状，端部不尖锐，不向后弯曲 ………………………………… 3

前胸背板侧角延伸成刺状，端部短且尖锐，或长而圆钝，并向后弯曲 ……………… 6

3. 前胸背板侧角非红色；侧接缘后角齿弱；雄虫生殖囊具 2 对黑齿 …… **细齿同蝽 *A. denticauda***

前胸背板侧角红色 ……………………………………………………………………… 4

4. 前胸背板侧角短；两侧角间的距离约等于腹部最宽处 ………………………………… 5

前胸背板侧角长；两侧角间的距离明显大于腹部最宽处 ……………… **显同蝽 *A. distinctum***

5. 雄虫生殖囊两后侧角向后伸出，粗壮，内缘近平行 ………………… **宽铗同蝽 *A. labiduroides***

雄虫生殖囊两后侧角向后伸出，细长，末端略弯曲 ……………………… **剪同蝽 *A. forfex***

6. 中胸腹板中央隆脊低平，非弯弓形 ……………………………………………………… 7

中胸腹板中央隆脊高，弯弓形 …………………………………………… **陕西同蝽 *A. shensiensis***

7. 前胸背板侧角强烈向前方弯曲；腹部背面为黑色 ………………… **黑背同蝽 *A. nigrodorsum***

前胸背板侧角向前侧方弯曲；腹部背面非黑色 ………………………………………… 8

8. 前胸背板侧角黑色 …………………………………… 原同蝽 *A. haemorrhoidale haemorrhoidale*
前胸背板侧角非黑色 ………………………………………………………………………………… 9
9. 前胸背板侧角长，刺状；阳基侧突端分为两叶 …………………… 漆刺肩同蝽 *A. acutangulata*
前胸背板侧角短，端部圆钝；阳基侧突端未分叉……………………………… 泛刺同蝽 *A. spinicolle*

## (292) 漆刺肩同蝽 *Acanthosoma acutangulata* Liu, 1979（图 97）

*Acanthosoma acutangulata* Liu, 1979: 58.

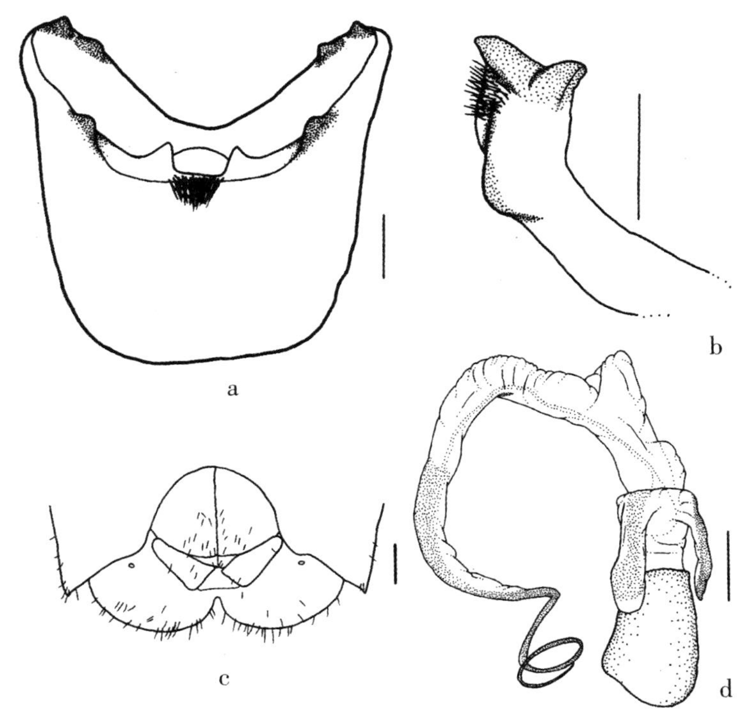


图 97　漆刺肩同蝽 *Acanthosoma acutangulata* Liu
a. 雄虫生殖囊背面观；b. 阳基侧突端面观；c. 雌虫生殖节；d. 阳茎侧面观。比例尺：0.025mm

**鉴别特征：**体卵圆形，具黑色刻点；侧角粗壮，棕红色。

头长三角形，侧叶略短于中叶，中叶前端圆钝，明显长于侧叶，刻点黑色，中叶无刻点；侧叶密被刻点。侧缘于中央略内凹。复眼黑色；单眼暗棕色；复眼与单眼之间及复眼内侧光滑无刻点。触角第 1 ~ 3 节基半为棕色，第 3 节端半、第 4 ~ 5 节为棕黑色；第 1 节较粗，超过头前方，中央略内弯，略长于第 3 节；第 2 节最长，约为第 3 节的 1.50 倍；第 3 节最短；第 4 节略短于第 2 节；第 5 节略长于第 1 节。头腹面淡棕黄色，光滑无刻点。小颊可见，外缘低于喙基节表面。喙棕黄色，端部为黑色，向后略超过中足基节后缘。

前胸背板黄褐色，后缘为浅红棕色，具黑色刻点；宽约为长的 2 倍。胝区亮棕黄色，光滑无刻点。前缘宽弧形内凹，其内侧被少量的黑色细密刻点；前角不明显，指向前方，端部圆钝；侧缘中央略内凹；侧角棕红色，明显伸出体外，略向上翘起且指向侧前方，基部具黑色刻点；后侧缘斜直；后角圆钝，不明显；后缘中央略内凹。小盾片长大于宽，草绿色，顶端淡黄绿色，中央隐约有光滑纵带，顶端钝，光滑。革片一色，草绿色，内侧刻点较外缘刻点小且密集；前翅膜片淡棕色，半透明，略超过腹末。中胸腹板中央隆脊低矮，其前端向前略超过前胸腹板前缘，向后达中胸腹板中央；臭腺沟缘细长，明显超过后胸侧板宽度的 1/2。足棕褐色，爪端半为黑色。

腹部侧接缘一色，黄褐色，各节后角不明显。雄虫第 7 腹节后角不尖锐，圆钝，雌虫第 6 及第 7 腹节各具 1 对潘氏器，各节潘氏器大小近乎相等。

雄虫生殖囊多为红棕色，背面侧缘近端部内侧各着生 1 个黑色小突起；腹面侧缘中央及顶端具 2 对黑色小突起，顶端明显超过第 7 腹节后缘。阳基侧突顶端分为 2 支，骨化，各支顶角较钝。阳茎具 1 对略骨化的系膜腹侧叶及 1 个膜质中央突，中央突近中央处突起；阳茎端骨化，黑色，卷曲。

雌虫第 1 载瓣片内缘平直，相互平行且接触；内角圆钝；外缘宽弧形。第 9 侧背片端角圆钝，远未达第 8 腹节后缘；外缘斜直。第 8 侧背片中央内凹，端缘呈宽弧形，红棕色，略超过第 7 节后角。雌虫受精囊球部呈帽状，中央处略弯，基檐略大于端檐。

**量度(mm)：**♂：体长 12.91～13.67，宽 8.52～9.68；头长 2.13～2.27，宽 2.23～2.37；两单眼间宽 0.85～0.91；触角 1～5 节的长度分别为 1.61、2.18、1.45、2.06、1.69；前胸背板长 3.33～3.52；小盾片长 3.62～4.09，宽 3.06～3.42。♀：体长 14.65～16.38，宽 9.82～10.37；头长 2.03～2.17，宽 2.03～2.37；两单眼间宽 0.85～0.92；触角 1～5 节的长度分别为 1.71、2.08、1.51、2.06、1.89；前胸背板长 3.45～3.61；小盾片长 3.67～4.19，宽 3.36～3.81。

**采集记录：**1♀，西安，1916. Ⅷ. 02；1♀，同上，邹环光采。

**分布：**陕西(西安)、山西、湖北、重庆、四川、云南。

### (293) 细齿同蝽 *Acanthosoma denticauda* Jakovlev, 1880 (图 98)

*Acanthosoma denticauda* Jakovlev, 1880: 394.

**鉴别特征：**体椭圆形，背面为翠绿色或黄绿色，具深棕色或黑色刻点；侧角粗短，末端稍突出，通常为棕黑色。

头部宽大于长，背面黄绿色，具黑色细密刻点。中叶前端圆钝，明显长于侧叶；侧缘于中央略内凹。复眼黑色；单眼暗棕色。触角暗黄褐色，第 3～5 节棕色；第 1 节明显超过头端，超过部分短于其长度的 1/2，最粗，中央略内弯；第 2 节与第 4 节近乎等长；第 3 节最长；第 5 节略长于第 1 节。头腹面亮棕黄色，光滑无刻点。小颊较发达，外缘低于喙基节表面。喙棕色，向后达中足基节后缘，第 1 节与小颊后缘平齐，最粗；端节最短，端部为黑色。

前胸背板宽明显大于长，前半棕黄色，后半为黄褐色；被黑色粗大刻点，后半刻点较前半刻点粗大且稀疏。胝区亮棕色，光滑无刻点。前缘宽弧形内凹，其内侧被黑色细密刻点；前角小角状伸出，指向前方，端部较尖锐；侧缘中央略内凹；侧角末端稍突出，多为棕黑色，端部较钝，基部刻点密集；后侧缘斜直；后角圆钝，略向后延伸；后缘平直。小盾片三角形，长大于宽，棕黄色，均匀被黑色刻点；端部延伸，浅黄色，光滑无刻点；端角钝圆。革片与前胸背板后半颜色一致，被黑色刻点，较小盾片刻点密集；顶缘斜直，光滑，淡棕色；顶角圆钝。膜片淡棕色，半透明，翅脉可见，末端明显超过腹端。胸部腹面为棕黄色；中胸腹板隆脊发达，外缘宽弧形，向前超过前胸腹板前缘，向后未达中足基节之间；臭腺沟缘细长，中央略弯，超过后胸侧板宽度的 1/2。足棕色，爪端半为黑色。

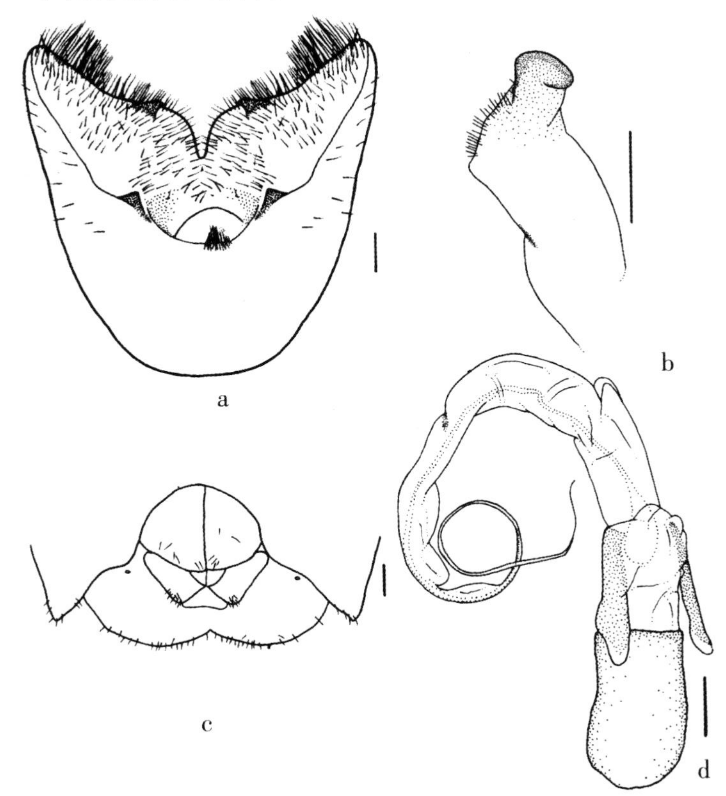


图 98　细齿同蝽 *Acanthosoma denticauda* Jakovlev

a. 雄虫生殖囊背面观；b. 阳基侧突端面观；c. 雌虫生殖节；d. 阳茎侧面观。比例尺：0.025mm

腹部侧接缘窄露，淡棕色，各节相接处为黑色，无刻点，各节后角不显著延展，齿弱。腹部腹面棕黄色，无刻点。腹刺发达，向前伸达前足基节后缘，与中胸腹板隆脊相接触。雌虫第 6、7 腹节各具 1 对潘氏器，各节潘氏器大小近乎相等，卵圆形。

第7节后角未超过生殖节后缘。

雄虫生殖囊背面后缘中央内凹，其上具一簇短毛；两侧近中央各着生1个黑色小齿状突起；腹面后缘中央明显内凹，两侧具长毛，中央着生黑色突起。阳基侧突顶缘黑色，略骨化，具少量短毛。阳茎系膜膜质，1对系膜基腹突，骨化；阳茎端膜质，细长且弯曲。

雌虫第1载瓣片内缘平直，相互平行且接触；内角圆钝；外缘斜直。第9侧背片三角形，端角近乎直角，未伸出第8腹节后缘；外缘斜直。第8侧背片中央内凹，端缘宽弧形，超过第7节后角。

**量度(mm)**：♂：体长14.15~17.13，宽7.52~8.93；头长2.13~2.53，宽2.63~2.91；两单眼间宽0.95~1.12；触角1~5节的长度分别为1.71、2.33、1.41、2.24、1.82；前胸背板长3.03~3.12；小盾片长4.12~5.28，宽3.86~4.61。♀：体长14.01~17.57，宽7.43~9.32；头长2.15~2.71，宽2.69~2.93；两单眼间宽0.98~1.19；触角1~5节的长度分别为1.73、2.35、1.43、2.26、1.87；前胸背板长3.09~3.21；小盾片长4.23~5.44，宽3.81~4.72。

**采集记录**：1♀，长安南五台，1951.Ⅶ，周尧采。

**分布**：陕西(长安)、黑龙江、吉林、辽宁、北京、天津、山西、山东；俄罗斯，朝鲜，日本。

### (294) 显同蝽 *Acanthosoma distinctum* Dallas, 1851

*Acanthosoma distinctum* Dallas, 1851: 304.

**鉴别特征**：体中型，椭圆形，棕绿色，具黑色刻点；侧角橘红色。

头部宽略大于长，背面棕褐色，光滑无刻点。中叶前端圆钝，明显长于侧叶；侧缘于中央略内凹。复眼棕紫色；单眼暗棕色。触角1~3节棕绿色，第4节棕色，第5节缺失；第1节明显超过头端，超过部分短于其长度的1/2，最粗；第2节较第1节略长；第3节长于第2节；第4节长于前3节，约为第1节长度的1.50倍。头腹面棕黄色，光滑无刻点。小颊较发达，外缘与喙基节表面平齐。喙棕色，向后达中足基节，第1节未达小颊后缘，最粗，第3节与第2节近乎等长；端节最短，端部为黑色。

前胸背板宽大于长的2倍，前半较后半颜色略浅，后半为棕褐色，前半为棕色，后半被深棕色粗大刻点。胝区亮棕黄色，光滑无刻点。前缘宽弧形内凹，其内侧被少量的棕色细密刻点；前角不明显，指向前方，端部钝；侧缘中央内凹，棕黄色，光滑无刻点；侧角强烈延伸成长刺，较粗壮，近端部略粗，末端钝，红棕色；后侧缘斜直；后角圆钝，不明显；后缘平直。小盾片三角形，长与宽近乎等长，暗棕色，被黑色刻点；中央具1个光滑的半椭圆形黄褐色大斑；端部延伸，浅黄褐色，光滑无刻点；端角钝圆。革片棕褐色；顶缘斜直；顶角圆钝。膜片淡棕色，半透明，翅脉可见，末端略超过腹端。胸部腹面棕黄色；中胸腹板隆脊发达，向前略超过前胸腹板前缘，向后达中足基节前缘；臭腺沟缘细长，斜直，约为后胸侧板宽度的2/3，顶缘外侧无黑色小斑分布。足棕褐色，跗节为棕色，爪端半为黑色。

腹部侧接缘窄露，一色，棕绿色，无刻点，各节后角呈黑色小角状伸出，端部尖锐。腹部腹面亮棕黄色，无刻点。腹刺发达，向前伸达中胸腹板中央，与中胸腹板隆脊相接触。雌虫无潘氏器分布。第7节后角略延伸，黑色。

雄虫生殖囊后侧角不发达，端部及其内侧无长毛分布。

雌虫第1载瓣片内缘平直，相互平行且接触；内角圆钝；外缘宽弧形。第9侧背片端角圆钝，未伸出第8腹节后缘；外缘宽弧形。第8侧背片中央内凹，端缘宽弧形，未超过第7节后角。

**量度(mm)：**♀：体长15.69～18.15，宽9.96～11.82；头长1.67～1.72，宽1.93～2.59；两单眼间宽0.65～0.85；触角1～5节的长度分别为1.01、2.18、1.46、2.26、1.98；前胸背板长3.86～4.23；小盾片长4.56～4.97，宽4.03～4.21。

**采集记录：**1♀，凤县秦岭车站，1400m，1994.Ⅶ.27。

**分布：**陕西（凤县）、湖北、江西、广西、四川、贵州；日本，印度。

### （295）剪同蝽 *Acanthosoma forfex* Dallas，1851（图99）

*Acanthosoma forfex* Dallas，1851：308.

*Platacantha forfex*：Hsiao & Liu，1977：173.

*Lindbergicoris forfex*：Göllner-Scheiding，2006：167.

**鉴别特征：**体长椭圆形，背面为棕褐色，具黑色刻点。

头部宽大于长，背面棕褐色。中叶前端圆钝，明显长于侧叶；侧缘于中央略内凹。复眼黑色，前缘为深紫色；单眼暗棕红色。触角第1～3节棕色，第4～5节暗棕色；第1节明显超过头端，最粗、短；第2节比第1节略长；第3节略短于第5节；第4节最长，约为第1节长度的1.50倍；第5节短于第4节。头腹面棕褐色，光滑无刻点。小颊较发达。喙棕褐色，向后达后足基节前缘，第1节未达小颊后缘，端部为黑色。

胸部前胸背板宽大于长的2倍，棕绿色，具黑色刻点。胝区暗棕色，光滑无刻点。前缘宽弧形内凹；前角不明显，端部较钝；侧缘中央内凹；侧角略突出，扁宽，末端圆钝，棕黑色；后侧缘中央略内凹；后角圆钝，不明显；后缘平直。小盾片三角形，长大于宽，浅棕色，被黑色刻点；中央有1条不明显的光滑纵线；端部略延伸，浅黄白色，光滑无刻点；端角钝圆，明显超过革片内角。革片浅红棕色，被黑色粗大刻点；顶缘斜直；顶角圆钝。膜片淡棕色，半透明，翅脉可见，雄虫膜片末端未超过腹端。胸部腹面为淡棕色；中胸腹板隆脊发达，外缘平直，向前略超过前胸腹板前缘，向后达中胸腹板中央；臭腺沟缘细长，约为后胸侧板宽度的1/2。足棕褐色，爪端半为黑色。

腹部侧接缘窄且外露，一色，棕黄色，无刻点，各节后角呈黑色小齿状伸出，端部尖锐。腹部腹面棕褐色，无刻点。腹刺发达，向前伸达后足基节后缘，与中胸腹板隆脊相接触。雌虫第6、7腹节各具1对潘氏器。雌虫第7节后角黑色，未超过生殖节后缘。

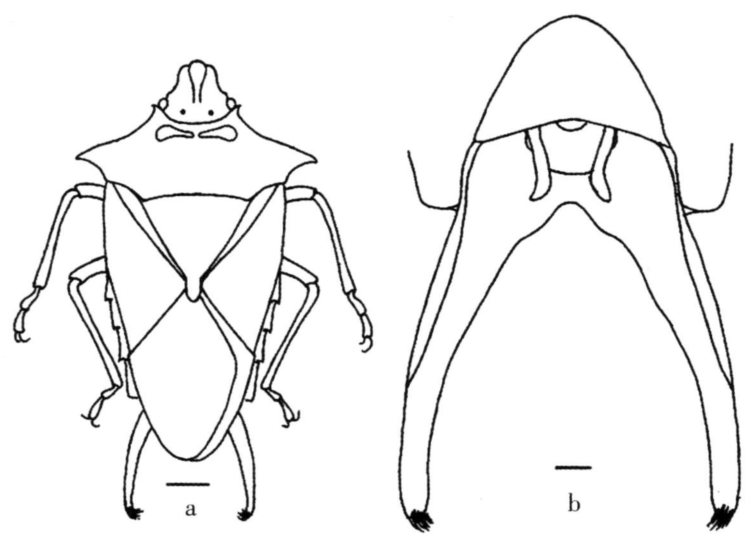


图99 剪同蝽 *Acanthosoma forfex* Dallas

a. 雄虫背面观；b. 雄虫生殖囊腹面观。比例尺：0.5mm

雄虫生殖节发达，生殖囊后侧角强烈向后延伸，端部远超过膜片后缘，长约为胸部及腹部长度之和，颜色为红色，细长，中央略向外弯曲，端部着生一簇褐色长毛。阳基侧突细长，中央略内弯。

**量度**(mm)：♂：体长12.15，宽6.52；头长2.23，宽2.43；两单眼间宽0.95；触角1~5节的长度分别为1.09、1.18、1.34、1.56、1.47；前胸背板长2.63；小盾片长4.12，宽3.56。

**采集记录**：1♂，佛坪凉风垭，1750~2150m，1999.Ⅵ.28，姚建采。

**分布**：陕西(佛坪)、新疆；印度，巴基斯坦。

### (296) 原同蝽 *Acanthosoma haemorrhoidale haemorrhoidale* (Linnaeus, 1758)(图100)

*Cimex haemorrhoidalis* Linnaeus, 1758: 444.

*Acanthosoma haemorrhoidale*: Hsiao *et al.*, 1977: 177.

**鉴别特征**：体大型，窄椭圆形，背面具黑色刻点；侧角短且宽，黑色。

头部宽大于长，背面褐绿色，头顶及侧叶具刻点及横皱纹，头顶刻点稍密集，于单眼前方形成2纵列。中叶前端圆钝，长于侧叶；侧缘于中央略内凹。复眼深棕色，前缘及后缘为亮棕黄色；单眼暗棕色。触角第1节褐绿色，第2节端部及第3~5节为暗棕色；第1节明显超过头端，超过部分短于其长度的1/2，最粗，中央略内弯，略长于第3节；第2节略短于第4节；第3节最短；第4节最长，约为第3节长度的1.80倍；第5节短于第2节。头腹面暗棕色，光滑无刻点。小颊可见，外缘未与喙基节表面平齐。喙棕色，向后达中足基节后缘，第1节未达小颊后缘，最粗；端部为黑色。

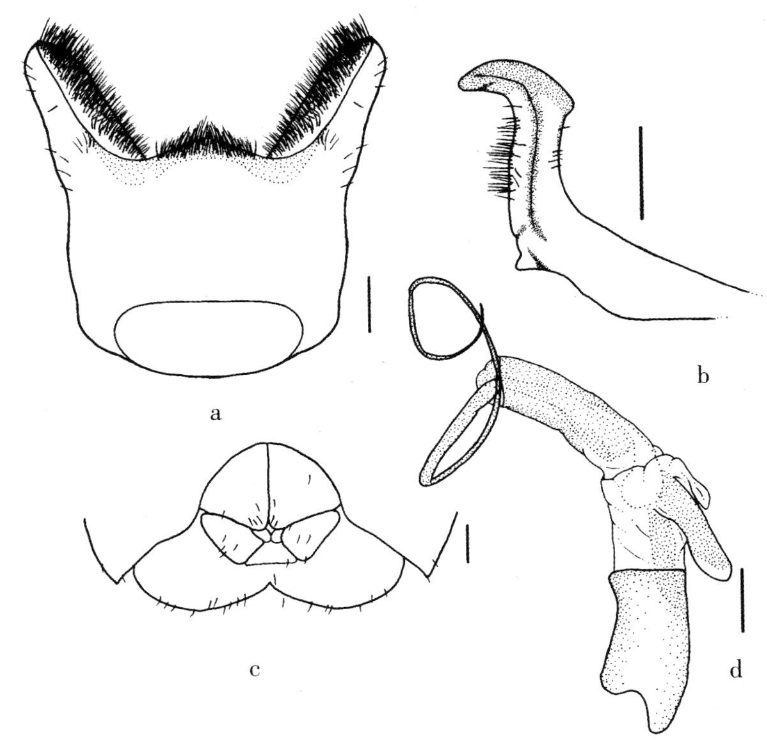


图100　原同蝽 *Acanthosoma haemorrhoidale haemorrhoidale*（Linnaeus）

a. 雄虫生殖囊背面观；b. 阳基侧突端面观；c. 雌虫生殖节；d. 阳茎侧面观。比例尺：0.025mm

胸部前胸背板宽约为长的2倍，中央有1条暗绿色横宽带，近前缘及后域为棕黄色；中央隐约有1条光滑纵线；两侧角间为红棕色，侧角基部颜色较中部颜色深；被黑色刻点，后半刻点较前半刻点粗大且稀疏。胝区亮棕色，光滑无刻点。前缘宽弧形内凹，其内侧被少量的黑色刻点；前角呈小角状伸出，端部钝；侧缘斜直；侧角黑色，短且宽，基部内侧红棕色；后侧缘斜直；后角圆钝，不明显；后缘中央略内凹。小盾片三角形，长大于宽，棕褐色，被黑色刻点，边缘较中央刻点密集；端部延伸，浅黄褐色，光滑无刻点；端角钝圆。革片一色，棕色，均匀密被黑色刻点；顶缘斜直；顶角圆钝。膜片淡棕色，半透明，翅脉可见，末端超过腹端。胸部腹面为棕黄色；中胸腹板隆脊发达，向前略超过前胸腹板前缘，向后达中足基节之间；臭腺沟缘细长，斜直，约为后胸侧板宽度的2/3，顶缘外侧无黑色小斑分布。足棕褐色，跗节为棕色，爪端半为黑色。

腹部侧接缘窄露，一色，淡棕色，光滑无刻点，各节后角呈黑色小角状伸出，端部尖锐。腹部腹面棕色，无刻点。腹刺发达，棕黄色，向前伸达中胸腹板中央，与中胸腹板隆脊相接触。雌虫第6、7腹节各具1对潘氏器，且第6节潘氏器大于第7节潘氏器。第7节后角暗红棕色，未超过生殖节后缘。

雄虫生殖囊背面后缘中央外凸，其上具长毛；腹面后缘内凹；后侧角粗壮，内侧密集长毛。阳基侧突镰刀状，端部弯曲，端缘弧形外凸，中央具长毛且具纵向隆脊。阳茎系膜膜质，1对骨化的系膜基侧突；阳茎端细长，骨化一般，弯曲。

雌虫红棕色。第1载瓣片宽阔，内缘平直，相互平行且接触，略外拱；内角圆钝；外缘宽弧形。第9侧背片三角形，端角圆钝，未伸出第8腹节后缘；外缘斜直。第8侧背片中央内凹，端缘宽弧形，超过第7节后角。

**量度(mm)**：♂：体长13.93~15.86，宽8.79~9.25；头长2.13~2.30，宽2.42~2.73；两单眼间宽0.90~1.01；触角1~5节的长度分别为1.82、2.11、1.20、2.22、2.00；前胸背板长4.19~4.23；小盾片长4.38~4.96，宽3.42~3.98。♀：体长14.95~16.57，宽8.97~9.82；头长2.29~2.33，宽2.51~2.83；两单眼间宽0.95~1.03；触角1~5节的长度分别为1.86、2.18、1.28、2.26、2.03；前胸背板长4.31~4.26；小盾片长4.42~5.09，宽3.56~4.08。

**采集记录**：1♂，凤县大散关，1999.Ⅸ.04，郑乐怡采。

**分布**：陕西（凤县）、黑龙江、吉林、辽宁、浙江、四川、贵州；俄罗斯，日本，印度，印度尼西亚，菲律宾，欧洲。

### (297) 宽铗同蝽 *Acanthosoma labiduroides* Jakovlev, 1880（图101）

*Acanthosoma labiduroides* Jakovlev, 1880: 386.

**鉴别特征**：体卵圆形，草绿色，具黑色刻点；侧角短，橙红色。

头部宽略大于长，背面草绿色，刻点稀少，黑色。中叶前端圆钝，长于侧叶，光滑无刻点；侧叶表面具斜刻纹，刻点稀疏；侧缘于中央略内凹。复眼深棕紫色；单眼暗红棕色，略透明。触角暗褐色，由基部至端部颜色渐深，第3节端部至第5节为暗棕色；第1节明显超过头端，超过部分约为其长度的1/2，最粗；第2节略长于第5节；第3节与第1节约等长；第4节最长，约为第1节长度的1.50倍；第5节略长于第1节。头腹面亮棕黄色，光滑无刻点。小颊低矮，外缘低于喙基节表面。喙棕黄色，向后达中足基节前缘，第1节端部与小颊后缘平齐，最粗；端节最短，端部为黑色。

前胸背板宽约为长的2倍，黄褐色，刻点为黑色，后半刻点较前半刻点粗大且稀疏。胝区亮棕黄色，光滑无刻点。前缘宽弧形内凹，近乎平直，其内侧被黑色细密刻点；前角不明显，指向侧前方，端部钝；侧缘斜直，光滑无刻点；侧角甚短，橙红色，光滑，末端钝圆；后侧缘斜直；后角圆钝，不明显；后缘中央略内凹。小盾片三角形，宽与长近乎相等，浅棕绿色，均匀被黑色刻点；端部略延伸，浅棕色，光滑无刻点；端角钝圆。革片黄绿色，均匀被黑色刻点；顶缘斜直；顶角圆钝。膜片淡棕色，半透明，翅脉可见，末端略超过腹端。胸部腹面为棕黄色；中胸腹板隆脊发达，向前略超过前胸腹板前缘，向后达中足基节之间；臭腺沟缘细长，斜直，约为后胸侧板宽度的2/3，顶缘外侧无黑色小斑分布。足棕褐色，跗节为棕色，爪端半黑色。

腹部侧接缘窄露，非一色，各节间处为黑色，其余为棕色，无刻点，各节后角呈黑色小角状伸出，端部略尖锐。腹部腹面棕黄色，无刻点。腹刺发达，向前伸达前足基节后缘，与中胸腹板隆脊相接触。雌虫第 6、7 腹节各具 1 对潘氏器，且第 6 节潘氏器大于第 7 节潘氏器。第 7 节后角为黑色，未超过生殖节后缘。

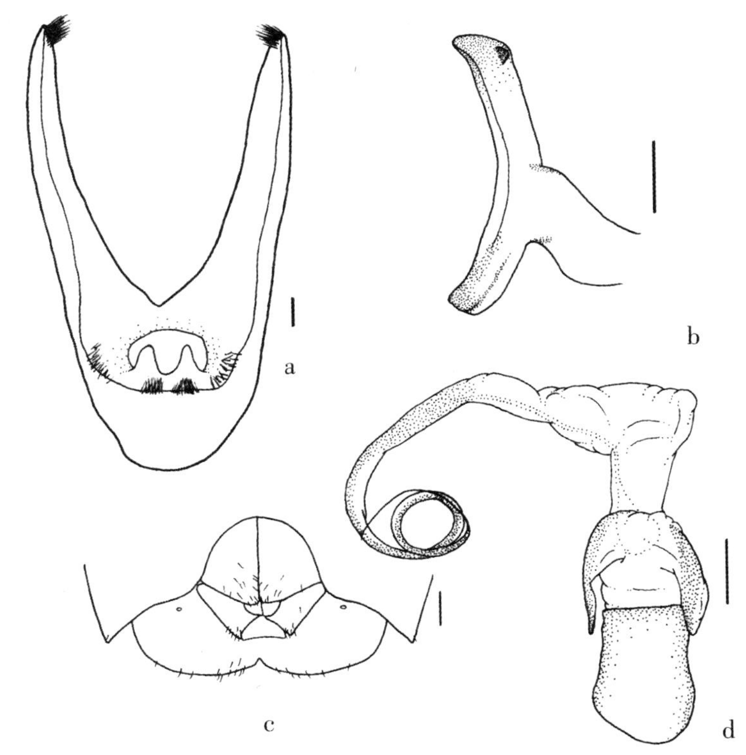


图 101　宽铗同蝽 *Acanthosoma labiduroides* Jakovlev

a. 雄虫生殖囊背面观；b. 阳基侧突端面观；c. 雌虫生殖节；d. 阳茎腹面观。比例尺：0.025mm

雄虫生殖囊发达，向后侧角伸出，粗壮；背面后缘中央两侧具毛簇；腹面后缘中央内凹；后侧角着生长毛。阳基侧突“一”字状，中央略内弯，背面具 1 个黑色突起，内侧枝端部亚平截，外侧枝端部圆钝，略骨化。阳茎端细长，骨化一般，具 1 对系膜基侧突，半骨化。

雌虫第 1 载瓣片外拱，内缘平直，相互平行且接触；内角圆钝；外缘斜直。第 9 侧背片端角圆钝，未伸出第 8 腹节后缘；外缘宽弧形。第 8 侧背片中央内凹，端缘呈宽弧形，深棕色，几乎平直，超过第 7 节后角。

**量度**(mm)：♂：体长 17.15 ~ 18.19，宽 8.67 ~ 9.82；头长 2.33 ~ 2.49，宽 2.53 ~ 2.95；两单眼间宽 0.96 ~ 1.17；触角 1 ~ 5 节的长度分别为 1.67、2.29、1.71、2.56、2.17；前胸背板长 4.26 ~ 4.59；小盾片长 4.07 ~ 5.19，宽 4.66 ~ 5.07。♀：体长 17.35 ~ 19.03，宽 8.72 ~ 10.67；头长 2.33 ~ 2.61，宽 2.93 ~ 3.13；两单眼间宽0.98 ~ 1.31；触角 1 ~ 5 节的长度分别为 1.71、2.38、1.73、2.59、2.17；前胸背板长 4.47 ~ 4.61；小盾片长 4.12 ~ 5.31，宽 4.81 ~ 5.19。

**采集记录**：1♂，周至楼观台，1951. Ⅸ. 27，周尧采；1♀，宝鸡，1951. Ⅵ. 22，周尧采；1♀，西北农林科技大学，1951. Ⅶ. 01，周尧采。

**分布**：陕西（周至、宝鸡、杨凌）、黑龙江、吉林、天津、河南、甘肃、浙江、湖北、广西、四川、贵州、云南。

### （298）黑背同蝽 *Acanthosoma nigrodorsum* Hsiao *et* Liu, 1977（图 102）

*Acanthosoma nigrodorsum* Hsiao *et* Liu, 1977: 178.

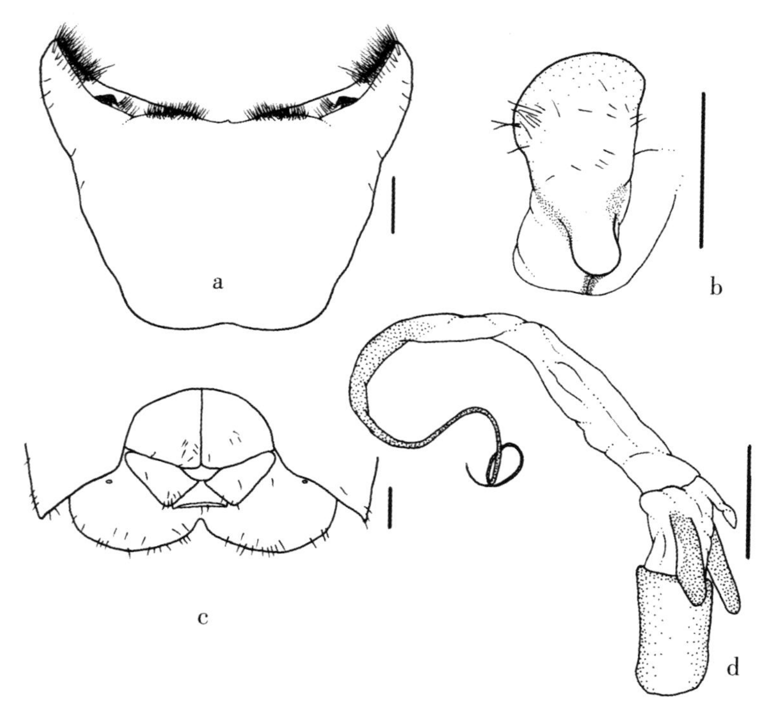


图 102 黑背同蝽 *Acanthosoma nigrodorsum* Hsiao *et* Liu

a. 雄虫生殖囊背面观；b. 阳基侧突端面观；c. 雌虫生殖节；d. 阳茎侧面观。比例尺：0.025mm

**鉴别特征**：体长椭圆形，具黑色刻点。体腹面棕黄色，光滑无刻点。

头部宽略大于长，背面棕黄色，被黑色刻点。中叶前端圆钝，略长于侧叶，表面光滑无刻点；侧叶表面具斜刻纹及黑色刻点；侧缘于中央略内凹。复眼黑色；单眼半透明；复眼与单眼间光滑无刻点。触角第1节棕黄色，第2节棕色，第3、4节棕红色，第5节暗棕色；第1节明显超过头端，最粗，略长于第3节；第2节长于第5节；第3节最短；第4节最长，约为第3节长度的1.45倍；第5节略长于第1节。头腹面棕褐色，光滑无刻点。小颊可见，外缘低于喙基节表面。喙棕色，向后达中足基节后缘，第1节几乎与小颊后缘平齐，最粗，端节最短，端部为黑色。

胸部前胸背板宽约为长的2倍，淡黄绿色，被黑色粗大刻点。胝区亮棕黄色，光滑无刻点。前缘宽弧形内凹，其内侧被黑色刻点；前角不明显，略伸出，指向侧前方，端部钝；侧缘中央内凹；侧角强烈向前方弯曲，由基部至端部陡窄，末端尖锐，鲜红色；后侧缘斜直；后角圆钝；后缘平直。小盾片长三角形，长明显大于宽，与前胸背板一色，淡黄绿色，均匀被黑色刻点；端部延伸，浅黄色，光滑无刻点；端角钝圆，略超过革片内缘。外革片淡棕绿色，密被黑色刻点；内革片棕褐色；顶缘斜直，光滑，淡棕黄色；顶角圆钝。膜片淡棕色，半透明，翅脉可见，末端超过腹端。胸部腹面为淡棕黄色；中胸腹板隆脊外缘平直，向前略超过前胸腹板前缘，向后达中胸腹板中央；臭腺沟缘斜直，超过后胸侧板宽度的1/2。足棕褐色，跗节为棕褐色，爪端半为黑色。

腹部侧接缘窄露，一色，棕绿色，无刻点，各节后角呈棕绿色小角状伸出，端部尖锐。腹部背面为黑色。腹部腹面亮棕黄色，无刻点。腹刺发达，向前伸达中胸腹板中央，与中胸腹板隆脊后半相接触。雌虫具2对潘氏器。第7节后角未超过生殖节后缘。

雄虫生殖囊背面后缘中央两侧各具一簇短毛，两侧中央内缘各着生2个黑色突起，后者较前者大，相互分离；腹面后缘中央内凹；顶角圆钝，内侧着生长毛。阳基侧突足状，顶缘宽弧形，顶面具少量短毛。阳茎系膜膜质，1对骨化的系膜基侧突及1个膜质的系膜基腹突；阳茎端骨化，细长且弯曲。

雌虫第1载瓣片宽阔，内缘平直，相互平行且接触；内角圆钝；外缘宽弧形。第9侧背片棕红色，端角近乎直角，未伸出第8腹节后缘；外缘斜直。第8侧背片中央内凹，端缘呈宽弧形，近乎平直，未超过第7节后角。受精囊细长，中央内缩，端檐与基檐近乎相等。

**量度(mm)：**♂：体长12.15～14.97，宽6.52～8.73；头长1.83～1.97，宽2.13～2.57；两单眼间宽0.95～1.01；触角1～5节的长度分别为1.49、1.81、1.38、1.97、1.59；前胸背板长2.73～2.96；小盾片长3.52～3.79，宽2.86～3.19。♀：体长12.37～15.39，宽6.83～8.86；头长1.86～2.01，宽2.21～5.63；两单眼间宽0.91～1.05；触角1～5节的长度分别为1.50、1.83、1.39、1.98、1.56；前胸背板长2.81～3.03；小盾片长3.67～3.81，宽2.91～3.23。

**采集记录：**1♀，凤县天台山，1650～1850m，1999.Ⅸ.03，郑乐怡采。

**分布：**陕西（凤县）、天津、河北、山西、宁夏、湖北、海南、四川。

### (299) 陕西同蝽 *Acanthosoma shensiensis* Hsiao *et* Liu, 1977 (图 103)

*Acanthosoma shensiensis* Hsiao *et* Liu, 1977: 179.

**鉴别特征:** 体椭圆形，长大于宽，背面棕褐色。体腹面棕黄色，刻点稀疏。

头部宽大于长，背面棕褐色，光滑无刻点，具明显的横皱纹。中叶前端圆钝，长于侧叶；侧缘于中央略内凹。复眼黑色；单眼棕色，半透明。触角 1~2 节棕黄色，第 3 节端半、第 4 节及第 5 节为棕黑色；第 1 节明显超过头端，超过部分约占第 1 节长度的 1/2，较其他各节粗，略长于第 3 节；第 2 节与第 5 节几乎等长；第 3 节最短；第 4 节最长，约为第 1 节长度的 1.35 倍。头腹面棕黄色，光滑无刻点。小颊较发达，外缘中央与喙基节表面平齐。喙棕黄色，向后达中足基节前缘，第 1 节未超出小颊后缘，最粗，第 3 节与第 2 节近乎等长；端节最短，端部为黑色。

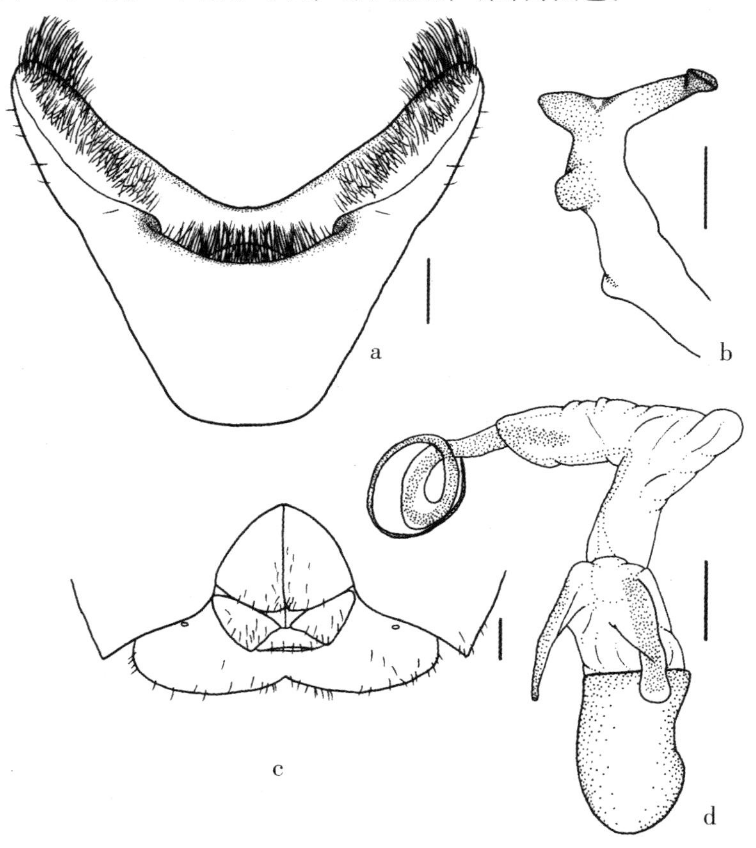


图 103 陕西同蝽 *Acanthosoma shensiensis* Hsiao *et* Liu

a. 雄虫生殖囊背面观; b. 阳基侧突端面观; c. 雌虫生殖节; d. 阳茎腹面观。比例尺: 0.025mm

胸部前胸背板宽大于长的 2 倍，棕褐色，前半较后半颜色略浅，刻点为黑色刻点，后半刻点较前半刻点粗大且稀疏。胝区棕色，光滑无刻点。前缘宽弧形内凹，其内侧密被的黑色刻点；前角略伸出，指向侧前方，端部钝；侧缘斜直；侧角较粗壮，全黑色，较粗壮，末端钝圆，稍向后弯曲；后侧缘斜直；后角圆钝，不明显；后缘中央略内凹。小盾片三角形，长与宽近乎等长，黄褐色，被稀疏黑色刻点；端部延伸，浅黄色，光滑无刻点；端角钝圆。革片被黑色刻点；外革片为棕褐色，与小盾片一色；内革片棕色；顶缘斜直；顶角圆钝。膜片淡棕色，半透明，翅脉可见，末端略超过腹端。胸部腹面为棕黄色；中胸腹板隆脊发达，向前略超过前胸腹板前缘，有时达头腹面中央，向后达中胸腹板中央；臭腺沟缘细长，斜直，约为后胸侧板宽度的2/3。足棕褐色，跗节为棕色，爪端半为黑色。

腹部侧接缘窄露或不外露，一色，棕黄色，无刻点，各节后角呈黑色小角状伸出，端部尖锐。腹部腹面棕黄色，无刻点。腹刺发达，向前伸达前足基节中央，与中胸腹板隆脊中央相接触。雌虫第6、7腹节各具1对潘氏器，各潘氏器大小近乎相等，淡黄色。第7节后缘中央具黑色细长斑块，后角黑色，未超过生殖节后缘。

雄虫生殖囊背面后缘内凹，其上着生短毛；腹面后缘中央内凹；顶角圆钝，内侧着生长毛。阳基侧突顶角内侧凸起，中央略内凹。阳茎系膜膜质，1对骨化的系膜基腹突；阳茎端骨化，细长且弯曲。

雌虫第1载瓣片内缘平直，相互平行且接触；内角圆钝；外缘宽弧形，棕黑色。第9侧背片三角形，端角圆钝，未伸出第8腹节后缘；外缘中央略内凹。第8侧背片中央内凹，端缘呈宽弧形，近乎平直，未超过第7节后角。

**量度(mm)：**♂：体长11.75～14.89，宽5.96～6.52；头长2.13～2.29，宽2.15～2.33；两单眼间宽0.85～0.97；触角1～5节的长度分别为1.51、1.88、1.41、2.06、1.73；前胸背板长3.13～3.29；小盾片长3.42～3.96，宽3.06～3.82。♀：体长11.69～15.42，宽6.72～8.67；头长2.28～2.37，宽2.13～2.41；两单眼间宽0.80～1.09；触角1～5节的长度分别为1.53、1.93、1.43、2.10、1.79；前胸背板长3.17～3.35；小盾片长3.56～4.51，宽2.91～4.07。

**采集记录：**1♀(正模)，华山，1936.Ⅵ.09；1♂2♀，留坝庙台子，2000.Ⅷ.31，周长发采。

**分布：**陕西(华阴、留坝)、甘肃、湖北。

### (300) 华同蝽 *Acanthosoma sinensis* Liu, 1980

*Acanthosoma sinensis* Liu, 1980: 235.

**鉴别特征：**体窄椭圆形，褐绿色，具棕黑色刻点，后部略收缩，体长11.68mm，宽6.84mm。

头部形状近乎六边形，端部亚平截，中叶前半低凹，侧叶宽阔，背面具粗密棕色刻点。复眼为棕黑色；单眼红色；复眼与单眼间具1个棕褐色光滑圆斑。头后缘平直，棕色。触角为棕褐色，由基部至端部颜色加深，第1节略长于第3节；第2节长于已知其他各节；第 3 节最短；第 4 节略短于第 2 节；第 5 节缺失；触角 1 ~5 节的长度分别为 1.48mm、1.88mm、1.36mm、1.80mm、(缺)mm。喙为黄褐色，向后伸至后足基节，末端为棕黑色。

胸部前胸背板前缘凹入，中央近乎平直；前角明显伸出；侧缘中央凹入；侧角近乎呈三角形扩展，基部较宽，具粗大刻点，端部尖锐，略向后弯曲，暗棕色，光滑无刻点，两侧角间刻点稀疏；后缘中央内凹。小盾片三角形，长略大于宽，长 3mm，宽 2.80mm，具粗大刻点，顶端陡然窄缩，光滑无刻点，浅黄色。革片淡褐色；端缘光滑无刻点，黄褐色。膜片浅褐色，近乎透明。胸部腹面棕色，具暗棕色粗大刻点；中胸腹板隆脊明显突起，弓形，前端较钝，向前伸达前胸腹板前缘，向后达中足基节前方。臭腺沟缘细长，中央略弯曲。

腹部侧接缘窄露，一色，黄褐色，无刻点。身体腹面棕色，无刻点，近侧缘为暗棕色。腹刺发达。雌虫第 6、7 腹节各具 1 对潘氏器，第 6 腹节潘氏器位于端缘近中央处，第 7 节潘氏器位于基缘近中央，长椭圆形。

**分布：**陕西（西安）。

### (301) 泛刺同蝽 *Acanthosoma spinicolle* Jakovlev, 1880（图 104；图版 4：8）

*Acanthosoma spinicolle* Jakovlev, 1880: 387.

**鉴别特征：**体窄椭圆形，背面灰黄绿色，具黑色刻点。体腹面土黄色。

头部宽与长约相等，背面灰黄绿色，均匀被黑色刻点。中叶前端圆钝，明显长于侧叶，刻点稀疏；侧叶表面被斜刻纹及黑色刻点；侧缘于中央略内凹。复眼黑色；单眼棕色。触角 1、2 节暗褐色，第 3、4 节红棕色，第 5 节末端为棕色；第 1 节明显超过头端，超过部分约占其长度的 1/2，最粗，中央略内弯；第 2 节略长于第 5 节；第 3 节最短；第 4 节最长，约为第 3 节长度的 1.50 倍；第 5 节略长于第 1 节。头腹面淡棕黄色，光滑无刻点。小颊可见，外缘低于喙基节表面。喙棕黄色，向后达中足基节后缘，第 1 节未达小颊后缘，最粗，端部为黑色。

胸部前胸背板宽大于长的 2 倍，两侧角间前部为黄绿色，后部为棕褐色，被黑色刻点。胝区棕黄色，光滑无刻点。前缘宽弧形内凹；前角略伸出，指向前方，端部钝；侧缘中央内凹；侧角延伸成短刺，棕红色，指向前侧方，末端尖锐，端部为棕黑色或黑色；后侧缘中央内凹；后角圆钝，不明显；后缘平直。小盾片三角形，长大于宽，黄绿色，均匀被黑色刻点；端部延伸，浅黄色，光滑无刻点；端角钝圆。外革片黄绿色，被黑色刻点；内革片棕褐色；顶缘斜直；顶角圆钝。膜片淡棕色，半透明，翅脉可见，末端明显超过腹端。胸部腹面棕黄色；中胸腹板隆脊平直，外缘呈直线形，向前未达前胸腹板前缘，向后达中胸腹板中央；臭腺沟缘长，斜直，超过后胸侧板宽度的 1/2。足棕褐色，爪端半为黑色。

腹部侧接缘窄露，一色，棕黄色，各节相接处具黑色窄带，无刻点，各节后角呈黑色直角状伸出，端部略尖锐。腹部腹面亮棕黄色，无刻点。腹刺发达，向前伸达中胸腹板中央，与中胸腹板隆脊相接触。雌虫第6、7腹节各具1对潘氏器。第7节后角棕黑色，未超过生殖节后缘。

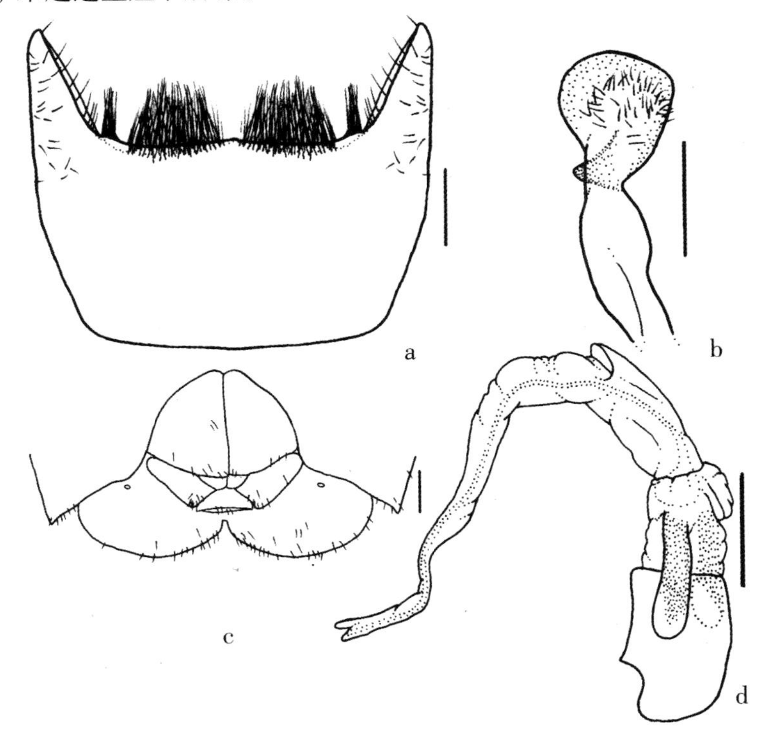


图104　泛刺同蝽 *Acanthosoma spinicolle* Jakovlev

a. 雄虫生殖囊背面观；b. 阳基侧突端面观；c. 雌虫生殖节；d. 阳茎侧面观。比例尺：0.025mm

雄虫生殖囊背面后缘中央外凸，其两侧各具一簇长毛，长毛外缘各着生1个黑色小齿，其上具少量长毛；后侧角圆钝。阳基侧突半圆形，顶缘宽弧形，顶面具短毛。阳茎系膜膜质，1对骨化的系膜基侧突及1个膜质的系膜基腹突；阳茎端膜质，细长且弯曲。

雌虫第1载瓣片略外拱，被少量短毛，内缘平直，相互平行且接触；内角圆钝；外缘宽弧形。第9侧背片端角圆钝，未伸出第8腹节后缘；外缘宽弧形。第8侧背片中央内凹，端缘呈宽弧形，红棕色，超过第7节后角。

**量度(mm)：**♂：体长13.52～14.93，宽6.12～8.79；头长2.13～2.25，宽2.13～2.21；两单眼间宽0.85～1.03；触角1～5节的长度分别为1.51、1.88、1.41、2.16、1.83；前胸背板长3.33～3.41；小盾片长3.52～4.39，宽3.06～3.90。♀：体长14.15～15.46，宽6.37～9.02；头长2.21～2.36，宽2.19～2.43；两单眼间宽0.85～1.09；触角1～5节的长度分别为1.53、1.88、1.43、2.23、1.86；前胸背板长3.35～3.43；小盾片长3.59～4.43，宽3.09～4.12。

**采集记录：**2♂1♀，黄龙，1979.Ⅵ.26。

**分布：** 陕西（秦岭、黄龙）、黑龙江、吉林、内蒙古、北京、河北、甘肃、新疆、湖北、四川、云南、西藏。

## 168. 直同蝽属 *Elasmostethus* Fieber, 1860

*Elasmostethus* Fieber, 1860: 78. **Type species**: *Cimex dentatus* de Geer, 1773 ( = *Cimex interstinctus* Linnaeus, 1758).

**属征：** 头部侧叶未超过中叶前缘；触角第 1 节超过中叶前缘；喙向后伸至后足基节中央，有时伸达第 3 腹节后缘。前胸背板侧角略微突出，有时刺状；中胸腹板隆脊明显，向前伸至前足基节中央，有时达前胸腹板前缘或者头腹面，向后伸至中足基节中央，有时达后足基节；臭腺沟缘细长，占后胸侧板面积的 2/3 ~ 3/4，有时达后胸腹板侧缘；膜片多向后超过腹部末端。侧接缘一色，无斑带；腹刺向前伸达中足基节前缘，且多数未超过；雌虫潘氏器几乎不可见。

雄虫生殖囊背面后缘中央凸出，密集长毛；腹面后缘宽凹，两侧具长毛，亚端部内侧着生 1 对黑色突起；侧角及内侧密集短毛。阳基侧突足状；端缘弧形；阳茎系膜膜质，具 1 对半骨化的系膜基侧突；阳茎端细长，略伸出。

雌虫第 1 载瓣片宽阔；内缘平直，相互平行且接触；内角钝圆；第 9 侧背片端角钝圆，具少量短毛，远离第 8 腹节后缘，内缘斜直。第 8 侧背片端缘宽弧，未超出第 7 腹节后缘。受精囊管短，端部膨胀；球部小，圆形；一般基檐略大于端檐。

**分布：** 中国记录 7 种，秦岭地区发现 2 种。

### 分种检索表

腹部背面黑色 …………………………………………………… **直同蝽 *E. interstinctus***

腹部背面非黑色 ……………………………………………… **钝肩直同蝽 *E. nubilus***

### (302) 直同蝽 *Elasmostethus interstinctus* (Linnaeus, 1758)（图 105；图版 4：9）

*Cimex interstinctus* Linnaeus, 1758: 445.

*Cimex dentatus* de Geer, 1773: 260.

*Elasmostethus interstinctus*: Horváth, 1899b: 276.

**鉴别特征：** 体长卵圆形，背面黄绿色，具黑色刻点；腹面棕褐色。

头部宽大于长，背面棕褐色，刻点为深棕色。中叶明显长于侧叶，端部宽且圆钝；侧缘于中央明显内凹。复眼黑色；单眼红棕色。触角第 1 ~ 3 节棕色，第 4 ~ 5 节深棕色，第 1 节略超过头端，与第 3 节约等长；第 2 节等长于第 4 节；第 5 节略短于

第2节。头腹面棕褐色，光滑无刻点。小颊低矮，未高于喙基节表面。喙短，棕色，向后伸至中足基节前缘，基节未超过小颊后缘，端半颜色加深，黑色。

胸部前胸背板宽大于长，棕绿色，均匀前倾，刻点为黑色。胝区较宽，橘色，光滑无刻点。前缘宽弧形内凹，略隆起；前角极短，几乎不可见；侧缘斜直；侧角略突出，前缘棕绿色，后缘为黑色；后侧缘斜直；后角圆钝；后缘平直。小盾片：棕绿色，基部中央具橘红色色彩；刻点为黑色，分布较均匀；端部延伸，光滑，淡黄褐色，端角圆钝，明显超过革片内角。前翅革片棕褐色，刻点细小；内缘及顶缘红棕色；端角圆钝，红棕色。膜片淡棕色，近乎透明，近边缘中央具不规则棕色斑块，末端略超过腹部末端。胸部腹面黄褐色，刻点稀少；中胸腹板中央隆脊发达，前端高起而钝圆，向前未超过前胸腹板前缘，向后达中足基节后缘；臭腺沟缘细长，斜直，长于后胸侧板宽度的1/2。足棕褐色，爪端半黑色。

腹部侧接缘不外露或窄露，光滑无刻点，黄褐色，各节后角不明显。腹部腹面棕褐色，光滑无刻点。腹刺较发达，向前略超过中足前缘，与中胸腹板隆脊后缘相接触。雌虫第6、7节各具1对潘氏器，长椭圆形。

雄虫生殖囊背面后缘中央具两簇短毛；腹面后缘中央具两束黄褐色长毛；顶角为黑色小角状，略尖锐。阳基侧突斧头状，顶端为黑色，骨化，内缘中央凹入，具少量短毛。阳茎系膜膜质，系膜背叶膨大；1对系膜基腹突骨化；阳茎端略伸出，弯曲。

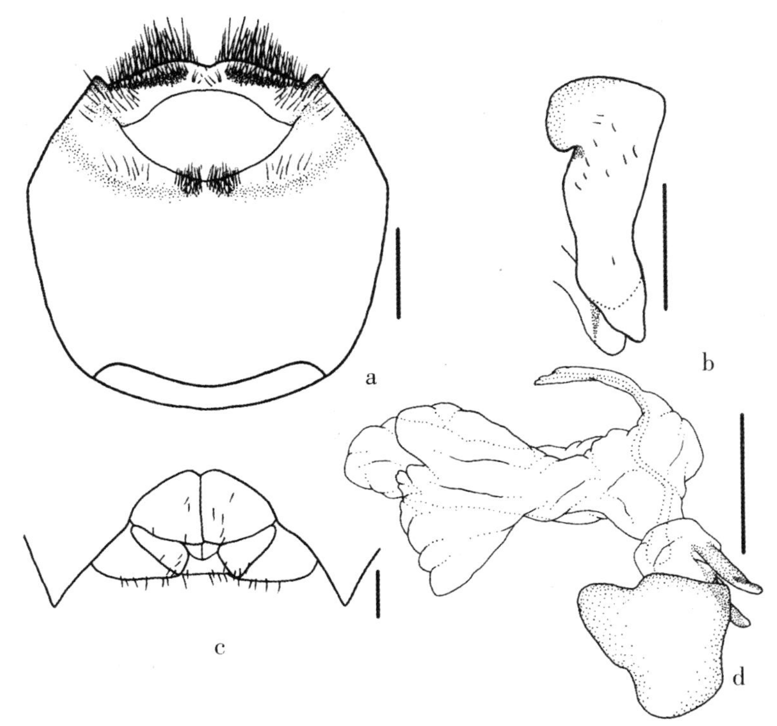


图105　直同蝽 *Elasmostethus interstinctus* (Linnaeus)

a. 雄虫生殖囊背面观；b. 阳基侧突端面观；c. 阳茎侧面观；d. 雌虫生殖节。比例尺：0.025mm

雌虫第1载瓣片具斜刻纹，内缘平直，中央略外拱，相互接触；内角圆钝；外缘宽弧形。第9侧背片端角圆钝，接近第8腹节后缘；内缘斜直。第8侧背片中央明显内凹，两侧呈宽弧形，具黄褐色长毛，未超出第7腹节后缘。

**量度**(mm)：♂：体长9.53～11.32，宽4.57～5.66；头长1.33～1.65，宽1.63～1.85；两单眼间宽0.71～0.76；触角1～5节的长度分别为0.91、1.31、0.92、1.32、1.23；前胸背板长2.61～2.68；小盾片长2.82～3.29，宽2.36～2.81。♀：体长9.81～11.53，宽4.78～5.92；头长1.35～1.68，宽1.67～1.89；两单眼间宽0.71～0.77；触角1～5节的长度分别为0.91、1.33、0.93、1.34、1.25；前胸背板长2.49～2.58；小盾片长2.85～3.42，宽2.39～2.83。

**分布**：陕西(秦岭)、黑龙江、吉林、内蒙古、河北，山西、甘肃、新疆、湖北、广东、云南；朝鲜，日本，加拿大，欧洲。

### (303) 钝肩直同蝽 *Elasmostethus nubilus* (Dallas, 1851)(图106)

*Acanthosoma nubilus* Dallas, 1851: 305.

*Elasmostethus nilgirensis* Distant, 1900: 231.

*Elasmostethus scotti*: Hsiao & Liu, 1977: 161.

*Elasmostethus nubilus*: Göllner-Scheiding, 2006: 172.

**鉴别特征**：体椭圆形，背面棕褐色，具黑色粗糙刻点；腹面棕褐色。

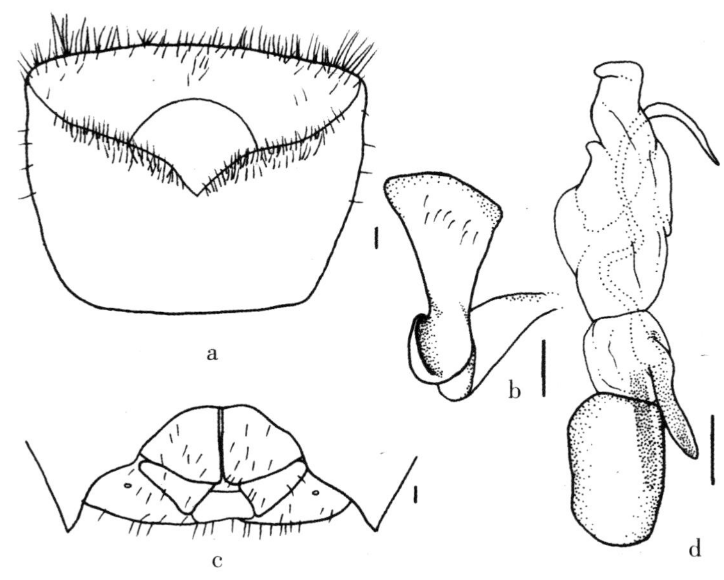


图106 钝肩直同蝽 *Elasmostethus nubilus* (Dallas)

a. 雄虫生殖囊背面观；b. 阳基侧突端面观；c. 雌虫生殖节；d. 阳茎侧面观。比例尺：0.1mm

头部长大于宽，背面棕褐色，头顶刻点稀少或无明显刻点。中叶长于侧叶，由基部至端部渐宽，端部圆钝；侧叶具少许斜刻纹，无刻点；侧缘于中央明显内凹。复眼黑色；单眼暗红棕色。触角第1～3节棕色，第4～5节深棕色，第1节略超过头端，最短；第2节与第5节近乎等长，略长于第3节；第3节略长于第1节；第4节最长，为第1节长度的2倍。头腹面棕褐色，光滑无刻点。小颊低矮，几乎不可见。喙棕色，向后伸至中足基节后缘，有时达后足基节前缘，端半为黑色。

胸部前胸背板宽大于长，非一色，前部为棕色，后部为棕褐色，较突起，刻点为深棕色。胝区较宽，棕色，光滑无刻点。前缘宽弧形内凹；前角极短，几乎不可见；侧缘斜直，光滑；侧角略突出，前缘为棕色，端部及后缘为黑色；后侧缘斜直；后角圆钝；后缘平直。小盾片：棕褐色，基部颜色略深，暗褐色；刻点为深棕色或黑色，边缘较中部刻点密集；端部不明显向后延伸，光滑，淡黄褐色，端角圆钝，略超过革片内角。前翅革片半透明，外革片为黄褐色，刻点稀少；内革片及顶缘为暗棕红色；端角圆钝，深棕色。膜片近乎透明，末端略超过腹部末端。胸部腹面黄褐色，刻点稀少；中胸腹板中央隆脊发达，前端高起而钝圆，向前未超过前胸腹板前缘，向后达中足基节后缘；臭腺沟缘较长，斜直，长于后胸侧板宽度的1/2。足棕褐色，爪端半为黑色。

腹部侧接缘窄露，光滑无刻点，黄褐色，各节后角不明显。腹部腹面棕褐色，光滑无刻点。腹刺较发达，向前略超过中足之间，与中胸腹板隆脊后缘相接触。雌虫第6、7节各具1对潘氏器，半椭圆形。

雄虫生殖囊背面后缘中央内凹，两侧具少许短毛；腹面后缘宽弧形，其上具少量长毛。阳基侧突扇形，顶端深棕色，后端具纵向黑色隆脊，端部较尖。阳茎系膜膜质，1对系膜基腹突骨化；阳茎端膜质，略伸出，弯曲。

雌虫暗棕色，密被短毛。第1载瓣片内缘平直，相互接触；内角圆钝；外缘宽弧形。第9侧背片端角圆钝，接近第8腹节后缘；内缘斜直。第8侧背片中央明显内凹，两侧呈弧形，具稀疏黄褐色长毛，与第7腹节后缘平齐。

**量度(mm)：**♂：体长7.95～10.29，宽3.92～5.01；头长1.32～1.85，宽0.95～1.16；两单眼间宽0.61～0.70；触角1～5节的长度分别为0.63、1.11、0.97、1.38、1.12；前胸背板长2.23～2.33；小盾片长2.42～3.29，宽2.16～2.21。♀：体长7.81～10.45，宽4.21～5.23；头长1.49～1.98，宽0.99～1.29；两单眼间宽0.68～0.73；触角1～5节的长度分别为0.70、1.13、0.99、1.38、1.14；前胸背板长2.29～2.36；小盾片长2.55～3.32，宽2.21～2.32。

**采集记录：**1♀，凤县天台山，1650～1850m，1999.Ⅸ.03，郑乐怡采。

**分布：**陕西（凤县）、浙江、湖北、江西、湖南、福建、台湾、广西、贵州；朝鲜，日本。

## 169. 匙同蝽属 *Elasmucha* Stål, 1864

*Elasmucha* Stål, 1864: 54. **Type species**: *Cimex ferrugator* Fabricius, 1787.

**属征：** 体椭圆或长椭圆形，灰绿色至黄绿色，密被棕黑色或黑色斑点。头三角形，中叶等于或略长于侧叶。触角第 1 节略超过头前端。喙达后足基节，或者达第 4 腹节。前胸背板侧角略突出或突出成刺状；中胸腹板中央隆脊向前伸至前足基节，甚至达前胸腹板前缘。臭腺沟缘短，匙形，一般为中胸侧板面积的 1/3。前翅膜片稍超过或者未超过腹端。腹刺伸达中足基节前缘。侧接缘非一色。雌虫第 6、7 节潘氏器一般不可见。

雄虫生殖囊背面后缘中央凸出，具一簇或二簇长毛。阳基侧突指状或"L"形。阳茎端细长，系膜长，具 1 对系膜基侧叶，半骨化。

雌虫第 1 载瓣片内缘中部外拱，内角圆钝；第 9 侧背片端部圆钝，未超过第 8 侧背片后缘；第 8 侧背片后缘中央内凹。受精囊管较短，球部圆形。

**分布：** 中国记录 34 种，秦岭地区分布 3 种。

## 分种检索表

1. 前胸背板侧角较短，圆钝或突出，但不延伸为刺状 ………………………………………… 2
   腹部背板侧角较长，强烈延伸为刺状 ……………………………………… **曲匙同蝽 *E. recurva***
2. 革片透明 ………………………………………………………………… **构树匙同蝽 *E. broussonetiae***
   革片非透明 ………………………………………………………………………… **背匙同蝽 *E. dorsalis***

### (304) 构树匙同蝽 *Elasmucha broussonetiae* Li *et* Zheng, 2000（图 107）

*Elasmucha broussonetiae* Li *et* Zheng, 2000: 98.

**鉴别特征：** 体小，长椭圆形，具粗大淡棕色刻点；腹部腹面较胸部腹面颜色深，棕褐色。

头部长与宽近乎等长，背面棕褐色，被粗大棕色刻点。中叶明显长于侧叶，由基部至端部渐宽，端部圆钝；侧缘于中央内凹。复眼深红棕色；单眼红棕色；复眼与单眼之间及复眼内侧光滑无刻点。触角细，第 1～3 节棕色，第 3 节端部至第 5 节为深棕色；第 1 节略超过头端或与头端平齐，最短；第 2 节与第 3 节等长，约为第 1 节长度的 1.60 倍；第 4 节与第 5 节等长，长度为第 1 节长度的 2 倍。头腹面棕褐色，刻点稀少。小颊低矮。喙极长，向后伸达第 6 腹节前缘，端部黑色。

胸部前胸背板宽略短于长的 2 倍，淡棕色，被粗大棕色刻点。胝区不明显，棕灰色，其周缘被刻点。前缘宽弧形内凹，中央近乎斜直；前角略伸出，端部圆钝，指向侧方；侧缘中央向内凹入，半透明，被稀疏刻点；侧角略伸出体外，端部圆钝，指向侧方；后侧缘宽弧形；后角略向后延伸，圆钝；后缘平直。小盾片：长与宽近乎等长，淡棕色或棕褐色，被粗大棕色刻点；端部略延伸，端角圆钝。前翅革片半透明；外缘刻点较内缘稀疏；顶缘斜直；端角圆钝。膜片淡棕色，半透明，末端略超过腹部末端。胸部腹面棕黄色，刻点稀少；中胸腹板中央隆脊发达，半透明，前端略超过前足基节前缘，向后达中足基节后缘；臭腺沟缘短，耳廓状，短于后胸侧板宽度的1/2。足棕褐色，爪端半为黑色。

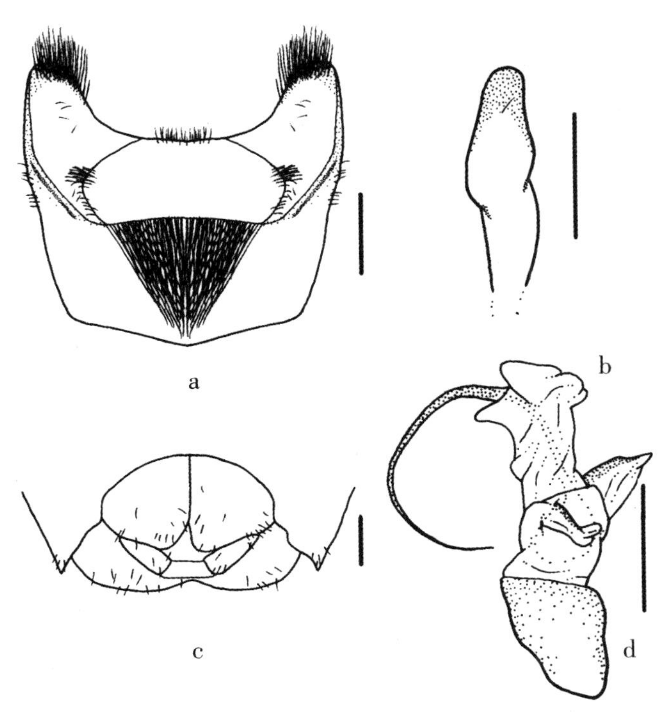


图107 构树匙同蝽 *Elasmucha broussonetiae* Li *et* Zheng

a. 雄虫生殖囊背面观；b. 阳基侧突端面观；c. 雌虫生殖节；d. 阳茎侧面观。比例尺：0.025mm

腹部侧接缘宽露，淡棕色，各节相接处为黑色窄带，后角小齿状伸出，黑色。腹部腹面黄褐色，被稀疏短毛，光滑无刻点。腹刺基部为深棕色，向前达中足基节后缘。

雄虫生殖节腹面后缘中央具淡棕色浓密长毛；腹面后缘呈宽弧形内凹，中央着生短毛；侧角圆钝，其上密集长毛。阳基侧突小，足形，端部圆钝。阳茎系膜膜质，1对系膜基侧突，半骨化，端部略反翘；阳茎端弯曲，细长，明显伸出，骨化。

雌虫第1载瓣片宽阔，内缘平直，相互接触；内角圆钝；外缘宽弧形。第9侧背片小，端角圆钝，未伸出第8腹节后缘；内缘斜直。第8侧背片中央略内凹，两侧宽弧形，近乎平直，具黄色长毛，略超出第7腹节后缘。

**量度(mm)：**♂：体长6.75～7.36，宽3.35～4.06；头长1.38～1.57，宽1.36～1.58；两单眼间宽0.58～0.73；触角1～5节的长度分别为0.49、0.79、0.80、1.02、1.03；前胸背板长2.09～2.18；小盾片长1.71～2.08，宽1.73～2.06。♀：体长6.89～7.71，宽3.41～4.36；头长1.40～1.62，宽1.41～1.65；两单眼间宽0.61～0.75；触角1～5节的长度分别为0.50、0.81、0.80、1.03、1.03；前胸背板长2.13～2.26；

小盾片长 1.79 ~2.16，宽 1.79 ~2.14。

**分布：**陕西(秦岭)、河南、贵州。

## (305) 背匙同蝽 *Elasmucha dorsalis* (**Jakovlev, 1876**) (图 108)

*Elasmostethus dorsalis* Jakovlev, 1876: 106.

*Elasmostethus davidi* Fallou, 1891: 7.

*Elasmucha dorsalis*: Bergroth, 1892: 262.

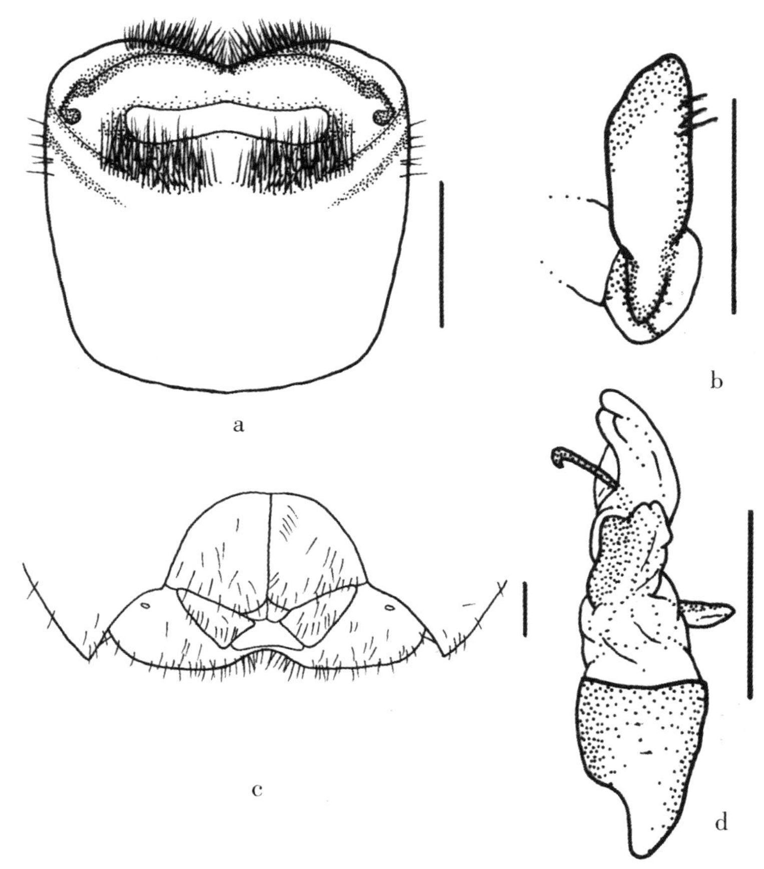


图 108 背匙同蝽 *Elasmucha dorsalis* (Jakovlev)

a. 雄虫生殖囊背面观；b. 阳基侧突端面观；c. 雌虫生殖节；d. 阳茎侧面观。比例尺：0.025mm

**鉴别特征：**体小，卵圆形，具黑色刻点；腹部腹面棕褐色，被黑色刻点。

头部宽略大于长，背面黄褐色，密被黑色刻点，中叶略长于侧叶，端部圆钝；侧缘于中央内凹。复眼深棕色，内缘及后缘为棕黄色；单眼棕黄色，透明；复眼与单眼之间光滑无刻点。触角第 1 ~4 节浅棕黄色，第 5 节棕黑色；第 1 节略超过头端或与头端平齐，最短，由基部至端部各节渐长，第 5 节最长，长度为第 1 节长度的 2.50

倍。头腹面棕褐色，刻点黑色。小颊低矮。喙一般，棕褐色，向后伸达中足基节中央，端部黑色。

胸部前胸背板宽大于长的 2 倍，非一色，被黑色刻点，前半黄绿色，后半棕色或红棕色，被黑色刻点；中央有 1 条纵向窄细黄绿色细线，有时不明显。胝区窄细，淡棕黄色，光滑无刻点。前缘宽弧形内凹，近乎平直；前角小齿状横向伸出，较短，端部圆钝；侧缘中央略向内凹入，黄绿色，光滑无刻点，略加厚隆起；侧角略突出，短粗，基部红棕色，端部棕黑色或黑色，前缘较光滑，后缘略波曲，端部圆钝，指向侧方；后侧缘弧形，略向后延伸；后角圆钝；后缘平直。小盾片：长大于宽，亚三角形，黄褐色，被黑色刻点，基角棕黄色，光滑无刻点；基部中央有 1 个大的半圆形棕褐色或橙褐色斑块，其上被粗大黑色刻点；端部延伸，端角圆钝，超过革片。前翅革片棕褐色，均匀被同底色刻点；顶缘斜直；端角圆钝。膜片淡棕色，半透明，中央具不规则棕色斑块，末端超过腹部末端。胸部腹面黄褐色，密被黑色刻点，前胸腹板刻点最密集；中胸腹板中央隆脊发达，淡棕色，前端高起，圆钝，未达前胸腹板前缘，向后达中足基节后缘；臭腺沟缘短，耳廓状，短于后胸侧板宽度的 1/2。足棕褐色，爪端半黑色。

腹部侧接缘窄露，非一色，前半棕褐色，后半棕黑色；后角略伸出，近乎直角，端部黑色。腹部腹面黄褐色，具少量短毛，中央光滑无刻点，侧板中央具少许黑色刻点。腹刺基部浅棕黄色，向前达中足基节之间。雌虫无潘氏器。

雄虫生殖囊背面后缘中央略突起，两侧外缘具淡棕色长毛；腹面后缘内凹；侧角内侧各有 1 个弯曲的哑铃形黑色斑块，向后延伸至腹面后缘中央相接触。阳基侧突端面足形，端缘斜截，端角圆钝。阳茎系膜膜质，1 对系膜基侧突，半骨化，端部波曲，膜质；阳茎端弯曲，略伸出，短粗，骨化。

雌虫第 1 载瓣片较宽阔，具少许斜刻纹，内缘平直，相互接触；内角圆钝；外缘斜直。第 9 侧背片三角形，端角圆钝，未伸出第 8 腹节后缘；外缘斜直。第 8 侧背片中央略内凹，两侧宽弧形，略超出第 7 腹节后缘。

**量度(mm)**：♂：体长 6.26～7.39，宽 3.88～4.79；头长 1.13～1.25，宽 1.19～1.40；两单眼间宽 0.63～0.69；触角 1～4 节的长度分别为 0.36、0.69、0.76、0.86、0.97；前胸背板长 1.74～1.86；小盾片长 1.86～2.40，宽 1.71～2.37。♀：体长6.49～7.91，宽 3.96～5.12；头长 1.19～1.32，宽 1.17～1.49；两单眼间宽 0.66～0.78；触角 1～5 节的长度分别为 0.38、0.68、0.76、0.86、0.99；前胸背板长 1.88～1.96；小盾片长 1.97～2.63，宽 1.85～2.49。

**采集记录**：1♂，西安，1916.Ⅷ.17；1♀，长安南五台，1957.Ⅷ，彭积明采；4♂1♀，周至板房子，1994.Ⅷ.9，卜文俊采；1♂，凤县东峪，1994.Ⅶ.30，董建臻采；1♂3♀，凤县秦岭车站，1300m，1994.Ⅶ.28，卜文俊采；1♀，同上，吕楠采；1♀，凤县双石铺，1100m，1994.Ⅶ.31，吕楠采；1♂4♀，凤县天台山，1700～2100m，1999.Ⅸ.03，郑乐怡采；1♂1♀，宝鸡，1919.Ⅴ.06；1♀，眉县，1200～1400m，1916.Ⅸ.15 采；1♀，宁陕火地塘，1640m，1994.Ⅷ.14，卜文俊采。

**分布：**陕西（西安、长安、周至、凤县、宝鸡、眉县、宁陕）、黑龙江、辽宁、内蒙古、北京、天津、河北、山西、甘肃、宁夏、浙江、安徽、湖北、广西、重庆、贵州；俄罗斯，朝鲜，韩国，日本。

**（306）曲匙同蝽 *Elasmucha recurva*（Dallas，1851）**（图 109）

*Acanthosoma recurvum* Dallas，1851：310.

*Elasmucha recurva*：Hsiao & Liu，1977：169.

**鉴别特征：**体椭圆形，绿褐色，具黑色刻点；腹部腹面棕褐色，被短毛。

头部黄褐色，宽略大于长，均匀密被黑色刻点，中叶略长于侧叶，端部圆钝；侧缘于中央内凹。复眼亮棕色；单眼红色；复眼与单眼之间及复眼内侧光滑无刻点。触角浅棕色，由基部至端部颜色渐深，第 5 节端部棕黑色；第 1 节超过头端，最短；第 2 节最长，长度为第 1 节的 2.80 倍；第 3 节略短于第 4 节；第 4 节与第 5 节近乎等长，长度为第 1 节长度的 2.50 倍。头腹面淡棕褐色，被棕黑色刻点。小颊低矮。喙一般，棕褐色，向后伸达后足基节前缘，端部黑色。

胸部前胸背板宽大于长的 2 倍，黄褐色，后半颜色加深为棕褐色，被棕黑色刻点。胝区不明显，淡棕黄色，被刻点。前缘宽弧形内凹，中央平直；前角小角状伸出，端部尖锐，指向侧方；侧缘中央略向内凹入，前缘略波曲；侧角强烈延伸成粗刺，深棕红色，端部为黑色，侧角前缘较光滑，后缘微波曲，端部尖锐，指向侧方；后侧缘斜直；后角略向后延伸，红棕色，略伸展，圆钝；后缘平直。小盾片：长大于宽，基部暗棕色，具粗大的棕黑色刻点；端部略延伸，端角圆钝，超过革片内角。前翅革片非透明，棕褐色，被细密黑色刻点，外革片刻点较内革片刻点粗大；顶缘斜直；顶角圆钝。膜片浅棕色，半透明，末端超过腹部末端。胸部腹面棕褐色，密被棕黑色刻点，前胸腹板刻点最密集；中胸腹板中央隆脊发达，淡棕色，前端高起，圆钝，达前足基节前缘，未达中足基节后缘；臭腺沟缘短，耳廓状，短于后胸侧板宽度的 1/2。足棕褐色，腿节具少量棕色刻点，爪端半黑色。

腹部侧接缘宽露，黄褐色，各节后半具深棕色宽带；后角略伸出，小角状，黑色。腹部腹面棕褐色，具黑色刻点及短毛。腹刺基部为浅棕色，向前达中足基节后缘。雌虫无潘氏器。

雄虫生殖囊背面后缘中央两侧具两簇长毛，两侧中央内侧各有 1 个黑斑；顶角圆钝，内缘着生短毛；腹面后缘内凹，中央有一簇短毛。阳基侧突顶面观足状，背面突起，具少许短毛。阳茎系膜膜质，系膜基腹突半骨化，系膜鞘略骨化；阳茎端膜质，细长。

雌虫第 1 载瓣片较宽阔，具斜刻纹，内缘平直，相互接触；内角圆钝；外缘略波曲。第 9 侧背片小，端角圆钝，未伸出第 8 腹节后缘；外缘斜直。第 8 侧背片中央略内凹，两侧宽弧形，略超出第 7 腹节后缘。

**量度(mm)：**♂：体长9.13～10.37，宽6.62～8.37；头长1.63～1.86，宽1.78～1.88；两单眼间宽0.81～0.89；触角1～5节的长度分别为0.53、1.43、1.26、1.28、1.29；前胸背板长2.29～2.36；小盾片长3.81～3.96，宽3.11～3.27。♂：体长9.38～10.41，宽6.79～8.78；头长1.66～1.93，宽1.86～1.95；两单眼间宽0.85～0.92；触角1～5节的长度分别为0.55、1.45、1.26、1.29、1.29；前胸背板长2.73～2.86；小盾片长3.87～3.99，宽3.25～3.36。

**采集记录：**1♂1♀，留坝庙台子，2000.Ⅷ.30，周长发采。

**分布：**陕西（留坝）、北京、河北、山西、甘肃、宁夏、湖北、四川、贵州、云南、西藏；印度。

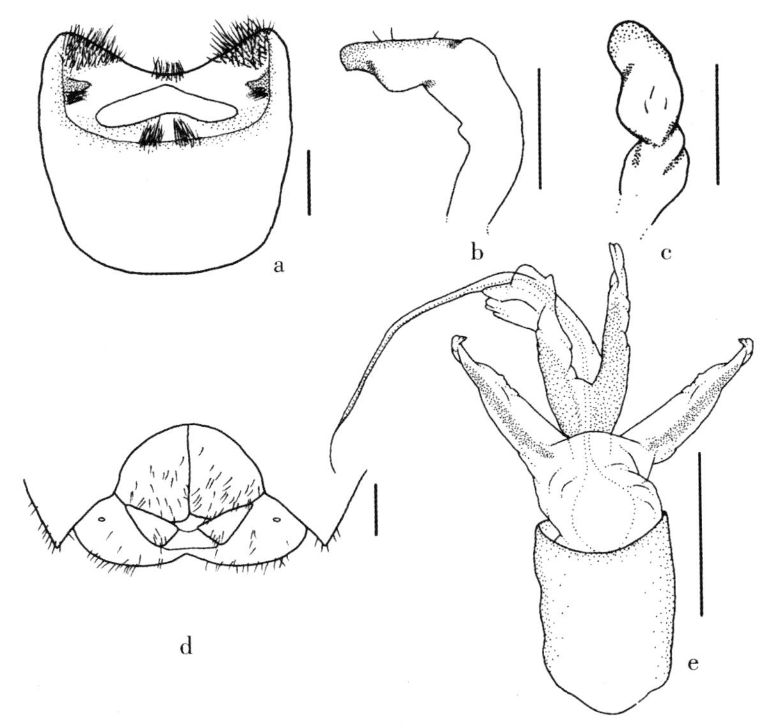


图109 曲匙同蝽 *Elasmucha recurva*（Dallas）

a. 雄虫生殖囊背面观；b. 阳基侧突端侧面观；c. 阳基侧突端面观；d. 雌虫生殖节；e. 阳茎侧面观。比例尺：0.025mm

## 170. 板同蝽属 *Lindbergicoris* Leston, 1953

*Lindbergicoris* Leston, 1953 (new name of *Platacantha* Lindberg by Leston, 1953: 147). **Type species**: *Platacantha armifer* Lindberg, 1934.

**属征：**体中小型，椭圆形，触角第1节超过头前缘；喙向后伸至后足基节中央。前胸背板侧角背腹扁平，板状，中胸腹板隆脊发达，高龙骨状，其前端宽圆，向前达前胸腹板中央，向后未达中足基节之间；臭腺沟缘较长，略弯曲呈弧形，长度为后胸侧板宽度的2/3。膜片略超过腹部末端。侧接缘非一色，各节相接处有黑色斑带；腹刺发达，刺刀状，多向前伸至前、中胸腹板之间。雄虫第7腹节后角圆钝。雌虫潘氏器具1~2对，第7腹节后缘中央一般具棕黑色骨化器，覆盖于第1载瓣片。

雄虫生殖囊背面后缘中央内凹，着生少量短毛；腹面后缘波曲，两侧具长毛；侧角及内侧密集短毛。阳茎系膜膜质，一般具1对系膜基腹叶；阳茎端细长，略伸出。

雌虫第1载瓣片宽阔；内缘平直，相互平行且接触；内角钝圆。第9侧背片端角钝圆，具少量短毛，远离第8腹节后缘，内缘斜直。第8侧背片端缘宽弧，未超出第7腹节后缘。

本属与锥同蝽属（*Elasmucha*）及同蝽属（*Acanthosoma*）相似，区别在于：本属个体中小型，前胸背板侧角薄，且背腹面扁平呈板状，中胸腹板中央隆脊前端远不伸达前胸腹板前缘，多至前胸腹板中央。而锥同蝽属及同蝽属前胸背板侧缘较厚，且至少有一面不扁平；中胸腹板隆脊发达，向前甚至或略超过前胸腹板前缘。

**分布：**中国记录14种，秦岭地区分布1种。

## （307）绿板同蝽 *Lindbergicoris hochii* (Yang, 1933)（图110）

*Elasmucha hochii* Yang, 1933: 12.

*Platacantha hochii*: Hsiao & Liu, 1977: 172.

*Lindbergicoris hochii*: Zheng & Wang, 1995: 17.

**鉴别特征：**体草绿色，长梭形，背面具黑色刻点。腹面棕黄色，光滑无刻点。

头部三角形，背面淡草绿色，略具棕色色彩，被黑色刻点；侧叶表面具斜刻纹；中叶端半略低于侧叶表面，前端略长于侧叶，端部圆钝；侧缘于复眼前端略凹。复眼紫色；单眼棕红色，复眼与单眼之间及复眼内侧光滑无刻点。触角第1节淡草绿色，至端部颜色渐深至棕色，第3~5节密被细短毛，第1节明显超过头端，超过部分占第1节长度的1/2，最短且粗；第2节略长于第1节；第3节较第2节长，长于第1节的1.50倍；第4节最长，约为第1节长度的2倍；第5节略短于第4节。头腹面淡草绿色，光滑无刻点。小颊低矮，几乎不可见。喙棕黄色，端部为黑色，向后伸至后足前缘，第1节较粗，略超过小颊后缘，未达头腹面后缘，第4节最短。

胸部前胸背板宽显大于长，大于长的2倍，一色，淡草绿色，具黑色刻点，后半较前半刻点粗大。胝区亮黄色，光滑无刻点，略突起；前缘宽弧形；前角短，粗指状，略伸出，指向侧前方，端部钝，略超过复眼外缘；侧缘斜直，窄边状上翻；侧角明显伸出体外，端部较尖锐，长与基部宽几乎相等，向上翘起，前缘为深棕色，近乎黑色，后半为草绿色，除端部光滑外其余具黑色刻点；后侧缘斜直；后缘平直。小盾片：一色，草绿色，三角形，长略大于宽，均匀分被粗大黑色刻点；端部长舌状，顶角钝而光滑，略超过革片内缘。前翅革片一色，淡棕绿色，被深棕色或黑色刻点，内革片刻点较外革片密集；端缘斜直，端角圆钝；膜片淡棕色，半透明，末端明显超过腹端。胸部腹面棕黄色，光滑无刻点，中胸腹板中央隆脊发达，淡棕黄色，近半圆形高起，其前端宽圆，前缘伸达前胸腹板中央，向后未达中足基节之间；臭腺沟缘较长，末端钝，占后胸侧板宽度的2/3。足腿节淡草绿色，胫节基半与腿节同色，端半为淡棕色，跗节棕色，爪端半为黑色。

腹部侧接缘一色，淡棕色，光滑，各节后角不明显。腹部腹面棕黄色，光滑无刻点。腹刺发达，向前达中胸腹板中央，与中胸腹板隆脊后缘相接处。雌虫第6、7节各具1对潘氏器，第7节潘氏器明显大于第6节潘氏器，棕红色。第7节后缘中央两侧各有1个骨化片，骨化片呈长椭圆形。

雄虫生殖囊近乎正方形，背面后缘中央明显内凹；腹面后缘中央略外凸，具短毛；侧角具长毛。阳基侧突略中央略弯折，端缘略伸出，膜质状；中央具短毛。阳茎细长，1对系膜基背突，膜质；阳茎端强烈伸出，由基部至端部近乎等粗，端部略弯折。

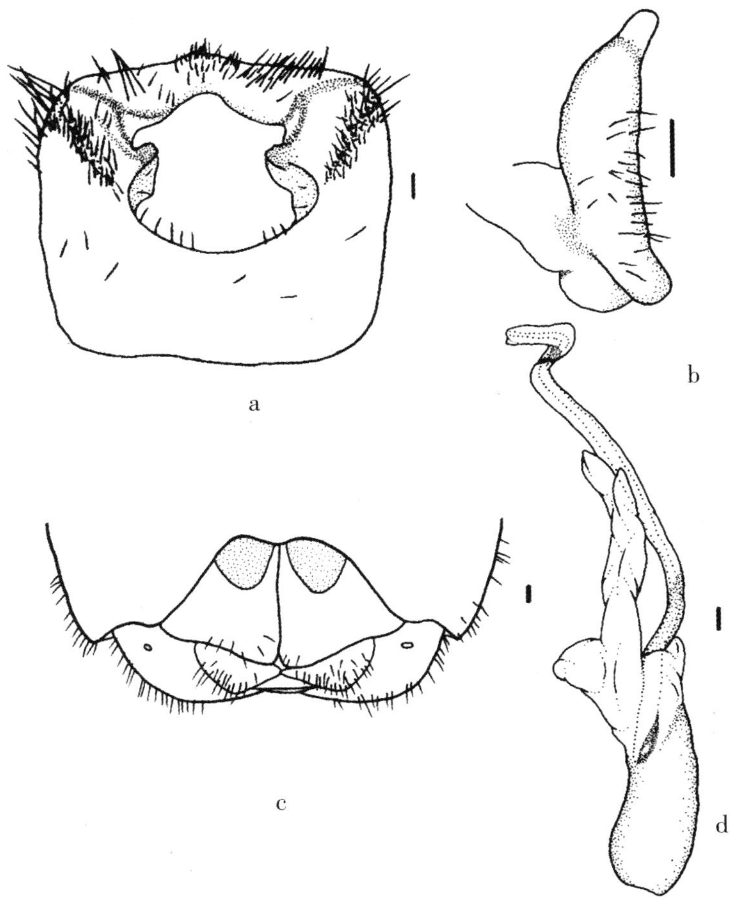


图110　绿板同蝽 *Lindbergicoris hochii*（Yang）

a. 雄虫生殖囊背面观；b. 阳基侧突端面观；c. 雌虫生殖节；d. 阳茎侧面观。比例尺：0.1mm

雌虫第1载瓣片宽大，内缘平直，中央略拱，相互接触；内角圆钝；外缘斜直。第9侧背片饱满，端角圆钝，外缘弧形，具少量短毛，未伸出第8腹节后缘；内缘斜直。第8侧背片中央明显内凹。

**量度**(mm)：♂：体长9.82~12.69，宽6.36~8.97；头长1.62~1.76，宽1.71~2.02；两单眼间宽0.96~1.08；触角1~5节的长度分别为1.04、1.29、1.76、2.03、1.85；前胸背板长3.03~3.41；小盾片长2.73~3.58，宽2.58~3.41。♀：体长9.97~13.05，宽6.47~9.25；头长1.65~1.89，宽1.78~2.07；两单眼间宽0.98~1.10；触角1~5节的长度分别为1.06、1.30、1.79、2.03、1.87；前胸背板长3.18~3.57；小盾片长2.80~3.91，宽2.87~3.59。

**采集记录**：3♂5♀，凤县秦岭车站，1400m，1994. Ⅶ.27，吕楠采；1♂，同上，卜文俊采；1♂2♀，留坝庙台子，1400m，1994. Ⅷ.01，吕楠采；1♀，同上，卜文俊采。

**分布**：陕西（西安、凤县、留坝）、北京、河北、山西、河南、甘肃、湖北。

## 171. 锥同蝽属 *Sastragala* Amyot *et* Serville, 1843

*Sastragala* Amyot *et* Serville, 1843: 155. **Type species**: *Cimex uniguttatus* Donovan, 1880.

**属征**：体中型，触角第2节一般短于第3节；前胸背板前部光滑无刻点，前缘具1列刻点，有时具2列刻点。前胸背板前部通常光滑，侧角水平延伸，端角圆钝，圆锥状刺。小盾片端部延伸。雄虫最后腹节后角延伸呈角状，略尖锐。中胸腹板隆脊稍短，未向后延伸，向前略超过前胸腹板前缘，端部略圆钝。雄虫最后腹节后角尖锐或几乎呈直角状。阳茎一般具1对系膜基侧突，阳茎端一般较短。

本属与同蝽属(*Acanthosoma*)相似，区别在于：本属前胸背板前部光滑，侧角通常延伸呈圆锥状刺，雄虫第7腹节后角尖，近乎直角。而同蝽属前胸背板前部具刻点，侧角通常圆钝，雄虫第7腹节后角通常圆钝，未呈角状。

**分布**：中国记录8种，秦岭地区分布1种。

### (308) 伊锥同蝽 *Sastragala esakii* Hasegawa, 1959（图111；图版4：10）

*Sastragala esakii* Hasegawa, 1959: 86.

**鉴别特征**：头部宽大于长，背面棕褐色，光滑无刻点。中叶长于侧叶，端部圆钝，具稀疏长毛；侧叶表面具少许斜刻纹，前端钝；侧缘棕色，于中央略内凹。复眼深紫色；单眼红棕色；复眼与单眼之间光滑。触角棕色，第1节明显超过头端，超过部分约为其长度的1/2；第2节略短于第1节；第3节最短；第4节最长；第5节略短于第4节。头腹面淡棕色，光滑无刻点。小颊棕色，低平，远未达喙基节表面。喙棕色，向后达中足基节前缘，第1节未超出小颊，最粗，第2节与第3节约等长，第4

节端部为黑色。

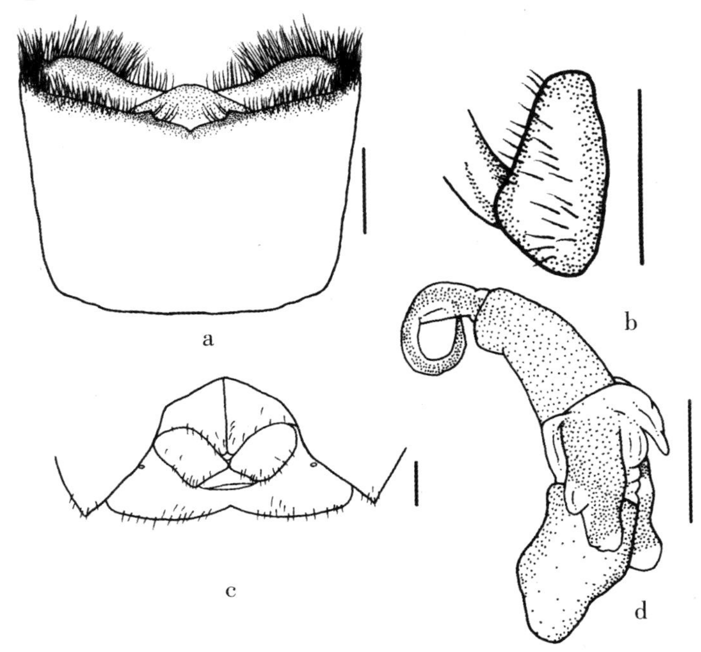


图 111　伊锥同蝽 *Sastragala esakii* Hasegawa

a. 雄虫生殖囊背面观；b. 阳基侧突端面观；c. 雌虫生殖节；d. 阳茎侧面观。比例尺：0.025mm

胸部前胸背板非一色，前半棕褐色，后半深棕色；刻点颜色亦不同，前半刻点棕色，后半刻点为黑色，且后半刻点较前半刻点粗大稀疏。胝区略隆起，亮棕黄色，光滑无刻点。前缘宽弧形内凹，内侧具细密刻点；前角较明显，指向前方，端部较钝，略超过复眼外缘；侧缘近乎斜直，棕绿色；侧角较明显，略伸出体外，圆钝，黑色，基部被黑色刻点，端部光滑无刻点；后侧缘斜直；后角圆钝，不明显；后缘平直。小盾片三角形，宽大于长，深棕色，被黑色刻点；中央有 1 个心形亮棕黄色斑块，光滑无刻点；端部延伸，端角骤缩，淡棕色，光滑无刻点。内革片棕褐色，被粗大黑色刻点；外革片淡红棕色，被细小同底色刻点；顶缘斜直；顶角圆钝，黑色。膜片淡烟褐色，半透明，末端明显超过腹端。胸部腹面棕黄色；中胸腹板隆脊发达，向前达前胸腹板前缘或略超过前胸腹板前缘；臭腺沟缘斜直，细长，大于后胸侧板宽度的 1/2。足腿节粗壮，棕黄色；胫节基半为棕黄色，端半棕色；跗节棕色；爪基半棕黄色，端半为黑色。

腹部侧接缘窄露或不外露，一色，淡棕褐色，无刻点，各节后角小角状伸出，约直角，略尖锐。腹部腹面棕黄色，无刻点，被稀疏短毛。腹刺发达，向前伸达中胸腹板中央。雌虫无潘氏器。

雄虫生殖囊后缘着生长毛，背面后缘中央内凹，两侧各着生 1 个黑色小突起；腹面后缘中央宽凹，近端部外凸。阳基侧突近乎三角形，基部至端部渐窄，端缘亚平截。阳茎系膜膜质，具 1 对半骨化的系膜基侧突，端部分为 2 支，膜质；1 个系膜基膜质腹突，较小；系膜鞘半骨化；阳茎端弯曲，略伸出，骨化。

雌虫第1载瓣片棕褐色，内缘平直，相互平行且接触；内角锐角，具短毛；外缘中央明显内凹。第9侧背片端角圆钝，未伸出第8腹节后缘；内缘斜直。第8侧背片中央内凹，端缘深棕色，宽弧形。

**量度(mm)：**♂：体长9.31～11.79，宽4.83～7.08；头长1.53～1.96，宽1.87～2.23；两单眼间宽0.70～0.87；触角1～5节的长度分别为1.45、1.42、1.16、1.63、1.60；前胸背板长2.96～3.75；小盾片长2.07～3.88，宽2.46～3.64。♀：体长9.53～12.97，宽4.95～7.90；头长1.61～2.09，宽1.92～2.38；两单眼间宽0.72～0.98；触角1～5节的长度分别为1.50、1.46、1.20、1.65、1.61；前胸背板长3.04～3.91；小盾片长2.32～3.96，2.55～3.72。

**采集记录：**2♂1♀，周至板房子，1991. Ⅷ. 07，吕楠灯诱；1♂1♀，宁陕火地塘，1640m，1994. Ⅷ. 15，吕楠采。

**分布：**陕西（周至、宁陕）、天津、甘肃、浙江、湖北、江西、湖南、福建、台湾、广西，重庆、四川、贵州、云南；韩国，日本。

# 三十、土蝽科 Cydnidae

朱耿平　刘国卿

（1. 天津师范大学生命科学院，天津 300384；2. 南开大学昆虫研究所，天津 300071）

**鉴别特征：**体小至中大型。褐色、黑褐色或黑色，个别种类有白色或蓝白色花斑。身体厚实，有时隆出，体壁坚硬，并常具光泽。

头平伸或前倾，常宽短，背面较平坦，常前缘成圆弧形。上颚片极阔。头前缘常有粗短栉状刚毛列。触角多为5节，少数4节，较粗短；前胸背板侧缘可有刚毛列。小盾片长约为前翅的1/2或更长，部分种类小盾片较长而端部宽圆。少数类群可有“爪片接合线”。后胸侧板臭腺沟长，挥发域范围大，表面结构多样。腹部各节每侧的2根毛点毛在气门后排成纵列。各足跗节3节，胫节粗扁，或变形成勺状，钩状等。

若虫腹部臭腺分开口于第3、4,第4、5和第5、6腹节背板节间。

**生物学：**栖息于地表和地被物下，或在植物根际的土壤表层下、土缝中生活，吸食植物的根部或茎的基部。根土蝽属种类（*Schiodtella* spp.）可严重危害小麦等作物。许多种类有向光性。已知有些种类有成虫护卵和若虫聚集的习性。

**分类：**中国记录26属69种，陕西秦岭地区分布3亚科7属7种。

## 分亚科检索表

1. 头前端近方形，边具锯齿状缺刻；触角4节；足强烈特化，前足胫节端部延长并弯曲成镰刀状，因而跗节如似着生于胫节中部；中足胫节稍扁平，两端稍细，背部弯曲呈香蕉状；后足胫节端部膨大呈棒状，顶端椭圆形 …………………………………………… **根土蝽亚科 Cephalocteinae**

头前端圆形，边缘光平，无锯齿；触角5节，如为4节则第2节甚长，长于1节2倍；各足正常，或仅前足胫节端部延长成镰刀状或铲状，因而跗节不着生于靠近胫节的顶端………………… 2

2. 前胸背板近侧缘具成列的刚毛及毛点，有时头前缘及前翅侧缘也有；跗节第2节与其他两节等粗……………………………………………………………………………… **土蝽亚科 Cydninae**

前胸背板侧缘，头的前缘及前翅前缘均无刚毛及毛点；跗节第2节显著地细于其他两节，触角第2节等于或长于第1节；前胸背板前端无领 ……………………… **光土蝽亚科 Sehirinae**

# (一)根土蝽亚科 Cephalocteinae

**鉴别特征：**身体近圆形，背腹面鼓，具刻点及皱纹。头前端近方形，边缘锯齿状，并具刚毛及短刺。前胸背板前侧缘具刚毛，小盾片长，超过爪片顶端。足强烈特化，前足胫节侧扁，弯曲，顶端强烈延伸，跗节似着生于胫节中部，背面无成列的刺；中足胫节稍扁平，弯曲，背面具成列刚毛，腹面无刚毛，跗节着生于近顶端处；后足股节极度膨大，胫节短棒状，顶端马蹄形，周缘及中部具强刺，跗节着生于其内侧顶端，跗节第2节甚短。

**分类：**中国记录2属5种，陕西秦岭地区分布1属1种。

## 172. 根土蝽属 *Schiodtella* Signoret, 1882

*Schiodtella* Signoret, 1882: 218. **Type species**: *Stibaropus tabulates* Schiodtella, 1848.

**属征：**身体近圆形，背、腹两面均甚鼓，黄褐色、褐色或红褐色。头前端近方形，下倾，边缘具钉状刺1列，其中中叶顶端亦有2枚；喙到或略超过中足基节；小盾片宽，顶端宽椭圆形，超过爪片端部，爪片不形成爪片接合缝。足短，具稀长毛，腿节粗，前足胫节扁，镰刀状，基半部具5～8枚长直立刺，跗节细，位于胫节顶端，后足腿节极度膨大，胫节短棒状，顶端马蹄形，周缘中部具强刺，跗节着生于内侧顶端。

**分布：**中国记录4种，秦岭地区发现1种。

### (309) 根土蝽 *Schiodtella japonica* Imura *et* Ishikawa, 2010 (图112)

*Schiodtella japonica* Imura *et* Ishikawa, 2010: 24.

**鉴别特征：**体型近圆形。浅褐色至深褐色。

头红褐色至褐色，边缘锯齿状，头后端具少数刻点，前端向下倾斜，侧叶稍长于中叶，具深刻的斜皱纹，向上翘起，两侧缘各具8～11根短刺，中叶边缘具2根短刺，前缘下方具1列刚毛。复眼红色，不具眼刺，较大，突出于头的两侧，复眼间距6.80～7.50mm，单眼黄褐色，单眼间距4.20～4.40mm，触角黄褐色，第1、2节棒状，第2节长于第1节，第3、4节纺锤形，依次递长。喙黄褐色，达于中足基节，第2节稍长于第1节，第4节长于第3节，第3节最短。

前胸背板红褐色至褐色，极度上鼓，前部光滑，前缘及后部具刻点及稀疏横皱纹，侧缘具若干排列不整齐的长毛，小盾片具横皱纹及少数不明显刻点，基部略光滑，端部密被横皱，前胸侧板褐色具黑褐色斑块，臭腺孔缘端部与蒸发域区分不明显，孔缘端部钩状突起部不明显，前翅刻点稀疏，前缘脉基部具7～8根刚毛，膜片透明，超出腹部末端。

腹部腹板黄褐色，具稀疏皱纹，密被长毛，前足胫节镰刀状，近端部处黑色，光秃，其余部分多毛及刺，跗节着生于其中部，中足胫节香蕉状，腹面较光，背面及侧面多毛及刺，后足腿节极粗，胫节马蹄形，多毛及刺，马蹄的底面稍鼓，底面及周缘具许多粗刺，中部22根左右，周缘30根左右，中足，后足跗节均甚小，着生于胫节顶端。

雄虫生殖囊开口背侧具较深较窄的凹陷，阳茎鞘粗壮，阳茎如图112所示，抱器端部肥厚。

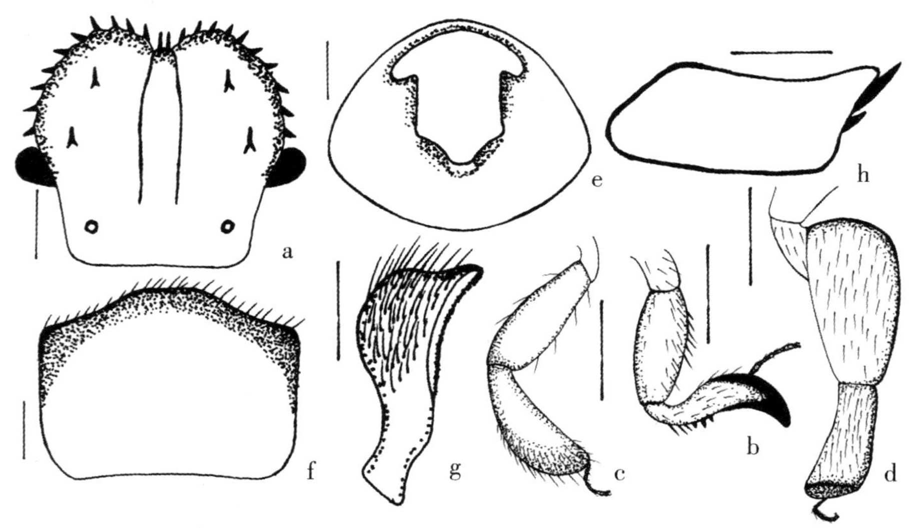


图112 根土蝽 *Schiodtella japonica* Imura *et* Ishikawa

a. 头；b. 前足；c. 中足；d. 后足；e. 雄虫生殖囊；f. 雄虫生殖囊；g. 左阳茎侧叶；h. 阳茎。比例尺：a, f, h＝0.25mm；b,c, d＝0.1mm；e＝0.175mm；g＝0.2mm

**量度(mm)：**♂：体长4.40，宽2.80；头长0.95，宽0.924；触角1～4节的长度分别为0.20、0.30、0.22、0.36；前胸背板长1.48，宽2.36；小盾片长1.80，宽2.87；前翅长2.86。

**采集记录：**8♂16♀，南郑，674m，1975.Ⅹ.28；1♀，榆林，1134m，1971.Ⅸ.13。

**分布：**陕西(南郑、榆林)、吉林、辽宁、内蒙古、天津、山西、江西；日本。

**寄主：**高粱，小麦，甘蔗，大豆。

## （二）土蝽亚科 Cydninae

**鉴别特征：**土蝽亚科为土蝽科中最大的1个亚科，广布于世界各大动物区系，其主要鉴别特征有，不具爪片结合缝，后足胫节不膨大，腹节第3～7节毛点毛均位于其各节气孔的内侧后缘，第3节内侧的毛点毛略相对气孔有时略微靠前。

**分类：**中国记录15属54种，陕西秦岭地区分布4属4种。

### 分属检索表

1. 小盾片相对较小，宽大于长，长度未达革片长度的1/2 ………………………… **领土蝽属 *Chilocoris***
   小盾片较大，长大于宽，长度超过革片长度的1/2 ……………………………………………… 2
2. 触角4节，第2节较长 …………………………………………………………… **鳖土蝽属 *Adrisa***
   触角5节，第2节较短 ……………………………………………………………………………… 3
3. 臭腺孔缘端部呈叶状或环状，不具齿状结构 ………………………………… **环土蝽属 *Microporus***
   臭腺孔缘端部既不呈叶状也不呈环状，臭腺孔缘常具钩状，齿状结构，舌状和带状结 ………
   …………………………………………………………………………………………… **佛土蝽属 *Fromundus***

### 173. 领土蝽属 *Chilocoris* Mayr, 1965

*Chilocoris* Mayr, 1865: 907. **Type species**: *Chilocoris nitidus* Mayr, 1865.

**属征：**体小型至中型，小盾片长与宽近等，呈三角形，长度不超过革片的1/2，臭腺蒸发域面积较大，呈方形，占据中后胸侧板的绝大部分，臭腺孔缘明亮，狭长，达到或超过蒸发域侧缘，端部膨胀成长叶状，略向下倾斜，各侧叶兼具发状和楔状刚毛，前胸背板侧缘不呈锯齿状。

**分布：**中国记录9种，秦岭地区发现1种。

#### （310）泰领土蝽 *Chilocoris thaicus* Lis, 1994（图113）

*Chilocoris thaicus* Lis, 1994: 76.

**鉴别特征：**体型较小，狭长，深褐色，革片颜色略浅于前胸背板和小盾片。

头半圆形，边缘略微上卷，背面具皱纹，复眼之间具刻点，各侧叶边缘具6根楔状和3根发状刚毛，中叶两缘近乎平行，端部具2根楔状刚毛，复眼较大，复眼指数2.90，红褐色，具眼刺，单眼黄褐色，触角5节，第1节柱状，弯折，第2节较短，短杆状，相当于第 1 节的 2/3，第 3 节的 1/2，第 3、4、5 节棒状，密被平伏刚毛，连接处具缢缩，喙 4 节，达中足基节。

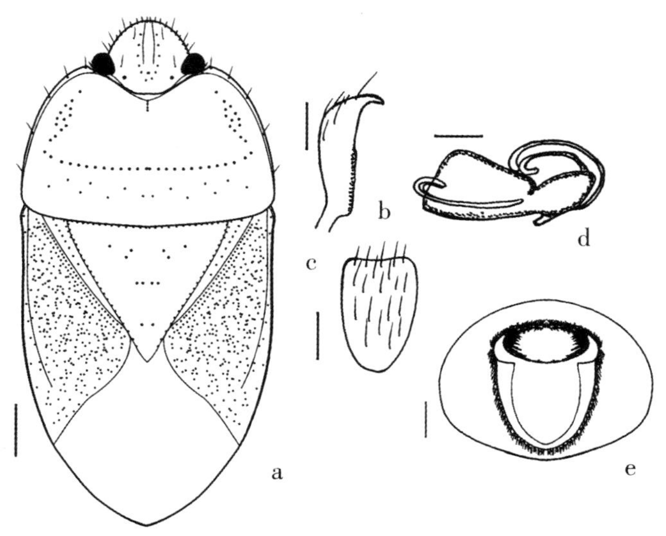


图 113 泰领土蝽 *Chilocoris thaicus* Lis

a. 体型；b. 阳茎侧叶；c. 载肛突；d. 阳茎；e. 生殖囊开口。比例尺：a = 0.4mm；b，c，d，e = 0.09mm

前胸背板具 1 排显著横刻点，但未形成凹陷刻痕，侧缘具稀疏明显刻点，前侧缘不具刻点，后叶具散布明显刻点，各侧缘具 4 ~ 5 根刚毛，头后方领部中央具 1 条短凹陷线，小盾片三角形，边缘具明显刻点痕，盾片端部尖锐，基部略鼓，背面散布显著刻点，革片具爪片，内革片和外革片之分，爪片具 1 条基部至端部完整刻点，刻点排列稀疏，内革片，背面密被刻点，具 2 条平行爪片和内革片缝的刻点列，近端刻点列具凹陷刻痕，外革片背面具 1 条基部至端部的连续刻点。膜片透明，远超出腹部末端。前胸侧板前凸光滑，后凸不明显亦光滑，凹陷处颜色较深，具刻点，臭腺蒸发域面积较大，呈方形，占据中后胸侧板的绝大部分，臭腺孔缘明亮，狭长，达到或超过蒸发域侧缘，端部膨胀成长叶状，略向下倾斜。

腹部腹板栗黑色，中央具稀疏刚毛，侧缘刚毛较稠密。各足正常，腿节略微侧扁，侧缘具刚毛，胫节具粗刺。

雄虫左抱器狭小，镰刀状，载肛突较小，生殖囊开口背侧略尖锐，阳茎侧面如图 113。

**采集记录：**1♂，佛坪岳坝保护站，1083m，2006. Ⅶ. 19，朱耿平采。

**分布：**陕西（佛坪）；泰国。

## 174. 鳖土蝽属 *Adrisa* Amyot *et* Serville, 1843

*Adrisa* Amyot *et* Serville, 1843：89. **Type species**：*Adrisa nigra* Amyot *et* Serville, 1843.

**属征**：体长9.62~21.80，头部具发状刚毛，不具楔状刚毛，触角4节，第2节较长，前胸背板前缘、后缘、侧缘具刻点，膜片烟黑色或浅褐色，具浅色斑点或深色不规则的斑块，腹部腹片中央光滑，边缘具刻点，蒸发域面积较大，臭腺孔缘多样，阳茎具囊鞘，骨化不强。

**分布**：中国记录5种，秦岭地区发现1种。

## (311) 大鳖土蝽 *Adrisa magna* (Uhler, 1861)（图114）

*Acatalectus magnus* Uhler, 1861: 222.

*Adrisa magna*: Signoret, 1881: 206.

*Adrisa maxima* Štusák, 1991: 117.

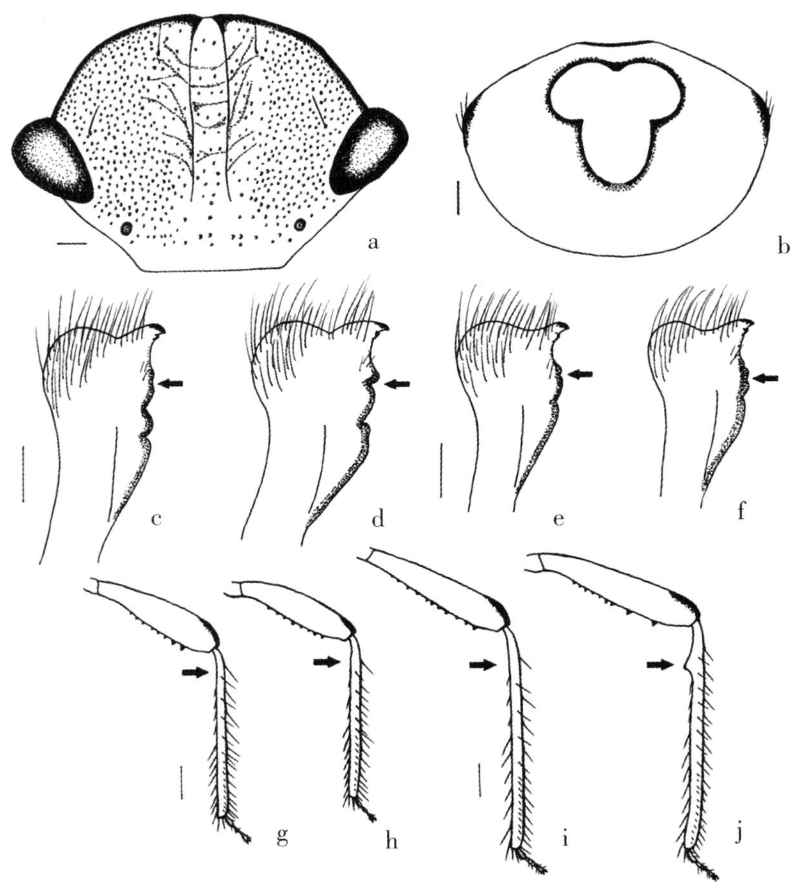


图114 大鳖土蝽 *Adrisa magna* (Uhler)

a. 头部；b. 生殖囊；c-f. 左阳茎侧叶；g-h. 雌雄虫后足（海南标本）；i-j. 雌雄虫后足（北京标本）。

比例尺：a-f = 0.25mm；g-j = 0.1mm

**鉴别特征：**体型较大，呈椭圆形，黑色或黑褐色。

头背面具粗糙刻点及沟痕，侧叶长于中叶，并在中叶前聚拢，有时将中叶包围，中叶边缘不具刚毛，各侧叶具2根初生刚毛，其边缘不具刚毛，复眼黑色至黑褐色，不具眼刺，复眼间距2.47～3.32mm，单眼褐色至红褐色，单眼间距4～6mm，触角褐色，4节，第1节和第2节基部暗褐色，不具刚毛或具稀疏刚毛，第3、4节亮褐色，密被刚毛，喙暗黄色至褐色，达中足基节。

前胸背板具明显粗糙刻点，刻点大小不均一，前缘，侧缘边缘刻点相对较小较密，其余部分刻点相对较大，较稀疏，其中胝区较小，光滑不具刻点，前缘具4根刚毛分布位于单眼和复眼的后方，胝区两后侧角各具1根刚毛，前胸侧板凹陷处及后凸基部具粗糙刻点，前凸侧缘刻点稀疏，相对较小，小盾片呈三角形，背面具刻点，相对前胸背板较小，较稀疏，侧角区域不具刻点，端部较锐，呈舌状，亦不具刻点，刻点较大较深，臭腺蒸发域面积较大，臭腺孔缘端部具突起，呈耳状、叶状和贝状等形状，革片密被均匀刻点，刻点相对小盾片和前胸背板较小，爪片具3～4条刻痕，内革片具2条平行于爪片和革片缝的刻痕，外革片密被刻点。

腹部腹板黑褐色至黑色，中央光滑不具刻点，边缘区域密被刻点。足褐色至黑褐色，后足胫节基部有时具瘤状突。跗节3节，第1节较长，具2排较密的长绒毛，第2节最短，第2、3节具稀疏刚毛。

雄虫生殖囊圆柱状，腹侧外露部分具刻点，端部开口骨化不完全，孔缘背侧密被绒毛。阳茎具囊鞘，骨化较强，抱器粗壮，端部具钩状结构，内侧缘粗糙，具螺旋状突起，内侧边缘形状种内变化较大。

**采集记录：**1♀，南郑龙岗寺，575m，1975. Ⅳ. 25，灯诱。

**分布：**陕西(南郑)、北京、天津、河北、河南、湖北、江西、湖南、台湾、广东、海南、香港、四川、云南；韩国，日本，越南，老挝，泰国，缅甸。

**讨论：**该种的外部形态表现出了较大的变化，如北京、天津、河北等地的标本体型相对较大，而海南、云南等地的标本体型相对较小。另外海南标本雌雄标本的后足胫节基部均是光滑的，而北京、天津、河北等地标本雄虫标本后足胫节基部具瘤状突，雌虫标本后足胫节基部光滑。

## 175. 佛土蝽属 *Fromundus* Distant，1901

*Fromundus* Distant, 1901: 582. **Type species**: *Fromundus opacus* Distant, 1901.

**属征：**触角5节，各侧叶边缘具发状刚毛，小盾片较长，长大于宽，长度大于革翅长度的1/2，前足胫节正常，跗节着生在胫节端部，中后足胫节正常，不膨大亦不侧扁，足基节不成锯齿状，臭腺孔缘呈肾状，末端具钩状突起，为臭腺孔缘前缘脊脉的一部分，阳茎细长。

**分布：**中国记录2种，秦岭地区发现1种。

### (312) 小佛土蝽 *Fromundus pygmaeus* (Dallas, 1851) (图115)

*Aethus pygmaeus* Dallas, 1851: 120.
*Geobia fallax* Montrouzier, 1858: 247.
*Cydnus rarociliatus* Ellenrieder, 1862: 139.
*Aethus nanulus* Walker, 1867: 162.
*Aethus pallidicornis* Vollenhoven, 1868: 177.
*Geotomus subtristis* Buchanan White, 1877: 110.
*Geotomus jucundus* Buchanan White, 1877: 111.
*Aethus palliditarsus* Scott, 1880: 309.
*Geotomus lethierryi* Signoret, 1883b: 50.
*Aethus nitens* Kirby, 1900: 127.
*Geotomus macroevaporatorius* Moizuddin *et* Ahmad, 1990: 318.
*Fromundus pygmaeus*: Lis, 1994: 181.

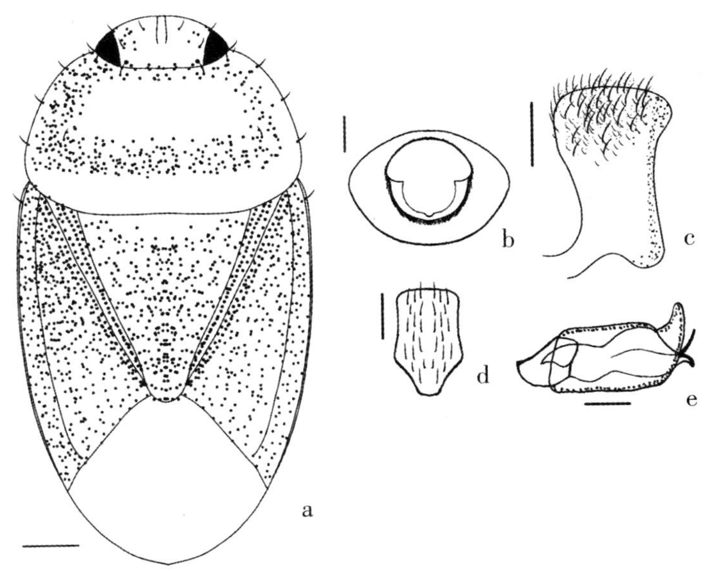


图115 小佛土蝽 *Fromundus pygmaeus* (Dallas)

a. 体型；b. 生殖囊开口；c. 阳茎侧叶；d. 载肛突；e. 阳茎。比例尺：a = 0.4mm；b = 0.125mm；c, d, e = 0.09mm

**鉴别特征：**体较小型，长椭圆形，体色赭黄色至黑色。

头近半圆形，边缘略微上卷，侧叶具2~6根发状刚毛，背面具稀疏刻点，中叶与侧叶等长，边缘不具刻点，中叶前端略窄，中部略鼓，具2~3根横纹，复眼较大，具眼刺，红褐色至黑褐色，复眼指数为7.90~9.00，单眼黄褐色至黑褐色，触角5

节，第1节光滑不具刚毛，第2节具稀疏刚毛，第3、4、5节密被刚毛，第3、4节和第4、5节关节处缢缩，触角各节基部颜色较深，端部颜色渐浅，喙4节，喙长，达中足基节。

前胸背板胝区明显，除胝区和后缘外均具稀疏刻点，肩角略微膨胀，各侧缘4~6根发状刚毛，小盾片长大于宽，基部不具刻点或具稀疏刻点，基部至端部，刻点渐密渐小，端部伸展呈舌状，革片具爪片，内革片和外革片之分，爪片具1个基部至端部完整的刻点，其内侧具数个刻点，外侧具较短的刻点痕，内革片密被刻点，刻点基部至端部刻点渐小，基部2条平行于爪片和内革片缝的刻痕，外革片密被刻点，前缘脉基部具1根刚毛，膜片黄白色至烟黑色，超出腹部末端。

前胸腹板前凸光滑，凹处具粗糙皱纹，后凸光滑不具刻点，蒸发域面积较大，占据中后胸侧板的2/3，后胸侧板蒸发域外缘具少数刻点，臭腺孔缘呈肾形，开口处具钩状突起，为前缘脊脉的一部分，各足正常，胫节具强刺。

雄虫生殖囊开口背侧缘具较窄凹陷，载肛突呈中侧凹陷长方形，阳茎骨化一般，抱器如图115所示。

**采集记录**：1♀，武功三道原，445m，1964. Ⅶ. 27；1♂，佛坪岳坝保护站，1100m，2006. Ⅶ. 20，许静杨灯诱。

**分布**：陕西（武功、佛坪）、湖北、江西、台湾、广东、海南、香港、广西、四川、云南；韩国，日本，越南，老挝，泰国，缅甸，印度，尼泊尔，斯里兰卡，巴基斯坦，新加坡，文莱，马来西亚，柬埔寨，斐济，印度尼西亚，菲律宾，非洲，澳洲。

## 176. 环土蝽属 *Microporus* Uhler, 1872

*Microporus* Uhler, 1872: 394. **Type species**: *Microporus obliquus* Uhler, 1872.

**属征**：头宽大于长，触角5节，第3、4、5节呈球形，头侧叶边缘同时具发状刚毛和楔状刚毛，臭腺蒸发域面积较大，占据中胸侧板的1/3，臭腺孔缘末端呈叶状或环状，有光泽，后缘无突起，前缘脉基部及前胸背板侧缘具刚毛。

**分布**：中国记录2种，秦岭地区发现1种。

### (313) 黑环土蝽 *Microporus nigrita* (Fabricius, 1794)（图116）

*Cimex nigrita* Fabricius, 1794: 123.

*Aethus nigropiceus* Scott, 1874: 289.

*Cydnus flavicornis* var. *subinermis* Rey, 1887: 1.

*Microporus nigrita*: Horváth, 1917: 369.

**鉴别特征**：身体呈卵圆形，体小型，头的前缘、触角、喙、各足胫节及跗节均为红褐色。

头呈扁圆形，头侧缘略微上卷，颜色浅于头背面其他部分，侧叶于中叶前聚拢，但未将中叶包围，侧叶具5根发状刚毛和9根楔状刚毛，背面具稀疏刻点，中叶端部具2根楔状刚毛，两侧缘前端略窄，后端宽阔，具2~3根横纹。复眼中等大小，暗褐色，具眼刺。具单眼，红褐色。触角5节，第1、2节呈杆状，具稀疏刚毛，第3、4、5节棒状，密被刚毛，第3、4和4、5节连接处具缢缩，喙4节，几乎达中足基节。

前胸背板方正，前端略窄，侧缘及近后缘具稀疏刻点，侧缘的刻点相对近后缘的刻点略微稠密，各侧缘具18~20根发状刚毛，侧缘略微伸展，上卷，颜色略浅。小盾片呈三角形，背面具刻点，端部不伸展，刻点略稠于前胸背板，刻点端部较小，近基部具稀疏刻点。革片具爪片，内革片和外革片之分，爪片具1条基部至端部完整的刻点，其上下各具少数几个刻点，内革片具2条完整的基部至端部平行于爪片和内革片缝的刻点痕，密被刻点，刻点相对小盾片较大，较稠密，外革片具粗糙刻点，前缘脉基部具6根发状刚毛。膜片透明，烟黑色，超出腹部末端。前胸侧板前凸及后凸光滑不具刻点，凹陷处具稀疏皱纹，中后胸侧板蒸发域面积较大，蒸发域边缘的侧板具刻点及皱纹。臭腺孔缘呈叶状，近圆形，距离臭腺蒸发域边缘较近(图116：b)。

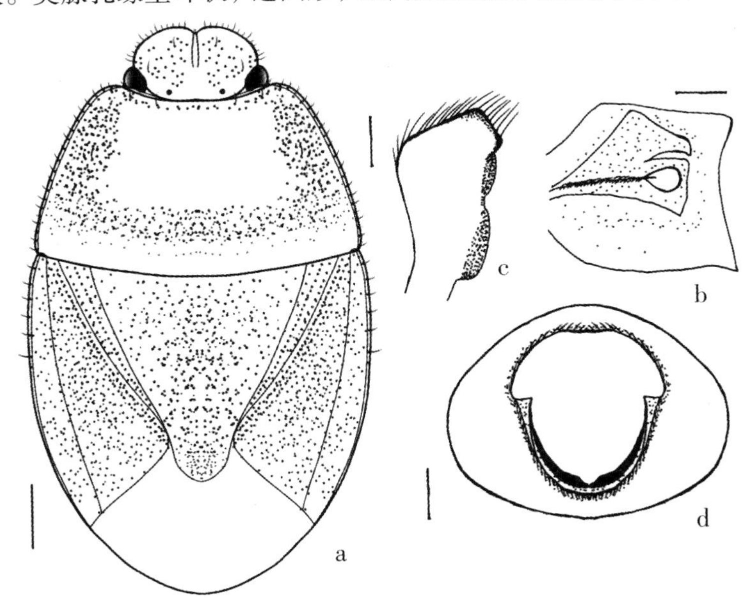


图116 黑环土蝽 *Microporus nigrita* (Fabricius)

a. 外部轮廓；b. 臭腺；c. 阳茎侧叶；d. 生殖囊开口。比例尺：a = 0.55mm；b = 0.33mm；c = 0.09mm；d = 0.125mm

腹板具刻点，中央刻点较小，较稀疏，侧缘刻点较大，略稠密。各足正常，腿节具稀疏刚毛，胫节具粗壮刺。

雄虫生殖囊开口背部内侧边缘具凹陷，抱器如图所示(图116：c)。

**采集记录**：1♂，佛坪岳坝保护站，1256m，2006.Ⅶ.21，朱耿平采。

**分布**：陕西(佛坪)、内蒙古、北京、天津、山东、新疆、上海、广东、西藏；俄罗斯，韩国，日本，印度，中亚地区，欧洲，非洲(北部)。

## (三)光土蝽亚科 Sehirinae

**鉴别特征**：身体光突无毛及刺，头边缘完整；触角 5 节，第 2 节等于或长于第 1 节，前胸背板、前翅前缘及腹部两侧常具狭窄的乳白色边缘；小盾片长，超过爪片的顶端，爪片不形成爪片接合缝。前足胫节稍扁平，具成列的小刺，跗节第 2 节最短，细于第 1 节或第 3 节。

**分类**：中国记录 7 属 11 种，陕西秦岭地区分布 2 属 2 种。

### 分属检索表

身体背面具紫蓝色金属光泽，前胸背板侧缘和前缘脉处具乳白色边缘 …… **紫蓝土蝽属 *Canthophorus***
身体背面不具紫蓝色金属光泽，前翅中部具乳白色白斑，小盾片有时也具白斑 ……………………………………………………………………………………………………………… **阿土蝽属 *Adomerus***

### 177. 阿土蝽属 *Adomerus* Mulsant et Rey, 1866

*Adomerus* Mulsant *et* Rey, 1866: 66 (as subgenus of *Canthophorus*). **Type species**: *Cimex biguttatus* Linnaeus, 1758.

**属征**：体长较小，不及 6mm；眼向两侧突出，至少以其半径的宽度超出头的侧缘；头的侧缘不长于中叶，如较长，亦不与中叶前方相互接触；各足胫节背面具白色条纹。前翅中部具乳白色白斑，小盾片有时也具白斑。

**分布**：中国记录 3 种，秦岭地区发现 1 种。

#### (314) 圆点阿土蝽 *Adomerus rotundus* (Hsiao, 1977) (图 117)

*Legnotus rotundus* Hsiao, *in* Hsiao *et al.*, 1977: 52.
*Legnotus breviguttulus* Hsiao, *in* Hsiao *et al.*, 1977: 51.
*Adomerus rotundus*: Kanyukova, 1988: 918.

**鉴别特征**：长圆形，前端较窄，后端较宽。体呈深褐色，头、前胸背板前部及触角第 4、5 节色较深。前翅膜片黄褐色。前胸背板侧缘，前翅革片前缘，腹部侧缘及各足胫节背侧条纹白色。背面刻点比较均匀，腹部刻点细小。

头呈梯形，边缘略微上卷，背面具显著刻点，头基部具稀疏刻点或不具刻点。复眼暗红褐色至黑褐色，球形突起，单眼红色至红褐色，第 1 节柱状，第 2、3 节杆状，

第4、5节棒状，第1、2节具稀疏刚毛，第3、4、5节密被刚毛。

前胸背板前角方形。背面密被显著刻点，胝区及后缘刻点略微稀疏，小盾片较小，端部狭窄，背面密被浓密刻点，革片具爪片、内革片和外革片之分，爪片具刻点，基部至端部连续刻点不明显，内革片背面具浓密刻点，其上2条基部至端部平行内革片和爪片缝的连续刻点亦不明显，前翅革片中部具白斑，长度不超过宽度的3倍，外革片亦具浓密刻点。前胸腹板平滑，不具脊状突起，不形成凹槽，密被粗糙刻点，前胸侧板前凸具浓密刻点，凹陷处具拉伸的刻点，后凸刻点略稀，臭腺蒸发域面积较小，仅占据中胸侧板后缘及后胸侧板的1/4左右，臭腺孔缘暗区较大，显著鼓出，呈镰刀状，长度达蒸发域侧缘。

腹部腹面中央光滑，各足腿节具稀疏刚毛，胫节具粗壮刺和刚毛，基部略疏。跗节3节，第1、2节长度相当，第2节最短。

雄虫生殖囊开口背侧较窄，阳茎鞘骨化一般，阳茎如图117所示，抱器侧叶如杆状伸出，载肛突较宽。

**量度(mm)**：体长4～5；头长0.60，宽1.13；头顶宽0.75；前胸背板宽2.45，长1.10；小盾片长1.80；触角1～5节的长度比例为7:12:12:18:22。

**采集记录**：1♀，周至板房子，1309m，1994.Ⅷ.07，吕楠采；1♀，杨凌，490m，1994.Ⅶ.25，吕楠采。

**分布**：陕西(周至、杨凌)、北京、天津、山东、江苏、香港；俄罗斯，日本。

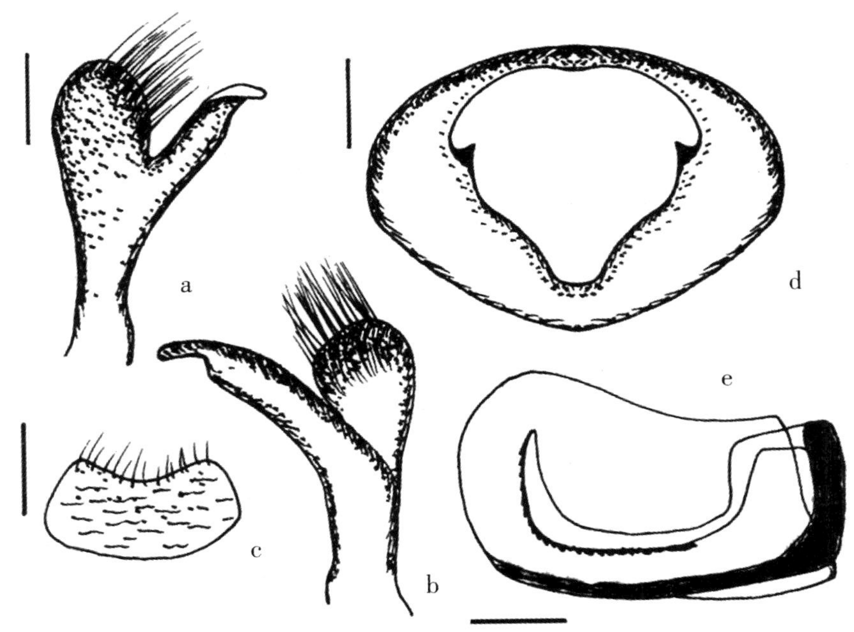


图117 圆点阿土蝽 *Adomerus rotundus* (Hsiao)

a－b. 阳茎侧叶的不同侧面；c. 载肛突；d. 生殖囊开口；e. 阳茎。比例尺：a，b ＝ 0.09mm；c，d ＝ 0.17mm；e ＝ 0.125mm

## 178. 紫蓝土蝽属 *Canthophorus* Mulsant *et* Rey, 1866

*Canthophorus* Mulsant *et* Rey, 1866: 54. **Type species**: *Cimex dubius* Scopoli, 1763.

**属征：**身体背面具紫蓝色金属光泽，前胸背板侧缘和前缘脉处具乳白色边缘。

**分布：**中国记录1种，秦岭地区发现1种。

### (315) 紫蓝光土蝽 *Canthophorus niveimarginatus* Scott, 1874（图118）

*Canthophorus niveimarginatus* Scott, 1874: 289.

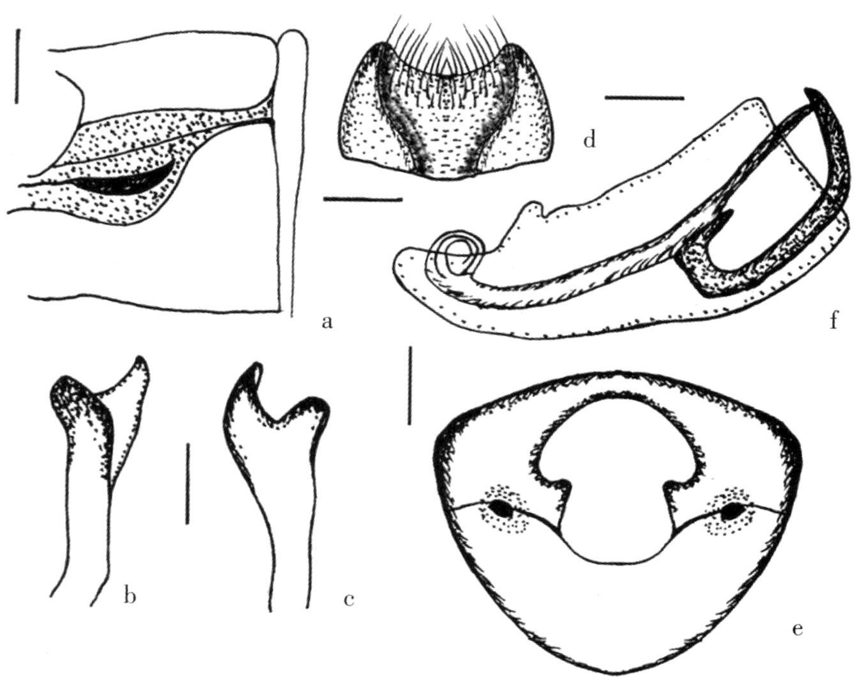


图118 紫蓝光土蝽 *Canthophorus niveimarginatus* Scott

a. 臭腺；b－c. 阳茎侧叶不同侧面；d. 载肛突；e. 生殖囊开口；f. 阳茎。比例尺：a = 0.55mm；b, c, d, f = 0.17mm；e = 0.25mm

**鉴别特征：**长圆形，蓝黑色。

头前端狭窄，侧叶于中叶前聚拢，侧叶包围中叶，有时亦未将中叶包围，在中叶前形成凹缝，外缘向上翘折，前端背面中间凹陷，密被刻点，复眼中等大小，球形，外突，暗褐色至黑色，单眼距复眼较远，红褐色，触角暗褐色至黑色，第1、2节具杆状具稀疏刚毛，第3、4、5节长棒状，密被刚毛，连接处具缢缩。喙颜色略浅，达于中足基节。

前胸背板侧缘、前翅前缘除端部外、腹部侧接缘除基部外具狭窄的白色边缘。前胸背板背面具浓密刻点，侧缘向外圆凸，两胝光滑。小盾片三角形，长大于前翅革片的1/2，顶角圆形。前翅革片具爪片，内革片和外革片之分，爪片密被刻点，具1条不明显的基部至端部的连续刻点，内革片亦密被刻点，具2条基部至端部的平行于爪片和革片缝的连续刻点，外革片亦密被刻点。前翅膜片烟黑色，未达腹部末端。前胸腹板中央具2条纵脊，形成1条纵沟，前胸侧板前凸密被细小刻点，后凸具稀疏显著刻点，中央凹陷处具皱纹，臭腺蒸发域面积相对较小，仅占据中胸侧板的后缘，后胸侧板的约1/3，臭腺孔缘暗区较大，粗壮，呈镰刀状，几乎达蒸发域侧缘。中胸侧板蒸发域外的部分具稠密刻点，后胸侧板除蒸发域外的部分具不明显稀疏刻点及皱纹。

雌虫腹缘白色边缘完整，雄虫生殖囊侧缘不具乳白色边缘，腹部腹面密布细小刻点。各足正常，腿节具稀疏细毛，胫节具粗壮刺和刚毛，跗节3节，第1节较长，第2节最短。

雄虫生殖囊端面两侧具2个突起，阳茎如图所示(图118：f)，抱器的不同侧面如图所示(图118：b，c)，载肛突中部凹陷。

**量度(mm)：**体长6～8，宽3.20～4.30。

**采集记录：**1♀，秦岭仰天池，1430m，1951.Ⅴ.28，周尧采。

**分布：**陕西(华阴)、内蒙古、山西、山东、江苏、湖北、福建、四川、云南；蒙古，俄罗斯，韩国，日本，哈萨克斯坦，越南，印度。

# 三十一、兜蝽科 Dinidoridae

梁京煜　刘国卿

(南开大学昆虫研究所，天津 300071)

**鉴别特征：**体中至大型。椭圆形，褐色或黑褐色，多无光泽。

与蝽科在外表和许多构造上很相似。触角多数为5节，少数4节，有些触角常压扁。触角着生处位于头的腹面，从背面看不到。小颊后端左右愈合。喙短，一般不伸过前足基节。

前胸背板表面常多皱纹或凹凸不平。中胸小盾片长不超过前翅长度的1/2，末端比较宽钝。前翅膜片脉序因多横脉而成不规则的网状。第2腹节气门可不被后胸侧板遮盖而外露可见。腹部各节毛点毛位于气门后方，但偏于内侧，并着生在1个较大的胝状隆起上。各足跗节2节或3节。雌虫受精卵管粗短，但常分出1个很长的盲管状分支。

若虫腹部臭腺分别开口于第4、5腹节及第5、6腹节背面的节间。

**生物学：**生活于植物上，葫芦科 Curcubitaceae 为其常见寄主之一。

**分类：**分布于东洋区和非洲区。中国记录4属12种，陕西秦岭地区分布2属2种。

## 分属检索表

头部侧叶在中叶前合并的会合线约与中叶等长，或短于中叶；前胸背板表面不崎岖不平，形状亦不突兀；前角不成角状突出……………………………………………………………… **皱蝽属 *Cyclopelta***

头部侧叶甚长，在中叶前合并的会合线远远长于中叶，达后者的2倍左右。前胸背板表面凹凸不平，前角成各种角状突出 …………………………………………………… **瓜蝽属 *Megymenum***

## 179．皱蝽属 *Cyclopelta* Amyot *et* Serville，1843

*Cyclopelta* Amyot *et* Serville，1843：172. **Type species**：*Tessaratoma obscura* Lepeletier *et* Serville，1828.

**属征：**头部侧叶在中叶前会合，合并的会合线约与中叶等长，或短于中叶；触角4节。前胸背板表面不崎岖不平，形状亦不突兀；前角不成角状突出，前侧缘成平缓的弧形，不弯曲成突兀的角状。腹部各节侧缘不成角状向外突出。

**分布：**中国记录3种，秦岭地区发现1种。

### （316）小皱蝽 *Cyclopelta parva* Distant，1900

*Cyclopelta parva* Distant，1900：220.

**鉴别特征：**体较小，卵圆形，红褐色至黑褐色，多无光泽。触角4节，黑色，第2、3节稍扁。

前胸背板前侧缘平滑，其后半和小盾片上布有若干横走的皱纹，多少平行。小盾片前缘中央常有1个黄褐色或红褐色小斑。

体下方为黄褐色或红褐色，常有不规则的黑色云斑。腹下侧缘区可以看出有黄褐色斑点。股节下方有刺。雌虫生殖节腹面稍凹陷，纵裂，后缘深内凹；雄虫生殖节腹面完整，稍鼓起，后缘圆弧状。

**量度（mm）：**雌虫体长12～13，雄虫体长10.50～12.50；宽5.50～7.00。

**分布：**陕西（宁陕）、辽宁、内蒙古、山东、江苏、浙江、湖北、江西、湖南、福建、广东、广西、四川、云南；缅甸，不丹。

**寄主：**主要危害刺槐，其次是棉槐、小槐花、葛藤、芸豆、豆角、扁豆、大豆、豇豆、西瓜、南瓜等。

## 180. 瓜蝽属 *Megymenum* Guérin-Méneville, 1831

*Megymenum* Guérin-Méneville, 1831: pl. 12, fig. 1. **Type species**: *Megymenum dentatum* Guérin-Méneville, 1831.

**属征**：体近卵圆形，或长椭圆形；背面稍隆起。

头宽大于长，稍凹陷，侧叶长于中叶并在中叶相接，可能在端部分开，侧缘弯曲；单眼眼间距约等于复眼到单眼的距离；触角4节，背面观时第1节常不可见，第4节通常黄褐色；小颊隆起；喙4节，伸达后胸腹板前缘，第2节最长，第3、4节较短。

前胸背板宽大于长，背面稍隆起，有时前缘中部有瘤状隆起，通常前胸背板前缘会延伸出领状构造，前角尖锐或齿状或针状；小盾片长宽约相等，长不及腹部的1/2，基部有深的腔状凹陷；革片和小盾片长度约相等；膜片不超过腹部末端，网状脉；中胸腹板中央有1个深沟；臭腺孔大而显露；后足腿节内侧通常有2列刺；跗节3节。

腹部侧接缘外露，每节后侧角通常中度凸起；第2节的气门可见。

雄虫外生殖器背面连接部分不发达无法清晰描述，腹面连接部分骨化，形态各异；阳基侧突形态多样，通常具1个浅凹，多数表面具刚毛。

**分布**：中国记录3种，秦岭地区发现1种。

### (317) 细角瓜蝽 *Megymenum gracilicorne* Dallas, 1851

*Megymenum gracilicorne* Dallas, 1851: 364.

*Megymenum* (*Pissistes*) *tauriformis* Distant, 1883: 416, 427.

*Megymenum tauriforme* var. *capitatum* Yang, 1934c: 74.

**鉴别特征**：体黑褐色，常有铜色光泽。翅膜片淡黄褐色。

头部中央下陷呈匙状，头部边缘多少卷起，侧缘内凹。头的侧缘在复眼前方有1根外伸的长刺。触角4节，各节均为圆柱状。触角基部3节黑色，第4节除极基端为棕褐色外，绝大部分淡黄或黄褐色。

前胸背板表面凹凸不平，前侧缘前端凹陷较深，前角尖刺状，前伸而内弯，呈牛角状，侧角和前侧缘呈钝角状，显著突出。

小盾片表面亦不平整，有微纵脊，基角处下陷，黑色并有金属闪光；基部中央有1枚小黄点。

腹部侧接缘每节只有1个大型锯状突起。

足同体色，股节下方有刺，胫节外侧有浅沟；雌虫后足胫节基处内侧胀大，胀大部分稍内凹，似腰子状。

**量度(mm)**：体长 12.00～14.50，宽 6.00～7.50。

**分布**：陕西(周至、宁陕)、山东、上海、江苏、浙江、江西、湖南、福建、四川；日本。

**寄主**：南瓜、苦瓜、黄瓜及豆类。

# 三十二、蝽科 Pentatomidae

**鉴别特征**：体小至大型，多为椭圆形，背面一般较平，体色多样。

触角 5 节，有时第 2、3 两节之间不能活动；极少数 4 节。有单眼。前胸背板常为六角形。中胸小盾片在多数种类中为三角形，约为前翅长度的 1/2，遮盖爪片端部，不存在爪片接合线。少数类群(舌蝽亚科 Podopinae)中胸小盾片极发达，向后延至身体末端，成宽舌状，两侧平行而端缘宽圆。遮盖前翅革片的 1/2 左右。爪片亦相对狭窄。膜片具多数纵脉，很少分支。各足跗节 3 节。腹部第 2 腹节气门被后胸侧板遮盖而外观不可见。阳茎鞘常强烈骨化。阳茎导精管上具复杂的泵式构造，一般位于阳茎鞘范围之内，不能伸出。雌虫受精囊在受精囊管的中段成长大的纺缍形膜囊状构造，为此处的管壁扩大并内陷而成，成双层的膜质囊，将一段骨化的受精囊管包围在内。此一特征为蝽科所仅有。

若虫臭腺分别开口于第 3、4，第 4、5 和第 5、6 腹节背板的节间处。

**生物学**：蝽科昆虫由于体形较大且多营暴露生活，因而为人所熟知。生活于植物上，大多数为食植性。喜吸食果实或种子，亦可以口针伸达营养器官的输导组织吸食液汁。许多种类可成为作物害虫。

**分类**：中国记录 143 属 410 种，陕西秦岭地区分布 4 亚科 39 属 64 种。

## 分亚科检索表

1. 喙短，末端不超出前足基节后缘 …………………………………… **短喙蝽亚科 Phyllocephalinae**
   喙长，末端显著地超过前足基节 …………………………………………………………………… 2
2. 喙甚为粗壮，第 1 节粗大，大部分明显露出小颊之外，静止时一般不紧贴于头部腹面，活动关节在第 1 节与头部之间 ……………………………………………………………… **益蝽亚科 Asopinae**
   喙细，第 1 节几乎全长被小颊所包围，紧贴于头部腹面；活动关节在第 1 与第 2 节之间 …… 3
3. 小盾片极大，常呈“U”形，末端宽阔，可伸达腹端 ………………………… **舌蝽亚科 Podopinae**
   小盾片三角形，不伸达腹端 ……………………………………………………… **蝽亚科 Pentatominae**

## （一）益蝽亚科 Asopinae

赵清 刘国卿 卜文俊
（1. 山西农业大学农学院，太谷 030801；2. 南开大学昆虫研究所，天津 300071）

**鉴别特征：** 体大中型或小型，体色多样，多暗色，少数较为艳丽（如丹蝽属 *Amyotea* Ellenreider, 1862；捕蝽属 *Blachia* Walker, 1867；喙蝽属 *Dinorhynchus* Jakvolv, 1876 等），但有些种的色斑在种内有变异，因此不建议使用体色、色斑等作为分类依据。本亚科的昆虫部分是肉食性，主要以蝶类、蛾类的幼虫为食料，少数能取食金花虫的幼虫和其他软体虫类，对于消灭虫害有一定的作用。但是有些种类也取食植物的汁液，对植物造成危害，所以此类昆虫又被称为半益蝽。

头短于前胸背板，侧叶一般等于或稍长于中叶，有些种类侧叶在中叶前方会合。复眼离前胸背板较近，复眼后缘几乎与前胸背板前缘相接，个别属复眼离前胸背板前缘较远。两单眼间的距离远大于单眼与复眼间的距离。喙极为粗壮，伸至中胸或后胸基节。小颊较为低矮，仅在后缘相接触，包围住喙的基部。触角 5 节，第 1 节极为粗短。腿节圆柱形，亚端部具刺或无。胫节圆柱形或菱形，端部有时膨大。跗节 3 节，端部具 2 爪。腹部基部具 1 个刺突或无。雄虫腹部近端部有时具 1 对“多毛区”。

**分类：** 中国记录 17 属 60 种，陕西秦岭地区分布 6 属 8 种。

### 分属检索表

1. 前足腿节亚端部具大刺 …… 2
   前足腿节亚端部不具大刺 …… 3
2. 小盾片基半具瘤突 …… **疣蝽属 *Cazira***
   小盾片基半不具瘤突 …… **益蝽属 *Picromerus***
3. 前胸背板侧角圆钝，伸出体外短 …… **蓝蝽属 *Zicrona***
   前胸背板侧角不圆钝，伸出体外极长 …… 4
4. 腹部基部刺突细长；前胸背板侧角呈耳状略上翘；头部侧叶末端圆，明显长于中叶 …… **耳蝽属 *Troilus***
   腹部基部中央无刺突或仅存刺突残留；头部侧叶与中叶等长 …… 5
5. 后胸侧板臭腺沟较短，其外无臭腺沟缘，小盾片呈宽舌状 …… **雷蝽属 *Rhacognathus***
   后胸侧板臭腺沟较长，超过侧板的 1/2，其外具臭腺沟缘，小盾片三角形 …… **蠋蝽属 *Arma***

### 181. 蠋蝽属 *Arma* Hahn, 1832

*Arma* Hahn, 1832: 91. **Type species:** *Cimex custos* Fabricius, 1794.

**属征**：体椭圆形，背面较平。头部中叶与侧叶末端平齐或侧叶略伸出，但是并不在前方会合。喙较粗壮，伸达后足基节，触角第 3 节长于第 4 节，两者的长度和约等于触角第 2 节的长度。小颊隆起不明显。前胸背板前侧缘呈细锯齿状，从背面看成波状；侧角成角状伸出，圆钝或短尖角状。小盾片背面平坦无突起，末端窄于革片。后胸臭腺具发达的孔缘，波浪状，较长，外侧端约伸至后胸侧板的 1/2，部分具发达的挥发域。腹部长大于宽，基部不具刺突，有的具结节状突起。前足腿节简单，亚端部不具大刺；前足胫节亚端部具 1 个明显的尖锐的小刺突，不膨大；中后足胫节无刺。侧接缘侧角不伸出。

**分布**：中国记录 5 种，秦岭地区发现 2 种。

## 分种检索表

臭腺沟缘一色，其上无任何黑斑 ······ **欧亚蠋蝽 *A. custos***

臭腺沟缘上有 1 个明显的黑斑 ······ **朝鲜蠋蝽 *A. koreana***

### (318) 欧亚蠋蝽 *Arma custos* (Fabricius, 1794) (图版 4：11)

*Cimex custos* Fabricius, 1794: 94.

*Arma custos* var. *fuscoantennata* [as *fusco-antennata*] Motschulsky, 1860: 501 [Nomen nudum].

*Arma chinensis* Fallou, 1881: 340.

*Arma discors* Jakovlev, 1902: 64.

*Auriga peipingensis* Yang, 1933: 21.

*Arma custos* f. *scutellaris* Stichel, 1961: 656 (unavailable name).

*Arma neocustos* Ahmad *et* Önder, 1990: 8.

*Arma neoinsperata* Ahmad *et* Önder, 1990: 9.

**鉴别特征**：体椭圆形，腹部膨大，侧接缘伸出明显。背面较平，黄褐色，均匀密布黑色刻点，体下黄褐色，胸部腹面密布黑色浅刻点，腹部腹面密布同体色的刻点。

头平伸，宽约等于长，侧缘内弯，末端圆钝，中叶与侧叶平齐，或中叶微短，刻点到达头的边缘。复眼黑色，单眼红色。触角细长，黄色，第 1 节短且粗壮，未伸到头的末端，第 2 节最长，且长于 3、4 节之和，第 3 节除两端外为黑色，第 5 节约等于第 4 节，扁平；喙黄色，粗壮，伸达后足基节，基节肥厚，未超过头部后缘，第 2 节的长度等于第 3 节和第 4 节的和，最后 1 节短且小于第 3 节。小颊低矮，黄色，具稀疏的黑色浅刻点。

前胸背板六角形，宽大于长，刻点黑色，在前侧缘区域较密集，其余地方均匀分布。前角在复眼后方略平截。前侧缘具细锯齿，侧角长度有变异，北方地区如黑龙江，新疆，内蒙古等地的侧角伸出较长，而中部地区和南方地区的个体侧角末端圆钝，稍伸出体外。后角为 1 个小的刺突。小盾片三角形，长略大于宽，末端窄且圆，在基角具很小的凹陷，中央具有1条较暗的纵线。革片长于小盾片，内外革片及爪片颜色、刻点均一。膜片浅灰色，半透明状，长于腹部末端。

各胸节侧板黄色，内侧端被同色浅刻点，外侧端具黑色浅刻点。臭腺沟及沟缘褐色，较平直，外端具黑斑，挥发域黄白色。各足黄色，前中足基节外缘具1个小黑斑，腿节不具大刺，具极浅的黑褐色刻点，胫节近中部具尖锐的小刺，指向末端，具稀少的小浅刻点。跗节3节，黄褐色，密布金色长毛，第2节最短。爪基部橘黄色，端部黑褐色。

腹部腹面黄褐色，基部中央无前指的刺突，中央两侧4～7节具1列黑斑，气门黑色。侧接缘具有小刻点，极度膨大，伸展且通常圆钝，黄色，在两节的相接处都具有1个大黑斑，后角不明显。

雄虫生殖囊，杯状，中间略内凹，具浓密的长刚毛。背后缘光滑，生殖囊板外露部分狭长；腹后缘不波曲，具浓密长刚毛。阳基侧突略成三角形，宽短，基部狭窄而末端宽阔，外缘拱形，内枝圆钝，指向外方。中交合板骨化，基部愈合，端部明显凹入，阳茎端从中交合板腹面伸出，未伸至其1/2。阳茎系膜侧叶较宽阔，末端略有些骨化，不分叉，腹叶和顶叶缺失。

雌虫第1载瓣片较大，片状，后缘较平直；载肛突约等于第8腹节侧背片后缘，第9腹节侧背片长椭圆形，其外缘内凹，内缘外凸，末端超过第8侧背片和载肛突。

**量度**(mm)：♀：体长13.10～1400；头长2.20～2.40，宽2.30～2.55；触角1～5节的长度分别为0.25～0.30、1.90～2.05、0.85～0.95、1.35～1.45、1.20～1.35；前胸背板长2.50～2.75，宽6.55～6.65；小盾片长4.35～4.45，宽3.35～3.55。♂：体长11.5～12.50；头长1.95～2.05，宽2.25～2.45；触角1～5节的长度分别为0.25～0.30、1.65～1.95、0.85～0.95、1.25～1.35、1.15～1.45；前胸背板长2.25～2.55，宽5.85～6.35；小盾片长3.75～3.85，宽2.95～3.25。

**采集记录**：1♀，神木清水沟，1985.Ⅶ.04，任树芝采。

**分布**：陕西(秦岭、神木)，中国广布；蒙古，俄罗斯，朝鲜，日本，欧洲，北美洲。

### (319) 朝鲜蠋蝽 *Arma koreana* Josifov *et* Kerzhner, 1978 (图119；图版4：12)

*Arma koreana* Josifov *et* Kerzhner, 1978: 181.

**鉴别特征**：体中型，背面淡棕黄色，具深浅不一的黑色刻点，腹面黄白色。

头平伸，长约等于宽，具大小及深浅不一的黑色刻点。侧叶微长于中叶，末端圆钝，边缘为整齐的黑色，在眼前方略内弯。复眼淡黄色，眼基部黄色。单眼红褐色。触角除第3、4节端半黑色外，其余黄白色。喙黄褐色，伸达后足基节，第1节伸达头的后缘，第2节最长，约等于第3、4节之和。小颊比较低矮，黄白色，具极浅的同色刻点。

前胸背板六角形，宽是长的2倍多。刻点除前侧缘较密集，为黑色外，其余均匀分布，且为褐色。胝区不明显。前侧缘前半具后指的锯齿，齿黄白色，后半较平直；侧角略伸出体外，末端不锐，前后缘直。小盾片长大于宽，密布均匀的褐色刻点，基角各有1个深凹，端部伸长成狭长的舌状。翅革片刻点均一，伸达前缘的最边缘处，内革片同外革片。翅膜片褐色，翅脉略深，膜片远伸于腹部末端之外。

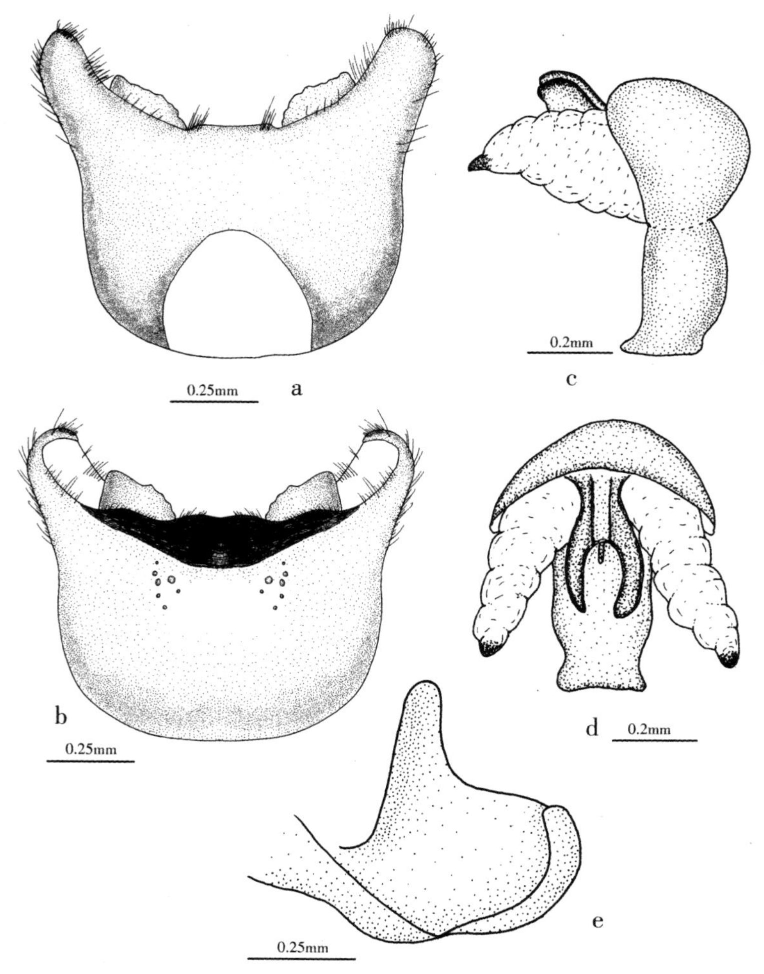


图119 朝鲜蠋蝽 *Arma koreana* Josifov *et* Kerzhner

a. 雄虫生殖囊背面观；b. 雄虫生殖囊腹面观；c. 阳茎侧面观；d. 阳茎顶面观；e. 阳基侧突

各胸节侧板黄白色，被同色浅刻点。臭腺沟褐色，沟缘黄白色，成香蕉状，挥发域不明显。各足黄白色，腿节不具大刺，前足腿节不膨大，前足胫节近末端具1个末端尖锐的小刺。前足和中足基节外缘具1个小黑斑。跗节3节，黄白色，密布黄色长毛，第2节极短。爪基部黄白色，端部黄褐色。

腹部腹面黄白色，第4~6腹节中央两侧前缘各具1个黑斑。气孔周围黑色。腹下基部中央具1个极短钝的刺突。侧接缘外露，两节相接处各具1个小黑斑。后角不明显。

雄虫生殖囊杯状，具浓密的长刚毛。背后缘中央不凹陷，生殖囊板外露部分狭长；腹后缘稍呈波浪形，具舟形内褶，色深。阳基侧突不规则，基部狭窄而末端宽阔，外缘拱形，末端圆钝，内枝为1个指状突起，长于主干。中交合板骨化，基部愈合，端部明显凹入，阳茎端从中交合板腹面伸出极短。阳茎系膜侧叶相对狭长，末端略骨化，不分叉，顶叶缺失。

雌虫第1载瓣片较大，片状，内缘相平行，后缘微波曲；第8腹节侧背片马蹄形，载肛突约等于第8腹节侧背片后缘内角，第9腹节侧背片近椭圆形，其内外缘平直，末端约等于第8侧背片和载肛突。整个外生殖节具稀疏的长刚毛。

**量度(mm)：**♀：体长14.00～14.50；头长2.35～2.65，宽2.30～2.40；触角1～5节的长度分别为0.30～0.40、1.75～2.25、0.85～1.20、1.35～1.45、1.25～1.45；前胸背板长2.45～2.95，宽6.55～7.05；小盾片长4.35～4.65，宽3.55～3.95。♂：体长12.00～13.50；头长2.20～2.30，宽2.30～2.40；触角1～4节的长度分别为0.40～0.50、1.90～2.00、0.90～1.10、1.40～1.60、1.40～1.55；前胸背板长2.4～2.55，宽5.50～6.10；小盾片长4.10～4.30，宽3.30～3.45。

**采集记录：**1♀，留坝庙台子，1994. Ⅷ. 04，吕楠采。

**分布：**陕西(留坝)、辽宁、天津、河北、甘肃、宁夏、浙江、湖北、江西、重庆、四川、贵州、云南；越南。

## 182. 疣蝽属 *Cazira* Amyot *et* Serville, 1843

*Cazira* Amyot *et* Serville, 1843: XX, 78. **Type species**: *Cazira verrucosa* sensu Amyot *et* Serville, 1843.

**属征：**体小到大型，变异较大，种间及种内颜色也有变异。喙较粗壮，第2节最长，第3、4节约相等，第2节约等于后2节之和；小颊明显，在后方闭合。侧叶和中叶约等长。复眼靠近前胸背板前缘。小盾片基部具有1～2个大的瘤突，高于或平于前胸背板背面，小盾片末端窄于革片的宽度。侧接缘的角呈刺状或圆钝。臭腺沟缘较长，伸至后胸侧板边缘的1/2以上，挥发域较窄。腹部基部具1个较短的刺突或无。前足腿节至少具有1～2个大刺，胫节强烈膨大，跗节3节，第1节约等于后2节之和。雄虫腹部腹面有的具1对“多毛区”。

**分布：**中国记录13种，秦岭地区发现2种。

### 分种检索表

腹部基部中央具刺突，末端圆钝，伸出明显……………………………… **无刺疣蝽 *C. inerma***

腹部基部无刺突……………………………………………………………… **峨嵋疣蝽 *C. emeia***

### (320) 峨嵋疣蝽 *Cazira emeia* Zhang *et* Lin, 1982 (图 120)

*Cazira emeia* Zhang *et* Lin, 1982: 58.

*Cazira membrania* Zhang *et* Lin, 1982: 59. **New synonym.**

**鉴别特征：**体椭圆形，雄黄褐色，雌沥青黑色，具光泽，散布同色刻点及大小不等的瘤状突起。

头几乎平伸，宽大于长。侧叶略长于中叶，但不在其前方回合，侧缘稍翘，刻点较浅。复眼棕色，眼柄处为黄色，单眼红色。触角同体色，第1、2节稍淡，1～5节的长度分别为0.50mm、0.90mm、1.20mm、1.50mm、1.70mm；喙棕色，第1节未超过头部后缘，最后1节色深，伸达中足两基节间。小颊棕色。

前胸背板长宽比为3.00∶5.20，前角成小刺状伸出，前侧缘具圆钝的小锯齿，强烈内凹，侧角稍外伸，末端圆钝，基部有1个光滑的小瘤突，后角不明显。胝区各有2个瘤突，呈"品"字形排列，最外侧的隆起相对小；中央有似"巾"字形隆起纹，其前半呈瘤状，较大，后半多不呈瘤状，较细。小盾片长宽比为3.80∶3.10，基部有1个大瘤体，中央具纵走深凹槽，将其等分为二，两基角处还有1个小瘤，与大瘤体间亦有浅凹槽隔开；小盾片端半平坦，上有2列较深的纵走刻点，末端呈匙状卷起。前翅外革片具刻点，较粗，内革片密浅，近端处有个深色大斑，但在有些个体不明显。膜片深褐色，伸出体外极长，在两侧各具1个透明斑。

前胸侧板黄褐色，中后胸侧板色深，具零星黄斑点，后胸臭腺沟缘较长，呈香蕉状，末端明显上弯。前胸腹板黄褐色，中后胸腹板黑色。足棕褐色，各足腿节下方近端处有1个大刺，近前半有2个黄色缺环。前足腿节基部具小黄斑，近末端具1个大刺，其后方还有2个短钝的黄色突起，胫节外侧膨大成叶状，内侧膨大程度小，近末端具1个刺突，膨大处橘黄色，胫节末端黑色。中后足腿节具1～2个黄环，有的不明显，近末端具1个刺突，胫节菱形，中央具1个黄环。跗节及爪的基半黄褐色，具浓密的金色刚毛，爪端半棕褐色。

腹部背面，雄虫暗紫色，雌虫深蓝绿色，具密刻点，腹下漆黑，侧方散布一些细碎黄纹，第2～5可见腹节有小突起外伸。腹部下方基部中央有三角形的短钝小刺突，平伸至后足基节间。雄体腹下第4、5节间中域的两侧各有1个"绒毛区"。

雄虫生殖囊长约等于宽，背后缘波浪形内凹，具1对近矩形的生殖囊板，外缘明显锯齿状；背后缘亦为波浪形，其外侧色深，具褶皱，中凹明显；后侧角明显伸出，末端圆钝。阳基侧突形状不规则，末钝，外侧缘波浪形，内缘具1个小突起，横向伸出。阳茎具系膜侧叶和系膜顶叶，系膜侧叶宽阔，不分支，末端钩状，骨化；顶叶半圆形，较短，伸出阳茎鞘。

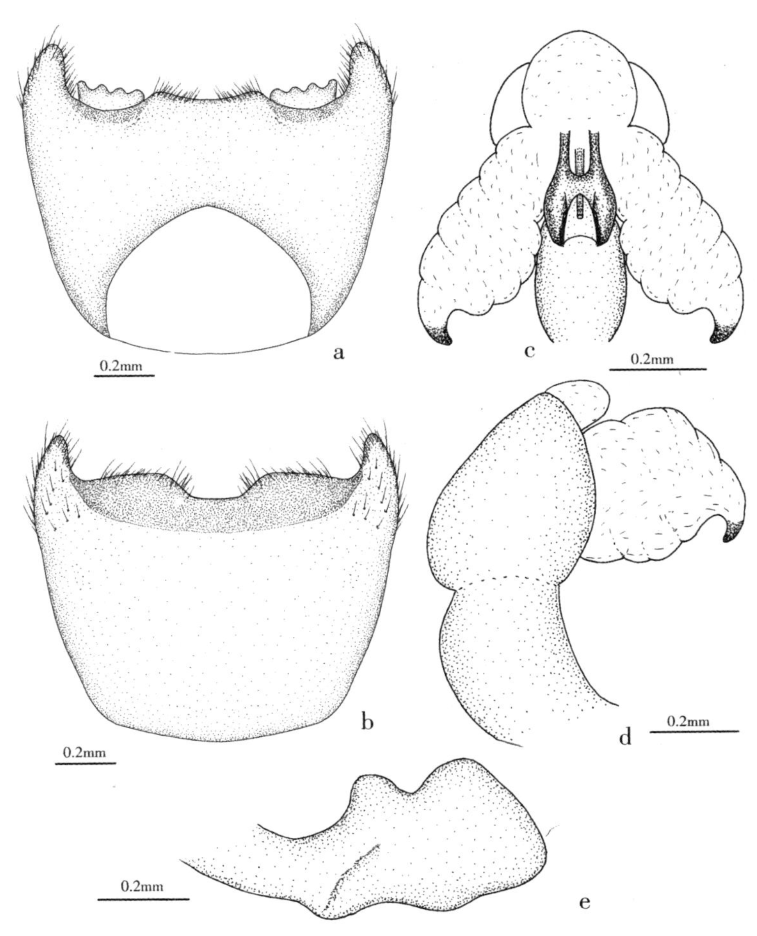


图 120　峨嵋疣蝽 *Cazira emeia* Zhang *et* Lin

a. 雄虫生殖囊背面观；b. 雄虫生殖囊腹面观；c. 阳茎顶面观；d. 阳茎侧面观；e. 阳基侧突

雌虫第 1 载瓣片中央半球状隆起，内侧缘两端接触，中央略分离，后缘弧形。第 8 侧背片三角形，内外缘均直，与第 9 侧背片外缘全长相接。第 9 侧背片相对宽椭圆形，与第 8 侧背片、载肛突平齐。

**量度(mm)：**♀：体长 14.00～14.50；头长 1.55～1.95，宽 2.15～2.20；触角 1～5节的长度分别为 0.45～0.50、1.00～1.05、1.25～1.45、1.50～1.60、1.55～1.65；前胸背板长 3.05～3.15，宽 5.85～6.38；小盾片长 3.15～3.35，宽 2.25～3.05。♂：体长 10.50；头长 1.75，宽 2.05；触角 1～5 节的长度分别为 0.40、1.10、1.10、1.35、1.35；前胸背板长 2.45，宽 5.58；小盾片长 3.90，宽 3.05。

**采集记录：**3♀，西安白云乡古迹村，1400m，2011.Ⅷ.12，党凯采；1♂，同上，赵清采；1♂，留坝庙台子，1100m，1991.Ⅷ.03，吕楠采。

**分布：**陕西(西安、留坝)、甘肃、安徽、浙江、湖北、湖南、福建、台湾、广东、广西、四川、贵州、云南、西藏。

(321) 无刺疣蝽 *Cazira inerma* Yang, 1934 (图版 4: 13)

*Cazira inerma* Yang, 1934: 99.

**鉴别特征**: 体黄褐色至红褐色，头部基半、前胸背板、胝区、小盾片基缘一带以及 2 个瘤突之间均为黑色。腹下蓝黑色，有蓝绿色光泽。

头斜向下伸出，宽大于长，侧缘在复眼前方凹入且边缘色深；侧叶稍长于或等于中叶，不在中叶前方会合。头部刻点较稀浅。复眼黑色，单眼红色，两单眼间距大于与复眼间的距离。触角棕色，1~5 节的长度比为 0.70:1.00:1.30:1.40:1.40。喙棕褐色，第 1 节及最后 1 节色稍深。第 1 节未超过头部后缘，最后 1 节伸至后足基节。小颊棕褐色，比较低矮，仅包围住喙的基部，刻点稀浅。

前胸背板长宽比为 2.70:6.60，具较深的黑色刻点。前半色稍深，后半棕色具长短不一的隆脊。前角具明显的指状刺突，斜指前方；前侧缘波曲状，前半具稀疏的锯齿；侧角伸出体外，末端圆钝具缺刻，前支略前后弯，后支不明显。后角圆钝。中线为 1 个光滑的隆起，胝区各侧有 3 个光滑的瘤，成倒置的“品”字形排列，最外侧的较小。小盾片三角形，黄色，长宽比为 4.50:2.70，端半具 2 列纵走刻点，中央有 1 个黄色隆脊，末端呈匙状卷起；基部的大瘤瘤体光滑，具两突起，左右两突起之间凹槽较浅，其后缘不平削；基角处的小瘤光滑，与中央大瘤之间的沟亦浅。翅革片红褐色，刻点极浅，革片末端略超过小盾片末端；翅膜片伸出体外极长，中央为较宽的棕褐色带，两侧透明。

各胸节侧板红褐色，后胸臭腺沟缘香蕉形，外侧端伸至侧板的 1/2，具黄色斑。挥发域较明显。各胸节腹板黑色。足红褐色，腿节色稍深。前足腿节近末端具 1 个大刺，背腹面还各具 1 个短钝的突起，胫节极度膨大，内侧端中央及末端具 1 个尖锐的刺突，外侧膨大约是胫节其他部分的 2 倍。中后足腿节不具大刺，但是具 2 个短钝的突起，胫节中段具黄环。各足跗节红棕色，爪棕褐色。

腹部背腹面红棕色，腹下具稀疏的黄斑。侧接缘的侧角末端圆钝。腹下基部无刺突，雄虫腹下无“绒毛区”。

雌虫第 1 载瓣片稍隆起，内侧缘基部接触，向端部逐渐分离；后缘平直。第 2 载瓣片后缘直。第 8 侧背片三角形，内缘直，与第 9 侧背片外缘全长接触。第 9 侧背片相对宽阔，内缘弧形，与第 8 侧背片及载肛突平齐。

**量度**(mm): ♀: 体长 11.80~14.00；头长 2.00~2.10，宽 2.10~2.40；触角 1~5节的长度分别为 0.40~0.50、1.10~1.30、1.30~1.50、1.40~1.60、1.40~1.50；前胸背板长 2.90~3.00，宽 6.10~6.50；小盾片长 4.30~5.00，宽 3.80~4.10。

**采集记录**: 1♀，华山，1957.Ⅵ.16，周尧、田畴采。

**分布**：陕西（华阴）、浙江、湖南、福建、海南、广西、四川、贵州；越南。

## 183. 益蝽属 *Picromerus* Amyot *et* Serville, 1843

*Picromerus* Amyot *et* Serville, 1843: xx, 84. **Type species**: *Cimex bidens* Linnaeus, 1758.

**属征**：体长椭圆形，喙比较粗壮，伸达后足基节，第2节最长，3、4节几乎相等，且2节之和小于第2节。小颊明显，且后方联结。侧叶和中叶几乎相等，或侧叶微长于中叶，且不在其前方会合。前胸背板前侧缘较厚，边缘锯齿状；侧角伸出较多，呈不等的二叉状或圆盾。小盾片平坦无突起。臭腺沟扁平，弯曲，外耳伸至后胸侧缘的1/2，几乎全部被挥发域包围。前足腿节亚端部具有1个前指的大刺，前足胫节具棱，近中央具尖锐的刺。腹部腹面具有小的刺突或不明显，没有伸至后足基节之间。

**分布**：中国记录6种，秦岭地区发现1种。

### （322）益蝽 *Picromerus lewisi* Scott, 1874（图121；图版4：14）

*Picromerus lewisi* Scott, 1874: 293.

*Picromerus angusticeps* Jakovlev, 1880: 212.

*Picromerus vicinus* Signoret, 1880a: 45.

*Picromerus similis* Distant, 1883: 421.

**鉴别特征**：体为暗棕色，虫体背面较平整，头部和前胸背板的前区色更深，有1条不大明显的淡色线，从头部中叶的基端起，直至小盾片的后缘。

头向前平伸，长约等于宽，背面平坦，具黑色深刻点。侧叶约等于中叶或稍长，且在复眼前方凹入。中叶两侧平行，末端平截，具黑色刻点。复眼棕褐色，眼柄黄褐色，其内侧有1个棕褐色圆斑，其上有零星黑刻点。单眼黄褐色或微红。触角1～5节比为0.40∶1.60∶1.70∶1.60∶1.60。触角黄褐色，第3节端部、第4、5节端半黑色，喙较粗壮，黄白色至棕褐色，伸达后足基节之间，第4节色深于其他几节。小颊较高，下缘弧形，刻点深，4～6列，其后方联结，仅包围住喙的基部。

前胸背板宽是长的2倍多，正中有淡黄色纵线，前半具不规则黑色碎斑，后半略拱隆，刻点黑色，深且大，分布较均匀。胝区色同体色，中央具刻点，不太明显，后方各具1个小黄斑。前缘明显内凹；前角为明显的黄色小刺；前侧缘具粗糙肥厚不均的黄褐色小齿；侧角尖锐，伸出部分大于复眼直径，末端不分叉，有些个体的刺的近端处尚有1个小突起。小盾片长约等于宽，具均匀的黑刻点，基角有2个小深凹，其内侧具有2个胝形黄斑，有些个体小盾片末端微白。前翅内革片灰色，具浅刻点，外革片色稍深。膜片为极淡的黄色，翅脉棕黄色，末端略超过腹部末端。

各胸节侧板黄褐色，具黑色刻点，基节外侧具2～3个淡黄或橘黄的色斑，个体间有色差。后胸臭腺沟缘黄色或橘黄色，香蕉形，内侧端尖锐，具黑斑，外侧端圆钝，有些个体也具黑斑，臭腺沟约深至沟缘的1/2。挥发域明显，三角形。中胸腹板黑色。前足股节近末端具长刺，刻点大，黑色；中后足股节不具大刺；各足胫节中段黄白色，端半具长刚毛；各足跗节3节，具黑色长刚毛，第1节最长，第2节最短，第3节色深。爪端半色深于基半。

腹部腹面棕褐色，具黑色浅刻点，较稀疏，基部具短钝的突起。腹下两侧碎黑斑相互连接成不规则黑斑。第3～7各腹节中央都有大黑斑，第7腹节的最大。侧接缘黄黑相间。气门周围黑色。

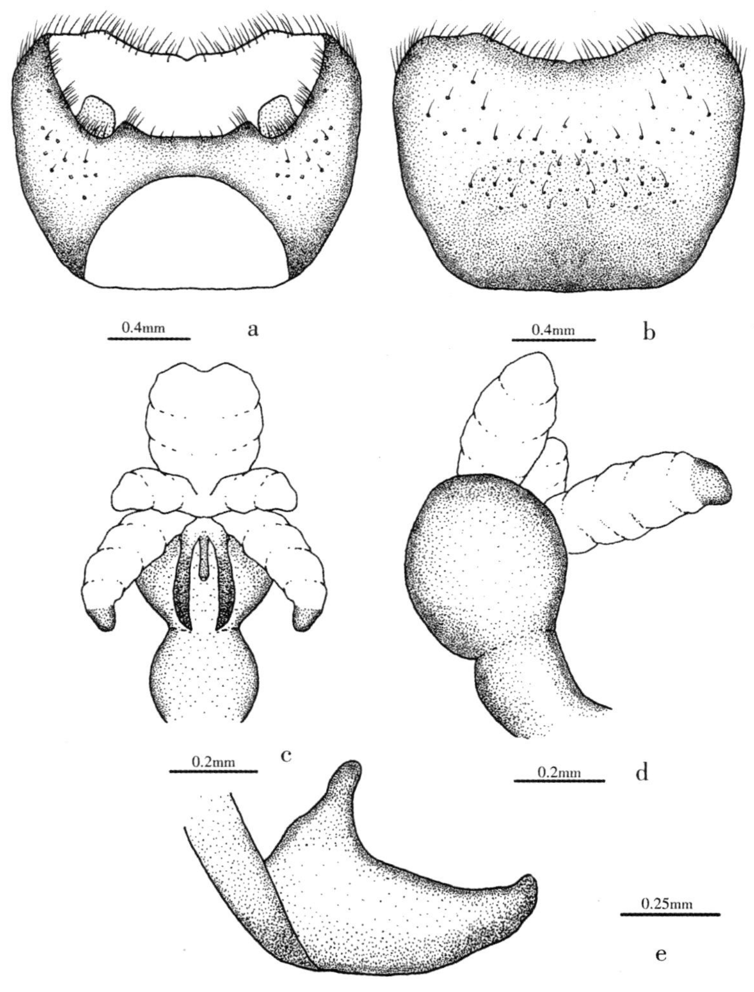


图121 益蝽 *Picromerus lewisi* Scott

a. 雄虫生殖囊背面观；b. 雄虫生殖囊腹面观；c. 阳茎顶面观；d. 阳茎侧面观；e. 阳基侧突

雄虫生殖囊背后缘中央略凹陷，具稀疏的刚毛；生殖囊板近方形；腹后缘的中凹浅且宽；两侧波浪形且外凸；后侧角短且圆钝，高于中凹的底部。阳基侧突细短，内表面具褶皱，末端尖锐且呈钩状，外缘略直；内枝细短且直，指向后侧方。阳茎具1对阳茎系膜侧叶，每个侧叶分成两部分：基部分支系膜侧叶和端部分支系膜侧叶；基部分支较小，半圆形，全部膜质；端部分支系膜侧叶相对狭长，末端骨化；系膜顶叶短，二叉状。中交合板强烈骨化，基部愈合；阳茎端从中交合板的腹面明显伸出。

雌虫第1载瓣片片状，近方形，内缘平直，外缘内侧略有些凹陷，第8侧背片与第9侧背片等长，都长于载肛突，但两者端部不相连。

**量度(mm)**：♀：体长14.50～15.50；头长2.55～2.75，宽2.45～2.65；触角1～5的长度分别为0.35～0.40、1.35～1.45、1.45～1.65、1.45～1.65、1.45～1.75；前胸背板长3.45～3.65，宽8.75～9.15；小盾片长4.60～4.85，宽4.25～4.40。♂：体长10.50～11.50；头长2.15～2.35，宽2.15～2.45；触角1～5节的长度分别为0.30～0.35、1.25～1.35、1.25～1.45、1.45～1.60、1.35～1.55；前胸背板长2.45～2.55，宽6.75～6.95；小盾片长3.15～3.35，宽3.15～3.45。

**采集记录**：1♀，西安青峰山管理站，1600m，2011.Ⅷ.10，赵清采；1♂，周至厚畛子，1350m，1999.Ⅵ.24，刘缠民采；1♂，宁陕旬阳坝，1350m，1998.Ⅶ.29，姚建采；1♀，太白山国家级自然保护区，1400m，2011.Ⅷ.08，赵清采；1♀，太白山国家级自然保护区蒿坪管理站，2011.Ⅷ.07，刘阳采；1♀，留坝庙台子，1400m，1994.Ⅷ.01，吕楠采。

**分布**：陕西(西安、周至、眉县、太白、留坝、宁陕)、黑龙江、吉林、辽宁、内蒙古、河北、山西、河南、山东、宁夏、甘肃、新疆、江苏、安徽、浙江、湖北、江西、湖南、福建、海南、广东、广西、四川、贵州、云南；俄罗斯，朝鲜，日本。

**寄主**：肉食性，以鳞翅目的幼虫为食物。但是在吉林延边，可能会侵害柞蚕的幼虫，在江西的铜鼓县境，则发现它能危害茶叶。

## 184. 雷蝽属 *Rhacognathus* Fieber, 1860

*Rhacognathus* Fieber, 1860: 81. **Type species**: *Cimex punctatus* Linnaeus, 1758.

**属征**：体小型，椭圆形。头部侧叶长于中叶，在前方会合或不会合。喙比较粗短，仅伸至中足基节处，第2节最长，约等于第3节和第4节的和。小颊明显隆起。前胸背板前侧缘具有褶皱或具细圆齿，背面观近似直线或略有凹入。侧角略有伸出，末端圆钝。小盾片背面平坦无隆起，末端约等于革片的宽。前翅膜片黑褐色，略伸出腹部末端。中胸侧板中央具有1个低矮、短钝的隆起，后胸侧板六角形，不隆起。前足腿节亚端部不具大刺，前足胫节菱形，外侧缘略呈脊状，不膨大。臭腺沟孔明显，无臭腺沟缘。腹部基部没有前伸的刺突。侧接缘黄黑相间，伸出翅革片许多，侧角微伸出，末端圆钝。雄虫腹部缺乏多毛区。

**分布**：中国记录2种，秦岭地区发现1种。

### (323) 雷蝽 *Rhacognathus punctatus* (Linnaeus, 1758)

*Cimex punctatus* Linnaeus, 1758: 444.

*Cimex variegatus* Goeze, 1778: 235 (nec Poda, 1761).

*Cimex annularis* Geoffrey, *in* Fourcroy, 1785: 215 (nec Goeze, 1778).

*Cimex avenicola* Gostel, 1857: 57.

*Rhacognathus distinctus* Schouteden, 1907c: 36.

**鉴别特征**：体椭圆形，具黑色刻点，背面褐色，前胸背板略带黄色，腹面黄色，具有零星的细碎黑斑。

头部宽大于长，斜向下伸出，背面黑色，具同色刻点，头顶中央略有黄褐色斑，具黑色浅刻点。侧叶黑色，长于中叶但并不在中叶前方会合，末端圆钝，外侧缘在复眼前方凹入；中叶黑色，最末端黄色。头部腹面黄色，具棕色刻点，侧叶腹面黑色。小颊略呈三角形，黄色，具3～4列棕色稀疏刻点。复眼黑色，单眼红色。触角5节，黑色，仅在各关节处黄色，第1节粗短，不超过头部末端，第2、3、5节几乎相等，第4、5节较其他各节膨大。喙较短，仅伸至中足基节处，前3节腹面黄色，背棕黑色，第1节粗壮，基部2/3被低矮的小颊包围，第2节最长，约等于第3节和第4节的和，第3、4节骤然变细，背腹均为黑色。

前胸背板六角形，前半黑色，具黑色的小浅刻点，后半略带黄色，刻点较前半大且深，具1个隐约的黄色纵中线，略隆起。前缘内凹。前角一般，无明显的角状突起。前侧缘边缘具有狭细的黄边，光滑无刻点，前半具小圆齿，后半较平直。侧角末端圆钝，伸出较短。后侧缘及后缘平直，具黑褐色浅刻点。胝区不明显。小盾片黑褐色，三角形，长约等于基部宽，具同色刻点，基角具有2个小浅凹，末端圆钝。前翅爪片和革片黑褐色，具不规则暗黄斑，刻点较小。缘片同革片，刻点较大且深。膜片淡褐色，微伸出腹部末端。

胸部腹面黄色，具黑色刻点。侧板外侧末端黑色，其余黄色。中胸腹板黑色，中央略隆起。前胸腹板及后胸腹板黄色。臭腺孔明显，无臭腺沟缘。足腿节背面黑色，腹面黄色，具有零星黑色斑点，胫节中段1/3黄色，两端黑色，具有金色长毛。跗节3节，黑色，具金色长毛，第1节最长，膨大，第2节最短，细缩。爪黄褐色。

腹部腹面橘黄色，具零星不规则黑斑，第6、7节中央具有1个大黑斑。基部没有刺突。侧接缘较宽阔，伸出前翅外缘许多，黄黑相间，但黄色部分极狭窄。

雌虫第1载瓣片片状，具黑斑，内缘直，端部分离。第8侧背片近三角形，内缘略内凹，中间与第9侧背片外缘相分离，末端与第9侧背片末端平齐，但长于载肛突。第9侧背片长椭圆形，外缘内凹。

**量度**(mm)：♀：体长8.55；头长1.65，宽1.95；触角1～5节的长度分别为0.35、0.85、0.75、0.95、1.35；前胸背板长2.45，宽4.95；小盾片长2.85，宽2.65。

**分布**：陕西(秦岭)、辽宁、内蒙古、河北；蒙古，俄罗斯，朝鲜，日本，阿富汗，欧洲。

## 185. 耳蝽属 *Troilus* Stål, 1868

*Troilus* Stål, 1868: 498. **Type species**: *Cimex luridus* Fabricius, 1775.

**属征**：体中型，喙粗壮，伸达后足基部，第2节最长，第3节长于第4节。小颊比较短，到达头部前方。侧叶明显长于中叶，但是并不连结。前胸背板前侧缘的前方齿状，后方平滑，侧角明显伸出，圆钝。小盾片的末端窄于革片。臭腺沟超过后胸侧板边缘的1/2。腹部腹面基部具有1个圆柱形的短刺突。侧接缘的侧角并不伸出。前足腿节不具大刺，前足胫节菱形。雄虫腹部腹面没有多毛区。

**分布**：中国记录2种，秦岭地区发现1种。

### (324) 耳蝽 *Troilus luridus* (Fabricius, 1775)（图版4：15）

*Cimex luridus* Febricius, 1775: 701.
*Cimex serrulatus* Müller, 1776: 105.
*Cimex dentatus* Schrank, 1781: 268.
*Cimex beryllinus* Gmelin, 1790: 2148.
*Cimex elector* Fabricius, 1794: 98.
*Cimex serratus* Hahn, 1826: pl. 3.
*Pentatoma sublurida* Westwood, 1837: 41.
*Troilus luridus* var. *angusta* Reuter, 1881: 156.

**鉴别特征**：体椭圆形，背面黑灰色至黑褐色不等，体色斑驳。

头斜向下，背面颜色同体色或略深，被黑色刻点，腹面黄白色。头长约等于宽。复眼棕褐色，眼柄处为黄色，离前胸背板较近。单眼红色。侧叶黑色或同体色，其边缘及中叶端部具绿色金属光泽，被黑色刻点。侧叶长于中叶，外缘两侧近乎平行，末端圆钝，但并不在中叶前方会合。中叶较平坦，末端渐细。触角1～5节长度之比为0.40∶1.50∶1.00∶1.20∶1.00，第1节较短，短圆柱形，黄色，杂以黑斑，第2节、第3节基半红棕色，其余棕黑色，略扁。喙粗壮，第1节最为粗壮，黄白色，未伸至后足基节，其余各节向后渐细，第4节骤然变细，且为红棕色。小颊黄白色，较窄，具同色刻点。

前胸背板前半颜色较后半深，刻点黑色，分布不均匀，前半具有4条隐约的纵走黑带，少数表面平坦；前缘内凹明显；前侧缘较平直，黑色，具有5～7个黄色小齿，排列较密；侧角伸出明显，黑色，末端圆钝，略向上翘起，且带有绿色金属光泽；后角为钝角，伸至爪片外缘。胝区长形，内侧端较外侧端狭细，外侧端中央具黑色刻点，其余部分光滑。小盾片表面较光滑，具有隐约的“Y”形斑，被黑色刻点，基角具有2个凹陷，其内侧具有2块小黄斑。小盾片舌状，末端常呈淡白色。前翅爪片及革片颜色同体色，略带斑驳的晕斑，末端遮盖住革片顶角。膜片棕褐色，两侧边缘稍显透明，超过腹部许多。

各胸节侧板黄白色，具有黑色小刻点，大小不均匀。臭腺沟细长，呈香蕉状，外耳超过后胸侧板的1/2，外侧端具黑斑。各胸节腹板黄色，平坦无隆起。足黄褐色，背面颜色较腹面颜色深，具棕色刻点，被金色细长毛。前足腿节不膨大，亚端部不具大刺，前足胫节亦不膨大，不具有大刺。跗节3节，黄褐色，具金色长毛，较其他地方的毛被长。跗节第1节最长，基部颜色较端部浅，第2节最短，淡红褐色，第3节黑色。爪基部1/2黄色，端部1/2黑色。中后足同前足。

腹部腹面黄褐色，具有黑色浅刻点。腹基刺突明显，伸至后足基节后缘。各腹节前缘外凸，第4～6各腹节中线两侧，靠近前缘处，各具1个黑斑。第7腹节中央具有1个大黑斑。侧接缘黄黑相间。

雄虫生殖囊基部窄于端部，宽大于长。背后缘波曲，生殖囊板形状不规则，具横脊，外缘锯齿状；腹后缘弧形，中间具黑色内褶；后侧角略伸出，末端尖。阳基侧突末端圆钝，内枝狭长，弧形。阳茎具系膜侧叶和系膜顶叶。系膜侧叶宽阔，末端不分叉，不骨化；系膜顶叶短，露出阳茎鞘，呈“山”字形；中交合板骨化强烈，阳茎端伸至其中部。

雌虫第1载瓣片具1个大黑斑，中央外凸，内缘平直，全长相接。第9侧背片近椭圆形，末端稍长于第8侧背片和载肛突。

**量度**(mm)：♀：体长13.00～14.50；头长1.95～2.25，宽2.45～2.75；触角1～5节的长度分别为0.40～0.50、1.65～1.95、0.95～1.05、1.40～1.65、1.35～1.45；前胸背板长2.55～2.95，宽6.65～6.78；小盾片长4.15～4.95，宽3.65～4.15。♂：体长10.20～12.05；头长1.75～1.95，宽2.15～2.35；触角1～5节的长度分别为0.35～0.40、1.65～1.85、0.95～1.05、1.25～1.55、1.15～1.30；前胸背板长1.95～2.25，宽5.85～6.55；小盾片长3.25～3.75，宽3.05～3.35。

**采集记录**：1♀，凤县秦岭车站，1994.Ⅶ.27；1♀，宁陕火地塘，1994.Ⅷ.12，1649m，吕楠采。

**分布**：陕西(凤县、宁陕)、黑龙江、吉林、内蒙古、河北、甘肃、宁夏、新疆、海南、四川、贵州、云南、西藏；俄罗斯，朝鲜，缅甸，印度，印度尼西亚，欧洲。

## 186. 蓝蝽属 *Zicrona* Amyot *et* Serville, 1843

*Zicrona* Amyot *et* Serville, 1843: xx, 86. **Type species**: *Cimex caeruleus* Linnaeus, 1758.

**属征**：体小型，宽卵形，蓝黑色或紫蓝色，散布浅刻点，具光泽。头部侧叶稍长于中叶。喙比较粗壮，伸达中足基节。触角第2节最长，第3节和第4节几乎等长，但第2节短于3、4两节的和。小颊比较简单，略隆起，在喙的后方连接。前胸背板前角小指状突起，前侧缘较平直，边缘稍翘；侧角不明显，末端圆钝。小盾片背面平坦无隆起，两基角具凹陷，末端窄与革片。后胸腹板不隆起。后胸侧板的臭腺沟前缘及后缘部分不连接在一起；挥发域在臭腺沟缘前缘及后缘为较窄的条带。腹部基部无刺突。侧接缘侧角不伸出。前足腿节亚端部不具大刺，前足胫节圆柱形，不膨大，不具沟。前翅膜片暗褐色，末端稍超过腹部。雄虫腹部没有多毛区。

**分布**：中国记录1种，秦岭地区发现1种。

### (325) 蓝蝽 *Zicrona caerulea* (Linnaeus, 1758)

*Cimex caeruleus* Linnaeus, 1758: 445.

*Cimex chalybeus* Gmelin, 1790: 2148.

*Pentatoma concinna* Westwood, 1837: 39.

*Pentatoma violacea* Westwood, 1837: 39.

*Zicrona illustris* Amyot *et* Serville, 1843: 87.

*Zicrona cuprea* Dallas, 1851: 108.

**鉴别特征**：体小型，一色蓝黑色或紫蓝色，全身上下，包括喙及足都为光泽的纯蓝色。触角及翅上膜质部，全为蓝中带黑而稍呈闪光。密布同色小浅刻点。

头斜向下伸出，长约等于宽。复眼棕褐色，眼柄黑色。单眼红色。侧叶约等于中叶，不在中叶前方会合，在复眼前方，略有一点内凹。触角为均一的黑褐色，第1节粗短，未超过头的末端，第2节最长，第3、4、5节约相等。喙比较粗壮，第2节最长，其余几节几乎相等，伸至中足基节之间。小颊同体色，较低矮，仅包围喙的基部。

前胸背板前半向下倾斜，后半略隆起。前角为极小的刺突；前侧缘平直；侧角圆钝，几乎不伸出；后角不明显；后缘亦平直无波曲。胝区不明显。小盾片三角形，未伸达腹面中央，背面有一些横褶皱，基角具2个凹陷，末端舌状，遮盖住革片顶角。爪片及革片一色，被同色浅刻点。膜片褐色，仅具几条简单的纵脉。腹面亦为蓝色，各胸节侧板外缘隆起。臭腺沟缘较细长，内端尖锐外端圆钝，前缘和后缘不连接。挥发域，色灰，为窄长条。各足基节和转节棕褐色，其他各节黑色略带蓝色金属光泽。腿节亚端部不具大刺，具稀疏的金色刚毛；前足胫节不膨大，亦不具大刺，末端1/3具浓密的金色长毛；跗节3节，第1节最长，约等于后2节之和，各节具浓密的金色长毛。爪黄色，末端红棕色。

腹部背腹面均为蓝色，腹部基部无刺突。侧接缘外露，色均一，无侧角。

雄虫生殖囊杯状，长大于宽，腹面具一些黑色大刻点。背后缘略内凹，生殖囊板近椭圆形，外缘锯齿状；腹后缘交平直，中央微微内凹；后侧角圆钝，不伸出。阳基侧突形状不规则，有1个明显的弯曲，基部宽于端部，末端尖。阳茎简单，系膜侧叶宽阔，不分支，末端不骨化，亦不分叉；顶叶缺失。

雌虫第1载瓣片片状，具零星黑刻点；内缘不直，全长相接。第8侧背片外缘向腹部腹面卷起。第9侧背片长椭圆形，末端短于第8侧背片但长于载肛突。

**量度**(mm)：♀：体长8.00～8.50；头长1.10～1.50，宽1.60～1.80；触角1～5节的长度分别为0.25～0.35、0.90～1.10、0.60～0.75、0.10～1.10、1.10～1.30；前胸背板长1.70～1.95，宽4.15～4.50；小盾片长2.50～2.80，宽2.50～2.75。♂：体长6.20～7.00；头长1.20～1.45，宽1.50～1.65；触角1～5节的长度分别为0.25～0.35、0.75～0.90、0.65～0.85、0.75～0.95、0.95～1.15；前胸背板长1.45～1.70，宽3.25～3.70；小盾片长2.15～2.35，宽2.25～2.50。

**分布**：陕西(秦岭)，全国广布；蒙古，俄罗斯，朝鲜，日本，越南，缅甸，印度，阿富汗，巴基斯坦，马来西亚，印度尼西亚，中亚地区，欧洲，北美洲。

## (二)蝽亚科 Pentatominae

范中华 刘国卿
(南开大学昆虫研究所，天津 300071)

**鉴别特征**：体中小型或大型，体色多样但在多数种内较为稳定，因此常常将体色、色斑等作为分类依据。

头具单眼。触角多为5节，少数种类4节。两侧小颊(buccula)平行。喙细长，第1节几乎全长被小颊包围，紧贴于头部腹面，活动关节在第1节和第2节之间，喙的第1节不参与喙的活动，区别于短喙蝽亚科，喙的长度都超过前足基节，在不同种中长度变化较大。前胸背板六角形。中胸小盾片(scutellum)发达，暴露在外。后胸侧板的前腹侧各有1个臭腺孔(scent gland orifice)，臭腺分泌物由此排出。前翅为半鞘翅(hemelytrum)，缺少爪片接合缝(claval commissure)，膜片具少数纵脉，简单，很少分支。跗节3节，极少数种类跗节2节(如 *Zhengius* Rider)。

**分类**：中国记录111属320种，陕西秦岭地区分布29属52种。

### 分属检索表

1. 中胸腹板凹槽或凹沟状 ………………………………………… 2
   中胸腹板不成凹槽或凹沟状 ………………………………………… 4
2. 小盾片宽舌状，端部超过或等于前翅革片端部 ………………………… 3
   小盾片三角形，端部短于前翅革片端部 ………………………… **广蝽属 *Laprius***
3. 头强烈下倾，背面观不可见；上颚片在前唇基前方会合后不分开；体小型 ……………………………………………… **舌蝽属 *Neottiglossa***
   头不强烈下倾，平伸，背面观可见；上颚片在前唇基前方会合后分开；体中小型 …… **麦蝽属 *Aelia***
4. 中、后胸腹板呈突起的龙骨状 ………………………… **莽蝽属 *Placosternum***
   中、后胸腹板不成龙骨状 ………………………………………… 5
5. 第3腹节中央突起超过后足基节中央 ………………………………… 6
   第3腹节中央无突起或具短钝突起但不超过后足基节后缘 …………………… 11

6. 前胸背板前侧缘光滑 …… 7
前胸背板前侧缘具细密的锯齿 …… 9
7. 前胸背板侧角伸出体外 …… 浩蝽属 ***Okeanos***
前胸背板侧角不伸出体外 …… 8
8. 中胸腹板中央纵脊粗细及高低均匀 …… 曼蝽属 ***Menida***
中胸腹板中央纵脊前高后低，前端呈游离的侧扁突起，高度约与足基节表面平齐 …… 壁蝽属 ***Piezodorus***
9. 触角第 3 节长度达到第 2 节的 3 倍以上 …… 俊蝽属 ***Acrocorisellus***
触角第 3 节等于或略长于第 2 节 …… 10
10. 前胸背板侧角简单的角状 …… 弯角蝽属 ***Lelia***
前胸背板侧角不呈简单的角状，多少平截或二叉状 …… 真蝽属 ***Pentatoma***（部分）
11. 腹部腹面中轴处具隆起的粗脊或纵沟 …… 12
腹部腹面无明显的脊或纵沟 …… 13
12. 前、后足胫节叶片状扩张 …… 麻皮蝽属 ***Erthesina***
后足胫节不呈叶片状扩张 …… 岱蝽属 ***Dalpada***
13. 小盾片“U”形或宽舌状 …… 14
小盾片不呈“U”形或宽舌状 …… 15
14. 头平伸，背面观可见 …… 二星蝽属 ***Eysarcoris***
头下倾，背面观几乎不可见；前胸背板前半显著下倾 …… 玉蝽属 ***Hoplistodera***
15. 前胸背板前侧缘不光滑 …… 16
前胸背板前侧缘光滑 …… 20
16. 前胸背板前侧缘侧面前半具 1 个黄白色胝状宽条带 …… 辉蝽属 ***Carbula***
前胸背板前侧缘侧面前半无黄白色胝状宽条带 …… 17
17. 前胸背板侧角尖刺状；头上颚片端部斜平截；体两侧近平行 …… 突蝽属 ***Udonga***
前胸背板侧角不呈尖刺状；头上颚片端部圆钝 …… 18
18. 体碧绿色；臭腺沟缘端部尖锐，其长度约为挥发域宽度的 2/3，末端具 1 个小黑斑；上颚片在前唇基前方会合 …… 碧蝽属 ***Palomena***
体不呈碧绿色；臭腺沟缘末端无小黑斑 …… 19
19. 臭腺沟缘长度明显超过挥发域宽度的 1/2，端部 2/3 细线状 …… 全蝽属 ***Homalogonia***
臭腺沟缘长度不超过挥发域宽度的 1/2，端部圆钝 …… 真蝽属 ***Pentatoma***（部分）
20. 臭腺沟缘和挥发域均退化；体表鲜艳，红色、黄色或白色，并具数个大型整齐的黑斑；前胸背板胝区后常具不同程度的横凹痕 …… 菜蝽属 ***Eurydema***
臭腺沟缘不退化消失；前胸背板胝区后无横凹痕 …… 21
21. 触角第 2 节明显长于第 3 节 …… 22
触角第 2 节等于或短于第 3 节 …… 26
22. 臭腺沟缘长度明显大于挥发域宽度的 1/2；前胸背板侧角伸出体外；后胸腹板具凹槽 …… 23
臭腺沟缘长度小于或等于挥发域宽度的 1/2；前胸背板侧角不伸出体外 …… 24
23. 中胸腹板中央纵脊的后半部分消失；臭腺沟缘后缘亚端部具缺刻；头和前胸背板前半无黑色条带 …… 褐蝽属 ***Niphe***
中胸腹板中央纵脊均匀纵贯全长；臭腺沟缘后缘亚端部无缺刻；头和前胸背板前半常有 4 条黑色条带 …… 果蝽属 ***Carpocoris***

24. 上颚片在前唇基前方会合 ································ 苍蝽属 *Brachynema*
上颚片在前唇基前方不会合 ································ 25
25. 体宽短，触角第 4、5 节全黑色，体表布白色直立长毛或光滑无毛 ········ 实蝽属 *Antheminia*
体狭长，触角第 4、5 节两端黄白色，中央黑色，体表布白色直立长毛······ 斑须蝽属 *Dolycoris*
26. 臭腺沟缘明显长于挥发域宽度的 1/2 ································ 27
臭腺沟缘短于挥发域宽度的 1/2 ································ 绿蝽属 *Nezara*
27. 前胸背板前侧缘整齐的狭边状 ································ 28
前胸背板不呈狭边状 ································ 29
28. 小盾片端部具大型黄白色圆斑 ································ 点蝽属 *Tolumnia*
小盾片端部无大型黄白色圆斑································ 茶翅蝽属 *Halyomorpha*
29. 头上颚片明显长于前唇基，在前唇基前方形成缺刻 ································ 珠蝽属 *Rubiconia*
头上颚片短于或等于前唇基 ································ 珀蝽属 *Plautia*

## 187. 俊蝽属 *Acrocorisellus* Puton, 1886

*Acrocoris* Jakovlev, 1876: 102. **Type species**: *Acrocoris serraticollis* Jakovlev, 1876.

*Acrocorisellus* Puton, 1886: 13 (new name for *Acrocoris* Jakovlev, 1876).

**属征**：体中型，爪片、前翅外革片及革片端部金绿色，内革片则为橄黄色；上颚片与唇基平齐；触角第 3 节远远长于第 2 节，达到第 2 节长度的 3 倍以上；前胸背板前侧缘锯齿状，几乎直或略有内凹；侧角伸出体外，端部尖；中胸腹板具矮纵脊；腹基刺突尖长，伸过中足基节。

**分布**：中国记录 1 种，秦岭地区分布 1 种。

### (326) 俊蝽 *Acrocorisellus serraticollis* (Jakovlev, 1876) (图 122)

*Acrocoris serraticollis* Jakovlev, 1876: 104.

*Pentatoma pulchra* Hsiao *et al.*, 1977: 125.

**鉴别特征**：体中型，橄黄褐色或黄绿色，密布黑色或蓝紫色金属刻点，头、前胸背板侧角除边缘外、爪片、前翅外革片及革片端部为金绿色；体下黄白色，胸部刻点同色。

头金绿色，表面褶皱状，侧缘卷曲，上颚片末端渐狭，与唇基末端平齐；触角一色漆黑，第 1 节基部黄褐色，长度不超过头端部，第 3 节远远长于第 2 节，是后者长度的 3 倍以上；喙端部黑色，伸达第 3 腹节前半。

胸部前胸背板前 1/3 黄色，其刻点较后面的小且稀疏，前缘中段平坦，宽阔的内凹，在眼后部分平截；前角指向体侧前方，表面具几条横褶皱；前侧缘锯齿状，长且直，或略有内凹；侧角末端尖锐，指向体后侧方，伸出体外部分长度超过前翅革片基部宽度，角体黄白色，其内金绿色；后缘直。小盾片刻点粗大，较前胸背板上的刻点稀疏，向端部刻点渐少，端部圆钝。前翅革片上的刻点密集且均匀；膜片棕褐色，翅脉同色，端部与腹末平齐。臭腺沟缘长度中等，超过挥发域宽度的1/2，端部圆钝。

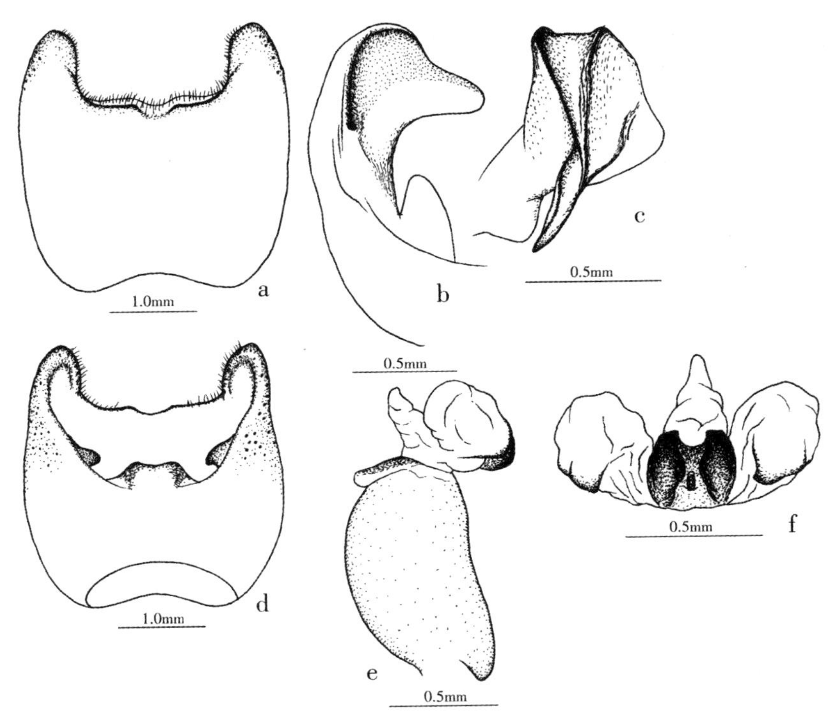


图 122　俊蝽 *Acrocorisellus serraticollis*（Jakovlev）

a. 雄虫生殖囊腹面观；b. 阳基侧突侧面观；c. 阳基侧突端面观；d. 雄虫生殖囊背面观；e. 阳茎侧面观；f. 阳茎端面观

腹侧接缘外露，表面不平整，黄褐色，被同色刻点，外缘狭窄的黑色线状，各节后角狭窄的黑色，略尖；腹面光滑无刻点，腹基刺突伸过中足基节；气门黑色。

雌虫生殖节第 1 载瓣片内缘在近基部 1/3 处弯折成 1 个钝角，两边直，基部 1/3 呈小的倒三角形，基部 2/3 直，相互平行，相互紧靠；第 9 侧背片端部短于第 8 侧背片端部。

雄虫生殖囊腹缘内凹；阳基侧突端缘宽阔波曲，一端圆钝，另一端形成渐细的长突起；阳茎系膜具骨化的短背突，其他系膜愈合，中交合板后侧的系膜腹侧轻微骨化，阳茎端不伸出中交合板端部外。

**量度**(mm)：♂：体长 15～16，宽 12～13；触角 1～5 节的长度分别为 0.80、0.90、3.82、3.62、3.40；头长 2.50～2.80，宽 3.00～3.60；前胸背板长 3.95～4.25；小盾片长 6.30～6.85，宽 5.85～6.10。♀：体长 15.50～18.00，宽 12.00～13.50；触角 1～5节的长度分别为 0.83、1.00、3.10、3.00、3.00；头长 2.70～3.50，宽 2.94～

3.45；前胸背板长 4.00～4.80；小盾片长 6.20～6.95，宽 5.50～5.95。

**采集记录：**1♂，周至板房子，1994.Ⅷ.07，吕楠灯诱；1♂，甘泉清泉镇，1971.Ⅶ.02，杨集昆采（*Pentatoma pulchra* Hsiao *et* Cheng，1977 正模）；1♀，甘泉清泉镇，1971.Ⅵ.28，杨集昆采（*Pentatoma pulchra* Hsiao *et* Cheng，1977 配模）。

**分布：**陕西（周至、甘泉）、黑龙江。

## 188. 麦蝽属 *Aelia* Fabricius，1803

*Aelia* Fabricius，1803：188. **Type species**：*Cimex acuminatus* Linnaeus，1758.

**属征：**体中小型，菱形，背腹隆鼓，土黄色至黄褐色，密布刻点，且背面黑色刻点形成纵贯全长的宽黑色纵纹，中央最宽，向两端渐窄，约占宽度的 1/3。

头长三角形，由基部向端部渐窄，端部稍下倾，侧叶明显长于中叶，并在中叶前相互接触，有时在端部接触后分开呈叉状；复眼小，向外凸隆；颊呈片状下垂，并在小颊前占据较大的位置；触角 5 节，细长，由第 1～5 节渐长；喙 4 节，伸达后足基节处。前胸背板前侧缘具浅色光滑窄脊状边，伸达侧角前缘基部，中央具 1 条或几条光滑纵线；侧角几乎不伸出，端部宽大圆钝；小盾片呈舌状，端部圆钝，等于或稍短于前翅革片端部；前翅革片中裂外侧具 1 个光滑纵脊，膜片透明，中央常具 1 个褐色纵纹；前胸侧板前端片状游离，腹板中央具 1 个浅纵沟；臭腺孔明显，臭腺沟缘短，挥发域面积较大，可延伸至侧缘。腹下淡黄褐色，有时具稀疏黑点形成的不完整纵纹；气门黑；侧结缘一色。

雄虫生殖节末端平截；生殖囊宽短，腹缘较平直，中央多具 1 个缺刻，周缘密被短细毛；阳基侧突由相互垂直的两部分组成，一部分呈宽大片状，另一部分较窄，端部呈钩状；阳茎鞘中央环形内凹，其下方两侧各具 1 个突起，顶叶系膜发达，阳茎端较短。

雌虫生殖节第 9 腹节侧背片端部一般不超过第 8 腹节侧背片后缘；第 1 载瓣片三角形，较小，内缘端部分离，基部紧密接触；受精囊球两侧具 1 对不等长的细长突起。

该属与拟麦蝽属 *Aeliomorpha* Stål，1858 较为相似，但拟麦蝽属较宽短，侧叶不长于中叶，前胸侧缘前缘非游离片状，臭腺沟缘较长，可将两属相区别开来。

**分布：**中国记录 5 种，秦岭地区发现 1 种。

### （327）华麦蝽 *Aelia fieberi* Scott，1874（图版 5：1）

*Aelia fieberi* Scott，1874：297.

*Aelia nasuta* Wagner，1960：171.

**鉴别特征：**体淡黄褐色至褐色，密布刻点，中央具 1 个纵贯全长的宽黑纵纹，其正中央具1条光滑细纵中线。

头部头长与宽等长，中央具黑色刻点汇集形成的宽黑纵纹，由端部至基部渐宽，头侧叶明显长于中叶，且在中叶前相互接触，侧叶侧缘刻点黑色，形成1条黑色纵线，呈微波状，在近端部处明显内凹；单眼淡黄色；触角红褐色，第1节淡黄色，由第1~5节渐深渐长；侧面观：颊前部低平，中部微凹，后端形成1个尖角状突起；喙4节，上黑下黄，伸达第3可见腹节。

胸部前胸背板正中央及沿前侧缘内侧具黑色刻点所组成的宽黑纵纹，自前向后渐宽渐浅，且中央黑纵纹上具1条光滑细纵中线，前后粗细一致；前缘微凹，中央平直；前侧缘具淡黄色的窄脊状边，自前向后渐粗；小盾片长倒三角形，侧缘中部微凹，正中央具1条光滑纵中线，与前胸背板纵线相衔接，但不伸达小盾片端部，其两侧的黑刻点形成黑纵纹，向端部渐窄，基角处由黑色刻点形成1个短纵黑斑；前翅革片中裂外缘具1个浅色光滑纵脊，其内侧具均匀黑色刻点，外侧刻点同体色；膜片透明，中央具1个褐色细纵纹，直达膜片端部；胸部腹面淡黄色，前胸侧板外缘刻点黑，胸侧板上各具1个小黑点斑；足淡黄色，被稀疏黑色刻点，腿节近端部具2个小黑斑，爪基部黄色，端部黑色。

腹部背面黑色，端部具1个长三角形的小浅色斑；腹下淡黄褐色，黑色小点斑形成6列不完整的纵纹。

雄虫生殖囊腹缘微波曲；阳茎顶叶系膜发达，宽扁，端部具1对突起；阳基侧突的片状结构端部近方形。

雌虫第1载瓣片上缘弧形，近中央处内凹，内角宽大，端部圆钝，其上着生数根长细毛。

**量度(mm)**：♂：体长8.51~10.20；头长2.34~2.80，宽2.34~2.52；单眼间距1.12~1.21；触角1~5节的长度分别为0.37、0.56、0.75、0.84、1.03；前胸背板长2.34，宽4.39~4.86；小盾片长3.27，宽2.81~2.99。♀：体长9.63~10.38；头长2.52，宽2.34~2.52；单眼间距1.21；触角1~5节的长度分别为0.37、0.56、0.75、0.80、1.08；前胸背板长2.34~2.52，宽4.39~4.77；小盾片长3.46，宽3.00~3.27。

**采集记录**：1♀，凤县秦岭车站，1100m，1994.Ⅶ.27，吕楠采；1♀，佛坪岳坝保护站，1700m，2006.Ⅶ.24，朱耿平采；3♂，汉中龙岗，1975.Ⅴ.03，路进生采。

**分布**：陕西(西安、周至、凤县、宝鸡、武功、佛坪、南郑)、黑龙江、吉林、辽宁、内蒙古、北京、天津、河北、山西、河南、山东、甘肃、江苏、浙江、湖北、江西、湖南、四川、云南、西藏；俄罗斯，朝鲜，日本。

## 189. 实蝽属 *Antheminia* Mulsant *et* Rey, 1866

*Antheminia* Mulsant *et* Rey, 1866: 254. **Type species**: *Cimex lynx* Fabricius, 1794 ( = *Cimex lunulata* Goeze, 1778).

**属征**：体椭圆形，黄褐色或黄绿色，前翅革片多为显著的红褐色，有的种类体背布直立长毛；头和前胸背板前半常有不同程度的2~4条黑带；上颚片狭长，略长于唇基，但不会合，复眼较小；触角5节，第1节不伸达头端部，第2节长于第3节。前胸背板背面均匀圆隆，前侧缘光滑平直，不同程度的扁薄狭边状，侧角圆钝，不伸出体外，后角十分宽圆；小盾片基半平坦的隆起，端部呈宽大的角状；前翅革片端角略超过小盾片端部；臭腺沟缘短小，端部圆钝；中胸腹板具低矮的中央纵脊；足胫节具棱边，跗节3节；侧接缘显著外露，各节后角圆钝，略伸出；第3腹节腹板中央光滑无突起。

本属种类形态似果蝽属 *Carpocoris* Kolenati，1846 和斑须蝽属 *Dolycoris* Mulsant *et* Rey，1866，但本属种类臭腺沟缘短小，端部圆钝，区别于果蝽属，雄虫生殖节后角没有极稠密成撮而弯曲的毛丛，可区别于斑须蝽属。

雄虫生殖囊腹缘中央具1对并列的角状片状突起，两侧缘中央平坦或有弧形、角状突起，两侧端部角状或指状突出；生殖囊背缘两侧多具有尖锐的角状突起；具1对边缘羽状的伪阳基侧突。阳基侧突桨叶突为勺状，其边缘的形状和角状突起情况可作为鉴定特征，干部细长，具指状感觉叶。阳茎构造在种间差别较小：阳茎鞘端部背侧具1对细长的片状突起，背面亚端部两侧各有1个短钝突起；阳茎系膜基部膨大，端部短二叉状，各分支端部骨化；阳茎端极为细长且弯曲。

雌虫第1载瓣片内缘相互不接触，内缘外拱，内角宽圆，外缘外拱。第9侧背片细长，端部圆钝，略超过第8腹节后缘。第8侧背片端部外拱。

**分布**：中国记录8种，秦岭地区发现3种，其中包括1亚种。

## 分种检索表

1. 体背面密布白色直立长毛 ………………………………………………… **多毛实蝽 *A. varicornis***
   体背面无白色直立长毛 ……………………………………………………………………… 2
2. 侧接缘一色，无黑斑或黑条带……………………………………………… **邻实蝽 *A. lindbergi***
   侧接缘具黑斑或黑色条带 ………………………………… **实蝽长叶亚种 *A. pusio longiceps***

### (328) 邻实蝽 *Antheminia lindbergi* (Tamanini, 1962) (图123)

*Codophila* (*Antheminia*) *lindbergi* Tamanini, 1962: 49.

*Antheminia lindbergi*: Rider, 2005: 268.

**鉴别特征**：体背面淡黄绿色，密集无色刻点，前胸背板侧角内侧和前翅革片紫褐色；体腹面淡黄色，刻点无色。

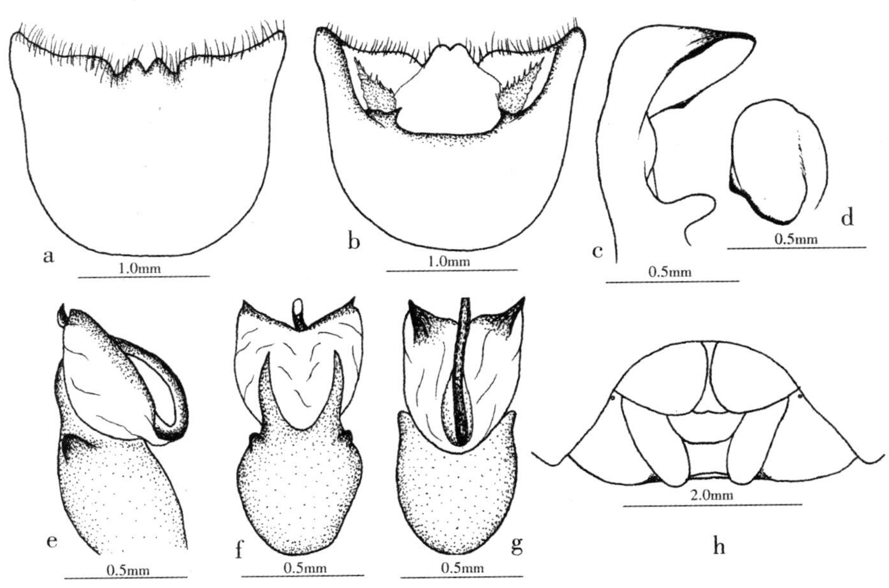


图 123　邻实蝽 *Antheminia lindbergi*（Tamanini）

a. 雄虫生殖囊腹面观；b. 雄虫生殖囊背面观；c. 阳基侧突侧面观；d. 阳基侧突端面观；e. 阳茎侧面观；f. 阳茎侧面观；g. 阳茎腹面观）；h. 雌虫生殖节

头长宽约等长，侧缘波曲，边缘除端部外具黑色纵条带，上颚片端部细长圆钝的角状，超过唇基末端，但不会合，头背面淡黄褐色，刻点全部无色。触角第 1 节淡黄褐色，第 2、3 节基部大半及第 4 节基部红褐色，其余部分黑色。头腹面淡黄色，光滑无刻点。小颊前角圆钝，向下伸出，外缘波曲，后角叶状，略向后伸出。喙伸达后足基节前缘，第 1 节端部略超过小颊后角。

前胸背板宽大于长，前角内侧各有 1 条黑色刻点组成的短条带，侧角及后侧缘内侧红褐色，其余部分淡黄绿色且刻点无色；前缘弧形，显著内凹，眼后平截部分狭窄；前角小角状，指向体侧，端部略超过复眼外缘；前侧缘光滑平直，边缘扁薄程度较弱，边缘具较弱的光滑狭边；侧角圆钝，不伸出体外；后侧缘斜平直；后角宽圆；后缘宽阔平直。小盾片：长略大于宽，侧缘弯折处略超过中点，端部宽阔的角状，侧缘端半呈立壁状，基半表面高隆且平坦。前翅革片红褐色，外缘基部淡黄色，端角圆钝，超过小盾片端部，膜片无色透明，端部超过腹末。各胸节侧板中央具 1 个黑色小点斑，中胸侧板前缘中央另有 1 个小黑斑。臭腺沟缘短直，端部圆钝。中胸腹板具低矮的中央纵脊。足淡黄褐色，胫节端部和跗节淡红褐色，胫节两侧具若干隆起的黑色点斑。

腹侧接缘显著外露，淡黄色，刻点无色、均匀且密集，各节后角圆钝，略伸出。腹部腹面密布无色刻点，各腹节中央或具无色光滑圆斑。

雄虫生殖囊腹缘两侧的圆隆较弱，背缘两侧具尖锐的角状短突起，伪阳基侧突端部较狭窄。

雌虫第 1 载瓣片内缘弧形外拱，相互不接触，内角宽圆，外缘略斜平直。第 9 侧背片端部圆钝，略超过第 8 腹节后缘。第 8 腹节后缘轻微内凹，第 8 侧背片端部与第 9 侧背片端部约平齐。

**量度(mm)**：♂：体长 10～11，宽 5.00～6.20；头长 2.10～2.45，宽 2.20～3.05；触角 1～5 节的长度分别为 0.40、0.85、0.70、0.95、1.10；前胸背板长 2.10～2.45；小盾片长 3.50～3.85，宽 3.40～4.25。♀：体长 10.00～11.20，宽 5.00～6.20；头长 2.20～2.65，宽 2.20～3.05；触角 1～5 节的长度分别为 0.45、0.90、0.60、0.90、1.20；前胸背板长 2.15～2.60；小盾片长 3.70～3.95，宽 3.40～4.25。

**分布**：陕西(秦岭)、内蒙古、河北、山西、甘肃、青海、宁夏；蒙古，俄罗斯(东部)。

### (329) 实蝽长叶亚种 *Antheminia pusio longiceps* (Reuter, 1884)

*Carpocoris lunulatus* var. *longiceps* Reuter, 1884: 32.

*Codophila* (*Antheminia*) *pusio esakii* Tamanini, 1962: 52.

*Antheminia pusio longiceps*: Rider, 2005: 269.

**鉴别特征**：体背面黄褐色，前翅革片的淡红褐色不显著；体腹面淡黄褐色，密集无色刻点。

头侧缘波曲，边缘具整齐的黑色条带，上颚片端部圆钝的角状，长于唇基端部但不会合，头顶中央具 2 条细小黑色刻点组成的纵带，该纵带不甚显著，其余部分黄褐色并布无色刻点。触角第 1 节及第 2 节基部暗红褐色，其余部分漆黑，第 2 节长于第 3 节。小颊前角圆钝的角状，几乎不向下伸出，外缘较平直，后角叶状、向后伸出。喙伸达后足基节前缘，第 1 节端部略超过小颊后角。

前胸背板：宽大于长，背面均匀圆隆，绝大部分刻点无色，前侧缘前半内侧各具 1 条黑色刻点密集成的条带，胝区之间有 2 条极不显著的黑色细小刻点组成的浅条带；前缘中央弧形深内凹，眼后平截部分狭窄；前角小角状伸出，略超过复眼外缘；前侧缘光滑平直，边缘狭窄的卷边状，光滑无刻点；侧角圆钝，几乎不伸出体外；后缘、后角、后侧缘为均匀的弧形，后缘中点处略内凹。小盾片：基半平坦均匀的隆起，端部刻点渐稀疏且细小，端部宽阔的角状，边缘较光滑，基部两侧具若干黑色刻点，排列成 2 个不明显的黑色条带。爪片和前翅革片刻点较为细小，端缘轻微外拱，端角略超过小盾片端部，膜片无色透明，端部超出腹末。各胸节侧板中央具 1 个黑色小点斑，中胸腹板外侧中央有时另有 1 个小黑斑。臭腺沟缘短小，端部圆钝。中胸腹板具低矮的中央纵脊。足黄褐色，胫节和跗节红褐色，后足股节亚端部各有 1 个小黑斑。

腹侧接缘外露，各节前、后角具黑色刻点聚集成的小黑斑，该黑斑有不同程度的弱化，有的个体消失不见，各节后角略伸出，端部不甚尖锐。腹部腹面淡黄褐色，中轴处刻点较稀疏，两侧刻点较为密集。气门周围狭窄的黑色。

雌虫第 1 载瓣片内缘不相互接触，基部弧形，其后较平直，内角宽圆，外缘略中央外拱。第 9 侧背片端部圆钝，略超过第 8 腹节后缘，后者轻微内凹。第 8 侧背片端部略隆起，约与第 9 侧背片端部平齐。

**量度(mm)**：♂：体长 9～11，宽 5～6；头长 2.10～2.45，宽 2.10～2.85；触角 1～4节的长度分别为 0.45、0.80、0.70、0.90、1.20；前胸背板长 2.00～2.35；小盾片长 3.40～3.75，宽 3.10～3.85。♀：体长 10.0～11.5，宽 5.0～6.0；头长 2.30～2.85，宽 2.30～3.05；触角 1～4 节的长度分别为 0.50、0.90、0.60、0.90、1.20；前胸背板长 2.30～2.85；小盾片长 4.10～4.45，宽 3.80～4.25。

**分布**：陕西(秦岭)、吉林、辽宁、内蒙古、河北、山西、新疆；蒙古，俄罗斯(东部)。

### (330) 多毛实蝽 *Antheminia varicornis* (Jakovlev, 1874)（图 124；图版 5：2）

*Mormidea varicornis* Jakovlev, 1874: 58.

*Dolycoris baicalensis* Jakovlev, 1894: 135.

*Dolycoris varicornis montandoni* Sienkiewicz, 1954: 1225.

*Antheminia varicornis*: Hsiao *et al.*, 1977: 152.

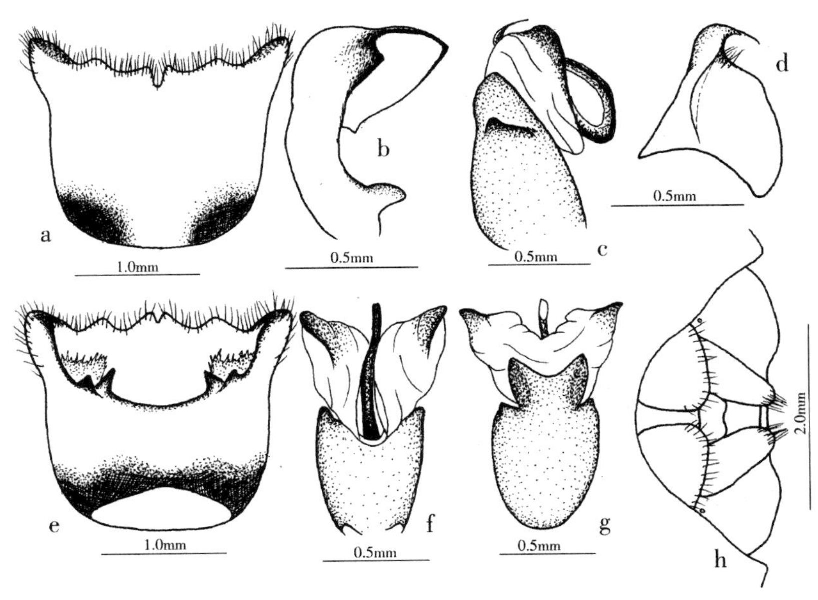


图 124 多毛实蝽 *Antheminia varicornis* (Jakovlev)

a. 雄虫生殖囊腹面观；b. 阳基侧突侧面观；c. 阳茎侧面观；d. 阳茎端面观；e. 雄虫生殖囊背面观；f. 阳茎腹面观；g. 阳茎侧面观；h. 雌虫生殖节

**鉴别特征：** 头、前胸背板前半及小盾片为淡黄褐色并具黑色纵带，前胸背板后半、爪片及前翅革片红褐色；体腹面淡黄褐色，部分刻点黑色。

头宽略大于长，侧缘轻微外拱，边缘具黑色细条带，唇基两侧向后延伸出另外 2 条黑色条带，向后延伸至头顶基部。触角第 1 节除端部黑色外其余部分淡黄褐色，第 2～5 节漆黑。头腹面光滑无刻点，触角基上方具 1 个黑色条带。小颊前角圆钝的角状，向下略伸出，外缘轻微波曲，后角叶状，略向后伸出。喙伸达后足基节中央，第 1 节端部略超过小颊后角。

前胸背板：宽大于长，中央具 1 条贯穿全长的淡黄褐色宽纵带，前胸背板前半淡黄褐色，具 4 条黑色短带，后半淡红褐色，刻点较为均匀；前缘中央平坦内陷，眼后平截部分狭窄；前角小角状，端部略超过复眼外缘；前侧缘光滑平直，边缘扁薄；侧角圆钝，不伸出体外；后侧缘、后角和后缘之间弧形连接。小盾片：长略大于宽，端部宽阔的角状，中轴处具 1 个光滑的宽纵带，向后延伸至亚端部，基部两侧中央各有 1 个黑色刻点组成的倒三角区域。前翅革片刻点分布较均匀，内革片大部分刻点黑色，外革片刻点淡色或无色，膜片无色透明，端部超过腹末。胸部腹面黄褐色，各胸节侧板中央具小黑斑，中胸腹板外侧中央另有 1 个小黑斑。臭腺沟缘短小且平直，端部圆钝，略上翘。中胸腹板具低矮的中央纵脊。足黄褐色，胫节端部及跗节红褐色，胫节亚端部具 2 个不同大小的黑斑，第 3 跗节中央黑色，股节和胫节布较多直立长毛。

腹侧接缘外露，中央 1/2 黄褐色，两侧各有 1/2 节宽的整齐的黑色条带，后角圆钝，略伸出。腹部腹面黄褐色，两侧中央具稀疏的黑色刻点组成的纵带，第 6 腹节的黑色刻点较少，第 7 腹节几乎不见黑色刻点。各骨节中轴线上在后缘处各有 1 个小黑斑。气门黑色。各节外缘前、后角处具小黑斑。

雄虫生殖囊腹缘两侧突起略成低矮的角状，背缘两侧各有 2 个角状突起。

雌虫第 1 载瓣片中央圆隆，内缘相互不接触，其基部弧形外拱，其余部分较直。第 9 侧背片端部圆钝，超过第 8 腹节后缘。第 8 腹节后缘内凹。第 8 侧背片端部外拱，与第 9 腹节侧背片端部约平齐。

**量度**(mm)：♂：体长 9～10，宽 5～6；头长 2.00～2.35，宽 2.10～2.85；触角 1～5节的长度分别为 0.40、0.80、0.60、0.90、1.10；前胸背板长 1.90～2.25；小盾片长 3.30～3.65，宽 3.00～3.70。♀：体长 9.50～11.00，宽 6.00～6.30；头长 2.00～2.55，宽 2.20～2.25；触角 1～5 节的长度分别为 0.40、0.85、0.60、0.90、1.15；前胸背板长 2.00～2.55；小盾片长 3.55～4.00，宽 3.20～3.35。

**分布：** 陕西(秦岭)、黑龙江、内蒙古、天津、河北、山西、青海、新疆；朝鲜，欧洲。

## 190. 苍蝽属 *Brachynema* Mulsant *et* Rey, 1852

*Brachynema* Mulsant *et* Rey, 1852: 88. **Type species**: *Pentatoma roseipennis* Mulsant *et* Rey, 1852 ( = *Cimex cinctus* Fabricius, 1794).

**属征：**体青绿色，前胸背板前侧缘具白边，体型狭长，前翅革片两侧近平行。头上颚片长于唇基并在唇基前方会合，单眼间距略大于头宽的1/2，触角5节，第1节不伸达头端部，第2节明显长于第3节。小颊低矮，前角略伸出。喙不超过后足基节后缘。前胸背板前侧缘光滑且内凹，侧角圆钝不伸出体外。小盾片狭长，端部狭细。中胸腹腹板具低矮且细的中央纵脊，后胸腹板平坦。臭腺沟缘短小，端部角状翘起。足胫节具棱边，跗节3节。侧接缘狭窄外露，各节后角略伸出。第3腹节腹板中央平坦。

**分布：**中国记录2种，秦岭地区发现1种。

### （331）苍蝽 *Brachynema germarii*（**Kolenati, 1846**）（图125）

*Cimex virens* Klug, 1845: signed (nec Linnaeus, 1767).

*Raphigaster* [sic!] *germarii* Kolenati, 1846: 56.

*Pentatoma anabasis* Becker, 1867: 110.

*Pentatoma tetrastigma* (nec Herrich-Schäffer, 1851): Walker, 1867: 311 (misidentification).

*Rhaphigaster biplaga* Walker, 1867: 373.

*Oncoma germari* var. *flavomarginatus* Jakovlev, 1871: 14 (new name for *Pentatoma anabasis* Becker, 1867).

*Oncoma germari* var. *grisea* Jakovlev, 1871: 32.

*Brachynema melanota* Jakovlev, 1874: 240.

*Brachynema virens* var. *alternatum* Horváth, 1899: 444.

**鉴别特征：**体中型，狭长，前翅革片两侧相互平行；背面苍绿色，体侧具白边，刻点细密并与底同色；体腹面淡绿色。

头宽略大于长，侧缘白色，头端部圆钝，上颚片长于唇基并在唇基前方会合，单眼间距略大于头宽的1/2，头背面刻点细密，复眼内侧各有1个光滑胝斑。触角基外侧成角状伸出，背面观可见；触角第1节到第3节基半暗绿色，其余黑褐色，第2节显著长于第3节。头腹面绿色，刻点细密且与底同色，小颊低矮，前角角状，略伸出，外缘向后渐低矮直消失。喙伸达后足基节前缘，第1节端部略伸出小颊外。

前胸背板：宽大于长，前半均匀下倾，前侧缘及侧角角体外缘具整齐的白边，其余部分苍绿色，刻点细密；前缘中央平坦内陷，眼后部分斜平直；前角几乎不伸出，端部与复眼外缘平齐；前侧缘光滑，略内凹；侧角圆钝，不伸出体外；后侧缘略内凹；后角宽圆；后缘略内凹。小盾片：三角形，端部狭细并具白斑，向前方延伸至端部1/4，基缘具3个隐约可见的小白斑。前翅革片外缘约相互平行，外革片具1条白色纵带，从基部向后延伸到略超过中裂端部，有时继续伸出1条更细的条带至端缘处，外革片基部几乎无刻点，向后渐密集；革片端缘较平直且长，膜片无色透明，端部明显超过腹末。各胸节侧板绿色，具细密的同色刻点。腹板淡黄色，中胸腹板具低矮的中央纵脊，后胸腹板平坦。臭腺沟缘短小，端部角状翘起。足股节和胫节基部淡绿色，其余部分暗绿色，股节上具细小的暗绿色点斑。

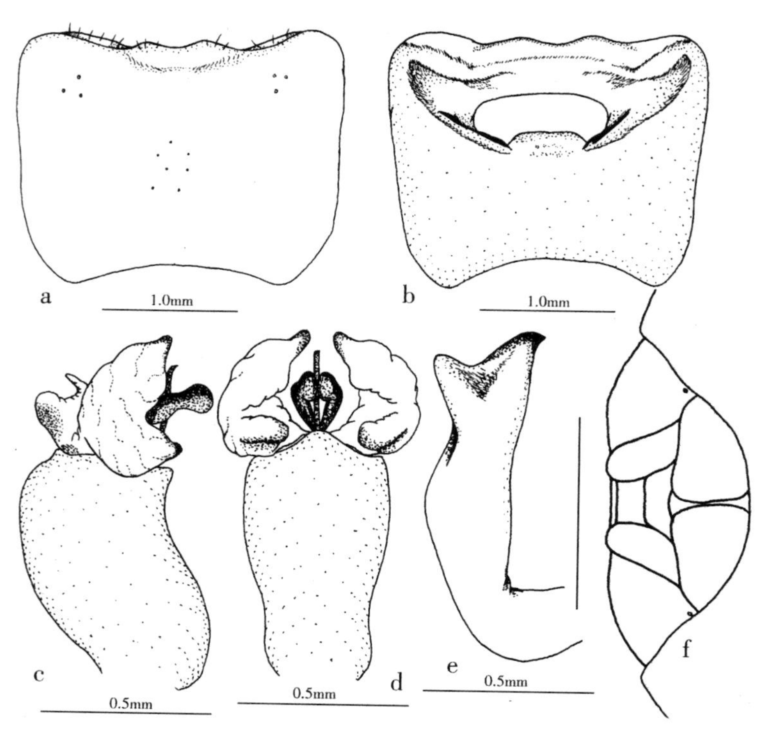


图 125 苍蝽 *Brachynema germarii*（Kolenati）

a. 雄虫生殖囊腹面观；b. 雄虫生殖囊背面观；c. 阳茎侧面观；d. 阳茎腹面观；e. 阳基侧突侧面观；f. 雌虫生殖节

腹侧接缘狭窄外露，淡黄白色，各节后角黑色，尖锐并略伸出。腹部腹面绿色，中轴线处刻点稀疏，两侧刻点细密，两侧缘黄色，后角处具黑斑。第 3 腹节腹板中央平坦。

雄虫生殖囊腹缘宽阔的弧形浅内凹，腹缘内褶中央略内凹，两侧轻微隆起。阳基侧突较直，端部二叉状，不显著弯折。阳茎鞘背面端部两侧各有 1 个短钝突起；阳茎系膜具 1 个基部膨大、端部腹面细指状的膜质背叶，1 对基部宽大膜质、端部二叉并均骨化的上颚片；中交合板棒状，端部膨大，左右相互分离不愈合；阳茎端细长，不与中交合板平行。

雌虫第 1 载瓣片内缘左右不相互接触，中央大部分平直，相互平行，但两端弧形外拱，内角圆钝，外缘波曲。第 9 侧背片端部圆钝，略伸出第 8 腹节后缘。第 8 侧背片端缘黄白色，弧形略外拱。

**量度**（mm）：♂：体长 10.00～13.50，宽 4.80～6.00；头长 2.00～2.75，宽 2.20～2.95；触角 1～5 节的长度分别为 0.40、1.30、0.80、1.00、1.30；前胸背板长 1.80～

2.55，小盾片长3.80~3.55，宽2.90~3.65。♀：体长12~14，宽5.20~6.50；头长2.40~3.10，宽2.55~3.20；触角1~5节的长度分别为0.50、1.80、0.90、1.30、1.50；前胸背板长2.50~3.25，小盾片长5.20~5.95，宽3.70~4.45。

**分布：**陕西(秦岭)、内蒙古、河北、甘肃、青海、宁夏、新疆、西藏；古北区。

## 191. 辉蝽属 *Carbula* Stål, 1865

*Carbula* Stål, 1865: 60. **Type species**: *Mormidea decorata* Signoret, 1861.

**属征：**体中小型，短宽，多为棕褐色至黑褐色，具光泽。体表光滑或多毛。头狭长，端部略平截，唇基与上颚片平齐或后者略伸出；复眼大，椭球形；头侧缘的内腹面具1条与之平行的黑色棱边；触角5节，第1节短于头末端，第2、3节约等长或第3节略长，短于第4节，第5节最长，4、5两节明显较前三节粗。喙伸达腹基部。前胸背板前侧缘内凹，前半黄白色光滑条状，侧角伸出，端部多圆钝，有的种类长且尖锐，后角不明显，为宽阔的弧状。小盾片三角形，端部宽阔圆钝。臭腺孔大，臭腺沟缘短小，端部尖且翘起，臭腺沟向上弯曲。中胸腹板具低矮纵脊，后胸腹板平坦。腹基平坦。

雄虫生殖囊腹面饱满，端部宽阔向上折，具粗糙刻点；腹缘内凹，腹缘内侧常有凹陷。阳基侧突具十分发达的感觉叶，宽阔片状，其上生有直立长毛或具粗糙锯齿及棱突；桨叶突宽阔，向侧面弯折，与宽阔的感觉叶相平行。阳茎鞘短粗；阳茎无背突；具系膜顶叶，膜质，端部二分叉；中交合板端部2个突起，尖锐或圆钝；阳茎端弯曲的细管状，伸出极长(棘角辉蝽除外)。

雌虫第1载瓣片扁薄，第9侧背片端部圆钝，与第8侧背片平截的末端平齐。

**分布：**中国记录10种，秦岭地区发现3种。

### 分种检索表

1. 胝区黄褐色……………………………………………………………… **红角辉蝽 *C. crassiventris***
   胝区黑色 ……………………………………………………………………………………… 2
2. 触角第4节均匀的红褐色；前胸背板前侧缘中央弯折呈角状 …………… **凹肩辉蝽 *C. sinica***
   触角第4节端部大半黑褐色，基部黄褐色；前胸背板前侧缘中央弯折圆弧状 ……………………
   ………………………………………………………………………… **辉蝽 *C. humerigera***

### (332) 红角辉蝽 *Carbula crassiventris* (Dallas, 1849)

*Pentatoma crassiventre* Dallas, 1849: 189.

**鉴别特征：**体色较浅且均匀的黄褐色，刻点黑色，分布较均匀。前胸背板具黄褐色的中央纵线，向后渐模糊。体下及足黄褐色具黑色刻点或小黑斑，腹部腹面后2节中央有宽阔的大黑斑。

头黄褐色布密集的黑色刻点，复眼内侧各有1个黄褐色矩形胝斑，上颚片狭长，与唇基末端平齐。头部腹面黄褐色布黑色刻点，小颊前角圆钝角状伸出。触角浅黄褐色，第5节端半略深，第1节明显短于头端部。喙伸达第2腹节中央。

前胸背板在胝区前方，尤其是前角内侧刻点较为粗糙且密集，后半的刻点稀疏且均匀，中纵线前半清晰可见，向后渐模糊；前缘平坦内凹，前角圆钝，在眼后平截，端部几乎不伸出；前侧缘前半具黄白色光滑斜平截的胝斑，后半平直；侧角末端圆钝，平伸出体侧，边缘平滑无刻点，黄褐色或红褐色；后缘略内凹。小盾片三角形，不明显隆起，基缘中央有1个光滑小黄斑，基角处各有1个倾斜的细条状胝斑，基部刻点稍密集，小盾片端部边缘不呈黄白色。前翅革片外缘外拱，外革片的刻点较内革片的分布均匀。各足基节黄褐色，股节和胫节基部大半散布黑色小斑，后者的斑点细小，胫节端部和跗节黄褐色。臭腺沟缘短小。

腹侧接缘轻微外露或不露，各节黑褐色，边缘中央具淡黄褐色弧形斑。腹基平坦，各腹节或端部几节的中央大面积的黑色，光滑无刻点，其他地方布黑色刻点，各侧面中央的刻点较周围密集；气门黑色；外缘刻点无色，各节后角在亚端部有个由3~5个黑色刻点组成的小黑斑。

雄虫生殖囊腹缘中央凹陷，侧缘端部无突起。阳基侧突基部突起耙状，端缘具若干粗大的锯齿，阳基侧突桨叶突端部略呈二叉状，1个分支长且端部角状，另1个分支宽阔的圆钝。阳茎系膜顶叶端部分叉；中交合板端缘宽阔平直，背侧圆钝角状，内侧的分支粗指状，端部略弯曲成角状，两者约等高；阳茎端极为细长且弯曲。

雌虫第1载瓣片三角形，内缘略内凹，向后渐近但不接触；第9侧背片端部略平截，与第8侧背片端部约平齐。

**量度**(mm)：♂：体长8.00~8.50，宽7.00~7.50；头长1.90~2.15，宽2.15~2.50；触角1~5节的长度分别为0.50、0.80、0.80、1.30、1.50；前胸背板长2.05~2.35；小盾片长3.50~3.85，宽3.80~4.15。♀：体长8~10，宽7.00~7.80；头长1.95~2.60，宽2.10~2.75；触角1~5节的长度分别为0.55、0.75、0.80、1.20、1.50；前胸背板长1.90~2.55；小盾片长3.15~3.70，宽3.60~4.25。

**分布：**陕西（秦岭）、黑龙江、山西、甘肃、江苏、安徽、浙江、湖北、江西、湖南、福建、台湾、广东、海南、广西、四川、贵州、云南、西藏；日本，缅甸，印度，不丹。

### (333) 辉蝽 *Carbula humerigera* (Uhler, 1860)

*Pentatoma humerigera* Uhler, 1860: 223.

*Carbula obtusangula* Reuter, 1881: 233.

*Carbula humerigera*: Hsiao *et al.*, 1997: 146.

**鉴别特征:** 体黄褐色，头、前胸背板侧角及前侧缘黄色胝区外为黑褐色。前胸背板隐约有淡黄褐色纵中线。

头黑色，刻点粗糙，两单眼之间有轻微的黄褐色。侧缘轻微内凹，上颚片狭长，端部圆钝，略长于唇基，在其前方成1个浅缺口。腹面除最基部和小颊边缘外为具光泽的黑褐色，且布粗糙刻点。小颊外缘中央内凹，前角半圆形。触角黄褐色，第4节端半棕褐色，第5节端部2/3黑褐色，第1节略短于头末端，2、3节约等长。喙伸达第2腹节中央。

前胸背板前缘中央宽阔的平坦内凹；前角在眼后斜平截，端部指向体前侧方，略超过复眼外缘；前侧缘前半的光滑胝状斜面伸达前侧缘中央弯折处；侧角宽阔圆钝的伸出，角体后缘狭窄的光滑，淡黄褐色。小盾片基缘中央及各基角凹陷内侧各有1个较小的黄斑，端部刻点稀疏且细小，略成黄白色。前翅革片外缘基部狭窄的黄白色，膜片烟灰色，略长于腹末。前胸侧板前部大半黑色，后缘黄褐色，具黑色粗糙刻点；中、后胸侧板黄褐色，具不规则分布的粗糙黑刻点。臭腺沟缘短小。各足黄褐色，股节布黑斑，中、后足股节近端部处常有小黑斑聚集成的大黑斑，胫节布略小的黑斑，且向端部渐弱，跗节黄褐色。

腹侧接缘轻微外露，黑色，各节外缘中央有黄白色的弧形斑。腹下中央具黑色宽带区，有时在第3或4腹节断续；腹下两侧布黑色刻点，尤以两侧中央的刻点较为密集，且密集程度和刻点大小从腹基向腹末渐弱。气门黑色。边缘各节在后角处有1个黑色小圆斑。

雄虫生殖囊腹缘内凹，正中央有1条纵裂缝，两侧端部有个略伸出的突起。阳基侧突感觉叶约为倒三角形，端部内侧具1排锯齿，锯齿的排列和具体形状有明显的个体差异，感觉叶椭圆形，一侧有缺刻和1个指向侧下方的指状突起。阳茎系膜具端部略分叉的膜质顶叶，中交合板靠背面一端骨化强烈，另一端骨化渐弱呈膜质；阳茎端极长，弯曲。

雌虫第1载瓣片三角形，内缘轻微内凹，向后渐近但不互相接触，后缘较直。第9侧背片端部圆钝，与第8侧背片末端平齐。

**量度(mm):**♂：体长9.50~10.50，宽6.00~6.50，触角1~5节的长度分别为0.55、0.90、1.30、1.30、1.70；头长2.20~2.30，宽2.10~2.20；前胸背板长2.50~2.60；小盾片长3.50~3.60，宽3.70~3.80。♀：体长10.00~11.50，宽6.50~7.00，触角1~5节的长度分别为0.55、0.95、1.30、1.30、1.72；头长2.30~2.45，宽2.10~2.30；前胸背板长2.60~2.75；小盾片长3.60~3.80，宽2.80~2.95。

**分布:** 陕西(秦岭)、河北、山西、河南、甘肃、青海、安徽、浙江、湖北、江西、湖南、福建、广东、广西、四川、贵州、云南；日本。

### (334) 凹肩辉蝽 *Carbula sinica* Hsiao *et* Cheng, 1977

*Carbula sinica* Hsiao *et al.*, 1977: 145, 300.

**鉴别特征:** 体黄褐色，布黑刻点。头、前胸背板胝区及胝区之前黑色。前胸背板有隐约的中纵线。体下具驳杂的黑色粗糙刻点及大型黑斑。

头黑色，具光泽，头顶中央和唇基端部略带黄褐色。上颚片端部圆钝，与唇基平齐。复眼突出。头腹面除小颊边缘外有光泽的黑色，小颊前角圆钝略向下伸出。触角黄褐色，第5节端部大半黑褐色，第1节略短于头末端，2、3节约等长。喙端部黑色，伸达后足基节后缘。

前胸背板前缘宽阔的弧形内凹，眼后部分平截；前角几乎不伸出，末端略超出复眼外缘；前侧缘前半黄白色胝状构造明显，中央的弯折处成角状而非均匀的弧状，后半略呈棱边状，轻微翘起；侧角伸出，末端圆钝，角体前缘略带黑色，后缘光滑的黄褐色；后缘平直。小盾片刻点黑色粗糙，基缘中央有个隐约的条形黄白色胝斑，基角处也各有1个模糊的胝状条带，端部宽舌状。前翅革片外缘圆弧形外拱，中裂端部内侧各有1个圆形的胝斑，革片端缘外拱，膜片淡褐色，末端约与腹末平齐。前胸背板侧角后缘的腹面光滑黄褐色；前胸侧板在足基节处及后缘黄褐色布粗糙黑刻点，其余黑色并具铜质光泽；中、后胸侧板密布黑色粗糙刻点，在靠近外缘处有大片黑色区域。足黄褐色，股节和胫节布黑色小斑，胫节上的黑斑尤为细小且稀疏，中、后足股节近端部处常有2个更大的黑斑。臭腺沟缘十分短小。

腹侧接缘几乎不外露，最外缘一线黄褐色。腹部腹面中央和两侧有3条边界不规则的黑色条带，有时在基部连成一片，气门黑色，气门两侧黄褐色；两侧中央的刻点最为粗糙，中央光滑几乎无刻点，气门附近的刻点也较狭小；各节后角处有1个显著的矩形黑斑。

雄虫生殖囊腹缘凹陷略呈梯形，其内侧的凹陷为圆弧形。阳基侧突感觉叶端部明显的二叉状，2个分支一长一短，均为细长的指状；感觉叶一侧有显著的大齿，表面粗糙，有若干横向棱起。阳茎系膜具端部轻微分叉的系膜顶叶；中交合板侧面观端部钝，端缘扁薄轻微外卷，其内侧各有1个末端弯钩状的突起；阳茎端细长。

雌虫第1载瓣片三角形，内半黑色，其相互之间的区域呈倒梯形。8、9侧背片端部平齐。

**量度(mm):** ♂: 体长6.50~7.00，宽4.50~4.90；头长1.70~1.95，宽2.05~2.30；触角1~5节的长度分别为0.50、0.70、0.70、1.05、1.40；前胸背板长1.70~1.95；小盾片长2.80~3.15，宽2.90~3.15。♀: 体长7.50~8.00，宽5.00~5.50；头长1.90~2.05，宽2.20~2.45；触角1~5节的长度分别为0.50、0.70、0.70、1.10、1.40；前胸背板长2.00~2.45；小盾片长3.10~3.34，宽3.25~3.40。

**分布:** 陕西(秦岭)、山西、甘肃、浙江、湖北、江西、湖南、四川。

## 192. 果蝽属 *Carpocoris* Kolenati, 1846

*Carpocoris* Kolenati, 1846: 45. **Type species**: *Cimex nigricornis* Fabricius, 1775 ( = *Cimex purpureipennis* de Geer, 1773).

**属征**: 体中型。较宽，黄褐色，前翅革片有时枣红色，头和前胸背板前半常有4条黑色刻点带。头长宽约相等，上颚片端部圆钝，略超过唇基端部，但不会合，复眼不甚突出；触角5节，第1节不伸达头末端，第2节明显长于第3节；小颊前角圆钝角状，伸出或不伸出，外缘低矮平直，后角圆钝角状，向后略伸出。喙伸达后足基节，不超过后足基节后缘。前胸背板宽大于长，前缘和前侧缘狭边状，前侧缘不同程度的扁薄，侧角角状且显著伸出体外或圆钝略伸出。小盾片长大于宽，端部宽长，端缘圆钝，略呈角状，侧缘弯折处约在侧缘中点处；基部显著隆起。前翅膜片外缘具1条暗色条带，末端超过腹部末端较多。中胸腹板具低矮且细的中央纵脊；后胸腹板中央宽阔的浅内凹，两侧具低矮的立壁。臭腺沟缘粗长，较直，向端部渐细。跗节3节。腹部侧接缘宽阔的弧形外拱，腹部基部中央平坦。

雄虫生殖囊腹缘内凹，底部中央均具2个圆钝的突起，两侧波曲程度不同，腹缘亚端部另有1个强烈的骨化突或具1个显著的缺刻，侧缘端部向外侧伸展；具边缘羽状的伪阳基侧突，较为宽大；生殖囊背缘内侧具1对骨化突起。阳基侧突干部基处具突起；桨叶突背缘扁薄片状并外拱，其前端前伸的程度具种间差异，底部边缘具1个强烈骨化的齿突，内侧面靠近顶部处的骨化横脊在末端形成骨化的圆钝突起，有的种类无此突起。阳茎鞘宽短，背侧基部具1对宽圆的鞘盾片，亚基部具1对短钝的骨化突起；阳茎系膜具1对基部膜质，端部宽圆骨化的顶叶；中交合板缺失；阳茎端极为细长弯曲。

雌虫第1载瓣片在中央不相互接触。第9侧背片端部圆钝，明显伸出第8腹节后缘。第8侧背片端部圆钝的显著外隆，约与第9侧背片端部平齐。

**分布**: 中国记录4种，秦岭地区发现1种。

### (335) 紫翅果蝽 *Carpocoris purpureipennis* (de Geer, 1773) (图126；图版5：3)

*Cimex purpureipennis* de Geer, 1773: 258.

*Cimex nigricornis* Fabricius, 1775: 701.

*Cimex porphyropterus* Gmelin, 1790: 2147 (new name for *Cimex purpureipennis* de Geer, 1773).

*Carpocoris* (*Codophila*) *tarsata* Mulsant *et* Rey, 1866: 246.

*Carpocoris nigricornis* var. *pyrosoma* Westhoff, 1884: 44.

*Carpocoris purpureipennis* [sic!] var. *sexmaculatus* Péneau, 1921: 56.

*Carpocoris pudicus* f. *fumarius* Stichel, 1924: 202.

*Carpocoris purpureipennis* f. *maculata* Tamanini, 1958: 348, 384.

*Carpocoris purpureipennis* f. *japonensis* Tamanini, 1959: 126.

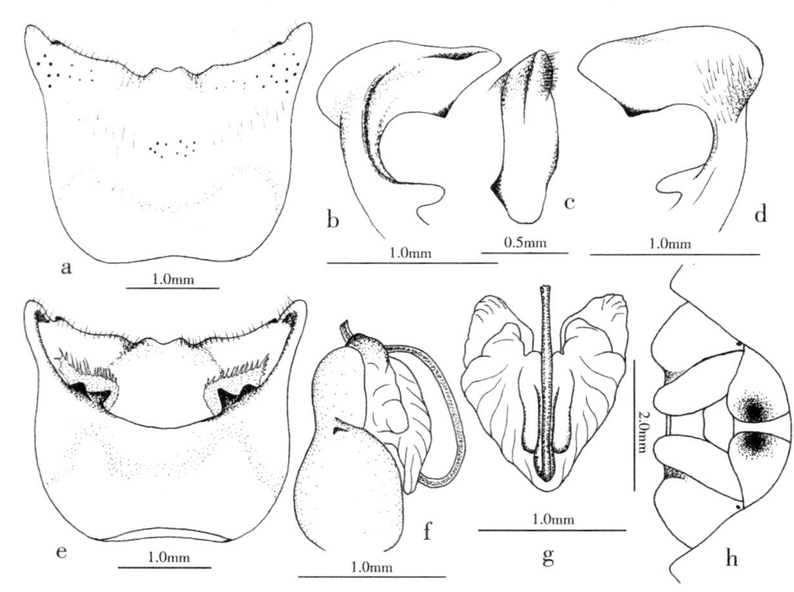


图 126 紫翅果蝽 *Carpocoris purpureipennis* (de Geer)

a. 雄虫生殖囊腹面观; b–d. 阳基侧突侧面观; c. 阳基侧突端面观; e. 雄虫生殖囊背面观; f. 阳茎侧面观; g. 阳茎端面观; h. 雌虫生殖节

**鉴别特征:** 体中型。较宽阔，体背面枣红色或暗红褐色，大部分刻点黑色；体腹面淡黄褐色，刻点大部分与底同色，有若干刻点黑色，腹部腹面具隐约的黑色刻点带。

头长宽约相等，侧缘较平直，轻微外拱；上颚片狭长，基部宽度约为唇基宽度的2倍，端部圆钝，略长于唇基端部，但不会合；头背面黄褐色，刻点黑色，头侧缘除端部外刻点极为密集，成整齐的黑色条带状，头顶中央的刻点稍密集，上颚片内侧和唇基端半的刻点略稀疏。触角第1节黄褐色，背面具1条黑色纵线，第2~5节全部黑色，第1节不伸达头末端，第2节明显长于第3节。头腹面淡黄褐色，刻点与底同色，触角基上方各有1条黑色条带，小颊前角圆钝的角状，显著伸出，外缘极为低矮且平直，后角圆钝角状，略向后伸出。喙伸达后足基节前缘，第1节末端超过小颊外。

前胸背板：宽大于长，前半具4条隐约的黑色刻点组成的短纵带，侧角端部具较大的不规则黑斑，中轴处和胝区后方的刻点与底同色，其余刻点黑色且稀疏；前缘边缘狭边状，弧形内凹，眼后部分平截，且较窄，边缘布黑色刻点；前角小角状伸出，指向体前侧方，末端略超过复眼外缘；前侧缘光滑狭边状，除侧角处黑色外，其余部分黄褐色且无刻点分布，在前1/3处略明显内凹；侧角宽大的角状，明显伸出体外；

后侧缘外拱；后缘平直，中心处略内凹。小盾片：长大于宽，端部宽长，端缘圆钝，略呈角状，侧缘弯折处约在侧缘中点处；基部显著隆起，基部中央刻点黑色且粗大，向后刻点渐细小，端部刻点渐变为与底同色且稀疏。爪片和前翅革片布黑色刻点，外革片上的刻点较粗大；内革片上散布若干光滑的淡色小胝斑；端缘外拱；端角圆钝，略伸出；膜片淡褐色，外侧缘具1条棕褐色纵带，膜片长，末端明显超过腹部末端。胸部腹面淡黄色，各节侧板靠近足基节处均有1个小黑斑，中胸侧板前缘中央另有1个小黑斑，前胸侧板在前角下方也有1个同样的小点斑。在有的个体中，胸部侧板外侧具若干黑色的细小刻点。臭腺沟缘粗长，向末端渐细。足黄褐色，跗节第2节端半和第3节黑色，股节和胫节均匀密布黑色的小点斑。

腹侧接缘宽阔外露，黄黑相间，两者界限清晰或不清晰，各节中央的黄褐色区域的宽度约为节宽的1/3～1/2。腹部腹面淡黄褐色，腹基中央平坦，有的个体腹面隐约可见4条黑色刻点带贯穿第3～6腹节，有的个体有不同程度的弱化，有的个体则无黑色刻点。

雄虫生殖囊腹缘较浅的内凹，底部中央具2个圆钝的突起，两侧波曲程度较弱，腹缘亚端部有1个明显的凹刻，凹刻两侧强烈骨化，侧缘端部向外侧伸展；伪阳基侧突边缘羽状；生殖囊背缘内侧具1对骨化突起。阳基侧突干部基处具1个短的圆钝突起；桨叶突背缘扁薄片状并外拱，端部同样的扁薄边状并外拱，内侧面具上下2个强烈的骨化突起，背缘的片状部分前伸不超过内侧面中央的圆钝骨化突起。阳茎鞘宽短，背侧基部具1对宽圆的鞘盾片，亚基部具1对短钝的骨化突起；阳茎系膜具1对基部膜质，端部宽圆骨化的顶叶；中交合板缺失；阳茎端极为细长弯曲。

雌虫第1载瓣片内缘中央内侧各有1个黑色圆斑；内缘弧形外拱，不相互接触；内角宽圆；外缘略内凹。第9侧背片端部圆钝，显著伸出第8腹节后缘。第8侧背片端部圆钝的显著外隆，约与第9侧背片端部平齐。

**量度(mm)：**♂：体长13～14，宽7.80～8.20；头长2.50～2.75，宽2.60～2.85；触角1～5节的长度分别为0.55、1.20、0.90、1.40、1.60；前胸背板长3.10～3.45；小盾片长5.20～5.55，宽4.50～4.75。♀：体长14～16，宽8.00～9.20；头长2.70～3.35，宽2.60～3.25；触角1～5节的长度分别为0.60、1.20、0.90、1.40、1.60；前胸背板长3.02～3.65；小盾片长5.30～5.95，宽4.60～5.25。

**采集记录：**2♀1♂，凤县秦岭车站，1500m，1994.Ⅶ.27，董建臻采。

**分布：**陕西(凤县)、黑龙江、吉林、辽宁、内蒙古、河北、山西、山东、甘肃、青海、宁夏、新疆；古北区。

## 193. 岱蝽属 *Dalpada* Amyot *et* Serville, 1843

*Dalpada* Amyot *et* Serville, 1843: XXII, 105. **Type species**: *Dalpada aspersa* Amyot *et* Serville, 1843.

**属征：**体较大，长椭圆形，背面较平，体背面刻点粗糙，色彩多为斑驳的黄褐色或棕褐色，有的种类为金绿色。前胸背板前侧缘及腹部腹面常被白色短毛。

头长，上颚片端部二叉状，即侧缘在亚端部处有 1 个角状突起，该突起后侧有 1 处内凹，之后又有 1 个钝突起，上颚片约与唇基平齐；复眼十分突出；单眼远离前胸背板前缘，其间距约为单眼与复眼之间距离的 2 倍；触角细长，第 1 节略短于或伸达头末端，第 3 节略长于第 2 节；喙第 1 节伸出小颊外；小颊较低矮。

前胸背板宽大于长；前缘中央平坦内凹；前角末端与复眼外缘约平齐；前侧缘内凹或内折，边缘粗糙不规则的锯齿状；侧角结节状，略伸出体外；小盾片长大于宽，侧缘较为平直，端部狭长；前翅革片端部超过小盾片端部，膜片色深，末端超过腹部末端；中、后胸腹板宽阔，前足基节相处较近；胫节具棱边，前足胫节外侧靠后的棱边端部常不同程度的拱起或扩大成叶片状；跗节 3 节，不同色。臭腺沟缘粗细较为均匀，较长，端半上扬。

腹部侧接缘拱起，外露。腹面基部几节中央具浅沟，两侧常有断续或整齐的深色纵带。

雄虫生殖囊腹缘中央宽阔的凹陷，亚端部常有不同形状的突起，生殖囊侧缘多为角状；阳基侧突短钝的“L”形或端部两叶状；阳茎鞘腹面基部中央有 1 个短钝的突起；阳茎系膜具 1 对骨化的背突，阳茎系膜具发达的顶叶和端部骨化的腹叶，顶叶膜质，多数种类其端部二叉或三叉状，基上颚片有或无、发达或不发达；中交合板细长的杆状；阳茎端细长，两者相互垂直或呈一定角度。

雌虫第 1 载瓣片的内缘多较长且大部分相互接触，内角圆钝或角状，后缘近平直，有时有向内的角状突起，但无显著向后的指状突出；第 8 侧背片端部常有小尖角状伸出，或弧形不伸出；第 9 侧背片端部圆钝，不伸出或略伸出于平直的第 8 腹节后缘。

**分布**：中国记录 8 种，秦岭地区发现 2 种。

## 分种检索表

体背面金绿色 ………………………………………………………… **绿岱蝽 *D. smaragdina***
体背面黄褐色或棕褐色 …………………………………………… **中华岱蝽 *D. cinetipes***

### (336) 中华岱蝽 ***Dalpada cinetipes*** **Walker, 1867**

*Dalpada cinetipes* Walker, 1867: 229.

**鉴别特征**：体大，长椭圆形；体背黑褐色或棕褐色，前翅革片端部略带紫红色，小盾片基角具大黄斑；腹面除边缘黑褐色外为光滑的黄褐色。

头具密集的黑褐色粗糙刻点，头顶单眼之间刻点稀疏，隐约有 1 个不规则的黄褐色带，复眼内侧各有 1 个黄褐色光滑圆斑，单眼外侧靠近基部各有 1 条斜行的黄褐色光滑条带；上颚片端部圆，与唇基末端平齐，其侧缘近端部处有1个较宽阔的钝角状突起，其后的侧缘有1处内凹；复眼极为突出；触角第1节背面及2、3节黑褐色，第1节腹面和第2、3节节间处为黄白色，第4、5节基半黄白色，端半黑褐色，触角第1节伸达头末端，第3节长于第2节。头腹面除小颊的外缘及小颊后的基部外密布黑褐色刻点；小颊低矮，前角三角形突出。喙伸第3腹节后缘，其第1节末端伸出小颊外。

前胸背板：表面不平整，胝区后方隐约有1个横向的凹陷，其上有4个突出的黄褐色光滑斑；前半具中央光滑纵线；前缘中央平坦，略内陷，黄褐色，眼后部分平截；前角黄白色，略伸出，其端部与复眼外缘平齐；前侧缘中央向内弯折，前半不规则的锯齿状；侧角结节状，其背面具若干深刻的横褶皱，端部光滑，略上翘；后角宽阔圆弧状，不伸出；后缘平直。小盾片：三角形，舌部狭长，端部圆钝；黑褐色，表面粗糙，基部明显隆起；基角处具光滑的黄色椭圆形大斑，其大小约与复眼相仿，基缘中央具一处不规则小黄斑；刻点向端部渐稀疏且不再连成线状，使得端部略呈黄褐色。爪片和前翅革片黄褐色，其上刻点为暗棕红色或黑褐色，前翅革片上有若干散布的不规则大黑斑，端部超出小盾片端部；膜片深烟褐色，伸出腹末。中胸腹板中央纵脊细线状，且极为低矮，其两侧各有1块黑色的矩形大斑；后胸腹板宽阔平坦；前胸侧板处、中胸侧板大部、后胸侧板挥发域外侧为黑色；臭腺沟缘中央强烈弯曲向上，末端圆钝，几乎伸达挥发域外侧前角处。各足股节基部1/3或1/2黄褐色，其余斑驳的黑褐色；胫节黑褐色，中央具黄褐色环形区域；跗节前2节黄褐色，第3节黑色，爪端半黑色，基半黄褐色。

腹侧接缘外露，黑褐色，各节中央1/5为黄褐色，后角伸出；腹面黄褐色，中央光滑，两侧具细密的刻点；气门黑色，其前方围绕黄褐色光滑弧形斑，气门外侧为黑褐色，各节外缘中央有个黄褐色半圆形斑；3、4腹节中央具宽阔浅沟。

雄虫生殖囊腹缘开口“V”形，但开口底部圆钝，其亚端部处有1个明显的缺刻。阳基侧突桨叶突与干部连接处较厚，桨叶突角状，感觉叶突出程度极弱，其上着生刚毛。阳茎鞘腹面基部中央有1个短突起；阳茎系膜具1对细长的膜质顶叶，两者从基部就开始分离；1对宽阔的基上颚片，膜质，其内侧各着生1个细小的膜质突起；1对腹叶，基部宽，膜质，端部圆钝指状且骨化。

雌虫第1载瓣片内缘平直，相互接触，内角为圆钝的弧形，后缘在外侧有1处浅内凹；第1载瓣片在内角处各有1/2圆形大黑斑；第8侧背片外缘基部和端部极窄的黑色，其端部不伸出；第9侧背片端部圆钝，与第8腹节后缘约平齐。

**量度**(mm)：♂：体长17.00～18.50，宽8.00～9.20；头长3.80～4.35，宽4.00～4.85；触角1～5节的长度分别为0.95、2.30、2.90、缺、缺；前胸背板长4.25～4.60；小盾片长6.60～7.15，宽5.70～6.25。♀：体长19～21，宽8～10，触角1～5节的长度分别为0.95、1.90、2.50、2.70、2.40；头长3.50～4.25，宽3.70～4.75；前胸背板长3.85～4.50；小盾片长6.70～7.45，宽5.30～6.45。

**分布**：陕西(秦岭)、河北、山西、河南、甘肃、江苏、安徽、湖北、江西、湖南、福建、台湾、广东、海南、广西、四川、贵州、云南；朝鲜，日本。

### (337) 绿岱蝽 *Dalpada smaragdina* (Walker, 1868) (图 127)

*Udana smaragdina* Walker, 1868: 549.

*Amasenoides virescens* Shiraki, 1913: 217.

*Dalpada smaragdina*: Hsiao *et al.*, 1977: 118.

**鉴别特征：**体大，长椭圆形，背面金绿色，前胸背板中央纵线隐约可见；腹面淡黄色，腹部气门外侧具金绿色纵带，各节外缘中央的黄斑较浅，仅为弧形。

头上颚片末端圆，与唇基平齐，侧缘亚端部的角状突起侧指伸出；复眼和单眼之间有 2 条成“<”或“>”排布的黄褐色光滑短带；头顶中央有 1 条隐约的黄褐色宽带，与前胸背板的中央纵线相连。触角第 1 节红褐色，其侧面具黑褐色纵条带，第 2 节基部红褐色，端部大半为黑褐色及第 3 节为黑褐色，第 4、5 节基半红褐色，端半黑色；第 1 节约伸达头端部，第 3 节略长于第 2 节。头腹面两侧宽阔的金绿色，小颊及头基部为黄褐色，小颊前角直角状略伸出。喙第 1 节伸出小颊外，末端伸达第 3 腹节基部。

前胸背板：中央纵线在前半较为明显，向后渐弱；盘域后半略带褐色；前缘中央平坦内陷；前角端部略短于复眼外缘；前侧缘明显内凹，边缘极浅的锯齿状，前半狭窄的淡黄色；侧角黑色结节状，略伸出体外，且明显上翘；后角处具淡黄的较窄的弧形斑；后缘平直。小盾片：基角处具弧形黄斑，基缘中央有 2～3 个淡黄色光滑横带，小盾片端半中央有略微隆起的隐约纵带，端部狭长，端缘黄白色。爪片和前翅革片布均匀的细小刻点，外革片基部的刻点略为密集和粗糙；膜片烟褐色，略超出腹末。各胸节侧板外缘的金绿色斑块连成 1 条断续的金绿色宽带；中胸腹板为黄褐色，在有些个体中，其外缘具 1 条黑褐色纵带；臭腺沟缘端半强烈上扬，几乎伸达挥发域前缘，但不到达外缘。足黄褐色，略带红褐色，股节除基部外散布黑褐色小斑点，跗节红褐色，第 3 节端部略成黑褐色，爪端半黑色；前足胫节外侧端部的拱起程度极弱。

腹侧接缘外露，除边缘极窄的淡黄色狭边外，均为金绿色，各节后角黄色小尖角状。腹部腹面中央大部为淡黄色，气门黑色，其外侧区域金绿色，各节外缘中央仅有极浅的黄色弧形斑，或减弱至仅有外侧的淡黄色狭边。

雄虫生殖囊腹缘中央“V”形内凹，两侧边缘略有波曲。阳基侧突端缘宽阔，桨叶突略呈三角形。阳茎鞘腹面基部中央具 1 个短钝突起；阳茎系膜具 1 对骨化背突、1 个细长发达的膜质顶叶，1 对短小指状的膜质基上颚片，以及 1 对端部骨化的腹叶；中交合板粗，端部略平截；阳茎端向端部渐细，约与中交合板端部平齐。

雌虫第 1 载瓣片内角处各有 1 块黑色区域，内缘中央微内凹，左右两个第 1 载瓣片内缘之间形成 1 条极窄的缝隙，内角几乎为直角，相互接触；后缘在外侧处有 1 处内凹。第 8 侧背片端部圆钝，无小尖角伸出，第 9 侧背片端部圆钝，不超出第 8 腹节后缘。

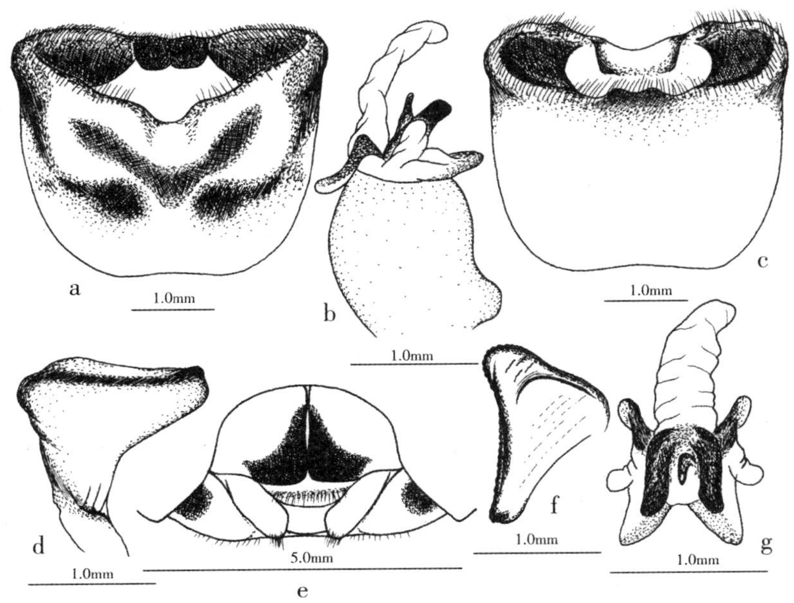


图 127 绿岱蝽 *Dalpada smaragdina*（Walker）

a. 雄虫生殖囊腹面观；b. 阳茎侧面观；c. 雄虫生殖囊背面观；d. 阳基侧突侧面观；e. 雌虫生殖节；f. 阳基侧突端面观；g. 阳茎端面观

**量度(mm)：**♂：体长 15.00 ~ 16.50，宽 8.50 ~ 9.00；头长 3.30 ~ 3.85，宽 3.50 ~ 4.05；触角 1 ~ 5 节的长度分别为 0.80、1.95、2.30、2.60、2.65；前胸背板长 3.55 ~ 4.00；小盾片长 5.65 ~ 6.10，宽 5.10 ~ 5.65。♀：体长 16.50 ~ 20.00，宽 8.80 ~ 11.80；头长 3.75 ~ 4.80，宽 3.90 ~ 5.95；触角 1 ~ 5 节的长度分别为 0.75、2.20、2.50、2.70、2.50；前胸背板长 3.90 ~ 5.00；小盾片长 7.00 ~ 8.10，宽 5.90 ~ 7.00。

**采集记录：**1♀，镇巴，500m，1985.Ⅶ.21，任树芝采。

**分布：**陕西(镇巴)、黑龙江、山西、河南、甘肃、江苏、安徽、湖北、江西、湖南、福建、台湾、广东、广西、四川、贵州、云南、西藏。

## 194. 斑须蝽属 *Dolycoris* Mulsant *et* Rey, 1866

*Dolycoris* Mulsant *et* Rey, 1866: 258. **Type species**: *Cimex verbasci* de Geer, 1773 ( = *Cimex baccarum* Linnaeus, 1758).

**属征：**体中型，狭长，前翅革片向后渐狭。体表密布白色直立长毛。前翅革片和腹面毛被较少且短。背面多布光滑并轻微隆起的碎胝斑。

头长宽约等长，复眼小，略呈球形，单眼间距较大；侧缘平直或轻微波曲，上颚片端部圆钝，肥厚，有时略上翘，端部略长于唇基或与唇基等长。触角 5 节，第 1 节不伸达头末端，第 2 节长于第 3 节。小颊前角圆钝的直角状，略向下伸出，外缘低平，后角圆钝的叶状，轻微向后伸出，末端不伸达复眼后缘。喙的第 1 节末端不超过小颊外。

前胸背板宽大于长，胝区不显著，前半的刻点较密集且色深；前角圆钝角状，略超过复眼外缘；前侧缘光滑平直，边缘扁薄略上翘且光滑无刻点；侧角圆钝，几乎不伸出体外。小盾片长三角形，端部狭长，基部中央和侧缘弯折处刻点较密集，端部刻点较稀疏。前翅革片外缘较平直，不显著外拱，外革片较狭窄；端缘略外拱；端角圆钝，略伸出；膜片淡褐色，透明，明显超过腹末。臭腺沟缘短小，不达挥发域宽度的 1/3。

侧接缘外露，黄黑相接，个别个体全部橙黄色。腹面基部中央平坦，腹面中央布极为稀疏的若干黑色粗大刻点，气门黑色。

**分布**：中国记录 5 种，秦岭地区发现 1 种。

### （338）斑须蝽 *Dolycoris baccarum*（**Linnaeus, 1758**）（图 128；图版 5：4）

*Cimex baccarum* Linnaeus, 1758: 445.

*Cimex verbasci* de Geer, 1773: 257 (new name for *Cimex baccarum* Linnaeus, 1758).

*Cimex subater* Harris, 1780: 90.

*Cimex albidus* Gmelin, 1790: 2161 (nec Thunberg, 1784).

*Aelia depressa* Westwood, 1837: 32.

*Pentatoma confusa* Westwood, 1837: 8 (nec Westwood, 1837: 9).

*Pentatoma inconcisa* Walker, 1867: 301.

*Dolycoris baccarum* var. *brevipilis* Reuter, 1891: 202.

*Dolycoris baccarum* var. *japonicum* Furukawa, 1930: 54.

*Dolycoris baccarum*: Hsiao *et al.*, 1977: 105.

**鉴别特征**：体中型，体表面除前翅革片和头腹面外均布有白色直立长毛；体背面黄褐色，前胸背板后半、前翅革片带枣红色。体腹面淡黄褐色，布若干粗大刻点。

头长宽约相等，侧缘轻微波曲，边缘黑色，上颚片狭长，端部圆钝，略长于唇基，复眼略呈球形，较小；头背面黄褐色，刻点黑色，粗糙，头顶中央和唇基中央刻点稀疏，成 1 条隐约的淡色纵带，复眼内侧各有 1 条黄褐色光滑细纵带；触角黑色，第 1 节除端部外、其余各节两端均为黄褐色，第 1 节不伸达头端部，第 2 节长于第 3 节。头腹面淡黄褐色，光滑无刻点及直立长毛，小颊表面具若干褶皱，触角基上方有 1 个黑色短带。小颊前角圆钝的直角状，略伸出，外缘中央内凹，后角圆钝的叶状，略向后伸出，末端伸达复眼中心水平，不达头基部。喙伸达中足基节后缘，最多伸达后足基节前缘处，第 1 节末端不伸出小颊外。

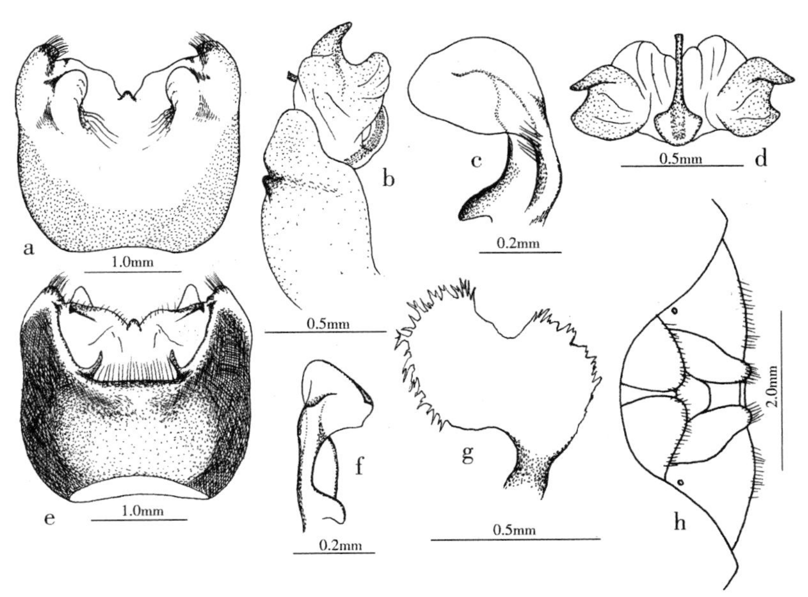


图 128　斑须蝽 *Dolycoris baccarum*（Linnaeus）

a. 雄虫生殖囊腹面观；b. 阳茎侧面观；c. 阳基侧突侧面观；d. 阳茎端面观；e. 雄虫生殖囊背面观；f. 阳基侧突侧面观；g. 伪阳基侧突；h. 雌虫生殖节

前胸背板：宽大于长，后半略带枣红色，前半尤其是前角内侧、前侧缘扁薄边的内侧刻点密集且粗大，后半的刻点较均匀且细小；前缘中央 1/2 显著内陷，边缘略呈光滑的领边状，眼后部分斜平截，边缘具刻点；前角黄褐色，圆钝的角状，略伸出，指向体前侧方，端部略超过复眼外缘；前侧缘光滑平直，边缘略扁薄，并轻微上翘；侧角圆钝，几乎不伸出，边缘扁薄；后侧缘斜平直；后角弧形；后缘平直。小盾片：长明显大于宽，端部较狭长，向末端渐细，并呈显著的淡黄白色，小盾片表面黄褐色，基缘内侧刻点粗大密集，侧缘弯折处刻点略小但较为密集，其余部位刻点稀疏，基角处刻点稀疏，成隐约的黄斑。前翅革片外缘较直，略宽阔的外拱；外革片基部的刻点较稀疏，其余部分和内革片上的刻点分布密集且较为均匀，其间布细小的光滑胝斑；端缘略外拱，端角圆钝；膜片淡褐色，透明，末端明显超过腹末。胸部腹面淡黄褐色，侧板上的刻点黑色或与底同色，靠近足基节处分别有 1 个黑斑，中胸腹板前缘中央附近另有 1 个小黑斑。臭腺沟缘短小，不达挥发域宽度的 1/3。足淡黄褐色，胫节端部略带黑色，跗节除第 1、2 节端部外黑色，各足股节和胫节布细小的黑色点斑，股节亚端部各有 1 个较大的黑点斑。

腹侧接缘外露，并略微上翘，黄黑相间，各节中央的黄褐色区域宽度为节宽的 1/3 ~ 1/2，各节后角黑色，端部圆钝，略伸出。腹面基部中央平坦。腹面淡黄褐色，气门黑色，两侧气门之间布若干大小不等的黑色粗糙刻点，腹面两侧缘在节间处各有 1 个小黑斑。

雄虫生殖囊腹缘中央内凹，腹面端部两侧的圆钝突起边缘光滑，无毛簇着生，侧缘端部圆钝指状。具边缘羽状的伪阳基侧突。阳茎鞘亚端部背面具1对短钝的骨化突起，端部两侧靠近背侧具1对轻微骨化的鞘盾片；阳茎系膜具1对基部膜质、端部骨化的二叉状基上颚片；中交合板缺失，阳茎端基部膨大，端部细长，指向背侧。

雌虫第1载瓣片内缘略隆起，基部远离，向后渐近，但几乎不接触。第9侧背片端部圆钝，略伸出第8腹节后缘。第8侧背面端部宽圆。

**量度(mm)**：♂：体长10.50~12.00，宽5~6；头长2.30~2.85，宽2.30~2.85；触角1~5节的长度分别为0.60、1.20、0.80、1.20、1.30；前胸背板长2.10~2.65；小盾片长4.20~4.75，宽3.40~3.90。♀：体长11~14，宽5~7；头长2.25~3.30，宽2.30~3.15；触角1~5节的长度分别为0.50、1.20、0.70、1.10、1.30；前胸背板长2.00~3.05；小盾片长3.90~4.95，宽3.25~4.00。

**采集记录**：4♀5♂，凤县秦岭车站，1400m，1994.Ⅶ.29，董建臻采。

**分布**：陕西(凤县)、黑龙江、吉林、辽宁、内蒙古、河北、山西、河南、山东、甘肃、青海、宁夏、新疆、江苏、浙江、湖北、江西、湖南、福建、广东、海南、广西、四川、贵州、云南、西藏；古北区。

## 195. 麻皮蝽属 *Erthesina* Spinola, 1837

*Erthesina* Spinola, 1837: 290, 291-293. **Type species**: *Cimex mucoreus* Fabricius, 1794 ( = *Cimex fullo* Thunberg, 1783).

**属征**：头长，向前渐狭，侧缘亚端部具角状突起，上颚片端部尖锐，与唇基末端平齐；触角第1节不伸达头端部；喙第1节伸出小颊外。前胸背板长约等于头长；前侧缘明显的锯齿状，平直或略内凹；侧角不呈结节状，三角形，几乎不伸出体外；后角圆钝不伸出。臭腺沟缘长度超过挥发域宽度的1/2，端部略向上弯曲，但不伸达挥发域外缘。中胸腹板具低矮且较细的中央纵脊；后胸腹板平坦宽阔。前足和后足胫节端部外侧的棱边向外不同程度的扩展。腹基中央平坦，无刺突或突起；腹部中央从基部开始向后有1条凹沟，喙置于其中。

**分布**：中国记录2种，秦岭地区发现1种。

### (339) 麻皮蝽 *Erthesina fullo* (Thunberg, 1783)

*Cimex fullo* Thunberg, 1783: 42.

*Cimex mucoreus* Fabricius, 1794: 117.

*Dalpada japonica* Walker, 1867: 228.

*Apodiphus amygdale* (nec Germar, 1817): Shiraki, 1910: 107.

*Erthesina fullo*: Hsiao *et al.*, 1977: 138.

**鉴别特征：**体大型，背面黑褐色，前胸背板、小盾片和前翅革片布黄褐色光滑小胝斑，1 条黄褐色光滑纵线贯穿头和前胸背板；中、后胸腹板黑色；腹面其他部分黄褐色，有黑色粗糙刻点组成的斑带。

头长大于宽，向端部渐狭，复眼前方的外缘轻微波曲，亚端部的角状突起较钝，上颚片端部尖锐，与平截的唇基末端平齐。头背面黑色，布密集的同色粗糙刻点，侧缘一线黄褐色，头中央有 1 条纵贯全长的黄褐色纵带，复眼内侧各有 1 个长条形的黑色光滑胝带。头腹面两侧黑色，在触角基内侧被 1 条纵贯全长的黄褐色纵带分成 2 条几乎等宽的黑色纵带，小颊黄褐色，前角角状，向后渐低矮，末端不到达复眼中心。喙伸达第 6 腹节前缘，第 1 节末端超出小颊外较多，伸达前胸腹板前缘处。

前胸背板：宽大于长，黑色，有 1 条显著的纵贯全长的黄褐色光滑纵线，该纵线后半略细；胝区前方仅 4 处胝斑，胝区后布有较多黄褐色光滑胝斑；前缘黄褐色领状，宽阔圆钝的内凹，复眼后的平截部分窄；前角略伸出，末端与复眼外缘平齐；前侧缘略内凹，边缘具 1 排黄褐色小锯齿；侧角小三角形，略伸出，侧角后缘有 1 处隆起；后角宽阔圆钝，不向后伸出；后缘平直。小盾片：长大于宽，黑色，散布较多黄褐色光滑小胝斑，胝斑之间常有相连，端部较长，端缘圆钝弧形。爪片和前翅革片上的刻点比前胸背板和小盾片上的刻点细小；内革片略带紫褐色，基部和端缘处散布若干黄褐色胝斑，中央大部分几乎无胝斑；外革片黑色，其上黄褐色胝斑较小其较密集；端缘平直；端角角状，不尖锐；膜片黑褐色，具 8 ~ 9 条平行纵脉，膜片端部明显超过腹末。前、中胸侧板黄褐色，布黑色粗糙刻点，刻点常连成不规则的线斑；后胸侧板外缘黑褐色，挥发域黑褐色，内有 1 处黄褐色横斑，臭腺沟缘黄褐色，其长度超过挥发域宽度的 1/2，但不伸达挥发域外缘，端部圆钝，略向上弯曲；中、后胸腹板包括中胸腹板上的纵脊均为黑色。各足股节基部和腹面黄褐色，背面为黑色；胫节大部黑色，中央具 1 个黄褐色环带，其宽度从前向后渐宽；跗节前 2 节黄褐色，第 3 节黑色。

腹侧接缘明显外拱，外露，黑色，各节中央具 1 个不规则的黄褐色横斑，其宽度短于节宽的 1/3。腹面各个节间处具黑色横线，气门处具黑色圆斑，气门外的腹节外缘两端黑色，中央黄褐色，黄褐色矩形斑的宽度大于节宽的 1/3。第 7 腹节中央具大型黑斑。

雄虫生殖囊腹缘深内凹，凹陷两侧斜平直，底部中央波曲；侧缘圆钝角状；背缘两侧复杂，各有 2 个突起，内侧突起低矮的圆钝角状，外侧突起较高。阳基侧突复杂，端部可视为两叶状，靠近中央载肛突的一叶向一侧延伸成尖锐的角状，向另一侧延伸成较钝的角状；另一叶端部较宽，其上有“S”形的粗脊。阳茎鞘细长，具 1 对鞘盾片。阳茎无骨化背突；具 1 个发达的膜质顶叶，向端部渐细；1 对骨化的系膜腹叶；中交合板矩形，端部平截；阳茎端细，端部略短于中交合板端部。

雌虫第 1 载瓣片黑色，外缘与第 7 腹节接触处各有 1 个黄褐色条形斑，向内延伸，产卵瓣、第 2 载瓣片和载肛突均为黑色；第 1 载瓣片内缘弧形外拱，基部相互接触，向后分离；内角宽阔圆钝；外缘弧形略外拱。第 8 侧背片端部小角状伸出，该角状突起内侧各有 1 个圆斑，外缘靠近第 7 腹节后缘处各有 1 个弧形黑斑。第 9 侧背片端缘具黑色弧形斑，端部圆钝，略伸出第 8 腹节后缘。

**量度(mm)**：♂：体长 20～23，宽 10～11；头长 4.80～5.85，宽 3.90～4.75；触角 1～5 节的长度分别为 1.00、2.50、2.35、3.30、3.20；前胸背板长 4.40～5.45；小盾片长 7.90～5.95，宽 6.60～7.35。♀：体长 23～25，宽 10～12；头长 5.20～5.95，宽 4.15～5.20；触角 1～5 节的长度分别为 1.00、2.35、2.30、3.10、3.00；前胸背板长 4.75～5.40；小盾片长 8.50～9.25，宽 7.40～8.45。

**分布**：陕西(秦岭)、辽宁、内蒙古、北京、河北、山西、河南、山东、甘肃、新疆、江苏、安徽、浙江、湖北、江西、湖南、福建、台湾、广东、海南、广西、四川、贵州、云南；日本，印度，斯里兰卡，阿富汗，巴基斯坦，印度尼西亚。

## 196. 菜蝽属 *Eurydema* Laporte, 1833

*Eurydema* Laporte, 1833: 61. **Type species**: *Cimex oleraceus* Linnaeus, 1758.

**属征**：体中小型，长椭圆形，布稀疏刻点，颜色鲜艳，具形状各异的黑斑。

头近三角形，端部圆钝，稍下倾，侧叶长于中叶并在中叶前相互接触，侧叶侧缘具浅色光滑窄脊状边，上卷；触角 5 节，漆黑，端部两节常密被棕色短细毛；喙 4 节，黑色，端部伸达中足基节处。前胸背板近前缘处具 1 个浅横凹沟，将前胸背板分为前后两部分，前半部隆拱；前缘领状，具光滑窄脊状边，上卷；前角小齿突状，侧指；侧角几乎不伸出，端部圆钝；小盾片呈长三角形，基半部稍隆拱，中胸腹板中央具 1 个低平纵脊，其周围密被浅色短细毛；臭腺位于后胸侧板前缘内侧，臭腺沟缘敞开，挥发域面积较小。

雄虫生殖囊端部两侧具 1 对耳状结构，腹缘中央具 1 个薄片状结构，端部周缘及腹面密被短细毛，阳基侧突片状，由端部的桨状突及干部组成，桨状突端部向一侧伸出，向端部渐尖；阳茎具 1 对发达的系膜顶叶，内缘端部微骨化，中胶合板发达，呈豌豆状，阳茎端较短且弯曲，一般不超过中胶合板端部。

雌虫第 8 腹节侧背片三角形，第 1 载瓣片近梯形；受精囊球上无突起，种间差别不明显。

本属种间形态结构差异不显著，但色斑类型多种多样，因此，色斑型及雌雄生殖器的结构是本属各种的主要鉴别依据。各种之间的色斑差异主要集中在头部浅色斑、前胸背板、小盾片和前翅革片黑斑类型，以及腹下黑斑的类型。此外，同一种分布地区不同的个体色斑类型也存在变异。

**分布**：中国记录 12 种，秦岭地区发现 2 种。

## 分种检索表

腹下中央具 1 对黑斑 ……………………………………………………… **横纹菜蝽 *E. gebleri***
腹下中央无 1 对黑斑 ……………………………………………………… **菜蝽 *E. dominulus***

### (340) 菜蝽 *Eurydema dominulus* (Scopoli, 1763)

*Cimex dominulus* Scopoli, 1763: 124.
*Cimex cordiger* Goeze, 1778: 277 (nec Goeze, 1778).
*Pentatoma fimbriolatum* Germar, 1836: pl. 9 and legend.
*Eurydema lhesgicum* Kolenati, 1846b: 28.
*Eurydema daurica* Motschulsky, 1860a: 502.
*Strachia minuscule* Walker, 1867a: 348.
*Eurydema dominulus* var. *albovariata* Reuter, 1891a: 177.
*Eurydema dominulus* f. *immaculate* Stichel, 1924: 202.

**鉴别特征：**头全黑色，端部稍下倾，侧叶侧缘和前缘具黄色或红色光滑窄边；单眼红色，复眼黑褐色；头下黄白色，侧叶前端下方具 1 个小横黑斑，触角基呈黄白色；触角漆黑，第 5 节最长，第 2 节明显长于第 3 节，稍短于第 4 节。

前胸背板具 6 个不规则黑斑，近前角处 2 个横黑斑，两斑之间光滑无刻点，后排 4 个斜黑斑，中间 2 个较大；小盾片长三角形，被稀疏黑色刻点，基部中央具 1 个近三角形大黑斑，侧缘近端部各具 1 个小黑斑，其浅色部分呈“Y”形；前翅爪片及内革片黑色，在内革片外缘中部具 1 个近三角形橙黄色或红色斑纹，其大小在不同地区的不同标本中略有不同，有时消失不可见，外革片橙黄色或红色，大部分标本在中部及近端角处各具 1 个小黑斑，但少部分标本外革片中部黑斑缺失或仅留痕迹，膜片黑褐色，外缘灰白；胸部腹面淡黄色，侧缘橙黄色或红色，各胸节侧板上各具 1 个完整的方形黑斑，中胸腹板中央具 1 个圆形大黑斑，其中央具 1 个浅色低纵脊；足基节和转节黑色，腿节基部黄白色，端部具不规则黑斑，胫节两端黑，中央具浅色环纹。

腹部背面橙黄色或红色，端部 1 节黑；侧结缘橙黄色或红色，具 2～4 个大小不等的小黑斑，有时仅留痕迹或消失；腹下淡黄色，边缘橙黄色或红色，各腹节基部中央具 1 个宽带状的大横黑斑，其两侧各具 1 个椭圆形小黑斑，有时与中央的横黑斑相互接触。

雄虫生殖囊两侧耳状结构端部深内凹，腹缘较平直；阳基侧突端部向一侧水平伸出，上缘平直，向端部渐尖。

雌虫第 1 载瓣片上缘近中央处内凹，内缘平直且相互接触。

**量度(mm)：**♂：体长 5.60～8.98；头长 1.21～1.40，宽 1.68～2.15；单眼间距 0.47～0.65；触角 1～5 节的长度分别为 0.37、0.75、0.56、0.84、0.93；前胸背板长 1.31～1.68，宽 3.27～4.40；小盾片长 2.24～3.27，宽 2.06～3.00。♀：体长 8.23～

10.10；头长1.40～1.68，宽2.06～2.34；单眼间距0.65～0.75；触角1～5节的长度分别为0.42、0.84、0.65、0.94、1.08；前胸背板长1.31～1.87，宽4.11～5.14；小盾片长3.27～3.55，宽2.62～3.08。

**采集记录：** 2♀，凤县秦岭车站，1400m，1994.Ⅶ.28，卜文俊采；1♀，凤县秦岭车站，1400m，1994.Ⅶ.29，董建臻采；1♂，杨凌，1994.Ⅶ.25，卜文俊采；1♀，佛坪岳坝保护站，1100m，2006.Ⅶ.19，丁丹采；4♂，佛坪岳坝保护站，1700m，2006.Ⅶ.24，许静杨采。

**分布：** 陕西（凤县、杨凌、佛坪）、吉林、内蒙古、山西、山东、江苏、浙江、江西、福建、广西、四川、贵州、云南、西藏；古北区广布。

### （341）横纹菜蝽 *Eueydema gebleri* Kolenati, 1846（图版5：5）

*Eurydema gebleri* Kolenati, 1846b: 23.

*Strachia picturata* Stål, 1858: 178.

*Eurydema gebler* var. *tsherskii* Reuter, 1910: 74.

*Eurydema gebleri* f. *chinensis* Stichel, 1961: 631.

**鉴别特征：** 头侧叶基部具三角形小黄白斑，其余黑色，有时在头顶中央亦具1个黄白色小纵斑；触角漆黑，第2节明显长于第3节，稍短于第4节，第5节最长；头腹面黄白色，布稀疏浅色刻点，在侧叶前端下方、小颊两侧及触角基部各具1个带状小黑斑。

前胸背板黄白色，边缘橙黄色，中央具6个黑斑，近前角处2个横斑，两斑之间常具橙黄色方形斑，后排4个斜斑，中央2个明显较大，常与侧角处两黑斑相接触，融合成2个大黑斑，从而使前胸背板中央的浅色部分呈“+”字形；小盾基部中央具1个近正三角形大黑斑，侧缘近端部各具1个小黑斑，侧缘具黄白色的纵条纹，端部橙黄色至橙红色，从而使浅色部分形呈“Y”形斑纹；前翅革片黑色，具蓝绿色金属光泽，外革片基半部及侧缘黄白色至橙黄色，端部具1个黄白色至橙红色横斑，膜片黑褐色，外缘灰白色，稍长于腹部末端；胸部腹面黄白色，侧缘橙黄色，中胸腹板中央具1个低纵脊，其两侧各具1个黑斑和几条横皱褶，胸侧板在足基节外侧具小纵黑斑，侧板外缘基角处具弧形黑斑，两者之间光滑无刻点；足腿节黄白色至橙黄色，端部具不规则黑斑，胫节两端黑，中央具黄白色环纹。

腹部背面黑色，侧结缘橙黄色，无黑斑；腹下黄白色至橙黄色，均匀密被浅色刻点，各腹节基部中央具1对小黑斑，其两侧具1个纵列黑斑；气门黑色，位于侧缘黑斑外缘。

雄虫生殖囊耳状结构向两侧明显伸出，端部微内凹，腹缘中央内凹，端部向两侧伸出小指状突；阳基侧突桨状突向一侧明显伸出，向端部渐尖。

雌虫第1载瓣片上缘中央宽内凹，内缘直，相互接触。在众多标本中发现少数几头标本，其颜色存在变异，非黄白色，而是呈暗红色，但黑斑类型相一致，且通常不具蓝绿色金属光泽。经解剖雄虫生殖节发现两者为同一种。

**量度(mm)：**♂：体长6.82~7.95；头长1.21~1.31，宽1.87~1.96；单眼间距0.65~0.75；触角1~5节的长度分别为0.37、0.93、0.75、1.15、1.21；前胸背板长1.31~1.50，宽3.74~3.83；小盾片长2.62~2.80，宽2.24~2.33。♀：体长8.04~8.25，头长1.31~1.45，宽1.96~2.01；单眼间距0.65~0.75；触角1~5节的长度分别为0.37、0.98、0.79、1.17、1.21；前胸背板长1.60~1.68，宽4.02~4.30；小盾片长2.89~2.99，宽2.43~2.52。

**采集记录：**1♀1♂，凤县大散关，1999.Ⅸ.04，郑乐怡采；1♂，杨凌，1994.Ⅶ.25，吕楠采；1♂，佳县，1985.Ⅶ.07，任树芝采。

**分布：**陕西(凤县、杨凌、佳县)、黑龙江、吉林、辽宁、河北、山西、河南、山东、甘肃、江苏、安徽、湖北、四川、云南、西藏；蒙古，俄罗斯，朝鲜，韩国，哈萨克斯坦。

## 197. 二星蝽属 *Eysarcoris* Hahn，1834

*Eysarcoris* Hahn，1834：66. **Type species**：*Cimex aeneus* Scopoli，1763.

**属征：**体小，卵圆形，背腹较隆拱，黄色至黄褐色，具较密黑色刻点。

头约呈三角形，端部圆钝，稍下倾，侧叶等于或稍短于，有时稍长于中叶，侧缘基部稍内凹；触角基节不超过头端部，第5节最长，第4节明显长于第3节；喙4节，可伸达第2~3可见腹节。前胸背板前半部下倾，后半部较隆拱，胝区各具1个黑斑，前侧缘具浅色光滑窄脊状边，侧角伸出体外较短，或几乎不伸出，端部圆钝或呈针状；小盾片舌状或倒钟形，基角处具1个黄白色光滑小圆斑；足跗节3节，第2节最短；臭腺孔明显，位于后胸前缘内侧，臭腺沟缘很短，呈耳窝形，蒸发域端部闭合。腹下具完整黑斑；侧结缘黄黑相间。

雄虫生殖囊宽短，长与宽近相等，腹缘中央不同程度的内凹；阳基侧突近“F”形，干基部向一侧着生1个发达的片状感觉叶，其上着生数根长细毛，桨状突端部向一侧伸出，尖细；阳茎鞘呈圆柱形，阳茎端细长，向背面弯曲，外面常包裹鞘状结构，顶叶系膜发达，二叉状，中交合板发达，骨化，基部狭窄，端部较宽大，通过系膜与顶叶及其腹面的基侧叶相连，基侧叶端部稍骨化。

雌虫第8腹节侧背片长三角形，第9腹节侧背片宽片状，端部一般不超过第8腹节侧背片外缘，第1载瓣片宽大，近直角三角形，较第8腹节侧背片宽大。

**分布：**中国记录11种，秦岭地区记述4种。

### 分种检索表

1. 侧角不伸出 …………………………………………………………………… 2
   侧角伸出 ……………………………………………………… **北二星蝽 *E. aeneus***

2. 小盾片倒三角形，基角处黄白斑多小于复眼直径，端部具 3 个小黑点斑，腹下中央具 1 个倒三角形黑斑，边缘清晰整齐 ………………………………………………… **广二星蝽 *E. ventralis***
小盾片宽大，呈倒钟形，端部隐约具 1 个锚纹 ……………………………………………… 3
3. 腿节近端部具 1 个黑斑 ……………………………………………………… **二星蝽 *E. guttiger***
腿节近端部无任何黑斑 ……………………………………………………… **拟二星蝽 *E. annamita***

### (342) 北二星蝽 *Eysarcoris aeneus* (Scopoli, 1763)

*Cimex aeneus* Scopoli, 1763: 122.
*Cimex fucatus* Rossi, 1790: 235.
*Cimex perlatus* Fabricius, 1794: 125.
*Eysarcoris perlatus* var. *spinicollis* Puton, 1881a: 76.
*Eysarcoris perlatus* var. *ventralis* Horvath, 1882: 219 (preoccupied).
*Eysarcoris parvus* Uhler, 1896: 258.
*Eysarcoris aeneus* var. *peezi* Tamanini, 1961b: 122 (unavailable name).
*Eysarcoris aeneus* f. *nigriventris* Stichel, 1962a: 781 (unavailable name).

**鉴别特征：**体卵圆形，淡黄色，密被黑粗刻点。

头较宽大，近方形，端部稍下倾，全黑色，具铜绿色金属光泽，头基部中央多具 1 个浅色短纵纹；侧叶宽大，端部圆钝，稍长于中叶，侧缘中部微凹；单眼红色，复眼褐色，较小；触角黄褐色，第 4 节端部及第 5 节黑色，从第 1～4 节渐长，第 5 节明显长于其他各节；头腹面黑色，具铜绿色色金属光泽；喙黄褐色，端部黑，伸达后足基节处。

前胸背板宽短，长宽比约为 0.37，前半部下倾，后部较隆拱，中央刻点稀疏，向周围逐渐密集；胝区具 1 个近方形黑斑，其前缘常达前胸背板前缘处，内缘及后缘具光滑淡色边缘，侧角伸出较短，向端部渐窄，部分个体侧角水平伸出较长，端部尖如针状；小盾片呈倒三角形，基角处具 1 个长椭圆形光滑黄白斑，斜列，端部圆钝，其边缘常具 3 个小黑点斑，短于前翅革片端部；胸侧板黄褐色，密布黑色粗刻点，侧缘及前胸侧板端角处较密集，形成不规则的黑斑；足淡黄至黄褐色，腿节近端部具 1 个小黑斑。

腹下淡黄褐色，中央均匀漆黑，边缘呈锯齿状，其两侧各具 1 个长短不等的黑纵纹；气门黑色。

雄虫生殖囊短小，腹缘中央宽"V"形内凹，两侧脊状加厚，稍向腹面翻卷；阳基侧突较细长，端部呈指状，背面端部着生数根短细毛；阳茎端较短，向端部渐细。

雌虫第 1 载瓣片上缘弧形，内缘直，基部稍分离；受精囊较小，球状膜囊异常膨大。

此种可依据前胸背板侧角区分为两种不同的类型：一种前胸背板侧角伸出体外较短，且端部圆钝；另一种前胸背板侧角水平伸出较长，端部尖如针状。

**量度(mm):**♂:体长5.80~6.26,宽3.83~4.21;头长1.50,宽1.59~1.68;触角1~5节的长度分别为0.28、0.47、0.47、0.61、0.93;前胸背板长1.50~1.68;小盾片长2.24~2.34,宽2.52~2.71。♀:体长6.26~6.82,宽4.21~4.58;头长1.59,宽1.78~1.87;触角1~5节的长度分别为0.28、0.42、0.42、0.49、0.78;前胸背板长1.50~1.68;小盾片长2.34~2.43,宽2.71~2.90。

**采集记录:**1♂,凤县秦岭车站,1400m,1994.Ⅶ.29,董建臻采。

**分布:**陕西(凤县)、黑龙江、吉林、辽宁、内蒙古、河北、天津、山西、河南、甘肃、宁夏、安徽、湖北、江西、四川;古北区。

### (343)拟二星蝽 *Eusarcoris annamita* Breddin, 1909

*Eusarcoris annamita* Breddin, 1909: 274.

**鉴别特征:**体宽短,淡黄色至黄褐色,密被黑色小刻点。

头短小,长宽比约为0.76,全黑色,密布黑色粗刻点;侧叶与中叶等长,侧叶侧缘中部稍内凹;单眼淡黄色,复眼红褐色或褐色,大而圆,向外突隆;触角黄褐色,第2节与第3节等长,稍短于第4节,第5节最长;头腹面黑色,喙黄褐色,端部黑色,伸达后足基节。

前胸背板胝区具1个横黑斑,其前方刻点密集,常伸达前胸背板前缘,前缘平直,稍窄于复眼间距;侧角几乎不伸出,角体端部圆顿,刻点密集,后缘稍窄于小盾片基部;小盾片宽大,呈倒钟形,侧缘中央近基部处微内凹,基角处具1个浅色光滑大圆斑,其周围刻点密集,端部具1个隐约锚纹;前翅革片端角圆钝,超过小盾片端部,膜片淡黄褐色,半透明,稍长于腹部末端;胸下黄褐色,密布黑刻点,前胸侧板内侧具1个黑斑,侧角端部腹面黑色;足黄褐色,散生若干小黑点斑。

腹下均匀漆黑,其侧缘可伸达气门附近,边缘清晰整齐;气门黑色。

雄虫生殖囊宽短,腹缘中央稍内凹;阳基侧突薄而细长,端部尖细,基部感觉板宽厚,端部斜平截;阳茎端细长,向背面弯曲,顶叶系膜发达,呈二叉状,其基部具1对指状突起,阳茎端腹面中央具1对指状腹突,非骨化。

雌虫第1载瓣片上缘较平直,内缘相互靠拢,基部不分离。

**量度(mm):**♂:体长5.70~6.08,宽3.93~4.21;头长1.31~1.40,宽1.68~1.78;单眼间距0.61~0.75;触角1~5节的长度分别为0.32、0.47、0.47、0.65、0.84;前胸背板长1.40~1.68;小盾片长2.34~2.52,宽2.90~3.00。♀:体长5.70~6.08,宽3.93~4.21;头长1.31~1.40,宽1.68~1.78;单眼间距0.68~0.72;触角1~5节的长度分别为0.32、0.47、0.47、0.65、0.84;前胸背板长1.40~1.68;小盾片长2.34~2.52,宽2.90~3.00。

**采集记录:**1♀,佛坪岳坝保护站,1100m,2006.Ⅶ.24,李晓明采;1♀,镇坪牛头店乡红星村,1200m,2003.Ⅶ.06,于海丽采;1♀,镇巴,1985.Ⅶ.20,任树芝采。

**分布：**陕西（佛坪、镇坪、镇巴）、北京、天津、山西、河南、山东、甘肃、江苏、安徽、浙江、湖北、江西、湖南、福建、广东、海南、广西、贵州、四川、云南、西藏；朝鲜，日本，越南。

### （344）二星蝽 *Eysarcoris guttiger*（**Thunberg, 1783**）

*Cimex guttigerus* Thunberg, 1783: 32.

*Pentatoma nepalensis* Westwood, 1837: 36.

*Pentatoma punctipes* Westwood, 1837: 36 (nec Palisot de Beauvois, 1811).

*Eysarcoris potanini* Jakovlev, 1890: 542.

*Eusarcoris breviusculus* Jakovlev, 1902g: 598.

*Bainbriggeanus fletcheri* Distant, 1918: 135.

*Eysarcoris guttiger*: Hsiao *et al.*, 1977: 134.

**鉴别特征：**体短小，背腹较隆拱，黄褐色，密被黑色刻点。

头宽短，长宽比约为0.80，稍下倾，全黑，密布黑色粗刻点，少数个体中央近基部具浅色纵纹，侧叶与中叶等长，侧叶侧缘近基部稍内凹，单眼淡红色，复眼较大，红褐色；触角黄褐色，向端部渐深，第2节与第3节等长，短于第4节，第5节最长，头下黑，喙基部浅黄褐色，向端部渐深，第3节基部及第4节黑色，伸达后足基节处。

前胸背板宽阔，长宽比约为0.40，前半部稍下倾，密布黑粗刻点，后半部较隆拱，胝区各具1个横黑斑，前侧缘具浅色光滑窄细脊状边，中央稍内凹，侧角较短，端部圆钝，后缘直，窄于小盾片基部，宽大，呈倒钟形，侧缘中部微凹，基角处具1个圆形光滑黄白斑，斑的大小及形状在种内有变异，一般大于复眼直径，端部有时隐约具1个锚纹，但不明显，前翅革片端角圆钝，稍短于或等于小盾片端部，膜片灰白色，半透明，伸达腹部末端或稍长于腹部末端；胸侧板黄褐色，具不规则的黑斑，腹板黑，中央密被浅色短细毛；足黄褐色，较体色浅，散布若干黑褐色小斑点和短细毛，腿节近端部具1个黑斑，跗节3节，第3节端部颜色较深，腹面密被浅色短毛，爪基部黄褐色，端部黑色。

腹下较隆拱，黄褐色，中央具1个均匀漆黑约呈倒三角形的纵斑，约占腹部的1/3，边缘锯齿状，其两侧刻点密集，形成1条长短不等的黑纵纹，部分个体腹下黑斑较宽阔，侧缘可延伸到气门附近，边缘模糊；气门黑。

雄虫生殖囊长椭圆形，端部较窄，腹面明显突隆，密布黑刻点及浅色短细毛，腹缘中央宽内凹，两侧稍向腹面翻卷；阳基侧突短小宽厚，端部圆钝；阳茎端中央近端部处向两侧延伸出1/2圆形片状结构，左右对称，包裹阳茎端，顶叶系膜发达，其腹面基部两侧各具1个宽指状突起，背面具1个细长指状突。

雌虫第1载瓣片宽大，其上缘平直，内缘端部分离，向基部逐渐靠拢。

**量度（mm）：**♂：体长5.61~6.17，宽3.46~4.30；头长1.21~1.40，宽1.59~1.78；单眼间距0.70~0.75；触角1~5节的长度分别为0.37、0.47、0.47、0.75、

0.93；前胸背板长1.40～1.87；小盾片长2.24～2.62，宽2.43～2.80。♀：体长5.42～6.36，宽3.83～4.30；头长1.36～1.50，宽1.68；单眼间距0.70～0.75；触角1～5节的长度分别为0.37、0.47、0.47、0.75、0.93；前胸背板长1.59～1.68；小盾片长2.43～2.90，宽2.71～3.00。

**采集记录：** 2♂2♀，留坝庙台，1400m，1994.Ⅷ.04，卜文俊采；4♂2♀，佛坪岳坝保护站，2006.Ⅶ.20，丁丹采；2♀1♂，佛坪县城关，2006.Ⅶ.25，许静杨采；3♀，同上，1100m，2006.Ⅶ.24，李晓明采。

**分布：** 陕西（留坝、佛坪）、黑龙江、辽宁、内蒙古、河北、山西、河南、山东、甘肃、宁夏、江苏、安徽、浙江、湖北、江西、湖南、福建、台湾、广东、海南、广西、四川、贵州、云南、西藏；朝鲜，日本，尼泊尔，斯里兰卡。

### （345）广二星蝽 *Eysarcoris ventralis*（Westwood，1837）

*Pentatoma ventralis* Westwood，1837：36.
*Pentatoma inconspicuum* Herrich-Schäffer，1844：93.
*Eysarcoris distactus* Dallas，1851a：226.
*Eysarcoris misellus* Stål，1854b：217.
*Eusarcoris elferi* Fieber，1861：332.
*Stollia rectipes* Ellenrieder，1862：150.
*Eusarcoris pseudoaeneus* Jakovlev，1869：117.
*Eysarcoris mayeti* Mulsant *et* Rey，1872：99.
*Eusarcoris scutellaris* Jakovlev，1885a：112.
*Eusarcoris egenus* Jakovlev，1900：521.
*Eusarcocoris sindellus* Distant，1902a：168.
*Eusarcoris schmidti* Jakovlev，1902：600.
*Eysarcoris tangens* Stichel，1961：564.
*Iysarcoris conjusus* Fuente，1972b：96.
*Eysarcoris uniformis* Fuente，1972b：97.
*Eysarcoris hispalensis* Fuente，1972：99.
*Eysarcoris luisae* Fuente，1972：101.
*Eysarcoris ventralis*：Hsiao *et al.*，1977：133.

**鉴别特征：** 体长椭圆形，较同属其他种窄长，其长宽比约为1.68，体侧缘较平行，淡黄褐色或黄褐色，布黑色小刻点。

头宽短，长宽比约为0.86，全黑色，密布黑色粗刻点，头顶及侧叶中央常具浅色纵纹，复眼内侧常具1个浅色斑点，中叶等于或稍长于侧叶，侧叶侧缘中央内凹，单眼淡红色，复眼黑褐色，大而向外突隆，触角黄褐色，由基部向端部颜色渐深，第2节与第3节几乎等长，稍短于第4节；头腹面黑色，喙黄褐色，端部1节黑色，伸达后足基节或第2腹节处。

前胸背板较窄，长宽比约为0.48，胝区具1个条形横黑斑，较狭细，其周缘密布黑色刻点，前缘较平直，稍内凹，稍宽于复眼间距，前角较不明显，前侧缘平直，具窄脊状边，侧角几乎不伸出，端部圆钝，后缘直，窄于小盾片基部，小盾片约呈倒三角形，端部圆钝，其端缘常具3个小黑点斑，基角处黄白斑较小，一般小于复直径，前翅革片侧缘较平行，端角为锐角，超过小盾片端部，膜片灰白色，半透明，超过腹部末端约0.75mm；胸部腹面黄褐色，布黑色粗刻点，前胸侧板及中胸侧板前缘具浅色短细毛，腹板黑，中央密被浅色短毛；足浅黄褐色或黄褐色，散生小黑点斑，跗节较细长，第1节最长，腹面密被浅色短毛，爪黄褐色，端部黑。

腹下浅黄褐色，中央具1个倒形黑斑，约占腹部的1/3，边缘清晰整齐，其两侧各具1个长短不等的黑纵纹，部分个体腹下黑斑较宽大，其两侧缘可扩展至气门附近，气门浅色；侧结缘黄黑相间，各腹节两端角处各具1个小黑点斑。

雄虫生殖囊较长，腹缘中央内凹，两侧由内侧各伸出1个近方形的片状结构；阳基侧突短小宽厚，端部上缘较平截；阳茎端向背面弯曲，近端部向两侧延伸成片状，顶叶发达，端部二叉状分离，其背面具1个指状突，非骨化。

雌虫第1载瓣片上缘较平直，内缘基部稍分离。

**量度(mm)：**♂：体长6.08～7.01，宽3.27～3.93；头长1.50，宽1.68～1.96；单眼间0.65；触角1～5节的长度分别为0.28、0.56、0.56、0.75、0.84；前胸背板长1.40～1.59；小盾片长2.15～2.34，宽2.15～2.62。♀：体长6.04～6.82，宽3.65～4.30；头长1.50～1.68，宽1.78～1.96；单眼间距0.65；触角1～5节的长度分别为0.28、0.56、0.56、0.65、0.84；前胸背板长1.59；小盾片长2.34～2.52，宽2.43～2.90。

**采集记录：**1♀，汉中龙岗，1975. Ⅵ. 29，路进生采。

**分布：**陕西(汉中)、辽宁、河北、北京、天津、山西、河南、山东、新疆、安徽、浙江、湖北、江西、福建、台湾、广东、海南、广西、四川、贵州、云南；古北区。

## 198. 茶翅蝽属 *Halyomorpha* Mayr, 1864

*Halyomorpha* Mayr, 1864: 911. **Type species**: *Halys timorensis* Westwood, 1837 ( = *Cimex picus* Fabricius, 1794).

**属征：**体中型，头端部宽阔，略平截，上颚片与唇基末端平齐，复眼大且突出。前胸背板前侧缘狭窄的领边状，光滑且较为平直，侧角圆钝角状，不伸出体外。小盾片三角形，宽略大于长。臭腺沟缘尖长。中胸腹板具低矮的中央纵脊。足胫节具棱边，跗节3节。侧接缘外露，腹部腹面基部中央无突起。

**分布：**中国记录2种，秦岭地区记述1种。

### (346) 茶翅蝽 *Halyomorpha halys* (Stål, 1855)

*Pentatoma halys* Stål, 1855: 182.
*Poecilometis mistus* Uhler, 1860: 223.
*Dalpada brevis* Walker, 1867: 226.
*Dalpada remota* Walker, 1867: 227.
*Halyomorpha halys*: Hsiao *et al.*, 1977: 152.

**鉴别特征：**体中型，背面较平，体色变异较大，从棕褐色、半金绿色到全金绿色不等。腹面黄色或橙红色。

头略呈矩形，端部两侧斜平截，侧缘在复眼前方略隆起，其前方有1处内凹。头背面密布刻点，复眼前方各有1个光滑的黄褐色椭圆形胝状斑，复眼大且突出。触角第1～3节端部为黄褐色，布黑色点斑，第3节基部大半黑色，第4节中央黑色，两端橙黄色，基部略带黑色，第4节基部橙黄，其余黑色；第1节略短于头端部，第3节略长于第2节。头腹面两侧具若干金绿色小碎斑。小颊前角圆钝的角状伸出，外缘低矮且长，伸达头基部。喙伸达第3腹节中央，第1节端部不伸出小颊外。

前胸背板：向前略倾斜，前半具隐约的中央纵脊，胝区后方各有2个黄褐色光滑胝斑，刻点密集但分布不均匀；前缘中央平坦的内凹，眼后平截部分短且密布刻点；前角小角状向侧面伸出，端部略超过复眼外缘；前缘光滑平直或轻微内凹，边缘狭窄的领边状；侧角圆钝角状，几乎不伸出；后侧缘斜平直；后角宽圆，不向后伸出；后缘平直。小盾片：三角形，宽大于长，基角具黄褐色小圆斑，基缘中央有时具1个小黄斑，侧缘基部3/4较平直，端部圆钝。革片刻点分布较为均匀，略带红褐色，膜片烟褐色，翅脉色略深，膜片端部超过腹末。胸部腹面橙黄色或橙红色，侧板外侧具不同程度的金绿色斑块及密集的刻点，中胸腹板光滑，具低矮且细的中央纵脊。臭腺沟缘极为细长，端部尖细，伸达挥发域外缘。足黄褐色，股节除端部外、胫节布黑色小点斑。

腹侧接缘外露，各节两端1/3黑色且密布刻点，中央1/3黄褐色，各节后角小尖角状，略伸出。腹面基部中央无显著突起，中轴处光滑无刻点，两侧具细小的黑色刻点，向外侧渐密集。各节外缘2端狭窄的黑色。

雄虫生殖囊腹缘两端成耳状，显著伸出，中央较平坦，中点处具1个浅凹陷；生殖囊背缘中央具宽阔的片状突起，其端缘中央有三角形凹刻。

雌虫第1载瓣片内缘平直，相互紧密接触，内角钝角状，外缘向后侧方斜平直。第9侧背片端部圆钝，伸出第8腹节后缘外。第8侧背片端部圆钝的角状伸出，约与第9侧背片端部平齐。

**量度(mm)：**♂：体长14.00～16.50，宽7～8；头长2.90～3.60，宽3.00～3.75；触角1～5节的长度分别为0.80、1.40、2.20、2.80、2.70；前胸背板长2.80～3.50；小盾片长5.00～5.75，宽4.60～5.30。♀：体长16.50～17.50，宽8～9；头长3.10～3.40，宽3.10～3.60；触角1～5节的长度分别为0.80、1.50、1.80、2.50、2.70；前胸

背板长 3.20～3.50；小盾片长 5.80～6.10，宽 5.10～5.65。

**分布**：陕西(秦岭)、黑龙江、吉林、辽宁、内蒙古、河北、山西、河南、江苏、安徽、浙江、湖北、江西、湖南、福建、台湾、广东、广西、四川、贵州、云南、西藏；朝鲜，日本。

## 199. 全蝽属 *Homalogonia* Jakovlev, 1876

*Homalogonia* Jakovlev, 1876: 89. **Type species**: *Pentatoma obtusa* Walker, 1868.

**属征**：体中型，宽短，体色暗。头与前胸背板几乎等长或前者略短于后者。上颚片宽，与唇基等长或略长于唇基但不会合，唇基端缘平直。触角第 1 节远短于头端缘。前胸背板和小盾片表面不平坦，具若干凹陷。臭腺沟缘细长，端部 2/3 呈细线状，末端靠近后胸侧板前缘，几乎伸达挥发域外缘；挥发域在中胸侧板上的面积较大，约占到 1/2。腹基平坦，不显著隆起或刺突状。雌虫第 1 载瓣片宽阔平坦。雄虫生殖囊腹缘深内凹；阳基侧突端面约为长椭圆形；阳茎系膜无背突，系膜顶叶发达，端部骨化刺状，系膜基上颚片发达，端部骨化。

**分布**：中国记录 7 种，秦岭地区记述 2 种。

### 分种检索表

侧接缘黄黑相接，界限明显 ………………………………………………………… **陕甘全蝽 *H. sordida***

侧接缘刻点稀疏，分布均匀但无明显界限；小盾片基角处无胝斑；中、后胸腹板黄褐色……………
………………………………………………………………………… **全蝽指名亚种 *H. obtusa obtusa***

### (347) 全蝽指名亚种 *Homalogonia obtusa obtusa* (Walker, 1868)（图版 5：6）

*Pentaoma obtuse* Walker, 1868: 560.

*Homalogonia maculate* Jakovlev, 1876: 90.

*Carpocoris fuscispinus* (nec Boheman, 1851): Okamoto, 1924: 68 (misidentification).

*Homalogonia obtusa*: Hsiao *et al.*, 1977: 123.

**鉴别特征**：体中型，体色较均匀，砖褐色或灰褐色，布密集粗糙黑刻点；体下黄白色，具稀疏刻点。

头侧缘狭窄的黑色，波曲略卷翘，上颚片端部渐狭，长于唇基，在后者前方形成缺口；触角基背侧密布黑色刻点；触角第 1 节黄褐色布黑色小点斑，第 2、3 节及第 4 节基半红褐色，第 4 节向端部渐黑，第 5 节基半橙黄色，向端部渐黑，第 2、3 节约等长或第 3 节略长于第 2 节。小颊前角三角形，伸出。喙伸达后足基节中央。

前胸背板大部平整，胝区后缘有若干凹陷及 4 个黄白色小胝斑；前侧缘前半及侧角角体前缘黑色刻点密集，前侧缘中央刻点稀疏，具若干小胝斑；前缘中段平直深内陷，前角在眼后平截，端部黄白色，略伸出，指向体侧；前侧缘宽阔的略内凹，前半稀疏锯齿状，向后渐弱至平滑；侧角伸出体外部分略短于前翅革片基部宽，端部圆钝，角体前缘扁薄略翘起。小盾片刻点不甚均匀，但不形成明显胝斑，基部中央的隆起呈“Y”形，端部圆钝。前翅膜片烟褐色，其上具若干较弱的圆斑，端部伸出腹末或与腹末平齐。前胸背板前侧缘下方一线具若干黑色刻点，胸部腹面其余部分刻点细密同体色，前、中胸侧板近足基节处有 1 个小黑斑；中、后胸腹板黄白色。足黄褐色，股节布稀疏的黑色粗大斑点，胫节密布黑色细小刻点，爪端半黑。

腹侧接缘外露，布均匀黑色刻点，有时中央刻点略稀疏，但边界模糊，最边缘一线两侧黑色，中央狭窄的黄褐色；腹基略隆起，端部平截，中央有浅纵沟；第 3 ~ 6 腹节两侧具极稀疏的黑色刻点，腹面其余部分刻点无色；气门同体色，各节在气门内后侧一定距离处都有 1 个略大的黑斑；各节边缘两侧狭窄的黑色线状。

雄虫生殖囊中央平坦内陷。阳基侧突桨叶突端面宽阔。阳茎系膜无背突，系膜顶叶发达，端部骨化刺状，系膜基上颚片端半骨化，端缘圆钝；中交合板宽阔，阳茎端不伸出中交合板外。

雌虫第 1 载瓣片内缘基部 1/5 外拱，形成倒三角，其后平直，相互接触紧密；外缘在近中线 1/4 处向外突出；第 9 侧背片端部位于第 8 腹节后缘内侧。

**量度(mm)**：♂：体长 12.00 ~ 13.50，宽 7.50 ~ 8.00；头长 2.45 ~ 2.90，宽 2.70 ~ 2.95；触角 1 ~ 5 节的长度分别为 0.65、1.20、1.50、1.75、1.90；前胸背板长 2.90 ~ 3.25；小盾片长 4.90 ~ 5.25，宽 4.60 ~ 4.95。♀：体长 14.00 ~ 14.50，宽 8 ~ 9；头长 2.70 ~ 2.90，宽 2.90 ~ 3.05；触角 1 ~ 5 节的长度分别为 0.70、1.22、1.40、1.60、1.80；前胸背板长 3.10 ~ 3.25；小盾片长 4.95 ~ 5.15，宽 5.10 ~ 5.75。

**采集记录**：2♀，周至板房子，1994. Ⅷ. 10，卜文俊采；1♀，凤县大散关，1999. Ⅸ. 04，郑乐怡采；3♀，留坝庙台子，2000. Ⅷ. 31，周长发采。

**分布**：陕西(周至、凤县、留坝)、黑龙江、吉林、辽宁、内蒙古、河北、河南、山东、甘肃、江苏、浙江、江西、湖北、福建，广东、广西、四川、贵州、云南、西藏；俄罗斯(东部)，朝鲜，日本，印度。

### (348) 陕甘全蝽 *Homalogonia sordida* Zheng, 1994 (图 129)

*Homalogonia sordida* Zheng, 1994: 1.

**鉴别特征**：体中型，宽短，棕褐色，刻点黑色粗糙，体下尤其是胸部具细密黑色刻点。

头侧缘在眼前部分几乎平行，上颚片端部斜平截，与唇基末端平齐或略长于唇基，头端部宽阔；复眼内侧具黄褐色长方形胝斑；触角 1 ~ 3 节红褐色，具不规则的黑色小点斑，第 4 节基部红褐色，端部大部分黑色，第 5 节基部 1/4 黄褐色，其后黑色，第 3 节略长于第 2 节；喙伸达第 4 腹节后缘。

前胸背板较平，表面不平坦，胝区内侧以及外侧与侧角基部之间区域略凹陷；胝区内侧后方有 1 个黄色小胝斑；背板后半的刻点略微细小；前缘中段平直内凹；前角伸出不明显，指向体前侧；前侧缘内凹，前半粗短锯齿状，向后渐弱；侧角伸出体外，端部宽阔圆钝，角体前缘宽阔扁薄，略上翘；后缘直。小盾片基缘处有 4 或 5 个不规则的小胝斑；中线两侧各有 1 个凹陷，端部圆钝。前翅革片刻点分布不均，散布若干黄褐色圆形胝斑，外缘基部刻点密集；膜片淡烟色，散布若干褐色圆斑，端部与腹末平齐或略伸出于腹末，翅脉无色。中胸腹板除中脊外黑色；胸下遍布黑色细刻点；足黄褐色，股节端部大半及胫节密布黑色小点斑。

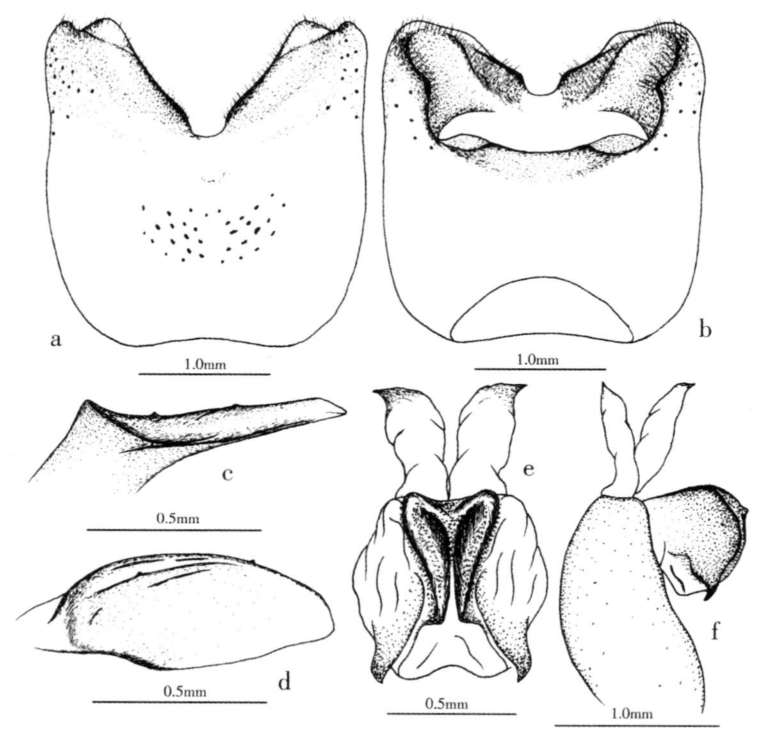


图 129 陕甘全蝽 *Homalogonia sordida* Zheng

a. 雄虫生殖囊腹面观；b. 雄虫生殖囊背面观；c. 阳基侧突侧面观；d. 阳基侧突端面观；e. 阳茎端面观；f. 阳茎侧面观

腹侧接缘宽阔，两侧黑色，中央黄褐色，各占 1/3 面积，边界清晰；腹基平坦，中央散布黑色大刻点，气门狭窄的黑色，气门附近的刻点极细小。

雄虫生殖囊腹缘宽阔内凹，侧缘内侧近端部着生 1 个指向体背侧的圆钝突起。阳茎系膜无背突，系膜顶叶发达，端部骨化呈刺状，系膜基上颚片内面与中交合板愈合，端部骤缩成尖锐弯刺状；中交合板宽阔，端缘中央有 1 个尖突起；阳茎端不伸出中交合板外。

雌虫第 1 载瓣片宽大平坦或略有凹陷，表面褶皱状，布黑色刻点，内缘略翘起，全缘紧密接触，后缘斜平直；8、9 侧背片上布黑色刻点，后者端部略超过前者端部。

**量度(mm)：**♂：体长 11.50～12.00，宽 6.50～7.00；头长 2.55～2.60，宽 2.60～2.90；触角 1～5 节的长度分别为 0.60、1.10、1.40、1.80、1.95；前胸背板长 2.60～2.80；小盾片长 4.35～4.60，宽 4.50～4.70。♀：体长 12～13，宽 7.50～8.00，头长 2.70～3.00，宽 2.85～3.10；触角 1～5 节的长度分别为 0.65、1.20、1.45、1.70、1.85；前胸背板长 2.65～2.95；小盾片长 4.80～5.10，宽 4.80～5.10。

**采集记录：**1♂，周至板房子，1994. Ⅷ. 03，吕楠采；1♂，同前，1994. Ⅷ. 04，吕楠采；1♂，同前，1994. Ⅷ. 08，吕楠灯诱；1♀(副模)，黄龙，1979. Ⅳ，田天民采。

**分布：**陕西(周至、黄龙)、甘肃。

## 200. 玉蝽属 *Hoplistodera* Westwood, 1837

*Hoplistodera* Westwood, 1837: 18. **Type species**: *Hoplistodera testacea* Westwood, 1837.

**属征：**体短宽，体色黄绿或带有不同程度的红褐色斑块，常呈晕状。头和前胸背板前半显著下倾；头端部宽阔，唇基长于上颚片；触角 5 节，第 1 节不伸达头端部，第 2、3 节约等长；小颊较宽，前角尖锐，后角叶状并向后伸出；喙伸达第 4 腹节前缘附近，第 1 节伸出小颊外。前胸背板前侧缘光滑，侧角尖角状，显著伸出体外。小盾片宽舌状，侧缘基部 1/4 处内凹，端部超过前翅革片端部。前翅革片半透明，膜片无色透明，明显超过腹末。中胸腹板具明显的中央纵脊。臭腺沟缘较长，端部不尖锐。足胫节细柱状，背侧无棱边，跗节 3 节。侧接缘几乎不外露，各节后角不伸出。第 3 腹节中央平坦。

雄虫生殖囊腹面圆隆，近端部处有凹坑，坑的内侧隆起；腹缘中央具狭窄的缝隙状或椭圆形深缺刻，其两侧多呈角状突起，两侧区平直或波曲。阳基侧突干部宽阔，其内表面具毛，桨叶突与干部垂直，末端角状。阳茎鞘短；阳茎系膜具 1 对短指状骨化背突，1 对端部骨化的较长膜囊状背叶，背叶有时会有其余膜质小叶伸出；系膜在阳茎端背侧靠左侧另有 1 个独特的骨化突起，使得阳茎不对称；中交合板背面退化，仅在阳茎端的腹面愈合长宽厚的板状，其端部向上弯折；阳茎端较长且弯曲，有时基部较短。

雌虫第 1 载瓣片极为宽大，占整个雌虫生殖节面积的 2/3 左右，内缘多相互接触，内角宽圆。第 9 侧背片短指状，端部圆钝，不伸出第 8 腹节后缘。第 8 侧背片端缘宽圆，不伸出。

**分布：**中国记录 5 种，秦岭地区记述 2 种。

### 分种检索表

前胸背板侧角背面红褐色 ………………………………………… 红玉蝽 ***H. pulchra***

前胸背板侧角背面黄绿色 ………………………………………… 玉蝽 ***H. fergussoni***

### (349) 玉蝽 *Hoplistodera fergussoni* Distant, 1911 (图 130)

*Hoplistodera fergussoni* Distant, 1911: 344; Hsiao *et al.*, 1977: 131.

**鉴别特征：**体小型，宽短，头和前胸背板前半显著下倾，宽大；体背面淡黄绿色为主，具若干红褐色晕状斑，刻点棕褐色或黑褐色，细小且稀疏；体腹面淡黄色，具略深的晕状斑，刻点黑褐色。

头略呈矩形，侧缘亚端部弧形外拱，头端部宽阔，唇基略长于上颚片，单眼间距略小于头宽的1/2；头背面刻点黑褐色，集中在复眼内侧及单眼前方，头顶中央有2列较短的黑色刻点，其两侧各有1条光滑胝带向前延伸至唇基中央，上颚片基部和外侧大半的刻点与底同色，其端半内缘处各有若干黑色刻点，唇基上光滑无刻点。触角淡黄褐色，第5节向端部色略深，第1节不伸达头端部，第2、3节约等长。头腹面淡黄褐色，光滑无刻点。小颊较宽，前角成尖锐的角状向下伸出，外缘波曲，后角叶状并向后伸出。喙伸达第4腹节前缘，第1节端部略伸出小颊外。

前胸背板：胝区暗褐色，其边缘的刻点黑褐色且略大于周围刻点，胝区侧后方各有1个小黑斑，胝区后散布若干红褐色晕状斑，刻点分布不甚均匀，侧角处为淡黄绿色，末端光滑无刻点；前缘中央弧形并明显内凹，眼后平截部分约与单眼前缘平齐；前角圆钝角状，在复眼外侧向侧前方伸出；前侧缘光滑肥厚，略内凹；侧角尖角状伸出，端部略向上翘起，其前缘基部略外拱，后缘中央具1个宽钝的突起；后侧缘弧形外拱；后角弧形；后缘略内凹。小盾片：宽舌状，侧缘从基部1/4处开始相互平行，端缘宽圆；基角凹陷三角形，其内侧各有1个黄白色胝状隆起的矮脊，基部约1/3红褐色，两侧从后伸入2条黄绿色条带，其后具黄绿色横向宽带，基部具大型红褐色斑，其长度约为小盾片长度的1/2。前翅革片半透明，中裂内侧具1个红褐色三角形大斑，革片端部红褐色；端缘内凹；端角圆钝，略伸出；膜片无色透明，末端明显超出腹末。中胸腹板具较明显的中央纵脊，其两侧黑褐色。足黄褐色，胫节端部和跗节色略深，股节近端部处有1个褐色晕状斑。臭腺沟缘较长，弧形，向前伸，端部具一小段水平部分，末端不尖锐。

腹侧接缘几乎不外露，淡黄绿色，光滑无刻点，两侧具较小的褐色斑，后角不伸出。腹面淡黄色，基部中央平坦，中轴处光滑无刻点，侧区刻点暗红褐色，气门一线处的刻点几乎无色且细小，侧缘处光滑无刻点。

雄虫生殖囊腹面近端部具1个圆弧形较高的隆起，腹缘中央有1个"U"形缺口，两侧波曲。阳基侧突"F"形，感觉叶端部角状，桨叶突端部尖锐的角状。阳茎系膜具1对较发达的背叶，其基部膜囊状，端部二叉，其中1支骨化角状，另1支囊状，其前方右侧有1个单一的短小膜囊状小叶，其前方左侧的骨化突起具3个圆钝端部。中交合板肥厚，愈合为粗棒状，其端部具上翘的圆钝角状突起，阳茎端从中交合板背侧伸出较短，其基部膨大。

雌虫第 1 载瓣片宽大，内缘平直，且相互接触，内角宽圆，外缘略外拱。第 9 侧背片短指状，端部圆钝，不伸出第 8 腹节后缘。第 8 侧背片端缘宽圆，不伸出。

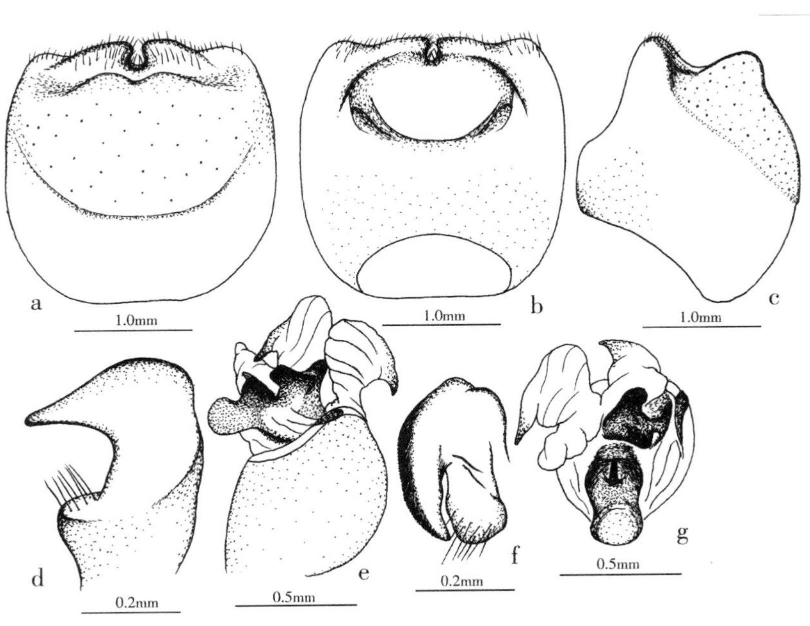


图 130 玉蝽 *Hoplistodera fergussoni* Distant

a. 雄虫生殖囊腹面观；b. 雄虫生殖囊背面观；c. 雄虫生殖囊侧面观；d. 阳基侧突侧面观；e. 阳茎侧面观；f. 阳基侧突端面观；g. 阳茎端面观

**量度(mm)：**♂：体长 8 ~9，宽 7 ~8；头长 1.90 ~2.10，宽 2.10 ~2.80；触角 1 ~5 节的长度分别为 0.45、0.70、0.65、0.90、1.20；前胸背板长 2.50 ~2.80；小盾片长 4.20 ~4.55，宽 3.60 ~4.20。♀：体长 8.00 ~8.50，宽 8.00 ~8.50；头长 2.00 ~2.20，宽 2.10 ~2.40；触角 1 ~5 节的长度分别为 0.45、1.20、1.20、1.40、1.10；前胸背板长 2.50 ~2.70；小盾片长 4.30 ~4.50，宽 3.80 ~4.15。

**采集记录：**1♀1♂，凤县秦岭车站，1400m，1994. Ⅶ. 29，卜文俊采；1♂，凤县大散关，1999. Ⅸ. 04，郑乐怡采；1♂，宁陕火地塘，1640m，1994. Ⅷ. 12，卜文俊采。

**分布：**陕西（凤县、宁陕）、安徽、浙江、湖北、江西、湖南、福建、广东、海南、广西、四川、贵州、云南、西藏。

## (350) 红玉蝽 *Hoplistodera pulchra* Yang, 1934

*Hoplistodera pulchra* Yang, 1934: 110.

**鉴别特征：**体小且宽短，头和前胸背板前半显著下倾，宽大；体背面红褐色为主，具若干不规则的黄白色光滑胝斑，刻点黑褐色，较为密集；体腹面淡黄色，刻点黑褐色。

头略呈矩形，侧缘黑色，其亚端部弧形外拱，头端部宽阔，唇基略长于上颚片，单眼间距略小于头宽的1/2；头背面刻点多与底同色，单眼后侧及头顶中央的2列刻点为暗红褐色，单眼内侧各有1条光滑的胝状条带，唇基光滑无刻点。触角淡黄褐色，第5节向端部颜色渐略深，第1节不伸达头端部，第2、3节约等长。头腹面淡黄褐色，光滑无刻点。小颊较宽，前角成尖锐的角状向下伸出，外缘波曲，后角叶状并向后伸出。喙伸达第4腹节前缘，第1节端部伸出小颊外。

前胸背板：前半淡黄褐色，胝区暗褐色，其边缘具断续的黑色短带，胝区侧后方各有1个小黑斑，前胸背板后半红褐色，中央具1条黄白色胝状条带，两侧各有1个不规则的黄白色纵带；前缘中央弧形并明显内凹，眼后平截部分约与单眼前缘平齐；前角圆钝角状，在复眼外侧向侧前方伸出；前侧缘光滑肥厚，略内凹；侧角尖角状伸出，端部略向上翘起，角体背面基部略内凹，其前缘基部显著外拱，后缘仅基部具1个浅缺刻；后侧缘弧形外拱；后角弧形；后缘略内凹。小盾片：宽舌状，侧缘基部1/4处内凹，端缘宽圆；基角凹陷三角形，其内侧各有1个略隆起的黄白色胝状矮脊，除此外基缘中央另有3个黄白色小斑，基部约1/3红褐色，两侧从后伸出2条黄白色条带，其后具横向锯齿状的黄绿色宽带，基部具大型红褐色斑，末端中央有1个黄白色短纵带。前翅革片褐色，半透明，革片端部褐色；端缘略内凹；端角圆钝，略伸出；膜片无色透明，末端明显超出腹末。中胸腹板具较明显的中央纵脊，其两侧具黑色纵带，外侧大部分棕褐色。足黄褐色，胫节端部和跗节色略深，股节近端部处有1条褐色晕状环带。臭腺沟缘较长，弧形，伸向侧前方，端部圆钝。

腹侧接缘几乎不外露，光滑无刻点，两侧具黑褐色纵条带，后角不伸出。腹面淡黄色，基部中央平坦，中央刻点较为稀少，侧区中央具密集黑色刻点组成的宽带，气门附近的刻点略细小且为黑色，侧缘处光滑无刻点。

雄虫生殖囊腹面近端部具1个浅坑，坑前方无显著的隆起；生殖囊腹缘中央具凹刻，两侧显著波曲，亚端部明显内凹。阳基侧突“F”形，感觉叶端部宽钝，桨叶突末端尖锐弯曲角状。阳茎系膜具1对基部细长膜囊状、端部圆钝且轻微骨化的系膜背叶，其前方左侧的骨化突起侧面观为方形隆起，其端缘略内凹；中交合板短钝，阳茎端伸出较长。

雌虫第1载瓣片宽大，内缘直，相互接触，内角宽圆，外缘中央大部分较平直。第9侧背片短指状，端部圆钝，不伸出第8腹节后缘。第8侧背片端缘宽圆，不伸出。

**量度**(mm)：♂：体长6.50~7.00，宽6.50~7.00；头长1.80~2.00，宽1.90~2.20；触角1~5节的长度分别为0.35、0.60、0.60、0.90、1.10；前胸背板长2.30~2.50；小盾片长3.80~4.00，宽3.50~3.85。♀：体长8~10，宽7~8；头长2.00~2.65，宽2.10~2.75；触角1~5节的长度分别为0.50、0.75、0.70、0.90、1.20；前胸背板长2.50~3.20；小盾片长4.40~5.10，宽4.00~4.30。

**分布:** 陕西(秦岭)、甘肃、安徽、浙江、湖北、江西、湖南、福建、广东、海南、广西、四川、贵州、云南、西藏。

## 201. 广蝽属 *Laprius* Stål, 1861

*Laprius* Stål, 1861: 200. **Type species**: *Laprius gastricus* Stål, 1861.

**属征:** 体中型，卵圆形，头侧缘扁薄，外拱，上颚片末端变狭，略长于唇基，在唇基前形成缺口；触角 5 节，第 2 节长于第 3 节。前胸背板长大于宽，前缘长于头宽，前缘中段平坦内陷；前侧缘几乎直，略外拱，边缘扁薄，略向上翘起；侧角圆钝，略伸出；小盾片三角形，长度不超过腹部长的 3/4，在侧缘端部 1/4 处略凹入；前翅革片外缘基部扁薄，后缘内凹；中胸腹板处有纵沟，臭腺沟缘十分短小；各足股节下方具刺列，前足股节下方端部内侧的 1 枚刺较大，明显区别于其他小刺；跗节 3 节；腹部腹面基部中央平坦，无沟或刺突。

**分布:** 古北区，东洋区。中国记录 1 种，秦岭地区分布 1 种。

### (351) 广蝽 *Laprius varicornis* (**Dallas, 1851**)

*Sciocoris varicornis* Dallas, 1851: 136.

*Laprius varicoris*: Stål, 1871: 608.

**鉴别特征:** 体浅黄褐色至深褐色，前胸背板后半、前翅革片略带红棕色；头中央有 2 条黑色纵线；触角第 2 节和第 4、5 节基部黄褐色，第 2、3 节红棕色；小盾片基角处有黄白色胝状斑，基半中央有 2 个黑色刻点组成的黑色斑，端部中线处刻点较稀，边缘刻点较密；前翅内革片的刻点较外革片密集，膜片边缘烟褐色，其上分布有若干烟褐色的点斑，其余部分透明无色。

头三角形，端部有缺口，上颚片略长于唇基，外缘扁薄，弧形，略外拱；复眼黑色，后缘紧贴前胸背板前缘；单眼较大，鲜红色；触角第 1 节不伸出头的末端，第 2 节长度约为第 3 节的 2 倍；喙伸达后足基节后缘。

前胸背板前缘中段平坦内凹，前角伸向侧前方，超过复眼外缘；前侧缘几乎直，略外拱，边缘扁薄，薄边状，略上翘；侧角圆钝，略伸出体外；后缘内凹。小盾片三角形，末端渐狭；翅革片后缘内凹，后角呈锐角；足黄褐色，股节端部、胫节端部及跗节为黑褐色；臭腺沟缘十分短小。

腹侧接缘仅边缘外露，黄褐色；腹部腹面侧缘气门内侧各有 1 个无刻点的胝状纵条带，该条带两侧密布黑色刻点，区别于腹下中央的稀疏刻点区域；第 3 ~ 5 腹节中央各有 1 对黄白色胝状横条带，有的个体仅 3、4 腹节有，个别雌虫仅第 3 腹节的黄白色横带可见。

雄虫腹缘两叶状，亚边缘处有凹陷，腹缘内褶不发达；阳基侧突的感觉叶发达，端部镰刀状；阳茎系膜具膜质的的顶叶和基上颚片，顶叶二叉状，背突阔三角状，腹叶末端指状，轻微骨化；阳茎端不伸出中交合板外；无阳茎鞘突。

雌虫第 1 载瓣片内缘紧密接触，外缘内凹成圆弧状；第 8 侧背片三角形；第 9 侧背片长条状，平行于体轴指向后方，末端圆钝。雌虫受精囊存在种内变异。

**量度(mm)：**♂：体长 11.50 ~ 12.30，宽 6.00 ~ 6.40；头长 2.50 ~ 2.70，宽 2.93 ~ 3.10；触角 1 ~ 5 节的长度分别为 0.61、1.50、0.70、1.23、1.61；前胸背板长 2.70 ~ 2.90；小盾片长 4.90 ~ 5.10，宽 3.72 ~ 3.90。♀：体长 12.00 ~ 12.30，宽 7.00 ~ 7.30；头长 2.55 ~ 2.65，宽 3.05 ~ 3.15；触角 1 ~ 5 节的长度分别为 0.70、1.59、0.81、1.20、1.60；前胸背板长 2.60 ~ 2.70；小盾片长 5.02 ~ 5.15，宽 4.20 ~ 4.30。

**分布：**陕西(秦岭)、河南、山东、江苏、安徽、浙江、湖北、江西、湖南、福建、广东、海南、广西、四川、贵州、云南；日本，越南，缅甸，印度，巴基斯坦，菲律宾。

**寄主：**禾本科植物。

## 202. 弯角蝽属 *Lelia* Walker, 1867

*Rhaphigaster* Dallas, 1849: 191 (as subgenus of *Prionochilus*). **Type species**: *Rhaphigaster* (*Prionochilus*) *octopunctata* Dallas, 1849.

*Lelia* Walker, 1867: 406. **Type species**: *Lelia porrigens* Walker, 1867 ( = *Tropicoris decempunctatus* Motschulsky, 1860).

*Renardia* Jakowlev, 1876: 15 (nec Motschulsky, 1865). **Type species**: *Tropicoris decempunctatus* Motschulsky, 1860.

**属征：**体大型。头上颚片宽，长于唇基，在唇基前方会合或留有 1 个缺口；触角第 1 节不伸达头的端部，第 3 节长于第 2 节；前胸背板前侧缘粗糙的锯齿状，侧角强烈伸出体外并向前弯曲，其程度在种内存在个体差异；前翅革片中裂外侧有 1 条光滑长纵线，几乎伸达革片端部；中胸腹板中央具矮纵脊；后胸腹板隆起，上有纵脊；臭腺沟缘十分短小纤细；胫节背面具沟；腹基刺突尖长，伸过中足基节。

**分布：**中国记录 3 种，秦岭地区记述 1 种。

### (352) 弯角蝽 *Lelia decempunctata* (Motschulsky, 1860)（图版 5：7）

*Tropicoris decempunctata* Motschulsky, 1860: 501.

*Lelia porrigens* Walker, 1867: 406.

*Renardia decempunctata*: Jakovlev, 1876: 17.

*Lelia decempunctata*: Hsiao *et al.*, 1977: 109.

**鉴别特征：**体大型。黄褐色，布较为均匀的黑色刻点，体下淡黄白色，刻点分两种，一种为粗糙的同色大刻点，一种为黑色的细小刻点。

头端部圆弧状，上颚片宽，向端部渐狭，在唇基前方会合；触角基外侧有 1 个黑色小横斑，触角前 3 节及第 4 节基部极少部分黄褐色，其余黑色，第 1 节不伸达头顶，第 3 节长于第 2 节；喙端部黑色，伸达后足基节之间。

前胸背板两个侧角之间有 4 个横列的小黑斑；前缘宽阔内凹；前侧缘强烈内凹，边缘粗锯齿状，锯齿黄白色，内侧狭窄的黑色；侧角粗壮，端部角状，弯向前侧方，角体后缘不甚平整，具几个浅凹刻；后缘平直。小盾片基部微隆起，刻点均匀，其上共有 6 个小黑斑，2 个在基角处，另外 4 个排成 2 列，位于基部中央。前翅外革片外缘基部狭长的黄白色且无刻点；中裂端部的黑色刻点稍密集；革片后缘均匀外拱；膜片浅褐色，末端略超过腹末。中、后胸腹板中央有低矮纵脊；中胸侧板前缘中央靠外侧有 1 个小黑斑，各胸节侧板靠近足基节处也各有 1 个小黑斑；臭腺沟缘极为细小。

腹侧接缘狭窄的外露，黄褐色布均匀的黑色细刻点；腹基刺突尖长，向前伸过中足基节，有时伸达中、后足基节中央；腹下中轴处光滑隆起，两侧具同色的粗糙深刻点，腹下两侧布均匀的黑色细刻点。

雄虫生殖囊腹缘深内凹，中央扁薄，两侧向内弯折而变厚。阳基侧突桨叶突端缘宽阔，中间内凹，端部圆钝，感觉叶较宽阔。阳茎鞘长筒状，阳茎系膜无背突，顶叶膜质发达，端部二叉状；中交合板简单，阳茎端伸出中交合板基底，但是不超过后者端部。

雌虫第 1 载瓣片较小，内缘略外拱，相互不接触，中央渐近，两端渐远；第 9 侧背片端部短于第 8 侧背片端部。

**量度(mm)：**♂：体长 16～18，宽 9～10；头长 3.15～3.80，宽 3.85～4.50；触角 1～5 节的长度分别为 0.80、1.00、2.00、1.72、2.10；前胸背板长 4.45～5.10；小盾片长 7.40～8.05，宽 5.80～6.50。♀：体长 19.00～23.50，宽 9.50～13.50；头长 3.00～4.50，宽 3.40～5.48；触角 1～5 节的长度分别为 0.90、1.20、2.10、1.95、2.00；前胸背板长 4.40～5.50；小盾片长 7.62～8.70，宽 5.90～7.95。

**采集记录：**1♀，佛坪岳坝保护站，1100m，2006.Ⅶ.23，李晓明采；1♀，黄龙，1979.Ⅵ.26。

**分布：**陕西(佛坪、黄龙)、黑龙江、吉林、辽宁、内蒙古、天津、山东、甘肃、安徽、浙江、湖北、江西、湖南、四川、贵州、云南、西藏；俄罗斯(东部)，朝鲜，日本。

## 203. 曼蝽属 *Menida* Motschulsky, 1861

*Menida* Motschulsky, 1861: 23. **Type species**: *Menida violacea* Motschulsky, 1861.

**属征：**体多短小，卵圆形，个别种类体狭长，体表常具光泽和鲜明的花斑。头短宽，宽大于长，端部圆钝，有时平截，上颚片略短于唇基或两者几乎平齐；单眼相距较远，位于复眼后缘一线的后侧；触角 5 节，第 3 节长于第 2 节(sp. 1 除外，第 2 节长于第 3 节）小颊前角前缘略向内折，成合抱状，外缘波曲；喙伸达后足基节附近。前胸背板饱满，向上均匀隆起；前缘领状，前侧缘狭边状；侧角圆钝，多不伸出体外，后角圆弧形，多不伸出，后缘内凹。小盾片形态各异，从宽舌状到狭长角状不等，多数种类端部圆钝。前翅革片端缘外拱，多数种类端角伸出；膜片较长，端部明显超过腹末。中胸腹板中央纵脊粗细及高低均匀；臭腺沟缘粗长，端部尖，伸达挥发域外缘前角处，臭腺沟浅且敞开。胫节具棱边，跗节 3 节，第 2 节最短。腹部腹面基部中央具突起，端部侧扁，其长度因种类不同而有差别。

雄虫生殖囊腹面端部中央有 1 个大型凹坑，两侧的棱边立壁状突出，其形状和突起程度以及凹坑的深浅和形状具种间差异，腹缘两侧波曲，中央有 1 个小凹陷；生殖囊侧缘圆钝；多数种类在生殖囊背缘内侧着生 1 对突起，突起短钝或呈羽状。阳基侧突形状各异，种间差异较大。阳茎鞘中央有明显的缢缩，将其分成上下两部分，基部骨化较强烈，端部的骨化部分集中在两侧面，背腹侧骨化较弱或不骨化；阳茎系膜具膜质的系膜顶叶，单一或分叉；1 对系膜基上颚片，端部骨化或有分叉；中交合板腹面基部愈合，背侧愈合较少，开口较大，端部左右两侧向外隆起，略成合抱状，其外侧有时着生有骨化指突或刺突。

雌虫第 1 载瓣片较平，内缘平直或外拱，基部不接触；内角弧形或圆钝的角状；外缘外拱或略平直。第 8 侧背片端部圆弧形，圆钝不伸出；第 8 侧背片端部较平或略外拱，端部无角状突起；第 9 侧背片宽短，基部中央内凹且下陷，与第 1 载瓣片外缘不相接触且不在一个水平面内，端部不伸出第 8 腹节外。

本属种类的体表色斑常有不同程度的变异，因此在鉴定上应多注意。

**分布：**分布在古北区，东洋区和旧热带区，中国记录 15 种，秦岭地区记述 2 种。

### 分种检索表

体背面大部分金绿色，并具强烈的金属光泽 ………………………………… **紫蓝曼蝽 *M. violacea***
体背面不呈金绿色 ………………………………………………………………… **北曼蝽 *M. disjecta***

### （353）北曼蝽 *Menida disjecta*（Uhler，1860）

*Rhaphigaster disjectus* Uhler，1860：224.
*Stromatocoris amoenus* Jakovlev，1876：93（nec Stål，1854）.
*Menida scotti* Puton，1886：94（new name for *Stromatocoris amoenus* Jakovlev，1876）.

**鉴别特征：**体长明显大于宽，体背暗褐色，有不同程度的暗金绿色光泽或无。头、前胸背板胝区、胝区前方和前侧缘内侧、小盾片基部中央色深，为黑色或暗金绿色。

头宽大于长，侧缘在复眼前方有 1 处内凹，上颚片端部圆钝，宽于唇基，与唇基末端平齐或略短于后者；头背面全部金绿色或黑褐色，仅在头端缘处有 1 个或 3 个小黄斑，头端缘前面观为黄褐色；单眼红色，相距较远，位于复眼后缘一线之后。触角黑褐色，第1节端部大半、第3节端部一点、第4节两端和第5节端部1/3黄白色；第1节长度不伸达头端部。头腹面在触角基周围呈暗金绿色或黑褐色，触角基与小颊之间具稀疏的刻点，头腹面基部黄褐色。小颊前角角状伸出，末端不尖锐，外缘在前角后侧内凹，后半外拱。喙伸达中足基节后缘，第1节几乎不伸出小颊外。

前胸背板：宽大于长，胝区及其前方除边缘外、前侧缘狭边以内为黑色或暗金绿色，后面大半为褐色，布稀疏的黑褐色或暗金绿色刻点，刻点常连成短线状；前缘和前侧缘黄褐色狭边状；前缘圆弧形内凹，眼后部分斜平截；前角小尖角状伸出，指向体侧后方；前侧缘平直且光滑，狭边略向上卷起；侧角圆钝，不伸出；后角宽阔的弧形；后缘中央内凹。小盾片：长大于宽，端部狭，不呈舌状；基部中央具1个倒三角形黑斑，其大小具个体差异，有时占据整个基部，连接到前缘处，有时与基缘处的黑斑断裂成其后的1个略小的黑斑；基缘具3个小黄斑，1个位于正中央，另外2个位于基角的凹陷内侧；侧缘弯折处常具深色斑；端部具半圆形黄白色斑，其上光滑无刻点。前翅革片刻点稀疏粗糙，外革片上的刻点略密集，革片端缘波曲，端部略呈角状伸出；膜片端部透明无色，内侧具烟褐色的宽纵带，末端显著超过腹末。中胸腹板黑色，中央纵脊为黄白色；后胸腹板窄、黑色。前胸侧板中央具大片金绿色区域；中、后胸侧板具稀疏的粗糙刻点。足黄褐色，股节端部具黑色小点斑；胫节两端黑色；跗节第1节暗褐色，第2节淡黄褐色，第3节黑褐色。

腹侧接缘轻微外露，黄黑相接或黄褐色与暗金绿色相间，各节中央的黄褐色斑宽度略大于节宽的1/3，并在外缘处显著加宽。腹基刺突伸过后足基节前缘，多数个体伸达中足基节后缘，在云南个体中可伸达中足基节前缘。

雄虫生殖囊腹面两侧的立壁几乎垂直于表面，侧面观直角形并明显伸出，其之间的凹坑宽阔且深；生殖囊背缘中央突起明显，内部两侧各着生1枚端部银杏叶状的突起，其基部细杆状。阳基侧突干部宽扁，两侧分别成角状；桨叶突的基本形态为向一侧延伸出1个弯角状突起，向另一侧延伸出3个角状突起；但具体细节存在种间差异：天津、河南、宁夏标本的阳基侧突的突起较短，其背缘较隆起；黑龙江个体的阳基侧突突起则伸出较长，其背缘突起不甚明显；陕西、浙江、四川个体阳基侧突的突起内侧另有1个短突起。阳茎鞘的缢缩位于中央，其基半膨大的球状，端半相对较狭，两侧骨化的鞘状，腹面和背面膜质不骨化；阳茎系膜具端部二叉的膜质且较短的系膜顶叶，系膜基上颚片简单的骨化角状伸出，中交合板宽长，端部平截；阳茎端略伸出，远远不及中交合板端部。

雌虫第1载瓣片圆片状，内缘弧形外拱，基部远离；内缘圆弧形；外缘弧形外拱；第9侧背片宽短，端部略微斜平截，不超出第8腹节后缘。

**量度(mm)**：♂：体长12~13，宽5.00~5.80；头长1.70~2.00，宽2.30~2.65；触角1~5节的长度分别为0.40、0.55、1.10、1.50、1.30；前胸背板长2.15~2.50；小盾片长4.10~4.40，宽3.30~3.85。♀：体长16.00~16.50，宽5.80~6.50；头长1.90~2.10，宽2.45~2.90；触角1~5节的长度分别为0.40、0.60、1.05、1.30、

0.90；前胸背板长 2.40～2.60；小盾片长 4.40～4.60，宽 3.80～4.30。

**采集记录：** 1♀，凤县东峪口，1400m，1994. Ⅶ. 30，董建臻采；1♀，留坝庙台子，1400m，1994. Ⅷ. 04，吕楠采；1♀，佛坪岳坝保护站，1100m，2006. Ⅶ. 20，李晓明采。

**分布：** 陕西（凤县、留坝、佛坪）、黑龙江、辽宁、内蒙古、天津、河北、河南、山东、甘肃、青海、新疆、浙江、湖北、江西、湖南、台湾、广东、广西、重庆、四川、贵州、云南、西藏；俄罗斯（东部），朝鲜，日本。

### （354）紫蓝曼蝽 *Menida violacea* Motschulsky, 1861（图 131）

*Menida violacea* Motschulsky, 1861: 23.

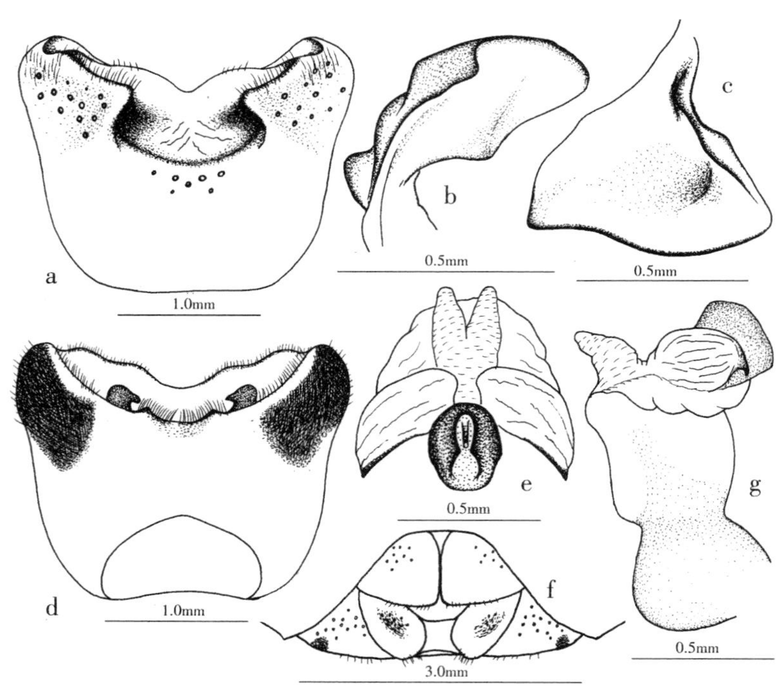


图 131 紫蓝曼蝽 *Menida violacea* Motschulsky

a. 雄虫生殖囊腹面观；b. 阳基侧突侧面观；c. 阳基侧突端面观；d. 雄虫生殖囊背面观；e. 阳茎端面观；f. 雌虫生殖节；g. 阳茎侧面观

**鉴别特征：** 体中型，体背金绿色，具强烈的金属光泽，有时略带紫褐色，前胸背板后半和小盾片端部黄白色。体腹面淡黄褐色，布稀疏粗糙的黑色刻点。

头宽大于长，端部圆钝，上颚片与唇基末端平齐，或前者略长；背面金绿色，端部略带黄褐色，头顶中央有 2 条黄褐色光滑短条带。触角第 1 节黄褐色，其余黑色，

第3节明显长于第2节。头侧缘侧面观为黄褐色条带状，触角基前侧金绿色，触角基内侧和头腹面基部以及小颊黄褐色，头腹面两侧布粗糙的黑色刻点。小颊前角角状，略伸出。喙伸达中足基节后缘，第1节超过小颊外。

前胸背板：宽大于长，前缘中央大部分和前侧缘的狭边黄褐色，前胸背板后半除侧角外为显著的黄白色，其内刻点黑褐色，其余部分为金绿色；前缘弧形内凹，眼后部分平截且不为黄褐色；前角略伸出，指向体侧后方，端部明显超出复眼外缘；前侧缘光滑平直成狭边状；侧角圆钝，几乎不伸出；后角圆弧形外拱；后缘内凹。小盾片：金绿色，具强烈的金属光泽，端部黄白色，端缘圆钝，基缘中央有时有1个小黄斑。前翅革片紫褐色或金绿色，刻点分布较为均匀，端缘外拱，端角略伸出，膜片淡褐色，伸出腹末。胸部腹面黄褐色，各胸节侧板布稀疏粗糙的黑色刻点，中胸腹板前、后缘两侧各有1个黑色横线斑。足黄褐色，各足股节布黑色小点斑，胫节两端及跗节为黑褐色。

腹侧接缘外露，各节两端黑色，中央有个黄褐色半圆形大斑，其在缘的宽度约为节宽的2/3；各节后角钝角状，略伸出。腹基突起伸达中足基节前缘。腹部腹面黄褐色，两侧布黑色稀疏刻点，刻点向两侧渐细小，各腹节外缘处光滑无刻点，两端各有1个小黑斑。

雄虫生殖囊腹缘中央弧形内凹，腹面的凹坑较深，两侧端部的立壁成角状，伸出并覆盖在凹坑两侧，该角突不外翘；背缘内侧着生1对端部略扩大、端缘内侧角状、柄较长的片状突起。阳基侧突桨叶突宽阔的倒三角形，端缘和两侧缘波曲。阳茎系膜具1对膜质的指状顶叶，1对端部骨化钩状的系膜基上颚片；中交合板端部平截宽阔，阳茎端不伸出其外。

雌虫第1载瓣片内缘外拱，基部分离，端半大部相互接触；内角圆钝的角状；外缘略外拱。第8侧背片端缘弧形。第9侧背片端部圆钝，不超过第8腹节后缘。

**量度(mm)：**♂：体长8.00～9.50，宽4.80～5.20；头长1.75～1.95，宽2.35～2.50；触角1～5节的长度分别为0.35、0.60、0.80、1.00、1.25；前胸背板长2.10～2.30；小盾片长3.70～3.90，宽3.40～3.60。♀：体长10.00～10.50，宽5.50～5.80；头长1.70～1.90，宽1.35～1.60；触角1～5节的长度分别为0.35、0.65、0.95、1.10、1.30；前胸背板长2.20～2.40；小盾片长4.00～4.20，宽3.85～4.15。

**采集记录：**1♂，凤县大散关，1999.Ⅸ.04，郑乐怡采；1♂，佛坪岳坝保护站，1700m，2006.Ⅶ.24，朱耿平采。

**分布：**陕西(凤县、佛坪)、吉林、辽宁、内蒙古、河北、山西、河南、山东、甘肃、江苏、安徽、浙江、福建、湖北、江西、湖南、台湾、广东、广西、四川、贵州、云南；俄罗斯(东部)，朝鲜，日本，印度。

## 204. 舌蝽属 *Neottiglossa* Kirby, 1837

*Neottiglossa* Kirby, 1837: 276. **Type species:** *Pentatoma* (*Neottiglossa*) *trilineata* Kirby, 1837.

**属征：**体小型。椭圆形，头强烈下倾，其端部背面观不可见。头略呈三角形，侧缘波曲，上颚片端部狭长的角状，长于唇基并在唇基前方会合。复眼小且略呈柄状突出。触角 5 节，第 1 节不伸达头末端，第 2 节长于第 3 节。小颊短、薄且肥大。喙伸达后足基节后缘附近，第 1 节伸出小颊外较多。前胸背板侧角圆钝不伸出。小盾片宽舌状。前胸侧板前缘游离的扁薄片状，边缘显著外拱，其内缘弧形。中、后胸腹板具 1 条连续的中央凹槽。侧接缘完全不外露。腹部腹面基部中央平坦。

雄虫生殖囊短宽，腹面中央密布黑色粗大刻点，腹缘两侧较宽平，中央具 1 个倒三角形的凹刻。阳基侧突扁平，桨叶突端部二叉状，感觉叶有或无。阳茎鞘两侧各有 1 个端部圆钝的宽大角状突起，端部背侧具宽大的鞘盾片；阳茎系膜不甚发达，中交合板有或缺失，阳茎端细长弯曲。

雌虫第 1 载瓣片宽大，内缘平直，相互接触；内角圆钝；外缘波曲。第 9 侧背片短，端部圆钝且明显短于第 8 腹节后缘。第 8 侧背片端缘较平直，不显著伸出。

**分布：**中国记录 2 种，秦岭地区记述 1 种。

### （355）小舌蝽 *Neottiglossa pusilla*（Gmelin，1790）

*Cimex griseus nigro-punctatus* de Geer，1773：270（unavailable trinomen）.

*Cimex pusillus* Gmelin，1790：2160（new name for *Cimex griseus nigropunctatus* de Geer，1773）.

*Cimex perlatus*（nec Fabricius，1794）：Panzer，1796：24（misidentification）.

*Cydnus inflexus* Wolff，1811：183.

*Platysolen obscurus* Sahlberg，1870：281.

*Aelia panzeri* Krynicki，*in* lvanov & Chermay，1871：75.

*Neottiglossa seorsa* Jakovlev，1903：327.

*Neottiglossa nigella* Jakovlev，1903：328.

**鉴别特征：**体短小，椭圆形，头强烈下倾，其端部背面观不可见。体背面暗褐色，密布黑色粗大刻点；腹面漆黑，仅腹部腹面侧缘狭窄的黄褐色。

头下倾，略呈三角形，侧缘波曲，上颚片端部狭长的角状，明显长过唇基并在唇基末端会合；复眼小且突出，略呈柄状；头背面黑色，密布同色刻点，头顶中央有 1 个不规则的黄白色胝斑。触角第 1～3 节黄褐色，第 4～5 节黑色，第 1 节不伸达头末端，第 2 节略长于第 3 节。头腹面除小颊外缘处黄褐色外，其余黑色。小颊短小肥大，外缘显著外拱。喙伸达后足基节后缘处，第 1 节末端明显超出小颊外。

前胸背板：宽大于长，均匀隆起，前半黑色，中央有 1 个黄褐色宽纵带，后半黄褐色，黑色刻点分布较为均匀，前侧缘整齐的黄褐色狭边状；前缘均匀且宽阔的浅内陷；前角小尖角状伸出，指向体侧，末端略超过复眼外缘；前侧缘光滑平直，轻微内凹；侧角圆钝，不伸出体外；后侧缘轻微外拱；后角宽阔的弧形；后缘平直。小盾片：长大于宽，端部宽大的舌状，隐约可见 1 条细长的黄褐色纵线；基部 1/3 较暗，刻点粗大，基角内侧各有 1 条黄褐色光滑斜胝斑，端部 2/3 色略淡，刻点分布略稀疏，端缘内侧中央具1个较大的弧形黑斑。前翅革片短小，端角极为圆钝，其末端约与小盾片端部平齐；膜片无色透明，末端与腹末约平齐。胸部腹面漆黑。前胸侧板前缘游离的扁薄片状，边缘显著外拱，其内缘弧形。中、后胸腹板具1条连续的中央凹槽。臭腺沟缘基部1/3耳壳状，端部2/3极为狭细，臭腺沟仅贯穿基部1/3。足黄褐色，股节近端部及胫节端部有若干不规则的暗色斑，其中股节上的暗斑较大，跗节第3节黑色。

腹侧接缘不外露，边缘一线黄褐色，内侧漆黑。腹面基部中央平坦，除侧缘处狭窄的光滑黄褐色外，其余漆黑并密布刻点，中轴处的刻点较为稀疏。

雄虫生殖囊腹缘两侧宽且平直，中央具1个倒三角形的缺口，生殖囊背缘两侧亚端部具1个圆钝的显著突起。阳基侧突桨叶突端部二叉，各分支均细长，基部无突起。阳茎鞘短宽，基部两侧各有1个显著的角状突起，背侧具1个宽大的鞘盾片，端缘略内凹。阳茎系膜不发达，中交合板尖刺状，外侧具膜囊，中交合板细长弯曲，端部略高于中交合板端部。

雌虫第1载瓣片扁平，内缘平直，相互接触；内角圆钝；外缘波曲。第9侧背片短，端部圆钝，明显短于第8腹节后缘。第8侧背片端缘较平直，不显著伸出。

**量度(mm)：**♂：体长5.50~6.00，宽3.20~3.50；头长1.35~1.55，宽1.95~2.10；触角1~5节的长度分别为0.30、0.45、0.35、0.60、0.95；前胸背板长1.50~1.70；小盾片长2.30~2.50，宽2.10~2.30。♀：体长6.50~7.00，宽3.50~3.80；头长1.75~1.80，宽2.10~2.30；触角1~5节的长度分别为0.28、0.45、0.40、0.65、0.95；前胸背板长1.80~2.00；小盾片长2.70~2.90，宽2.50~2.70。

**采集记录：**1♂，凤县秦岭车站，1400m，1994.Ⅶ.29，卜文俊采。

**分布：**陕西(凤县)、黑龙江、吉林、内蒙古、河北、山西、甘肃、新疆；古北区广布。

## 205. 绿蝽属 *Nezara* Amyot *et* Serville, 1843

*Nezara* Amyot *et* Serville, 1843: 143. **Type species**: *Cimex smaragdulus* Fabricius, 1775 ( = *Cimex viridulus* Linnaeus, 1758).

**属征：**体中到大型，宽椭圆形，腹部腹面较饱满，中轴处略隆起。头长略大于宽，端部圆钝，侧缘波曲，上颚片端部角状，与唇基末端约平齐；单眼间距约为单眼到复眼外缘距离的2倍。触角5节，细长，第4、5节略膨大，第1~2节、第3节基部大半和第4节基部绿色，第4节亚基部和第5节基部1/3黄色，第4节端半和第5节端部2/3黑色；第1节不伸到头末端，第3节略长于第2节。小颊低矮，前角圆钝，不伸出或略伸出，外缘平直，后角均匀的渐消失，伸达头基部。喙伸达腹基。前胸背板长大于头长，宽大于长；前缘中央1/2深内陷，眼后部分斜平截；前角小尖角状，指向体前侧方，末端略超过复眼外缘；前侧缘光滑，中央略内凹；侧角圆钝，略伸出体外；后侧缘内凹；后缘平直。小盾片长大于宽，基缘具3~5个黄色光滑胝斑，基角后方各有1个黑色小凹陷。前翅革片中裂约与外缘相平行，外革片宽度均匀，端缘外拱，端角圆钝；膜片无色透明，末端略超过腹末。中胸腹板具低矮的纵脊。臭腺沟缘短直，不超过挥发域宽度的1/3。足胫节背侧具棱边，跗节3节。侧接缘狭窄外露，各节后角黑色小尖角状。腹部腹面基部中央具圆钝的短突起。雌虫第7腹节腹板后缘两侧各有1个圆钝的突起。

**分布：**中国记录3种，秦岭地区记述2种。

## 分种检索表

雄虫阳基侧突背面观外侧具1个长指突，伸达内叶长度的1/2以上；雌虫第1载瓣片内缘几乎相互接触，内角宽圆；腹部背板基部大半有时黑色 …………………………… **黑须稻绿蝽 *N. antennata***

雌雄生殖节不似上述 …………………………………………………………………………… **稻绿蝽 *N. viridula***

### (356) 黑须稻绿蝽 *Nezara antennata* Scott, 1874

*Nezara antennata* Scott, 1874: 299.

*Nezara antennata* var. *balteata* Horváth, 1889: 32.

*Nezara viridula* (nec Linnaeus, 1758): Takahashi, 1948: 107 (misidentification).

**鉴别特征：**体大，宽椭圆形，绿色，刻点与底同色，腹面色略淡，具不同色斑型。

头长略大于宽，端部圆钝，侧缘波曲，边缘略成淡黄色，上颚片端部角状，向端部渐狭，与唇基末端平齐。触角第1~2节及第3节基部大半绿色，第3节端部、第4节端半及第5节端部大半黑色，第4节基半和第5节基部淡黄褐色，第1节不伸达头末端，第3节略长于第2节。头腹面淡绿色，刻点同色，触角基上方紧靠复眼前缘处有1个黑色小圆斑。小颊低矮，前角圆钝，不伸出或略伸出，外缘平直，后角宽阔弧形，向后渐消失。喙伸达后足基节后缘或第3腹节前缘，第1节伸出小颊外。

前胸背板：宽大于长，长大于头长，向前均匀较宽的下倾，刻点较细密，与底同色，前角和前侧缘狭窄的黄色；前缘宽阔的弧形内凹，眼后部分斜平截；前角小角状伸出，指向体前侧方，末端略超过复眼外缘；前侧缘光滑，均匀的轻微内凹；侧角圆钝角状，略伸出体外；后侧缘内凹；后角圆钝的宽阔角状，不向后伸出；后缘平直。小盾片：长大于宽，较平坦，端部向末端渐狭，基角下方有黑色的小点斑，基缘具3~5个黄白色光滑小胝斑。前翅外缘轻微外拱，外革片宽度较为均匀，内革片上的刻点稍密集，端缘弧形外拱，端缘圆钝，超过小盾片末端；膜片透明无色，端部略超过腹末。臭腺沟缘短且平直，长度为挥发域宽度的1/3。

腹侧接缘狭窄外露，淡绿色，边缘略带黄色，各节后角黑色尖锐的直角状，轻微伸出。腹部腹面饱满隆起，腹基中央具圆钝的突起。

雄虫生殖囊腹缘中央1/2显著内陷，底部轻微隆起，侧缘两侧端部圆钝的角状，显著伸出；生殖囊腹面亚端部具1个弧形的低矮棱边。阳基侧突具短指状感觉叶，其端部着生刚毛，浆叶突端部两叶状，靠近外侧的突起较细长，超过其内侧的角状突起长度的1/2。阳茎鞘细长；阳茎系膜仅有1对膜质的基上颚片；中交合板低矮的圆钝棱状，阳茎端细，不伸出中交合板外。

雌虫第1载瓣片片状，内缘除基部外都较平直，相距较近，几乎相互接触；内角宽圆；外缘均匀的轻微内凹。第9侧背片细长指状，端部圆钝，略超过第8腹节后缘。第8侧背片端部宽圆。

**量度(mm)**：♂：体长12～14，宽7.00～8.50；头长2.25～2.95，宽2.55～3.60；触角1～5节的长度分别为0.50、1.00、1.20、1.40、1.50；前胸背板长2.70～3.40；小盾片长4.30～5.00，宽5.70～6.75。♀：体长14.50～16.50，宽7.20～9.00；头长2.80～3.50，宽3.25～4.35；触角1～5节的长度分别为0.65、1.40、1.90、2.00、2.00；前胸背板长3.90～4.60；小盾片长6.60～7.30，宽5.70～6.75。

**采集记录**：1♂，凤县大散关，1200m，1999. Ⅸ. 03，李传仁采。

**分布**：陕西(凤县)、河北、山西、河南、甘肃、新疆、江苏、湖北、江西、湖南、福建、台湾、广东、海南、广西、四川、贵州、云南、西藏；朝鲜，日本，印度，斯里兰卡，菲律宾。

### (357) 稻绿蝽 *Nezara viridula* (Linnaeus, 1758)（图版5：8）

*Cimex viridulus* Linnaeus, 1758: 444.

*Cimex torquatus* Fabricius, 1775: 710.

*Cimex smaragdulus* Fabricius, 1775: 711.

*Cimex transverses* Thunberg, 1783: 40.

*Cimex variabilis* Villers, 1789: 505.

*Cimex spirans* Fabricius, 1789: 533.

*Cimex viridissimus* Wolff, 1801: 55 (nec Poda, 1761).

*Pentatoma oblonga* Westwood, 1837: 37.

*Pentatoma unicolor* Westwood, 1837: 38.

*Pentatoma beryline* Westwood, 1837: 38.

*Pentatoma subsericea* Westwood, 1837: 38.

*Pentatoma leii* Westwood, 1837: 38.

*Pentatoma tripunctigera* Westwood, 1837: 38.

*Pentatoma chinensis* Westwood, 1837: 38.

*Pentatoma proxima* Westwood, 1837: 9 [Nomen nudum].

*Pentatoma chlori* Westwood, 1837: 38.

*Pentatoma chlorocephala* Westwood, 1837: 38.

*Pentatoma propinqua* Westwood, 1837: 9 [Nomen nudum].

*Cimex hemichloris* Germar, 1838: 166.

*Nezara approximata* Reiche *et* Fairmaire, 1848: 443.

*Pentatoma plicaticollis* Lucas, 1849: 87.

*Rhaphigaster prasinus* (nec Linnaeus 1758): Dallas, 1851: 274 (misidentification).

*Rhaphigaster orbus* Stål, 1854: 221.

*Pentatoma vicaria* Walker, 1867: 303.

*Nezara viridula* var. *aurantiaca* Costa, 1884: 37, 58.

*Nezara viridula* var. *hepatica* Horváth, 1903: 406.

*Nezara viridula*: Hsiao *et al.*, 1977: 149; Rider, Zheng and Kerzhner, 2002: 142; Liu *et* Bu, 2009: 456.

**鉴别特征：**体型、大小、颜色等极似黑须稻绿蝽 *Nezara antennata* Scott, 1874，作者见全绿型、点斑型、黄肩型及黄褐型。

雄虫生殖囊及阳茎结构似上种，但本种阳基侧突桨叶突靠近外侧的突起圆钝，较宽，不成指状伸出，特征稳定，可区别之。

雌虫第1载瓣片内缘弧形外拱，相距较远；内角略呈指状，向后伸出；外缘显著内凹。第9侧背片长指状，端部1/2略短于第8腹节后缘。

**量度(mm)：**♂：体长13~15，宽6.50~8.00；头长2.50~3.20，宽3.00~4.05，触角1~5节的长度分别为0.55、1.20、1.80、1.80、1.60；前胸背板长3.65~4.30；小盾片长6.10~6.80，宽5.00~6.05。♀：体长14~17，宽8~9；头长2.60~3.70，宽2.90~3.60；触角1~5节的长度分别为0.50、1.10、1.60、1.60、1.55；前胸背板长3.60~4.70；小盾片长6.80~7.90，宽4.80~5.45。

**分布：**陕西(秦岭)、河北、山西、河南、山东、宁夏、江苏、安徽、浙江、湖北、江西、湖南、福建、广东、海南、广西、四川、贵州、云南、西藏；世界广布。

## 206. 褐蝽属 *Niphe* Stål, 1867

*Niphe* Stål, 1867: 516. **Type species**: *Pentatoma cephalus* Dallas, 1851 ( = *Pentatoma subferruginea* Westwood, 1837).

**属征：**体中型，狭长或长椭圆形。头侧缘波曲，上颚片端部角状，略长于唇基，但无会合趋势。单眼间距小于头宽的1/2。触角5节，第1节细，不伸达头端部，第2节长于第3节。喙第1节不伸出小颊外。前胸背板前部大斑较平坦并向前方均匀下倾，前侧缘光滑，平直或略内凹，侧角角状，不伸出或略伸出体外。小盾片长大于宽。中胸腹板中央纵脊极为低矮，后半部分几乎消失；后胸腹板中央具宽阔的浅凹槽。臭腺沟缘较长，后缘亚端部显著内凹或具1个显著的缺刻。侧接缘狭窄外露，各节后角不伸出。第3腹节中央无显著突起。

雄虫生殖囊腹缘两侧或全部扁平，腹缘内褶发达或不发达。阳基侧突短小的片状。阳茎鞘腹面基部中央具1个短钝突起；阳茎系膜大且复杂，膜质或部分骨化。阳茎端几乎不伸出。

雌虫第1载瓣片内缘不相互接触。第2载瓣片后缘内凹。第9侧背片端部圆钝，不伸出第 8 腹节后缘。第 8 侧背片端部角状略伸出，或几乎不伸出。

**分布：**中国记录 2 种，秦岭地区记述 1 种。

### (358) 稻褐蝽 *Niphe elongata* (Dallas, 1851)

*Pentatoma elongate* Dallas, 1851: 246.

*Niphe elongata*: Hsiao *et al.*, 1977: 148.

**鉴别特征：**体狭长，中型，背面淡黄褐色，两侧具黄白色条带，刻点棕褐色，较为均匀；体腹面淡黄白色。

头宽略大于长，端部圆钝，侧缘波曲，边缘狭窄的黑色，上颚片端部角状，略长于唇基，但无会合趋势；头背面刻点分布较为均匀，唇基处刻点稍稀疏，复眼内侧各有 1 个光滑胝斑。触角较短，黄褐色，第 4、5 节红褐色并在亚端部略带黑褐色，第 1 节不伸达头端部，第 2 节略长于第 3 节。头腹面淡黄白色，小颊两侧具密集的与底同色刻点，触角基上方各有 1 条黑色短带。小颊较长，前角尖锐的钝角状略向下伸出，外缘低矮且平直。喙伸达中足基节中央，第 1 节完全包裹于小颊内。

前胸背板：表面平坦，向前均匀下倾，密布暗红褐色刻点，前角及前侧缘前半的内侧刻点较密集，后缘内侧的刻点稍稀疏，胝区内侧各有 1 个小黑斑，前侧缘具狭窄的黄白色狭边；前缘中央宽阔平坦的内陷，眼后部分斜平截；前角圆钝，略伸出，末端超过复眼外缘；前侧缘斜平直，边缘带轻微的褶皱；侧角圆钝，不伸出体外；后侧缘斜平直；后角圆钝；后缘平直。小盾片：长显著大于宽，端部狭细，中央具较宽阔的光滑纵带，基角处具黑色小凹陷，基缘中央有 2 个隐约的小黑斑。革片外缘具 1 条整齐的黄白色纵带，占外革片面积的绝大部分，其内刻点无色；内革片上散布若干隆起的黄白色光滑胝状突起；端缘斜平直，端角圆钝；膜片无色透明，端部略超过腹末，翅脉黄褐色。胸部腹面淡黄白色，大部分刻点与底同色，部分黑褐色，侧板中央近内侧有 1 列具 3 个小黑斑，中胸侧板前缘中央略向外、后胸侧板外缘中央各有 1 个小黑斑。臭腺沟缘较长，中央弯曲向前伸，端部陡然变成细线状。足黄褐色，股节散布若干细小的红褐色点斑，胫节端部及跗节略带红色。

腹侧接缘狭窄外露，淡黄褐色，刻点与底同色，各节后角直角状，轻微伸出。腹部腹面中央光滑无刻点，两侧布密集且与底同色的刻点，气门黑色。腹基中央平坦。

雄虫生殖囊腹缘均匀的弧形内凹，较扁且外翘，腹缘内褶发达，在内侧中央形成 1 个显著的凹坑。阳基侧突短小，片状，端部圆弧状。阳茎鞘腹面基部中央具 1 个短钝突起；阳茎系膜极为发达且复杂，阳茎端几乎不伸出。

雌虫第 1 载瓣片内缘平直或轻微外拱，相互不接触，内角圆钝，外缘显著呈弧形外拱。第 2 载瓣片后缘弧形内凹。第 9 侧背片端部圆钝，末端与第 8 腹节后缘约平齐。第 8 侧背片端部角状，轻微伸出。

**量度(mm)：**♂：体长 13.50～14.00，宽 6.00～6.50；头长 2.70～2.90，宽 2.90～

3.15；触角1～5节的长度分别为0.55、1.20、1.15、1.30、1.40；前胸背板长2.80～3.00；小盾片长5.65～5.85，宽3.80～4.15。♀：体长12～15，宽6.00～6.50；头长2.70～3.80，宽3.00～3.30；触角1～5节的长度分别为0.60、1.30、1.10、1.20、1.35；前胸背板长2.80～3.90；小盾片长5.50～6.50，宽3.80～4.10。

**分布：**陕西(秦岭)，河南，江苏，安徽，浙江，湖北，江西，湖南，台湾，广东、海南、广西、四川，贵州，云南，西藏；日本，缅甸，印度，菲律宾。

## 207. 浩蝽属 *Okeanos* Distant, 1911

*Okeanos* Disant, 1911: 347. **Type species**: *Okeanos quelpartensis* Distant, 1911.

**属征：**体中到大型；上颚片与唇基末端平齐或略短于唇基；触角第3节长于第2节；前胸背板侧角伸出体外，端部略平截，前侧缘扁薄光滑；中胸腹板中央具矮纵脊；腹基突起长刺状，长而尖，向前超过中足基节。

**分布：**中国记录1种，秦岭地区记述1种。

### (359) 浩蝽 *Okeanos quelpartensis* Distant, 1911（图132；图版5：9）

*Okeanos quelpartensis* Distant, 1911: 347; Hsiao *et al.*, 1977: 123.

**鉴别特征：**体大型，黄褐色，前胸背板前半黄白色布无色刻点，前胸背板后缘、小盾片侧缘中部、前翅外革片布密集的金绿色刻点，有的个体头也呈金绿色。体下黄白色，刻点无色。

头刻点黑色或金绿色，侧缘波曲略卷起，上颚片刻点粗大密集，唇基及头顶基部刻点稀疏且细小，上颚片与唇基平齐或略短于唇基；触角黄褐色，第3、4、5节端半棕褐色，第1节略短于头末端，第3节略长于第2节。喙最端部黑，伸达后足基节后缘。

前胸背板前半黄白色，刻点无色或前角内侧具若干黑色粗刻点，后半刻点粗，不均匀，侧角角体后部大半黑色；前缘中段宽阔内凹；前角尖，指向体前侧方；侧缘几乎直，光滑扁薄；侧角伸出体外，端部平截，角体前缘外拱，后缘内凹；后缘略内凹，内侧密集金绿色刻点。小盾片黄褐色，端部狭长；基部中央刻点稀疏，侧缘中央金绿色刻点密集呈金绿色，端部近1/3黄白色无刻点。前翅外革片密集金绿色粗刻点，最边缘和中裂外侧有黄白色的纵线；膜片棕褐色，翅脉同色，末端略伸出腹末。臭腺沟缘细长，端部尖狭。足浅红褐色，股节端部具极小的黑点。

腹侧接缘狭窄外露，黄白色，刻点无色；各节后角黑色，小且尖锐；腹面中央隆起呈脊状，雄虫腹基刺突伸达中、后足基节中央，雌虫腹基刺突可伸过前足基节前缘。气门黑色。

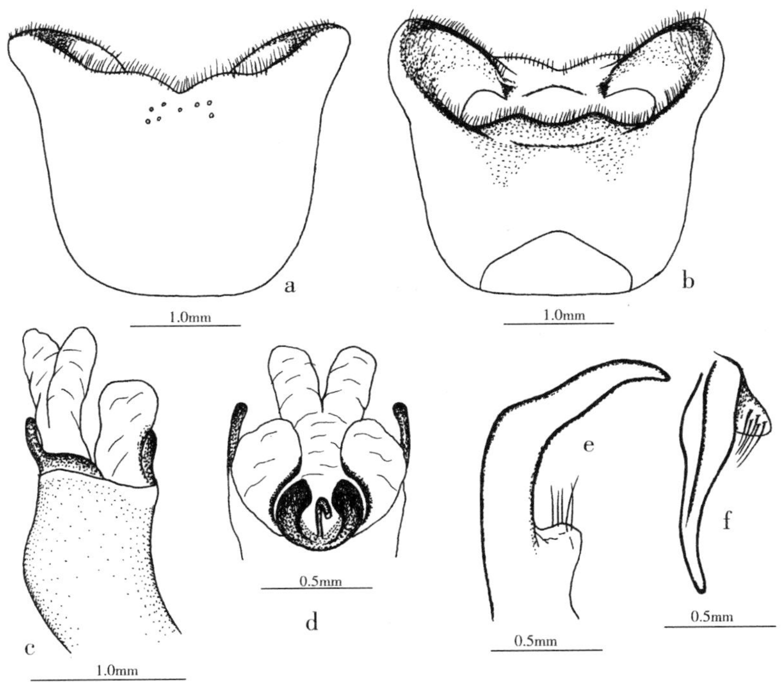


图 132　浩蝽 *Okeanos quelpartensis* Distant

a. 雄虫生殖囊腹面观；b. 雄虫生殖囊背面观；c. 阳茎侧面观；d. 阳茎腹面观；e. 阳基侧突侧面观；f. 阳基侧突端面观

雌虫第 1 载瓣片红色，扁薄，基缘基部平直紧靠，端角圆弧状，后缘几平直；第 2 载瓣片外露，端半红色；第 8 侧背片边缘及第 9 侧背片红色，第 9 侧背片短于第 8 侧背片端部。

雄虫生殖囊鲜红色，腹缘厚，内凹，两侧宽阔，侧缘低矮。阳基侧突细长，弯钩状，感觉叶宽阔且端部圆钝并有若干直立长毛。阳茎系膜具细长的骨化背突；系膜顶叶发达，成二叉状；系膜基上颚片靠腹面略有骨化，阳茎端末端弯曲，不伸出中交合板外。

**量度(mm)：**♂：体长 14.50 ~ 15.30，宽 0.89 ~ 0.94；头长 2.05 ~ 2.15，宽 2.75 ~ 2.95；触角 1 ~ 5 节的长度分别为 0.75、1.40、2.20、2.40、2.30；前胸背板长 2.85 ~ 3.05；小盾片长 6.05 ~ 6.20，宽 4.70 ~ 4.90。♀：体长 18，宽 11；头长 2.50，宽 3.10；触角 1 ~ 5 节的长度分别为 0.90、1.60、2.05、缺、缺；前胸背板长 3.20，小盾片长 7，宽 5.70。

**采集记录：**2♀9♂，凤县天台山，1600 ~ 1700m，1999. Ⅸ. 03，任树芝灯诱。

**分布：**陕西(凤县)、吉林、河北、甘肃、湖北、江西、湖南、四川、云南；俄罗斯(东部)，朝鲜。

## 208. 碧蝽属 *Palomena* Mulsant *et* Rey, 1866

*Palomena* Mulsant *et* Rey, 1866: 277. **Type species**: *Palomena viridissima* Mulsant *et* Rey, 1866 ( = *Cimex prasinus* Linnaeus, 1761).

**属征**：体中型，背面绿色，布均匀的黑褐色或暗绿色刻点；腹面黄绿色，大多数刻点与底同色。

头宽大于长，侧缘均匀外拱，向前渐狭，端部成圆钝的角状，在唇基前方会合。复眼内侧偏后各有 1 个矩形的胝状斑。复眼后缘斜平截，单眼位于复眼后缘连线之后。触角短，第 4 节端部大半和第 5 节全部棕黄色，其余为碧绿色，第 1 节不伸达头端部，第 2、3 节长度相差不多，或第 2 节略长于第 3 节。小颊前角锐角状伸出，末端不尖锐，其后波曲，伸达头基部并超过复眼后缘一线。喙伸达后足基节附近，第 1 节端部略超出小颊外。

前胸背板宽大于长，后半较为饱满；前缘中央平坦深内陷，眼后部分斜平截；前角小角状略伸出，端部超过复眼外缘；前侧缘平直，略内凹或外拱，边缘较扁但还不成薄片状，前半不光滑，较浅的波状；侧角角状，从圆钝略伸出到长角状显著伸出不等；后角弧形不向后伸出；后缘平直。小盾片三角形，长略大于宽，侧缘较平直，端部两侧向后渐近，端缘较窄的弧形或略成角状；基角处的凹陷极浅，绿色。前翅革片端角圆钝，膜片淡黄褐色，端部略超过腹末。中胸腹板具低矮且较细的中央纵脊，后胸腹板较窄；臭腺沟缘较为平直或略上扬，端部尖锐，其长度约为挥发域宽度的2/3，末端具 1 个显著的小黑斑。各足股节端部前侧有 1 个黑色斑点，前足股节上的黑斑有时较小或缺失；胫节外侧具棱边；跗节 3 节，黄褐色。

侧接缘绿色，轻微外露，除最外缘一线外具稀疏的黑色刻点，各节后角角状，略伸出，但不尖锐。腹基中央圆钝的隆起，但不向前伸出。腹面布粗糙稀疏且与底同色的刻点，气门狭窄的黑色。

本属各种间在外形与体色上十分近似，均符合上述描述特征，因此易于造成混淆，但雄虫生殖节构造有明显差异，可作为鉴别特征。

**分布**：古北区，东洋区。中国记录 9 种，秦岭地区记述 1 种。

### (360) 川甘碧蝽 *Palomena chapana* (**Distant, 1921**) (图 133)

*Epagathus chapana* Distant, 1921: 69.

*Palomena unicolorella* (nec Kirkaldy, 1909): China, 1925: 453 (misidentification).

*Palomena haemorrhoidalis* Lindberg, 1934: 7.

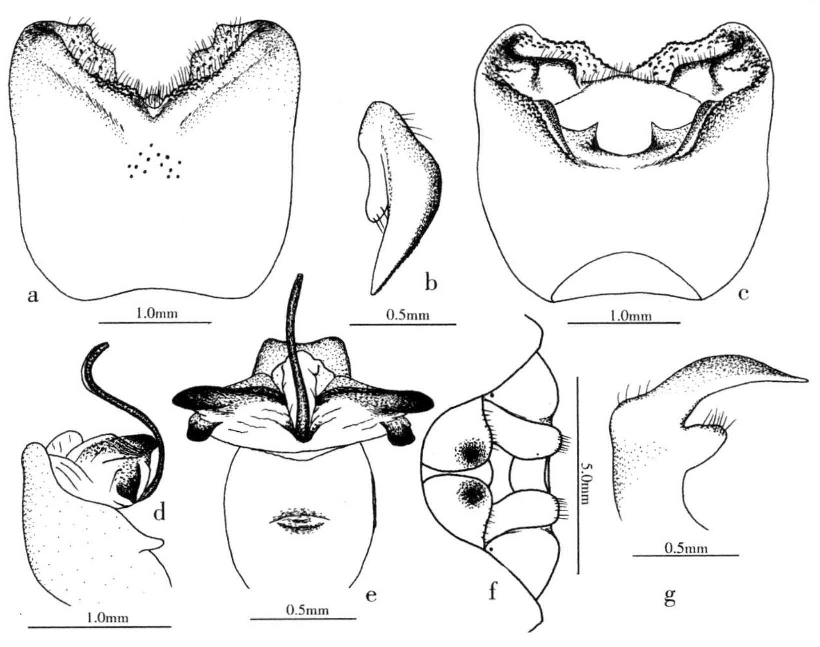


图 133　川甘碧蝽 *Palomena chapana* (Distant)

a. 雄虫生殖囊腹面观；b. 阳基侧突端面观；c. 雄虫生殖囊背面观；d. 阳基侧突侧面观；e. 阳茎腹面观；f. 雌虫生殖节；g. 阳基侧突侧面观

**鉴别特征：**前胸背板前侧缘直或凹弯，边缘扁薄。前胸背板侧角从略微伸出到相当尖长不等，侧角尖长的个体小于侧角圆钝略伸出的个体，个别侧角尖长的个体头上颚片与唇基末端平齐。

雄虫生殖囊腹缘凹陷中央均匀的弧形，其内侧的黑色颗粒集中在底部两侧，立壁肥厚，边缘中央凹陷形成两边的 2 个圆钝突起。阳基侧突桨叶突狭长且末端尖锐。阳茎系膜基上颚片的背枝端部较圆钝，腹枝端部较扁，因此侧面观突然变狭成尖锐突出状。

雌虫第 1 载瓣片内角明显弧形，外缘波曲，近中央处圆钝隆起，内角内侧各有 1 个黑斑。

**量度(mm)：**♂：体长 11 ~ 14，宽 7 ~ 9；头长 2.30 ~ 3.40，宽 2.60 ~ 3.75；触角 1 ~ 5节的长度分别为 0.50、1.25、1.10、1.45、1.90；前胸背板长 2.70 ~ 3.80；小盾片长 4.80 ~ 5.90，宽 4.40 ~ 5.45。♀：体长 13.50 ~ 15.00，宽 8 ~ 9；头长 2.45 ~ 2.95，宽 2.65 ~ 3.30；触角 1 ~ 5 节的长度分别为 0.60、1.35、1.00、1.50、2.00；前胸背板长 2.70 ~ 3.20；小盾片长 5.30 ~ 5.80，宽 5.00 ~ 5.75。

**采集记录：**3♀，凤县秦岭车站，1400m，1994. Ⅶ. 27，吕楠采；1♀1♂，凤县大散关，1999. Ⅸ. 04，郑乐怡采；1♂，留坝庙台子，2000. Ⅷ. 31，周长发采。

**分布：**陕西(凤县、留坝)、河北、甘肃、宁夏、浙江、湖北、湖南、四川、云南、西藏；越南，缅甸，尼泊尔。

## 209. 真蝽属 *Pentatoma* Olivier, 1789

*Pentatoma* Olivier, 1789: 25. **Type species**: *Cimex rufipes* Linnaeus, 1758.

**属征**：本属种类多为大型或中型个体。体卵圆形，密布刻点。头表面褶皱状，向端部逐渐变狭；上颚片与唇基等长或近于等长；上颚片侧缘波曲，多数种类微上卷；触角第1节不伸达头末端或与头末端平齐，第3节长于第2节（*Pentatoma punctipes* Disant 除外）；单眼与复眼间距短于单眼间距。前胸背板侧角伸出翅革片，末端平截或成角状突出。前胸背板前缘中段平坦内凹；前侧缘内凹，具齿；后角圆钝不伸出。胫节背面具沟，前足胫节端部1/3处有1个毛簇。臭腺沟长度不等，一般具前壁结构，端部圆，个别种类尖细。具腹基刺突，瘤状或成长度不等的刺状。中胸腹板具纵脊。腹缘内褶不发达。

**分布**：中国记录22种，秦岭地区记述8种。

### 分种检索表

1 腹基刺突短钝，长度不超过后足基节前缘 ………………………………………… 2
　腹基刺突尖长，长度超过后足基节前缘 ……………………… **脊腹真蝽 *P. carinata***
2 体背面大面积的金绿色或绿 ………………………………………………………… 3
　体不呈金绿色，黄褐色或黑褐色，或仅刻点具金属光泽 ………………………… 4
3 侧接缘一色黄绿色 ………………………………………… **绿角真蝽 *P. viridicornuta***
　侧接缘黄黑相接 ……………………………………………… **日本真蝽 *P. japonica***
4 喙长，可伸达第6腹节后半 ……………………………… **斜纹真蝽 *P. illuminata***
　喙长不超过第5腹节后缘 …………………………………………………………… 5
5 体黄褐色，前胸背板前侧缘部分黄白色，扁薄略呈片状 ………………………… 6
　体黑色或黑褐色 ……………………………………………………………………… 7
6 体狭长，前胸背板侧角略伸出于体外，端部十分宽阔的平截，前侧缘黄白色区域狭窄 ……………………………………………… **拟太白真蝽 *P. parataibaiensis***
　体较宽，前胸背板侧角明显伸出体外，前侧缘前部大半宽阔的黄白色 ……………………………………………… **褐真蝽 *P. semiannulata***
7 小盾片端部有明显的黄白色大斑 ……………………………… **红足真蝽 *P. rufipes***
　小盾片端部无明显的黄白色大斑 ……………………………… **太白真蝽 *P. taibaiensis***

### (361) 脊腹真蝽 *Pentatoma carinata* Yang, 1934

*Pentatoma carinata* Yang, 1934: 91.

**鉴别特征：**体大型，棕褐色，均匀密布黑色刻点；前胸背板侧角角体外缘、前翅外革片略成红色；体下淡黄褐色，除前、后胸侧板具同色刻点外，平滑无刻点；足红褐色，股节端部和胫节尚具若干黑色小点斑。

头表面褶皱状，上颚片略长于唇基，在其前方形成1个缺刻；触角红褐色，第4、5节端部2/3黑色，第1节长度与头末端平齐或略短于头末端，大部分个体触角第2节和第3节长度约相等；触角窝上方、复眼前方腹面具黑色线斑；喙最端部黑色，伸达第3腹节前缘。

前胸背板前缘中段平截内凹；前角短，前指；前侧缘黑色，具浅钝的锯齿；侧角伸出体外的长度略短于前翅基部，角体末端平截，内凹不明显，略上翘；后角不明显；后缘直。小盾片三角形，末端狭长，端部处有密集黑色刻点组成的小凹刻；前翅内革片上的刻点较外革片粗大，外革片基部布更大的黑色刻点；膜片烟褐色，超过腹部末端；中胸腹板脊突较高，末端与足基节端部平齐；后胸腹板隆起，中央有浅的纵脊；臭腺沟缘长为挥发域宽度的1/3。

腹侧接缘狭窄，外露，黄黑相接；腹基刺突超过中足基节前缘，末端尖，略向体内侧弯。

雄虫生殖囊腹缘中央凹陷，两侧各有1个极深的凹刻，将腹缘分为4个显著的突起；阳基侧突简单；阳茎无背突，系膜不发达，中交合板发达，阳茎端不伸出中交合板外。

雌虫第1载瓣片的内缘弧形，前半部分相分离，呈倒三角形，后半相接触；第8、9侧背片末端平齐。

**量度(mm)：**♂：体长15.00～16.50，宽8.70～9.80；头长2.95～3.50，宽3.20～3.95；触角1～5节的长度分别为1.05、1.97、1.92、2.82、2.92；前胸背板长3.25～3.75；小盾片长6.50～7.00，宽5.40～6.00。♀：体长17.00～18.30，宽9.50～10.00；头长2.55～3.00，宽3.05～3.45；触角1～5节的长度分别为1.20、1.90、2.00、2.80、2.80；前胸背板长2.60～3.00；小盾片长5.00～5.40，宽4.20～4.65。

**采集记录：**1♀，留坝庙台子，2000.Ⅷ.31，周长发采。

**分布：**陕西(留坝)、甘肃、江西、湖南、福建、广西，贵州、云南。

### (362)斜纹真蝽 *Pentatoma illuminata* (Distant, 1890)(图134)

*Tropicoris illuminatus* Distant, 1890: 159.

**鉴别特征：**体大型，黑褐色，前胸背板中段、胝区间、小盾片中线、基角、端部为黄白色；体下黄白色，前胸背板前侧角腹面黑色，中胸侧板两侧黑色，各腹节腹面侧缘靠近节间处各有1个大黑斑。

头长大于宽，黑色，仅端部黄白色无刻点，侧缘在眼前近平行，距端部1/4处向内直线弯折，上颚片与唇基末端平齐；触角黑褐色，第1节不伸出头末端，第3节明显长于第 2 节；喙端部黑色，长度伸达第 6 腹节后半。

前胸背板前缘内凹，侧角黄白色，指向前侧方；前侧缘宽阔的扁薄，外拱，前半有若干尖齿，指向后侧方，中段有宽度为全长 1/5 的黄白色斑，斜着指向胝区的后侧；侧角骤尖，指向体侧，角体黄白色；后角不明显；胝区之间黄白色具若干黑色刻点，胝区后方到后缘之间有时刻点稀疏成黄白色。小盾片基部隆起，基角半月形黄白色，端部黄白色，中线处有纵向的黄白色胝区。前翅革片基部和端部刻点较中部密集，外缘一线黄白色，后角尖锐。前胸背板前侧角角体腹面黑色，中胸腹板两侧黑色，各胸节侧板布若干黑斑；臭腺沟缘较长，末端圆钝上扬；足黄褐色，胫节中段、跗节第 1 节黄白色。

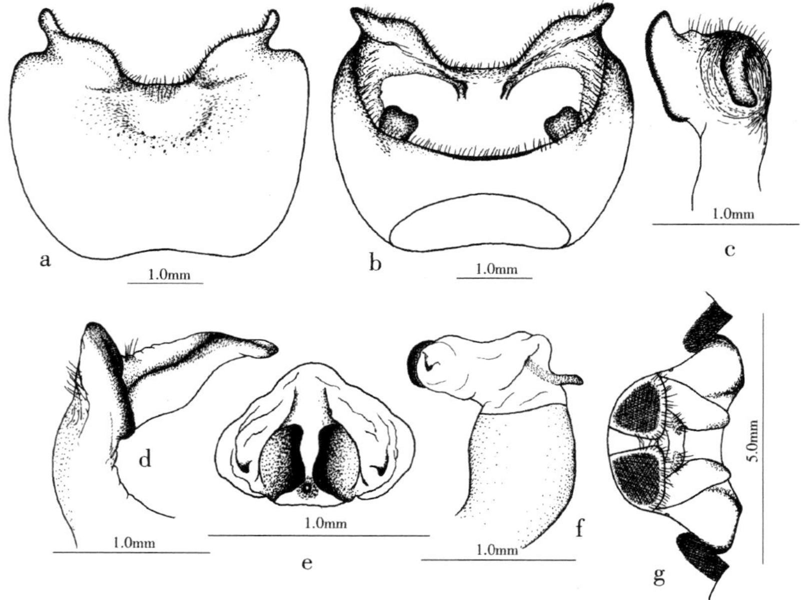


图 134　斜纹真蝽 *Pentatoma illuminata* (Distant)

a. 雄虫生殖囊腹面观；b. 雄虫生殖囊背面观；c－d. 阳基侧突侧面观；e. 阳茎端面观；f. 阳茎侧面观；g. 雌虫生殖节

腹侧接缘扁薄，末端上翘，外露较多，黄黑相接，边界明显；腹基刺突不明显，腹缘各节两端黑色，气门黑色。

雄虫生殖囊腹缘内凹，侧面具 2 个细长的指状突起；阳基侧突桨叶突两叶状，1 个突起叶细长，另 1 个宽阔不伸出；阳茎系膜具细长的骨化背突，系膜不发达，围绕中交合板外侧的系膜具 1 个短的骨化突起，阳茎端略短于中交合板端部。

雌虫第 2 载瓣片黑色，边缘黄褐色，内缘直，基部分离，端部接近但不接触，第 8 侧背片端部黑色，明显超出第 9 侧背片端部。

**量度**(mm)：♂：体长 15.50，宽 10.20；头长 3.40，宽 3.48；触角 1～5 节的长度分别为 1.10、1.95、3.60、缺、缺；前胸背板长 4；小盾片长 6.40，宽 5.40。♀：体长 17.20～19.50，宽 11.20～12.20；头长 3.70～4.40，宽 3.40～4.00；触角 1～5 节的

长度分别为1.20、2.12、3.25、3.50、3.30；前胸背板长4.25～5.00；小盾片长7.20～7.95，宽6.30～6.95。

**采集记录：** 1♀，陕西，1951.Ⅸ.14；1♂，陕西，1951.Ⅹ.17。

**分布：** 陕西（秦岭）、湖北。

## （363）日本真蝽 *Pentatoma japonica*（Distant，1882）

*Tropicoris metallifer*：Distant，1881：28（misidentification）.

*Tropicoris japonicus* Distant，1882：76.

*Pentatoma japonica*：Hsiao *et al.*，1977：125.

**鉴别特征：** 体大型，金绿色，前胸背板前侧缘外缘一线及前侧角角体边缘红褐色，体下黄褐色，除前胸侧板上的刻点黑色外均为同色刻点，触角红褐色，第1节及第4、5节基半色淡。

头上颚片末端渐狭，与唇基平齐；触角第1节略短于头末端，第3节明显长于第2节；喙末端黑色，伸达第4腹节后半。

前胸背板前缘内凹；前角前指；前侧缘具尖锯齿，前半略内凹，后半直；侧角伸出体外较多，上翘，角体端缘成二叉状，形成前大后小2个小角；后角不明显；后缘几乎平直。小盾片端部细长，金绿色，基部隆起均匀。翅革片外缘一线黄褐色无刻点，后角尖锐，膜片淡黄褐色。臭腺沟缘香蕉状，末端圆钝，长度中等。足黄褐色，胫节、股节上具黑色小斑点。

腹侧接缘黄黑相接，界限明显；腹基刺突基部粗，端部尖细，不超过后足基节前缘；气门黑色，腹下边缘极狭窄的黑色；雌虫第7腹节中央侧面观有1个突起。

雄虫生殖囊中央凹陷；阳基侧突宽阔的片状；阳茎鞘短，阳茎系膜具发达的系膜顶叶，基上颚片端部骨化，阳茎端几乎不见。

雌虫第1载瓣片表面具纵向的褶皱，内缘直，相互接触，后缘斜平截；第9侧背片短于第8侧背片。

**量度（mm）：** ♂：体长17.50～19.00，宽11.00～12.10；头长3.10～3.60，宽3.25～4.10；触角1～5节的长度分别为0.95、1.85、2.95、3.11、2.55；前胸背板长3.45～4.00；小盾片长6.85～7.30，宽5.65～6.40。♀：体长21.00～24.50，宽14～15；头长3.20～4.40，宽3.75～4.55；触角1～5节的长度分别为1.15、2.22、2.95、3.31、2.60；前胸背板长4.45～5.55；小盾片长8.70～9.70，宽6.85～7.60。

**采集记录：** 1♀，周至板房子，1991.Ⅷ.09，吕楠灯诱；1♂，凤县天台山，1650～1850m，1999.Ⅸ.03，郑乐怡采。

**分布：** 陕西（周至、凤县），黑龙江、吉林、辽宁、内蒙古、甘肃、青海、浙江、湖北、湖南、福建、贵州、云南；俄罗斯（东部），朝鲜，日本。

### (364) 拟太白真蝽 *Pentatoma parataibaiensis* Liu *et* Zheng, 1995 (图 135)

*Pentatoma parataibaiensis* Liu *et* Zheng, 1995: 354.

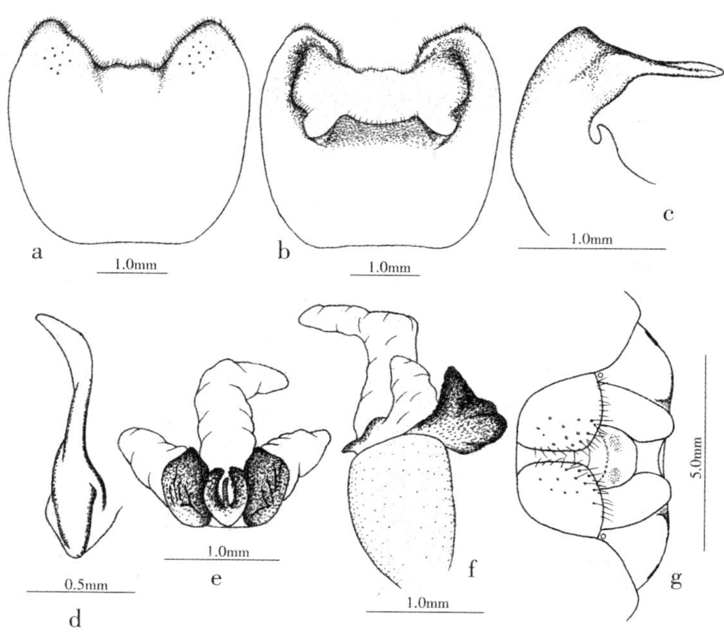


图 135 拟太白真蝽 *Pentatoma parataibaiensis* Liu *et* Zheng

a. 雄虫生殖囊腹面观; b. 雄虫生殖囊背面观; c. 阳基侧突侧面观; d. 阳基侧突端面观; e. 阳茎端面观; f. 阳茎侧面观; g. 雌虫生殖节

**鉴别特征:** 体中型，末端尖狭，斑驳的红褐色，具黑色刻点；体下黄白色，刻点无色，各胸节侧板近基节处有 1 个黑斑，前胸侧板上有若干个更小的黑斑。

头侧缘弯曲卷翘，刻点中央稀，边缘密；唇基与上颚片末端平齐；触角第 1 节黄褐色，外侧具黑褐色纵纹，伸达头端部，第 2 节黑褐色，第 3 ~ 5 节基半黄褐色，端半黑褐色，第 3 节明显长于第 2 节；喙伸达第 4 腹节后半。

前胸背板前缘中段平坦内凹；前角在眼后方平截，指向体侧；前侧缘内凹，仅前半有浅锯齿，后半直，边缘狭窄的黄白色无刻点；侧角略伸出，前缘黑色，强烈扁薄卷起，侧缘平截或端部有浅缺刻；后缘略内凹。小盾片基部隆起，有隐约的黄褐色纵线，纵线两侧中央刻点密集，成不明显的黑斑状，端部狭细。膜片浅黄褐色，伸出腹部末端。臭腺沟缘中等长度，不超过后胸腹板的 1/2，中央明显弯曲，端部圆钝上扬。

雄虫腹末端圆筒状，侧接缘上翘，指向背侧，背面观不可见，雌虫的侧接缘外露，黄黑相接，界限明显；腹基平坦无明显凸起；气门黑色。

雄虫生殖囊相对较大，多伸出第 7 腹节外；腹缘中央凹陷，两侧斜直，布长直毛；阳基侧突桨叶突端部细长伸出，感觉叶细小；阳茎鞘短，阳茎系膜具背突，系膜顶叶和基上颚片膜质，较发达；中交合板亚端部三角形，阳茎端伸出中交合板基部，但不超过其端部。

雌虫第 1 载瓣片内缘黑褐色，斜直，全缘不相互接触，内角圆钝，后缘外拱，侧后方具凹刻，第 9 侧背片略超过第 8 侧背片端部。

**量度(mm)：**♂：体长 15，宽 7.10；头长 2.70，宽 3.20；触角 1～5 节的长度分别为 0.80、2.45、3.35、3.40、3.12；前胸背板长 3.20；，小盾片长 5.50，宽 4.45。♀：体长 15.80～16.30，宽 6.50～7.00；头长 2.80～3.00，宽 3.20～3.60；触角 1～5 节的长度分别为 0.75、1.82、2.50、2.71、缺；前胸背板长 3.00～3.20；小盾片长 5.48～5.70，宽 4.30～4.70。

**采集记录：**1♂(副模)，太白山，2200m，1956. Ⅴ.26，周尧采。

**分布：**陕西(太白)、甘肃、宁夏。

## (365) 红足真蝽 *Pentatoma rufipes* (Linnaeus, 1758) (图版 5：10)

*Cimex rufipes* Linnaeus, 1758: 443.

*Cimex notatus* Poda, 1761: 56.

*Pentatoma viridiaenea* Palisot de Beauvois, 1811: 130.

*Tropicoris nigricornis* Reuter, 1879: 31.

*Tropicoris rufipes* var. *moesta* Reuter, 1881: 156.

*Pentatoma rufipes*: Hsiao *et al.*, 1977: 127.

**鉴别特征：**体大小差别大，黑龙江的雌雄个体都较大，而新疆的个体则普遍较小；体黑褐色，黑龙江的标本带暗金绿色光泽，小盾片端部黄白色；腹下淡黄褐色，胸节侧板上具黑色刻点，腹部腹面两侧有细小的黑色稀疏刻点。

头上颚片与唇基末端略平齐，上颚片末端尖狭，在唇基末端上方会合或仅有向中间合拢的趋势，但末端不会合；触角第 4 节端部大半及第 5 节黑色，其余棕褐色，第 3 节明显长于第 2 节，最多可达第 2 节的 2 倍长；喙可伸达第 4 腹节前半。

前胸背板后半刻点略稀疏，刻点连成线状；前缘内凹；前角指向前侧方；侧接缘内凹，浅锯齿状，中段黄白色；侧角伸出体外，端部形成 1 个侧指的小角；后缘略内凹。小盾片三角形，端部圆钝并呈黄白色。前翅革片外缘基部 1/3 狭窄的黄白色无刻点，略卷起；膜片棕褐色，翅脉同色，末端超过腹末。臭腺沟缘明显，中等长度或略短。

腹侧接缘外露，黄黑相接，界限清晰，各节两侧的黑色区域在基部不接触；腹基突起短钝；腹面中央光滑无刻点，两侧具稀疏的细密刻点，黑色或无色。

雄虫生殖囊内缘凹陷，具 2 个分离的三角形片状突起，突起端部黑色，指向背侧，与体轴垂直，因此腹面观不可见；阳基侧突片状，端缘内凹，一侧尖，另一侧圆钝；阳茎系膜简单，仅具骨化的指状背突；阳茎端短，仅伸出与中交合板基部。

雌虫第1载瓣片内缘直，粗脊状，基部分离，端部接触，脊的内侧各有1个明显的深凹陷，后缘略内凹，近第7腹节处片状。第9侧背片端部略长出第8侧被片最端部。

**量度(mm)：**♂：体长12.80～15.50，宽7～9；头长2.80～2.90，宽3.15～4.65；触角1～5节的长度分别为0.95、1.90、2.92、2.90、2.40；前胸背板长3.60～4.60；小盾片长5.90～6.90，宽4.90～6.40。♀：体长11.50～17.00，宽6.50～9.90；头长2.90～4.90，宽3.25～5.75；触角1～5节的长度分别为0.95、1.80、2.45、2.60、2.25；前胸背板长3.75～5.75；小盾片长6.50～8.50，宽5.10～7.60。

**采集记录：**1♂，凤县大散关，1200m，1999.Ⅸ.03，李传仁采。

**分布：**陕西(凤县)、黑龙江、吉林、辽宁、内蒙古、河北、山西、甘肃、青海、宁夏、新疆、四川、西藏；印度，古北区。

### (366) 褐真蝽 *Pentatoma semiannulata* (Motschulsky, 1860)（图版5：11）

*Tropicoris semiannulatus* Motschulsky, 1860: 501.

*Tropicoris armandi* Fallou, 1881: 340.

*Gudea ichikawana* Distant, 1911: 349.

*Pentatoma armandi*: Hsiao *et al.*, 1977: 126.

**鉴别特征：**体中到大型。体黄褐色，具细的黑色刻点。头、前胸背板前半、前翅外革片略带暗红色；体下淡黄白色，刻点同色。

上颚片端部渐狭，略长于唇基或与唇基末端平齐；触角黄褐色，第3、4、5节端部黑褐色，触角第1节长度不超过头末端，第2、3节长度几乎相等或第3节略长于第2节；小颊前角末端尖锐伸出；喙伸达第4腹节中央。

前胸背板前缘内凹；前角在复眼后方平截，后角指向体侧；前侧缘扁薄上卷，前半具不均匀锯齿，黄白色无刻点；侧角伸出体外，上翘，边缘黑色，端部圆钝，角体后缘的突起同样圆钝。小盾片基部有黑色小凹陷，刻点分布较均匀，端部狭细；前翅外革片及端部红色，内革片黄褐色，外革片外缘基部的刻点略大，稀疏；膜片浅烟褐色，长度超过腹末。各胸节侧板靠近基节处各有1个小黑斑；臭腺沟缘长度中等，细，中央向后弯，末端圆钝；足黄褐色，胫节端部色略深，爪黑色。

腹侧接缘外露，黑黄相接，黑色区域的面积较小；腹面淡黄褐色，光滑无刻点；腹基突起圆钝，不向前伸出；气门边缘狭窄的黑色。

雄虫生殖囊腹缘深凹，中段缓缓外凸，侧面各有1个凹刻；阳基侧突桨叶突端部二叉状，2个分叉略称钩状，感觉叶指状伸出；阳茎系膜具1对细长的骨化背突、1

对端部二叉状的膜质的系膜顶叶；中交合板背端部和腹基部分别扩展成明显的突起；阳茎端伸出中交合板基底但不伸出后者端部。

雌虫第 1 载瓣片内缘直，几乎平行，全缘不相接触，内角圆钝，后缘波曲；第 9 侧背片端部略长于第 8 侧背片端部。

**量度(mm)：**♂：体长 16～20，宽 8.50～10.00；头长 2.75～3.20，宽 3.90～4.90；触角 1～5 节的长度分别为0.90、2.65、3.20、3.20、2.80；前胸背板长 3.70～5.10；小盾片长 6.95～7.00，宽 5.50～6.50。♀：体长 18～20，宽 8.70～10.50；头长 2.90～3.60，宽 3.50～4.00；触角 1～5 节的长度分别为 1.02、2.50、2.55、3.10、2.63；前胸背板长 3.50～4.20；小盾片长 6.90～7.60，宽 5.30～5.80。

**采集记录：**1♂，凤县秦岭车站，1400m，1994. Ⅶ.27，吕楠采；1♂，凤县秦岭车站，1400m，1994. Ⅶ.30，吕楠采；1♀，留坝庙台子，1400m，1994. Ⅷ.01，吕楠采。

**分布：**陕西(凤县、留坝)，黑龙江、吉林、辽宁、内蒙古、河北、山西、河南、甘肃、青海、宁夏、江苏、浙江、湖北、江西、湖南、四川、贵州；蒙古，俄罗斯(东部)，朝鲜，日本。

### (367) 太白真蝽 *Pentatoma taibaiensis* Zheng *et* Ling, 1983

*Pentatoma taibaiensis* Zheng *et* Ling, 1983: 233.

**鉴别特征：**体大型，暗黄褐色，布粗糙不均匀的黑色刻点；体下黄褐色。

上颚片与唇基等长，侧缘色较深，微向上卷；触角深褐色，第 4、5 节基部淡黄色，第 1 节末端约与头末端平齐，正模标本(雌虫)的触角第 2 节略长于第 3 节，但是作者观察的另一头雌虫(产地同正模标本)标本的触角确是第 2 节略短于第 3 节；小颊前角尖锐，向下伸出；喙向后伸达第 4 腹节前部。

前胸背板前缘宽阔内凹；前角指向体前侧方；侧缘前半具若干淡黄褐色小锯齿，略内凹，后半则较直，光滑薄脊状；侧角圆钝，端部内凹略平截，角体前缘宽阔的黑色；后缘略内凹；小盾片基部隆起，基角有小的黑色凹陷，外侧各有 1 个半月形黄褐色胝斑，端部十分狭细，最末端黑色。前翅革片中裂处刻点略密集，外革片基部刻点较大；膜片棕褐色，翅脉同色，末端略伸出于腹末。各胸节侧板靠近足基节处有 1 个小黑斑；臭腺沟缘端部圆钝，长度中等，大概伸达挥发域宽度的 1/2；足棕褐色，股节上布有黑褐色小斑点。

腹侧接缘明显外露，黄黑相间，界限明显；腹面光滑无刻点，腹基突起不明显，气门黑色。

雌虫第 1 载瓣片内缘基部略成倒三角形，后缘波曲。第 9 侧背片端部略短于第 8 侧背片端部。

**量度(mm)：**♀：体长 16.20～16.50，宽 8.00～8.30；头长 2.80～2.90，宽 3.60～3.80；触角 1～5 节的长度分别为 0.97、2.31、2.40、缺、缺(0.96、1.85、2.80、缺、

缺)；前胸背板长3.50～3.60；小盾片长6.10～6.20，宽4.65～4.85。

**采集记录：**1♀(正模)，太白山蒿坪寺，1165m，1956.Ⅶ.19-22；1♀，太白山，1998.Ⅸ。

**分布：**陕西(眉县、太白)。

## (368) 绿角真蝽 *Pentatoma viridicornuta* He *et* Zheng, 2006

*Pentatoma viridicornuta* He *et* Zheng, 2006: 589.

**鉴别特征：**体中型，背面橄黄色，前胸背板侧角背面大部分及前翅内革片暗蓝绿色，刻点暗蓝绿色；体腹面黄绿色，刻点无色。

头侧缘弧形，均匀外拱，头端部圆钝，上颚片与唇基末端平齐，头背面刻点稀疏，单眼之间的刻点略大，复眼内侧各有1个光滑胝斑。触角黄褐色，第4节端部2/3和第5节端部2/3黑褐色，第1节约伸达头端部，第3节略长于第2节。小颊低矮并轻微波曲，前角角状，略伸出。喙几乎伸达第5腹节腹板后缘，第1节端部伸出小颊外。

前胸背板：宽大于长，前侧缘内侧光滑无刻点，侧角背面处前缘外刻点极为密集而成暗蓝绿色；前缘内凹，眼后部分斜平截，前角角状伸出，端部略超过复眼外缘；前侧缘宽阔，略内凹，边缘扁薄，前半稀疏的锯齿状，后半较光滑；侧角伸出体外，显著向上隆起，角体端部前侧，后侧具1个尖锐的突起；后侧缘斜平直；后角角状；后缘平直。小盾片：长大于宽，端部狭长的角状，侧缘内侧和端部刻点稀疏，基部中央刻点较均匀。爪片和内革片暗墨绿色，具同色稀疏刻点，外革片黄褐色，刻点向外侧渐消失不见。革片端部轻微外拱，膜片烟褐色，端部几乎与腹部末端平齐。胸部腹面淡黄绿色，各胸节侧板具1个小黑斑，臭腺沟缘平直，端部圆钝，长度约为挥发域宽度的1/2。中胸腹板具低矮均匀的中央纵脊。后胸腹板较为平坦。足股节黄绿色，胫节和跗节淡红褐色。

腹侧接缘外露，黄绿色，各节后角略伸出。第3腹节腹板中央平坦无突起，气门周围有狭窄的黑色带。

雄虫生殖囊腹缘中央具1个浅凹坑，凹坑两侧各有1个圆钝的片状突起，生殖囊两侧端部粗指状突起；生殖囊背缘较为宽阔平坦，生殖囊侧缘内侧近背侧处各有1个黑色的短钝突起。阳基侧突干部较细，桨叶突扁平，略呈梯形，端缘两侧各有一钝一尖两个角状突起。阳茎系膜具1对指状骨化背突，系膜唇基膨大且粗短，中交合板较厚，端部圆钝，底部宽阔，阳茎端细且端，不伸出中交合板外。

雌虫第1载瓣片内缘轻微外拱，相互不接触，内角角状，外缘波曲。第9侧背片指状，端部圆钝，与第8腹节后缘约平直。第8侧背片端部弧形圆钝，不伸出。

**量度(mm)：**♀：体长16，宽11；头长3，宽2.90；触角1～5节的长度分别为0.90、1.60、2.30、2.80、2.55；前胸背板长3.20；小盾片长6，宽4.70。♂：体长14，宽10.50；头长2.90，宽3；触角1～5节的长度分别为1.00、1.70、2.60、缺、缺；前

胸背板长 3.30；小盾片长 5.10，宽 4.80。

**采集记录：** 1♀（正模），佛坪，2205. Ⅸ. 16，何鹏兴采；1♂（副模），同上；1♂（副模），眉县红河谷，2002. Ⅷ. 13，卜云采。

**分布：** 陕西（眉县、佛坪）、湖北、四川。

## 210. 壁蝽属 *Piezodorus* Fieber, 1860

*Piezodorus* Fieber, 1860: 78. **Type species**: *Piezodorus lituratus* (Fabricius, 1794).

**属征：** 体狭长，两侧近平行。头端部圆弧状，上颚片基部较宽，约为唇基宽度的 2 倍，与唇基等长；触角第 1 节明显短于头端缘，第 2、3 节约等长。前胸背板前缘不呈领状；前侧缘棱边状，光滑几乎平直；侧角端部圆钝，不伸出体外；中胸腹板中央的纵脊后端低矮，向前方渐高，端部呈侧扁的游离突起，高度约等平齐于足基节表面；臭腺沟缘长度超过挥发域宽度的 1/2，端部极细的细线状上扬。前翅膜片具 8 条平行纵脉。腹基刺突尖长，侧扁，超过中足基节后缘。

雄虫生殖囊开口背侧，腹缘内褶明显；阳茎系膜顶叶和腹叶发达，顶叶分为内侧的膜质部分和外侧的端部骨化部分，腹叶端部具骨化钩。

雌虫第 1 载瓣片大部被第 7 腹节遮盖，仅后缘狭窄外露。

**分布：** 中国记录 2 种，秦岭地区分布 1 种。

### (369) 壁蝽 *Piezodorus hybneri* (Gmelin, 1790)

*Cimex rubrofasciatus* Fabricius, 1787: 293 (nec de Geer, 1783).

*Cimex hybneri* Gmelin, 1790: 2151 (new name for *Cimex rubrofasciatus* Fabricius, 1787).

*Cimex flavescens* Fabricius, 1798: 534.

*Raphigaster flavolineatus* Westwood, 1837: 31.

*Raphigaster virescens* Amyot *et* Serville, 1843: 148 (nec Westwood, 1837).

*Nezara pellucida* Ellenrieder, 1862: 157.

*Piezodorus rubrofasciatus*: Hsiao *et al.*, 1977: 107.

**鉴别特征：** 体小型，苍绿色或淡黄白色，前胸背板两侧角间的指状横带白色或红色。体下及足淡黄白色，布无色刻点。

头端部圆弧状，上颚片侧缘端部宽阔的圆弧状，末端与唇基末端平齐；触角第 1 节、第 2 节及第 3 节基部浅黄褐色，其余红褐色，第 1 节长度不伸出头端部，第 2、3 节约等长。喙端部黑色，伸达中足基节前缘。

前胸背板前缘后方的刻点细小无色，胝区后方刻点略大但无色；两侧角间的胝状横带之后的刻点为黑色。前缘不呈领状，刻点分布到最边缘，中央内凹；前角在眼后平截，不伸出；侧接缘光滑平直，棱边状；侧角端部圆钝，不伸出体外；后侧缘略内凹；后角钝角；后缘宽阔的内凹。小盾片基部均匀隆起，端部圆钝。前翅内革片上的刻点极稀疏，棕褐色，革片均匀的外拱，后角圆钝；膜片透明无色，略伸出腹末之外。臭腺沟缘长度远超过挥发域宽度的1/2，端部1/3处开始骤细，渐成细线状。

腹侧接缘狭窄外露，黄色；腹基刺突尖长，侧扁，伸达中足基节中部；气门黑色。

雄虫生殖囊腹缘内褶中央凹陷。阳基侧突端面观具2个呈直角的突起，位置较低的突起扁薄，伸出较长。阳茎系膜无背突，但在系膜顶叶后方中央有1个膜质的突起，由阳茎鞘端部伸出；1对系膜顶叶较发达，各顶叶二叉状，一个全膜质长突起，另一个端部宽阔的骨化，略短；系膜腹叶脊发达，在中交合板两侧各有2个骨化的钩状突。中交合板不甚发达，阳茎端端部弯曲，略伸出中交合板外。

雌虫第1载瓣片基部被第7腹节遮盖，外露部分横向狭长，内缘紧靠，内角圆钝，后缘平直。第8侧背片端缘宽阔的平直或略外拱，第9侧背片指状，末端完全位于第8侧背片端缘内侧。

**量度(mm)**：♂：体长9.80~10.50，宽5.20~6.00；头长1.80~2.00，宽2.45~3.00；触角1~5节的长度分别为0.40、1.00、1.03、1.20、1.30；前胸背板长2.20~2.40；小盾片长5.80~6.00，宽3.70~4.20。♀：体长11.00~11.50，宽5.50~6.30；头长1.80~2.00，宽2.50~3.00；触角1~5节的长度分别为0.40、0.90、0.95、1.10、1.20；前胸背板长2.10~2.30；小盾片长4.40~4.60，宽3.65~4.10。

**分布**：陕西(秦岭)、山西、河南、山东、江苏、安徽、湖北、福建、广东、广西、四川；古北区，非洲，东南亚。

## 211. 莽蝽属 *Placosternum* Amyot *et* Serville, 1843

*Placosternum* Amyot *et* Serville, 1843: 174. **Type species**: *Cimex taurus* Fabricius, 1781.

**属征**：体强壮硕大，黄褐色至褐色，被黑色粗刻点。

头宽大，头顶明显，宽大隆拱；侧叶长于中叶，触角基节不伸达头端部；喙4节，伸达中足基节处。前胸背板宽阔，前半部下倾，后半部较隆拱；前缘内凹，中央较平截，前角具1个小齿状突，前侧缘呈细锯齿状，侧角向侧前方明显伸出，端部斜平截，具1~2个波曲；中胸腹板中央向前伸出1个光滑细长龙骨突，端部可伸达前足基节处，其基部向后扩展，与六边形的后胸腹板相接合，后缘内凹，与腹基突相契合；臭腺孔明显，臭腺沟缘细长，端部微上翘。腹下密布刻点，中央具1个浅凹沟；侧结缘黄黑相间，明显外露。

雄虫生殖囊腹缘内褶凹陷较明显，平坦无突起；雌虫第9腹节侧背片较细长，多超过第8腹节侧背片后缘，第8腹节侧背片后缘呈弧形。

**分布**：中国记录5种，秦岭地区分布2种。

## 分种检索表

前胸背板侧角端部仅具 1 个明显缺刻 ………………………………………………… 斯兰莽蝽 ***P. alces***
前胸背板侧角角体端部具至少具 2 个缺刻 ……………………………………… 褐莽蝽 ***P. esakii***

### (370) 斯兰莽蝽 *Placosternum alces* Stål, 1876

*Placosternum alces* Stål, 1876: 107.

**鉴别特征:** 此种与 *P. taurus* 很相似, 主要不同点是该种前胸背板侧角端部近前角处仅具 1 个波曲, 前角明显突出, 后角向后斜平截。

**分布:** 陕西(秦岭)、云南; 印度, 斯里兰卡, 巴基斯坦。

### (371) 褐莽蝽 *Placosternum esakii* Miyamoto, 1990

*Placosternum esakii* Miyamoto, 1990: 24.

**鉴别特征:** 前胸背板侧角间宽稍窄于腹部最宽处, 黄褐色, 散布不规则黑斑, 前翅革片近端部掺杂一些砖红色成份。

头黄褐色, 布黑色粗刻点, 中叶中央及基部两侧各具 1 个小黑斑, 头顶两侧单眼附近具 2 个纵黑斑; 头顶宽阔, 两侧突隆, 中央稍内凹, 具短横皱褶; 侧叶长于中叶, 并在中叶前相互接触, 侧缘近基部稍内凹; 单眼淡红色; 复眼黑褐色; 头腹面具斑杂黑斑; 触角黑, 第 1 节端部, 第 2 节两端, 第 3 节基部, 第 4 节基半部, 第 5 节基部约 2/3 黄白色; 喙黑色, 伸达中足基节。

前胸背板前半部下倾, 后半部隆拱, 胝区下方具 2 个近三角形小黑斑, 后方具 2 个不规则大黑斑; 前缘内凹, 其两端在复眼后方平截; 前角小齿突状, 指向侧前方; 前侧侧缘直, 锯齿状, 沿其内侧基部 2/3 具纵黑斑, 侧角伸出较短, 基部至端部渐窄, 角体端部平截, 具 2 个浅波曲, 角体之间的界限模糊, 有时仅在近前角处具 1 个波曲, 角体后缘黑, 近基部稍内凹; 小盾片基部隆拱, 侧缘近基角处明显内凹, 具 1 个不规则黑斑, 端中央稍凹陷, 呈匙状; 前翅革片黄褐色, 近端部掺杂一些砖红色成分, 散布若干部规则黑斑, 膜片黄色, 透明, 散布褐色斑点, 中央具弧形褐色斑, 稍长于腹部末端; 胸部腹面各侧板密布黑色刻点及黑斑, 前胸背板侧角前缘基部具 1 个近三角形的光滑无刻点的黄斑, 中胸腹板黑, 向前伸出 1 个光滑龙骨突, 基部黄褐色, 端部黑色, 伸达前足基节前方, 其基部与六边形后胸腹板相结合; 足黄褐色, 密布黑刻点及斑杂黑斑, 近端部具 1 个黑色环纹, 胫节端部及第 1、3 跗节黑色, 爪黑色; 臭腺沟缘较短, 为 1.90cm, 端部稍上翘。

胸下中央光滑无刻点, 向两侧刻点逐渐密集, 且具斑杂黑斑, 腹基突后方具 1 个纵行浅凹沟；侧接缘伸出体外较多。

雄虫生殖囊较长，腹缘中央宽内凹；阳基侧突似斑莽蝽 *P. urus*，端部向一侧伸出的突起短，端部较尖，腹面内凹；阳茎中胶合板背缘基部内凹，端部圆钝，系膜顶叶两侧各具 1 个指状突，侧面具 1 对膜囊状侧突，非骨化。

雌虫第 9 腹节侧背片端部与第 8 腹节侧背片外缘齐平，第 1 载瓣片外缘在近中轴处稍内凹，内角不明显。

**量度(mm)：**♂：体长 20.60～21.80，宽 13.50；头长 3.90～4.00，宽 4.50；单眼间距 2.20；触角 1～5 节的长度分别为 0.93、1.31、1.78、1.96、1.78；两前角间宽 4.80；前胸背板长 5.10；小盾片长 8.80，宽 7.50；臭腺沟缘长 1.40。♀：体长 21.30～22.50，宽 13.50；头长 4.00～4.20，宽 4.50；单眼间距 2.20；触角 1～5 节的长度分别为 0.93、1.31、1.78、1.96、1.78；两前角间宽 4.90；前胸背板长 5.10；小盾片长 9.30，宽 7.50～7.70；臭腺沟缘长 1.50。

**采集记录：**1♀，留坝庙台子，1350m，1998. Ⅶ. 21，姚建采。

**分布：**陕西(留坝)、天津、山东、甘肃、福建。

## 212. 珀蝽属 *Plautia* Stål, 1865

*Plautia* Stål, 1865: 191. **Type species**: *Cimex fimbriatus* Fabricius, 1787 ( = *Pentatoma crossota* Dallas, 1851).

**属征：**体中小型，多数种类体绿色，具光泽，爪片和前翅内革片为红褐色，少数种类体表黄褐色，宽大于长，唇基略长于上颚片或两者端部平齐，单眼间距大；小颊低矮，前角钝角状略伸出，端部在多数种类中成小尖角状前伸；触角 5 节，第 1 节不伸达头末端，第 3 节长于第 2 节。前胸背板宽大于长，饱满，前半略下倾。前侧缘平直，边缘较厚，不呈薄片状或狭边状；后角圆钝不伸出；后缘内凹；小盾片长宽约相等，端部圆钝；中胸腹板中央具低矮且细的纵脊；臭腺沟缘甚长，端部细，几乎可伸达中胸侧板的后缘；后足基节相距较近；胫节具棱边，跗节 3 节。腹基轻微隆起，但不显著伸出。

本属中的若干种类在外形和体色上十分相似，容易混淆，其鉴定主要是依靠雌雄生殖节的形态特征。

雄虫生殖囊短宽，腹缘内凹，腹缘内褶发达；阳基侧突桨叶突为渐宽的片状，或为钩状，干部都有横宽的、端部着生刚毛的感觉叶；阳茎系膜具 1 对基上颚片，膜质或端部有骨化，阳茎端细长，约与中交合板端部平齐。

雌虫第 8 侧背片端部不伸出，第 9 侧背片端部圆钝，几乎不伸出第 8 腹节后缘。

**分布：**中国记录 10 种，秦岭地区分布 2 种。

## 分种检索表

前胸背板前角和前侧缘处的刻点为黑褐色 ………………………………………… **邻珀蝽 *P. propinqua***
前胸背板前角和前侧缘处的刻点不呈黑褐色，与底同色 ……………………… **斯氏珀蝽 *P. stali***

### (372) 邻珀蝽 *Plautia propinqua* Liu *et* Zheng, 1994

*Plautia propinqua* Liu *et* Zheng, 1994: 238.

**鉴别特征：**体中小型，头、前胸背板、小盾片、前翅外革片及侧接缘绿色，前翅内革片红褐色略带黄色。头背面刻点与底同色，但单眼附近的刻点列呈黑褐色，前胸背板前缘处的刻点与底同色，而前侧缘内侧和前角处的刻点多为黑褐色。

头三角形，侧缘波曲，头顶中央的刻点较密，与底同色，但单眼前方及内侧的刻点列常为黑色。复眼与单眼之间有 1 块椭圆形光滑胝斑。触角第 1、2 节黄绿色，第 3、4 节端部黑褐色，基部大半黄褐色，第 5 节黄褐色，其亚端部黑褐色，在有些个体中，触角整体色淡，其深色部分为棕红色而不是黑褐色；第 1 节不伸达头端部，第 3 节略长于第 2 节。触角基上方有 1 条粗黑线。小颊低矮，前角角状微伸出，略大于直角。喙末节端部黑，略伸过第 3 腹节前缘。

前胸背板：盘域刻点较为细密，向前侧缘渐稀疏，向后侧缘和后缘处渐密集，前缘领后的刻点与底同色，但前角处的刻点明显黑褐色；前缘内凹；前角十分细小的角状；前侧缘平直，最边缘色深，有深绿色至暗褐色或黑色不等；侧角圆钝，不伸出体外，其背面后半及前胸背板后侧缘暗红褐色；后缘略内凹。小盾片：基角处有黑色凹陷，侧缘处的刻点最为密集，刻点向端部渐变小且色变淡，端部略带黄白色，刻点与底同色。爪片和前翅内革片暗红褐色，略带黄色，刻点黑色，较为粗糙，分布不甚均匀；前翅外革片绿色，其上刻点与底同色。膜片烟色，伸出腹部末端。足黄绿，跗节黄褐色，爪端半黑色。

腹侧接缘仅狭窄外露，绿色，各节后角黑色小尖角状。腹基中央微隆起。整个腹面布与底同色的刻点，但各腹节中央的刻点较为细小；气门与底同色。

雄虫生殖囊腹缘中央成 1 个短突起，突起的端缘平截；阳茎系膜粗短；阳基侧突顶面外缘近前角处有 1 个显著的齿突。

雌虫第 1 载瓣片表面平坦，隆起程度极弱，后缘处不向背侧倾弯；内缘拱弯，左右两内缘向基部逐渐分开。

**量度(mm)：**♂：体长 7.00～9.30，宽 4～6；头长 1.70～2.40，宽 2.20～3.70；触角 1～5 节的长度分别为 0.40、0.60、0.90、1.15、1.30；前胸背板长 1.70～2.40；小盾片长 3.10～3.80，宽 3.10～4.60。♀：体长 8.50～10.50，宽 5～6；头长 1.90～2.60，宽 2.60～4.30；触角 1～5 节的长度分别为 0.50、0.90、1.10、1.40、1.55；前胸背板长 2.20～2.90；小盾片长 4.10～4.80，宽 3.90～4.65。

**采集记录**：3♀，留坝庙台子，1400m，1994.Ⅷ.04，卜文俊采；1♂，佛坪岳坝保护站，2006.Ⅶ.23，许静杨采。

**分布**：陕西(留坝、佛坪)、甘肃、湖北、广西、四川、贵州、云南。

### (373) 斯氏珀蝽 *Plautia stali* Scott, 1874

*Plautia stali* Scott, 1874: 299.

*Nezara amurensis* Reuter, 1888: 200.

**鉴别特征**：体中小型，由南向北，体型有逐渐增大的趋势。头、前胸背板、小盾片、前翅外革片及侧接缘绿色，前翅内革片红褐色略带黄色。头、前胸背板前缘和前侧缘处的刻点与底同色。体腹面黄绿色，中央纵线处淡黄色。

头布细密刻点，与底同色，单眼和复眼之间有1个椭圆形光滑胝斑；触角第1、2节黄绿色，第3、4节端部深棕色或黑褐色，基部大半黄褐色，第5节基部黄褐色，亚端部黑褐色，最端部为深棕色；第1节不伸达头端部，第3节略长于第2节。触角基上方有1个粗黑线。小颊低矮，前高后低，向后到达头基部，前角钝角状伸出，末端常骤缩成前指的小尖角。喙末节端部黑，向后伸达第3腹节中央。

前胸背板：胝区略发黄，除前缘和前侧缘处的刻点与底同色外，其余刻点黑，以后侧缘处的刻点最为密集，前侧缘最边缘狭窄的黑褐色细线，侧角背面后半及后侧缘为棕黄色；前缘领状，弧形内凹；前角小尖角状侧指，略伸出；前侧缘平直，不呈狭边状；侧角圆钝不伸出；后缘略内凹。小盾片：大多数个体基角处的黑色凹陷明显，刻点向两侧缘处渐密集且色渐深，向端部渐变为与底同色，端部略呈黄白色，其后半光滑无刻点。前翅内革片在中裂端部内侧具1个明显的胝状斑，黑褐色刻点在其余地方分布不甚均匀；外革片绿色，刻点大多与底同色；膜片烟褐色，伸出腹末。足黄绿色，胫节端部和跗节为黄褐色，爪端半黑色。

腹侧接缘狭窄外露，绿色布同色刻点，各节后角黑色小尖角状；腹基微隆起；各腹节布与底同色的刻点，刻点向中央渐细小和稀疏。

雄虫生殖囊腹缘微凹，腹缘内褶略上翘(腹面可见)；阳茎中交合板基部愈合，端部呈宽弧形展开，似 *P. crossota*；阳基侧突顶面三齿状。

雌虫第1载瓣片显著隆起，且在后1/3处显著地向背侧折弯，整个第1载瓣片侧面观时显著高于其后的构造，内缘略外拱成弧形，左右两内缘端部接近，向基部逐渐分开。

**量度**(mm)：♂：体长9.00~11.50，宽5.60~7.00；头长2.25~2.75，宽2.75~3.75；触角1~5节的长度分别为0.60、0.90、1.20、1.30、1.50；前胸背板长2.30~2.80；小盾片长4.40~4.90，宽4.30~5.30。♀：体长10.00~12.80，宽6.00~7.20；头长2.25~2.75，宽2.70~3.70；触角1~5节的长度分别为0.55、0.90、1.20、1.40、1.45；前胸背板长2.30~2.80；小盾片长4.30~4.80，宽4.25~5.15。

**采集记录：**1♀，周至板房子，1985. Ⅶ. 27，任树芝采；3♂，同上，1994. Ⅷ. 10，卜文俊采；2♂，佛坪岳坝保护站，1100m，2006. Ⅶ. 21，丁丹采。

**分布：**陕西（周至、佛坪）、吉林、辽宁、河北、山西、河南、山东、甘肃、江苏、福建、湖北、江西、湖南、广东、广西、贵州；俄罗斯，朝鲜，日本，美国（夏威夷）。

## 213. 珠蝽属 *Rubiconia* Dohrn, 1860

*Rubiconia* Dohrn, 1860: 102. **Type species**: *Cydnus intermedius* Wolff, 1811.

**属征：**体短小，宽椭圆形；头和前胸背板前半显著下倾并略呈弧形向背侧轻微隆起；体背面黄褐色或暗褐色，头和前胸背板胝区及胝区前方黑色。

头略呈三角形，侧缘略外拱或波曲；上颚片基部宽阔，是唇基基部宽度的3倍以上，向端部渐狭，端部圆钝的角状伸出，明显超过唇基端部，但不会合，形成1条缝隙；复眼小，球状，突出，单眼间距约为单眼至复眼外缘距离的2倍；触角5节，较短，第1节不伸达头末端，第2、3节约等长。小颊较高，外缘多平直；前角角状或圆弧形。喙伸达腹基附近，第1节端部几乎不伸出小颊外。

前胸背板前缘中央宽阔的内陷，眼后平截部分窄；前角略伸出，末端略超过复眼外缘；前侧缘光滑略内凹，边缘黄褐色；侧角圆钝，不伸出体外；后缘平直。小盾片宽略大于长，端部略呈宽舌状。前翅革片短，端缘弧形外拱，端角圆钝，略超过小盾片末端；膜片略超过腹末。中胸腹板具中央纵脊。臭腺沟缘粗长，端部略狭，几乎伸达挥发域前角处；后胸侧板的挥发域外缘向后内侧斜行。

侧接缘外露较少或不外露，各节后角略伸出，不尖锐。腹部腹面基部中央平坦，无显著突起。

**分布：**中国记录2种，秦岭地区分布1种。

### （374）圆颊珠蝽 *Rubiconia peltata* Jakovlev, 1890（图版5：12）

*Rubiconia peltata* Jakovlev, 1890: 543.

**鉴别特征：**体短小，宽椭圆形，体背暗褐色或黄褐色，头和前胸背板前半两侧黑褐色；体腹面黄褐色，布密集的黑色粗糙刻点。

头端部显著下倾，长略大于宽，侧缘外拱，上颚片基部宽阔，为唇基基部宽度的3倍以上，向端部渐狭，末端圆钝的角状，明显超过唇基末端，但不在唇基前方会合，而是形成1个细线状缺口；头背面黑色，布粗大密集的同色刻点，头顶中央刻点稀疏，有时呈黄褐色，但不成明显的长纵带。触角第1节到第4节基部黄褐色，第4节端部大部分和第5节黑色，第1节不伸达头末端，第2、3节约等长。头腹面除小颊和基部黄褐色外，其余黑色。小颊具稀疏的黑色刻点，前角弧形，不呈角状，外缘平直，后角弧形。后足基节后缘，第 1 节端部不伸出小颊外。

前胸背板：宽大于长，黄褐色，密布黑色粗糙刻点，胝区其胝区前方黑色，其内刻点极为密集，前侧缘边缘光滑的黄褐色，其内刻点略密集，前缘中央的刻点情况与其两侧相同；前缘宽阔的浅内陷，中央较平坦，眼后平截部分较窄；前角小尖角状，略伸出，末端超过复眼外缘；前侧缘光滑，略内凹；侧角圆钝，不伸出体外；后缘平直。小盾片：宽略大于长，端部略呈宽舌状，端缘处刻点细小且稀疏，呈狭窄的光滑黄白色，基角凹陷内侧有不规则的小黄斑，基缘中央有时也有 1 个小黄斑，侧缘基部前 1/3 内侧有 1 个斜行的浅凹沟。前翅革片刻点较为密集；端缘弧形外拱；端角圆钝，略超过小盾片末端；膜片淡褐色，末端略超过腹末。

腹侧接缘不外露或仅狭窄外露，各节两侧狭窄的黑色，中央宽阔的黄褐色。腹面基部中央无突起，腹面黄褐色，具黑色刻点，分布不均匀，隐约呈 6 条刻点带。气门黑色。

雄虫生殖囊腹缘中央浅内凹，中点处有 1 个明显的小凹陷，腹缘中央1/3左右略向背侧折起，两端成圆钝的突起，腹缘两侧部分略为弧形外拱。阳基侧突干部端部处的突起较宽长，端部圆钝；桨叶突端缘扁平且宽圆；其背侧外侧弧形，着生众多长刚毛。阳茎鞘腹面基部两侧具 1 对显著的圆钝骨化突起；阳茎系膜具 1 对发达的顶叶，其基部膜质，较宽大且长，端部宽阔的骨化，骨化部分长条形，背侧为短尖角状，腹面延伸出 1 个游离的骨化钩；另有 1 对基部膜质，端部骨化角状的系膜基上颚片；中交合板短小的弯钩状，位于基上颚片基部内侧；阳茎端粗长，显著超过中交合板端部。

雌虫第 1 载瓣片宽大，内缘略外拱，基部远离，向后渐近，但不接触，内角圆钝，外缘波曲。第 9 侧背片短，端部圆钝，不超过第 8 腹节后缘。第 9 侧背片端部弧形。

**量度**(mm)：♂：体长 7.00～8.30，宽 4～5；头长 2.00～2.50，宽 2.40～2.90；触角 1～5 节的长度分别为 0.50、0.70、0.70、0.95、1.10；前胸背板长 2.20～2.70；小盾片长 3.00～3.50，宽 3.15～3.75。♀：体长 8.20～9.00，宽 4.50～5.20；头长 2.20～2.50，宽 2.50～2.65；触角 1～5 节的长度分别为 0.50、0.65、0.68、0.90、1.10；前胸背板长 2.30～2.60；小盾片长 3.20～3.50，宽 3.40～3.60。

**采集记录**：2♂，周至厚畛子，1200m，2000.Ⅶ.24，谢强采。

**分布**：陕西(周至)、黑龙江、吉林、辽宁、内蒙古、河北、山西、河南、山东、甘肃、安徽、浙江、湖北、江西、湖南、四川；俄罗斯(东部)，朝鲜，日本。

## 214. 点蝽属 *Tolumnia* Stål, 1868

*Tolumnia* Stål, 1868: 515. **Type species**: *Pentatoma trinotata* Westwood, 1837.

**属征：**体短椭圆形，头狭长，其长度约与前胸背板长度等长，小盾片端部具大型黄白色光滑胝斑。头端缘圆弧形，上颚片末端角状，与唇基末端平齐或略短于唇基。触角 5 节，细长，第 1 节不伸达头端部，第 2、3 节约等长。前胸背板较平，向前均匀下倾，前缘和前侧缘均为领边状；前侧缘光滑，略平直。小盾片长度近略大于宽度，端缘半圆形。中胸腹板具低矮的中央纵脊。臭腺沟缘极为狭长，端部渐细上扬。足胫节具棱边，有的种类前足胫节略呈叶片状扩张，跗节 3 节。腹部侧接缘外露，黄黑相接，后角角状伸出。腹部腹面基部中央略隆起，但无显著突起。

雄虫生殖囊相对较小，腹缘中央较平坦的内陷，两侧端部向腹下呈角状伸出。阳基侧突简单的指状。阳茎系膜无背突，具发达的系膜顶叶和基上颚片；中交合板与合成较长的板状，阳茎端粗长，向背侧伸出。

雌虫第 1 载瓣片较宽大，内缘不接触，内角圆钝。第 9 侧背片端部圆钝。第 8 侧背片端部角状，略伸出。

**分布：**中国记录 4 种，秦岭地区分布 2 种。

## 分种检索表

小盾片基部具黄白色光滑横带 ………………………………………………… **横带点蝽 *T. basalis***
小盾片基部无黄白色光滑横带 ……………………………………………………… **点蝽 *T. latipes***

### （375）横带点蝽 *Tolumnia basalis*（Dallas，1851）

*Pentatoma basalis* Dallas，1851：237.
*Tolumnia basalis*：Hsiao *et al.*，1977：151.

**鉴别特征：**体椭圆形，体背面黄褐色，刻点暗棕褐色。头腹面淡黄色，具若干小黑斑。

头狭长，端部圆弧形；侧缘波曲，边缘黑色线状；上颚片狭长，端部角状，与唇基末端平齐或略短于后者；头背面黄褐色，布棕黑色稀疏刻点，唇基中段的刻点较为稀疏，单眼前方的纵带内刻点稍密集。触角细长，黄褐色，第 4 节端部 3/4 和第 5 节端部 2/3 黑色；第 1 节不伸达头端部，第 2、3 节约等长。头腹面淡黄色，两侧中段布与底同色的刻点，触角基上方各有 1 条黑色纵带。小颊前角圆弧形向下伸出，外缘低矮，向后不伸达头基部。喙第 4 节黑色，末端略超过后足基节后缘，第 1 节末端略伸出小颊外。

前胸背板：宽大于长，长度约与头长度相等；背面黄褐色，后半色略深，胝区淡黄褐色，刻点棕黑色，前角内侧的刻点稍密集；前缘弧形深内凹，边缘淡黄色光滑领状，眼后平截部分狭窄；前角黄白色，略伸出体外，指向体侧，末端略超过复眼外缘；

前侧缘光滑平直，边缘狭边状；侧角圆钝角状，几乎不伸出体外；后侧缘斜平直；后角弧形；后缘平直。小盾片：三角形，长略大于宽，背面轻微隆起；端部圆钝；基缘具1个黄白色光滑横带，其宽度约为小盾片长度的1/4，基缘中央有两处密集刻点组成的不规则斑；端部具1个大型黄白色光滑胝斑；小盾片中央约1/2部分黄褐色，布棕黑色稀疏刻点。前翅革片黄褐色，刻点分布均匀，中裂端部内侧各有1个隐约的黄白色胝斑；端缘略平直；端角圆钝，略伸出；膜片淡褐色，端部略伸出腹末。胸部腹面淡黄色，各胸节侧板靠近足基节处有1个黑斑，中胸侧板前缘中央靠外侧及后胸侧板外缘中央另有1个黑斑。中胸腹板具低矮的中央纵脊。足淡黄褐色，各足股节端半及前、后足胫节基部具若干稀疏的黑色小点斑。

腹侧接缘外露，黄黑相接，各节中央的黄色宽带的宽度大于节宽的2/3，各节后角角状伸出。腹部腹面淡黄色，腹基中央略隆起，但无显著突起，两侧气门内侧具稀疏的与底同色的刻点，各腹节腹板侧缘两端各有1个较小的黑斑。

雄虫生殖囊腹缘中央宽阔且平坦的内陷，两侧端部圆钝的角状伸出。阳基侧突指状。阳茎系膜具1对发达的膜质系膜顶叶，其端部不分叉，另有1对端部二叉并呈骨化角状的的系膜基上颚片。中交合板愈合，呈细长的板状。中交合板较长，指向背面。

雌虫第1载瓣片宽大，内缘略外拱，相互不接触；内角圆钝的角状；外缘弧形外拱。第9侧背片端部圆钝，不伸出第8腹节后缘。第8侧背片边缘斜平直，后角角状，略伸出。

**量度**(mm)：♂：体长9.00~9.50，宽4.80~5.20；头长1.90~2.10，宽2.10~2.30；触角1~5节的长度分别为0.40、1.00、1.00、1.20、1.65；前胸背板长2.00~2.20；小盾片长3.30~3.50，宽3.05~3.25。♀：体长10~11，宽5.00~5.50；头长2.20~2.50，宽2.35~2.65；触角1~5节的长度分别为0.50、1.05、1.00、1.30、1.40；前胸背板长2.35~2.65；小盾片长3.90~4.20，宽3.60~3.90。

**分布**：陕西(秦岭)、浙江、江西、福建、广东、海南、广西、贵州、云南；越南，印度尼西亚。

### (376) 点蝽 *Tolumnia latipes* (Dallas, 1851)

*Pentatoma latipes* Dallas, 1851: 238.

*Dalpada obtusicollis* Ellenrieder, 1862: 143.

*Pentatoma trispila* Walker, 1867: 302.

*Pentatoma contingens* Walker, 1867: 302.

*Tolumnia ferruginescens* Breddin, 1904: 7.

*Tolumnia latipes*: Hsiao *et al.*, 1977: 150.

**鉴别特征**：体椭圆形，背面黑褐色，散布黄白色小碎斑，具1条隐约的淡色中央纵线，贯穿头、前胸背板和小盾片。体腹面淡黄色，具若干小黑斑。

头狭长，长略大于宽，端部圆钝；侧缘波曲，边缘黑色，上颚片狭长，端部角状，与唇基末端平齐或略短于后者；头背面布黑色刻点，唇基上刻点稀疏或几乎无刻点，头顶中央有2条隐约的黄白色短纵带。触角细长，第1~3节黄褐色，第4节基部1/4和第5节基半淡黄白色，第4节端部3/4和第5节端半黑色；第1节不伸达头端部，第2、3节约等长。头腹面淡黄色，两侧的刻点与底同色，触角基上方各有1条黑色纵带。小颊前角圆钝的弧形伸出，外缘低矮，向后不伸达头基部。喙略超过后足基节后缘，第1节末端略伸出小颊外。

前胸背板：宽大于长，向前均匀下倾，具黑褐色粗大刻点，散布黄白色光滑小碎斑，具1条黄白色的中央纵线；前缘弧形深内凹，边缘领状，眼后平截部分狭窄；前角黄白色，略伸出，末端约与复眼外缘平齐；前侧缘光滑的狭边状，略内凹，边缘除侧角边缘黑色外，均为黄白色；侧角角状，几乎不伸出体外；后侧缘斜平直；后角弧形；后缘平直。小盾片：三角形，长略大于宽，背面轻微隆起；端部圆钝，具显著的大型光滑黄白色斑；基角处具1个黄白色光滑胝斑，其大小有两种类型：一种显著大于复眼，另一种圆斑小且几乎不可见；小盾片其余部分具驳杂的黑褐色和黄白色光滑斑。前翅内革片暗褐色，刻点均匀，其基半和爪片基半均散布若干黄白色光滑小胝斑，中裂端部内侧各有1个较大的黄白色胝斑；外革片底色黄白色，布粗大的黑褐色刻点；端缘略平直；端角圆钝，略伸出；膜片淡褐色，端部不伸出腹末。胸部腹面淡黄色，各胸节侧板靠近足基节处有1个黑斑，中胸侧板前缘中央靠外侧及后胸侧板外缘中央另有1个黑斑。中胸腹板具低矮的中央纵脊。足淡黄褐色，各足胫节端部、后足股节端部、胫节基部及跗节黑褐色，爪基半黄褐色；各足股节端半及前、后足胫节基部具若干稀疏的黑色点斑。

腹侧接缘外露，黄黑相接，各节中央的黄色宽带的宽度约为节宽的1/3，各节后角角状伸出。腹部腹面淡黄色，腹基中央略隆起，但无显著突起，两侧气门内侧具稀疏的与底同色的刻点，各腹节腹板侧缘两端各有1个黑斑。

雄虫生殖囊较小，腹缘中央宽阔的浅内凹，两侧端部成圆钝的角状向腹面略伸出，腹面端部中央宽阔的凹陷。阳基侧突简单的指状。阳茎系膜具1个段端部二叉状的膜质系膜顶叶；另有1对发达的系膜基上颚片，基上颚片2个分支的基部膜质，端部尖锐的角状；中交合板愈合成板状，端部略变宽；阳茎端粗长，端部弯向背侧。

雌虫第1载瓣片宽大，内缘平直，相互约平行，相距较近但不接触；内角圆钝；外缘中央略成圆钝的钝角状，略伸出。第9侧背片端部圆钝，略伸出第8腹节后缘。第8侧背片边缘斜平直，两端具黑斑，后角角状伸出。

**量度**(mm)：♂：体长9.50~10.00，宽5.00~5.50；头长2.20~2.40，宽2.15~2.45；触角1~5节的长度分别为0.52、1.10、1.30、1.65、2.00；前胸背板长2.30~2.50；小盾片长3.70~3.90，宽3.50~3.80。♀：体长10.50~11.50，宽5.50~

6.50；头长2.40～2.70，宽2.30～2.80；触角1～5节的长度分别为0.60、1.20、1.35、1.70、2.25；前胸背板长2.40～2.70；小盾片长3.90～4.20，宽3.60～4.20。

**分布：**陕西(秦岭)、山西、河南、安徽、浙江、湖北、江西、湖南、福建、台湾、广东、海南、广西、四川、贵州、云南、西藏；印度，马来西亚，印度尼西亚。

## 215. 突蝽属 *Udonga* Distant, 1921

*Udonga* Distant, 1921: 69. **Type species**: *Udonga spinidens* Distant, 1921.

**属征：**体狭长；头长略大于宽，侧缘端部强烈的斜平截，上颚片与唇基约等长或上颚片略长；触角5节，第1节不伸达头末端；喙第1节完全包裹于小颊内；前胸背板宽大于长，前角尖锐尖齿状，前侧缘具浅圆的锯齿，侧角尖刺状，强烈向前伸出；小盾片狭长。臭腺沟缘粗短，不超过挥发域宽度的1/3。中胸腹板中央内凹，底部前半具低矮的纵脊。

**分布：**中国记录1种，秦岭地区分布1种。

### (377) 突蝽 *Udonga spinidens* Distant, 1921

*Udonga spinidens* Distant, 1921: 69.

**鉴别特征：**体狭长，腹部两侧近平行。背面污褐色，小盾片黄褐色或红褐色，基部中央具大型三角形黑斑，端部黄白色。体腹面淡黄褐色，雄虫两侧各有1条黑色刻点带。

头侧缘端部斜平截，亚端部成角状，侧缘基部2/3黑色，两侧几乎平行；上颚片端部角状，与唇基末端平齐或略长于后者；头背面刻点密集，黑褐色，头顶中央的刻点稍稀疏且色略淡，复眼内侧各有1个黄褐色光滑胝斑。触角褐色，第4节亚端部和第5节亚端部均有一半左右呈黑色，第1节不伸达头端部，第3节长于第2节。头腹面淡黄褐色，刻点较多，均与底同色。小颊长，前角尖锐的钝角状伸出，外缘平直或略内凹，后角圆钝角状，向体后伸出。喙伸达后足基节前缘，第1节完全包裹于小颊内。

前胸背板：向前均匀下倾，前半刻点略稀疏，有隐约可见的2条短纵带，后半刻点分布较为均匀；前缘宽阔的弧形内凹；前角尖锐角状伸出，末端略超过复眼外缘，指向体前侧方；前侧缘略内凹，前2/3具圆钝的锯齿，后1/3光滑；侧角黑色，尖细的刺状，指向体前侧方，角体后缘与体轴平行；后侧缘略内凹；后角圆钝；后缘平直。小盾片：长大于宽，端部狭长，黄白色，其上刻点细小稀疏且与底同色，亚端部两侧略带黑褐色，其内刻点黑褐色，较为密集，但中央被黄白色宽纵带分开，基部淡红褐色，中央具1个大型的倒三角形黑斑，基角的黑色凹陷外各有1个黄白色光滑弧形斑。前翅革片外缘平直，两侧相互平行，外革片极为狭长，中裂红褐色，较长，其末端与小盾片端部约平齐，端缘略内凹，端角角状，膜片无色透明，末端伸出腹末较长。各胸节侧板中央靠内侧具排成1列的3个小黑斑，中胸侧板前缘中央和后胸侧板外缘中央各有1个小黑斑，后胸侧板内半具1个黑色刻点组成的隐约短纵带，与腹部两侧的纵带相连续，侧板其余部分的刻点红褐色。中胸腹板具凹槽，其底部前半具低矮的纵脊，后半几乎无隆起的脊，脊的两侧各有1条黑色的纵带。臭腺沟缘宽短，不超过挥发域宽度的1/3。足暗黄褐色，胫节端部和跗节略带黑褐色，股节和胫节布细小的黑色点斑，胫节的点斑较密集，股节近端部处另有1个较大的黑斑。

腹侧接缘狭窄外露，各节两侧具黑斑，中央大半为黄褐色，各节后角黑色小尖角状略伸出。第3腹节中央具短钝的突起，不超过后足基节后缘。气门黑色。腹面中央光滑无刻点，两侧具红褐色密集刻点，雄虫在两侧各有1条黑色刻点组成的纵带，向后延伸至第6腹节，雌虫的刻点颜色较浅，因此纵带不明显。

雄虫生殖囊腹面中央近端部处有“V”形排列的毛簇，该毛簇与腹缘中央有1对短钝的小突起，腹缘中央倒三角形深内凹，两侧区向外侧伸展，在亚端部处各有1各圆钝突起，突起两侧缺显著凹刻；生殖囊背缘两侧各有1个尖角状突起。阳基侧突干部宽，背缘具1个角状突起，感觉叶细长指状，桨叶突细长的指状。阳茎鞘背面端部中央具1对短钝突起，腹面端部中央具1个短钝突起；阳茎系膜基部膨大，其背侧具两对骨化的细长指状突起，背侧的1对略短，系膜腹面中央具1对膜质的短叶，其前方另有1个膜质短叶；中交合板长，基部愈合，端部向两侧伸出粗壮的角状突起，端部腹面具1对指状突起，阳茎端细，指向中交合板背侧，略超出中交合板背侧。

雌虫第1载瓣片内缘不相互接触，内缘基部远离，后方大半平直且相互平行；内角圆钝；外缘弧形，轻微外拱，向前侧方延伸。第9侧背片端部宽圆，明显伸出第8腹节后缘。第9侧背片端部具黑色的尖角状突起，约与第9侧背片端部平齐。

**量度(mm)：**♂：体长11.00～12.50，宽4.80～5.20；头长2.00～2.50，宽2.30～2.50；触角1～5节的长度分别为0.40、0.70、1.00、1.20、1.10；前胸背板长2.05～2.55；小盾片长3.70～4.20，宽3.00～3.30。♀：体长10～13，宽5～6；头长2.20～3.20，宽2.60～2.90；触角1～5节的长度分别为0.40、0.80、1.10、1.30、1.20；前胸背板长2.35～3.35；小盾片长4.40～5.40，宽3.40～4.00。

**分布：**陕西(秦岭)、山西、浙江、湖北、江西、湖南、福建、广东、海南、澳门、广西、贵州、云南、西藏；老挝。

# （三）短喙蝽亚科 Phyllocephalinae

刘国卿
（南开大学昆虫学研究所，天津 300071）

**鉴别特征**：喙短，末端不超过前足基节或刚刚超过前足基节，腹部腹面所能见到的第 1 节被后胸腹板遮盖较多，该节的气门亦被遮盖而看不到。

**分类**：中国记录 7 属 12 种，陕西秦岭地区发现 1 属 1 种。

## 216．谷蝽属 *Gonopsis* Amyot *et* Serville，1843

*Gonopsis* Amyot *et* Serville，1843：180. **Type species**：*Gonopsis denticrdata* Amyot *et* Serville，1843.

*Bessida* Walker，1868：577. **Type species**：*Bessida scutellaris* Walker，1868（syn. by Distant，1900）.

**属征**：体大型，头侧叶发达，长于中叶，在中叶前会合；前胸背板侧角较短，近于直角或稍长，末端外指或稍向前指，明显伸出体外。其伸出部分的后缘长约等于翅革片基部和爪片基部长度之和。

**分布**：中国记录 2 种，秦岭地区分布 1 种。

### （378）谷蝽 *Gonopsis affinis*（Uhler）

*Dichelops affinis* Uhler，1860.

*Gonopsis affinis*：Yang，1962：55.

**鉴别特征**：体长，污黄褐色至红褐色，被黑色刻点。

头部三角形，被黑色刻点，侧缘淡色，略向上翘起，侧叶长于中叶，并在中叶之前会合，顶端较尖，但可见 1 个小缺刻；触角黄褐或紫红色，第 1 节常淡黄色，第 5 节端半部黑褐色；复眼褐色，单眼红色；喙黄褐色，伸达前足基节前缘。

前胸背板两侧角间具淡色的横脊，脊前部分下倾，后部较平坦；前缘弧形，侧缘略向内弯曲，锯齿状，呈淡黄褐色，后缘中部向前略凹；前角小，侧角平伸，末端尖，侧角后缘直。小盾片长三角形，表面具横皱，基半部常具黑色小刻点，常有 3 条通贯全长的淡黄色纵纹。

前翅前缘常呈淡黄色，有时后半部不显著，革质部呈紫红色或黄褐色，膜片透明，其上脉周缘常有黑色细线，端部与腹末等长或稍短。侧接缘外露，一色。

体腹面淡黄色至黄褐色，头、胸腹面刻点黑色，腹部腹面气门前上侧方常有 1 个小黑斑，亦常可见由刻点组成的黑色纵条纹，腹末端横截。

足黄褐色至红褐色，腿节及前胫节被黑色小碎斑，中、后足胫节背面碎斑常较少。

**量度**(mm)：体长 12～16，宽 6.50～7.50；头长 2.00～2.20，宽 2.10－2.60；前胸背板长 2.20～3.20，宽 6.30～9.10；小盾片长 4.10～6.30，宽 3.00～4.50。

**寄主**：危害水稻，亦能取食粟、甘蔗、巴茅草等禾本科植物。成、若虫在叶片及穗上吸食汁液，影响植物生长和种籽的结实。

据林毓鉴(1985)记载：江西铜鼓一年一代，部分可能二代，以成虫越冬。次年 4 月间外出取食，第一代成虫在 7 月下旬至 8 月下旬羽化，8 月下旬野外采到的第 1 代成虫，部分曾查到近成熟卵，估计年内仍可繁殖一代。又据在江西星子调查，羽化期为 8 月初至 9 月上中旬。

**分布**：陕西(秦岭、周至)、河北、北京、山东、上海、江苏、浙江、江西、福建、湖北、湖南、广东、广西、贵州；朝鲜，日本。

## (四)舌蝽亚科 Podopinae

邢杏 范中华 刘国卿

(南开大学昆虫学研究所，天津 300071)

**鉴别特征**：体中小型，通常呈圆钝的椭圆形或长椭圆形，大部分呈黑色、黑褐色或暗黄色，个别属的种类颜色比较鲜艳。

头部呈不同程度的下倾，其中黑蝽属下倾程度较其他属略轻，大部分属的种类头部包括前胸背板前半呈直角状下倾。头部上颚片长于唇基(稻黑蝽除外，其上颚片与唇基平齐或唇基略长于上颚片)，上颚片的形状及其是否在唇基前方会合，是该亚科不同类群之间的重要区别特征之一。触角基部具有触角瘤，触角 5 节，基节膨大，触角瘤的大小、形状及触角各节之间的长度比也是分类的重要特征之一。喙 4 节，一般末端伸达后足基节之间，少数种类喙短，仅伸达中足基节处，也有少数喙长的种类，其末端伸达腹节。

前胸背板六边形，大部分种类前半下倾，前胸背板前侧缘形状及前角和侧角的形状都是种类鉴别的重要特征。黑蝽属 *Scotinophara* 靠近前角两侧，各形成 1 根前外侧刺，靠近侧角处各形成 1 根侧角刺，2 根刺的大小及指向是黑蝽属的重要鉴别特征。中胸小盾片大多数种类呈宽舌状，遮盖了腹部背面的大部分区域，其端部伸达或近伸达腹部末端，有些种类表面具突起，形状各有不同。前翅革片大多外露，与蝽亚科差别较大，革片经常狭窄，膜片部分宽大，两者大部分被小盾片遮盖。

不同种类中腹部侧接缘形状各异，或宽大，或狭窄，或明显外露，或大部分被小盾片遮盖。

**分类**：中国记录15属30种，陕西秦岭地区发现3属3种。

### 分属检索表

1 体橙黄色、橙色或深红色，体背面具有黑色纵斑，腹面具黑色圆斑 ········ **条蝽属 *Graphosoma***

体不呈红色或橙色，其上无黑色纵斑或圆斑 ······························ 2

2 复眼突出，着生于眼柄之上，触角基部具有刺状瘤突 ························ **黑蝽属 *Scotinophara***

复眼无眼柄，不突出，触角基部之具1~2个瓣状小突起 ···················· **滴蝽属 *Dybowskyia***

## 217. 滴蝽属 *Dybowskyia* Jakovlev, 1876

*Dybowskyia* Jakovlev, 1876b: 85. **Type species**: *Dybowskyia ussurensis* Jakovlev, 1876 ( = *Bolbocoris reticulatus* Dallas, 1851).

**属征**：体小型，黄褐色或黑褐色，全身密布较深的黑色或深褐色刻点，背腹饱满。头较长，上颚片宽而长，在唇基前方会合，唇基较短，复眼小，触角细，相对较长，喙长，末端伸达腹部。前胸背板胝区各具有1个突起，突起之后具有1个黄色斑点，侧缘呈钝角状内凹，侧角宽大圆钝。小盾片宽大，中央上鼓，其后部下倾。腹部饱满，腹面具有宽的黄色纵斑。

**分布**：中国记录1种，秦岭地区有分布。

### (379) 滴蝽 *Dybowskyia reticulata* (Dallas, 1851)

*Bolbocoris reticulatus* Dallas, 1851a: 45.

*Eurygaster incompus* Walker, 1867b: 67.

*Dybowskyia ussurensis* Jakovlev, 1876b: 87.

*Svainella inexspectata* Balthasar, 1937: 103.

*Dybowskyia reticulata*: Hsiao *et al.*, 1977: 117.

**鉴别特征**：体小型，背面较为隆起，黄褐色或黑褐色，全身密布褐色或黑色刻点，刻点较深。

头较长，呈三角形，侧缘在复眼前方明显内凹，上颚片长于唇基，并在唇基前方会合，上颚片较宽，边缘较薄，唇基略凸起；复眼小，单复眼间距约为两单眼间距的1/2；触角瘤在背面仅端部可见，触角第1节膨大，最短，第2、3、4节约等长，第5节最长，颜色也较其他各节深；小颊的前端内折，其后部分等高，喙的第1节完全包裹于小颊之内，末端伸达后足基节前缘。

前胸背板前半下倾，前角短小，前侧缘内凹，侧角宽大而圆钝；具领，胝区各具1个低矮突起，突起之间的中央还有1个黄色突起，胝区之后各具1个黄色小圆斑；两侧角之间前缘有1个不明显的浅横沟。小盾片宽大而上鼓，几乎伸达腹末，其基部近基角处各有1个黑色凹陷，凹陷内侧各有1个黄斑，两个黄斑之间的小盾片基部中央形成1个半圆形低矮凸起，凸起周围形成凹沟，小盾片正中间隆起，其后端下倾。前翅大部分被小盾片遮盖，膜片仅端部稍稍外露。胸部侧板有黄斑，后胸臭腺孔可见，臭腺沟缘香蕉状，其外侧、后侧具沟。足较为粗壮，腿节及胫节上具有短毛，胫节上具有纵向的棱起，跗节3节。

腹部侧接缘狭窄外露，各节两端均为黑色；腹部腹面饱满，其两侧各有1列较宽的黄色纵斑，每一腹节后角形成1个较圆的小突起，气孔所在处亦略微凸起。

雄虫生殖囊背缘平直，背缘亚端部各形成1个圆钝突起，端部倒三角状浅内凹；侧缘宽阔圆钝；腹缘内褶宽大，两侧呈较长的三角状伸出，靠近中央处形成低矮的横突。阳茎腹侧基部两侧各有1个腹突。阳基侧突桨叶突宽大，呈蘑菇状，感觉叶相对较小，呈勺状伸出。

雌虫第1载瓣片鼓起，内缘平直，相互接触，后缘宽阔弧形内凹，后角直角状，外角圆钝，向端部伸出。第2载瓣片短小，呈梯形。第9侧背片端部平直，末端与第8腹节平齐。载肛突后缘平直，前缘略内凹，近似矩形。第8侧背片后缘外侧外突，内侧内凹。

**量度(mm)：**♂：体长4.58～5.77，宽3.28～3.92；头长1.33～1.52，宽1.48～1.72；触角1～5节的长度分别为0.25、0.31、0.35、0.34、0.60；前胸背板长1.45～1.60；小盾片长2.55～3.40，宽2.80～3.35。♀：体长5.54～5.76，宽3.65～3.95；头长1.50～1.70，宽1.60～1.75；触角1～5节的长度分别为0.26、0.33、0.35、0.33、0.62；前胸背板长1.64～1.81；小盾片长2.90～3.20，宽3.15～3.50。

**采集记录：**1♀1♂，佛坪岳坝保护站，1100m，2006.Ⅶ.24，丁丹采；1♂，镇坪牛头店乡红星村，700m，2003.Ⅶ.04，于海丽采；1♂，西乡桑园，1975.Ⅶ.13，路进生采；2♀1♂，镇巴，1200m，1985.Ⅶ.21，任树芝采。

**分布：**陕西(佛坪、镇坪、西乡、镇巴)、黑龙江、吉林、辽宁、内蒙古、河南、江苏、安徽、浙江、湖北、江西、湖南、福建、广东、海南、广西、四川、贵州；俄罗斯，韩国，日本，哈萨克斯坦，欧洲。

## 218. 条蝽属 *Graphosoma* Laporte, 1833

*Graphosoma* Laporte, 1833: 70. **Type species**: *Cimex nigrolineatus* Fabricius, 1781 ( = *Cimex lineatus* Linnaeus, 1758).

**属征：**体中型，宽椭圆形，浅橙色至深红色，头、前胸背板及小盾片上具有黑色纵斑，腹面具有不规则的黑色圆斑，全身密布刻点。

头在两复眼之间的宽度约比长度大1/4，复眼黑褐色，较突出；唇基通常狭窄，且远短于上颚片，上颚片较宽，其内侧各有1个较宽的黑纵斑，外缘较窄的橙色或红色，并在唇基前方会合；触角瘤呈瓣状，触角黑色或橙色与黑色兼具，基节最短，略膨大，第3节约为第4节的3/4，末节最长，第2节次之；喙的第1节伸出小颊之外。

前胸背板两侧角前方下倾，通常在前缘后方形成1条横沟，前侧缘略上翘，侧角圆钝。小盾片由基部向端部渐狭，其上有4条黑色纵斑，中间2条长，由基部几乎伸达或伸达端部。臭腺孔明显可见。

腹部侧接缘宽大，腹部腹面具有黑色圆斑，气孔通常位于圆斑上。

**分布：**中国记录2种，秦岭地区分布1种。

## (380) 赤条蝽 *Graphosoma rubrolineatum* (Westwood, 1837)（图版5：13）

*Scutellera rubrolineata* Westwood, 1837: 12;

*Graphosoma crassa* Motschulsky, 1861: 22.

*Graphosoma italica* (nec Müller, 1766): Kirkaldy, 1910b: 108 (misidentification).

*Graphosoma rubrolineatum*: Hsiao *et al.*, 1977: 117.

**鉴别特征：**体中型，宽卵圆形；红色或橙色，体背面具有黑色纵斑，其中间2条黑纵斑由头的端部伸至小盾片的末端，体腹面布满圆形黑斑；头及前胸背板前半近直角状下倾，身体骨化程度较高。

头小，三角形，长宽约相等，以两复眼之间的中线为起点，上颚片长度约为唇基长度的1.60倍，上颚片宽扁，长于唇基，并在唇基前方会合，复眼黑褐色，外突，单眼红褐色；小颊低矮，前角圆钝，下缘平直，后角圆钝角状，略向下伸出；触角基同体色，由其前侧发出，整体颜色较深，黑色或黑褐色，第1节漆黑，短而粗，第2节与第3节基部黑褐色，其余各节黑色。

前胸背板在两复眼之间呈宽阔内凹，前角处具指向两侧的微小指突，前侧缘平直，后侧缘弧形，侧角宽阔圆钝，后缘平直，除中间2条纵斑外，两侧还各有2条黑纵斑。小盾片舌状，其上具4条黑色纵斑，两侧缘的黑纵斑与前胸背板两侧缘的纵斑相接，小盾片与前胸背板前方均具横皱纹。前翅革片明显可见，膜片略伸出腹末，几乎被小盾片完全覆盖，革片侧缘具狭窄的黑纵斑，端缘略呈锯齿状，端角角状，膜片黄色至黑褐色，具有8条清晰的几乎伸达端部的纵脉。胸部侧板具黑斑，且位于黑斑上的刻点密集而粗大，其他刻点黑色，小而稀疏，中胸侧板外缘的大黑斑上又具有1个黄色小斑，挥发域面积较大，臭腺沟缘退化，呈小匙状。足黑色，粗壮，胫、跗节上具有黄红色刺毛。

腹部侧接缘宽阔外露，黄黑相间，每一节的中部黄色，两端黑色，有时候黑色部分相互连接，界线不甚清晰。腹部腹面具有纵向排列的圆形黑斑，气孔位于黑斑之上。

雄虫生殖囊腹缘中央具有1个圆钝三角状突起，腹缘内褶中央两侧各形成1个三角状突起；侧缘宽阔圆钝；背缘两侧宽阔弧形内凹，中央外凸。阳茎腹侧内凹，靠近基部处形成1个指状突起，背侧弧形外凸，阳茎端伸出系膜。阳基侧突桨叶突与感觉叶指向相反方向，茎部在桨叶突后方波曲，并伸出1个突起，桨叶突伸出较长。

雌虫第1载瓣片内缘及后缘与第2载瓣片相接处、第2载瓣片前缘、载肛突后半、第9侧背片后角处及第8侧背片外角处为黑色，其余部分橙黄或橙红色。第1载瓣片内缘相互接触，着生有细长毛，后缘外侧内凹，内侧向后突出，后角圆钝，外角尖锐角状；第2载瓣片前缘三角状，后缘弧形前凹，两后角圆钝；第9侧背片端部加厚，后角呈圆钝角状伸出，末端未伸出第8腹节后缘；第8侧背片内缘下凹，后缘弧形外突。

**量度(mm)**：♂：体长9.75~11.05，宽6.70~7.80；头长2.00~2.20，宽2.25~2.55；触角1~5节的长度分别为0.50、1.10、0.60、0.95、1.45；前胸背板长2.75~3.50；小盾片长5.60~7.05，宽4.75~5.45。♀：体长9.50~11.30，宽6.55~8.00；头长2.05~2.25，宽2.25~2.55；触角1~5节的长度分别为0.40、1.05、0.50、0.90、1.10；前胸背板长3.10~3.75；小盾片长6.95~7.20，宽4.70~5.85。

**采集记录**：1♂，凤县大散关，1200m，1999.Ⅸ.03，李传仁采；3♀2♂，太白山国家级自然保护区蒿坪管理站，1350m，2011.Ⅷ.08，党凯采；1♀，同上，1400m，吕敏桦采；1♂，同上，1700m，杨贵江采；2♂，同上，2011.Ⅷ.07，党凯、张海光采；2♂，同上，刘阳采；5♀，西乡桑园，1975.Ⅶ.12，路进生采；1♂，延安，1939.Ⅷ.18，萧采瑜采。

**分布**：陕西(凤县、眉县、西乡、延安)、黑龙江、吉林、辽宁、内蒙古、天津、河北、山西、河南、山东、甘肃、江苏、浙江、湖北、江西、湖南、广东、广西、四川、贵州、云南；蒙古，俄罗斯，韩国，日本。

## 219. 黑蝽属 *Scotinophara* Stål, 1868

*Scotinophara* Stål, 1868b: 502. **Type species**: *Podops fibulatus* Germar, 1839.

**属征**：体呈椭圆形，略微隆起。体腹面颜色较背面深，侧接缘颜色较背面略浅，头部总是黑色，体背面颜色呈黄褐色或红褐色或黑色。

头部两复眼之间的宽度大于长度，侧缘在复眼前方内凹，且向端部渐窄，唇基通常至少由基部至中央处凸起，上颚片长于或短于唇基，不在唇基前方会合；复眼突出，位于眼柄之上；触角瘤突明显，向前或斜向伸出，触角5节，第2、3节有愈合趋势，第1、2节长度通常约相等，并且总是短于第3节，末节最长。喙的长度从靠近后足基节前方至伸达腹部不等。

前胸背板两侧角刺之间的宽度至少是长度的 2 倍，其中间或靠近中间处有 1 条深浅不一的横沟，胝区经常形成凸起，前外侧刺呈齿状或刺状，端部指向不同的方向。小盾片与腹部等长或稍短于腹部长度，其中前方收缩，腹部的大部分及前翅膜片被其覆盖。臭腺孔距后足基节较近，被褶皱的挥发域包围。

腹部侧接缘明显外露，气孔明显可见。

**分布：**中国记录 8 种，秦岭地区分布 1 种。

### (381) 弯刺黑蝽 *Scotinophara horvathi* Distant, 1883

*Scotinophara vermiculata* Horváth, 1879: 143 (nec Vollenhoven, 1863).

*Scotinophara* [sic!] *horvathi* Distant, 1883: 421.

**鉴别特征：**体宽椭圆形，褐色，密布黑褐色刻点及黄色短毛；头、前胸背板前半部分及两侧角黑色。该种区别于属内其他种的明显特征是其前胸背板前角处形成 2 个粗大强壮的弯刺。

头宽大于长，向端部渐窄；上颚片稍长于唇基，但不在唇基前方会合，上颚片隆起；触角瘤呈直角状，端部轻微二裂，在头的背面完全可见；触角 1、2 节约等长，明显短于第 3 节，第 3、4 节约等长，第 5 节最长，呈纺锤状；小颊低矮，前后高度相同，喙黄褐色，端部伸达后足基节处，第 1 节完全被小颊包围。

前胸背板前缘呈弧形内凹，其前角形成 2 个粗壮弯曲的强刺，前侧缘上翘，呈略微的锯齿状，侧角刺较宽大且长，向两侧伸出，两侧角刺之间具有 1 个宽横沟；前胸背板中央的黄色纵斑在有的个体中不明显；胝区具有黑色突起。小盾片舌状，其基部两侧及中央各有 1 个黄色圆斑，末端尚未伸达腹部末端。前翅革片基本完全外露，革片端角圆钝的三角状，膜片透明，翅脉清晰。胸部侧板黑色，臭腺孔明显可见，臭腺沟缘退化，呈微小的耳状，挥发域占据了中胸侧板的 1/3，及后胸侧板的 2/3 的面积。足粗壮，腿节黑色，胫节黑褐色，其上具有 3 条纵棱，且密布长刺，跗节 3 节，黄褐色。

腹部侧接缘明显可见，各节后角处形成 1 个小突起；腹面黑色或黑褐色，各节侧缘处有纵向排列的黄斑，气孔明显，气孔后有 2 个向外侧紧密斜向排列的毛点毛。雄虫的生殖节端部两侧形成 2 个弯向背部的刺突。

雄虫生殖囊侧缘各伸出 1 根长刺，腹缘亚端部各伸出 1 个三角突，中央呈宽阔弧形内凹，腹缘内褶近似梯形。阳茎鞘基部两侧各形成 1 个突起，腹侧圆滑隆起，阳茎端稍伸出系膜。阳基侧突端部较平坦，桨叶突宽大，端部较尖，感觉叶不发达，只呈弧形较短伸出，茎部基部一侧形成 1 个圆钝突起。

雌虫第1载瓣片短，内缘基部相互接触，但不紧密，向后在中间分开，后角圆钝，后缘外侧略后突，内侧略前凹；第2载瓣片凹凸不平，上有不规则突起，两前角稍稍翘起，侧缘弧形，后缘中央略内凹，端部平截；第9侧背片后半具有外拱的弧形纵脊，端部圆钝，未伸出第8腹节后缘；第8侧背片较大，内缘近平直，后缘中央外突，在靠近内角处具有1个低矮凸起。

**量度(mm)：**♂：体长9.44~9.96，宽5.55~5.90；头长1.80~2.10，宽2.15~2.50；触角1~5节的长度分别为0.60、0.60、0.90、0.95、1.30；前胸背板长2.33~2.62；小盾片长4.40~5.35，宽3.65~4.05。♀：体长8.93~9.79，宽5.15~5.65；头长1.75~1.82，宽2.10~2.25；触角1~5节的长度分别为0.55、0.57、0.87、0.90、1.20；前胸背板长2.25~2.62；小盾片长4.45~4.65，宽3.50~3.80。

**采集记录：**2♀，宁陕火地塘，2012. Ⅶ. 12。

**分布：**陕西(宁陕)、河北、河南、山东、江苏、安徽、浙江、湖北、江西、湖南、福建、台湾、广东、海南、广西、四川、贵州；韩国，日本，印度，斯里兰卡，东南亚。

# 三十三、龟蝽科 Plataspidae

薛怀君　刘国卿

(1. 中国科学院动物研究所，北京 100101；2. 南开大学昆虫学研究所，天津 300071)

**鉴别特征：**体小到中型，一般体长2~10mm，最大可达20mm(一些热带非洲种类)。体圆形至卵圆形，背面极鼓，腹面较平或略鼓，一般为黑色具黄斑或黄色具黑斑，常有光泽，有些种类密被刻点。

头部形状不一，侧叶变化较大。有些侧叶短于中叶；有些侧叶与中叶等长；有些侧叶长于中叶；还有的侧叶长于中叶且在其前方互交，将中叶完全包围。有些种类头部雌雄异型，雌虫头前端宽圆或逐渐狭窄；雄虫则前端平截，前缘向上卷翘，或呈明显角状。触角5节，第2节极不发达。复眼、单眼各1对。喙4节，刺吸式。

前胸背板中部稍前常具有横缢，此处刻点粗糙；侧缘的前部常向两侧呈叶状扩展。小盾片极度发达，将腹部完全覆盖或仅露狭窄的边缘。小盾片近基部常由1条横凹沟分出1个横长的基胝，有些种类小盾片基胝不明显，但也可从小盾片下基胝的后缘处看到1个向下突的薄骨片。基胝两侧靠近基角处各有1个横长或三角形侧胝。基胝和侧胝的有无也常被用作分类依据。前翅大部膜质，一般长于身体的2倍，静止时呈肘状折叠于小盾片下，仅前缘的基部露出。足一般较短，跗节2节，第1节较短。

**分类：**中国记录9属88种，陕西秦岭地区分布2属7种。

### 分属检索表

后足胫节背面全长具纵沟；腹部腹面无辐射状条纹，雄生殖节小，显著小于头部宽度，外形简单……………………………………………………………………………………… **豆龟蝽属 *Megacopta***

后足胫节圆柱状，背面不具纵沟；腹部腹面无辐射状条纹，仅侧缘及靠近侧缘的斑点黄色，生殖节较大，通常等于或大于头的宽度，外形复杂 ……………………………… **圆龟蝽属 *Coptosoma***

## 220. 圆龟蝽属 *Coptosoma* Laporte, 1832

*Coptosoma* Laporte, 1832: 67. **Type species**: *Cimex scutellatus* Geoffory, 1785.

**属征**：个体通常较小，卵圆形；头较窄，不及前胸背板宽度的1/2；触角着生处与眼靠近；小盾片侧胝明显；后足胫节圆柱状，背面不具纵沟；一般腹部腹面无辐射状条纹，仅侧缘及靠近侧缘的斑点黄色，第6腹板后缘成钝角(雄虫)或弧形(雌虫)向前弯曲；生殖节较大，通常等于或大于头的宽度，外形较复杂。

**分布**：我国已记载42种，秦岭地区记述3种。

### 分种检索表

1. 头雌雄异型，侧叶长于中叶或略长于中叶……………………………………………………… 2
   雌雄头形同型，侧叶与中叶长度相当 ……………………………… **多变圆龟蝽 *C. variegata***
2. 雄虫生殖囊近背缘中央具非常明显的突起 ……………………………… **双列圆龟蝽 *C. bifaria***
   雄虫生殖囊近背缘中央不具明显的突起 ………………………… **翘头圆龟蝽 *C. capitatum***

### (382) 双列圆龟蝽 *Coptosoma bifaria* Montandon, 1896 (图136)

*Coptosoma bifaria* Montandon, 1896a: 450.

**鉴别特征**：体近圆形，黑色，光亮，具细微刻点。

雌雄头部异型，雄虫头两侧平行，前端平截，前缘向上翘折；雌虫头较短，前端圆形。触角黄褐色。喙黄褐色，向后伸达第2可见腹节中、后部。

胸部前胸背板黑色，具细微刻点。横缢稍显著，侧缘扩展部分明显，具1条黄纹，两侧刻点较粗糙。有极少量个体前胸背板前缘具2个小黄点。前翅前缘基部黄色。小盾片黑色，具细微刻点，侧、后缘完全黑色，亦有些个体具黄边，但不达于小盾片基部；基、侧胝均分界清楚，基胝具2个黄点；雄虫小盾片后缘向内凹陷。胸腹板灰黑色，臭腺孔沟缘黑色。足黄色至黄褐色。

腹部腹面黑色，光亮，具刻点，侧缘及其内侧斑点黄色。

背域黄色，狭窄，中央具1个极显著的突起；背侧角较突出；背陷黑色，凹陷深；

侧域黄色；中脊短；载肛突黄色，其两侧黑色，凹陷较深；腹域两侧黄色，中部黑色，向外侧倾斜，中部稍凹陷。抱器钩状突宽阔薄片状，感觉叶具毛；抱器体圆柱状。阳茎鞘稍骨化，阳茎壳侧骨片1对，条形骨化；系膜侧背骨片骨化强；基系膜背突囊状，较小，部分骨化；端系膜背突1对，骨化强，末端成锐钩状；端系膜腹突1个，囊状，膜质，部分区域骨化；端系膜侧突1对，与阳茎端紧贴在一起，骨化强；精泵较大，骨化强，形状不规则。

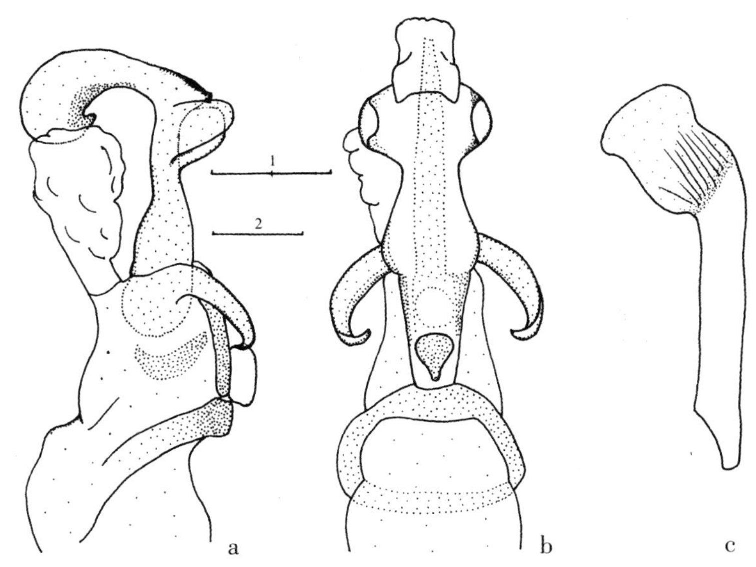


图136　双列圆龟蝽 *Coptosoma bifaria* Montandon

a. 阳茎侧面观；b. 阳茎背面观；c. 右抱器。比例尺：1 = 0.2mm(a,b)；2 = 0.1mm(c)

**量度(mm)：**体长2.85~4.05；前胸背板宽2.40~2.90，长1.15~1.38；小盾片宽2.80~4.00；头长0.66~0.80，宽1.08~1.28；两单眼间距离0.36~0.42；单眼与复眼间距离0.09~0.13；触角1~5节的长度分别为0.28~0.31、0.05~0.085、0.35~0.42、0.38~0.46、0.46~0.59。

**采集记录：**1♂1♀，凤县秦岭车站，1400m，1994.Ⅶ.27，卜文俊采；2♂♀，同上，吕楠采；1♀，同上，董建臻采；1♂，凤县秦岭车站，1400m，1994.Ⅶ.28，卜文俊采；1♂，同上，吕楠采；2♂，凤县双石铺，1100m，1994.Ⅶ.31，吕楠采；1♂1♀，留坝庙台子，1400m，1994.Ⅷ.01，吕楠采；2♂，同上，卜文俊采；1♂5♀，留坝庙台子，1400m，1994.Ⅷ.04，卜文俊采；1♂，宁陕火地塘，1640m，1994.Ⅷ.15，卜文俊采；4♂1♀，宁陕旬阳坝，1700m，1994.Ⅷ.17，卜文俊采。

**分布：**陕西(凤县、留坝、宁陕)、北京、山西、河南、甘肃、宁夏、安徽、湖北、江西、湖南、福建、广西、四川、贵州。

**寄主：**艾蒿、菊等植物。

## (383) 翘头圆龟蝽 *Coptosoma capitatum* Jakovlev, 1880

*Coptosoma capitatum* Jakovlev, 1880: 200.

**鉴别特征:** 体黑色，光亮，具刻点。

雌雄头部异型，背面完全黑色，雄虫侧叶长于中叶并在中叶前方相交，头两侧平行，前部侧缘稍向两侧扩展，前缘向上显著翘折；腹面基半部膨大，黄色或黄褐色，端半部黑褐色。雌虫侧叶与中叶等长，或稍长于中叶，或侧叶几乎于中叶前方相交。触角黄色或黄褐色。喙黄褐色，伸达第2可见腹节。

胸部前胸背板黑色，其侧缘前部扩展部分较显著，具1条黄色斑纹；中部具较明显的横缢。少许个体前胸背板前缘处具2个黄斑。前翅基部黄色。小盾片基、侧胝均分界清楚，基胝具2个黄色斑点，侧胝具2个小黄斑。小盾片侧、后缘完全黑色或具黄边，但侧缘黄边不达于小盾片基部；雄虫小盾片后缘凹缺。腹板晦暗黑色。足一般黄褐色。臭腺孔沟缘黑色。

腹部腹面黑色，光亮，具较粗大的刻点，侧缘具黄边，黄边内侧气门周缘各节具不规则黄斑。

雄虫生殖囊背域黄色，近中部具稀疏短毛；背陷黑色，狭长，凹陷较浅；侧域黄色；中脊不十分明显；载肛突黄色，其两侧具黑色凹陷；腹域黑色，中央区域明显凹陷，近腹缘处具较长毛簇和1个小的突起。抱器钩状突薄片状，较宽阔，感觉叶具较长毛，抱器体柱状。阳茎鞘近膜质，具侧骨片1对，条形骨化；系膜侧背骨片骨化强；基系膜背突囊状，较小，稍骨化；端系膜背突1对，稍微骨化，末端略成二叉状；端系膜腹突1个，囊状，膜质，较宽大，部分区域骨化；端系膜侧突1对，与阳茎端紧贴在一起，骨化强，精泵较大，骨化强，形状不规则。

**量度(mm):** ♂：体长3.86；头长0.84，宽1.20；前胸背板宽2.80，长1.12；小盾片宽3.57；两单眼间距离0.44；单眼与复眼间距离0.14；触角1~5节的长度分别为0.35、0.08、0.46、0.43、0.60。♀：体长4.50；头长0.90，宽1.32；背胸背板宽3.48，长1.68；小盾片宽4.40；两单眼间距离0.50；单眼与复眼间距离0.17；触角1~5节的长度分别为0.35、0.10、0.49、0.49、0.63。

**采集记录:** 1♂1♀，宁陕火地塘，1640m，1994.Ⅷ.14，吕楠采；1♂2♀，1994.Ⅷ.15，同上。

**分布:** 陕西(宁陕)、黑龙江、吉林、内蒙古、河北、甘肃、宁夏、湖北；俄罗斯，朝鲜。

**寄主:** 多花胡枝子。

## (384) 多变圆龟蝽 *Coptosoma variegatum* (Herrich-Schäffer, 1838)

*Thyreocoris variegatum* Herrich-Schäffer, 1838: 83.

*Coptosoma siamica* Walker, 1876: 89.
*Coptosoma bilineata* Montandon, 1894: 274.
*Coptosoma vollenhoveni* Montandon, 1896: 123.
*Coptosoma perplexum* Montandon, 1896: 123.
*Coptosoma formosanum* Shiraki, 1913: 219
*Coptosoma variegata*: Yang, 1934a: 217.

**鉴别特征：**体近圆形，黑色光亮，具细致刻点。

雌雄头部同型，侧叶与中叶等长，侧叶中部黄色，其余部分黑色；头腹面黄或黄褐色，触角黄色，末端色深至褐色；喙黄褐色，向后伸达第2可见腹节中后部。

胸部前胸背板黑色，前侧缘扩展部分较狭窄，具2条黄色纹，两黄色纹中间具黑色刻点；横缢不十分显著，前胸背板前部具排成2列的4条黄色横纹，其中前面2个位于前胸背板前缘处，该黄斑大小和形状均变异很大，有时与其同侧的内侧黄纹相连，有时仅可看到1个或2个很小的黄色(或褐色)点；后面的2个黄斑形状和大小也变异很大，有时大而清晰，有时形成1、2或4个黄色(或褐色)小点，有时模糊不清或完全消失；侧角内侧各具1个黄斑，其大小、形状甚至颜色也有变异。前翅前缘基部黄色。小盾片黑色，基、侧胝均分界清楚，基胝具2个黄斑，形状变异很大(有时很长，以至于2个黄斑几乎连为一体；有时仅为小而模糊的黄点；也有少量个体黄斑消失)，侧胝黄斑也变异较大，有时模糊，少量个体黄斑消失；小盾片侧、后缘具黄边，有时侧缘黄边到达小盾片基部，有时仅达基部约1/3处；后缘黄边变异不大，一般雌虫比雄虫黄边较宽阔，小盾片后缘中央雌虫黄边成锐角状内凸，雄虫小盾片后缘向内凹陷。胸部腹板灰黑色，臭腺沟缘黑色。足黄褐色。

腹部腹面黑色，光亮，具刻点，侧缘黄色，其内侧具逗号形黄斑。

雄虫生殖囊背缘弧形；背域黄色，中部具较长的胝状区；背陷狭长，黑褐色；侧域黄色；中脊较明显；载肛突黄褐色，周围凹陷较深，黑褐色；腹域黑色，具凹陷区域和浓密长毛。抱器钩状突呈薄片状，较宽阔，稍扭曲，感觉叶具毛，抱器体棒状，稍弯曲；阳茎鞘稍微骨化；基系膜背突稍骨化，小，指状；基系膜侧突1对，宽大扁囊状，膜质；端系膜背突1对，宽大，膜质；端系膜侧突1对，狭长，稍骨化；阳茎端细长，骨化较强，球状部膨大，呈凹缺状；精泵不显著。

**量度(mm)：**♂：体长2.12；头长0.54，宽0.78；前胸背板宽1.88，长0.88；小盾片宽2.08；两单眼间距离0.27；单眼与复眼间距离0.06；触角1~5节的长度分别为0.19、0.07、0.28、0.28、0.39。♀：体长3.28；头长0.69，宽1；前胸背板宽2.58，长1.20；小盾片宽3.28；两单眼间距离0.35；单眼与复眼间距离0.09；触角1~5节的长度分别为0.22、0.09、0.36、0.32、0.43。

**分布：**陕西(秦岭)、山西、河南、山东、安徽、浙江、江西、福建、广东、四川、贵州、云南、西藏；越南，缅甸，印度，马来西亚，印度尼西亚，帝汶，巴布亚新几内亚，澳大利亚。

**寄主：**紫藤，珙桐，黄山木兰，鸡血藤，厚朴，广玉兰，油茶，栎，刺槐，算盘子，花椒，贴梗海棠，芒果等。

**讨论：**本种花斑变异极大，常与圆龟蝽属中多种的外形及花斑非常相似，通过雄虫生殖囊及阳茎特征即可区分开。

## 221．豆龟蝽属 *Megacopta* Hsiao *et* Jen, 1977

*Megacopta* Hsiao *et* Jen, 1977: 21. **Type species**: *Cimex cribraria* Fabricius, 1798.

**属征：**头较窄，不及前胸背板宽度的1/2；触角着生处与眼靠近，第6腹板后缘成钝角（雄虫）或弧形（雌虫）向前弯曲；小盾片侧胝明显；本属与圆龟蝽属接近，但各足胫节背面全长具显著纵沟，腹部腹面通常具辐射状浅色带纹，雄虫生殖节小，一般显著小于头的宽度，外形简单。

**分布：**我国已记录25种，秦岭地区记述4种，其中包括1新种。

### 分种检索表

1\. 头侧叶长于中叶，并在中叶前方相交 ······ 2

头侧叶不长于中叶，如稍长，也不在中叶前方相交 ······ 3

2\. 前胸腹板具显著横脊 ······ **和豆龟蝽 *M. horvathi***

前足基部前胸背板不具横脊 ······ **筛豆龟蝽 *M. cribraria***

3\. 小盾片黑色或具黑色、红棕色斑纹 ······ **狄豆龟蝽 *M. distanti***

小盾片黄色，无异色斑纹 ······ **褐斑豆龟蝽，新种 *M. spadicea***

### （385）筛豆龟蝽 *Megacopta cribraria* (Fabricius, 1798)

*Cimex cribrarius* Fabricius, 1798: 531.

*Thyreocoris cribrarius* Bumeiter, 1835: 384.

*Tetyra cribrarium* Schiodte, 1842: 305.

*Coptosoma cribrarium* Amyot *et* Serville, 1843: 22.

*Coptosoma xanthochlora* Walker, 1867: 87.

*Coptosoma cribraria* Stål, 1867: 12.

*Megacopta cribraria*: Hsiao *et al.*, 1977: 293.

**鉴别特征：**体卵圆形，黄绿色、草黄色或黄褐色。

头部前端圆形，侧叶长于中叶并在中叶前方接触，中叶及侧叶边缘黑色，复眼红褐色。腹面黄色。触角黄色。喙亦黄色，近末端色渐暗，向后伸达第2可见腹节末端。

胸部前胸背板被1列不整齐的刻点分为前后两部分，前部较小，刻点细小且稀少，具2条弯曲的黑色波浪状横纹，两侧扩展部分基部刻点浓密；后部较大，刻点粗糙，有时中央有1条隐约直贯小盾片顶端的浅色纵纹。小盾片刻点均匀，基胝和侧胝均明显，侧胝无刻点；雄虫小盾片末端向内凹陷。腹面灰黑色或黑色，臭腺沟缘黄色。足黄色，胫节全长具纵沟。

腹部腹面光亮，中部黑色，具浓密细毛。两侧黄色辐射斑纹雌雄异型，雌虫辐射斑纹各节均较长；雄虫腹部第3、4节辐射状带纹很长，其余各节较短，第4节后具浓密短毛；黄色辐射状带纹中央具黑色横纹，具较浓密刻点或光滑几乎无刻点。气门浅色，其后各具1个黑斑。

雄虫生殖囊近圆形，具细毛，背缘圆弧形，背侧角不明显，背域狭窄，具短毛；背陷凹陷较浅，黑褐色，呈伞状；中脊中间相连接；载肛突半球形，光滑，黄色；其两侧较深凹陷，黑色；腹域呈舌状突起。抱器钩状突末端较细钩状弯曲，感觉叶具毛。阳茎鞘骨化较强；基系膜背突扁囊状且上有1个细管状突起，骨化较强；端系膜侧背突1对，较长且宽，骨化较弱；端系膜具1个背突，膜质细管状；端系膜腹突较短，膜质；基系膜侧突膜质囊状；阳茎端基部非常膨大，其余部分很短，骨化强，末端腹向弯曲；精泵大，骨化强。

**量度**(mm)：体长3.75～5.50；头长0.90～1.20，宽1.12～1.35；前胸背板宽3.15～4.30，长1.55～2.15；小盾片宽3.38～5.00；两单眼间距离0.34～0.51；单眼与复眼间距离0.11～0.15；触角1～5节的长度分别为0.20～0.32、0.11～0.20、0.42～0.57、0.43～0.51、0.49～0.62。

**分布**：陕西(秦岭)、天津、河北、山西、山东、上海、江苏、浙江、安徽、湖北、江西、湖南、福建、台湾、广东、海南、澳门、广西、四川、贵州、云南、西藏；朝鲜，日本，越南，泰国，缅甸，印度，斯里兰卡，孟加拉国，印度尼西亚，澳洲。

**寄主**：刺槐、大豆、葛藤、胡枝子、昆明鸡血藤、桑、黄檀、栎、文旦、花榈木、柑橘、薄壳山核桃、灯台树、国槐、紫藤、黄山木兰、广玉兰等，少量标本有螨类体外寄生现象。

### (386) 狄豆龟蝽 *Megacopta distanti* (Montandon, 1893)(图137)

*Coptosoma distanti* Montandon, 1893: 564.

*Megacopta distanti*: Hsiao & Jen, 1977: 294.

**鉴别特征**：体近圆形，背部中间黑色，其余部分暗黄棕色，刻点浓密。

头部较宽阔，前缘弓形突出，侧叶与中叶等长。头背面端半部暗黄棕色。基半部黑色。触角及喙暗棕黄色，喙向后伸达后足基部。

胸部前胸背板前缘及侧缘暗黄棕色，前胸背板具浓密刻点，中部黑色，其余部分暗黄棕色。小盾片基胝和侧胝均明显，基胝两端及侧胝暗黄棕色。小盾片两侧宽阔黄色，与基胝两端的黄斑相连；后部黄色区域较大，占小盾片的2/3以上，不成双峰状；雄虫小盾片末端向内凹陷。胸部腹面灰黑色。臭腺沟缘褐色，端部褐色。足腿节赭色，胫节褐色，胫节全长具纵沟。

腹部腹面光亮，具深褐色刻点，中央黑色，两侧辐射状横带较宽阔，约占各侧的1/2，中央无横纹。气门浅色，其外侧具褐色斜纹。

雄虫生殖囊黄褐色，亚缘脊明显，亚缘脊内侧平坦；背侧角明显；载肛突簸箕状；两侧凹陷较深；背陷不明显。抱器：钩状突狭长，稍扭曲，末端较尖；感觉叶具长毛；抱器体棒状，稍弯曲。阳茎鞘侧骨片较明显；端系膜侧突1对，膜质；阳茎端粗大，骨化强；精泵明显，骨化强，略呈斧状。

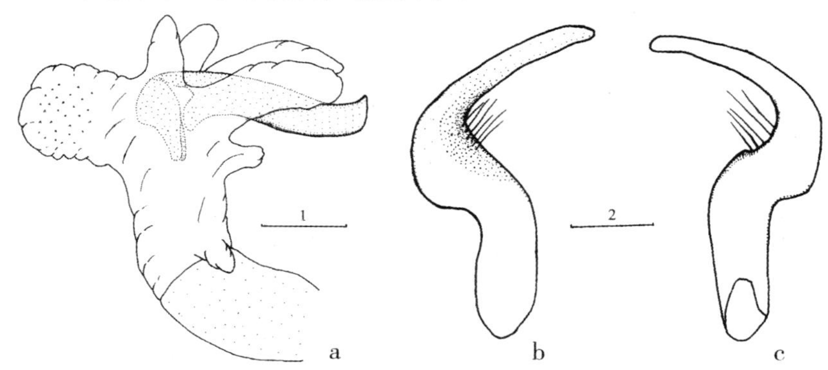


图137 狄豆龟蝽 *Megacopta distanti* (Montandon)

a. 阳茎侧面观；b－c. 右抱器不同方位。比例尺：1 = 0.2mm(a)；2 = 0.1mm(b,c)

**量度(mm)**：体长3.80～5.04；头长0.86～0.89，宽1.56～1.71；前胸背板宽3.00～3.53，长1.38～1.70；小盾片宽3.60～4.20；两单眼间距离0.45～0.56；单眼与复眼间距离0.18～0.26；触角1～5节的长度分别为0.28～0.31、0.10～0.11、0.49～0.51、0.53～0.54、0.61～0.64。

**分布**：陕西(秦岭)、北京、河北、河南、甘肃、浙江、湖南、江西、福建、广西、四川、贵州、云南、西藏；印度。

**讨论**：本种与双峰豆龟蝽(*Megacopta bituminata*)极为相似，但有以下区别：1. 本种小盾片两侧宽阔黄色，与基胝两端的黄斑相连；后部黄色区域较大，占小盾片地2/3以上，不成双峰状；后者小盾片后部黄色区域较小，成双峰状向内扩展。2. 腹部腹面两侧辐射状横带较宽阔，约占各侧的1/2；后者腹部腹面两侧横带宽阔，但不及各侧的1/2。两者雄虫生殖囊、抱器及阳茎都十分近似，并且个体大小、花斑等并不稳定，存在一些变异，因此作者认为有可能为同一种的不同色型，有待进一步深入研究，今暂作为两个独立的种处理。

### (387) 和豆龟蝽 *Megacopta horvathi* (Montandon, 1894)

*Coptosoma horvathi* Montandon, 1894: 261.

*Megcopta horvathi*: Hsiao *et al.*, 1977: 293.

**鉴别特征：**体卵圆形，草黄色、草绿色或暗草绿色；具粗糙刻点。

头部较小，基部与侧缘黑色；中叶黑色，其后有 1 个黄色斑点；侧叶黄色，长于中叶并在其前方相交。腹面黑色。触角褐色，端部色较深。喙褐色，向后伸达第 2 可见腹节前部。

胸部前胸背板中央稍前有 1 条由不规则刻点形成的横纹，将前胸背板分成前后两部分，前部较小，一般色较黄，刻点稀少，有 1 条向前成双弯曲的黑色横纹（有时中间断开），纵纹中部有 1 条伸达前缘的黑色纵纹与之交叉；后部较大，颜色较绿，具粗糙刻点。小盾片具大小不一的粗糙刻点且常相互连接；基、侧胝均明显，但基胝后界常有中断，侧胝横长，且光亮；雄虫小盾片末端向内凹陷。腹面黑色，前足基部侧前方有明显横褶。臭腺沟缘黑色。足黄褐色，基部色较深，胫节全长具纵沟。

腹部腹面光亮。中部黑色；两侧黄色辐射状带纹宽阔，具粗糙刻点，带纹中央无黑色横纹；气门浅色。

雄虫生殖囊小，近圆形，黄褐色，被细毛；背域较窄；背陷椭圆形，凹陷浅；侧域宽阔，中脊发达，两侧几乎连为一体；载肛突半球形，光滑，其两侧具较深的凹陷，黑褐色；腹域中部略成舌状突起。抱器末端扁，钝圆，感觉叶具毛。阳茎鞘部分骨化；基系膜背突较小，扁平；端系膜侧背突 1 对，较宽阔且长，并在近基部有 1 个较小分支；端系膜背突 1 个，细小；端系膜腹突膜质，粗大，末端二分支；基系膜侧突膜质；阳茎端基部显著膨大，端半部细小，骨化强，末端腹向弯曲。精泵骨化强，较大。

**量度（mm）：**体长 3.75 ~ 5.25；头长 0.75 ~ 0.90，宽 1.00 ~ 1.20；前胸背板宽 2.92 ~ 4.05，长 1.73 ~ 2.40；小盾片宽 3.45 ~ 5.04；两单眼间距离 0.36 ~ 0.39；单眼与复眼间距离 0.09 ~ 0.11；触角 1 ~ 5 节的长度分别为 0.30 ~ 0.35、0.09 ~ 0.11、0.39 ~ 0.49、0.41 ~ 0.51、0.52 ~ 0.61。

**采集记录：**1♂，太白山蒿坪寺，1983. Ⅹ. 14。

**分布：**陕西（眉县）、河南、甘肃、浙江、湖北、湖南、福建、台湾、广东、广西、四川、贵州、云南。

**寄主：**豇豆，刺槐，胡枝子，鸡血藤，云实，葛藤，大豆，合欢，马尾松等。

### （388）褐斑豆龟蝽，新种 *Megacopta spadicea* Liu *et* Xue sp. nov.（图 138）

**鉴别特征：**体圆形，黄色稍带绿色；具浓密、粗糙的褐色刻点。

头部宽短，前端圆形，稍显平截；中叶与侧叶约等长，侧叶边缘与中叶基部褐色，中叶后亦有 1 个黄色斑点；侧叶及中叶中部具细小刻点；腹面黄色。触角和喙黄或黄褐色，端部色较深，喙向后可伸达第 3 可见腹节。

胸部前胸背板具粗糙刻点，前后缘均黑色，前部有 1 个褐色波状横纹，纵纹中部有 1 条伸达前缘的褐色纵纹与之交叉；小盾片密被褐色粗糙刻点且常相互连接；小盾片基部色较浅，但基胝后界不明显，侧胝小，细长。雄虫小盾片末端向内凹陷。腹面灰黑色，臭腺沟缘黄色，足黄色，胫节全长具纵沟。

腹部腹面中部黑色光亮，两侧黄色辐射状带纹宽阔，浅黄色，具粗糙刻点，带纹中央无黑色横纹；气门浅色。

雄虫生殖囊内陷深，凹陷部分黄褐色至黑色；背缘黄色，具毛；腹缘、侧缘黄褐色，光滑无毛；背侧角较明显，毛较密且长，近圆形，具细毛；载肛突黄色，中央具纵向凹槽，被短毛。抱器钩状突相对较长，约与抱器体等长，末端斧形。阳茎鞘部分骨化；基系膜侧突1对，膜质；端系膜侧突1对，较宽阔且长，小于端系膜背突；端系膜背突宽大，扁囊状，膜质；阳茎端基部稍膨大，其余部分细长，整体形成钩状，骨化强，末端腹向弯曲；精泵形状不规则，骨化。

**量度**(mm)：体长3.45～4.60；头长0.75～1.00，宽1.50～1.65；前胸背板宽3.25～3.70，长1.25～1.65；小盾片宽3.75～4.20；两单眼间距离0.37～0.46；单眼与复眼间距离0.14～0.16；触角1～5节的长度分别为0.23～0.28、0.09～0.11、0.35～0.42、0.41～0.48、0.49～0.56。

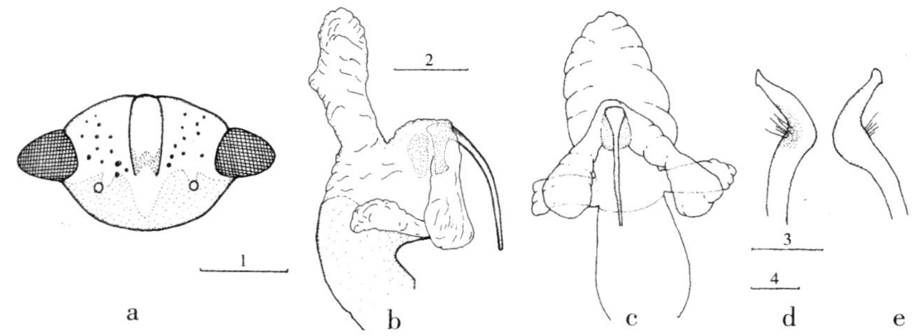


图138 褐斑豆龟蝽 *Megacopta spadicea* liu *et* Xue sp. nov.

a. 头部背面观；b. 阳茎侧面观；c. 阳茎背面观；d－e. 右抱器不同方位。比例尺：1 ＝ 0.5mm(a)；2 ＝ 0.2mm(b)；3＝0.1mm(d,e)；4 ＝ 0.1mm(c)

**采集记录**：河南：♂(正模)，内乡宝天曼，1998.Ⅶ.13，郑乐怡采。陕西：2♂2♀(副模)，城固，1980.Ⅴ.02，向成龙、马宁采。湖北：1♀(副模)，房县桥上，1977.Ⅴ.17，郑乐怡采；1♀(副模)，神农架，1977.Ⅵ.22，郑乐怡采；6♂1♀(副模)，利川星斗山，1999.Ⅶ.29，薛怀君采；3♂3♀(副模)，1999.Ⅶ.31，同上。广西：1♀(副模)，金秀永和(500)，1999.Ⅴ.12，韩红香采。四川：4♂(副模)，峨眉山报国寺(600)，1957.Ⅳ.27，郑乐怡、程汉华采；1♂(副模)，1957.Ⅳ.30，同上；1♀(副模)，1957.Ⅴ.05，同上；2♀(副模)，1957.Ⅴ.30，同上；1♂(副模)，1957.Ⅵ.04，同上；1♂(副模)，1957.Ⅵ.12，同上；2♀(副模)，雅安烈士陵园，1957.Ⅶ.25；1♂1♀(副模)，武隆万丰(800)，1989.Ⅶ.07，杨龙龙。

**种名词源**：spadicea 褐色的，意指该种身体具浓密的褐色刻点。

**分布**：陕西(城固)、河北、河南、浙江、湖北、广西、四川。

**讨论**：该种与胡豆龟蝽 *Megacopta hui*(Yang，1934)近似，但后者喙向后仅伸达后足基部可以区别。另外，本种与圆头豆龟蝽(*M. cycloceps* Hsiao *et* Jen)相近似，但后者前胸背板侧缘前方扩展部分基部具整齐的褐色刻点，腹部辐射状横带光滑无刻点可以区别。

# 三十四、盾蝽科 Scutelleridae

韩垚[1] 乐大春[2] 刘国卿[2]
(1. 山西农业大学农学院，太谷 030801；2. 南开大学昆虫研究所，天津 300071)

**鉴别特征：** 体小至中大型，卵圆形，背面强烈圆隆，腹面平坦，有些种类有鲜艳的色彩和花纹。

头多短宽。触角 4 或 5 节。前胸腹面的前胸侧板向前扩展成游离的叶状。中胸小盾片极度发达，遮盖整个腹部和前翅的绝大部分。前翅只有最基部的外侧露出，革片骨化减弱。膜片具多数纵脉。跗节 3 节。后胸侧板臭腺沟缘及挥发域发达。

**生物学：** 生活在植物上，较大型的种类多栖于树木上。植食性，常偏喜吸食果实，可造成种种危害。

**分类：** 世界性分布，热带及亚热带地区更为常见。中国记录 6 亚科 16 属 42 种，陕西秦岭地区分布 2 亚科 2 属 2 种。

### 分亚科检索表

后翅具扇前脉及 2 条扇间脉 ………………………………………………… **盾蝽亚科 Scutellerinae**

后翅扇前脉缺失，具 1 条扇间脉或扇间脉退化 ……………………… **扁盾蝽亚科 Eurygastrinae**

## （一）扁盾蝽亚科 Eurygastrinae

**鉴别特征：** 体中型，小盾片微隆，后翅扇前脉缺失，具 1 条扇间脉，小盾片较窄，半鞘翅外侧缘大部分外露，为其主要鉴定依据。

分类：主要分布在古北区。中国记录 1 属 3 种，秦岭地区发现 1 属 1 种。

### 222. 扁盾蝽属 *Eurygaster* Laporte, 1833

*Eurygaster* Laporte, 1833: 68. **Type species**: *Cimex hottentotta* Fabricius, 1775.

**属征：** 体中型，长椭圆形，背、腹面微隆，黄色或红褐色。头三角形，短宽，向下倾斜约 45°，唇基长于、短于上颚片或与其等长，上颚片外侧缘近平直，头腹面黄色，密布细小刻点，触角 5 节，第 3、4 节较短，位于头下方，于背面不可见，喙伸达后足基节。前胸背板前角、侧角及后角多圆钝，不突出；前缘向下弯曲或平直，前侧缘向外呈弧形弯曲或直，后缘平直；臭腺孔极小，臭腺沟缘中等长度，细而直；中胸侧板蒸发域位于侧板后方，带状，浅黄色或白色；后胸侧板蒸发域近三角形，位于臭腺沟缘周围，浅黄色或白色，具褶皱。小盾片较狭长，半鞘翅外缘及腹部侧接缘外露；足胫节背面具1条浅纵沟；腹部中央无纵沟，侧接缘处多具斑纹或黑刻点。雄虫生殖囊多为方形，开口处腹缘平直；阳基侧突扁平，钩状突分为两叶；阳茎鞘膜质，长宽大致相等，具2对系膜附器，系膜腹叶多为刺状，骨化，系膜背叶多膜质，顶端骨化。

**分布**：我国记载3种，秦岭区记述1种。

### （389）扁盾蝽 *Eurygaster testudinaria testudinaria*（Geoffroy，1785）（图139）

*Cimex testudinarius* Geoffroy，1785：195.

*Eurygaster maura* var. *notatus* Ferrari，1874：119.

*Eurygaster sodalis* Horváth，1895：221.

*Eurygaster testudinarius* f. *tuberculatus* Wagner，1938：22，24.

*Eurygaster testudinaria*：Hsiao *et al.*，1977：60.

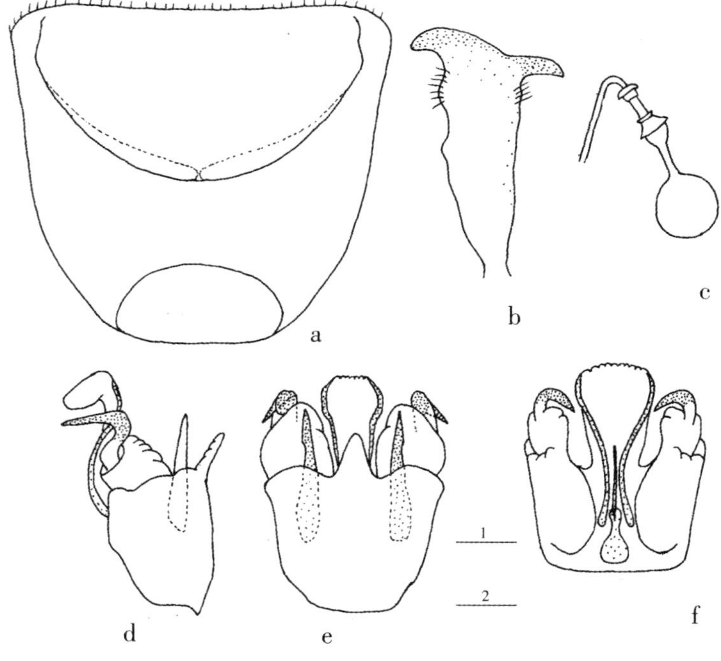


图139 扁盾蝽 *Eurygaster testudinaria testudinaria* Geoffroy

a. 生殖囊；b. 阳基侧突；c. 受精囊；d. 阳茎侧面观；e. 阳茎腹面观；f. 阳茎背面观。比例尺：1 = 0.25mm（a）；2 = 0.18mm（b）；2 = 0.25mm（c）；1 = 0.20mm（d，e，f）

**鉴别特征**：体中型，长椭圆形，背、腹面微隆，黄色。

头三角形，短宽，向下倾斜约45°，黄褐色或红褐色，单眼橘红，复眼棕褐色；密布黑色刻点；唇基略短于上颚片，顶端窄，圆钝；上颚片端部圆钝，宽于唇基，外侧缘钝化，近平直。触角5节，第1节黄色，其余4节黑色。头腹面黄色，密布同色细小刻点。喙黄色，第4节深褐色，伸达后足基节。

胸部前胸背板黄褐色或红褐色，隆起，密布黑色刻点，中纵线处为浅黄色细纹，后缘两侧上方各具1条浅黄色短纵纹，有些个体斑纹不明显；前角、侧角及后角均圆钝，不突出；前侧缘及后缘近平直，前缘向下弯曲。小盾片较狭长，黄褐色或红褐色，密布黑色刻点，基部中央微隆，两侧微凹；中纵线处微隆成脊状，且形成1个倒Y形浅黄色斑纹。各节胸侧板黄色，密布黑色刻点；臭腺孔极小，臭腺沟缘中等长度，细而直，末端黑色。中胸侧板蒸发域位于侧板后方，带状，微具褶皱，黄白色；后胸侧板蒸发域近三角形，位于臭腺沟缘周围，黄白色，微具褶皱。足黄色，具稀疏的短小黑刺，胫节背面具1条浅纵沟。

腹部背面观，各腹节侧接缘处具黑色短横纹；腹面观，黄褐色，布满细小浅色刻点；腹部中央无纵沟，常具多且密的黑色小圆斑，3~7腹节两侧后缘上方均具1个黑色短横斑，第7腹节中央具较密黑刻点组成的近方形黑斑；各腹节后侧角圆钝，不突出。

雄虫生殖囊上方宽，下方较窄，开口处背缘向下弯曲，侧缘弯曲无突起，腹缘平直；阳基侧突扁平，较宽，钩状突片状，顶端分为2叶，感觉叶不呈明显凸起，上具较密短毛。阳茎鞘长约等于宽，膜质，腹面中央具1个较大而明显的三角形突起；阳茎系膜具2对附器，系膜腹叶为1对较短的尖刺状突起，骨化；系膜背叶膜质，顶端尖锐呈钩状弯曲，骨化，1对较长；阳茎端骨化，刺状，细长而尖锐，较短。

雌虫第1载瓣片近三角形，具褶皱，后方边缘微弯，顶角较圆钝，第9侧背片近椭圆形；第8侧背片相连处边缘微向上弯曲。受精囊管无明显的中部膨胀，受精囊端檐较大，受精囊球基部微膨大，中部细长，端部膨大成球形。

**量度(mm)**：♂：体长9.90~10.80，宽6.30~7.10；头长2.00~2.20，宽3.10~3.30；单眼间距1.10~1.30；触角1~5节的长度分别为0.90、0.60、0.50、0.70、1.30；前胸背板长2.70~3.00，宽6.00~6.70；小盾片长5.50~6.00，宽4.60~4.90。♀：体长10~11，宽6.50~7.30；头长2.00~2.20，宽3.10~3.30；单眼间距1.10~1.30；触角1~5节的长度分别为1.00、0.70、0.50、0.80、1.30；前胸背板长2.80~3.10，宽6.00~6.80；小盾片长5.60~6.10，宽4.70~5.00。

**采集记录**：1♀，周至板房子，1994.Ⅷ.08，吕楠灯诱；1♂，凤县秦岭车站，1500m，1994.Ⅶ.27，董建臻采；1♀，地点同前，1400m，1994.Ⅶ.28，董建臻采；2♂1♀，地点同前，1400m，1994.Ⅶ.28，卜文俊采；1♂，地点同前，1400m，1994.Ⅶ.29，卜文俊采；3♀，地点同前，1400m，1994.Ⅶ.29，董建臻采；2♀，凤县大散关，1200m，1999.Ⅸ.03，李传仁采；1♀，安康化龙山，2100m，2003.Ⅵ.27，于海丽采；1♂1♀，留坝庙台子，1400m，1994.Ⅷ.03，卜文俊采；1♂，地点同前，1400m，1994.

Ⅷ.01，董建臻采；1♂，佛坪岳坝保护站，1100m，2006.Ⅶ.19，丁丹采；1♀，地点同前，2006.Ⅶ.20，许静杨采；1♂，地点同前，1100m，2006.Ⅶ.23，丁丹采；1♀，地点同前，1100m，2006.Ⅶ.24，丁丹采；1♀，地点同前，1700m，2006.Ⅶ.24，朱耿平采；1♂1♀，宁陕旬阳坝，1700m，1994.Ⅶ.17，卜文俊采。

**分布：**陕西（长安、周至、凤县、太白、武功、留坝、佛坪、宁陕、安康）、甘肃、青海、宁夏、内蒙古、黑龙江、吉林、辽宁、北京、天津、河北、山西、河南、山东、湖北、安徽、江苏、浙江、湖南、江西、四川、重庆、贵州、广东、福建、新疆；北非，欧洲，土耳其，格鲁吉亚，亚美尼亚，阿塞拜疆，伊朗，哈萨克斯坦，乌兹别克斯坦，吉尔吉斯斯坦，塔吉克斯坦，土库曼斯坦，俄罗斯，蒙古，朝鲜，韩国，日本。

## （二）盾蝽亚科 Scutellerinae

**鉴别特征：**此亚科昆虫体色多艳丽，具色斑或花纹，触角通常为5节，有时为3节或4节，后翅具扇前脉及2条扇间脉，为其主要鉴定依据，臭腺孔通常较大，臭腺沟缘所在区域较大且突出于后胸侧板表面。

**分类：**主要分布在东半球。中国记录10属28种，秦岭地区发现1属1种。

### 223. 宽盾蝽属 *Poecilocoris* Dallas, 1848

*Poecilocoris* Dallas, 1848: 100. **Type species**: *Cimex druraei* Linnaeus, 1771.

**属征：**体宽圆，背及腹面隆起，色彩艳丽而多变，斑点大小、颜色及数目变异较大。头向下倾斜45°，近三角形。唇基长于上颚片，上颚片外侧缘2/3处向内弯曲，具刻点，刻点分布有所区别。单眼黄或橘红，复眼黄至深褐色。触角5节，前2节短，约等长，后3节较长，一般为前2节长度的2～3倍。喙端超出后足基部，伸达不同腹节。前胸背板前缘弯曲，一些种类具下陷的宽边，且伴有粗刻点，前侧缘多平直，一些种类具明显黑色细边，有的还伴有微微下陷的窄边，后缘多平直或微向上弯曲。前、侧角大多微尖，后角钝圆。小盾片明显隆起，完整覆盖整个腹部，半鞘翅仅露出基部。臭腺沟缘大多长而平直，有些种类臭腺沟缘末端弯曲。各足胫节背面具1条纵沟。腹部腹面中央具纵沟，于基部较明显，腹部侧缘气孔下方具细长横凹。

雄虫生殖囊大多近圆形或方形，长与宽大致相等或略有差别，背、腹边缘弯曲或平直，侧缘大多有突起，个别种类无。阳基侧突钩状突扁平或柱状，顶端单钩状或分叶；感觉叶一般位于阳基侧突内侧的凸起处，上具或长或短较密的毛。阳茎鞘骨化，筒状，长大于宽，多为宽的2倍左右。阳茎系膜具3对附器，系膜腹叶为1对细长骨化的刺状或棒状突起，系膜间叶及系膜背叶相愈合，形成形状各异的结构，一般基部及端部骨化，中部膜质。阳茎端骨化，端部细长，中部弯曲，基部略膨大，中部一般会伸出 1 对骨化的刺状或片状突起，有些种类无。

雌虫第 1 载瓣片大多方形片状，边缘多笔直，第 9 侧背片短棒状或三角形片状，第 8 侧背片大，三角形片状，相连处大多向上弯曲。受精囊管的中部膨胀为球形，受精囊基檐和端檐均为喇叭状，受精囊球棒状，中部弯曲，顶端圆钝。

**分布**：我国记载 12 种，秦岭区记述 1 种。

### (390) 金绿宽盾蝽 *Poecilocoris lewisi* Distant, 1833（图 140）

*Poecilocoris lewisi* Distant, 1833: 419.

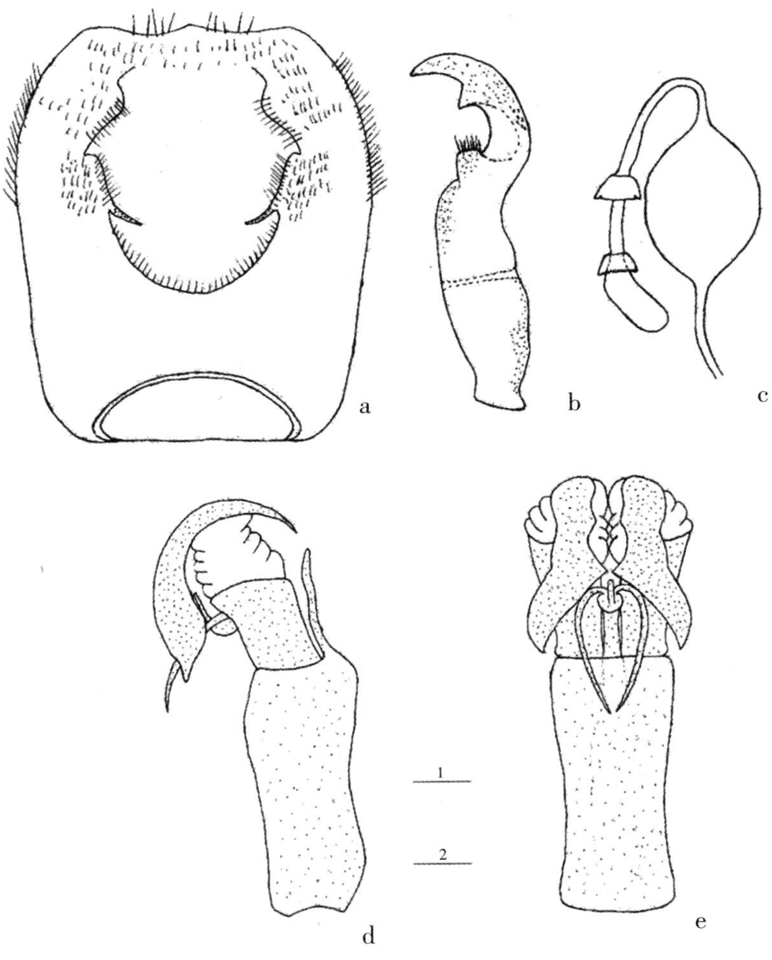


图 140　金绿宽盾蝽 *Poecilocoris lewisi* Distant

a. 生殖囊；b. 阳基侧突；c. 受精囊；d. 阳茎侧面观；e. 阳茎背面观。比例尺：1 ＝ 0.40mm(a)；1 ＝ 0.18mm(b)；2 ＝ 0.40mm(c)；2 ＝ 0.31mm(d,e)

**鉴别特征：**体中型，宽椭圆形，体色金绿，密布刻点。

头三角形，向下倾斜约45°，金绿色，单、复眼红褐色，密布刻点。唇基略长于上颚片，唇基顶端橘黄色，膨大，钝圆，无刻点且具数条横皱。上颚片侧缘长2/3处微向内弯曲，具微微上翘的细边。头末端中央处向前延伸出2列黑色斑纹，伸达唇基中部，光滑无刻点。触角5节，前2节绿色，后3节深蓝色，均具金属光泽。头腹面具金绿色刻点。喙棕黄色，末端黑色，伸达第4腹节。

胸部前胸背板绿色，具金属光泽，隆起，密布黑刻点，上具近似横卧的“曰”字形花纹，胝边缘橙色，中央金绿；前角、侧角微尖，后角钝圆；前侧缘平直，具黑色卷起的细边，前缘中部具黑色细边且微向下弯曲，后缘微向前呈宽弧状凹入。小盾片覆盖整个腹部，基部隆起，边缘凹陷；绿色，金属光泽，密布刻点，上具3条橙色横纹：基部隆起处的横纹两端向下弯曲，小盾片1/3及2/3处具有2条波浪状横纹，横纹中央部位均向下延伸出较短橙色细纹；小盾片末端边缘皆为橙色。各节胸侧板黄褐色，前足及中足基节窝附近绿色，具金属光泽，密布刻点。臭腺孔开口近后胸侧板前缘，臭腺沟缘狭长且平直，黄褐色，中胸侧板蒸发域带状，狭长而平直，黑色；后胸侧板蒸发域位于侧板上方，从内侧延伸至外侧，狭长而平直，黑色。足基节、转节黄褐色，腿节黄褐色，略具金绿色光泽，腿节毛稀疏，胫节背面具1条宽纵沟，金绿色，具刻点，跗节深褐色，爪黑色，胫节及跗节毛多而密。

腹部黄褐色，侧接缘黑色，各节气门下方具1黑斑。3~7腹节腹面中央具浅纵沟，各腹节后侧角尖锐而突出。

雄虫生殖囊近方形，长略大于宽，背面边缘凹陷成弧形；侧缘具1个明显的黑色尖刺状突起；腹面边缘中央略向上突起。阳基侧突钩状突扁平，顶端中部强烈下凹，分为两叶。感觉叶呈明显凸起，上具1个束密集的短毛，阳茎鞘长远大于宽，约为宽的2倍半，高度骨化。阳茎系膜具2对附器，系膜腹叶为1对细长骨化的细指状结构，基部外侧与阳茎鞘腹面边缘相连，骨化较强烈；系膜背叶基部及端部高度骨化，中部膜质，端部形成弯曲的镰刀状结构，基部为长筒状结构，端部背面观为1对末端较尖的扁片状结构。阳茎端骨化，端部下方弯曲，并伸出1对顶端尖锐、中部弯曲的长刺状骨化的突起。

雌虫第1载瓣片方形，边缘笔直，第9侧背片棒状，顶端圆钝。第8侧背片相连处边缘向上凹入。受精囊管的中部膨胀为球形，受精囊基檐和端檐均较大，边缘笔直，受精囊球棒状，不弯曲。

**量度(mm)：**♂：体长14.20~16.20，宽8.20~10.20；头长2.00~2.40，宽2.50~3.00；单眼间距1.20~1.50，复眼间距2.50~3.00；触角1~5节的长度分别为1.20、0.90、2.00、2.00、2.25；前胸背板长2.50~2.80，宽8.20~10.20；小盾片长9.00~10.50，宽7.60~9.30。♀：体长14.90~18.20，宽9.20~11.10；头长2.50~3.20，宽3.00~3.70；单眼间距1.30~1.50，复眼间距3.00~3.70；触角1~5节的长度分别为1.30、1.00、1.90、2.30、2.60；前胸背板长2.70~2.90，宽9.20~11.10；小盾片长9.20~10.80，宽8.50~9.90。

**分布**：陕西(周至)、甘肃、黑龙江、吉林、辽宁、北京、天津、河北、山西、河南、山东、湖北、安徽、江苏、浙江、四川、重庆、湖南、江西、贵州、云南、广东、台湾；俄罗斯，朝鲜，韩国，日本。

# 三十五、荔蝽科 Tessaratomidae

梁京煜 刘国卿
(南开大学昆虫学研究所，天津 300071)

**鉴别特征**：体大型。外形与蝽科相似，多为椭圆形。褐色、紫褐色或黄褐色，可有金属光泽。

头小型。上颚片伸过唇基末端并在前方会合，头侧缘薄锐。触角 4～5 节，第 3 节短小，中国种类触角多数为 4 节。触角着生处位于头的下方，由背面不可见。喙较短，不伸过前足基节。喙细长，第 1 节几乎全长为小颊所包围，紧贴于头部腹面。小盾片特征与膜片脉序似蝽科。小盾片近乎正三角形，仅达前翅膜片的基部；翅达到或稍过尾端，有时略短。膜片具多数纵脉，很少分支。第 2 腹节气门在多数属中外露。跗节 2 节或 3 节。受精囊管的基部常有 1 个很明显的卵圆形扩大部分，此部分的管壁有很厚的肌肉。

**生物学**：生活于乔木上。吸食果实和嫩梢。

**分类**：中国记录 12 属 36 种，秦岭地区发现 1 属 1 种。

## 224. 硕蝽属 *Eurostus* Dallas, 1851

*Eurostus* Dallas, 1851a: 318, 342. **Type species**: *Eurostus validus* Dallas, 1851.

**属征**：长卵形。头长与宽略相等，向前渐狭，端尖圆，中叶甚短，侧叶长。触角 4 节。第 1 节可见腹节腹面气门完全外露。前胸背板形状一般，其基部中央不成宽舌状向后强烈伸出，侧角不前伸，不成方肩状。小盾片末端狭细，不伸出于翅革片的内角之后，或伸出甚短。后胸腹板不隆出，凹陷于中、后足基节之间，其表面显然低于基节外表面的水平。后足股节下方近基部处有刺，雄者的刺极大，且股节粗壮发达。第 1 可见腹节腹面气门完全外露。

**分布**：我国记载 2 种，秦岭区记述 1 种。

### (391) 硕蝽 *Eurostus validus* Dallas, 1851（图 141）

*Eurostus validus* Dallas, 1851a: 342.

*Eusthenes pratti* Distant, 1890: 160.

*Eurostus moutoni* Montandon, 1894c: 636.

**鉴别特征：**体大型，长椭圆形。酱褐色，具绿色金属光泽。

头部呈三角形，背面大部为金绿色，侧叶较宽阔，表面具清楚的较密横皱，外缘略上翘，长度远长于中叶，并在中叶前会合。单眼红褐色，复眼褐色。触角 4 节，前 3 节黑褐色，第 4 节呈黄色或橙黄色。缘黑褐色，较短，仅伸达中足基节前缘。

前胸背板梯形，略前倾，表面具细微横皱。前缘、侧缘内侧及胝区呈金绿色。前缘中部向后略凹入，侧缘弯曲，后缘向后凸出。侧角圆钝。小盾片呈三角形状，表面微皱，具稀疏刻点，两侧呈金绿色，顶角半圆形，黑褐色，基宽略大于长。前翅革质部褐色，表面密被细小同色刻点，有时基部或外缘亦具较浅的金绿色。膜片烟色，半透明。腹侧接缘外露，常呈金绿色，各腹节后角伸出，较锐。胸腹板褐色，侧板金绿色。

腹部腹面褐色，中央及气门处各具 1 个较宽的金绿色纵带。足黑褐色，腿节亚端部腹面具 2 个短刺，前足较弱，后足最强，第 1 节腹面具金黄色较密且宽阔的毛垫。

第 1 可见腹节背面近前缘处有 1 对发音器，长梨形，雌雄均有，由硬骨片和相连之膜所组成，系通过鼓膜振动形式发音。在蝽科昆虫中比较特别。

**量度(mm)：**体长 25～34，宽 11.50～17.00；头长 2.50～2.60，宽 3.20～3.60；前胸背板长 5.00～5.60，宽 12.00～13.80；小盾片长 6.00～7.50，宽 7.20 ～8.50。

**分布：**陕西(长安、周至、佛坪、宁陕、安康)、天津、河北、山东、江苏、安徽、浙江、湖北、江西、湖南、福建、台湾、广东、海南、香港、广西、四川、贵州、云南；老挝。

**寄主：**板栗，茅栗，白栎，苦槠，麻栎，乌桕，胡椒，梨，油桐及梧桐等。

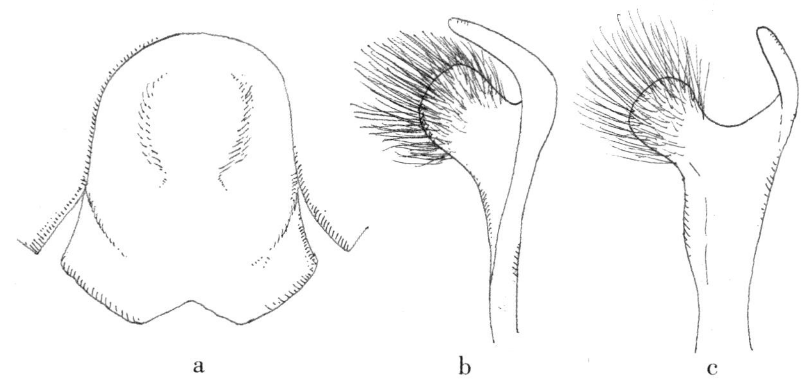


图 141 硕蝽 *Eurostus validus* Dallas

a. 雄虫生殖节腹面观；b－c. 阳茎侧突不同方位

# 三十六、异蝽科 Urostylidae

任树芝 卜文俊
（南开大学昆虫学研究所，天津 300071）

**鉴别特征**：体小至中型。长椭圆形，背面较平，腹面多少凸出。头小，几乎成三角形，前端略凹陷，中叶与侧叶等长或中叶长于侧叶；触角纤细，等于体长或稍长于体长，4～5 节，第 1 节较长，明显超过头的顶端，第 3 节除华异蝽属与第 2 节等长外，约为第 2 节的 1/2；喙短，除版纳蝽亚科外，不超过腹部的基端，共 4 节，第 2 节略长于其他等长的 3 节。前胸背板梯形，宽几乎等于腹部；小盾片多为三角形，从不超过腹部中央，端部尖锐并被爪片包围。前翅膜片达于或超过腹部末端，具 6～8 条纵脉。足的胫节不具深沟，跗节 3 节。雄虫外生殖器多少突出；除版纳蝽亚科外，臭腺沟缘刺状；胸部腹板不具深沟。

**分类**：中国记录 8 属 131 种，陕西秦岭地区分布 3 属 16 种。

### 分属检索表

1\. 触角 4 节 ………………………………………………………… **华异蝽属** ***Tessaromerus***

　触角 5 节 ……………………………………………………………………………… 2

2\. 雄体触角第 1 节的长度小于头长的 2 倍，短于头及前胸背板之和，体较粗壮 ……………………………………………………………………… **壮异蝽属** ***Urochela***

　雄体触角第 1 节的长度约为头长的 2 倍，或超过 2 倍，等于头及前胸背板之和，体较纤弱 ……………………………………………………………………… **娇异蝽属** ***Urostylis***

## 225. 华异蝽属 *Tessaromerus* Kirkaldy, 1908

*Tessaromerus* Kirkaldy, 1908: 452. **Type species**: *Tessaromerus quadriarticulatus* Kirkaldy, 1908.

**属征**：体褐色，略粗壮，触角 4 节。雄虫腹部第 7 腹板亚后缘两侧各具 1 个瘤突，雄虫生殖节腹突为二叉状，阳基侧突似短刀状，前半部似半月形；阳茎前部系膜叶短，除腹侧基系膜叶强烈骨化外，其他系膜叶为膜质、具显著小刺突。

**分布**：我国记载 3 种，秦岭区记述 1 种。

### （392）四星华异蝽 *Tessaromerus quadriaticulatus* Kirkaldy, 1908（图 142）

*Tessaromerus quadriaticulatus* Kirkaldy, 1908: 452.

*Tessaromerus maculates* Hsiao *et al.*, 1977: 183.

图 142 四星华异蝽 *Tessaromerus quadriaticulatus* Kirkaldy

a. 雄虫生殖节(后面观); b. 雄虫生殖节(侧面观); c－e. 阳基侧突(不同面观); f. 阳茎膨胀状态(腹面观)

**鉴别特征:** 体褐色，具黑色刻点。头背面单眼之间为黑色纵纹；触角一色黑褐色；前胸背板中域略隆起，两侧域各具 1 个淡黄色小点斑；小盾片基部两侧角各有 1 个小的黄色点。前翅膜片半透明、棕色，翅脉褐色。前胸侧板的前半部亚侧缘具 1 个黑褐色纵纹，后胸侧板臭腺域具稀疏黑色点斑，后胸臭腺沟缘呈长椭圆形。腹部侧接缘各节中部黑褐色，后缘呈红色，各足胫节近基部为浅黄棕色宽环斑。小刺腹部第 7 腹板两侧后缘具 1 个黑色纹，此黑色纹德内侧由 1 个小瘤突，该节的后缘具 1 对小突起。

喙前端略超过中胸腹板中域。前胸背板侧缘较宽，向上翘折，中部弯曲；前角阔圆；膜片达腹部末端，前翅将腹部完全遮盖，侧接缘不外露。雄虫生殖节后缘腹突发达，端半部向上弯曲、并分为两叶，端缘呈片状。阳茎体短粗，当各系膜叶外翻出时，前部各系膜叶展现出，1 对椭圆形的背中端系膜叶；背侧端系膜叶，近方形，具小刺；腹侧基系膜叶骨化强、光亮、呈深棕色；其他各系膜叶均为透明膜质囊，除腹侧基系膜叶外均具小刺突。

雌虫膜片超过腹部末端。腹部侧接缘的侧域部分未被前翅覆盖，侧接缘各节间呈红色。

**量度(mm):** ♂：体长 8.60，宽 4.20；头长 1，宽 1.50；头顶宽 1；触角 1～4 节的长度分别为 1.40、1.70、1.50、1.80；前胸背板长 1.80，侧角间宽 3.50；小盾片长 2.10，基部宽 2；前翅长 6.20。♀：体长 9.50，宽 4.90；头长 1，宽 1.60；触角 1～4 节的长度分别为 1.60、2.00、1.60、1.70；前胸背板长 2，侧角间宽4.30；小盾片长 2.30，基部宽 2.50；前翅长 7.30。

**分布:** 陕西(秦岭)、湖北、云南。

## 226. 壮异蝽属 *Urochela* Dallas, 1850

*Urochela* Dallas, 1850: 2. **Type species**: *Urochela quadripunctata* Dallas, 1850.

**属征**: 体中型，宽而粗壮；多为赭色、褐色；触角短粗，第1节较其他各节短、粗，长度不为头长的2倍，远较头及前胸背板之和短，中部略向内弯曲或直；前胸背板、小盾片及前翅革片刻点显著。

**分布**: 我国记载37种，秦岭区记述9种。

### 分种检索表

1. 革片上有深色斑纹 …… 2
   革片上无深色斑纹 …… 8
2. 革片中部有1个较大、形状不规则、深褐色的斑纹 …… **花壮异蝽 *U. luteovaria***
   革片上有2个明显的或模糊不清的红褐色或黑色圆斑 …… 3
3. 革片上2个圆形斑明显，各足基节基部颜色较中、后胸腹板浅，土黄色或浅赭色。体形较大，约14～16mm …… 4
   革片上2个圆形斑不明显或模糊不清。各足基节基部颜色同于中、后胸腹板。体形较小，约在10～12mm …… 5
4. 足红色、紫红色或红褐色 …… **红足壮异蝽 *U. quadrinotata***
   足黑色 …… **黑足壮异蝽 *U. rubra***
5. 紧接气门内侧的黑斑新月形 …… **膜斑壮异蝽 *U. rufiventris***
   气门外缘有黑圈或紧接气门内侧有黑色半圆形环斑或黑色 …… 6
6. 前胸背板侧缘中部略弯曲成波状；前胸背板及小盾片上的中脊明显，土黄色；胝部有2个土黄色小圆斑。腹部腹面具刻点 …… **黄脊壮异蝽 *U. tunglingensis***
   前胸背板侧缘直、不呈波状 …… 7
7. 体红褐色，前端尖阳茎体近基域具4个小囊状系膜叶，前部系膜叶呈弯长角状膜质囊，无小刺突 …… **喜马拉雅壮异蝽 *U. himalayaensis***
   体褐色，具黑色刻点。触角黑褐色第4、5节的基半部橙黄色；雄虫生殖节端缘简单，呈阔凹缘，侧突呈锐刺；阳基侧突褐色光亮，似窄刀状 …… **亮壮异蝽 *U. distincta***
8. 气门无色 …… **黄壮异蝽 *U. flavoannulata***
   气门外缘有黑圈 …… **拟壮异蝽 *U. caudatus***

### (393) 拟壮异蝽 *Urochela caudatus* (Yang, 1939) (图143)

*Urostylis agnd* var. *caudatus* Yang, 1939: 51 (upgraded by Maa, 1947: 142).

*Urochela caudatus*: Hsiao *et al.*, 1977: 193.

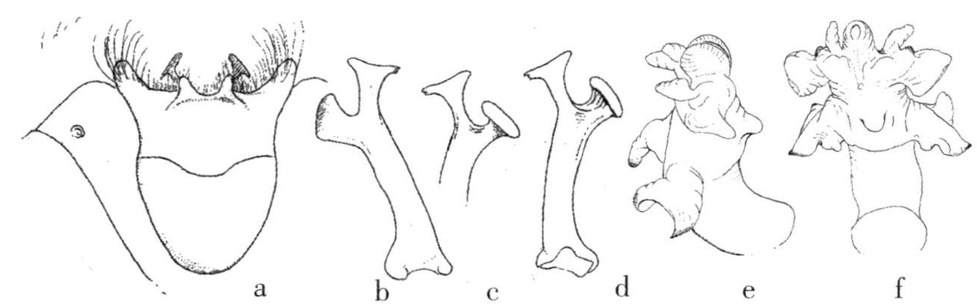


图143 拟壮异蝽 *Urochela caudatus*（Yang）

a. 雄虫生殖节（后腹面观）；b－d. 阳基侧突（不同面观）；e. 阳茎膨胀状态（侧面观）；f. 阳茎膨胀状态（腹面观）

**鉴别特征：** 体草绿色，前胸背板、小盾片及前翅的革质部具稀疏黑色刻点，前胸侧板前半部沿侧缘具褐色纹，后胸臭腺沟缘基半部常具浅红色色泽；喙前端黑色。前翅膜片具黑褐色纹斑。触角第1节长于前胸背板的长度，喙几乎达中胸腹板的中部。前翅长，超过腹部末端。腹部各节的气门黑色。雄虫阳基侧突前部分为二叉；阳茎体弯柱状，前部的腹侧基系膜叶宽阔，端缘具小刺突。

**量度**（mm）：♂：体长9.80～10.00，宽4.10～4.30；头长0.90，宽1.50；触角1～5节的长度分别为2.10、2.30、1.10、2.20、1.70；喙1～4节的长度分别为0.50、0.70、0.60、0.50。♀：体长11.40～11.70，宽4.90－5.00；前胸背板长1.90，前角间宽1.50，侧角间宽4.10；前翅长7.70。

**采集记录：** 留坝韦驮沟，1600m，1998.Ⅶ.21，张学忠采；留坝庙台子，1400m，1994.Ⅷ.03，卜文俊采。

**分布：** 陕西（留坝）、山西、甘肃、宁夏、湖北、四川、贵州、云南。

## （394）亮壮异蝽 *Urochela distincta* Distant，1900（图144）

*Urochela distincta* Distant，1900：226.

**鉴别特征：** 体褐色，具黑色刻点。触角黑褐色第4、5节的基半部橙黄色；前胸背板侧缘淡黄褐色，前翅革片部常着紫红色，具2个黑色晕斑，膜片色淡、透明；腹部侧接缘黑色，各节的端部及基部色淡，为黄褐色。雄虫生殖节端缘无腹突，呈凹缘，侧突前端尖锐；阳基侧突端部细，顶端尖锐。

雄虫浅棕褐色，具黑色斑，前胸背板、小盾片及前翅革片具黑色刻点。头背面单眼后部黑褐色，触角第1～3节一色黑，第4、5两节的基半部淡黄色，端半部黑褐色。臭腺沟缘前半部褐色，其中、后胸侧板亚侧缘均具"）"形黑色斑，气门黑色，侧接缘中部黑色。前胸背板侧缘较宽，向上翘折，近后部具1个黑色斑；前翅革片中部有2褐色晕斑。雄虫生殖节端缘简单，呈阔凹缘，侧突呈锐刺；阳基侧突褐色光亮，似窄刀状；阳茎体短柱状，仅背侧端系膜叶具骨化域，其他系膜叶均为膜质囊。

**量度**（mm）：♂：体长9～11，宽4～5。♀：体长11，宽5。

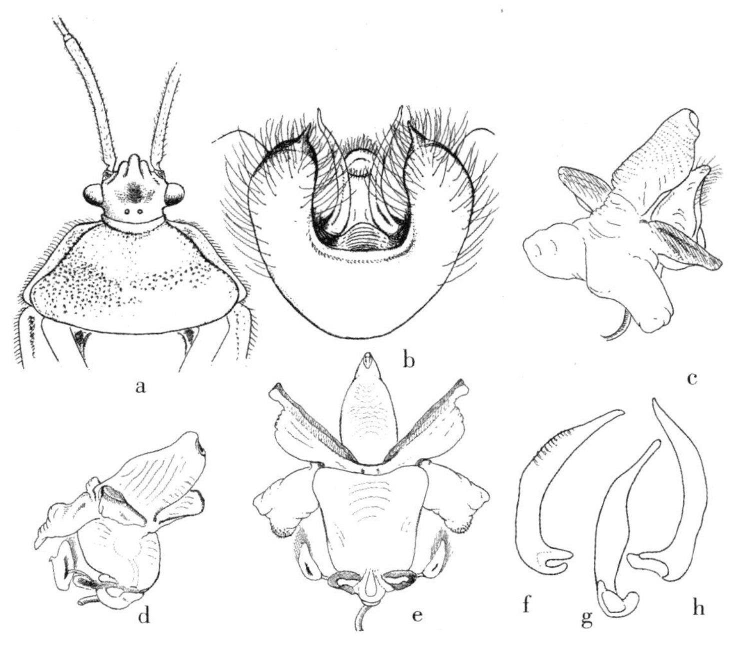


图 144　亮壮异蝽 *Urochela distincta* Distant

a. 头及胸(背面观)；b. 雄虫生殖节(后面观)；c. 阳茎膨胀状态(背侧面观)；d. 阳茎膨胀状态(侧面观)；e. 阳茎膨胀状态(背面观)；f－h. 阳基侧突(不同面观)

**采集记录：**凤县大散关，1999. Ⅸ. 04，郑乐怡采。

**分布：**陕西(凤县)、山西、河南、甘肃、安徽、浙江、湖北、江西、湖南、福建、广西、四川、贵州、云南。

**寄主：**榆，栎类，野桐，青榨槭。

### (395) 花壮异蝽 *Urochela luteovaria* Distant, 1881（图 145；图版 5：14）

*Urochela luteovaria* Distant, 1881：28.

**鉴别特征：**体褐色，具浅色晕斑。前胸背板、小盾片及前翅革片均具黑色刻点；前胸背板侧缘前半部淡黄色；各足胫节的亚基部淡黄色；身体腹面呈橘黄色或橘红色，并具黑色斑点及黑色横纹斑，气门亦为黑色；腹部侧接缘各节的后半部黑色，前半部淡黄色。前翅达到或几乎达腹部末端。

喙端部黑色，达中中胸腹板的后缘。前胸背板侧缘中部略弯，前翅长超过腹部末端。雄虫生殖节端缘腹突呈二叉，弯向身体的前方；阳基侧突前端呈三叉，近中部感觉叶弯、端缘圆；阳茎前端的背侧端系膜叶发达，端部具小刺突。

雌虫前翅长刚达腹部末端；腹部第 7 腹板的后缘中部平截。

**量度(mm)：**♂：体长 10.10，宽 4.20；头长 1，宽 1.80；触角 1～5 节的长度分别

为2.20、3.00、1.20、2.30、2.10；背板长2.10，前角间宽1.40，侧角间宽4.10；前翅长7.90。♀：体长11.20，宽5；前翅长8.80。

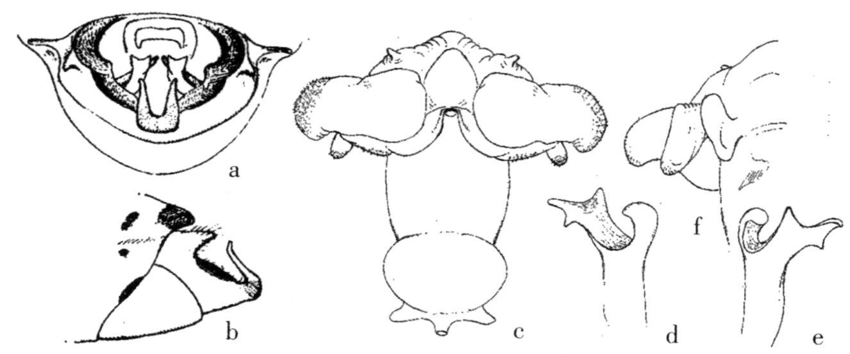


图145　花壮异蝽 *Urochela luteovaria* Distant

a. 雄虫生殖节(后面观)；b. 雄虫生殖节(侧面观)；c. 阳茎(膨胀状态，腹面观)；d－e. 阳基侧突(不同面观)；f. 阳茎前端(背面观)

**采集记录：**凤县秦岭车站，1400m，1994. Ⅶ. 27-29，卜文俊、吕楠采；留坝庙台子，1400m，1994. Ⅷ. 03. 吕楠采；南郑，1650m，1985. Ⅶ. 22. 任树芝采；神木，1985. Ⅶ. 03，任树芝采于梨树上。

**分布：**陕西(凤县、留坝、南郑、神木)、辽宁、天津、河北、山西、河南、山东、甘肃、浙江、湖北、江西、福建、台湾、广西、四川、贵州、云南；日本。

**寄主：**梨、桃、山桃、李、海棠等树木。

### (396) 黄壮异蝽 *Urochela flavoannulata* (Stål, 1854)（图146）

*Urostylis flavoannulata* Stål, 1854: 233.

*Urochela flavoannulata*: Hsiao *et al*., 1977: 192.

**鉴别特征：**体椭圆形，色土黄色或赭色，略带暗绿色。身体背面具刻点，头部无刻点，前胸背板胝部、革片外域端部及内域刻点稀疏。触角、胫节及跗节上具短毛；触角第1、2节褐色，第3节黑色，第4、5节的端半部黑色，基半部土黄色。足土黄色或浅褐色、胫节末端及跗节浅褐色。雄虫的侧接缘被革片所覆盖，雌虫的侧接缘露出于革片外；膜片赭色，半透明。身体腹面土黄色，胸部略带绿色，腹部各节气门黄色。

喙端部黑色，达中足基节。前胸背板侧缘中部略弯。前翅长略超过腹部末端。雄虫生殖节端缘腹突短，呈二叉状，端部向上弯，基部具长毛，其基部外侧具丛毛；侧突较粗，侧突锥状，端部具毛；阳基侧突端半部分为两叶，形状、大小各异。阳茎体柱状，前部各系膜叶均无骨化构造；背侧端系膜叶角状，腹侧端系膜叶短粗，前端具霜状附属物，背侧基系膜叶呈三角形膜质囊。

**量度(mm)：**♂：体长8.50，宽3.70；头长1，宽1.60；触角1～5节的长度分

别为2.50、2.50、1.10、2.60、2.40；前胸背板长1.50，前角间宽1.40，侧角间宽3.70；前翅长6.50。♀：体长10.10，宽5.10；头长1.10，宽0.70；触角1～5节的长度分别为2.40、2.70、1.10、2.90、2.30；前胸背板长2，前角间宽1.50，侧角间宽4.50。

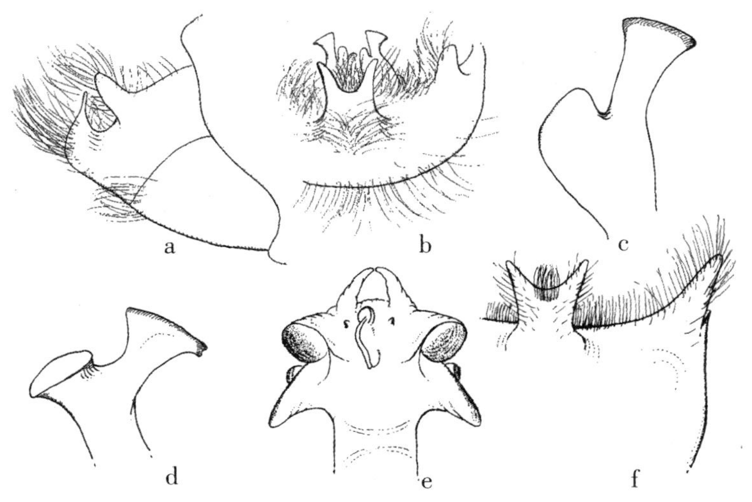


图146 黄壮异蝽 *Urochela flavoannulata*（Stål）

a. 雄虫生殖节（侧面观）；b. 雄虫生殖节（后面观）；c－d. 阳基侧突；e. 阳茎前部（膨胀状态，腹面观）；f. 雄虫生殖节（腹面观）

**分布：**陕西（宁陕）、黑龙江、吉林、北京、河北、山西、宁夏、甘肃、四川；朝鲜半岛，日本。

## （397）喜马拉雅壮异蝽 *Urochela himalayaaensis* Yang，1938（图147）

*Urochela himalayaaensis* Yang，1938：58.

**鉴别特征：**体红褐色，刻点黑色。前胸背板侧缘及前翅侧缘红色，背板及革片刻点分布零乱，革片中部及后部各具1个黑色晕斑；小盾片末端刻点稀少。触角黑褐色，第4～5两节端半部褐色，基部1/3粗淡黄色。前胸背板两侧向上翘，侧缘近直，前缘及后缘侧角均圆阔；前翅革片前半部外缘宽向上翘折，呈淡黄色，前翅膜片褐色。各足股节具黑色小斑；腹部侧接缘各节连接处为黄色，气门黑色。

前翅长达腹部末端。雄虫生殖节端缘阔圆，侧突前端尖锐；阳基侧突细长、略弯，前端尖；阳茎体近基域具4个小囊状系膜叶，前部系膜叶呈弯长角状膜质囊，无小刺突。

本种雄虫生殖节外形轮廓特征近于亮壮异蝽 *Urochela distincta* Distant，但体形、雄虫生殖节各部特征显著不同。

**量度(mm)：**♂：体长10.80，宽5.50；头长1，宽1.80；头顶宽1.04；前胸背板长2.20，前角间宽1.50，侧角间宽4.90；小盾片长2.70，基部宽2.90；前翅长8.40。♀：体长11.70，宽6.90。

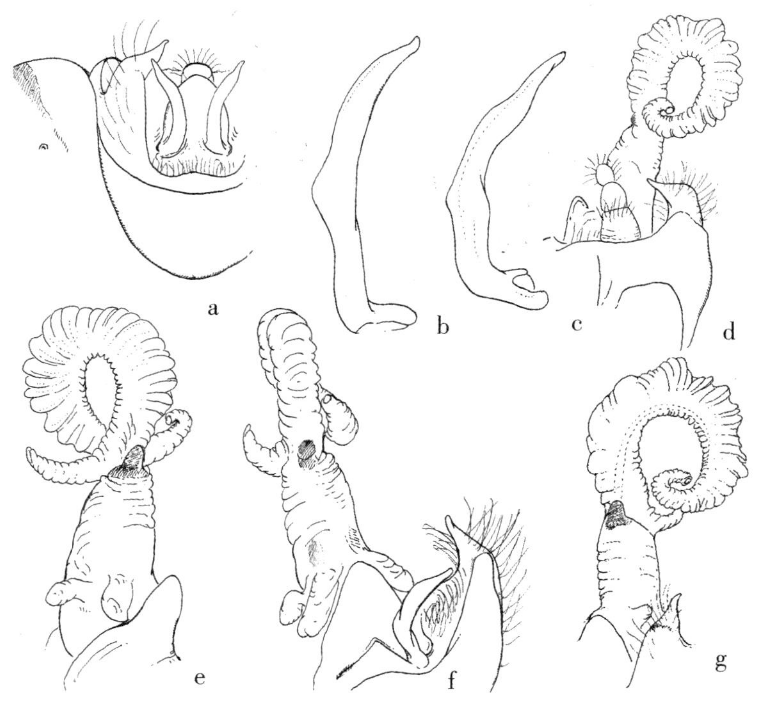


图147　喜马拉雅壮异蝽 *Urochela himalayaaensis* Yang

a. 雄虫生殖节(后面观)；b－c. 阳基侧突(不同面观)；d－g. 阳茎膨胀状态(未离开生殖节，不同面观)

**采集记录：**西乡桑园公社，1975.Ⅶ.12。

**分布：**陕西(西乡)、广西、四川、云南；喜马拉雅地区。

### (398) 红足壮异蝽 *Urochela quadrinotata* (Reuter, 1881)(图148；图版5：15)

*Parurochela quadrinotata* Reuter, 1881：83.

*Urochela quadrinotata*：Hsiao *et al*., 1977：188.

**鉴别特征：**体椭圆形，赭色，略带红色，头部、胸部及身体腹面土黄色或浅赭色，腹部赭色。身体背面除头部外均有黑色刻点。小盾片基半部略隆起，其上的刻点深而大，基角呈1个黑色椭圆形刻痕。前胸背板胝部有2个黑色斜行线斑，前胸背板侧缘较宽，向上翘折，中部向内凹陷成波状弯。头及触角基后方的中央有横皱纹，侧接缘露出于革片外，为长方形黑色和土黄色斑相间。小盾片刻点黑色。前翅革片中部有2个黑色斑。中胸及后胸腹板黑褐色，前胸及后胸侧板后缘有细而稀疏的黑色刻点，腹部气门周缘黑色。

触角第1节黑褐色，第3、4、5节黑色(第4节基部3/1、第5节基部2/1处为橘红色)。喙长达后足基节。前翅长略超过腹部末端。雄虫生殖节端缘构造简单，两侧突出，第7腹板端缘中部圆凹。。

本种接近于黑足壮异蝽 *Urochela rubra* Yang，但阳基侧突基半部细，端缘圆弧形，阳茎基部附器外缘锯齿明显。

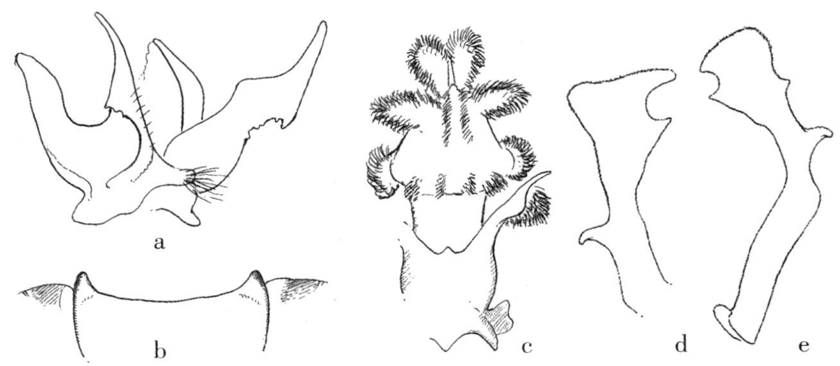


图148　红足壮异蝽 *Urochela quadrinotata* (Reuter)

a. 阳茎基部附器(侧面观)；b. 雄虫生殖节(后面观)；c. 阳茎及附器(背面观)；d－e. 阳基侧突(不同面观)

**量度(mm)：**♂：体长15.70，宽6.60；头长2，宽2.40；头顶宽1.40；触角1～5节的长度分别为3.00、3.00、1.70、2.80、2.50；喙1～4节的长度分别为1.60、1.90、1.30、1.20；前胸背板长2.80，前角间宽2.20，侧角间宽6.20；小盾片长3.80，基部宽3.80；前翅长11.90。♀：体长16.40，宽7.20；前翅长13。

**生物学：**卵：卵椭圆形，淡黄色或橘黄色，壳表面光亮。卵长1.40mm，粗0.83mm，卵前极略小于后极，卵前极有3个长柄状的呼吸-精孔突，长为180μm，前端稍膨大，卵前极顶域，靠近其中一个呼吸-精孔突的基部处有1个小孔口。卵块卵呈2行排列，卵的前极向前侧方，卵块外面雌虫分泌的泡沫状物质(多糖类)将卵块覆盖，卵呈橘黄色泽，仅有呼吸-精孔突的前端裸露在外面。

本种成虫及若虫在华北、西北地区主要危害榆，1985年夏作者在陕西神木县森林区发现榆树上个体数量很多，榆受害严重，6月底到7月上旬为越冬成虫交尾产卵期，雌虫将卵产在寄主植物叶背面或枝干、树皮表皮上，卵块呈橘黄色。

若虫：共5龄。体色由橘黄渐变为暗褐色。触角4节，3龄出现翅芽，侧接缘斑开始明显。

在该虫在山西晋中地区(太谷、榆次、祁县、平遥、介休等，1984、1985)，榆林受红足壮异蝽的危害严重，造成几千亩榆树枝条枯干，大面积幼树死亡。

一年发生一代。以成虫于11月中旬在背风向阳的山崖缝、墙壁缝及堆积物下等处越冬。翌年4月下旬开始出蛰取食。5月上旬开始交尾，5月中旬达到交尾盛期，交尾期延到7月下旬。6月上旬开始产卵。中旬为产卵盛期，产卵时间达50多天。

卵期4～7天，平均6天。卵于6月中旬开始孵化。下旬为孵化盛期。8月上旬开始羽化，下旬达到盛期，9月下旬羽化基本结束。

成虫边吃边交尾，交尾时间长达数天。成虫一生交尾3～5次。交尾产卵交替进行。卵多产于树冠下、中部叶子背面，产卵多在夜间至上午10时以前。每块最多53粒，最少9粒，平均37.30粒。每头雌虫平均产卵4.30块，126粒。孵化时间整齐，同1块卵块1天内孵化完毕。孵化率平均64.90%。3龄后开始分散到叶片和小枝上取食。4、5龄若虫具群集避风背光的习性（一群一般10多头，多至30头左右），一群多达300头。

**采集记录：**5♂8♀，神木，1985.Ⅶ.04，任树芝采自榆树。

**分布：**陕西（秦岭、神木）、黑龙江、吉林、辽宁、内蒙古、北京、河北、山西。

**寄主：**大果榆 *Ulmus macrocarpa* L. K. Fu 及 白榆 *Ulmus pumila* L. 等。

### （399）黑足壮异蝽 *Urochela rubra* Yang, 1938（图149）

*Urochela rubra* Yang, 1938: 232.

**鉴别特征：**体红色，触角黑色（除第5节基部1/3为棕色外）。足黑色。前胸背板侧缘向上翘折，侧缘中部弯；小盾片两基角小点及小盾片前部大斑黑色，前翅革片具2个黑色斑，沿革片端缘色近黄色，膜片黑褐色，其端缘色淡。胸部腹面黑色，各足基节白黄色，前胸后缘及后胸侧板后缘域均为黄色。后胸臭腺沟缘褐色，前端达中胸侧板后缘。腹部侧接缘一色红，腹部气门均为非黑色。

雌虫喙长略超过后足基节。前翅长略超过腹部末端。

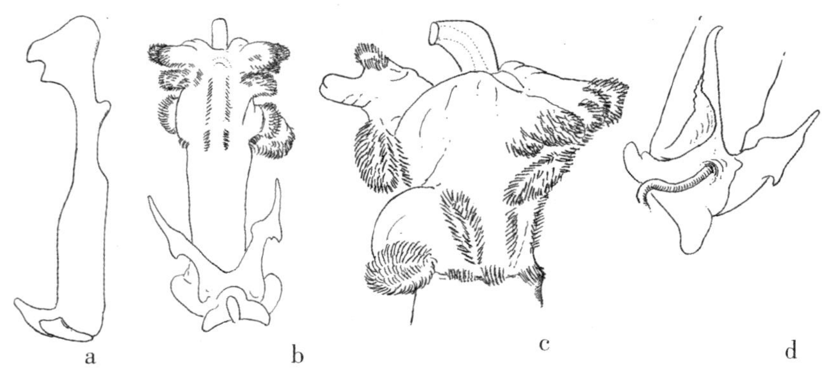


图149 黑足壮异蝽 *Urochela rubra* Yang

a. 阳基侧突（侧面观）；b. 阳茎膨胀状态及附器（背面观）；c. 阳茎前部（侧面观）；d. 阳茎基部附器（背侧面观）

雄虫腹部侧接缘几乎不外露。生殖节端缘近平截，侧突不发达；阳基侧突光亮，棕褐色，基半部粗柱状，前半部片状、不规则、近端部具1个突起，端部似三角形，端缘分叉；阳茎体呈柱状，基部附器强烈骨化、光亮、褐棕色；阳茎体柱状，前部各系膜突短，具密集丛生的黑褐色刺毛。

雌虫体内成熟卵粒，椭圆形，长 1.24mm，卵的前极小于后极，三个细长呼吸-精孔突，每个长 0.31mm，均位于卵的前极.

**量度(mm)：**♂：体长 16.80，宽 6.90；头长 2.40，宽 2.55；头顶宽 1.60；前胸背板长 3，前角间宽 2.20，侧角间宽 6.20；前翅长 12.70。♀：体长 19.30，宽 8.70；头长 2.70，宽 2.80；头顶宽 1.80；触角触角 1～5 节的长度分别为 3.50、4.00、2.00、3.70、3.90；前胸背板长 3.40，前角间宽 2.60，侧角间宽 7.10；前翅长 13.40。

**采集记录：**1♀，紫阳毛坝，1983. Ⅴ.27，路进生采。

**分布：**陕西(秦岭、紫阳)、湖北、福建、广西、四川、西藏。

### (400) 膜斑壮异蝽 *Urochela rufiventris* Hsiao *et* Ching, 1977 (图 150)

*Urochela rufiventris* Hsiao *et al.*, 1977：190.

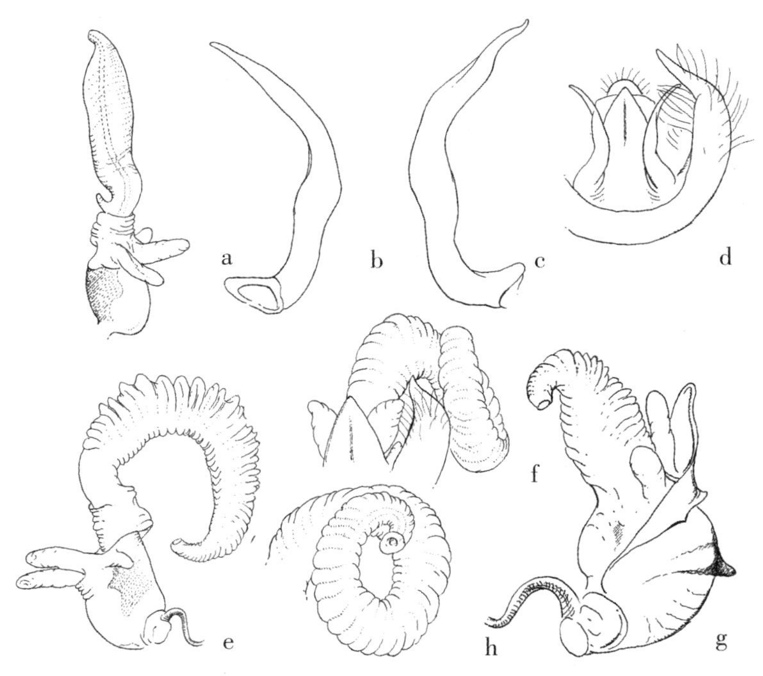


图 150　膜斑壮异蝽 *Urochela rufiventris* Hsiao *et* Ching

a. 阳茎(开始膨胀状态,侧面观)；b－c. 阳基侧突(不同面观)；d. 雄虫生殖节(后面观)；e. 阳茎膨胀状态(侧面观)；f－g. 阳茎膨胀状态(不同面观)；h. 阳茎端(侧面观，示生殖孔)

**鉴别特征：**体褐色，具黑色刻点及黑色晕斑。触角第 1～4 节黑褐色，第 5 节基部 2/3 处黄棕色，端部 1/3 处褐色。前胸背板领明显，侧缘近直，缘脊向上翘折。前翅革片具 2 个黑色晕斑，膜片一色褐色。腹部侧接缘黑色，但节与节连接处暗黄色，腹部腹面黑褐色，气门暗黄色。

喙长几乎达中胸腹板的后缘。前翅长超过腹部末端 0.30mm；生殖节端缘阔圆凹，侧角发达呈角状，前端锐；阳基侧突褐色、光亮、狭长，中部略弯，前端尖锐；雄虫阳茎体椭圆形，轻度骨化，长 1.20mm，粗 0.60mm；阳茎前部具 4 个指状系膜叶，为膜质囊，阳茎端发达、为长角状膜囊，当膨胀完全时，呈环形透明囊，生殖孔开口域顶端。

**量度(mm)：**♂：体长 10，宽 5；头长 1，宽 1.70；触角 1～5 节的长度分别为 2.00、2.20、1.10、2.70、2.20；前胸背板长 2，前部宽 1.50，侧角间宽 4.20；前翅长 7.60。♀：体长 11.50，宽 6.10；头长 1，宽 1.90；触角 1～5 节的长度分别为 2.10、2.30、1.10、2.60、2.30；前胸背板长 2.30，前部宽 2，侧角间宽 5.10；前翅长 9。

**采集记录：**2♀1♂，西乡桑园公社，1975. Ⅶ. 12。

**分布：**陕西(西乡)。

### (401) 黄脊壮异蝽 *Urochela tunglingensis* Yang, 1939 (图 151)

*Urochela tunglingensis* Yang, 1939: 14.

**鉴别特征：**体椭圆形，赭色，触角第 1～3 节一色黑褐色；第 4、5 两节的端部 2/3 褐黑色，基部 1/3 为黄棕色，前胸背板中央 1 条黄色纵纹向后延伸达小盾片末端，此黄色纵纹与前胸背板的中部及小盾片前部 2/3 处，一般呈红色。腹面土黄色或浅赭色，具黑色细小点。身体背面有黑色刻点，头部刻点细小，前胸背板、小盾片及革片外域上刻点密。内域的刻点稀疏；各胸侧板、腹部以及各足基节基部均有细小的黑色刻点。触角第 1 节具黑色刻点，其余各节不具刻点；足的股节具褐色刻点，胫节的基端、跗节第 3 节黑色；胫节端半部、跗节第 1 节顶端褐色。腹部两侧于气门的内侧，每节各有 2 个黑色小圆斑。后胸侧板一色黄棕，蒸发域具稀疏黑褐色小点及少量毛，臭腺沟缘色深，为褐色，臭腺沟缘呈锥状，末端呈角状，前端略超过后胸侧板的前缘。喙较短，几乎达中足基节。前翅长略超过腹部末端。

雄虫生殖节端缘构造简单，中央略凹，背面中域两侧各具 1 个角状突起，无侧突。阳基侧突粗壮，前端锐角状，亚端部一侧具指状突，其对侧的突起端部钝圆。阳茎体近直、呈筒状，前端系膜叶无强骨化构造，色浅；腹侧端系膜叶轻度骨化，光亮、浅栗色，其膜质的背侧基系膜叶端部具棕色浓密小刺突。

在甘肃文县邱家坝地区 6 月下旬至 7 月上旬为越冬成虫交尾、产卵期。

**量度(mm)：**♂：体长 10.50～12.10，宽 4.70～5.50；头长 1，宽 1.90；触角1～5 节的长度分别为 2.30、2.10、1.00、2.30、2.40；前胸背板长 2.30，前角间宽2.10，侧角间宽 4.80；前翅长 9.50。♀：体长 9.50～12.00，宽 4.50～6.30；头长1.10，宽 1.80；前胸背板长 2.20，侧角间宽 5.10；前翅长 9.30。

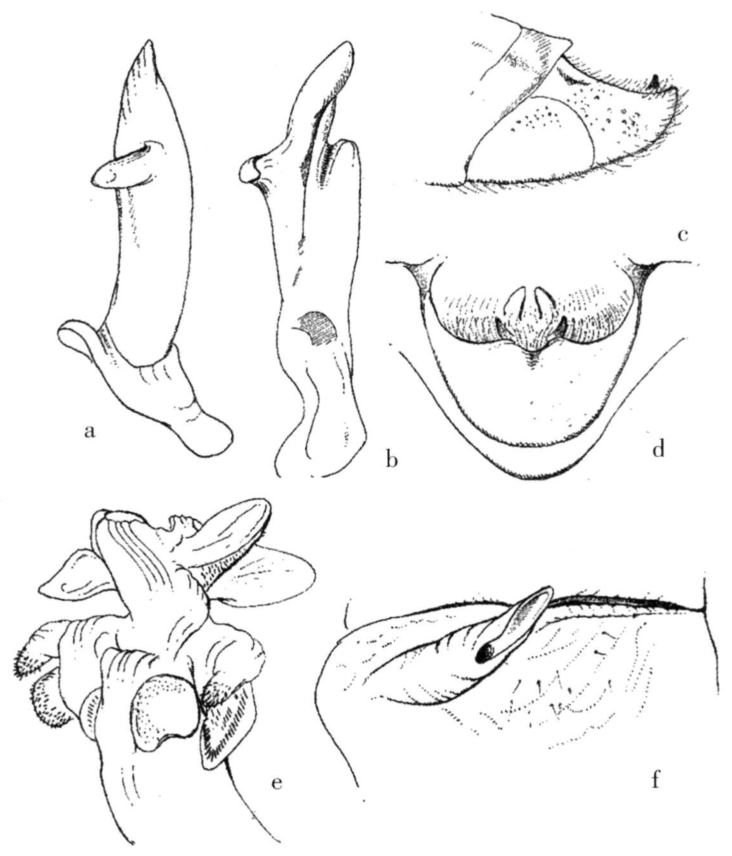


图 151　黄脊壮异蝽 *Urochela tunglingensis* Yang

a－b. 阳基侧突（不同面观）；c. 雄虫生殖节（侧面观）；d. 雄虫生殖节（后腹面观）；e. 阳茎前部（膨胀状态，背侧面观）；f. 后胸臭腺沟缘

**分布：**陕西（秦岭、甘泉）、辽宁、北京、天津、河北、甘肃、宁夏、四川、西藏；朝鲜半岛。

**寄主：**山杨。

## 227. 娇异蝽属 *Urostylis* Westwood, 1837

*Urostylis* Westwood, 1837: 45. **Type species**: *Urostylis punctrgera* Westwood, 1837.

**属征：**椭圆形或梭形，背腹扁平，身体纤弱。多为绿色。具单眼，触角 5 节，十分细长，第 1 节较细，不很弯曲，长度等于头长的 2 倍、头及前胸背板之和；其余各节也十分细。喙不申达中足基节，膜片具 7 条纵脉。

**分布：**中国记录 46 种，秦岭地区发现 6 种。

## 分种检索表

1. 气门外缘有 1 个黑环 …………………………………………………… **黑门娇异蝽 *U. westwoodi***
   气门外缘无黑圈 ……………………………………………………………………………………… 2
2. 前翅膜片通常呈现出 5 ~6 条深色纵纹斑，各足胫节基部黑色…… **环斑娇异蝽 *U. annulicornis***
   不如上述 ……………………………………………………………………………………………… 3
3. 前胸背板侧角具小黑斑 ………………………………………………………………………… 4
   前胸背板侧角无小黑斑 ………………………………………………………………………… 5
4. 雄虫生殖节的腹突顶端尖锐，通常触角第 1 节的外侧具褐色纵纹但有的个体此深色纹无或非常隐约 ……………………………………………………………… **平刺突娇异蝽 *U. lateralis***
   雄虫生殖节腹突端缘略凹入，触角基的外侧有 1 个黑色小圆斑，第 1 节草绿色，其外侧有 1 个褐色线条 ……………………………………………………………… **淡娇异蝽 *U. yangi***
5. 触角第 1 节长度短于头与前胸背板长度之和，雄虫生殖节腹突后面观近端部窄 ………………………………………………………………………… **匙突娇异蝽 *U. striicornis***
   触角第 1 节长度等于头与前胸背板长度之和，雄虫生殖节腹突后面观近端部宽阔 ………………………………………………………………………… **平匙娇异蝽 *U. trullata***

### (402) 环斑娇异蝽 ***Urostylis annulicornis* Scott, 1874**（图 152；图版 5：16）

*Urostylis annulicornis* Scott, 1874: 360.
*Urostylis adiai* Nonnaizab, 1984: 342.

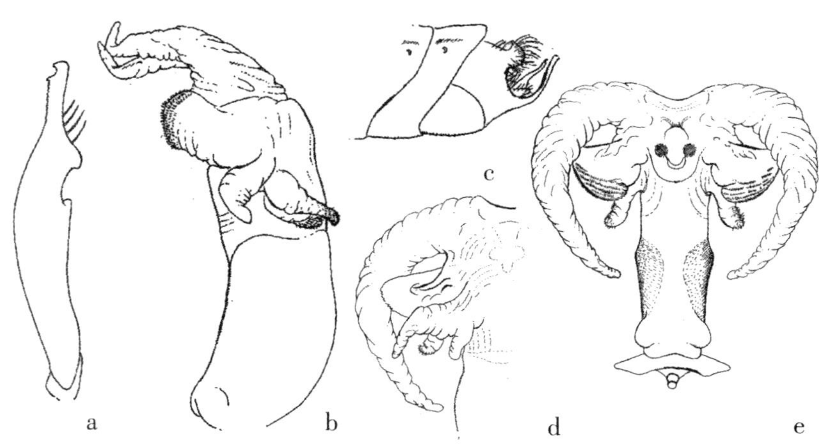


图 152 环斑娇异蝽 *Urostylis annulicornis* Scott
a. 阳基侧突（侧面观）；b. 阳茎（侧面观）；c. 雄虫生殖节（侧面观）；d. 阳茎（背面观）；e. 阳茎（腹面观）

**鉴别特征：**体绿色，体腹面色明显浅于背面色泽。触角第 3 节黑色，第 4、5 两节褐色。前胸背板、小盾片、前翅爪片及革片均具黑色刻点及短毛，前胸腹板前半部亚侧缘有 1 个黑色纵纹；前翅膜片呈淡烟色，纵脉之间为棕褐色，通常呈现出 5 ~6 条深色纵纹斑，各足胫节基部黑色。

前胸背板侧缘近直。雄虫生殖节端缘的腹突扁平，长于侧突，而侧突短，似短锥状。阳基侧突前部1/5处显著细于后部。阳茎体近中部两侧骨化，呈棕褐色；背侧端系膜突维2个膜质的膜质的弯呈角状膜囊，无附属物；腹侧端系膜突短阔，端部具浓密小刺；腹侧基系膜突似指状，具棕色骨化小微刺。

雌虫前翅长超过腹部末端1mm。第7腹部后缘中域略向后圆阔。

**量度(mm)：**♂：体长12.00～12.80，宽4.70～5.20；头长1.10，宽1.90；触角1～5节的长度分别为2.50、3.50、1.40、2.70、2.30。♀：体长12.80～13.60，宽5.30～5.60；头长1，宽1.80；触角1～5节的长度分别为2.40、3.20、1.30、2.50、2.20；前胸背板长2，前角间宽1.50，侧角间宽4.40。

采于黑龙江宁安镜泊湖地区的雌虫标本，体长明显小于其他地区的个体。

**采集记录：**留坝庙台子，1400m，1994.Ⅷ.01，卜文俊、吕楠采；宁陕火地塘，1620m，1979.Ⅶ.27，韩寅恒采；宁陕火地塘，1580m，1998.Ⅷ.20，袁德成采；旬阳坝，1700m，1994.Ⅷ.16，吕楠采；南郑红岭，1983.Ⅷ.30，姚渭采；南郑窝塘，1983.Ⅶ.11；南郑，1650m，1985.Ⅶ.22，任树芝采。

**分布：**陕西(留坝、宁陕、南郑)、黑龙江、吉林、内蒙古、天津、河北、河南、甘肃、浙江、湖北、广西、四川；蒙古，俄罗斯，朝鲜，日本。

**寄主：**蒙古栎(*Querecus mongolica* Fisch.)，栎类(*Querecus* sp.)。

### (403) 平刺突娇异蝽 *Urostylis lateralis* Walker, 1867（图153）

*Urostylis lateralis* Walker, 1867: 412.

**鉴别特征：**体淡绿色，背面具稀疏黑色刻点。前胸背板侧角的几个刻点及前翅革片外域稀疏的刻点黑色。前胸腹板亚侧缘的前半部有1个黑色纵纹，通常触角第1节的外侧具褐色纵纹，但有的个体此深色纹无或非常隐约；触角第2节端半部色深，为棕褐色。前胸背板侧缘直，常具橘黄色泽，前翅革片前缘亦为黄色。

前胸背板侧角具小黑斑，前翅长超过腹部末端0.90mm，前翅外域刻点大而稀疏，膜片透明、无色。雄虫生殖节的腹突、扁平、长而略弯，由基部向末端渐狭窄，顶端尖锐；侧突短锥形，前端钝圆；阳基侧突窄叶状，亚端部略弯，顶端尖削、黑褐色。阳茎体较长，当它充分膨胀时，各对系膜突透明，背端系膜突弯长角状，末端无小刺突，背侧端系膜突为二叉状，端部具小刺；腹侧端系膜突短粗，端部具浓密小刺构造。

雌虫腹部第7腹板后缘中部向后扩，呈舌状；第8腹节侧背片(paratergite of urite 8)较长，超过腹部末端。

该种与刺突娇异蝽 *Urostylis immaculatus* Yang 的体色及雄虫生殖节腹突相似，但阳基侧突显著不同，以及阳茎的形态及各系膜的特征明显相异。

本种在河北平泉光秃山地区，9月中旬成虫进入交尾高峰期。

**量度(mm)**：♂：体长 12.70，宽 5；头长 1.30，宽 1.70；触角 1～5 节的长度分别为 2.50、3.00、1.40、2.70、2.10；前胸背板长 2.10，侧角间宽 4.50；前翅长 10。♀：体长 13，宽 5.70；头长 1.30，宽 1.80；前胸背板长 2.20，前角间宽1.50，侧角间宽 4.50；触角 1～5 节的长度分别为 2.50、3.50、1.40、2.90、2.40、前翅长10.50。

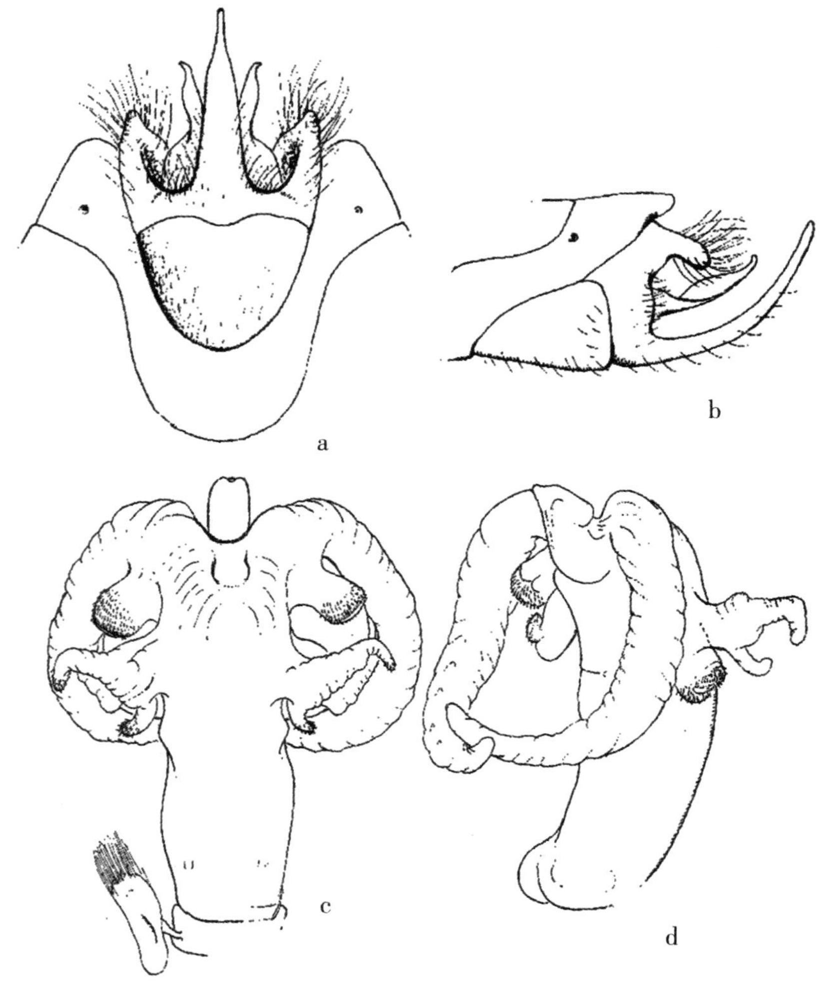


图 153　平刺突娇异蝽 *Urostylis lateralis* Walker

a. 雄虫生殖节(腹后面观)；b. 雄虫生殖节(侧面观)；c. 阳茎膨胀状态(背面观)；d. 阳茎膨胀状态(腹侧面观)

**采集记录**：1♀，留坝庙台子，1400m，1994. Ⅷ. 01，吕楠采于 *Qucrcus* sp.；3♂5♀，佛坪龙草坪，1200～1300m，1985. Ⅶ. 16，任树芝采于麻栎树；2♂6♀，宁陕火地塘，1979. Ⅶ. 03，韩寅恒采。

**分布**：陕西(留坝、佛坪、宁陕)、吉林、河北、湖北；俄罗斯，朝鲜半岛，印度。

**寄主**：麻栎(*Quercus acutissima* Carr.)，蒙古栎(*Quercus mongolica* Fisch.)，板栗。

## (404) 匙突娇异蝽 *Urostylis striicornis* Scott, 1874 (图 154)

*Urostylis striicornis* Scott, 1874: 360.

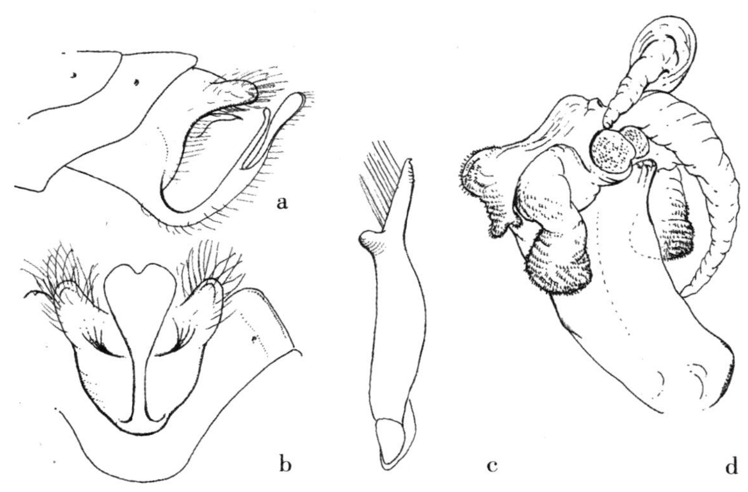


图 154　匙突娇异蝽 *Urostylis striicornis* Scott

a. 雄虫生殖节(侧面观); b. 雄虫生殖节(腹面观); c. 阳基侧突(侧面观); d. 阳茎膨胀状态(侧面观)

**鉴别特征:** 体草绿色,前胸背板、小盾片、前翅爪片及革片均具黑色刻点。触角第 1 节外侧一色褐色,第 3 节褐色,第 4 节端部 2/3 及第 5 节端半部黑褐色;前胸腹板亚侧缘的前半部有 1 个褐色纵纹,喙的顶端褐色,各足胫节基部黑色。前翅超过腹部末端。

雄虫前胸背板侧缘略弯,前翅长超过腹部末端 1.50mm。喙长略超过中胸腹板的中部。雄虫生殖节侧突短端缘钝,腹突基半部细缩、呈柄状,端半部向两侧扩展,端缘中央显著切入;阳基侧突近端部 1/3 处具 1 个突起。

雌虫第 7 腹板端缘两侧向后扩。

**量度(mm):** ♂: 体长 12.30, 宽 4.80; 头长 1, 宽 1.80; 触角 1~5 节的长度分别为 2.90、3.10、1.60、2.70、2.00; 前胸背板长 2.20, 前角间宽 1.50, 侧角间宽 4.40; 小盾片长 3.20, 基部宽 2.60; 前翅长 10。♀: 体长 13.30, 宽 5.10; 前翅长 10.60。

**采集记录:** 1♂1♀, 陕西彪岗寺, 1975. Ⅵ. 12, 灯诱。

**分布:** 陕西(秦岭)、甘肃、浙江、四川、贵州; 俄罗斯, 日本。

## (405) 平匙娇异蝽 *Urostylis trullata* Kerzhner, 1966 (图 155)

*Urostylis trullata* Kerzhner, 1966: 50.

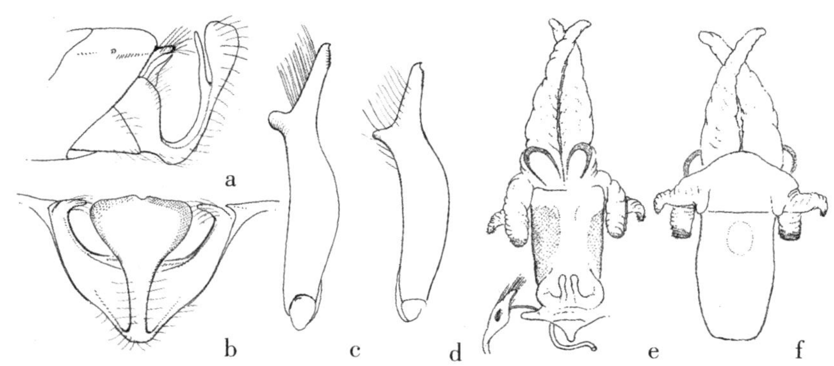


图 155 平匙娇异蝽 *Urostylis trullata* Kerzhner

a. 雄虫生殖节(侧面观); b. 雄虫生殖节(后面观); c – d. 阳基侧突(不同面观); e. 阳茎膨胀状态(腹面观); f. 阳茎膨胀状态(背面观)

**鉴别特征:** 体浅绿色，具稀疏刻点。触角第 1 节外侧具暗色纹，第 3 节端半部及第 4 ~ 5 的端部 1/3 节处为褐色，喙顶端黑色。前胸背板侧缘及前翅前缘通常为黄色。前翅膜片透明，具隐约浅褐色纹。前胸背板侧缘中部略弯，背板及小盾片刻点与底色同，前翅革片刻点稀疏、显著、呈黑色。沿前胸侧板前半部亚侧缘具黑褐色纹斑。

触角第 1 节长度等于头与前胸背板长度之和。喙长几乎达中足基节。前翅长膜片显著超过腹部末端 1.30mm。雄虫生殖节端缘腹突向上弯，基部甚细缩，呈柄状，端半部向两侧扩展，为盾片形，端缘近平截，中央常具 1 个小切凹；腹突背面近中部具窄长片状的腹中突；侧突短，呈扁钝锥状；阳基侧突长形，中部略粗，前部端 1/3 处感觉叶短钝，向端部狭窄、末端尖。阳茎体壳内侧域轻度骨化，呈浅棕色；背侧端系膜突为长角状，较长于阳茎体的长度，为透明膜质囊，端部无小刺；其他各系膜突小，前端具小刺突构造。

雌虫前翅长，膜片略超过腹部末端。腹部第 7 腹板后缘中域向后圆阔。

本种体色、体形、色斑及大小与匙娇异蝽 *Urostylis stricornis* Scott 非常相似，但触角第 1 节(3.20mm)显著长于前胸背板的长度(2.20mm)，触角各节的长度不相同；雄虫生殖节端缘侧突短，似三角状，顶缘钝，中突基半部细缩，呈柄状，而端部向两侧甚扩展，端缘近平截或中央略凹陷。阳基侧突粗壮，近前部 1/3 处具突起。

**量度(mm):** ♂: 体长 12.60 ~ 13.20，宽 4.80 ~ 5.00；头长 1，宽 1.70；触角1 ~ 5 节的长度分别为 3.10、3.80、1.60、3.00、2.20；前胸背板长 2.10，前角间宽1.70，侧角间宽 4.60；小盾片长 3.10，基部宽 2.70；前翅长 10.40。♀: 体长 13.10 ~ 13.50，宽 5.20 ~ 5.30；头长 1.10，宽 1.90；触角 1 ~ 5 节的长度分别为 3.10、3.50、1.50、3.00、2.40；前翅长 10.60。

**采集记录:** 留坝庙台子，1200m，1994. Ⅶ. 14. 董建臻灯诱；佛坪，1200m，1985. Ⅶ. 16，任树芝采于麻栎。

**分布：** 陕西（留坝、佛坪）、湖北；俄罗斯，朝鲜半岛。

**寄主：** 麻栎（*Quercus acutissima* Carr.）。

### （406）黑门娇异蝽 *Urostylis westwoodi* Scott, 1874（图 156）

*Urostylis westwoodi* Scott, 1874: 361.

*Urostylis atrostigma* Maa, 1947: 133.

**鉴别特征：** 体草绿色，前胸背板、小盾片及前翅革质部均具褐色刻点，而前胸背板的刻点较小，革片的刻点较大而稀疏。触角第 1 节外侧通常具褐色纹，第 3 节及第 4、5 两节的端半部为黑褐色；各足胫节基部、第 3 跗节的前端及爪黑褐色；前胸背板侧角斑及前胸腹板亚侧缘的前半部深色纵纹均为黑褐色；腹部各节气门黑色。前胸背板侧缘直，向上翘折，边缘呈脊状，呈淡黄色。前翅革片外缘光亮亦为黄色；膜片透明，近基部及外侧具褐色斑。雄虫生殖节端缘的腹突长于侧突，而侧突明显粗于腹突，腹突的近基部具腹中突。阳基侧突基半部宽于端半部，近中部有 1 个突起。阳茎系膜突端部具小刺 。喙长达中胸腹板中部前翅长 9.10mm，膜片超过腹部末端 0.70mm。

雌虫腹部第 7 腹板后缘呈波曲缘。

**量度（mm）：** ♂：体长 11.50，宽 4.50；头长 0.90，宽 1.70；触角 1～5 节的长度分别为 2.40、3.20、1.20、2.10、1.70；前胸背板长 2，前角间宽 1.40，侧角间宽 4.30。♀：体长 11.80～13.10，宽 4.80～5.40。

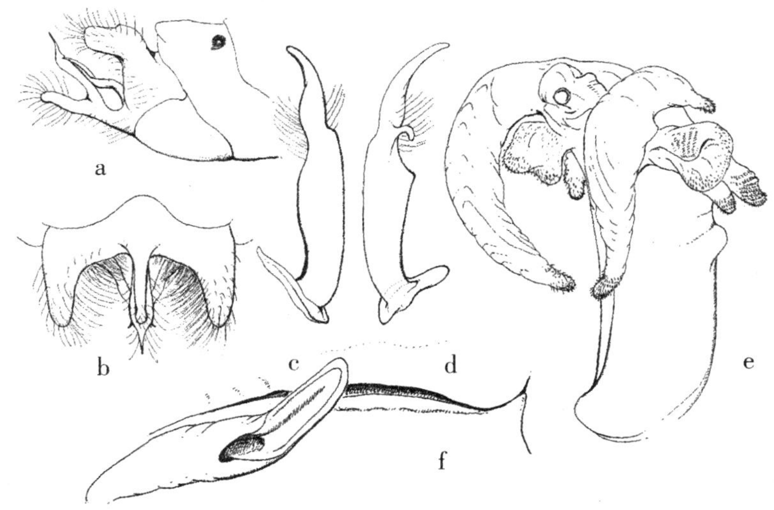


图 156　黑门娇异蝽 *Urostylis westwoodi* Scott

a. 雄虫生殖节（侧面观）；b. 雄虫生殖节（腹面观）；c－d. 阳基侧突（不同面观）；e. 阳茎膨胀状态（侧面观，示膨胀状态）；f. 后胸臭腺沟缘

**采集记录:** 2♂3♀，南郑红岭，1983. Ⅷ. 28，姚渭采；1♂1♀，南郑红岭，1984. Ⅴ19. 姚渭采。

**分布:** 陕西(南郑)、山东、浙江、湖北、湖南、四川、云南；朝鲜半岛，日本。

## (407) 淡娇异蝽 *Urostylis yangi* Maa, 1947 (图 157)

*Urostylis yangi* Maa, 1947: 132.

**鉴别特征:** 体梭形，草绿色，前胸背板侧缘及革片前缘米黄色。前胸背板、小盾片及革片内域的刻点无色，革片外域刻点黑色而深。膜片透明无色。触角基的外侧有 1 个黑色小圆斑，第 1 节草绿色，其外侧有 1 个褐色线条，其余各节浅赭色，向端部颜色渐深，第 3－5 节端部为深赭色。足浅赭色，股节及跗节颜色较深。身体腹面浅赭色，带草绿色，前胸背板侧角的腹面有黑色小圆斑，腹部各节两侧，气门的下方内侧有褐色横带状或形状不规则的斑纹。雄虫生殖节腹突长形，端缘略凹入；阳茎无显著骨化构造，其前端具 1 对长角状透明膜质囊，称为“背端系膜突”。

**量度(mm):** 体长 12.20～13.50，宽 4.50～5.20。

**采集记录:** 周至厚珍子，1350m，1999. Ⅵ. 22，章有为采。

**分布:** 陕西(周至)、河南、甘肃、江苏、安徽、浙江、湖北、江西、湖南、福建、四川、贵州、云南。

**寄主:** 板栗，毛栗，油茶，麻栎。

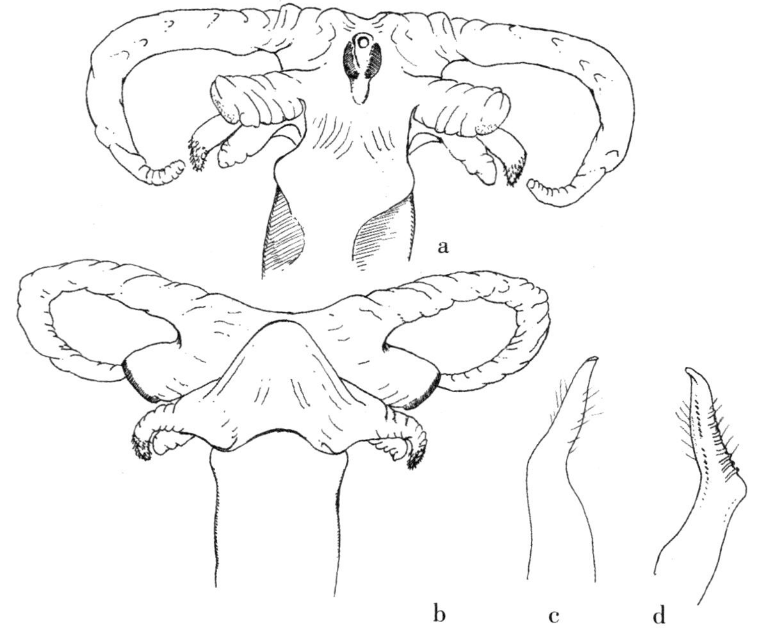


图 157 淡娇异蝽 *Urostylis yangi* Maa

a. 阳茎膨胀状态(腹面观)；b. 阳茎膨胀状态(背面观)；c－d. 阳基侧突端部(不同面观)

# English Summary

## Ⅰ. A brief account

This book is mainly composed of two parts, namely, general introduction and taxonomy part. In the general introduction part, it briefly introduces recent progresses in morphology and biology of Heteroptera (Insecta: Hemiptera). In the taxonomy part, 407 species belonging to the 227 genera and 36 families are currently known in the Shaanxi Province, of which, including 3 new species: *Megacopta spadicea* Liu *et* Xue, sp. nov., *Pilophorus elegans* Liu *et* Zhang, sp. nov. and *Uhlerites orientalis* Li *et* Bu, sp. nov.; 5 Chinese newly recorded taxa: *Endochus nigrocornis* Stål, 1859, *Hesperocorixa hokkensis* (Matsumura, 1905), *Pilophorus erraticus* Linnavuori, 1962, *Pilophorus okamotoi* Miyamoto *et* Lee, 1966, *Pilophorus perplexus* Douglas *et* Scott, 1875 and *Pilophorus pseudoperplexus* Josifov, 1987.

We have provided the key to Chinese taxa, 157 illustrations and colour photographs of 5 plates in this book. In addition, Chinese and English scientific name indexes are also provided for the convenience of the readers.

We would like to extend our gratitude to the following organizations/persons for their supports in various ways to this work: to Xi' an Branch of the Chinese Academy of Sciences, Chinese Academy of Sciences, Northwest A & F University, and Shaanxi Normal University for the strong supports; to Prof. Xingke Yang (Xi' an Branch of the Chinese Academy of Sciences; Chinese Academy of Sciences) for his various assistances; to the Nature Reserves for the supports during our field work.

## Ⅱ. New taxa, and new records to China

### *Hesperocorixa hokkensis* (Matsumura, 1905) (new record to China)

### *Megacopta spadicea* Liu *et* Xue, sp. nov. (Figure 138)

Body rounded, greenish yellow; dorsum with dense, coarse brown punctums.

Head wide and short, anterior margin rounded, slightly truncate; central and lateral lobes around equilong, margin of lateral lobe and basal part of central lobe brown, a yellow spot also can be found on the central lobe; middle parts of central and lateral lobes with tiny punctums; ventral region yellow. Antenna and rostrum yellow or yellowish brown; rostrum apical part relatively darker, reach to abdominal segment Ⅲ.

Pronotum with coarse punctums, anterior and hind margins black, anterior region with brown corrugated bands; scutellum with brown coarse punctums connected with each other; basal part of scutellum slightly light, but limit of basal part of callus unconspicuous, lateral callus small and slender. Apices of male scutellum inward concave. Thoracic venter dark gray, peritreme and leg yellow, tibia with longitudinal furrow.

Medial part of Abdominal venter brightly black, the light yellow radiated band wide, with coarse punctums, without black lines on radiated band; spiracle light color.

Genital segments: male pygophore deeply sink inwards, sunk part yellowish brown to black; dorsal margin yellow with hairs; ventral and lateral margin yellowish brown without hairs; lateral dorsal angle with dense long hairs; proctiger yellow, with longitudinal grooves and short hairs. hypophysis of paramere relatively long, distal part dolabriform. Phallotheca partially ossifying; lateral process of basiconjunctivum membranous; lateral process of disticonjuctivum relatively wide and long, shorter than length of dorsal process of disticonjuctivum; dorsal process of disticonjuctivum wide and membranous; vesica slender except the basal part; shape of sperm reservoir not regular but ossifying.

Measurements (mm): body length 3.45 ~ 4.60; pronotum width 3.25 ~ 3.70, length 1.25 ~ 1.65; scutellum width 3.75 ~ 4.20; head length 0.75 ~ 1.00, width 1.50 ~ 1.65; Interorbital distance 0.37 ~ 0.46; distance between ocellus and compound eye 0.14 ~ 0.16; Lengths of antennal segments Ⅰ: Ⅱ: Ⅲ: Ⅳ: Ⅴ = 0.23 ~ 0.28: 0.09 ~ 0.11: 0.35 ~ 0.42: 0.41 ~ 0.48: 0.49 ~ 0.56.

Holotype: ♂, Neixiang, Baotianman, Henan Province, 1998. Ⅶ. 13, coll. Leyi Zheng. Paratypes: 2♂2♀, Chenggu, Shaanxi Province, 1980. Ⅴ. 02, coll. Chenglong Xiang and Ning Ma; 1♀, Fang county, Hubei Province, 1977. Ⅴ. 17, coll. Leyi Zheng; 1♀, Shennongjia, Hubei Province, 1977. Ⅵ. 22, coll. Leyi Zheng; 6♂1♀, Xingdou mountain, Lichuan county, Hubei Province, 1999. Ⅶ. 29, coll. Huaijun Xun; 3♂3♀, 1999. Ⅶ. 31, same data as above. 1♀, Yonghe, Jinxiu county, Zhuang Autonomous Region of Guangxi, 1999. Ⅴ. 12, coll. Hongxiang Han; 4♂, Baoguo temple, E'mei mountain, Sichuan Province, 1957. Ⅳ. 27, coll. Leyi Zheng and Hanhua Cheng; 1♂, same data as above, 1957. Ⅳ. 30; 1♀, same data as above, 1957. Ⅴ. 05; 2♀, same data as above, 1957. Ⅴ. 30; 1♀, same data as above, 1957. Ⅵ. 04; 1♀, same data as above, 1957. Ⅵ. 12; 2♀, Ya'an, Sichuan Province, 1957. Ⅶ. 25; 1♂1♀, Wulong county, Wanfeng, Sichuan Province, 1989. Ⅶ. 07, coll. Longlong Yang.

*Megacopta spadicea* sp. nov. is closely related to *M. hui* (Yang, 1934), but rostrum of *M. hui* (Yang, 1934) can reach to the hind coax. In addition, *M. spadicea* sp. nov. is also closely related to *M. cycloceps* Hsiao *et* Jen, but the latter can be easily distinguished by the basal part of expansion of lateral margin of pronotum with orderly brown punctums and abdominal radiated band smooth without punctums.

Etymology: "spadicea" indicates body with dense brown punctums in this species.

Distribution: Shaanxi, Hebei, Zhejiang, Henan, Hubei, Guangxi, Sichuan.

## *Pilophorus elegans* Liu *et* Zhang, sp. nov. (Figure 84)

Body long and narrow, basal 2/3 part of hemelytron yellow, apical part black; body with golden procumbent hairs, white leprose hairs on hemelytron shape the three distinct tufts.

Head downdip, clypeus not visible in dorsal view. Vertex and frons black, flat, almost without hairs, several slender hairs on the frons, carina of posterior margin of vertex almost straight; mandibular and maxillary plates brownish yellow and flat, with sparse golden hairs, hind margin of maxillary plate slightly ridgy; buccula with dense sub-erected long hairs. Rostrum relatively slender, reach to apices of middle coxa. Antennal segment Ⅰ brownish yellow; segment Ⅱ blackish brown, basal part slightly light, apical part without distinct intumescence; segment Ⅲ and Ⅳ blackish brown except basal part with yellowish white, segment Ⅲ about 1/2 length of segment Ⅱ, segment Ⅳ distinctly shorter than segment Ⅲ.

Pronotum, mesoscutum and scutellum black, with bright color and dense small punctums. Pronotum campaniform, slightly ridgy, with black procumbent hairs; anterior margin slightly prominent, anterior angle without erected hairs, apical half part of lateral margin prominent sideways, hind margin slightly curved. Exposed region of mesoscutum short and wide, uniformly downdip, with sparse procumbent hairs. Basal half part of scutellum slightly ridgy, with several golden procumbent hairs; region between basal and apical angles with white scalelike tuft. Hemelytron wide, with sparse golden procumbent hairs; white scalelike hairs shape three tufts: one locates at basal 1/3 of corium, not reach to clavus; one locates at middle part of embolium; one locates at basal 3/4 of clavus; basal 2/3 of hemelytron yellow, apical part black, limit distinct; apical 1/3 of corium with distinct color. Cuneus relatively narrow and long, blackish brown, straight and flat, without white scalelike hairs. Membrane brown, vein relatively distinct.

Mesopleuron and metapleuron yellowish brown; hind margin of mesopleuron with two discontinuous white scalelike tufts; metapleuron without scalelike tufts. Coxa brownish yellow; femur reddish brown, nearly basal and apical slightly light; fore and middle tibia yellowish brown, basal half part of hind tibia reddish brown, apical half part brownish yellow; tarsus brownish yellow except segment Ⅲ, length of segment Ⅰ almost equal to segment Ⅱ. Abdomen black except segment Ⅱ and Ⅲ with reddish brown, basal part slight constriction with bristle-like hairs, abdominal segment Ⅲ, Ⅳ and Ⅴ with sparse white scalelike tufts.

Male genital segments: pygophore slightly inflate and smooth, shining; around account for 1/4 length of abdomen. Vesica "C" shape, middle part curved, apical part dichotomously protuberated with different length, apices relatively acute. Left paramere distinctly wide and relatively robust. Right paramere board. Phallotheca straight, lateral process of apices rostriform.

Measurements (mm): male: body length 3.22 ~ 3.45), width 1.10 ~ 1.25; head length 0.78 ~ 0.86, width 0.82 ~ 0.95; interorbital distance 0.45 ~ 0.58; eye width 0.17 ~ 0.26; lengths of antennal segments: Ⅰ: Ⅱ: Ⅲ: Ⅳ = 0.16 ~ 0.23: 0.90 ~ 1.07: 0.35 ~ 0.43: 0.37 ~ 0.48; length of pronotum 0.75 ~ 0.82, width of hind margin 0.93 ~ 1.13; length of scutellum 0.80 ~ 0.87, basal width 0.75 ~ 0.80; length of embolium 1.80 ~ 1.98; Length of cuneus 0.44 ~ 0.58, basal width 0.33 ~ 0.39. Female: body lenght 3.25 ~ 3.46, width 1.13 ~ 1.30; head length 0.75 ~ 0.86, , width 0.85 ~ 0.97; interorbital distance 0.43 ~ 0.55; eye width 0.19 ~ 0.33; lengths of antennal segments: Ⅰ: Ⅱ: Ⅲ: Ⅳ = 0.19 ~ 0.35: 0.86 ~ 1.14: 0.40 ~ 0.57: 0.25 ~ 0.39; length of pronotum 0.72 ~ 0.85, width of hind margin 1.08 ~ 1.15; length of scutellum 0.82 ~ 0.88, basal width 0.72 ~ 0.84; length of embolium 1.85 ~ 2.06 ; length of cuneus 0.48 ~ 0.65, basal width 0.35 ~ 0.38.

Holotype: ♂, Kunyu mountain, Wendeng, Shandong Province, alt. 100 ~ 200m, 2007. Ⅶ. 20, coll. Hua Guo. Paratypes: 1♂1♀, same data as holotype; 2♂4♀, same data as holotype, coll. Xu Zhang; 2♂1♀, Qixiaya mountain, Yantai, Shandong Province, alt. 300 ~ 600m, 2007. Ⅶ. 23, coll. Hua Guo; 1♀, Shandong, Zhaoyuan, Luo mountain, alt. 150 ~ 350m, 2007. Ⅶ. 30, coll. Hua Guo; 1♀, Zhaohu mountain, Haiyang, Shandong Province, alt. 100m, 2007. Ⅶ. 23, coll. Xu Zhang; 2♂, Kunyu mountain, Muping, Shandong Province, alt. 50 ~ 200m, 2007. Ⅶ. 21, coll. Gui Han; 1♂, Neixiang, Henan Provice, 1998. Ⅶ. 15, coll. Leyi Zheng; 2♂, Baotianman, Neixiang, Henan Province, 1998. Ⅶ. 11, coll. Leyi Zheng; 1♂, Heishui river, Baxian mountain, Ji county, Tianjin, alt. 550m, 2007. Ⅶ. 19, coll. Shulian Hao and Chunwang Yang; 1♀, Wufeng county, Hubei Province, 1999. Ⅶ. 11, coll. Leyi Zheng;

2♂, Miaotaizi, Liuba, Shaanxi Province, alt. 1400m, 1994. Ⅷ. 4, coll. Nan Lv.

Etymology: "elegans" indicates "beautiful".

Distribution: Shaanxi, Tianjin, Shandong, Henan, Hubei.

Closed very to *P. lucidus* Linnavuori, but differs in the pattern of scalelike hairs on hemelytron: scalelike hairs on clavus of the later is close to angulus parietalis and be at the same level of scalelike hairs on embolium, scalelike hairs reach to region of corium around claval commissural margin; upper margin of black region on hemelytron straight. In *P. elegans* sp. nov., scalelike hairs on clavus is higher than scalelike hairs on embolium; black region on hemelytron incline at apical angulus of clavus. The structure of male genital segments is different. In the later, middle part of vesica strongly prominent shaping binary and equal length with each other, but in different length for *P. elegans* sp. nov.; left paramere of the later with relatively short hooked protuberance, strongly curved like circular, in *P. elegans* sp. nov., left paramere with relatively long hooked protuberance, slightly curved.

## *Pilophorus erraticus* Linnavuori, 1962 (new record to China)

## *Pilophorus okamotoi* Miyamoto *et* Lee, 1966 (new record to China)

## *Pilophorus perplexus* Douglas *et* Scott, 1875 (new record to China)

## *Pilophorus pseudoperplexus* Josifov, 1987 (new record to China)

## *Uhlerites orientalis* Li *et* Bu, sp. nov. (Figure 91)

Body color yellow with a small amount of brown spots.

Eyes, clypeus, apical 1/5 part of buccula, rostrum, fore and middle coxa, hind region of peritreme black to blackish brown; apices of antennal segment Ⅳ, vertex, callus, two dark spots on hemelytron, middle part of subcosta area and partial veins of discoidal area brown; abdominal venter colors varied; antennal segment Ⅰ and Ⅲ, head spine, pronotum, leg and hemelytra yellow or light yellow. Head with five spines, slender, rostral spine sub-erected and its apex close to middle part of antennal segment Ⅰ; maxillary plate narrow and slender, with two irregular cells; apical 1/5 part of buccula black, basal 4/5 part yellow; antennal segment Ⅲ slender, length about 3.50 to 3.80 times than antennal segment Ⅳ.

Pronotal disc moderately uplift, anterior part of median carina relatively low, with a row of blurry cells; posterior part of median carina distinctly heighten, with a row of large cells. Hood relatively large, surpass anterior margin of head. Paranota board without dark spots, lateral margin circuitous, anterior margin strongly concave. Anterior margin of basal part of hemelytron widen, middle part straight; costal area board, basal half part with orderly three or four rows of cells, length of spots on middle part wider than subcostal area; subcostal area with four or five rows of irregular cells, veins of subcostal area brown; length of discoidal area is 0.41 ~ 0.45 as length of hemelytron, with seven rows of cells at the widest part and sometimes visible irregular brown spots; sutural area with seven rows of cells at widest part. External zone of scent gland ostioles far away from the lateral plate.

Male genitalia segments: two pairs of odontoid process on pygophore large, surpass hind margin of pygophore; two pairs of sclerites on endosoma strongly ossified; apices of paramere thick and short.

Measurements (mm): male: body length 3.40, width 1.51; pronotum length 1.51, hood length 0.46; hemelytron length 2.52, discoidal area length 1.05; antennal segments length: Ⅲ:Ⅳ = 1.38:0.36. Female: body length 3.60, width 1.76; pronotum length 1.57, hood length 0.47; hemelytron length 2.67, discoidal area length 1.19; antennal segments length: Ⅲ:Ⅳ = 1.26:0.36.

Holotype: ♂, banfangzi, ,zhouzhi, Shaanxi Province, alt. 1400m, 1994. Ⅷ. 08, coll. Wenjun Bu. Paratypes: 22♂31♀, same data as holotype; 3♂, same data as holotype, 1994. Ⅷ. 10, coll. Wenjun Bu; 1♂2♀, Xunyangba, Ningshan county, Shaanxi Province, alt. 1700m, 1994. Ⅷ. 16, coll. Nan Lv; 1♂1♀, Baiyun, Taibai mountain, Shaanxi Province, alt. 1740m, 1956. Ⅶ. 23-28, coll. Yao Zhou (deposite in entomological museum, Northwest A & F University); 1♀, Dadian, Taibai mountain, Shaanxi Province, alt. 2200m, 1956. Ⅶ. 26-28, coll. Yao Zhou (deposite in entomological museum, Northwest A & F University).

Etymology: "orientalis" indicates this species inhabit in the East Asia.

*Uhlerites orientalis* Li *et* Bu, sp. nov. is closely related to *U. debilis* (Uhler), but *U. debilis* (Uhler) can be easily distinguished by smaller body size (2.80 ~ 3.10mm) and structure of male genitalia segments.

# 参考文献


Aglyamzyanov, R. S. 1990. Review of species of the genus *Lugus* in the fauna of Mongolia, Ⅰ. *Insects of Mongolia*, 11: 25-39.

Aglyamzyanov, R. S. 1994. Review of species of the genus *Lugus* in the fauna of Mongolia, Ⅱ (Heteroptera: Miridae). *Zoosystematica Rossica*, 3(1): 69-74.

Amyot, C. J. B., Serville, J. G. A. 1843. Histoire naturelle des Insectes. Hemiptera. Roret, Paris: 251.

Andersen, N. M. 1982. The semiaquatic bugs (Hemiptera: Gerromorpha). Phylogeny, adaptations, biogeography, and classification. *Entomonograph*, 3: 1-455.

Andersen, N. M. 1990. Phylogeny and taxonomy of water striders, genus *Aquarius* Schellenberg (Insecta: Hemiptera: Gerridae), with a new species from Australia. *Steenstrupia*, 16: 37-81.

Andersen, N. M. 1993. Classification, phylogeny, and zoogeography of the pondskater genus Gerris Fabricius (Hemiptera: Gerridae). *Canadian Journal of Zoology*, 72: 2473-2508.

Ashlock, P. D. 1967. A generic classification of the Orsillinae of the World (Hemiptera: Heteroptera: Lygaeidae). *University of California Publication in Entomology*, 48: 1-82.

Ashlock, P. D., Scudder, G. G. E. 1966. A revision of the genus *Neocrompus* China (Hemiptera: Heteroptera: Lygaeidae). *Pacific Insects*, 8: 686-694.

Aukema B., Rieger C. 2006. Catalogue of Heteroptera of the Palaearctic Region, Amsterdam: *The Netherlands Entomologial Society*, 2006:8-101.

Aukema B., Rieger, C. and Rabitsch, W. 2013. *Catalogue of the Heteroptera of the Palaearctic Region.* GVO/Ponsen & Looijen, Ede, The Netherlands, 1-629.

Baerensprung, F. 1860. Catalogus Hemipterorum Europae. Hemiptera Heteroptera Europaea systematice disposita. Berl. Entomol. Z. 4: 1-25. Banks, C. S. 1909. Rhynchota Palawanica, part I: Heteroptera. *Philippine Journal of Science*, 4: 553-593.

Barber, H. G. 1953. A revision of the genus *Kleidocerys* Stephens in the United States (Hemiptera: Lygaeidae). *Proceedings of Entomological Society of Washington*, 55: 273-283.

Barber, H. G. 1956. A new arrangement in the subfamily Cyminae. *Proceedings of Entomological Society of Washington*, 58: 282.

Bergroth, E. 1894. Rhynchota orientalia. *Revue d'Entomologie*, 13: 152-164.

Bergroth, E. 1917. Neue oder wenig gekannte Heteropteren. *Archiv für Naturgeschichte*, 83A(2): 1-6.

Bergroth, E. 1914. H. Sauter's Formosa-Ausbeute: Hemiptera Heteroptera I. Aradidae, Pyrrhocoridae, Myodochidae, Tingidae, Reduviidae, Ochteridae. *Entomologische Mitteilungen*, 3: 353-364.

Bliven, B. P. 1957. Some Californian mirids and leafhoppers, including two new genera and four new species. *Occidental Entomologist*, 1: 1-7.

Breddin, G. 1901. Die Hemipteren von Celebes. Ein Beitrag zur Faunistik der Insel. *Abhandlungen der Naturforschenden Gesellschaft zu Halle*, 24: 1-198.

Bu, W. J., Zheng L. Y. and Dong J. Z. 1995. Lygaeidae, Malcidae, Colobathristidae Berytidae. 130-132. In: Wu H. (edt.). *Insects of Baishanzu Mountain, Eastern China.* China Forestry Publishing House, Beijing, 1-586 [卜文俊，郑乐怡，董建臻. 1995. 长蝽科，束长蝽科，束蝽科，跷蝽科.

130-132. 见:吴鸿 主编, 华东百山祖昆虫. 北京:中国林业出版社, 1-586 页].

Bu, W. J., Zheng, L. Y. 2001. *Fauna Sinica*: Insecta Vol. 24 (Hemiptera: Heteroptera: Lasiochilidae, Lyctocoridae, Anthocoridae). Science Press, Beijing. 1-267 [卜文俊, 郑乐怡. 2001. 中国动物志:半翅目 异翅亚目:昆虫纲 第24卷 (毛唇花蝽科, 细角花蝽科, 花蝽科). 北京:科学出版社, 1-267 页].

Bu W. J., Xie Q. and Zheng L. Y. 2001. Lygaeidae, Colobathristidae Berytidae. 270-273. In: Wu H. et Pan Ch. (edt.). 2001. *Insects of Tianmushan National Nature Reserve*, Science Press, Beijing, 1-764 [卜文俊, 谢强, 郑乐怡. 2001. 长蝽科 束蝽科 跷蝽科. 270-273. 见吴鸿,潘承文主编. 天目山昆虫. 北京:科学出版社, 1-764 页].

Bu W. J., Zheng L. Y. and Xie Q. 2002. Lygaeidae, Malicidae, Largidae, Berytidae and Pyrrhocoridae. 230-236. In: Li Z. Z. et Jin D. C. (edt.). *Insects from Maolan Landscape*. Guizhou Science and Technology Publishing House, Guiyang, 1-615 [卜文俊, 郑乐怡, 谢强. 2002. 长蝽科, 束长蝽科, 红蝽科, 大红蝽科, 跷蝽科. 231-234. 见:李子忠, 金道超 主编 茂兰景观昆虫. 贵阳:贵州科技出版社, 1-615 页].

Burmeister, H. 1834. Beitrige zur Zoologie, gesammelt auf einer Reise urn die Erde von Dr. F. J. F. Meyer. 6. Lnsecten Rhyngota seu Hemiptera. -Nova Acta Physico-Medica Academiae Caesareae Leopoldino-Carolinae Germaniae Narurae Curiosorum 16, supplement: 285-308.

Burmeister, H. 1835. *Handbuch der Entomologie*. Band 2, Schnabelkerfe, Rhynchota, Abt. 1. Hemiptera: i-xii, 1-400. Enslin, Berlin.

Burmeister, H. 1835. *Handbuch der Entomologie. Zweiter Band*. Erste Abtheilung- Rhynchota. 400pp. Theod. Chr. Friede. Enslin. Berlin: 263.

Cai, B., Ye, Z. and Bu, W. J. 2013. The genus *Yemmalysus* Štusák (Hemiptera: Heteroptera: Berytidae) from China. *Zootaxa*, 3736(4), 338-344.

Carvalho, J. C. M. 1952. On the major classification of the Miridae. *Anais da Academia Brasileira de Ciincias*, 24(1): 31-100.

Carvalho, J. C. M. 1956. Insects of Micronesia: Miridae. Bishop Mus. Honolulu. *Insects of Micronesia*, 7: 100pp.

Carvalho, J. C. M. 1957. A catalogue of the Miridae of the world. Part Ⅰ. *Arqiuivos do Museu Nacional, Riode Janeiro*, 44: 158pp.

Carvalho, J. C. M. 1958. A catalogue of the Miridae of the world. Part Ⅱ. *Arqiuivos do Museu Nacional, Riode Janeiro*, 45: 216pp.

Carvalho, J. C. M. 1958. A catalogue of the Miridae of the world. Part Ⅲ. *Arqiuivos do Museu Nacional, Riode Janeiro*, 47: 161pp.

Carvalho, J. C. M. 1959. Catalogue of the Miridae of the World. Part Ⅳ. *Arqiuivos do Museu Nacional, Riode Janeiro*, 48: 1-384.

Carvalho, J. C. M., Carpintero, D. L. 1986. Mirideos neotropicais, CCLXXIII: descricoes de um novo genero & trze especies novas da Republica Argentina (Hemiptera). *Revista Brasileira de Biologia*, 46: 607-625.

Carvalho, J. C. M., Carpintero, D. L. 1991. Miridos neotropicales, CCCXLVI: descripcion de un genero ysiete espécies nuevas de la subfamilia Orthotylinae, connotas y correciones taxonomicas (Hemiptera). *Anais da Acadernia Brasileira de Ciincias*, 63: 33-42.

Chen, L. C. 1960. A study of the genus Micronecta of India, Japan, Taiwan and adjacent regions. *Journal of the Kansas Entomological Society*, 33: 99-118.

Chen, F. Y. 1980. Supplement to Xie's "Description of Chinese Tessaratominae". *Guizhou Agricultural Science*, 1980 (3): 53-57 [陈凤玉. 1980. 谢氏"中国荔蝽亚科记述"增补. 贵州农业科学, 1980, (03): 53-58].

Chen, P. P. 1994. An overview of Chinese *Metrocoris* Mayr with description of three new species (Hemiptera: Gerridae). *Entomologia Sinica*, 1: 124-134.

Chen, P. P., Nieser, N. and Zettel, H. 2005. *The aquatic and semi-aquatic bugs (Heteroptera: Nepomorpha & Gerromorpha) of Malesia, Fauna Malesiana*. Handbook 5. Brill N. V., Academic Publishers, Leiden, 546 pp.

China, W. E. 1941. A new subgeneric name for Lygus Reuter 1875 nec Hahn, 1833. *Proceedings of Royal Entomological Society of London*, (B), 10: 6.

China, W. E., Miller, N. C. E. 1959. Check-list and keys to the families and subfamilies of the Hemiptera Heteroptera. *Bulletin of the British Museum (Natural History)*, Entomology, 8 (1): 1-45.

Chopra, N. P., Rustagi, K. B. 1982. The subfamily Chauliopinae of India and Sri Lanka (Hemiptera: Malcidae). *Oriental Insects*, 16(1): 19-28.

Costa, A. 1843. Saggio d'una monografia delle specie del genere Ophthalmicus (Emitteri Eterotteri) indigene al regno di Napoli, con note su talune altre di Europa. *Annali dell' Accademia degli Aspiranti Naturalisti, Napoli*, 1: 293-316.

Curtis, J. 1833. *British Entomology: being illustrations and descriptions of the genera of insects found in Great Britain and Ireland; containing coloured figures from nature of the most rare and beautiful species, and in many instances of the plants upon which they are found*. London, 10: pls 434-481.

Curtis, J. 1838. *British entomology, being illustrations and descriptions of the genera of insects found in Great Britain and Ireland*. London. Vol. 15, pl. 674-721.

Dahlbom, A. G. 1851. Anteckningar öfver insekter, som blifvit observerade på Gottland och i en del af Calmare Län, under sommaren 1850. *Kungliga Svenska Vetenskapsakademiens Handlingar*: 155-229.

Dallas, W. S. 1852. List of the specimens of *Hemipterous insects in the collection of the British Museum*. Part. II. London: Taylor & Francis Inc. pp. 369-592.

Distant, W. L. 1882. Insecta. Rhynchota. Hemiptera-Heteroptera Vol. 1. pp. 193-208 *in* Godman, F. D. & Salvin, O. (eds.) *Biologia Centrali-Americana (Zoology)*. *Part* 17. London R. H. Porter.

Distant, W. L. 1904a. Rhynchotal notes-XX. Heteroptera, fam. Capsidae (PartⅠ). *Annals and Magazine of Natural History*, (7) 13: 103-114.

Distant, W. L. 1904b. Rhynchotal notes-XXL. Heteroptera, fam. Capsidae (Part Ⅱ). *Annals and Magazine of Natural History*, (7) 13: 194-206.

Distant, W. L. 1904c. The *fauna of British India, including Ceylon and Burma*, Rhynchota Vol. 2, Part 2, pp. 243-503. Taylor & Francis, London.

Distant, W. L. 1904d. *The Fauna of British India, inclruiing Ceylon and Burma*. Rhynchota. Vol. 2. Taylor and Francis, London. 1-503.

Distant, W. L. 1909a. Rhynchotal notes. XLVII. *Annals and Magazine of Natural History*, (8) 3: 317-450.

Distant W. L. 1909b. Descriptions of oriental Capsidae. *Annals and Magazine of Natural History*, (8)4:

509-523.

Distant, W. L. 1911. *The Fauna of British India, including Ceylon and Burma, Rhynchota.* Vol. 5. Heteroptera Appendix. Taylor and Francis, London. 1-362.

Distant, W. L. 1902. *The fauna of British India, including Ceylon and Burma.* Rhynchota I (Heteroptera): i-xxviii, 1-438. Taylor & Francis, London.

Dohrn, F. A. 1859. Catalogus Hemipterorum. Stettin: Herrcke pp. 1-112.

Douglas, J. W., Scott, J. 1865. *The British Hemiptera.* I. Hemiptera-Heteroptera: i-xii, 1-628. Ray Society, London.

Drake, C. J., Hoberlandt, L. 1965. A revision of the genus *Potamometra* (Hemiptera: Gerridae). *Acta Entomologica Musei Nationalis Pragae*, 36: 303-310.

Esaki, T. 1926. Verzeichniss der Hemiptera-Heteroptera der Insel Formosa. *Annales Historico-Naturales Musei Nationalis Hungarici*, 24: 136-189.

Esaki, T. 1950. *Hemiptera: Heteroptera. In: Iconographia Insectorum Japonicorum*, 2nd edn: 179-270. Tokyo [in Japanese; republished subsequently; 1st edn in 1932].

Fabricius, J. C. 1775. *Systema entomologiae, sistens insectorum classes, ordines, genera, species, adjectis synonymis, locis, descriptionibus, et observationibus*: i-xxx, 1-832. Kortii, Flensburgi & Lipsiae.

Fabricius, J. C. 1794. *Entomologia systematica emendata et aucta, secundum classes, ordines, genera, species adjectis synonymis, locis, observationibus, descriptionibus*, 4: i-v, 1-472. Proft, Hafniae.

Fabricius, J. C. 1798. *Supplementum Entomologiae Systematicae*: 1-572. Proft & Storch, Hafniae.

Fairmaire, L. 1884. *Histoire naturelle de la France.* 11e Partie. Hémiptères: 1-206. Deyrolle, Paris.

Fallén, C. F. 1807. *Monographia Cimicum Sveciae.* Hafniae. 1-123.

Fallén, C. F. 1814. *Specimen novam Hemiptera disponendi methodum exhibens*: 1-26. Berling, Lund.

Fieber, F. X. 1836. Beitsäge zur Kenntniss der Schnabelkerfe(Rhynchota). *Beiträge zur gesammten Natur-und Heil-wossenschaft. Weitenweber*, Prague. 97-111.

Fieber, F. X. 1837. Beiträge zur Kenntniss der Schnabelkerfen (Fortsetzung). IV. Familie Lygaeoidea. *Weitenwebers Beiträge zur Gesammten Natur- und Heilwissenschaft*, 1: 337-355.

Fieber, F. X. 1858. Criterien zur generischen Theilung der Phytocoriden(Capsini auct.) *Wiener Entomologische Monatschrift*, 2:289-327, 329-347, 388, 1pl.

Fieber, F. X. 1859. Die Familie der Berytidae. *Wiener Entomologische Monatschrift*, 3: 200-210.

Fieber, F. X. 1860. *Die europäischen Hemiptera. Halbflügler* (Rhynchota: Heteroptera): i-vi, 1-112. Gerold's Sohn, Wien.

Fieber, F. X. 1861. *Die Europäischen Hemiptera.* Gerold's Sohn, Wien. 113-444.

Fieber, F. X. 1864. Neuere Entdeckungen in europäischen Hemipteren. *Wiener Entomologische Monatschrift*, 8: 65-86, 205-234, 321-335.

Fieber, F. X. 1870. Dodecas neuer Gattungen und neuer Arten enropäischer Hemiptera. *Verhandlungen der Zoologisch-Botanischen Gesellschaft in Wien*, 20: 243-264.

Gao, C. Q., Bu, W. J. 2009. Notes on fine structures of Chauliops with descriptions of two new species from China (Insecta: Hemiptera: Heteroptera: Malcidae). *Zootaxa.* 2295: 1-14.

Gao, C. Q., Bu, W. J. 2010. A review of the *Macropes* Motschulsky (Hemiptera: Lygaeoidea: Blissidae) from China, with descriptions of three new species. *Zootaxa.* 2366: 55-68.

Gao, C. Q., Bu, W. J. 2011. A new record genus, *Metopoplax* Fieber from China (Heteroptera, Lygaeoidea, Oxycarenidae). *Acta Zootaxonomica Sinica*, 36(4): 1006-1008 (in Chinese).

Gao, C. Q., Kondorosy, E. and Bu, W. J. 2012. A new synonym of *Acompus rufipes* (Wolff) (Heteroptera: Lygaeoidea: Rhyparochromidae). *Entomotaxonomia*, 34(4): 609-612.

Gao, C. Q., Kondorosy, E. and Bu, W. J. 2013. A review of the genus *Arocatus* in the Palaeaearctic and Oriental regions (Hemiptera: Heteroptera: Lygaeidae). *The Raffles Bulletin of Zoology*, 61(2): 687-704.

Gao, C. Q., Kondorosy, E. and Bu, W. J. 2013. A review of the genus *Arocatus* in the Palaeaearctic and Oriental regions (Hemiptera: Heteroptera: Lygaeidae). *The Raffles Bulletin of Zoology*, 61(2): 687-704.

Gao, C. Q., Rédei, D. 2017. The identity of *Equatobursa*, with proposal of new genus and species level synonymies (Hemiptera: Heteroptera: Heterogastridae). *Zootaxa*, 4237(2): 300-306.

Germar, E. F. 1838. Hemiptera Heteroptera promontorii Bonae Spei, nondum descripta, quae collegit C. F. Drège. *Revue Entomologique Silbermann*, 5: 121-192.

Gistel, J. 1857. *Achthundert un zeanzig neue oder un beschreibene wirbellose Thiere*. Straubing, 94pp. (also in Vacuna 2: 513-606).

Gmelin, J. F. 1790. *Caroli a Linne Systema Naturae* (ed. 13). Vol. 1, part 4. Beer, Lipsiae. 1517-2224.

Goeze, J. A. E. 1778. *Entomologische Beyträge zu des Ritter Linne zwöften Ausgabe des Natursystem* 2. Weidmanns Erbe&Reich, Leipzig. 1-352.

Golub, V. B. 1989. Palaearctic species of capsid bugs of the genus *Trigonotylus* (Heteroptera: Miridae). *Insects of Mongolia*, 10:136-164.

Golub, V. B. 1994. On the synonymy of some Palaearctic Miridae and Tingidae (Heteroptera). *Zoosystematica Rossica*, 3:26.

Hahn, C. W. 1831. *Die Wagzenartigen Insecten*, 1: 1-36. Zeh, Nurnberg.

Hahn, C. W. 1833. *Die Wagzenartigen Insecten*, 1: 119-246. Zeh, Nurnberg.

Hahn, C. W. 1834. *Die wanzenartigen Insecten*. 2: 33-120. Zeh, Nurnberg.

Hamid, A., K. Meher. 1976. The Lygaeinae (Heteroptera: Lygaeidae) of Pakistan. *Pakistan Journal of Science and Industrial Research*, 19(217): 217-232.

Hasko, N., Sharma, G. 2013. Observations on the life history of giant water bugs *Lethoceris* Mayr, 1853 (Heteroptera: Nepomorpha: Belostomatidae) in the gangetic plains of India and Nepal. *Journal of Threatened Taxa*, 5(10): 4474-4482.

He, P. X., Zheng, Z. M. and Bu, Y. 2007. On the pentatomidae species and its funal in Qinling Mountain. *Joural of Shaanxi Normal University(Natural Science Edition)*, 35(4): 94 [何鹏, 郑哲民, 卜云. 2007. 秦岭山脉蝽科昆虫调查及区系分析. 陕西师范大学学报(自然科学版), 35(4): 94].

Heiss, E. 2001a. A new species of the flat bug genus Aradus Fabricius 1803 from China (Heteroptera: Aradidae). *Linzer Biologische Beiträge*, 33(2): 1017-1023.

Heiss, E. 2001b. Superfamily Aradoidea Brullé, 1836. *In*: Aukema & Rieger (Eds).: *Catalogue of the Heteroptera of the Palaearctic Region*. Amsterdam, The Netherlands Vol. 4: 3-34.

Heiss, E., Péricart, J. 2001. Piesmatidae. *In*: Aukema, B. and C. Rieger. (eds.). *Catalogue of Heteroptera of the Palaearctic Region*. The Netherlands. Vol. 4, 221-226.

Heiss, E. 2003. Two new species of the Aradus transiens group from China and Taiwan (Heteroptera: Aradiae). *Linzer Biologische Beiträge*, 35(1): 173-180.

Henry, T. J. 1997. Monograph of the stilt bugs, or Berytidae (Heteroptera), of the Western Hemisphere. *Memoirs oh the Entomological Society of Washington*, 19: 1-149.

Henry, T. J. 1997. Phylogenetic analysis of family groups within the infraorder Pentatomomorpha (Hemiptera: Heteroptera), with emphasis on the Lygaeoidea. *Annals of the Entomologica Sociery of America*, 90(3): 275-301.

Henry, T . J. 2009. Biodiversity of Hetreoptera. pp. 263-264. In Foottit R. G & Adler P. H. (eds). *Insect Biodiversity*: Science and Society. Blackwell Publishing, pp. xxi + 632.

Henry, T. J., Froeschner, R. C. 2000. Corrections and additions to the "Catalog of the stilt bugs, or Berytidae, of the word (Insecta: Hemiptera: Heteroptera)". *Proceedings of Entamological Society of Washington*, 102(4): 103-109.

Herrich-Schäffer, G. A. W. 1835. *Nomenclator entomologicus. Verzeichniss der europäischen Insecten*; *zur Erleichterung des Tauschverkehrs mit Preisen versehen. Heft* 1; *Lepidoptera und Hemiptera*, letztere synoptisch bearbeitet und mit vollständiger Synonymie: i-iv, 1-116. Pustet, Regensburg.

Hidaka, T. 1959. Studies on the Lygaeidae. X. Descriptions of three new species of the genus Blissus Klug. *Insecta Matsumurana*, 22: 100-111.

Hoberlandt, L. 1956. Results of the Zoological Scientific Expedition of the National Museum in Praha to Turkey. 18. Hemiptera Ⅳ. Terrestrial Hemiptera-Heteroptera of Turkey. *Acta Entomologica Musei Nationalis Pragae*, suppl. 3(1955): 1-264.

Hoffmann W. E. 1933. Additional data on the life history of *lethocerus indicus* (Hemiptera: belostomatidae). *Lingnan Natural History Survey and Museum*, 12(4): 595-604.

Horváth, G. 1891. Eine neue Hemipterengattung aus der Afamilie der Lygaeiden. *Wiener Entomologische Zeitung*, 10: 129-131.

Horváth, G. 1901. Hemiptera. *In*: G. Horvath (ed.). *Dritte Asiatische Forsehungsreise des Grafen Eugen Zichy*, 2: 245-274.

Horváth, G. 1905a. Berytidae novae a Dre G. Horváth descriptae. *Annales Historico-Naturales Musei Nationalis Hungarici*, 3: 56-60.

Horváth, G. 1905b. Hemipteres nouveaux de Japon. *Annales Historico-Naturales Musei Nationalis Hungarici*, 3: 413-423.

Horváth, G. 1914. Miscellanea hemipterologica. XIII-XVII. *Annales Historico-Naturales Musei Nationalis Hungarici*, 12: 623-660.

Horváth, G. 1922. Two new Neididae from Borneo and Formosa. *Annales Historico-Naturales Musei Nationalis Hungarici*, 19: 187-188.

Hsiao, T. Y. 1941. Some new species of Miridae (Hemipera) from China. *Iowa State College Journal of Science*, 15: 241-251.

Hsaio, T. Y. 1942. A list of Chinese Miridae(Hemiptera) with keys to subfamilies, tribes, genera and species. *Iowa State College Journal of Science*, 165(2): 241-269.

Hsiao, T. Y. 1962. First report on Chinese *Adelphocoris* Reuter with descriptions of five new species (Hem., Miridae). *Acta Entomologica Sinica*, 11(suppl.): 80-89 [萧采瑜. 1962. 我国北部常见苜蓿盲蝽属种类初记. 昆虫学报, 11(增刊): 80-89].

Hsiao, T. Y. 1964. New Coreidae from Cbina (Heteroptera: Coreidae) Ⅲ. *Acta Zoologica Sinica*, 16(2): 251-262[萧采瑜. 1964. 中国缘蝽新种记述(半翅目:缘蝽科)Ⅲ. 动物学报, 16(2): 251-258].

Hsiao, T. Y. 1974. New stilt bugs from China (Hemiptera: Berytidae). *Acta Entomologica Sinica*, 17: 55-65.

Hsiao, T. Y., Meng, H. L. 1963. The plant bugs collected from cotton fields in China (Hemiptera-Heteroptera, Miridae). *Acta Zoologica Sinica*, 15(3): 439-449 [萧采瑜, 孟祥玲. 1963. 中国棉田盲蝽纪要(半翅目:盲蝽科). 动物学报, 15: 439-449].

Hsiao, T. Y., *et al.* 1977. *A Handbook for the Determination of the Chinese Hemiptera-Heteroptera.* (*Hemiptera: Heteroptera*). Vol. 1. Science Press, Beijing, China, 1-330. [萧采瑜等. 1977. 中国蝽类昆虫鉴定手册(半翅目 异翅亚目). 第一册. 北京:科学出版社, 1-330 页]

Hsiao, T. Y., Ren, S. Z., Zheng, L. Y., Jin, X. L., Zou H. G. and Liu, S. L. 1981. *A Handbook for the Determination of the Chinese Hemiptera-Heteroptera.* (*Hemiptera: Heteroptera*). Vol. 2. Science Press, Beijing, China, 1-654. [萧采瑜, 任树芝, 郑乐怡, 经希立, 邹环光, 刘胜利. 1981. 中国蝽类昆虫鉴定手册(半翅目 异翅亚目). 第二册. 北京: 科学出版社, 1-654 页].

Jaczewski, T. 1924. A new species of Corixidae from Mandshuria. *Annales Zoologici Musei Polonici Historiae Naturalis*, 3: 151-154.

Jaczewski, T. 1934. Notes on the Old World species of Ochteridae (Heteroptera). *Annals and Magazine of Natural History*, (ser. 10) 13: 602-605.

Jaczewski, T. 1936. Notes on Corixidae (Hem.). XII-XIV. *Proceedings of the Royal Entomological Society of London* (*B*), 5: 34-43.

Jakovlev, V. E. 1874. Hemiptera Heteroptera of the Astrakhan region. *Bulletin de la Société des Naturalistes de Moscou*, 48 (2): 218-277..

Jakovlev, V. E. 1876. Hemiptera Heteroptera of the Russian fauna. *Bulletin de la Société des Naturalistes de Moscou*, 50/51(3): 85-124.

Jakovlev, V. E. 1877. Novlia Polujestkokruilia Hemiptera Heteroptera, Astrachanskoi faunoi. *Bulletin de la Société des Naturalistes de Moscou*, 52: (1): 269-300.

Jakovlev, V. E. 1881. Contributions to the fauna of Heteroptera of Russia and the neighbouring countries. Ⅴ-Ⅷ. *Bulletin de la Société des Naturalistes de Moscou*, 56 (1): 194-214 [in Russian and in German].

Jakovlev, V. E. 1890. Insecta, a cl. G. N. Potanin in China et in Mongolia novissime lecta. XⅦ. Hemiptera- Heteroptera. *Horae Societatis Entomologicae Rossicae*, 24: 444-447.

Jakovlev, V. E. 1882. New species of the fam. Capsides. *Trudy Russkago Entomologischeskago Obschchstva*, 13: 169-175.

Jansson, A. 1986. The Corixidae (Heteroptera) of Europe and some adjacent regions. *Acta Entomologica Fennica*, 47: 1-94.

Jansson, A. 1995. Family Corixidae. 1:27-56. *In*: B. Aukema *et* C. Rieger (Eds.) Catalogue of the Heteroptera of the Palaearctic Region, Ponsen&Looijen, Wageningen, The Netherlands, 1: 222pp.

Josifov, M. 1976. *Drei neue Orthotylus*-Arten aue Korea (Heteroptera: Miridae). *Reichenbachia*, 16: 143-146.

Josifov, M. 1978. Neue Miridenarten aus Nord-Korea (Hereroptera). *Acta Entomologica Musei Nationalis Pragae*, 39: 279-287.

Josifov, M. 1979. *Kerzhneriola* gen. n. eine neue Phylinen Gattung aus Asien (Heteroptera: Miridae). *Rechenbachia*, 17: 216-217.

Josifov, M. 1983. Beitrag zur Taxionomie der ostpaläark-tischen Deraeocoris-Arten. *Reichenbachia*, 21 (12): 75-86.

Josifov, M. 1985. *Lygocoirs*(*Arbolygus*) kerzhneri sp. n. -eine neue ostpaläarktische Miridenart (Heteroptera). *Reichenbachia*, 23:91-93.

Josifov, M. 1992. Neue Miriden aus Korea (Insecta: Heteroptera). *Reichenbachia*, 29:105-118.

Josifov, M., Kerzhner, I. M. 1972. Heteroptera aus Korea. Teil 1. *Annales Zoologici*, Warszawa, 29 (6): 147-180.

Josifov. M., Kerzhner, I. M. 1978. Heteroptera from Korea Part 2. Aradidae, Berytidae, Lygaeidae, Pyrrhocoridae, Rhopalidae, Alydidae, Coreidae, Urostylidae, Acanthosomatidae, Scutelleridae, Pentatomidae, Cydnidae, Plataspidae. *Fragmenta Faunistica Polska Akademia Nauk*, 23: 9:137-196.

Josifov, M., Kerzhner, I. M. 1984. Zur Systematik der Gattung Dryophilocoris Reuter, 1875 (Heteroptera: Miridae). *Reichenbachia*, 22(31): 215-226.

Kelton, L. A. 1955. Genera and subgenera of the Lygus complex (Hemiptera: Miridae). *Canadian Entomologist*, 87: 484-490.

Kelton, L. A. 1959. Male genitalia as taxonomic characters in the Miridae (Hemiptera). *Canadian Entomologist* (suppl.), 11: 72.

Kelton, L. A. 1965. *Chlamydatus* Curtis in North America (Hemiptera: Miridae). *Canadian Entomologist*, 97: 1132.

Kelton, L. A. 1980. *The plant bugs of the prairie provinces of Canada*. Heteroptera: Miridae. Part 8. Agriculture Canada Research Branch Publication, 1730: 301.

Kerzhner, I. M. 1962. New species of Heteroptera in the fauna of the USSR. *Trudy Zoologicheskogo Instituta Akademiya Nauk*, SSSR, 30: 139-155.

Kerzhner, I. M. 1964. New and little known Heteroptera from Kazakhstan and other regions of the USSR. *Trudy Zoologicheskogo Instituta Akademiya Nauk*, SSSR., 34: 113-129.

Kerzhner, I. M. 1964. Order Hemiptera (Heteroptera). pp. 684-845. *in* Bei-Bienko, G. Y. (ed.) *Keys to the Insects of the European USSR. Apterygota*, *Palaeoptera*, *Hemimetabola*. Leningrad: Zoological Institute, Academy of Sciences of the USSR Vol. 1.

Kerzhner, I. M. 1972. New and little-known Heteroptera from the Far East of the USSR. *Trudy Zoologicheskogo Instituta Akademiya Nauk*, 52: 276-295.

Kerzhner, I. M. 1973. Heteroptera of the Tuvinian ASSR. *Trudy Biologo-pochvennogo Instituta. Sibir. Otdelenie. Akademiya Nauk SSSR*, Novosibirsk 16: 78-92(In Russian).

Kerzhner, I. M. 1977a. New and little - known species of Heteroptera from the Far East of the USSR. *Trudy Zoologicheskogo Instituta Akademiya Nauk*, SSSR, 62 (1976): 6-35.

Kerzhner, I. M. 1977b. Review of the bugs of the genus Emphanisis China (Heteroptera: Lygaeidae). *Trudy Zoologicheskogo Instituta Akademiya Nauk*, SSSR, 64: 30-31(in Russian).

Kerzhner, I. M. 1979. New Heteroptera from the Far East of the USSR. Trudy *Zoologicheskogo Instituta Akademiya Nauk*, SSSR, 81: 14-65.

Kerzhner, I. M. 1988a. Keys to the insects of the Far East of the USSR. *Leningard Nauka Publishing Houes*, 114-117.

Kerzhner, I. M. 1988a. Miridae. In: Vinokurov, N. N. *et al.* 1988. *Key to insects of Soviet Far East.* Leningrad. 778-857.

Kerzhner, I. M. 1988b. *New and little-known heteropterous insects (Heteroptera) from the Far East of the USSR.* Academy of Sciences of USSR, Far Eastern Center, Vladivostok. pp. 1-83.

Kerzhner, I. M. 1993. Notes on synonymy and nomenclature of Palearctic Heteroptera. *Zoosystematica Rossica*, 2: 97-105 [Includes information on the dates of publication of certain papers by Reuter, 1875, 1896, and Poppius, 1915].

Kerzhner, I. M. 1997. Notes on taxonomy and nomenclature of Palaearctic Miridae (Heteroptera), *Zoosystematica Rossica*, 5(1996): 245-248.

Kerzhner, I. M., Josifov, M. 1999. *Catalogue of the Heteroptera of the Palaearctic Region.* Vol. Ⅲ. Miridae. Renkum, The Netherlands, 1-577.

Kerzhner, I. M., Schuh, R. T. 1995. Homonymy, synonymy, and new conbinations in the Miridae (Heteroptera). *American Museum Novitates*, No. 3137: 1-11.

Kikuhara, Y. 2005. The Japanese Species of the Genus Riptortus (Heteroptera: Alydidae) with Description of a New Species. *Japanese Journal of Systematic Entomology*, 11(2): 299-311.

Kirby, W. F. 1891. Catalogue of the described Hemiptera Heteroptera and Homoptera of Ceylon, based on the collection formed (chiefly at Pundaluoya) by Mr. E. Ernest Green. *Journal of the Linnean Society of London*, 24: 72-176.

Kiritshenko, A N. 1930. Scientific results of the Zool. Mus. Expeditions to the Ussuri region (Far East). Ⅳ. Hemiptera Cryptocerata. *Ezhegodnik Zoologicheskogo Muzeya Akademiya Nauk*, SSSR, 1930, 31: 431-440.

Kiritshenko, A. N. 1931a. Hemiptera-Heteroptera. *Abhandlungen der Pamir-Expedition* 1928, 8: 77-118 (in Russian, German summary).

Kiritshenko, A. N. 1931b. Hemiptera: Heteroptera of the third Mount Everest expedition, 1924-I. *Annals and Magazine of Natural History*, (10) 7: 362-385.

Kiritshenko, A. N., Kerzhner, I. M. 1980. Land Heteroptera of the Mongolian People's Republic Ⅳ. Lygaeidae. *Nasekomye Mongolii*, 7: 69-84.

Kirkaldy, G. W. 1902. Hemiptera. *Fauna Hawaiiensis*, 3(2): 93-174.

Kirkaldy, G. W. 1906. List of the genera of the pagiopodous Hemiptera: Hereroptera, with their type species, from 1758 to 1904 (and also of the aquatic and semiaquatic Trochalopoda). *Transactions of the American Entomological Society*, 32: 111-156.

Kirschbaum, C. L. 1856. Rhynchotographische Beiträge. *Jahrbuch des Vereins fur Naturkunde in Herzogthum Nassau*, 10: 163-348.

Knight, H. H. 1917. A revision of the genus *Lugus* as it occurs in America North of Mexico, with biological data on the species from New York. *Bulletin of Cornell University Agricultural Experimental Station*, 391: 556-645.

Kormilev, N. A. 1971. Mezirinae of the Oriental Region and South Pacific (Hemiptera: Hteroptera: Ardidae). Pacific Insects Monograph, 26: 1-165.

Kulik, S. A. 1965. Blindwanzen Ost Sibiriens und des Fernen Ostens (Heteroptera: Miridae). *Acta Faunitica Entomologica Musei Nationalis Pragae*, 11: 39-70.

Kumar, R., Ghauri, M. S. K. 1970. Morphology and relationships of the Pentatomoidea (Heteroptera) 2 -

World genera of Tessaralomini (Tessaratomidae). - *Deutsche Entomologische Zeitschritl*, (N. F.) 17: 1-32.

Lee, C. E., Kerzhner, I. M. 1994. New species and new records of Korean Aradidae (Heteroptera). *Proceedings of Entomological Society of Washington*, 96 (4): 679-686.

Lee, C. E., Miyamoto S., Kerzhner, I. M. 1994. Additions and corrections to the list of Korean Heteroptera. *Nature and Life*, 24: 1-34.

Leston, D. 1957. The British Lygocoris Reuter (Hem.: Miridae) including a new species. *Entomologist*, 90: 128-134.

Lethierry, L., Severin, G. 1894. *Catalogue Général des Hémiptères. Tome II. Hétéroptères Coreidae, Berytidae, Lygaeidae, Pyrrhocoridae*. Bruxelles: F. Hayez, 277 pp.

Li, H. Y., Zheng, L. Y. 1991. A preliminary report on PsallusFieber (Heteroptera: Miridae) from China. *Acta Scientiarum Naturalium Univesitatis Nan Kaiensis*, 1: 1-11 [李鸿阳, 郑乐怡. 1991. 杂盲蝽属中国种类初记(半翅目:盲蝽科). 南开大学学报(自然科学), 1: 1-11].

Li, H. Y., Zheng, L. Y. 1991. Genus Plagiognathus Fieber (Hemiptera: Miridae). *Acta Scientiarum Naturalium Univesitatis Nan Kaiensis*, 3: 88-97 [李鸿阳, 郑乐怡. 1991. 斜唇盲蝽属中国种类初记(半翅目:盲蝽科). 南开大学学报(自然科学), 3: 88-97].

Li, J. L., BU, W. J. 2006. Three new species of Neolethaeus Distant (Hemiptera: Lygaeoidea: Rhyparochromidae: Lethaeini) from China, with a key to the Chinese species. *Zootaxa*, 1270: 45-56.

Li, J. L., Bu, W. J. 2015. Review of the genus Vertomannus Distant with description of two new species. *Zootaxa*, 3972 (4): 581-588.

Li, J. L., Nonnaizab. 2004. New Species and New Record Species of Lygaeidae (Hemiptera) from Inner Mongolia, China. *Entomotaxonomia*, 26(3): 166-170 [李俊兰, 能乃扎布. 2004. 内蒙古长蝽科昆虫新种新记录记述(半翅目: 长蝽科). 昆虫分类学报, 26(3):166-170].

Lindberg, H. 1934. Schwedisch-Chinensische Wissenschaftliche Expedition nach den nord- westlichen Provinzen Chinas ect. 47-Hemiptera. 2. Hemiptera Heteroptera. *Arkiv för Zoologi*, 27(28): 1-43.

Lindberg, H. 1934. Verzeichnis der von R. Malaise im Jahre 1930 bei Vladivostok gesammelten Heteropteren. *Notulae Entomologicae*, 14: 1-23.

Linnaeus, C. 1758. *Systema naturae*. Editio decimal, reformata. Salvii, Holmiae. 1-824.

Linnaeus, C. 1761. *Fauna Svecica sistens animalia Sveciae Regni*. Ed. 2. L. Salvii, Stockholmiae. 578pp.

Linnaeus, C. 1767. *Systema naturae*. Editio duodecima, reformata. Salvii, Holmiae. 533-1327.

Linnavuori, R. 1951. Hemipterological observations. *Annales Entomologici Fennici*, 17: 51-65.

Linnavuori, R. 1961. Contributions to the Miridae fauna of the Far East. *Annales Entomologici Fennici*, 27: 155-169.

Linnavuori, R. 1963. Contributions to the Miridae fauna of the Far EastⅢ. *Annales Entomologici Fennici*, 29(2): 73-82.

Lis, L. A. 2006. Tessaratomidae, 5:228-232. In: Aukema B. & Rieger C. (eds), *Catalogue of the Heteroptera of the Palaearctic Region*. Volume 5. *The Netherlands entomological Society*, 5: 1-550.

Liu, G. Q., Yamamoto, D. 2004. Notes on genus *Mecomma* Fiebere From China (Heteroptera: Miridae: Orthotylinae). *Oriental Insects*, Vol. 38: 219-233.

Liu, G. Q., Zheng, L. Y. 1992. New records of Orthotylini from China. *Acta Zootaxonomica Sinica*, 17 (4): 60 [刘国卿, 郑乐怡. 1992a. 中国合垫盲蝽族新记录. 动物分类学报, 17(4): 60].

Liu, G. Q. , Zheng, L. Y. 1993. Genus *Mecomma* Fieber from China. (Heteroptera: Miridae). *Acta Entomologica Sinica*, 36(3): 364-370 [刘国卿, 郑乐怡. 1993. 昧盲蝽属(*Mecomma*)中国种类初记, 昆虫学报, 36(3): 364-370].

Liu, G. Q. , Zheng, L. Y. 1994a. Genus *Zanchius* Distant of China (Hemiptera: Miridae). *Entomologia Sinica*, 1(4): 307-310, 11 figs.

Liu, G. Q. , Zheng, L. Y. 1994b. Two new species of *Pseudoloxops* KIRKALDY from China (Insecta: Hetroptera: Miridae), *Reichenbachia*, 30(19): 119-122, Figs. 1-12.

Liu, G. Q. , Chen C. 1999. Lygaeidae, 2: 139-152. In Huang B. K. (edt. ). 1999. *Fauna of insects Fujian Province of China*, 2: 1-791. Fujian Science and Technology Press, Fuzhou, 2: 1-791[刘国卿, 陈晨. 1999. 长蝽科. 2: 139 – 152. 见:黄邦侃 主编. 福州: 福建昆虫志. 福建科学技术出版社, 2: 1-791].

Liu, G. Q. , Zheng, L. Y. 1999. New species of *Zanchius* Distant from China (Hemiptera: Miridae). Acta *Zootaxonomica Sinica*, 24(4): 388-392.

Liu, G. Q. , Zheng, L. Y. 2001. A New Genus of Orthotylini and description of four new species (Heteroptera: Miridae: Orthotylinae). *Oriental Insects*, 35: 159-166.

Liu, G. Q. , Zheng, L. Y. 2014. *Fauna Sinica:Insecta* Vol. 62. (Hemiptera: Miridae II: Orthotylinae). Science Press, Beijing. 1-297 [刘国卿, 郑乐怡. 2014. 中国动物志:昆虫纲:第六十二卷(半翅目:盲蝽科(二):合垫盲蝽亚科). 北京:科学出版社, 1-297 页].

Liu, G. Q. , Zhao, R. J. 1999. On the *Coridromius* Sipnoret from China (Heteoptera: Miridae). *Acta Zootaxonomica Sinica*, 24(1): 57-61.

Liu, G. Q. , Bu, W. J. 2009. *The Fauna of Hebei, China, Hemiptera*: Heteroptera. China Agricultural Science and Technology Press, Beijing: 1-528 [刘国卿, 卜文俊. 2009. 河北动物志(半翅目:异翅亚目). 北京:中国农业科学技术出版社, 1-528 页].

Lu, N. , Zheng, Y. L. 1994. The genus Allorhinocoris Reuter from China (Hemiptera: Miridae). *Entomologia Sinica*, 1(3): 205-208.

Lu, N. , Zheng, Y. L. 1996. New species of genus *Lygocoris* Reuter from China (Insecta: Heteroptera: Miridae). *Reichenbachia*, 31: 131-137.

Lu, N. , Zheng, Y. L. 1997. Four new species of the genus *Apolygus* China from China (Insecta: Hemiptera: Miridae). *Acta Zootaxonomica Sinica*, 22(2): 162-168.

Lu, N. , Zheng, L. Y. 1997. Miridae. 272-290. *In*: Yang X. K(ed. ). *Insects of the Three Gorges Reservoir Area of Yangtze River*. Vol. I. Chunqing Publishing House, Chunqing: 1-974 [吕楠, 郑乐怡. 1997. 盲蝽科, 272-290. 见:杨星科主编, 1997. 长江三峡库区昆虫, 重庆: 重庆出版社, 1-974 页].

Lu, N. , Zheng, Y. L. 1998. A taxonomic study on the genus Arbolygus(Heteroptera: Miridae) from China. *Entomotaxonomia*, 20(2): 79-96.

Lu, N. , Zheng, Y. L. 2001. Revision of Chinese species of Lygocoris(subg. Lygocoris) Reuter (Hemiptera: Miridae: Mirinae). *Acta Zootaxonomica Sinica*, 26(2): 121-153.

Lundblad, O. 1933. Wasserhemipteren, wahrend der Kolthoffschen Expedition nach China gesammelt. *Entomologisk Tidskrift*, 54: 249-276.

Lundblad, O. 1934. Schwedisch-chinesische wissenschaftliche Expedition nach den nordwestlichen Provinsen Chinas. *Arkiv för Zoologi*, 27A (14): 1-31, pls I-II.

Ma, C. J. , Liu, G. Q. 2002. New Species and new record of genus Deraeocoris Kirschbaum from China

(Hemiptera: Miridae: Deraeocorinae). *Acta Zootaxonomica Sinica*, 27(3): 508-526.

Malipatil, M. B. 1978. Revision of the Myodochini (Hemiptera: Lygaeidae: Rhyparochrominae) of the Australian Region. *Australian Journal of Zoology* (Supplement Series), 56:1-178.

Mastumura, S. 1905. Die Wasser-Hemipteren Japans. *Journal of the Sapporo Agricultural College*, 2(2): 53-66.

Matsumura, S. 1911. Erster Beitrag zur Insekten-Fauna von Sachalin. *Journal of the College of Agriculture, Tokyo Imperial University*, Sapporo, 4:1-145.

Matsumura, S. 1913. *Thousand insects of Japan. Additamenta*, 1: 1-184. Keiseisha, Tokyo [in Japanese, with diagnoses of new taxa also in English].

Meyer-Dür, L. R. 1841. Identität und Separation einiger Rhynchoten. *Stettiner Entomologische Zeitung*, 2: 82-89.

Meyer-Dür, L. R. 1843. *Verzeichniss der Schweiz einheimischen Rhynchoten (Hemiptera Linn.). Erstes Heft. Die Familie der Capsini.* Jent & Gassmann. 1-116.

Miyamoto, S. 1957. List of ovariole numbers in Japanese Heteroptera. *Sieboldia*, 2: 69-82.

Miyamoto, S. 1961. Comparative morphology of alimentary organs of Heteroptera, with the phylogenetic consideration. *Sieboldia*, 2: 197-250.

Miyamoto, S. 1965. Notes on Formosan Corixidae (Hemiptera). *Kontyu*, 33: 483-492.

Miyamoto, S. 1969. Notes on the species of the genus *Plagiognathus* Fieber in Japan and Saghaline (Hemiptera: Heteroptera: Miridae). *Sieboldia*, 4: 85-94.

Miyamoto, S. 1974. Miscellaneous notes on mirid bugs (3). *Rostria*, 23: 120-122.

Motschulsky, V. 1860. Catalogue des insectes rapportés des environs de fl. Amour depuis la Schilka jusq'à Nikolaëvsk, examinés et énumérés. *Bulletion de la Société Imperiale des Naturalistes de Moscou*, 32 (4) (1859): 487-507.

Nakatani, Y. 2001. New distributional records of the deraeocorine plant bugs(Heteroptera: Miridae)from Japan. *Rostria*, 50: 27-29.

Nieser, N., Chen, P. P. and Yang, C. M. 2005. A new subgenus and six new species of nepomorpha (insecta: Heteroptera) from Yunnan, China. *The raffles bulletin of Zoology*, 53(2): 189-209.

Nieser, N., Chen, P. P. and Leksawasdi, P. 2008. The Notonectidae (Heteroptera: Nepomorpha) of Thailand and adjacent areas, with keys for identification and five new records for Thailand (2008, 241-292). In: Grozeva S, Simov N (Eds.). *Advances in Heteroptera research. Festschrift in honor of 80th anniversary of Michail Josifov.* Pensoft Publishers. Sofia-Moscow.

Nonnaizab. 1988. *Fauna of Inner Mongolia (Hemiptera: Hteroptera).* 1: 1-469 [能内扎布. 1988. 内蒙古昆虫志(半翅目:异翅亚目). 呼和浩特:内蒙古人民出版社, 1-469].

Nonnaizab, Jorigtoo. 1992. A study of Phytocoris Fallén from Inner Monogolia, China (Hemiptera: Miridae). *Zoological Research*, 13(4):313-322 [能乃扎布, 照日格图. 1992. 内蒙古的植盲蝽. 动物学研究, 13(4): 313-322].

Nonnaizab, Li, J. L. 2005. List of Lygaeidae (Hemiptera: Heteroptera) from Inner Mongolia and Description of New Records of China. *Journal of Inner Mongolia Nornal University* (Natural Science Edition), 34(1): 84-92 [能乃扎布, 李俊兰. 2005. 内蒙古长蝽科昆虫及中国新纪录属种记述. 内蒙古师范大学学报, 34(1): 84-92].

Péricart, J. 1998. Hémiptères Lygaeidae Euro-Méditerranéens. Volume 2. Systématique: Seconde Partie.

Oxycareninae, Bledionotinae, Rhyparochrominae (1). *Faune de France* 84B: I-III 1-453, 3 pls.

Pericart, J. 1999. *Hemipteres Lygaeidae euro-mediterraneens*. Fauna de France, 84B: 1-453.

Péricart, J. 1999. Recognition of the types of various East-Palaearctic, Afrotropical and Oriental Lygaeidae and Berytidae (Heteroptera). *Revue Francaise d'Entomologie* (Nouvelle Serie), 21(2): 77-86.

Péricart, J. 1999. *Hemiptera, Lygaeidae from Mediterranean Europe*. Volume 3. Systematics: third part Rhyparochrominae (2). Faune de France, 84C: 1-487.

Péricart, J. 2001. Family Berytidae Fieber, 1851. Stilt-bug. 4: 230-309. In: Aukema B. & Rieger, C. (Eds.) *Catalogue of the Heteroptera of the Palaearctic Region*. Pentatomorpha I. Netherlands Entomological Society, Amsterdam, 4: 1-346.

Pericart, J. 2001. Lygaeidae. 4:35-221. In: Aukema, B. and Rieger, C. (eds.). *Catalogue of the Heteroptera of the Palaearctic Region*. The Netherlands. 4: 1-346.

Poisson, R. 1957. Hétéroptères aquatiques. *Faune de France*, 61: 1-263.

Poppius, B. 1911. Eine neue *Lygus*-Art aus Finland. *Meddelanden af Societas pro Fauna et Flora Fennica*, 37: 96-98.

Poppius, B. 1912. Neue Miriden aus dem russischen Reiche. *Öfversigt af Finska Vetenskaps Societetens Förhandlingar*, 54A(29): 1-26.

Poppius, B. 1915. Zur Kenntnis der indo-australischen Capsarien. *Annales Historico Naturales Musei Nationalis Hungarici*, 13: 89.

Poppius, B. 1911. Beiträge zur Kenntnis der Miriden-Fauna von Ceylon. *Öfversigt af Finska Vetenskapssocieteteus Förhandligar*, 53A(2): 1-36.

Putshkov, V. G. 1969. Lygaeidae. *In*: Fauna Ukrainy. *Nauka Dumka*, Kiev. 1-388(in Ukrainian).

Qi, B. Y., Nonnaizab. 1994. New and newly recorded species of Deraeocorinae from Inner Mongolia, China (Hemiptera: Heteroptera: Miridae). *Acta Zootaxonomica Sinica*, 19(4): 458-464 [齐宝瑛, 能乃扎布. 1994. 中国内蒙古齿爪盲蝽亚科新种和新纪录(半翅目:异翅亚目:盲蝽科). 动物分类学报, 19(4): 458-464].

Qi, B. Y., Nonnaizab. 1995. A brief note on bugs of the genus Alloeotomus Fieber from Northern China, with description of a new species (Insecta: Hemiptera: Heteroptera: Miridae). *Reichenbachia*, 31 (3): 13-16.

Qi, B. Y., Jin, H., Liu, A. P. and Nonnaizab. 1992. Notes on the *Adelphocoris* Reuter from Inner Mongolia, China(Heteroptera: Miridae). *Journal of Inner Mongolia Normal University*, 1992(4): 39-46.

Rider, D. A. 2005. Family Pentatomidae Leach, 1815, 233-402[In: Aukema & Rieger (Eds).: *Catalogue of the Heteroptera of the Palaearctic Region*. Amsterdam, The Netherlands Vol. 5: 1-550].

Scudder, G. G. E. 1963b. Pamphantinae, Bledionotinae and the genus *Cattarus* Stål (Heteroptera: Lygaeidae). *Opuscula Entomologica*, 28: 81-89.

Scudder, G. G. E. 1964. Ischnorhynchinae & Heterogastrinae. pp. 73-85 in Slater, J. A. (ed.) *South African Animal Life*. Stockholm: Almqvist & Wiksell, 10: 15-228.

Scudder, G. G. E. 1962b. The Ischnorhynchinae of the world (Hemiptera: Lygaeidae). *Transactions of Royal entomological Society of London*, 114: 163-194.

Seidenstücker, G. 1962. *Lygaeosoma sibiricum* n. sp. (Heteroptera: Lygaeidae) from the Asiatic part of USSR and from Mongolia. *Entomologicheskoe Obozrenie*, 41: 152-159 [in Russian and German].

Slater, J. A. 1955. A revision of the subfamily Pachygronthinae of the World (Hemiptera: Lygaeidae).

*Philippine Journal of Sciences*, 84: 1-160.

Slater, J. A. 1961a. *Dentisblissus*: a new genus of Blissinae from New Guinea (Hemiptera: Lygaeidae). *Pacific Insects*, 3: 481-484.

Slater, J. A. 1961b. A revision of the genus *Iphicrates* (Hemiptera: Lygaeidae). *Pacific Insects*, 3: 507-521.

Slater, J. A. 1964. *A Catalogue of the Lygaeidae of the World.* Storrs: University of Connecticut xviii 1668pp.

Slater, J. A. 1967. Insectes Hétéroptères. Lygaeidae Blissinae. *Faune Madagascar*, 25: 1-55.

Slater, J. A. 1968. A contribution to the systematics of Oriental and Australian Blissinae (Hemiptera: Lygaeidae). *Pacific Insects*, 10: 275-294.

Slater, J. A. 1974. The genus *Dimorphopterus* (Hemiptera: Lygaeidae: Blissinae). *Transactions of the Royal Entomological Society of London*, 126: 57-89.

Slater, J. A. 1979. The systematics, phylogeny, and zoogeography of the Blissinae of the world. (Hemiptera: Lygaeidae). *Bulletin of the American Museum of Natural History*, 165: 1-180.

Slater, J. A. 1985. A taxonomic revision of the Lygaeinae of Australia (Heteroptera: Lygaeidae). Univ. Kansas Sci. Bull. 52: 301-481.

Slater, J. A., Ahmad, I. 1964. The genus *Rhabdomorphus* Bergroth and related Australian genera of Blissinae (Hemiptera: Lygaeidae). *Proceedings of the Royal Society of Queensland*, 75: 19-27.

Slater, J. A., Ashlock, P. D. 1976. The phylogenetic position of Praetorblissus Slater with the description of two new species (Hemiptera: Lygaeidae). *Journal of the Kansas Entomological Society*, 49: 567-579.

Slater, J. A., O'Donnell, J. E. 1995. *A Catalogue of the Lygaeidae of the World* (1960-1994): xv, 1-410, New York Entomological Society, New York.

Slater, J. A., Sweet, M. H. 1965. The systematic position of the Psamminae (Heteroptera: Lygaeidae). *Proceedings of Entomological Society of Washington*, 67: 255-262.

Slater, J. A., Wilcox, D B. 1969. Two new genera of Blissinae from Madagascar (Hemiptera: Lygaeidae)[J]. *Journal of Kansas Entomological Society*, 41 [1968]: 434-441.

Slater, J. A., Wilcox, D. B. 1973a. A revision of the genus *Macropes* (Hemiptera: Lygaeidae: Blissinae). *Pacific Insects*, 15: 213-258.

Slater, J. A., Wilcox, D. B. 1973b. The chinch bugs or Blissinae of South Africa (Hemiptera: Lygaeidae). *Memoirs of the Entomological Society of South Africa*, (12): 1-135.

Slater, J. A., Ashlock P. D. and Wilcox, D. B. 1969. The Blissinae of Thailand and Indochina (Hemiptera: Lygaeidae). *Pacific Insects*, 11: 671-733, 706-718.

Southwood, T. R. E., Leston, D. 1959. *Land and Water Bugs of the British Isles*. Frederick Warne and Co., London. 436 pp.

Spinola, M. 1837. *Essai sur les genres d' insectes appartenants a l' orde des Hemipteres Lin. Ou Rhyngotes, Fab. Et a la section Heteropteres, Dufour. Genes*: Chez Yves Gravier Imprimeur-Libraire. pp. 1-383.

Stål, C. 1858. Beitrag zur Hemipteren-Fauna Sibiriens und des Russischen Nord-Amerika. *Stettiner Entomologische Zeitung*, 19: 175-198.

Stål, C. 1860. *Hemiptera. Species novas descripsit. In: Kongl. Svenska fregattens Eugenies resa omkring jorden under befäl af C. A. Virgin åren* 1851-1853. 2, Zoologi 1. Insecta: 219-298. Norstedt, Stockholm.

Stål, C. 1862b. Synopsis Coreidum et Lygaeidum Sueciae. *Öfversigt af Kungliga Vetenskapsakademiens Förhandlingar*, 19: 203-225.

Stål, C. 1865. *Hemiptera Africana*. Holmiae: Norstedtiana Vol. 2:181 pp.

Stål, C. 1868. Hemiptera Fabriciana. Fabricianska Hemipterarter efter de i Köpenhamn och Kiel förvarade typexemplaren granskade och beskrifne. I. *Kungliga Svenska Vetenskapsakademiens Handlingar* (N. F.), 7 (11): 1-148.

Stål, C. 1870. Enumeratio Hemipterorum. Bidrag till en förteckning öfver aller hittills kända Hemiptera, jemte systematiska meddelanden. 1. *Kungliga Svenska Vetenskapsakademiens Handlingar* (N. F.), 9 (1): 1-232.

Stål, C. 1871. Hemiptera Insularum Philippinarum. Bidrag till Philippinska oarnes Hemipter-fauna. *öfversigt af Kungliga Vetenskapsakademiens Förhandlingar*, 27: 607-776.

Stål, C. 1872. Genera Lygaeidarum Europae disposuit. *öfversigt af Kungliga Vetenskapsakademiens Förhandlingar*, 29: 37-62.

Stål, C. 1874. Enumeratio Hemipterorum. Bidrag till en förteckning öfver aller hittills kända Hemiptera, jemte systematiska meddelanden. 4. *Kungliga Svenska Vetenskapsakademiens Handlingar* (N. F.), 12 (1): 1-186.

Stephens, J. F. 1829. *A systematic catalogue of British insects: an attempt to arrange all the hitherto discovered indigenous insects in accordance with their natural affinities. Containing also the references to every English writer on entomology, and to the principal foreign authors. With all the published British genera to the present time.* 2: 1-388. Baldwin, London.

Stichel, W. 1957. *Illustrierte Bestimmungstabellen der Wanzen*. II. Europa. 2: Stichel, Berlin-Hermsdorf. 481-704.

Stichel, W. 1957-1959. *Illustrierte Bestimmungstabellen der Wanzen. II Europa* (Hemiptera-Heteroptera Europae). Pentatomomorpha Lygaeoidea. Berlin: published privately pp. (1957) 60-96, (1959) 225-384.

Štusák, J. M. 1989. Two new genera and one new subgenus of Berytinae, with nomenclatorial changes (Heteroptera: Bertyidae). *Acta Entomologica Bohemoslovaca*, 86: 286-294.

Štys, P. 1967. Monograph of Malcinae, with reconsideration of morphology and phylogeny of related groups. (Heteroptera: Malcidae). *Acta Entomologica Musei Nationalis Pragae*, 37: 351-516.

Suzuki, T., *et al*. 2013 Morphological and genetic relationship of two closely-related giant water bugs: *Appasus japonicus* Vuillefroy and Appasus major Esaki (Heteroptera: Belostomatidae), *Biological Journal of the Linnean Society*, 110: 615-643.

Sweet, M. H., Schäffer, C. W. 1985. Systematic status and biology of *Chauliops fallax* Scott, with discussion of the phylogenetic relationships of the Chauliopinae (Hemiptera: Malcidae). *Annals of the Entomological Society of America*, 78 (4): 526-536.

Tara, J. S., Kour, R. and Sharma, S. 2011. A record of aquatic Hemiptera of Gharana wetland, Jammu. *The Bioscan*, 6(4): 649-655.

Thomson, C. G. 1871. Ofversigt af de i Sverige fauna arter af gruppen Capsina. *Opuscula Entomologica*, 4: 410-452.

Thunberg, C. P. 1784. *Dissertatio entomologica novas insectorum species sistens*, 3: 53-68. Edman, Uppsala.

Tian , R. L. , Nonnaizab. 1999. Two new species of Miridae from MT. Helan of Inner Mongolia Autonomous Region, China. *Acta Entomologica Sinica*, 42(1): 66-69.

Uhler, P. R. 1860. Hemiptera of the North Pacific Exploring Expedition under Com' rs Rodgers and Ringgold. *Proceedings of the Academy of Sciences of Philadelphia*, 12 (1861): 221-231.

Uhler, P. R. 1876. List of Hemiptera of the region west of the Mississipi River, including those collected during the Hayden exploration of 1873. *Bulletin of the United States Geological Geographical Survey of the Territories*, 1: 269-361.

Uhler, P. R. 1897. Summary of the Hemiptera of Japan, presented to the U. S. National Museum by Professor Mitzukuri. *Proceeding of the United States National Museum*, 19: 255-297.

Usinger, R. L. , R. Matsuda, 1959. Classification of the Aradidae (Hemiptera: Heteroptera). 1-410. British Museum (Natural History), London.

Van Duzee, E. P. 1912. Synonymy of the Provancher collection of Hemiptera. *Canadian Entomologist*, 44: 317-329.

Vásárhelyi, T. 1988. *Aradus chinensis spec. nov.*. *Beitrag zur Entomologie*, 38(1): 89-91.

Vinokurov, N. N. 1988. *Keys to the identification of insects of the Soviet Far East*. Vol. 2: Homoptera and Heteroptera. 883-902.

Vinokurov, N. N. , Kanyukova, E. V. 1995. *Heteroptera of Siberia*. Nauka, Novosibirsk. 1-237.

Wagner, E. 1949. Zur Systematik der Gattung *Lygus* Hahn (Hem. Het. Miridae). *Verhandlungen des Vereins fur Naturwissenschaftliche Hemimatforschung zu Hamburg*, 30: 26-40.

Wagner, E. 1955. Neuer Beiträg zur Systematik der Gattung *Lygus* Hahn. *Acta Entomologica Musei Nationalis Pragae*, 29: 149-158.

Wagner, E. 1956. *Plagiognathus* (*Poliopterus*) *gracilis nov. spec.* (Heteropt. Miridae). *Deutsche Entomologische Zeitschrift* (N. F.), 3: 74-75.

Wagner, E. 1958. Heteropteren aus Iran 1956, II Hemiptera-Heteroptera (Familie Miridae). *Stuttgarter Beiträge zur Naturkunde*, 12: 3.

Wagner, E. 1960. Die paläarktischen arten der gattung *Aelia* Fabricius 1803 (Hem. Het. Pentatomidae). *Zeitschrift für Angewandte Entomologie*, 47: 149-195.

Wagner, E. 1961. Unterordnung: Ungleichflugler, Wanzen, Heteroptera (Hemiptera). *Die Tierwelt Mitteleuropas*, 4:1-173.

Wagner, E. 1965. Die Gattung Commpsidolon Reuter, 1899 (Het. Miridae). *Notulae Entomologicae*, 45: 113-137.

Wagner, E. 1968. Zur Gattung *Calocoris* Fieber, 1858 (Hemiptera: Heteroptera: Miridae). *Reichenbachia*, 10: 149-170.

Wagner, E. 1970. Die Miridae Hahn, 1831, des Mitelmeerraumes und der Makaronesischen Inseln (Hemiptera: Heteroptera). Teil 1. *Entomologische Abhandlungen*, 37 Suppl. iii +484pp.

Wagner, E. 1973. Die Miridae Hahn, 1831, des Mittelmeerraumes und der Makaronesischen Inseln (Hemiptera: Heteroptera). Teil 2. *Entomologische Abhandlungen*, 39 Suppl. ii + 421pp.

Wagner, E. 1975. Die Miridae Hahn, 1831, des Mittelmeerraumes und der Makaronesischen Inseln (Hemiptera: Heteroptera). Teil 3. *Entomologische Abhandlungen*, 40 Suppl. ii + 483pp.

Wagner, E. , Weber, H. H. 1964. *Héteroptères Miridae*. *In*: Faune de France, 67:1-592.

Wang, X. J., Liu, G. Q. 2012. Checklist of Tessaratomidae (Hemiptera: Pentatomoidea) from China. *Entomotaxonomia*, 34(2): 167-175 [王晓静, 刘国卿. 2012. 中国荔蝽科名录(半翅目:蝽总科). 昆虫分类学报, 34(2): 167-175].

Wheeler, A. G., Jr. and Schäffer, C. W. 1982. Review of stilt bugs (Hemiptera: Berytidae) host plants. *Annals of the Entomologica Sociery of America*, 75: 498-506.

Winkler, N. G. 1979. Review of *Lygaeosoma* Spin. (Heteroptera: Lygaeidae) from the USSR and *adjacent countries. Nasekomye Mongolii*, 6: 34-41.

Winkler, N. G., Kerzhner, I. M. 1977. Palaearctic species of the genus Lygaeus F. (Heteroptera: Lygaeidae). *Nasekomye Mongolii*, 5: 254-267.

Wolff, F. 1804. *Icones cimicum descriptionibus illustratae*. 4. Palm, Erlange. 127-166.

Xie, T. Y., Liu, G. Q. 2013a. Catalogue of Nepomorpha (Hemiptera: Heteroptera) from China (I). Chinese sciencepaper Online, 1-18[谢桐音, 刘国卿. 2013a. 中国蝎蝽次目名录(半翅目:异翅亚目)(I). 中国科技论文在线, 1-18].

Xie, T. Y., Liu, G. Q. 2013b. Catalogue of Nepomorpha (Hemiptera: Heteroptera) from China (II). Chinese sciencepaper Online, 1-17[谢桐音, 刘国卿. 2013b. 中国蝎蝽次目名录(半翅目:异翅亚目)(II). 中国科技论文在线, 1-17].

Xu, B. H., Zheng, L. Y. 2002. Nine new species of Phytocoris Fallén from China (Heteroptera: Miridae). *Acta Zootaxonomica Sinica*, 27(2):199-204.

Xue, H. J., Bu, W. J. 2004. A new species of *Chauliops* Scott from China and notes on its 5th instar nymph (Heteroptera: Malcidae: Chauliopinae). *Acta Zootaxonomica Sinica*, 29(1): 121-125.

Yang, W. I. 1934. Notes on the Chinese Scutellerinae (Heteroptera: Pentatomidae). *Bulletin of Fan Memorial Institute Biology*, Vol: 5: 237-284.

Yang, W. I. 1962. Economic Insect Fauna of China. Fasc. 2 (Hemiptera: Pentatomidae). Science Press, Beijing, China. 1-138 [杨惟义, 1962. 中国经济昆虫志 第二册 (半翅目:蝽科). 北京:科学出版社, 1-138 页].

Yasunaga, T. 1990. A revision of the genus *Adelphocoris* Reuter(Heteroptera:Miridae)from Japan. Part Ⅰ. *Japanese Journal of Entomology*, 58: 606-618.

Yasunaga, T. 1990. A revision of the genus *Adelphocoris* Reuter(Heteroptera:Miridae)from Japan. Part Ⅱ. *Japanese Journal of Entomology*, 58: 725-733.

Yasunaga, T. 1991. A revision of the plant bug, genus Lygocoris Reuter from Japan, Part Ⅰ (Heteroptera: Miridae: Lygus-complex). *Japanese Journal of Entomology*, 59(2): 435-448.

Yasunaga, T. 1992. A revision of the plant bug, genus Lygocoris Reuter from Japan, Part Ⅲ (Heteroptera: Miridae: Lygus-complex). *Japanese Journal of Entomology*, 60(1): 10-25.

Yasunaga, T. 1992. New genera and species of Miridae of Japan (Heteroptera). *Proceedings of the Japanese Society of Systematic Zoology*, 47: 45-51.

Yasunaga, T. 1993. Descriptions of the last-instar nymphs of four mirid species(Heteroptera: Miridae) found in the southern Primorskij Kra, Russia. *Japanese Journal of Entomology*, 61: 285-292.

Yasunaga, T. 1994. *Pinalitus* Kelton(Heteroptera: Miridae)and its allied genera of Japan, with descriptions of new genera and species. *Japanese Journal of Entomology*, 62:115-131.

Yasunaga, T. 1998. Revision of the mirine genus Castanopsides Yasunaga from the eastern Asia (Heteroptera: Miridae). *Entomologica scandinavica*, 29: 99-119.

Yasunaga, T., Schwartz, M. D. and Chérot, F. 2002. New genera, species, synonymies and combinations in the "*Lygus* Complex" from Japan, with discussion on *Peltidolygus* Poppius and *Warrisia* Carvalho (Hetroptera: Miridae: Mirinae). *American Museum Novitates*, 3378: 1-26.

Yasunaga, T., S. Miyamoto and I. M. Kerzhner, 1996. Type specimens and identity of the mirid species described byJapanese authors in 1906-1907 (Heteroptera: Miridae). *Zooosystematica Rossica*, 5(1): 91-94.

Yoon, T. J., Kim, D. G., Kim, S. Y., Jo, S. I. and Bae, Y. J. 2010. Light-attraction flight of the giant water bug, *Lethocerus deyrolli* (Hemiptera: Belostomatidae), an endangered wetland insect in East Asia. *Aquatic Insects*, 32: 195-203.

Zettel, H., Tran A. D. 2009. First inventory of the water bugs (Heteroptera: Nepomorpha: Gerromorpha) of Langkawi island, Kedah, Malaysia. *The raffles bulletin of zoology*, 57(2): 279-295.

Zhang, S. M. (ed.). 1985. Economic Insect Fauna of China. Fasc. 31. Heteroptera(Ⅰ). Beijing, Science Press. 1-242 [章士美主编. 1985. 中国经济昆虫志,第31册(半翅目一). 北京: 科学出版社, 1-242页].

Zhang, S. M. (ed.). 1995. Economic Insect Fauna of China. Fasc. 50. Heteroptera(Ⅱ). Beijing, Science Press. 1-169 [章士美主编. 1995. 中国经济昆虫志,第50册(半翅目二). 北京:科学出版社, 1-169页].

Zheng, L. Y. 1988. Hemiptera: Lygaeidae, Miridae. 95-100. In: The Mountaineering and Scientific Expedition, Academia Sinica (ed.). 1988. Insects of Mt. Namjagbarwa Region of Xizang. Science Press, Beijing. 1-621[郑乐怡. 1988. 半翅目:长蝽科、盲蝽科(狭盲蝽族). 95-100. 见:黄复生主编:西藏南迦巴瓦峰地区昆虫. 北京: 科学出版社, 1-621页].

Zheng, L. Y., Zou H. G and Hiao T. Y. 1979. New species of Chinese Lygaeidae (II). Ischnorhynchinae, Oxycareninae, Pachygronthinae (Hemipt-Heteroptera). *Acta Zootaxonomica Sinica*, 4: 362-371 [郑乐怡,邹环光,肖采瑜. 1979. 中国长蝽科新种记述(II)蒴长蝽亚科,尖长蝽亚科,梭长蝽亚科(半翅目:异翅亚目). 动物分类学报, 4(4): 362-371].

Zheng, L. Y., Zou H. G. 1981. Hemiptera: Lygaeidae. In: Huang F. S. (edt.), Insects of Xizang, 111: 145-164. Science Press, Beijing[郑乐怡, 邹环光. 1981b. 半翅目:长蝽科. 145-166. 见:黄复生主编: 西藏昆虫(第一册). 北京: 科学出版社, 1-600页].

Zheng, L. Y., Zou H. G. 1992. Hemiptera: Lygaeidae. 149-162. *In*: Chen S (ed.). 1992. Insects' of the Hengduan Mountains region. Science Press, Beijing. 1-866 [郑乐怡, 邹环光. 1992. 半翅目: 长蝽科. 149-162. 见陈士骧主编. 横断山区昆虫. 第一册. 北京: 科学出版社, 865页].

Zheng, L. Y. 1981. A new *Chauliops* (Heteroptera: Lygaeidae) from China. Acta Entomologica Sinca, 24(2): 188-189 [郑乐怡. 1981. 突眼长蝽属一新种 (异翅亚目:长蝽科). 昆虫学报, 24 (2): 188-189].

Zheng, L. Y. 1985. Notes on the genus *Trigonotylus* Fieber from China (Heteroptera: Miridae). Entomotaxonomia, 7(4): 281-289 [郑乐怡. 1985. 中国赤须盲蝽初志(半翅目:盲蝽科). 昆虫分类学报, 7(4): 281-289].

Zheng, L. Y. 1990. A taxonomic study on Chinese Charagochilus and Proboscidocoris (Hermiptera: Miridae). *Acta Zootaxonomica Sinica*, 15(2): 209-217[郑乐怡. 1990. 中国的纹唇盲蝽属和喙盲蝽属. 动物分类学报, 15(2): 209-217].

Zheng, L. Y. 1995. A list of the Miridae(Heteroptera) record from China since J. C. M. Carvalho's "World

Catalogue". *Proceedings of Entomological Society of Washington*, 97(2): 458-473.

Zheng, L. Y., Chen, C. 1991. On Chinese species of Eurystylus Stål and Eurystylopsis Poppius (Hemiptera: Miridae). *Acta Zootaxonomica Sinica*, 16(2): 197-203 [郑乐怡, 陈晨. 1991. 中国的厚盲蝽属与拟厚盲蝽属. 动物分类学报, 16(2): 197-203].

Zheng, L. Y., Dong, J. Z. 1996. Notes on external morphology of Henestarinae (Hemiptera: Lygaeidae) and its phylogenetic significance. *Entomotaxonomia*, 18(1): 1-10.

Zheng, L. Y., Gao, Z. N. 1990. Records of heteropterous insects from Ningxia Province of China. *Agricultural Journal of Ningxia*, 1990 (3): 15-18[郑乐怡, 高兆宁. 1990. 宁夏半翅目昆虫记录. 宁夏农林科技,1990(3): 15-18].

Zheng, L. Y., Liang, L. J. 1991. Mirid bugs preying on persimmon leafhoppers from China. *Acta Scientiarum Naturalium Universitatis Nankaiensis*, 1991(3): 84-87[郑乐怡, 梁丽娟. 1991. 捕食柿小叶蝉的盲蝽新种和新记录(半翅目:盲蝽科). 南开大学学报, 1991(3): 84 ~ 87].

Zheng, L. Y. and Li, H. Y. 1992. Genus *Tuponia* Reuter from China (Insects: Heteroptera: Miridae). *Reichenbachia*, 29: 9-13.

Zheng, L. Y., Li, X. Z. 1987. Notes on genus *Polymerus* from China (Hemiptera: Miridae). *Acta Scientiarum Universitatis Nankaiensis*, 1987(2): 45-52 [郑乐怡, 李新正. 1987. 中国异盲蝽属初记(半翅目:盲蝽科). 南开大学学报, 1987(2): 45-52].

Zheng, L. Y., Li, X. Z. 1989. An annotated checklist of the genus *Adelphocoris* Reuter from China (Hemiptera: Miridae). *Acta Scientiarum Universitatis Nankaiensis*, 1989(3): 77-88 [郑乐怡, 李新正. 1989 苜蓿盲蝽属中国种类记述. 南开大学学报, 1989(3): 77-88].

Zheng, L. Y., Liu, G. Q. 1992. Forest Insects from Hunan, Hemiptera: Miridae. 290-305. *In*: Peng J-W(ed.). *Iconography of Forest Insects of Hunan.* Hunan Scientific and Technical Publications, Changsha. 1-1473[郑乐怡, 刘国卿. 1992. 半翅目:盲蝽科,290-305. 见:彭建文主编:湖南森林昆虫. 长沙: 湖南科技出版社, 1-1473 页].

Zheng, L. Y., Lu, N. 2002. On Orthops Fieber and some new species of Mirinae from China (Hemiptera: Miridae). *Acta zootaxonomica Sinica*, 27(3): 498-507.

Zheng, L. Y., Ma, C. J. 2004. A study on Chinese species of the genus Alloeotomus Fieber (Heteroptera: Miridae: Deraeocorinae). *Acta Zootaxionamica Sinica*, 29(3): 474-485 [郑乐怡, 马成俊. 2004. 点盾盲蝽属中国种类记述(半翅目,盲蝽科,齿爪盲蝽亚科). 动物分类学报, 29(3): 474-485]. f

Zheng, L. Y., Wang, X. J. 1983. New species and new records of *Lygus* (subg. Apolygus) from China (Hemiptera: Miridae). *Acta Zootaxonomica Sinica*, 8(4): 422-433 [郑乐怡, 汪兴鉴. 1983. 中国丽盲蝽属 Apolygus 亚属新种及新记录. 动物分类学报, 8(4): 422-433].

Zheng, L. Y., Yu, C. 1990. A new genus of the *Lygus* complex from China, with descriptions of six new species (Hemiptera: Miridae). *Entomologica Scandinavica*, 21: 159-171.

Zheng, L. Y., Yu, C. 1992. Notes on Chinese species of Lygus (s. str.) Hahn with description of three new species (Hemiptera: Miridae). *Acta Zootaxonomica Sinica*, 17(3): 352-359 [郑乐怡, 于超. 1992. 草盲蝽属中国种类纪要. 动物分类学报, 17(3): 352-359].

Zheng, L. Y., Yu, C. 1992. Notes on Chinese species of Lygus (s. str.) Hahn with description of three new species (Hemiptera: Miridae). *Acta Zootaxonomica Sinica*, 17(3): 352-359 [郑乐怡, 于超. 1992. 草盲蝽属中国种类纪要. 动物分类学报, 17(3): 352-359].

Zheng, L. Y., Zou, H. G. and Hsiao, T. Y. 1979. New species of Chinese Lygaeidae (II) Ischnorhynchinae, Oxycareninae, Pachygronthinae (Hemipt. Heteroptera). *Acta Zootaxonomia Sinica*, 4: 362-368.

Zheng, L. Y., Lu, N., Liu, G. Q. and Xu, B. H. 2004. *Fauna Sinica*: *Insecta* Vol. 33. (Hemiptera: Miridae: Mirinae). Science Press, Beijing. 1-680 [郑乐怡，吕楠，刘国卿，许兵红. 2004. 中国动物志:昆虫纲:第三十三卷(半翅目:盲蝽科:盲蝽亚科). 北京: 科学出版社, 1-680 页].

Zia, Y. 1957. Tessaratominae of China. *Acta Entomologica Sinica*, 7(4): 423-448 [谢蕴贞. 中国荔蝽亚科记述. 昆虫学报, 7(4): 423-448].

Zou, H. G. 1983. A new genus and three new species of Pilophorini Reuter from China (Hemiptera: Miridae). *Acta Zootaxonomica Sinica*, 8(3): 283-287 [邹环光. 1983. 中国束盲蝽族 (Piloporini) 一新属三新种 (半翅目: 盲蝽科). 动物分类学报, 8(3):284 ~ 285]

Zou, H. G. 1987. Two new species of Pseudoloxops Kirk. from China(Hemiptera: Miridae). *Acta Zootaxonomica Sinica*, 12(4):389-392 [邹环光. 1987. 突额盲蝽属二新种(半翅目:盲蝽科). 动物分类学报, 12(4):389 ~ 392].

Zou, H. G., Zheng L. Y. 1981. New species of Chinese Lygaeidae (Hemipt-Hetropt.) (V). Three new species of Heterogaser Schlling. *Acta Zootaxonomica Sinica*, 6(1): 69-73 [邹环光，郑乐怡. 1981. 中国长蝽科新种记述(V)异腹长蝽属三新种. 动物分类学报, 6(1): 69-73].

# 中名索引

（按首字音序排列，右边的号码为该条目在正文的页码）

## C

## D

**E**



**F**



**G**

**H**

**J**

**M**

**T**

**W**



**X**

**Y**

# 学名索引

（按首字母顺序排列，右边的号码为该条目在正文的页码）

## A

E



F

**G**



**H**

**M**

**N**



**O**

**P**

## Q



## R



## S

**T**



**U**



**V**

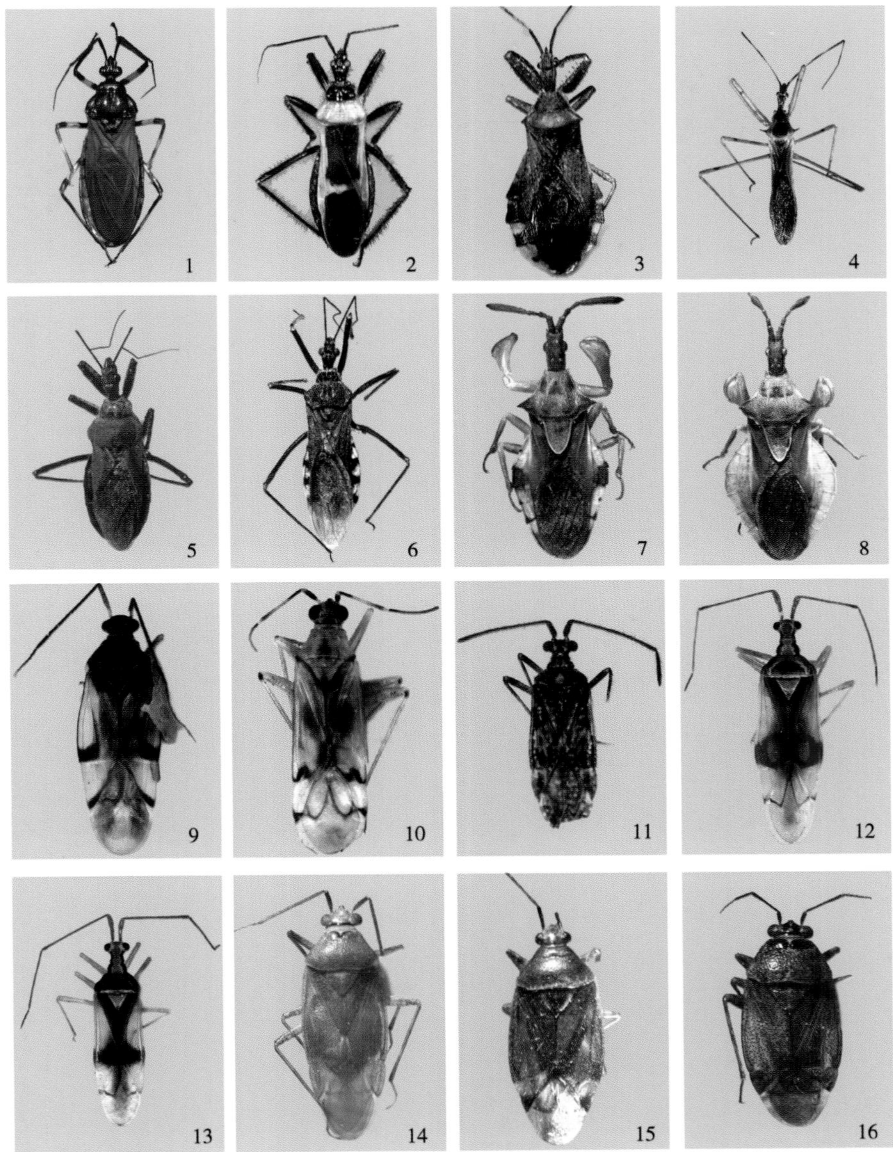


1. 环足健猎蝽 *Neozirta eidmanni*（Taeuber）; 2. 黑腹猎蝽 *Reduvius fasciatus fasciatus* Reuter; 3. 齿塔猎蝽 *Tapirocoris densa* Hsiao *et* Ren; 4. 黑角嗯猎蝽 *Endochus nigrocornis* Stål; 5. 云斑瑞猎蝽 *Rhynocoris incertis*（Distant）; 6. 斑缘猛猎蝽 *Sphedanolestes subtilis*(Jakovlev); 7,8. 中国螳瘤猎蝽 *Cnizocoris sinensis* Kormilev; 9. 萧氏蕨盲蝽 *Bryocoris*（*Cobalorrhynchus*）*hsiaoi* Zheng *et* Liu; 10. 烟盲蝽 *Nesidiocoris tenuis*（Reuter）; 11. 狄盲蝽 *Dimia inexspectata* Kerzhner; 12. 环曼盲蝽 *Mansoniella annulata* Hu *et* Zheng; 13. 黄翅曼盲蝽 *Mansoniella flava* Hu *et* Zheng; 14. 突肩点盾盲蝽 *Alloeotomus humeralis* Zheng *et* Ma; 15. 朝鲜环盲蝽 *Cimicicapsus koreanus*（Linnavuori）; 16. 斑腿齿爪盲蝽 *Deraeocoris*（*Camptobrochis*）*annulifemoralis* Ma *et* Liu

图版 2

1. 大齿爪盲蝽 *Deraeocoris* (*Deraeocoris*) *olivaceus* (Fabricius); 2. 陕西柚树盲蝽 *Isometopus citri* Ren; 3. 杂毛合垫盲蝽 *Orthotylus* (*Melanotrichus*) *flavosparsus* (Sahlberg); 4. 斑膜合垫盲蝽 *Orthotylus* (*Orthotylus*) *sophorae* Josifov; 5. 紫斑突额盲蝽 *Pseudoloxops guttatus* Zou; 6. 红点平盲蝽 *Zanchius tarasovi* Kerzhner; 7. 佛坪微刺盲蝽 *Campylomma fopingensis* Li *et* Liu; 8. 阿拉善短唇盲蝽 *Phaeochiton alashanensis* (Qi *et* Nonnaizab); 9. 广吸血盲蝽 *Pherolepis amplus* Kulik; 10. 棒角束盲蝽 *Pilophorus clavatus* (Linnaeus); 11. 丽束盲蝽, 新种 *Pilophorus elegans* Liu *et* Zhang sp. nov.; 12. 远洋束盲蝽 *Pilophorus erraticus* Linnavuori; 13. 高粱狭长蝽(高粱长蝽) *Dimorphopterus japonicus* (Hidaka); 14. 黄足蔺长蝽 *Ninomimus flavipes* (Matsumura); 15. 黑大眼长蝽 *Geocoris itonis* Horváth

1. 大眼长蝽 *Geocoris pallidipennis* (Costa)；2. 宽大眼长蝽 *Geocoris varius* (Uhler)；3. 突眼高颊长蝽 *Engistus salinus* (Jakovlev)；4. 中华异腹长蝽 *Heterogaster chinensis* Zou *et* Zheng；5. 台裂腹长蝽 *Nerthus taivanicus* (Bergroth)；6. 桦穗长蝽 *Kleidocerys resedae resedae* (Panzer)；7. 红褐蒴长蝽 *Pylorgus obscurus* Scudder；8. 灰褐蒴长蝽 *Pylorgus sordidus* Zheng, Zou *et* Hsiao；9. 韦肿腮长蝽 *Arocatus melanostoma* Scott；10. 拟丝肿腮长蝽 *Arocatus pseudosericans* Gao, Kondorosy *et* Bu；11. 红褐肿腮长蝽 *Arocatus rufipes* Stål；12. 横带红长蝽 *Lygaeus equestris* (Linnaeus)；13. 拟方红长蝽 *Lygaeus oreophilus* (Kiritshenko)；14. 方红长蝽 *Lygaeus quadratomaculatus* Kirby；15. 斑红长蝽 *Lygaeus teraphoides* Jakovlev

图版 4

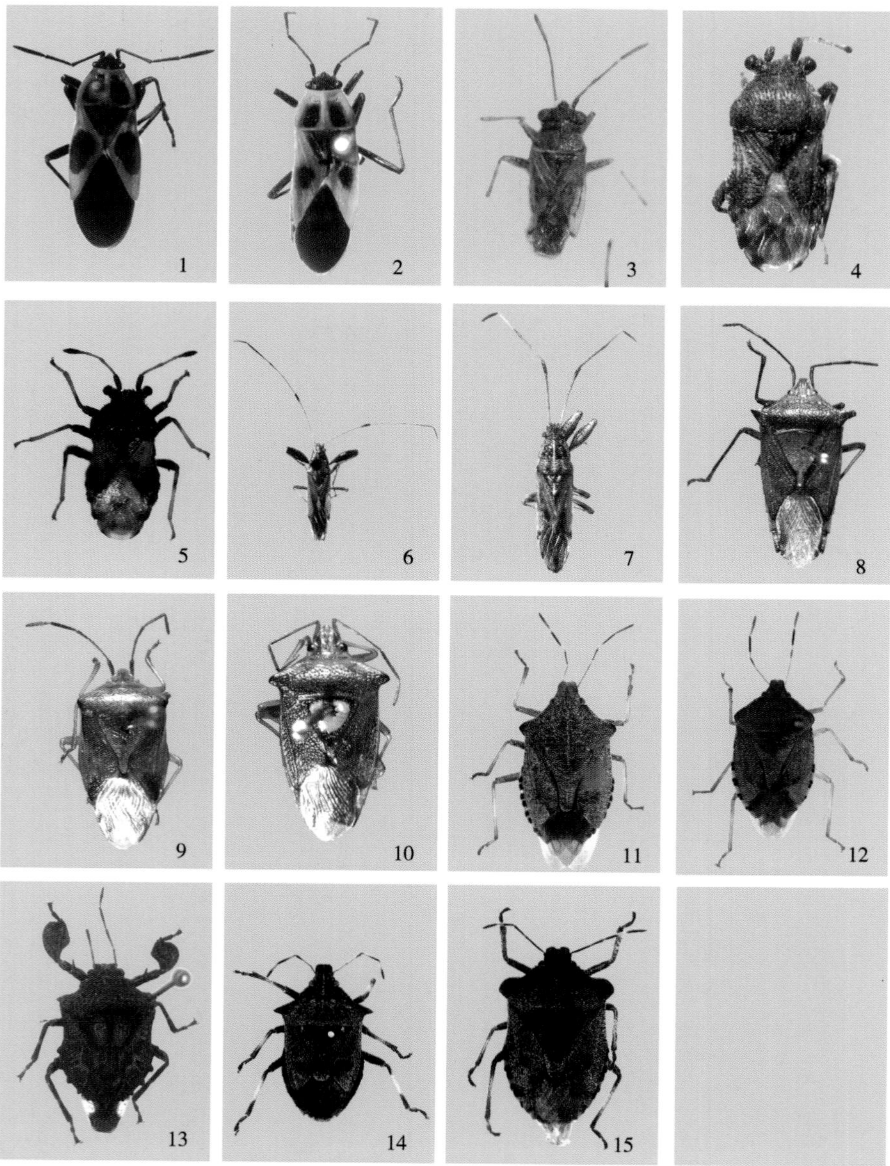


1. 斑脊长蝽(大斑脊长蝽) *Tropidothorax cruciger* (Motschulsky); 2. 红脊长蝽 *Tropidothorax sinensis* (Reuter); 3. 小长蝽 *Nysius ericae ericae* (Schilling)(模式标本); 4. 锥突眼长蝽 *Chauliops conica* Gao *et* Bu; 5. 豆突眼长蝽 *Chauliops fallax* Scott; 6. 长须梭长蝽 *Pachygrontha antennata antennata* (Uhler); 7. 短须梭长蝽 *Pachygrontha antennata nigriventris* Reuter; 8. 泛刺同蝽 *Acanthosoma spinicolle* Jakovlev; 9. 直同蝽 *Elasmostethus interstinctus* (Linnaeus); 10. 伊锥同蝽 *Sastragala esakii* Hasegawa; 11. 欧亚蠋蝽 *Arma custos* (Fabricius); 12. 朝鲜蠋蝽 *Arma koreana* Josifov *et* Kerzhner; 13. 无刺疣蝽 *Cazira inerma* Yang; 14. 益蝽 *Picromerus lewisi* Scott; 15. 耳蝽 *Troilus luridus* (Fabricius)

1. 华麦蝽 *Aelia fieberi* Scott; 2. 多毛实蝽 *Antheminia varicornis* (Jakovlev); 3. 紫翅果蝽 *Carpocoris purpureipennis* (de Geer); 4. 斑须蝽 *Dolycoris baccarum* (Linnaeus); 5. 横纹菜蝽 *Eueydema gebleri* Kolenati; 6. 全蝽指名亚种 *Homalogonia obtusa obtusa* (Walker); 7. 弯角蝽 *Lelia decempunctata* (Motschulsky); 8. 稻绿蝽 *Nezara viridula* (Linnaeus); 9. 浩蝽 *Okeanos quelpartensis* Distant; 10. 红足真蝽 *Pentatoma rufipes* (Linnaeus); 11. 褐真蝽 *Pentatoma semiannulata* (Motschulsky); 12. 圆颊珠蝽 *Rubiconia peltata* Jakovlev; 13. 赤条蝽 *Graphosoma rubrolineatum* (Westwood); 14. 花壮异蝽 *Urochela luteovaria* Distant; 15. 红足壮异蝽 *Urochela quadrinotata* (Reuter); 16. 环斑娇异蝽 *Urostylis annulicornis* Scott